La légende (

Traduite du latin d'après le
manuscrits, avec une introduction, des notes, et
un index alphabétique

de Voragine Jacobus

(Translator: Teodor de Wyzewa)

Alpha Editions

This edition published in 2023

ISBN : 9789357956581

Design and Setting By
Alpha Editions
www.alphaedis.com
Email - info@alphaedis.com

INTRODUCTION

L'auteur de la *Légende Dorée* était, à la fois, un des hommes les plus savants de son temps, et un saint. Sa vie, si quelque érudit voulait prendre la peine d'en reconstituer le détail, enrichirait d'un chapitre précieux l'histoire de la pensée religieuse au treizième siècle ; et puis l'on en tirerait une petite « compilation », qui mériterait d'avoir sa place entre les plus belles et touchantes vies de saints qu'il nous a, lui-même, contées[1]. Mais, du reste, son livre suffit à nous le faire connaître tout entier. Le savant s'y montre à chaque page, aussi varié dans ses lectures qu'original, ingénieux, souvent profond dans ses réflexions ; et sans cesse, sous la science du théologien, nous découvrons une âme infiniment pure, innocente, et douce, une vraie âme d'enfant selon le cœur du Christ.

[1] On pourrait la placer entre la vie de *Sainte Félicité* et celle de *Saint Alexis*, à la date du 13 juillet, où les Dominicains célèbrent, avec un office propre, la fête du bienheureux Jacques de Voragine.

Le bienheureux Jacques est né, en l'année 1228, à Varage, d'où son nom latin : Jacobus de Varagine. Et j'imagine que c'est, ensuite, l'erreur d'un copiste qui, en substituant un *o* au premier *a* de son nom, aura valu à l'auteur de la *Légende Dorée* de devenir, pour la postérité, Jacques de Voragine.

Quant à Varage, où il est né, c'est une charmante ville de la côte de Gênes, à mi-chemin entre Savone et Voltri. Moins heureuse que sa voisine Cogoleto, — qui fut, comme l'on sait, la patrie de Christophe Colomb, — la patrie de Jacques de Voragine n'a rien gardé de ses édifices d'autrefois, à l'exception des ruines imposantes de ses remparts, et d'une haute tour de briques que le petit Jacques, peut-être, aura vu construire : car, avec l'élancement léger de ses colonnettes, et la sveltesse du clocheton pointu dont elle est couronnée, elle doit dater de cette première moitié du XIIIe siècle qui fut, en Italie, une époque incomparable de renaissance chrétienne. Et si le reste de la ville s'est entièrement renouvelé, depuis cette époque, tout y a conservé cependant son caractère ancien, ou, pour mieux dire, éternel. Entre des maisons modernes serpentent, de même que jadis, d'étroites rues pleines d'ombre. Sur la plage ensoleillée, d'honnêtes artisans façonnent, à leur loisir, des barques de pêche, pareilles à celles que façonnait, peut-être, le père de l'auteur de la *Légende Dorée*, dont un chroniqueur génois nous apprend « qu'il est né de condition basse dans une petite terre ». Plus haut, au-delà des vieux remparts crénelés, se déploie un cirque merveilleux de collines plantées d'oliviers ; et, de quelque côté que les yeux se tournent, ces collines sont plantées aussi de couvents, de chapelles, de chemins de croix, qui créent autour de la petite ville une atmosphère de piété ingénue et joyeuse.

Mais nulle part l'âme de Varage ne subsiste plus vivante que sur la place carrée du Municipe, où l'on arrive, du quai, par une belle porte à créneaux de style féodal. C'est là, sans doute, que se sont réunis en grand apparat, le 19 février 1251, les représentants des cités de Savone, d'Albenga et de Vintimille, pour jurer soumission et fidélité à la république de Gênes. Aujourd'hui, la Place du Municipe n'a plus guère l'occasion d'assister à des scènes aussi solennelles : mais à toute heure des badauds s'y promènent de long en large, des mendiants y jouissent doucement de la vie, des enfants y courent en se querellant ; et c'est là encore que se trouve le marchand d'oiseaux. J'ai vu chez lui, dans des cages de bois, des merles, des fauvettes, et un couple de jeunes verdiers, qui m'ont rappelé avec quel empressement Jacques de Voragine, leur vénérable concitoyen, avait accueilli dans sa *Légende* toute sorte d'oiseaux, depuis les moineaux de saint Rémy jusqu'à la perdrix de l'apôtre saint Jean. Et ainsi cette petite place m'apparaissait tout imprégnée de son souvenir, lorsque, relevant la tête, je l'ai aperçu lui-même qui me souriait paternellement. Les habitants de Varage ont eu, en effet, l'excellente idée de placer sa statue dans une niche, au fronton de leur maison communale. Peut-être, seulement, avec un légitime désir de mieux accentuer son autorité, lui ont-ils laissé faire des épaules trop larges et un ventre trop fourni : de telle sorte qu'on a d'abord quelque peine à reconnaître, dans ce majestueux prélat, l'humble moine qui, jusque sur le trône archiépiscopal de Gênes, s'est plu à vivre en pauvre au profit des pauvres. Mais, ressemblant ou non, c'est lui qui se tient là ; et, sous sa statue, une inscription latine nous apprend que, dès l'année 1645, la ville de Varage « se l'est choisi pour patron céleste », *quem cives sui anno 1645 patronem cœlestem sibi adscriverunt.* Aussi veille-t-il, depuis lors, sur la petite ville, y maintenant une paix, une grâce, une sérénité, dont je ne crois pas qu'aucune autre ville de cette âpre Rivière ligure offre l'équivalent.

Le vent même y est tiède et léger, au plus rude de l'hiver. Et quand ensuite, dans les rues de Gênes, on grelotte au soleil sous une bise glacée, on ne peut se défendre d'un vif sentiment de dépit contre l'ingratitude des Génois, qui, peut-être, a attiré sur leur ville cette calamité. Car si Jacques de Voragine est né à Varage, c'est à Gênes qu'il a prodigué tous les trésors de son âme de saint. Il y a joué un rôle si actif et si bienfaisant que les historiens les plus « libéraux », — qui racontent le passé de l'Italie comme si les événements religieux n'y avaient, pour ainsi dire, point tenu de place, — sont tous contraints pourtant de rendre hommage au « pieux évêque » de Gênes, père des pauvres, et « pacificateur des discordes civiles ». Or, en vain on chercherait, dans toute la ville de Gênes, la moindre trace de son souvenir. Entre des centaines de plaques commémoratives, célébrant un séjour de Garibaldi, ou la munificence d'un riche bourgeois qui a fait entourer d'un grillage le pont de Carignan, « pour empêcher les désespérés de s'ôter la vie », en vain on chercherait une inscription où figurât le nom du saint évêque « pacificateur ». En vain on chercherait son nom sur les plaques blanches des *via, vico, vicolo, salita*, dont la vieille cité ligure est plus abondamment pourvue qu'aucune ville d'Europe. Et l'on songe que cet hommage-là, du moins, serait bien dû à un homme qui non seulement a comblé Gênes de services plus précieux encore que les Manin et les Mazzini, mais qui a en outre, pendant plus de trois siècles, nourri la chrétienté tout entière de belles histoires et de beaux sentiments.

Mais je m'aperçois que je n'ai pas dit encore le peu que je sais sur la vie de l'auteur de la *Légende Dorée*, et sur son séjour à Gênes en particulier.

Né en 1228, il avait seize ans lorsque, en 1244, il entra dans l'ordre des Frères Prêcheurs, fondé par saint Dominique en 1215. Cet ordre avait été fondé surtout, on ne l'ignore pas, pour « extirper les hérésies », ce qui lui assignait une tâche plutôt belliqueuse. Mais, par un phénomène singulier, l'ordre des Frères Prêcheurs a produit, en plus grand nombre même que l'ordre rival des Frères Mineurs, des moines d'une suavité d'âme toute franciscaine. Tel fut, notamment, saint Thomas d'Aquin, le « docteur angélique » ; tels le bienheureux Fra Angelico et son frère Fra Benedetto ; tel encore, un siècle plus tard, le délicat rêveur Fra Bartolommeo. Et le Frère Jacques de Voragine était de leur race. Tour à tour novice, moine, professeur de théologie, prédicateur, il unissait à l'éclat de sa science des mœurs si pures et une vertu si aimable que, aujourd'hui encore, tous les couvents dominicains du Nord de l'Italie conservent le souvenir de sa sainteté. A trente-cinq ans, il fut élu par ses Frères prieur de son couvent. Puis, en 1267, ils lui confièrent le gouvernement général des monastères dominicains de la province de Lombardie : fonction infiniment fatigante et difficile, qu'il fut contraint de remplir pendant dix-huit ans.

A peine était-il enfin parvenu à s'en décharger que, en 1288, à la mort de l'archevêque de Gênes Charles Bernard de Parme, le chapitre le choisit pour succéder à ce prélat. Nous ne savons pas s'il fit alors comme saint Grégoire, qui s'était échappé de Rome dans un tonneau en apprenant qu'on s'apprêtait à le proclamer pape : nous savons, en tout cas, qu'il refusa obstinément le nouvel honneur dont on le menaçait ; et ce fut le patriarche d'Antioche, Obezzon de Fiesque, qui fut nommé à sa place. Mais quand celui-ci mourut, quatre ans plus tard, le peuple de Gênes tout entier se joignit au chapitre pour exiger que le Frère Jacques devînt leur évêque. Le saint moine, cette fois, dut se résigner ; et il dut se résigner encore au voyage de Rome, le pape Nicolas IV lui ayant exprimé le désir de le sacrer de ses propres mains. Malheureusement Nicolas IV mourut, le 4 avril, sans avoir pu réaliser son désir : et tout de suite Jacques de Voragine, s'étant fait sacrer par l'évêque d'Ostie, reprit le chemin de son diocèse, qu'il s'engagea, dès lors, à ne plus quitter.

Aussi bien les occasions n'y manquaient-elles point, pour lui, de remplir son rôle d'évêque tel qu'il le concevait. Il y avait, avant tout, à essayer de ramener la paix dans la ville de Gênes, dont les citoyens, vainqueurs de leurs ennemis de Savone et de Pise, n'en étaient devenus que plus ardents à s'égorger entre eux. Sans cesse les Guelfes, partisans des Fiesque et des Grimaldi, protestaient contre la domination du parti gibelin en brûlant des maisons, en saccageant des églises, en assassinant, au détour d'une ruelle, quelque inoffensif client des Doria ou des Spinola : et l'on entend bien que les Gibelins, étant les plus forts, ne se faisaient pas faute, le jour suivant, de le leur prouver par des procédés tout pareils. Depuis des années, la guerre sévissait à demeure dans les rues de Gênes : une guerre si violente que les Génois en étaient presque aussi fiers que de leurs colonies, se glorifiant volontiers d'exceller autant dans les luttes civiles que dans les navales. Or, en 1295, après trois années d'efforts, leur évêque Jacques de Varage obtint d'eux cette chose incroyable : que Guelfes et Gibelins consentissent solennellement à se réconcilier. Pour la première fois, depuis un demi-siècle, un calme fraternel régna dans les petites rues voisines de Saint-Laurent, de Saint-Donat, et de Saint-Mathieu, qui formaient alors le centre de la vie génoise. Et quand, onze mois plus tard, les Guelfes, excités en secret par le roi de Naples Charles II, attaquèrent de nouveau le parti des Spinola, on vit, racontent les chroniqueurs, « le pieux évêque Jacques de Varage se précipiter entre les combattants, pour les séparer au péril de sa vie ».

Mais comment résisterais-je à la tentation de citer le passage de la *Chronique de Gênes* où Jacques de Voragine nous raconte lui-même ces événements, n'oubliant que de faire la moindre allusion à la part très active que, de l'aveu de tous, nous savons qu'il y a prise ? Voici ce passage, traduit non pas sur l'inexacte copie de la *Chronique de Gênes* qui se trouve dans le recueil de Muratori, mais sur un manuscrit magnifique et vénérable de la Bibliothèque Municipale de Gênes, datant, selon toute apparence, de la première moitié du XIVe siècle. Le saint prélat, après s'être longuement étendu sur les mérites des évêques et archevêques ses prédécesseurs, arrive enfin à son propre épiscopat. « Le frère Jacques, — nous dit-il, — huitième archevêque de Gênes, a été élu en 1292, et vivra tant que Dieu voudra bien le laisser en vie. » Puis il mentionne son voyage à Rome, et la mort du pape Nicolas, « qui, croyons-nous, est entré ainsi au palais céleste ». Et voici toute la fin de cette touchante autobiographie :

> L'an du Seigneur 1295, au mois de janvier, fut conclue une
> paix générale et universelle, dans la ville de Gênes, entre

ceux qui s'appelaient Mascarati, ou Gibelins, et ceux qui s'appelaient Rampini, ou Guelfes : entre lesquels, en vérité, le malin esprit avait depuis longtemps suscité de nombreuses divisions et querelles de parti. Soixante ans durant, ces dissensions pleines de dangers avaient troublé la ville. Mais, grâce à la protection spéciale de Notre-Seigneur, tous les Génois sont enfin revenus à la paix et à la concorde, de telle manière qu'ils se sont juré de ne plus faire qu'une seule société, une seule fraternité, un seul corps. Ce qui a produit tant de joie que la ville entière s'est remplie de gaîté. Et nous aussi, dans l'assemblée solennelle où fut conclue la paix, vêtu de nos ornements pontificaux, nous avons prêché la parole de Dieu ; après quoi, avec notre clergé, nous avons chanté *Te Deum laudamus*, ayant auprès de nous quatre évêques et abbés mitrés.

Mais comme, dans ce bas monde, il ne saurait y avoir de pur bien, — car le pur bien est au ciel, le pur mal en enfer, et notre monde est un mélange de bien et de mal, — voilà que, hélas ! notre cithare a dû changer ses cantiques joyeux en de nouvelles plaintes, et l'harmonie de nos orgues a été interrompue par des voix pleines de larmes ! En effet, dans cette même année, au mois de décembre, cinq jours après Noël, l'ennemi de la paix humaine a excité nos concitoyens à une telle discorde et tribulation que, au milieu des rues et des places, ils se sont attaqués l'un l'autre, les armes en main. A quoi ont succédé nombre de meurtres, de blessures, d'incendies et de rapines. Et l'aveuglement de la haine commune est allé si loin que, pour s'emparer de la tour de notre église de Saint-Laurent, une troupe de nos concitoyens n'a pas craint de mettre le feu à l'église, dont tout le toit s'est trouvé brûlé. Et cette périlleuse sédition a duré depuis le cinquième jour de Noël jusqu'au jour du 7 février. C'est à la suite des événements susdits qu'on a décidé de nommer capitaines du peuple messires Conrad Spinola et Conrad Doria.

Et non moins admirable, non moins digne d'être commémoré, fut le rôle joué à Gênes par Jacques de Voragine en tant que père des pauvres de son diocèse. De cela non plus il ne fait point mention, dans sa *Chronique* ; mais les auteurs génois s'accordent à nous dire que, durant les six années de son épiscopat, la ville a été comblée de sa charité. « Toutes les vertus rivalisaient en lui », reconnaît Muratori, peu suspect de partialité à l'égard d'un homme dont il traite l'œuvre entière de « bavardage imbécile ». D'autres nous affirment que, aussi longtemps qu'il fut évêque, pas une fois on ne le vit manger à sa faim. Il allait lui-même soigner les malades, dans les ruelles du port. Il s'était fait donner une liste des indigents et « les visitait du matin au soir, s'entretenant avec eux de leurs menues affaires ». Son revenu et celui de son église, qui, au dire de Muratori, était « des plus gras », tout allait aux pauvres. Pour avoir autrefois compilé avec attendrissement les histoires de saint Jean l'Aumônier, de saint Basile, et d'autres « fous de charité », ces grands saints avaient daigné permettre à leur biographe de leur ressembler. Et j'imagine que lui aussi, comme l'abbé Sérapion, aurait été heureux de vendre son évangile pour nourrir un mendiant : après quoi il aurait répondu à ceux qui se seraient avisés de le lui reprocher : « Ce livre me disait de vendre ce que j'avais pour en donner le prix aux pauvres. Or je n'avais plus que lui. Comment aurais-je pu m'empêcher de le vendre ? »

Avant de mourir, en 1298, il défendit qu'on privât les pauvres du prix de ses funérailles. Et il demanda que son corps, au lieu de reposer dans la cathédrale auprès de ceux des autres évêques, fût transporté dans l'Eglise de son ancien couvent, où on l'a, en effet, déposé, à gauche du chœur. Mais l'église de Saint-Dominique a été démolie, il y a quelques années : et parmi ce que l'on a conservé de ses débris, à l'Académie des Beaux-Arts et au Palais-Blanc, vainement j'ai cherché un vestige de la sépulture de Jacques de Voragine.

―――――――

Je crois en revanche qu'on pourrait aisément, dans les bibliothèques françaises et italiennes, retrouver des copies de tous ses ouvrages : car tous, sans parler de la *Légende Dorée*, ont eu jusqu'au XVe siècle une célébrité universelle ; et quelques-uns ont même été imprimés. A l'exception de la *Chronique de Gênes*, dont on vient de lire les dernières pages, ils datent tous des années qui ont précédé l'avènement du Frère Prêcheur à l'épiscopat. Les auteurs contemporains mentionnent, surtout, une traduction de la Bible en langue italienne, un volumineux commentaire de saint Augustin, et plusieurs recueils de sermons. J'ai eu entre les mains un de ces recueils, à la Bibliothèque Municipale de Tours, qui, si même elle n'avait hérité que du seul fonds de Marmoutier, aurait encore de quoi être une des plus riches bibliothèques de France en œuvres religieuses du moyen âge. Et, en vérité, les sermons de Jacques de Voragine m'ont paru valoir, eux aussi, que quelque pieux savant prît un jour la peine de nous les révéler. Tout comme la *Légende Dorée*, ils ont, sous leur appareil scolastique, une simplicité et une bonhomie très originales, et les mieux faites du monde pour nous émouvoir. Le seul malheur est que l'appareil scolastique y tient une place infiniment plus considérable que dans la *Légende Dorée*, avec une telle quantité de divisions et de subdivisions, de points coupés en d'autres points qui se trouvent coupés à leur tour, que, à chaque ligne, un lecteur d'à présent risque de perdre le fil de l'argumentation, étant donnée surtout l'absence complète de tout signe graphique qui puisse l'aider à se reconnaître. Et je crains bien que des motifs semblables ne nous interdisent, à jamais, de prendre plaisir et profit à la lecture des *Commentaires* de Jacques de Voragine *sur saint Augustin*.

Mais d'ailleurs aucun autre des livres du savant et saint moine n'a eu, même en son temps, un succès comparable à celui de cette *Légende des Saints* que, presque dès son apparition, l'Europe tout entière s'est plu à appeler la *Légende Dorée*. Ce livre sans pareil doit avoir été écrit vers 1255, lorsque l'auteur n'était encore qu'un tout jeune professeur de théologie : car l'*Histoire Lombarde*, qui en forme l'appendice, s'arrête à la mort de Frédéric II, sans même signaler l'élection au trône pontifical d'Alexandre IV[2]. Resterait l'hypothèse que Jacques de Voragine eût écrit sa *Légende* après l'*Histoire Lombarde*, et se fût, ensuite, borné à joindre à son nouveau livre cette chronique, rédigée quelques années plus tôt : mais il n'eût point manqué, en ce cas, de mettre au courant la fin de sa chronique, de même qu'il a fait pour le commencement : puisque, aussi bien, parmi les innombrables erreurs qui ont cours, depuis le seizième siècle, au sujet de la *Légende Dorée*, aucune n'est plus scandaleusement injuste que celle qui consiste à représenter comme une rapsodie, comme un mélange incohérent de morceaux rassemblés au hasard, un livre d'une unité et d'un ensemble parfaits, où chaque récit se trouve expressément chargé de compléter, de rectifier, ou de nuancer quelque récit précédent.

[2] Notons encore que, dans tout son livre, Jacques de Voragine ne nomme pas une seule fois ce pape, ni, non plus, Thomas d'Aquin, qui, dès 1255, avait commencé à devenir une des gloires de l'ordre des Frères Prêcheurs.

Non, la *Légende Dorée* n'est pas une simple rapsodie, ainsi que l'ont prétendu des critiques, et même des traducteurs, qui, croirait-on, ne se sont jamais sérieusement occupés de la lire ! Et pas davantage elle n'est une « compilation », au sens où nous entendons aujourd'hui ce mot. On trouve bien, dans les éditions de la fin du XVᵉ siècle, deux histoires, celle de *Sainte Apolline* et celle de *Sainte Paule*, qui reproduisent, mot pour mot, des textes antérieurs : et ce sont celles-là qu'on cite, quand on veut prouver que Jacques de Voragine s'est contenté de transcrire, dans son livre, des passages copiés à droite et à gauche. Mais le fait est que ces deux histoires ne sont point de Jacques de Voragine : car elles manquent non seulement dans la plupart des vieux manuscrits, mais même dans les premières éditions imprimées. Ce sont donc de ces innombrables interpolations que, au cours des siècles, les copistes ont introduites dans le texte original de la *Légende Dorée*[3] : et j'ajoute que, si même nous n'avions pas la ressource de pouvoir reconstituer ce texte original en éliminant tous les chapitres qui ne figurent point dans les premiers manuscrits, le style des chapitres ajoutés suffirait à nous mettre en défiance contre eux. Car Jacques de Voragine n'est peut-être pas un grand écrivain : mais à coup sûr il possède un style qui lui appartient en propre, un style, et une façon de composer, et surtout une façon de raconter ; de telle sorte que les citations les plus diverses prennent aussitôt, sous sa plume, la même allure et le même attrait. Que l'on compare, à ce point de vue, son récit des martyres des saints avec le récit qu'en donne le *Bréviaire* : ou, plutôt encore, qu'on compare ses légendes de *Saint Jean l'Aumônier*, de *Saint Antoine*, de *Saint Basile*, avec le texte de la *Vie des Pères*, d'où il nous dit qu'il les a « directement extraites » ! Et l'on comprendra alors ce que sa « compilation » impliquait de travail personnel, de réelle et précieuse *création* littéraire. Et l'on comprendra aussi, très clairement, le caractère et la portée véritables de la *Légende Dorée*.

[3] Un exemple suffira pour donner l'idée du nombre fantastique de ces interpolations. Les éditions de 1470, encore presque conformes au texte primitif, contiennent environ 280 chapitres : une édition française de 1480 en contient 440, et l'édition anglaise de Caxton, 448.

Mais avant de définir ce caractère et cette portée, il y a une autre erreur encore que je dois signaler : celle qui consiste à voir dans la *Légende Dorée* un recueil de « légendes », autant dire de fables, et présentées comme telles par l'auteur lui-même. En réalité, *Legenda Sanctorum* signifie : lectures de la vie des saints. *Legenda* est ici l'équivalent du mot *lectio*, qui, dans le *Bréviaire*, désigne les passages des auteurs consacrés que le prêtre est tenu de lire entre deux oraisons. Et Jacques de Voragine n'a nullement l'intention de nous donner pour des fables les histoires qu'il nous raconte. Il entend que son lecteur les prenne au sérieux, ainsi qu'il les prend lui-même, sauf à exprimer souvent des réserves sur la valeur de ses sources, ou, avec une loyauté admirable, à mettre vivement en relief une contradiction, une invraisemblance, un risque d'erreur. Et de là ne résulte point que nous devions, aujourd'hui, admettre la vérité de tous ses récits : aucun d'eux, au moins dans le détail, n'est proprement article de foi. Mais par là s'explique que lui, l'auteur, admettant de toute son âme cette vérité, ait pu employer à ses récits une franchise, une chaleur d'imagination, et un élan d'émotion qui, depuis des siècles, et aujourd'hui encore, les revêtent d'un charme où le lecteur le plus sceptique a peine à résister. Ce livre n'a si profondément touché tant de cœurs que parce qu'il a jailli, tout entier, du cœur.

Et son unique objet était, précisément, de toucher les cœurs. Car la *Légende Dorée* est, à sa façon, un des signes les plus caractéristiques de son temps, du temps qui a produit saint François, saint Dominique, saint Louis, et rempli le monde d'églises merveilleuses. C'est un temps où, dans l'Europe entière, le peuple, s'éveillant enfin d'une longue somnolence, a commencé tout à coup d'aspirer fiévreusement à la vie de l'esprit. Tout à coup l'architecture, la sculpture, tous les arts se sont laïcisés, sont sortis des couvents pour aller au peuple. Et, de même, la pensée religieuse. En même temps qu'il s'occupait à construire des églises, le peuple réclamait d'être initié aux secrets de la théologie : il voulait qu'un contact plus intime s'établît désormais entre Dieu et lui. De là son enthousiasme à accueillir le Pauvre d'Assise, dont l'âme parfumée n'était qu'une expression plus haute et plus profonde de toute l'âme populaire. De là l'immense et soudain succès des deux grands ordres qui, créés pour des fins différentes, avaient tous deux en commun de s'adresser directement au peuple, de se mêler au peuple plus étroitement que les ordres antérieurs, et le séculier même. Le peuple voulait, en quelque sorte, pénétrer jusqu'au chœur de l'église, afin de mieux célébrer Dieu, étant plus près de lui. Et c'est à cette tendance que répond la conception de la *Légende Dorée*, comme par elle s'explique, aussi, l'extraordinaire fortune de ce livre.

La *Légende Dorée* est, essentiellement, une tentative de vulgarisation, de « laïcisation », de la science religieuse. Bien d'autres théologiens, avant Jacques de Voragine, avaient écrit non seulement des vies de saints, mais des commentaires de toutes les fêtes de l'année. Le *Bréviaire*, par exemple, dès le XIᵉ siècle, avait été compilé, à peu près sous sa forme d'aujourd'hui, avec des *leçons* équivalant aux chapitres de la *Légende Dorée*. Et, à chaque page, le bienheureux Jacques de Voragine cite d'autres compilations analogues, le *Livre Mitral*, le *Rational des offices divins* de maître Jean Beleth, chanoine d'Amiens, etc. Mais tous ces ouvrages s'adressaient aux théologiens, aux clercs : et la *Légende Dorée* s'adresse aux laïcs. Elle a pour objet de faire sortir, des bibliothèques des couvents, les trésors de vérité sainte qu'y ont accumulés des siècles de recherches et de discussions, et de donner à ces trésors la forme la plus simple, la plus claire possible, et en même temps la plus attrayante : afin de les mettre à la portée d'âmes naïves et passionnées qui aussitôt s'efforcent, par mille moyens, de témoigner la joie extrême qu'elles éprouvent à les accueillir. Voilà pourquoi Jacques de Voragine ne dédaigne point d'admettre, dans son livre, jusqu'à des récits dont il avoue lui-même qu'ils ne méritent pas d'être pris bien à cœur ! Voilà pourquoi il ne néglige jamais une occasion d'expliquer longuement le sens des diverses cérémonies religieuses, la tonsure des prêtres, les processions, la dédicace des églises ! Et voilà pourquoi, tout en nommant toujours les auteurs dont il « compile » les savants écrits, il a toujours soin de modifier les passages qu'il leur emprunte, de manière que l'âme la plus simple puisse les comprendre et en profiter. Sa *Légende* est, ainsi, la suite directe de cette traduction italienne de la Bible que ses biographes signalent comme l'un de ses premiers ouvrages. Et si, au lieu d'écrire sa *Légende* en italien, il l'a écrite dans un honnête latin de sacristie, dont les humanistes de la Renaissance ont eu beau jeu à railler la médiocrité, c'est que, sans doute, sous cette forme, il a su que son livre pourrait se répandre plus loin, et ouvrir à plus d'âmes la maison de Dieu.

Le fait est qu'il n'y a peut-être pas de livre qui ait été plus souvent copié et traduit. Toutes les bibliothèques du monde en possèdent des manuscrits, dont quelques-uns comptent parmi les chefs-d'œuvre des deux arts délicieux de la calligraphie et de l'enluminure. Et lorsque, deux cents ans après, l'imprimerie vient, hélas ! se substituer à ces deux arts et les anéantir, c'est encore la *Légende Dorée* qu'on imprime le plus. Les catalogues mentionnent près de cent éditions latines différentes, publiées entre les années 1470 et 1500 : sans compter d'innombrables traductions françaises, anglaises, hollandaises, polonaises, allemandes, espagnoles, tchèques, etc. Du treizième siècle jusqu'au seizième, la *Légende Dorée* reste, par excellence, le livre du peuple.

Et je dois ajouter qu'il n'y a peut-être pas de livre, non plus, qui ait exercé sur le peuple une action plus profonde, ni plus bienfaisante. Car le « petit » livre du bienheureux Jacques de Voragine, — si l'on me permet de lui garder une épithète que tous les auteurs anciens s'accordent à lui attribuer, — a été, pendant ces trois siècles, une source inépuisable d'idéal pour la chrétienté. En rendant la religion plus ingénue, plus populaire, et plus pittoresque, il l'a presque revêtue d'un pouvoir nouveau : ou du moins il a permis aux âmes d'y prendre un nouvel intérêt, et, pour ainsi dire, de s'y réchauffer plus profondément. Tout de suite les nefs des églises se sont peuplées d'autels en l'honneur des saints et des saintes du calendrier. Tout de suite les tailleurs de pierres se sont mis à sculpter, aux porches des cathédrales, les touchants récits de la *Légende Dorée*, les peintres, les verriers, à les représenter sur les murs ou sur les fenêtres. Entrez dans une vieille église de Bruges, de Cologne, de Tours ou de Sienne : toutes les œuvres d'art qui vous y accueilleront ne sont que des illustrations immédiates, littérales, de la *Légende Dorée*. C'est d'après Jacques de Voragine que Memling et Carpaccio nous racontent le voyage de sainte Ursule avec ses onze mille compagnes. Quand Piero della Francesca, dans ses fresques d'Arezzo, ou Agnolo Gaddi dans celles de Florence, nous font assister aux aventures diverses du bois de la sainte Croix, ils suivent de phrase en phrase le texte de la *Légende Dorée*. D'autres prennent même, dans le vieux livre, des sujets profanes, et, comme Thierry Bouts au Musée de Bruxelles, nous détaillent, d'après l'*Histoire Lombarde*, un acte de justice de l'empereur Othon. Et il n'y a point jusqu'aux grands tableaux de Rubens, de Murillo, de Poussin, qui ne reproduisent les scènes des martyres des saints ou de leurs miracles exactement comme le bienheureux évêque de Gênes les a « compilées » à notre intention. Toute la part que, aujourd'hui encore, notre imagination mêle à ce que nous apprennent, de l'histoire sacrée, les Ecritures et la Tradition, tout cela nous vient, en droite ligne, de la *Légende Dorée*.

Aussi ne saurait-on trop déplorer le profond discrédit qu'ont cru devoir jeter sur ce livre d'éminents écrivains religieux de la Renaissance et du XVIIe siècle, depuis Vivès, l'ami d'Erasme, jusqu'à l'impitoyable Jean de Launoi, le « dénicheur de saints », dont un contemporain disait qu'il « avait plus détrôné de saints du paradis que dix papes n'en avaient canonisé ». Ces savants hommes ont évidemment lu la *Légende Dorée,* comme toutes choses, avec l'impression qu'un ministre calviniste lisait par-dessus leur épaule, guettant une occasion de se moquer d'eux. Et ainsi ils se sont trouvés empêchés de réfléchir au sens et à la portée du vieux livre ; de telle sorte qu'au lieu d'honorer en Jacques de Voragine l'un des plus érudits en même temps que le plus vénérable de leurs devanciers, il n'y a pas d'injure dont ils ne l'aient accablé : poussés, par leur indignation, jusqu'au calembour, car les uns l'appelaient un « gouffre d'ordures », jouant sur le sens latin du mot *vorago,* tandis que d'autres déclaraient que sa *Légende* n'était pas d'or, mais de *fer* et de *plomb.* Ils ne lui pardonnaient pas, notamment, d'avoir mis saint Georges aux prises avec un dragon avant de le mettre aux prises avec les tenailles du préfet Dacien, ni d'avoir raconté que saint Antoine avait rencontré au désert un centaure et un satyre, ni d'avoir conduit à Rome les onze mille compagnes de sainte Ursule, ni, en maints endroits, d'avoir confondu les noms et brouillé les dates.

Et certes je ne prétends pas que, à la considérer au point de vue historique, la *Légende Dorée* ne contienne pas d'affirmations inexactes, ou, tout au moins, d'une exactitude à jamais incertaine. Je croirais volontiers, plutôt, qu'elle en est remplie, comme tous les ouvrages historiques de son temps, comme ceux de tous les temps ; et, sans doute, les écrits mêmes de Vivès et de Launoi, si un érudit voulait aujourd'hui les contrôler à ce point de vue, apparaîtraient, eux aussi, amplement pourvus d'erreurs et de légendes. Mais, d'abord, ainsi que le dit très sagement Bollandus, rien n'est plus injuste que d'attribuer à Jacques de Voragine la responsabilité d'affirmations qu'il a, toutes, puisées dans des ouvrages antérieurs, en les contrôlant de son mieux chaque fois qu'il pu, ou en nous faisant part des doutes qu'elles lui inspiraient. Pour citer encore une expression de Bollandus, le tort de Vivès et des autres détracteurs de la *Légende Dorée* a été « de vouloir critiquer ce qu'ils ne comprenaient pas et qu'ils ignoraient ». Ils ignoraient qu'un érudit du XIIIe siècle ne disposait point des mêmes moyens d'information que ceux dont ils disposaient, trois ou quatre siècles plus tard : c'est-à-dire qu'il manquait de beaucoup de ceux qu'ils avaient, mais que, peut-être aussi, il en avait d'autres qui désormais leur manquaient. Et quant à soutenir, comme ils le soutenaient, que la plupart des récits de la *Légende Dorée* sont des fables parce que les documents contemporains n'en font pas mention, c'est en vérité montrer, à l'égard de ces documents, une crédulité plus naïve encore que celle des contemporains de Jacques de Voragine à l'égard du dragon de saint Georges et du centaure de saint Antoine. Qu'un document soit contemporain des faits qu'il atteste, comme par exemple nos journaux, ou qu'il leur soit postérieur, comme les histoires et les chroniques les plus abondantes, on ne risque guère à soutenir que l'erreur y tient plus de place que la vérité, que de mille choses considérables ils ne font point mention, et qu'ils en mentionnent mille autres qui n'ont jamais existé.

Mais surtout le tort de Vivès et de ses successeurs a été de « vouloir critiquer ce qu'ils ne comprenaient pas ». Ils ne comprenaient pas, en effet, que des erreurs comme celles qu'ils signalaient dans la *Légende Dorée* n'avaient point, pour un lecteur catholique, la même importance que pour ce ministre calviniste qui hantait leurs rêves. Car, si les protestants estiment que Dieu, après avoir parlé aux hommes depuis Adam jusqu'à Jésus-Christ, s'est tu à jamais dès qu'il nous a légué le Nouveau Testament, c'est, au contraire, la croyance des catholiques que, suivant sa promesse, il a « envoyé aux hommes son Esprit », pour continuer à les instruire et à les guider. Lors donc que la Sainte Eglise a proclamé saints des hommes dont, le plus souvent, la vie et les actes lui étaient connus de la façon la plus sûre et la plus directe, aucun catholique n'a le droit de contester le fait de leur sainteté. C'est ce que ne comprenait pas Launoi, quand, sous prétexte que ses recherches ne lui avaient pas démontré l'existence de sainte Catherine, il remplaçait l'office de cette sainte par une messe de *Requiem* : le « dénicheur de saints » prouvait simplement, par là, qu'il était un sot, à vouloir mettre ses petites recherches personnelles au-dessus de l'autorité de sa mère l'Eglise. Et, puisque la sainteté des saints de la *Légende Dorée* ne saurait faire de question pour nous, qu'importe ensuite, à défaut de l'histoire véritable de leur vie, nous ayons de belles légendes qui certainement expriment, sinon les faits de cette vie, du moins son âme et son sens profond ? Ainsi l'entendaient les chrétiens des premiers siècles, qui ne tenaient nullement pour illicite d'embellir à leur fantaisie, dans leurs chroniques, la vie de la Vierge et des saints, pas plus que les vieux peintres ne s'interdisaient de représenter leurs traits à leur fantaisie. Et de même que maintes images de la Vierge, sans prétendre le moins du monde à être des portraits, ont reçu de Dieu le pouvoir d'opérer des miracles, de même rien ne nous empêche d'admettre que Dieu, s'il le juge bon, puisse prêter aux légendes de ses saints une réalité supérieure. Cela encore était une des croyances favorites des grands âges chrétiens ; et la trace s'en retrouve à chaque page dans la *Légende Dorée*. Nous y lisons, par exemple, l'histoire d'un gardien d'église qui, au lieu de donner à un pèlerin un vrai doigt de saint Augustin, s'était amusé à lui donner le doigt d'un pauvre homme qui venait de mourir : après quoi, apprenant que ce doigt faisait des miracles, il était allé voir le corps du saint, et s'était aperçu qu'un doigt y manquait. Rien n'est impossible à Dieu ; et il n'y a point de Vivès, de Launoi, ni de Baillet, dont l'érudition prévaille contre cet article de foi.

Je ne crois pas, au reste, que personne s'avise plus, aujourd'hui, de reprocher à la *Légende Dorée* la faiblesse de sa critique, ni l'incohérence de sa chronologie. Et je suis sûr que personne ne pourra s'empêcher de sentir l'exquise douceur poétique de cette *Légende*, son charme ingénu, mais, par-dessus tout, la pureté et la beauté incomparables de l'esprit chrétien dont elle est imprégnée. Quelque opinion que l'on ait de l'exactitude documentaire de chacun de ses récits, on reconnaîtra que leur ensemble forme un manuel parfait de la vie suivant l'Evangile, un manuel infiniment varié, et d'autant mieux adapté aux diverses conditions de l'existence humaine. Car la *Légende Dorée* restera toujours ce que son auteur a voulu qu'elle fût : un livre à l'adresse du peuple, offrant à tout homme la leçon et l'exemple qui peuvent lui convenir. Mais leçons et exemples, malgré leur diversité, y ont toujours en commun d'être directement inspirés de la parole du Christ.

Et la religion qu'on y trouve exprimée est toute d'indulgence et de consolation. C'est la religion telle que la concevait saint François d'Assise, telle qu'allait la traduire, deux siècles après, le bienheureux Fra Angelico, dans ces miniatures et ces fresques dont, seul, un chrétien peut apprécier la surnaturelle vérité chrétienne. Qu'on voie avec quelle ardente sympathie Jacques de Voragine nous raconte les actes charitables des saints, comme il s'échauffe lorsqu'il nous parle de saint Basile, de saint Jean l'Aumônier, ou de saint Martin ! Peu s'en faut qu'il ne les préfère aux martyrs eux-mêmes, tant il découvre en eux des disciples fidèles de son divin maître. Et ses martyrs, combien ils sont joyeux et doux, combien ils ont de tendre pitié pour leurs persécuteurs ! Le préfet qui torturait saint Longin est, tout à coup, devenu aveugle et supplie le saint de lui rendre la vue : « Sache, mon pauvre ami, lui répond le saint, que tu ne pourras être guéri qu'après m'avoir tué ! Mais, aussitôt que je serai mort, je prierai pour toi ; et Dieu m'accordera bien la guérison de ton corps et de ton âme ! » Et saint Christophe, de son côté, dit au roi de Samos : « Quand tu m'auras fait trancher la tête, applique un peu de mon sang sur tes yeux, et tu recouvreras la vue ! » Voilà vraiment de beaux saints ; et il n'y a point de pécheur qui n'ait de quoi reprendre courage, en songeant que, là-haut, de tels amis s'emploient à plaider pour lui !

Peut-être même est-ce cet esprit d'indulgence et de compassion infinies qui, plus encore que le dragon de saint Georges, a valu à la *Légende Dorée* la mauvaise humeur de certains écrivains religieux du XVIIᵉ siècle. Sous l'influence du protestantisme et du jansénisme, nombre d'excellents catholiques, alors, estimaient imprudent de trop prêcher au peuple la bonté de Dieu. Les peintres, ayant à peindre Jésus sur la croix, le représentaient avec les bras levés au ciel, et non plus avec les bras étendus pour bénir la terre. Les philosophes insistaient sur la différence essentielle de la bonté divine et de l'humaine. Et tous, d'une façon générale, ils s'efforçaient plutôt d'effrayer les hommes que de les rassurer. Peut-être, dans ces conditions, la *Légende Dorée* leur aura-t-elle paru trop consolante, je veux dire faite pour nous donner une notion trop inexacte de l'éternelle justice ? Mais aujourd'hui, de même que nos imaginations ont soif de légendes, nos cœurs ont soif de pitié et de consolation. Nous avons besoin que Jésus vienne à nous avec les bras grands ouverts, que, dans nos peines, il nous dise, comme à l'apôtre dans sa prison d'Antioche : « Mon ami, as-tu cru vraiment que je t'oubliais ? » Nous avons besoin que, comme au brigand qui récitait tous les jours son *Ave Maria*, il daigne nous promettre le pardon de toutes nos fautes, en échange du peu de foi que nous pouvons lui offrir.

« Si tu dois tenir compte de nos iniquités, Seigneur, qui osera affronter ton jugement ? » C'est à ce cri de nos misérables âmes que répond surtout la *Légende Dorée*, par la voix de ses confesseurs et par l'exemple de ses pécheresses, nous apportant le témoignage de treize siècles de christianisme, dont elle est, sinon une histoire toujours bien exacte, à coup sûr le testament le plus authentique. Elle nous apprend que la justice de Dieu n'est toute faite que de sa bonté. « Ne craignez pas trop, nous dit-elle, que le Seigneur vous tienne compte de vos iniquités ! Lui-même, suivant l'expression de saint Bernard, est prêt à vous faire bénéficier du surplus de ses mérites ; et puis il y a, auprès de lui, la Vierge et tous les saints, qui ne cessent point de le solliciter en votre faveur. Mais il ne vous pardonnera qu'à la condition que vous l'aimiez, dans la personne du pauvre et du malade, de la veuve et de l'orphelin, de tous ceux que la souffrance élève jusqu'à lui ; à la condition que vous restiez humbles d'esprit et de cœur, vous gardant avec soin des fruits amers de l'arbre de la science, dont le diable vous affirme qu'ils pourront vous rendre pareils à des dieux ; et à la condition, enfin, que vous honoriez le Seigneur dans la nature, son œuvre, au lieu de mépriser et de détruire celle-ci comme vous vous acharnez à le faire. Habituez-vous plutôt à écouter les leçons des forêts que celles des livres ! Obtenez des moineaux qu'ils consentent à venir manger dans vos mains ! Et, quand vous verrez un ours ou un loup pris au piège, hâtez-vous de courir à lui pour le délivrer ! Renoncez à vous-mêmes pour vivre tout entiers dans le reste du monde : moyennant quoi le Seigneur non seulement vous préparera une petite place dans son paradis, mais, dès cette vie, imprimera sur vos lèvres le tranquille et heureux sourire que vous voyez rayonner sur les lèvres des saints ! » Telle est la leçon que nous enseigne, à toutes ses pages, la *Légende Dorée*, avec son mauvais style et ses erreurs de dates ; et peut-être, cette leçon, les contemporains même de Jacques de Voragine n'avaient-ils pas autant que nous besoin de l'entendre !

Quant à la traduction de la *Légende Dorée* que je soumets aujourd'hui au lecteur français, je dirai seulement que je l'ai faite sur une édition latine imprimée, en 1517, à Lyon, chez Constantin Fradin ; mais, sans cesse, autant que j'ai pu, je me suis reporté à des éditions plus anciennes et à des copies manuscrites.

J'ai retranché, naturellement, la plupart des chapitres des éditions postérieures qui, ne se trouvant point dans les manuscrits, sont à coup sûr des interpolations. J'ai cru, cependant, devoir en conserver deux, qui, du reste, ont été introduits de très bonne heure dans le texte de la *Légende Dorée* : ceux de *Saint François* et de *Sainte Elisabeth*. J'ai écourté, çà et là, quelques développements scolastiques où l'auteur expliquait, par exemple, les dix motifs, divisés chacun en une dizaine d'autres, qui avaient décidé le Seigneur à se laisser circoncire ou à naître d'une vierge. Et je me suis également décidé à retrancher, après les avoir d'abord traduites, les étymologies placées par l'auteur en tête de ses chapitres. Bollandus et d'autres écrivains autorisés ont soutenu que ces étymologies n'étaient point de Jacques de Voragine ; mais je crains bien, hélas ! qu'elles ne soient de lui, et ce n'est point ce scrupule-là qui m'a empêché de les publier. Je les ai retranchées, simplement, parce qu'elles auraient prêté à rire, sans profit pour personne. Le saint évêque de Gênes, de même que tous les savants de son temps, ignorait le grec. Et nous aussi, en vérité, nous l'ignorons, mais nous en savons assez pour être sûrs que le nom d'Agathe, par exemple, ne vient point « d'*Aga*, parlant, et de *thau*, perfection ». Quand Jacques de Voragine nous affirme que le nom d'Antoine vient « d'*ana*, en haut, et de *tenens*, tenant », nous éprouvons malgré nous une tentation de sourire qui risque de nous faire mal apprécier, ensuite, la touchante beauté de la vie du saint. L'art d'un temps, pour peu que l'artiste y ait mis de son cœur, a de quoi nous plaire éternellement : mais la science d'un temps ne vaut que pour son temps.

Et, à part ces suppressions et ces abréviations, dont le total ne dépasse pas une trentaine de pages, j'ai essayé de traduire aussi fidèlement que possible le texte original de la *Légende Dorée*. Puisse l'œuvre du vénérable Jacques de Varage retrouver parmi nous, sous cette forme nouvelle, un peu de sa bienfaisante action d'autrefois !

T. W.

PROLOGUE
DIVISION DE L'ANNÉE

Toute la vie de l'humanité se divise en quatre périodes : la période de la déviation ; celle de la rénovation, ou du retour dans la droite voie ; celle de la réconciliation ; et celle du pèlerinage. 1° La période de la déviation a commencé avec Adam et a duré jusqu'à Moïse : c'est en effet Adam qui, le premier, s'est détourné de la voie de Dieu. Et cette première période est représentée, dans l'Eglise, par la partie de l'année qui va de la Septuagésime jusqu'à Pâques. On récite, pendant cette partie de l'année, le livre de la *Genèse*, qui est celui où se trouve racontée la faute de nos premiers parents. 2° La période de la la rénovation a commencé avec Moïse et a duré jusqu'à la naissance du Christ : c'est en effet la période où, par les prophètes, les hommes ont été rappelés à la foi, et renouvelés. Elle est représentée, dans l'Eglise, par la partie de l'année qui va de l'Avent jusqu'à Noël. Et l'on y récite Isaïe, qui traite le plus clairement de cette rénovation. 3° La période de la réconciliation est celle où, par le Christ, nous avons été réconciliés avec Dieu. Elle est représentée, dans l'Eglise, par la partie de l'année comprise entre Pâques et la Pentecôte. Et on y lit l'Apocalypse, où est pleinement traité le mystère de cette réconciliation. 4° Enfin la période du pèlerinage est celle de notre vie présente, où nous errons, comme des pèlerins, à travers mille obstacles. Elle est représentée, dans l'Eglise, par la partie de l'année qui va de l'octave de la Pentecôte jusqu'à l'Avent ; et l'on y récite les livres des *Rois* et des *Macchabées*, où sont racontés de nombreux combats, symbolisant la lutte spirituelle qui nous est imposée. Quant à la section de l'année qui va de Noël jusqu'à la Septuagésime, elle est classée en partie dans la période de la réconciliation (depuis Noël jusqu'à l'octave de l'Epiphanie), et en partie dans la période du pèlerinage (depuis l'octave de l'Epiphanie jusqu'à la Septuagésime).

Mais bien que la déviation ait précédé la rénovation, l'Eglise préfère commencer son année par le temps de la rénovation, c'est-à-dire l'Avent, et cela pour deux motifs : 1° parce que, du fait même que ce temps est celui de la rénovation, l'Eglise y renouvelle tous ses offices ; 2° parce que, en commençant par le temps de la déviation, elle semblerait commencer par l'erreur. Et voilà pourquoi elle ne s'en tient pas à suivre l'ordre des temps, de même que, souvent, ne s'y astreignent pas les évangélistes dans leurs récits de la vie du Seigneur.

C'est donc d'après cette division des quatre parties de l'année ecclésiastique que nous allons procéder à l'étude des diverses fêtes, en commençant par l'Avent, qui ouvre la période de la rénovation.

I
L'AVENT

L'Avent ou avènement du Seigneur se célèbre pendant quatre semaines, pour signifier que cet avènement est de quatre sortes, à savoir : dans la chair, dans l'esprit, dans la mort, et au Jugement Dernier. La dernière semaine reste inachevée, pour signifier que la gloire des élus, telle que la leur donnera le dernier avènement du Seigneur, n'aura point de fin. Mais bien que l'avènement soit, en réalité, quadruple, l'Eglise s'occupe spécialement de deux de ses formes, à savoir de l'avènement dans la chair et de l'avènement au Jugement Dernier. Et, ainsi, le jeûne de l'Avent est en partie un jeûne de réjouissance, en partie de contrition. C'est un jeûne de réjouissance par égard à l'avènement du Seigneur dans la chair, ou incarnation ; et c'est un jeûne de contrition par égard à l'avènement suprême du jugement dernier.

I. Au sujet de l'avènement dans la chair, on doit considérer deux choses : son opportunité et son utilité. Son opportunité résulte d'abord de ce que l'homme, condamné par sa nature à avoir une connaissance incomplète de Dieu, était tombé dans les pires erreurs de l'idolâtrie, et se voyait amené à s'écrier : « Illumine mes yeux, etc. » En second lieu, le Seigneur est venu dans la « plénitude du temps », comme le dit saint Paul dans l'*Epître aux Galates*. En troisième lieu, il est venu à un moment où le monde entier était malade, comme le dit saint Augustin : « Le grand médecin est venu au moment où le monde entier gisait comme un grand malade. » C'est pourquoi l'Eglise, dans les sept antiennes qui se chantent avant la Nativité du Seigneur, rappelle la diversité du mal et l'opportunité du remède divin. Avant l'avènement de Dieu dans la chair, nous étions ignorants, soumis aux peines éternelles, esclaves du diable, enchaînés par l'habitude du péché, entourés de ténèbres, exilés de notre patrie. C'est pourquoi ces antiennes proclament tour à tour Jésus comme notre docteur, notre rédempteur, notre libérateur, notre guide, notre illuminateur, et notre sauveur.

Quant à l'utilité de l'avènement du Christ, diverses autorités la définissent de façons différentes. Jésus-Christ lui-même, dans l'évangile de saint Luc, nous dit qu'il est venu pour sept motifs : pour consoler les pauvres, pour guérir les affligés, pour délivrer les captifs, pour éclairer les ignorants, pour pardonner aux pécheurs, pour racheter le genre humain, et pour récompenser chacun d'après ses mérites. Et saint Bernard dit : « Nous souffrons d'une triple maladie : nous sommes faciles à séduire, faibles à agir, et fragiles à résister. En conséquence, l'avènement du Sauveur est nécessaire, d'abord, pour illuminer notre aveuglement, en second lieu pour secourir notre faiblesse, et en troisième lieu pour protéger notre fragilité. »

II. Au sujet du second avènement, c'est-à-dire du Jugement Dernier, nous devons considérer, tour à tour, les circonstances qui le précéderont, et celles qui l'accompagneront.

1° Les circonstances qui précéderont le Jugement Dernier sont de trois sortes : des signes terribles, l'imposture de l'Antéchrist, et un immense incendie.

Les signes qui doivent précéder le Jugement Dernier sont au nombre de cinq : car saint Luc dit : « Il y aura des signes dans le soleil, dans la lune et dans les étoiles ; sur la terre, les nations seront consternées, et la mer fera un bruit effroyable par l'agitation de ses flots. » Toutes choses dont on trouvera le commentaire au livre de l'*Apocalypse*.

Saint Jérôme, de son côté, a trouvé dans les annales des Hébreux quinze signes précédant le Jugement Dernier : 1° le premier jour, la mer s'élèvera à quarante coudées au-dessus des montagnes, et se dressera immobile comme un mur ; 2° le deuxième jour, elle descendra si bas qu'on pourra à peine la voir ; 3° le troisième jour, des monstres marins, apparaissant sur les flots, pousseront des rugissements qui s'élèveront jusqu'au ciel ; 4° le quatrième jour, l'eau de la mer brûlera ; 5° le cinquième jour, les arbres et tous les végétaux dégageront une rosée sanglante ; 6° le sixième jour, les édifices s'écrouleront ; 7° le septième jour, les pierres se briseront en quatre parties, qui toutes s'entre-choqueront ; 8° le huitième jour, aura lieu un tremblement de terre universel, qui couchera sur le sol hommes et bêtes ; 9° le neuvième jour, la terre se nivellera, réduisant en poussière montagnes et collines ; 10° le dixième jour, les hommes sortiront des cavernes, et erreront comme des insensés, sans pouvoir se parler ; 11° le onzième jour, les ossements des morts sortiront des tombeaux ; 12° le douzième jour, les étoiles tomberont ; 13° le treizième jour, tous les êtres vivants mourront pour ressusciter ensuite avec les morts ; 14° le quatorzième jour, le ciel et la terre brûleront ; 15° le quinzième jour, il y aura un nouveau ciel et une nouvelle terre, et tous ressusciteront.

En second lieu, le Jugement Dernier sera précédé de l'imposture de l'Antéchrist, qui essaiera de tromper les hommes en quatre manières : 1° par une fausse exposition des écritures, d'où il essaiera de prouver qu'il est le Messie promis par la loi ; 2° par l'accomplissement de miracles ; 3° par la distribution de présents ; 4° par l'infliction de supplices.

En troisième lieu, le Jugement Dernier sera précédé d'un violent incendie, allumé par Dieu pour renouveler le monde, pour faire souffrir les damnés, et pour mettre en lumière la troupe des élus.

2° Quant aux circonstances qui accompagneront le Jugement Dernier, on doit nommer d'abord la répartition des bons et des méchants : car on sait que le juge descendra dans la Vallée de Josaphat et mettra les bons à sa droite, et les méchants à sa gauche. Ce qui ne signifie point, ainsi que le dit très justement saint Jérôme, que tous les hommes doivent parvenir à prendre place dans cette petite vallée, mais seulement que là sera le centre du jugement : sans compter que rien n'empêchera Dieu, s'il le veut, de faire tenir en un petit espace un nombre infini de personnes.

Vient ensuite la question de savoir en combien de catégories seront répartis les hommes, au Jugement Dernier. Saint Grégoire admet quatre catégories, dont deux parmi les damnés, et deux parmi les élus. Car, parmi les damnés, il y en aura qui seront jugés, et d'autres qui seront condamnés d'avance, à savoir ceux dont il est dit : « Celui qui ne croira pas, il sera jugé d'avance ! » Du côté des élus, il y en aura qui seront jugés, et d'autres, les hommes parfaits, jugeront les autres, en ce sens qu'ils siégeront à côté du juge.

Figureront également, au Jugement Dernier, les insignes de la passion : la croix, les clefs et les cicatrices du corps ; et Chrysostome dit que « la croix et les cicatrices seront plus brillantes que les rayons du soleil ».

Le Juge sera d'une sévérité inflexible. Il ne se laissera fléchir, en effet, ni par la peur, car il est tout-puissant, ni par les présents, car il est la richesse même, ni par la haine, car il est la bonté même, ni par l'amour, car il est la justice même, ni par l'erreur, car il est la sagesse même. Et contre cette sagesse ne pourront prévaloir ni les allégations des avocats, ni les sophismes des philosophes, ni les périodes des orateurs, ni les ruses des hypocrites.

Et autant le Juge sera sévère, autant l'accusateur sera implacable. Ou plutôt le pécheur aura en face de lui trois accusateurs : 1° le diable ; 2° le péché lui-même ; 3° le monde entier ; car, comme le dit Chrysostome : « Ce jour-là, le ciel et la terre, l'eau, le soleil et la lune, le jour et la nuit, en un mot le monde entier se dressera contre nous devant Dieu, en témoignage de nos péchés. »

Et, de même, trois témoins déposeront contre nous, tous les trois infaillibles. En premier lieu, Dieu lui-même, qui nous dit par la voix de Jérémie : « Je suis à la fois juge et témoin. » En second lieu, notre conscience. En troisième lieu l'ange délégué pour notre garde ; car nous lisons dans le livre de Job : « Les cieux (c'est-à-dire les anges) révéleront son iniquité. »

Enfin la sentence sera irrévocable. En effet, une sentence est irrévocable pour trois motifs : 1° l'excellence du juge ; 2° l'évidence de la faute ; 3° l'impossibilité de différer le châtiment. Or, dans la sentence prononcée contre nous au Jugement Dernier, ces trois conditions se trouveront remplies ; et il n'y aura point de roi, d'empereur, ni de pape, à qui nous puissions faire appel du jugement prononcé contre nous.

II
SAINT ANDRÉ, APÔTRE
(30 novembre)

Le martyre de saint André nous a été raconté par des prêtres et des diacres de Grèce et d'Asie, témoins oculaires de ses derniers instants.

I. Saint André et quelques autres disciples furent appelés par le Seigneur à trois reprises successives. La première fois, le Seigneur les appela à sa *connaissance*. André était un jour auprès de son maître Jean, lorsque celui-ci s'écria : « Voici venir l'Agneau de Dieu... etc. » Et aussitôt André alla rejoindre Jésus, et resta près de lui toute une journée. Il amena aussi à Jésus son frère Simon, l'ayant rencontré sur son chemin. Puis, le jour suivant, il revint à son métier, qui était de pêcher le poisson. Mais, quelque temps après, Jésus l'appela à sa *familiarité*. Étant venu, avec une grande foule, au bord du lac de Génésareth, que l'on appelle aussi mer de Galilée, il entra dans la barque de Simon et d'André, et prit une masse énorme de poisson. Alors André appela Jacques et Jean, qui étaient dans une autre barque ; et ils suivirent le Seigneur : après quoi, de nouveau, ils revinrent à leur métier. Mais bientôt le Seigneur les appela une troisième fois, et cette fois à son *discipulat*. Se promenant un jour sur les bords du même lac, où André et ses compagnons étaient occupés à pêcher, il leur fit signe de jeter leurs filets, en leur disant : « Suivez-moi, je vous ferai pêcheurs d'hommes ! » Et ils le suivirent, et jamais plus ils ne revinrent à leur métier de pêcheurs. Une quatrième fois encore, du reste, le Seigneur appela André ; ce fut, cette fois, à son *apostolat*, ainsi que le raconte l'évangéliste saint Marc, en son chapitre troisième. Il appela ceux qu'il s'était choisis, et ils vinrent à lui, et il fit en sorte qu'ils fussent au nombre de douze.

Après l'ascension du Seigneur, les apôtres s'étant séparés, André alla pêcher en Scythie, et Matthieu en Ethiopie. Or les Ethiopiens, refusant d'admettre la prédication de Matthieu, lui arrachèrent les yeux, le lièrent de chaînes, et le jetèrent en prison, avec l'intention de le mettre à mort peu de jours après. Alors un ange apparut à saint André, et lui enjoignit de se rendre en Ethiopie auprès de saint Matthieu. Saint André ayant répondu qu'il ne connaissait pas le chemin, l'ange lui ordonna d'aller au bord de la mer, et, là, d'entrer dans le premier vaisseau qu'il rencontrerait. C'est ce que s'empressa de faire André ; et le vaisseau ne tarda pas à le conduire, avec un vent favorable, jusqu'à la ville où était saint Matthieu. Puis, sous la garde de l'ange, il pénétra dans la prison de l'évangéliste, et, à sa vue, pleura beaucoup et pria. Et voici que le Seigneur, à sa demande, rendit à Matthieu le bienfait de la vue, dont l'avait privé la cruauté des infidèles. Et Matthieu sortit de sa prison, et se rendit à Antioche. Mais André, au contraire, resta en Ethiopie, où les habitants, furieux de l'évasion de son ami, s'emparèrent de lui et le traînèrent par les places, les mains liées. Son sang coulait en abondance : et lui, cependant, il ne cessait pas de prier Dieu pour ses persécuteurs, de telle sorte qu'il finit par les convertir. Et c'est après cela qu'il partit pour la Grèce. — Voilà, du moins, ce que l'on raconte ; mais j'ai, quant à moi, beaucoup de peine à y croire : car le fait de la délivrance et de la guérison de saint Matthieu par saint André impliquerait, — chose bien peu vraisemblable, — que ce grand évangéliste n'aurait pu obtenir, par lui-même, ce que son frère André aurait si facilement obtenu pour lui.

II. Un jeune homme de famille noble avait été converti par saint André et s'était attaché à lui, malgré la défense de ses parents : sur quoi ceux-ci mirent le feu à la maison où il demeurait avec l'apôtre. Et comme déjà la flamme s'élevait, le jeune homme versa sur elle l'eau d'un flacon, et aussitôt le feu s'éteignit. Alors les parents dirent : « Notre fils est devenu sorcier ! » Et, ayant approché une échelle, ils voulurent y monter pour s'emparer de leur fils : mais Dieu les rendit aveugles, de telle façon qu'ils ne pouvaient pas voir les degrés de l'échelle. Et un homme qui passait par là leur cria : « Pourquoi vous épuiser en une tâche vaine ? Ne voyez-vous donc pas que Dieu combat pour eux ? Hâtez-vous de céder, de peur que la colère de Dieu ne tombe sur vous ! » Et beaucoup, voyant cela, crurent au Seigneur. Quant aux parents du jeune homme, ils moururent au bout de cinquante jours.

III. Certaine femme, qui était mariée à un assassin, se trouvait en couches et ne parvenait pas à enfanter. Elle dit alors à sa sœur : « Va invoquer pour moi notre maîtresse Diane ! » Mais, au lieu de Diane, ce fut le diable qui répondit. « Inutile de m'invoquer, dit-il à la sœur, car je ne puis rien pour toi. Va trouver plutôt l'apôtre André : celui-là pourra secourir ta sœur ! » Elle alla donc trouver saint André, et l'amena au lit de sa sœur malade, Et l'apôtre dit à celle-ci : « Tu mérites ta souffrance, car tu t'es mal mariée, tu as mal conçu, et, pour comble, tu as invoqué l'aide des mauvais esprits. Mais repens-toi, crois au Christ, et tu enfanteras ! » Et, en effet, la femme ayant cru, elle mit au monde un enfant mort, et sa douleur cessa.

IV. Un vieillard, nommé Nicolas, vint un jour trouver saint André et lui dit : « Maître, voici que j'ai soixante-dix ans, et jamais je n'ai cessé de m'adonner à la luxure. J'ai cependant admis l'Evangile, et prié Dieu de vouloir bien m'accorder le don de la continence. Mais, invétéré dans le péché, et séduit par de mauvais désirs, au sortir même de tes prédications je retournais aussitôt à mon vice accoutumé. Or, hier, enflammé par la concupiscence, j'ai oublié que je tenais en main l'évangile, et je suis allé dans une maison de débauche. Et voilà que la prostituée s'écrie en m'apercevant : « Sors d'ici, vieillard, sors d'ici, ne me touche pas, et ne tente pas d'entrer dans cette maison : car je vois sur toi des choses merveilleuses, qui me prouvent que tu dois être un messager de Dieu ! » Et moi, stupéfait de ces paroles, je me suis rappelé que je tenais en main l'Evangile. Or, maintenant, saint apôtre de Dieu, je viens à toi pour que ta pieuse prière intercède auprès de Dieu et obtienne mon salut. » Ce qu'ayant entendu, le bienheureux André se mit à pleurer, et il resta en prière depuis la troisième heure jusqu'à la neuvième ; et, quand il se releva, il refusa de manger, disant : « Je ne mangerai pas jusqu'à ce que je sache si le Seigneur a eu pitié de ce pauvre vieillard ! » Et, après qu'il eût jeûné ainsi pendant cinq jours, une voix d'en haut lui dit : « André, tu as obtenu la grâce du vieillard. Mais de même que tu t'es macéré en jeûnant pour lui, de même il doit à son tour jeûner pour mériter son salut. » Et le vieillard fit ainsi : durant six mois il jeûna au pain et à l'eau ; après quoi il s'endormit en paix, plein de bonnes œuvres. Et de nouveau André entendit la voix, qui, cette fois, lui dit : « Ta prière m'a rendu Nicolas, que j'avais perdu ! »

V. Or, comme l'apôtre était dans la ville de Nicée, les habitants lui dirent que, aux portes de la ville, sur le chemin, se tenaient sept démons qui tuaient les passants. Alors l'apôtre, en présence du peuple, ordonna à ces démons de venir vers lui, et aussitôt ils vinrent, sous forme de chiens. Et l'apôtre leur ordonna d'aller dans quelque autre endroit. Sur quoi les démons s'enfuirent. Et les témoins de ce miracle reçurent la foi du Christ. Mais voilà qu'en arrivant aux portes d'une autre ville André rencontra le cadavre d'un jeune homme, qu'on emmenait pour l'ensevelir. Et on lui dit que sept chiens étaient venus la nuit, qui avaient tué ce jeune homme dans son lit. Et l'apôtre, tout en larmes, s'écria : « Je sais, Seigneur, que ce sont les sept démons que j'ai chassés de Nicée ! » Puis il dit au père : « Que me donneras-tu, si je ressuscite ton fils ? » — « Je n'avais rien de plus cher que lui, répondit le père : c'est donc lui que je te donnerai ! » Et, André ayant prié le Seigneur, le jeune homme se releva et le suivit.

VI. Des hommes, au nombre de quarante, venaient par mer vers l'apôtre, afin de recevoir de lui la doctrine de la foi, lorsque le diable souleva une tempête si forte que tous furent noyés. Mais, leurs corps ayant été jetés par les vagues sur le rivage, l'apôtre les ressuscita aussitôt. Et chacun d'eux raconta le miracle qui lui était arrivé. De là vient que, dans une hymne de l'office du saint, nous lisons :

Quaterdenos juvenes,

Submersos maris fluctibus,

Vitæ reddidit usibus.

VII. Ainsi le bienheureux André, s'étant fixé en Achaïe, remplit d'églises toute cette région et amena un grand nombre de ses habitants à la foi du Christ. Il convertit, entre autres, la femme du proconsul Egée, et la régénéra par l'eau sainte du baptême. Mais le proconsul, dès qu'il l'apprit, entra dans la ville de Patras, et ordonna aux chrétiens de sacrifier aux idoles. Alors André, s'avançant vers lui, lui dit : « Toi qui as mérité de devenir juge sur cette terre, tu as le devoir de reconnaître ton juge qui est au ciel, et, l'ayant reconnu, de l'adorer, et, l'ayant adoré, de renoncer complètement au culte des faux dieux ! » Mais Egée lui répondit : « Je vois que tu es cet André qui prêche l'hérésie malfaisante que les princes de Rome ont naguère ordonné d'exterminer ! » Et André : « C'est que les princes de Rome ne savaient pas encore comment le Fils de Dieu a enseigné que vos idoles étaient des démons, dont l'enseignement est fait pour offenser Dieu, de telle sorte que, Dieu les ayant abandonnés, le diable s'empare d'eux et les trompe à loisir, jusqu'au jour où leurs âmes se dépouillent de leur corps et se trouvent nues, ne portant avec elles que leurs péchés. » A quoi Egée : « Votre Jésus, pendant qu'il vous apprenait ces sottises, on l'a attaché à la potence ! » Et André : « C'est pour nous rendre notre salut et non pour racheter sa propre faute qu'il a spontanément subi le supplice de la croix. » Alors Egée : « Comment peux-tu dire qu'il ait subi spontanément le supplice de la croix, tandis que nous savons qu'il a été livré par un de ses disciples, et emprisonné par les Juifs, et crucifié par les soldats ? » Alors André se mit à démontrer, par cinq arguments, que la passion du Christ avait été volontaire, car : 1o le Christ avait prévu sa passion et l'avait prédite à ses disciples, en disant : « Voici que nous montons à Jérusalem, etc. » ; 2o il s'était irrité lorsque Pierre avait exprimé le désir de l'en détourner ; 3o il avait affirmé qu'il avait le pouvoir, à la fois, de souffrir et de ressusciter ; 4o il avait désigné d'avance l'homme qui le livrerait, avait rompu le pain avec lui, et n'avait rien fait pour l'éviter ; 5o enfin il s'était rendu dans l'endroit où il savait que le traître viendrait l'arrêter. Et André ajouta que le mystère de la croix était grand. « Ce n'est pas le moins du monde un mystère, mais un supplice ! — lui répondit Egée. — Et si tu refuses de m'obéir, je te ferai goûter, à toi aussi, de ce même mystère ! » — « Si j'avais peur du supplice de la croix, répondit André, je ne prêcherais pas la gloire de la Croix. Mais d'abord je veux t'apprendre le mystère de la croix, afin que, peut-être, tu consentes à y croire, et à être sauvé ! »

Et il se mit alors à lui exposer le mystère de la rédemption, lui prouvant, par cinq arguments, combien ce mystère était nécessaire et logique, car : 1o le premier homme ayant suscité la mort au moyen d'un objet en bois, qui était l'arbre du bien et du mal, c'était chose nécessaire et logique que le Fils de l'Homme chassât la mort en mourant lui-même sur un objet de bois ; 2o le coupable étant fait de terre immaculée, c'était chose nécessaire et logique que le Rédempteur naquît d'une vierge immaculée ; 3o Adam ayant étendu la main vers le fruit défendu, c'était chose nécessaire et logique que le second Adam étendît sur la croix ses mains immaculées ; 4° Adam ayant goûté, malgré la défense de Dieu, une nourriture délicieuse, c'était chose nécessaire et logique (afin que le contraire chassât le contraire) que Jésus fût nourri de fiel ; 5° Jésus faisant part à l'homme de sa propre immortalité, c'était chose nécessaire et logique qu'il prît, en échange, à l'homme sa mortalité. Car si Dieu n'était pas devenu mortel, l'homme n'aurait pu devenir immortel.

Alors Egée : « Tu iras conter toutes ces sottises à ceux de ta secte ; mais en attendant, tu vas m'obéir, et sacrifier aux dieux tout-puissants ! » Et André : « A Dieu tout-puissant j'offre tous les jours un Agneau sans tache, qui, après qu'il a été mangé par tout le peuple, demeure vivant et tout entier. » Et Egée : « Eh bien, je vais te faire torturer jusqu'à ce que tu m'aies prouvé que tu es capable de réaliser ce miracle ! » Et aussitôt, il le fit emprisonner.

Le lendemain matin, étant monté sur son tribunal, il somma de nouveau André de sacrifier aux idoles, lui disant : « Si tu refuses de m'obéir, je te ferai attacher à cette croix que tu vantes si fort ! » Et il le menaçait encore d'autres supplices ; mais l'apôtre lui répondit : « Ne crains pas d'inventer le supplice qui te paraîtra le plus terrible : car, aux yeux de mon Roi, je serai d'autant plus bienvenu que j'aurai plus souffert patiemment en son nom ! » Alors Egée ordonna à vingt et un hommes de le saisir et de le lier à la croix par les mains et les pieds, afin que son supplice durât plus longtemps.

Et, comme on le conduisait à la croix, une foule s'amassa, disant : « Son sang innocent va périr injustement ! » Mais l'apôtre leur demanda de ne rien faire pour empêcher son martyre. Puis, du plus loin qu'il aperçut la croix, il la salua, disant : « Salut, croix, qui as été sanctifiée par le corps du Christ, et ornée de ses membres comme de pierres précieuses ! Avant que le Seigneur fût attaché sur toi, tu inspirais la peur terrestre ; mais, désormais, tu obtiens l'amour céleste, et l'on te souhaite comme un bienfait. Aussi vais-je à toi assuré et joyeux, pour que tu m'accueilles amicalement, moi, le disciple de Celui qu'on a pendu sur toi : car je t'ai toujours aimée, et ai aspiré à ton embrassement. O bonne croix, ennoblie et embellie par les membres du Seigneur ! Longtemps désirée, constamment aimée, sans cesse recherchée, prends-moi aux hommes et rends-moi à mon Maître, afin que celui-ci, m'ayant racheté par toi, me reçoive de toi ! » Et, disant ces paroles, il se dévêtit, et livra ses vêtements à ses bourreaux, qui l'attachèrent sur la croix comme on le leur avait ordonné. André y resta, vivant, pendant deux jours, et prêcha à une foule de vingt mille personnes. Le troisième jour, cette foule commença à menacer de mort le proconsul Egée, disant que c'était chose abominable de faire souffrir ainsi un saint homme plein de douceur et de piété. Et Egée, effrayé, vint le faire détacher de la croix. Mais André, en l'apercevant, lui dit : « Te voici, Egée ? Que si tu viens pour faire pénitence, tu auras ton pardon ; mais si tu viens pour me faire détacher de la croix, sache que je ne dois pas en descendre vivant ! Et déjà je vois mon Roi qui m'attend aux cieux ! »

Des soldats voulurent le délier, mais ils ne purent pas le toucher, car aussitôt leurs bras retombaient inertes. Et André, voyant que la foule voulait le détacher, fit, sur sa croix, cette prière, qu'a rapportée saint Augustin dans son livre *De la Pénitence* : « Seigneur, ne permets pas que je descende vivant de cette croix : car il est temps que tu livres mon corps à la terre. Je l'ai porté si longtemps, j'ai tant veillé, et peiné, que je voudrais maintenant être délivré de cette obéissance, et déchargé de ce lourd fardeau. Aussi longtemps que j'ai pu, Père bienfaisant, j'ai résisté aux attaques de mon corps, et, avec ton aide, je l'ai vaincu. Mais maintenant je te demande, comme récompense, de ne plus m'ordonner cette lutte, et de reprendre le dépôt que tu m'as confié. Confie-le maintenant à la terre, pour qu'elle le garde ; et me le rende au jour de la résurrection des corps, afin que, lui aussi, il ait la récompense qu'il a méritée ! Et fais en sorte que je n'aie plus besoin de veiller, et que mon corps ne m'empêche plus de tendre librement vers toi, Source de la vie et des joies éternelles ! »

Quand il eut dit ces paroles, une lumière éblouissante, descendant du ciel, l'entoura pendant une demi-heure, qui le fit invisible ; et, quand cette lumière se dissipa, il rendit l'âme. Maximilla, la femme d'Egée, emporta son corps et l'ensevelit honorablement. Mais Egée, avant de rentrer dans sa maison, fut saisi par un démon et expira dans la rue, en présence de tous.

On a dit aussi que, du tombeau de saint André, se dégageaient une manne en forme de farine et une huile odorante, d'après lesquelles les habitants de la région pouvaient prévoir quelle serait la fécondité de l'année qui venait : car si l'huile coulait abondante, c'était signe que la terre porterait beaucoup de fruits, et inversement. Et cela peut en effet avoir eu lieu jadis ; mais aujourd'hui on admet généralement que le corps du saint n'est plus à Patras, ayant été transporté à Constantinople.

VIII. Certain pieux évêque avait pour saint André une vénération si particulière que, sur le titre de chacun de ses ouvrages, il inscrivait toujours : « En l'honneur de Dieu et de saint André. » Or le vieil ennemi du genre humain, jaloux de la sainteté de cet évêque, concentra sur lui toute sa ruse. Ayant pris la forme d'une femme merveilleusement belle, il vient à l'évêché et demande à se confesser. L'évêque renvoie la femme à son pénitencier, qui a plein pouvoir pour entendre sa confession. Mais la femme répond qu'elle a sur la conscience des secrets qu'elle ne peut révéler qu'à l'évêque lui-même. De sorte que celui-ci la laisse enfin entrer. Et elle : « Par grâce, Seigneur, aie pitié de moi ! Je suis fille d'un roi puissant, qui a voulu me marier à un grand prince ; et je lui ai déclaré que j'avais horreur de tout lit conjugal, ayant dédié pour toujours au Christ ma virginité. Puis, me voyant exposée aux pires supplices si je persistais dans mon refus, j'ai pris le parti de m'enfuir, et me suis réfugiée sous les ailes de votre sainteté, avec l'espoir de trouver auprès de vous un lieu où je puisse me livrer en repos à la contemplation, éviter les naufrages de la vie, et échapper aux rumeurs du monde. » Sur quoi l'évêque, admirant chez une personne aussi noble et aussi belle tant de ferveur et tant d'éloquence, lui répondit avec bonté : « Ma fille, sois sans crainte, car Celui pour l'amour duquel tu as si courageusement dédaigné toi-même et les tiens, celui-là t'accordera dans cette vie le comble de sa grâce et, dans la vie à venir, la plénitude de sa gloire. Et moi, son serviteur, je me mets à ta disposition avec tout ce que j'ai ; et je veux qu'aujourd'hui tu manges à ma table. » Mais elle : « Non, mon père, ne me demande point cela, de peur qu'il n'en résulte quelque méchant soupçon dont l'éclat de ta renommée puisse avoir à souffrir ! » Et l'évêque : « Nous ne serons pas seuls à table, ce qui fait qu'aucun méchant soupçon ne pourra se produire ! »

A table, l'évêque et cette femme s'assirent l'un en face de l'autre ; et il ne cessait point de considérer son visage et d'admirer sa beauté. Et, pendant que ses yeux la fixaient, son âme se blessait : l'antique ennemi de notre race y enfonçait profondément sa flèche. La femme devenait plus belle d'instant en instant ; et déjà l'évêque était sur le point de consentir à commettre avec elle une œuvre illicite dès qu'une occasion s'offrirait à lui, lorsque, tout à coup, un pèlerin se présenta devant la porte, y frappant à grands coups pour être introduit. On refusa de lui ouvrir, mais il se mit à frapper et à crier de plus belle. Enfin l'évêque demanda à la femme si elle ne voyait pas d'empêchement à ce qu'on laissât entrer cet étranger. Et elle : « Qu'on lui propose une question très difficile à résoudre ! S'il la résout, qu'on le fasse entrer ; sinon qu'on le chasse ! » La proposition est adoptée ; et l'on commence à chercher la question que l'on posera. Puis, comme personne ne la trouve, l'évêque dit à la femme : « Personne de nous ne saurait trouver cette question aussi bien que toi, belle dame, qui nous surpasses tous en sagesse et en éloquence ! » Alors la femme : « Demandez-lui ce que Dieu a jamais fait de plus étonnant ! » On transmit la question à l'étranger, qui fit répondre : « C'est la diversité et l'excellence des visages : car, parmi la foule innombrable d'hommes créés ou à créer, depuis le commencement jusqu'à la fin du monde, il n'y en a point deux qui aient le même visage, et cependant Dieu a placé dans chacun de ces visages le siège de tous les sens du corps. » Ce qu'entendant, l'assistance dit : « Voilà une excellente réponse ! » Alors la femme : « Qu'on lui propose une seconde question, plus difficile à résoudre ! Qu'on lui demande en quel lieu la terre est plus haute que tout le ciel ! » Réponse de l'étranger : « C'est dans le ciel empyrée, où réside le corps du Christ. Car ce corps, qui est plus haut que tout le ciel, peut être considéré comme terrestre, puisqu'il est formé de notre chair. » Cette seconde réponse reçoit la même approbation de toute l'assistance. Mais la femme dit : « Avant d'admettre cet homme à la table de l'évêque, qu'on lui pose une troisième question, plus difficile encore ! Qu'on lui demande quelle distance il y a de la terre au ciel ! » A quoi l'étranger fait répondre : « Va plutôt poser cette question à celui qui t'a envoyée ici ! Il connaît, en effet, cette distance mieux que moi, ayant eu à la mesurer quand il est tombé du ciel dans l'abîme. Car l'être qui me pose ces questions n'est pas une femme, mais un diable qui a revêtu la forme d'une femme ! » Et pendant que le messager revenait rapporter cette réponse, à la stupeur de tous, la femme disparut. Aussitôt l'évêque, rentrant en lui-même, se fit d'amers reproches ; et il envoya vite chercher l'étranger ; mais celui-ci avait également disparu. Alors l'évêque convoqua le peuple, lui confessa tout, et lui demanda de commencer des jeûnes et des prières pour que Dieu daignât révéler qui était cet étranger qui l'avait délivré d'un si grand péril. Et, cette nuit-là même, Dieu révéla à l'évêque que c'était saint André qui, pour le sauver, était venu à lui vêtu en pèlerin.

IX. Le préfet d'une ville s'était emparé d'un champ dépendant d'une église de saint André. Sur les prières de l'évêque, il fut aussitôt saisi de fièvres. Il demanda donc à l'évêque de prier pour lui, promettant de restituer le champ s'il recouvrait la santé. Mais lorsqu'il l'eut recouvrée, il s'appropria le champ de nouveau. Alors l'évêque, avant de se mettre en prière, brisa toutes les lampes de l'église, en disant : « Que cette lumière ne se rallume pas aussi longtemps que Dieu ne se sera point vengé de son ennemi, et n'aura point fait rendre à l'église le bien qui lui a été ravi ! » Aussitôt voici le préfet ressaisi de ses fièvres. Il envoie demander à l'évêque de prier pour lui ; et comme l'évêque lui répond qu'il l'a déjà fait, et que Dieu l'a exaucé, il se fait porter chez lui et le contraint à entrer avec lui dans l'église, pour prier de nouveau à son intention. Mais à peine l'évêque a-t-il pénétré dans l'église que le préfet meurt ; et aussitôt le champ est restitué à l'église.

III
SAINT NICOLAS, ÉVÊQUE ET CONFESSEUR
(6 décembre)

La légende de saint Nicolas a été écrite par des docteurs d'Argos, qui est une ville de la Grèce, et de là viendrait, d'après Isidore, le nom d'Argoliques donné aux Grecs. Et l'on dit aussi que cette légende a d'abord été écrite en grec par le patriarche Méthode, puis traduite en latin, avec de nombreuses additions, par le diacre Jean.

I. Nicolas, citoyen de la ville de Patras, était né de parents riches et pieux. Son père s'appelait Epiphane, sa mère Jeanne. Ses parents, après l'avoir enfanté dans la fleur de leur âge, s'abstinrent ensuite de tout contact charnel. Le jour même de sa naissance, Nicolas, comme on le baignait, se dressa et se tint debout dans la baignoire ; et, durant toute son enfance il ne prenait le sein que deux fois par semaine, le mercredi et le vendredi. Dans sa jeunesse, évitant les plaisirs lascifs de ses compagnons, il fréquentait les églises, et retenait dans sa mémoire tous les passages des Saintes Ecritures qu'il y entendait.

A la mort de ses parents, devenu très riche, il chercha un moyen d'employer ses richesses, non pour l'éloge des hommes, mais pour la gloire de Dieu. Or un de ses voisins, homme d'assez noble maison, était sur le point, par pauvreté, de livrer ses trois jeunes filles à la prostitution, afin de vivre de ce que rapporterait leur débauche. Dès que Nicolas en fut informé, il eut horreur d'un tel crime, et, enveloppant dans un linge une masse d'or, il la jeta, la nuit, par la fenêtre, dans la maison de son voisin, après quoi il s'enfuit sans être vu. Et le lendemain l'homme, en se levant, trouva la masse d'or : il rendit grâces à Dieu, et s'occupa aussitôt de préparer les noces de l'aînée de ses filles. Quelque temps après, le serviteur de Dieu lui donna, de la même façon, une nouvelle masse d'or. Le voisin, en la trouvant, éclata en grandes louanges, et se promit à l'avenir de veiller pour découvrir qui c'était qui venait ainsi en aide à sa pauvreté. Et comme, peu de jours après, une masse d'or deux fois plus grande encore était lancée dans sa maison, il entendit le bruit qu'elle fit en tombant. Il se mit alors à poursuivre Nicolas, qui s'enfuyait, et à le supplier de s'arrêter afin qu'il pût voir son visage. Il courait si fort qu'il finit par rejoindre le jeune homme, et put ainsi le reconnaître. Se prosternant devant lui, il voulait lui baiser les pieds ; mais Nicolas se refusa à ses remerciements, et exigea que, jusqu'à sa mort, cet homme gardât le secret sur le service qu'il lui avait rendu.

II. Après cela, l'évêque de la ville de Myre étant mort, tous les évêques de la région se réunirent afin de pourvoir à son remplacement. Il y avait parmi eux un certain évêque de grande autorité, de l'avis duquel dépendait l'opinion de tous ses collègues. Et cet évêque, les ayant tous exhortés à jeûner et à prier, entendit dans la nuit une voix qui lui disait de se poster le matin à la porte de l'église, et de consacrer comme évêque le premier homme qu'il verrait y entrer. Aussitôt il révéla cet avertissement aux autres évêques, et s'en alla devant la porte de l'église. Or, par miracle, Nicolas, envoyé de Dieu, se dirigea vers l'église avant l'aube, et y entra le premier. L'évêque, s'approchant de lui, lui demanda son nom. Et lui, qui était plein de la simplicité de la colombe, répondit en baissant la tête : « Nicolas, serviteur de Votre Sainteté. » Alors les évêques, l'ayant revêtu de brillants ornements, l'installèrent dans le siège épiscopal. Mais lui, dans les honneurs, conservait toujours son ancienne humilité et la gravité de ses mœurs ; il passait ses nuits en prières, macérait son corps, fuyait la société des femmes ; et il était humble dans son accueil, efficace dans sa parole, actif dans ses conseils, sévère dans ses réprimandes. — Une chronique rapporte aussi que saint Nicolas prit part au Concile de Nicée.

III. Un jour, des matelots, se trouvant en péril sur la mer, prièrent ainsi avec des larmes : « Nicolas, serviteur de Dieu, si ce que l'on nous a dit de toi est vrai, fais que nous l'éprouvions à présent ! » Aussitôt quelqu'un apparut devant eux, qui avait la figure du saint, et qui leur dit : « Vous m'avez appelé, me voici ! » Et il se mit à les aider, avec les voiles et les câbles et les autres agrès du bateau ; et, sur-le-champ, la tempête cessa. Ainsi sauvés, ces matelots rentrèrent dans l'église où était Nicolas ; et ils le reconnurent de suite, bien qu'ils ne l'eussent jamais vu. Alors ils le remercièrent de leur délivrance ; mais il leur dit d'en remercier Dieu, le mérite n'en pouvant être attribué qu'à la miséricorde divine et à leur propre foi.

IV. En un certain temps, toute la province du diocèse de saint Nicolas fut frappée d'une terrible famine, à tel point que personne n'avait rien à manger. Là-dessus l'homme de Dieu apprend que des vaisseaux, chargés de grains, stationnent dans le port. Il s'y rend aussitôt et demande aux gens de l'équipage de venir en aide aux affamés, ne serait-ce qu'en leur abandonnant cent muids de grain par vaisseau. Mais eux : « Père, nous ne l'osons pas, car notre cargaison a été mesurée à Alexandrie, et nous devons la livrer tout entière aux greniers impériaux ! » Le saint leur répondit : « Faites pourtant ce que je vous dis, et je vous promets, au nom de Dieu, que les douaniers impériaux ne trouveront aucune diminution dans votre cargaison ! » Et ces hommes firent ainsi ; et, lorsqu'ils furent arrivés à leur destination, ils livrèrent aux greniers impériaux la même quantité de grain qui avait été mesurée à Alexandrie. Ils virent le miracle, le publièrent, et glorifièrent Dieu dans la personne de son serviteur. Or le blé dont ils s'étaient dessaisis fut distribué par Nicolas suivant les besoins de chacun, et de façon si miraculeuse, que non seulement il suffit pendant deux ans à nourrir la région, mais qu'il put encore servir à d'abondantes semailles.

V. Cette région avait autrefois adoré les idoles ; et, au temps même de saint Nicolas, des paysans avaient gardé la coutume de pratiquer certains rites païens, sous un arbre consacré à Diane. Pour mettre fin à cette idolâtrie, le saint fit couper cet arbre. Alors le démon, furieux, prépara une huile contre nature qui avait la propriété de brûler dans l'eau et sur les pierres. Puis, prenant la forme d'une religieuse, il monta dans une barque, accosta des pèlerins qui naviguaient vers saint Nicolas, et leur dit : « Je regrette de ne pas pouvoir vous accompagner auprès du saint homme. Veuillez du moins, en souvenir de moi, enduire de cette huile les murs de son église et de sa maison ! » Mais voici que, la barque du démon s'étant éloignée, les pèlerins virent s'approcher d'eux une autre barque où était Nicolas. Et celui-ci leur dit : « Cette femme, que vous a-t-elle dit et que vous a-t-elle donné ? » Les pèlerins lui racontèrent ce qui s'était passé. Alors il leur dit : « Cette femme n'est pas une religieuse mais l'impudique Diane elle-même ; et, si vous en voulez une preuve, jetez son huile à la mer ! » A peine l'eurent-ils jetée qu'elle s'enflamma, ce qui prouvait bien son caractère contre nature. Et la seconde barque alors disparut ; mais, quand les pèlerins entrèrent dans l'église de saint Nicolas, ils reconnurent en lui l'homme qui la montait.

VI. Certaine nation s'étant révoltée contre l'empire romain, l'empereur envoya contre elle trois princes, Népotien, Ours, et Apilion. Ceux-ci, arrêtés en chemin par un vent contraire, firent relâche dans un port du diocèse de saint Nicolas. Et le saint les invita à dîner chez lui, voulant préserver son peuple de leurs rapines. Or, en l'absence du saint, le consul, s'étant laissé corrompre à prix d'argent, avait condamné à mort trois soldats innocents. Dès que le saint l'apprit, il pria ses hôtes de l'accompagner, et, accourant avec eux sur le lieu où devait se faire l'exécution, il trouva les trois soldats déjà à genoux et la face voilée, et le bourreau brandissant déjà son épée au-dessus de leurs têtes. Aussitôt Nicolas, enflammé de zèle, s'élance bravement sur ce bourreau, lui arrache l'épée des mains, délie les trois innocents, et les emmène, sains et saufs, avec lui. Puis il court au prétoire du consul, et en force la porte, qui était fermée. Bientôt le consul vient le saluer avec empressement. Mais le saint lui dit, en le repoussant : « Ennemi de Dieu, prévaricateur de la loi, comment oses-tu nous regarder en face, tandis que tu as sur la conscience un crime si affreux ? » Et il l'accabla de reproches, mais, sur la prière des princes, et en présence de son repentir, il consentit à lui pardonner. Après quoi les messagers impériaux, ayant reçu sa bénédiction, poursuivirent leur route, et soumirent les révoltés sans effusion de sang ; et ils revinrent alors vers l'empereur, qui leur fit un accueil magnifique.

Mais quelques-uns des courtisans, jaloux de leur faveur, corrompirent le préfet impérial, qui, soudoyé par eux, accusa ces trois princes, devant son maître, du crime de lèse-majesté. Aussitôt l'empereur, affolé de colère, les fait mettre en prison et ordonne qu'on les tue, la nuit, sans les interroger. Informés par leur gardien du sort qui les attend, les trois princes déchirent leurs manteaux et gémissent amèrement ; mais soudain, l'un d'eux, à savoir Népotien, se rappelant que le bienheureux Nicolas a naguère sauvé de la mort, en leur présence, trois innocents, exhorte ses compagnons à invoquer son aide.

Et en effet, sur leur prière, saint Nicolas apparut cette nuit-là à l'empereur Constantin, lui disant : « Pourquoi as-tu fait arrêter injustement ces princes, et les as-tu condamnés à mort tandis qu'ils sont innocents ? Hâte-toi de te lever et fais-les remettre en liberté au plus vite ! Sinon, je prierai Dieu qu'il te suscite une guerre où tu succomberas, et tu seras livré en pâture aux bêtes ! » Et l'empereur : « Qui es-tu donc, toi qui, entrant la nuit dans mon palais, oses me parler ainsi ? » Et lui : « Je suis Nicolas, évêque de la ville de Myre. » Et le saint se montra de la même façon au préfet, qu'il épouvanta en lui disant : « Insensé, pourquoi as-tu consenti à la mise à mort de trois innocents ? Va vite travailler à les faire relâcher ! Sinon, ton corps sera mangé de vers et ta maison aussitôt détruite. » Et le préfet : « Qui es-tu donc, toi qui me fais de telles menaces ? » Et lui : « Sache, dit-il, que je suis Nicolas, évêque de la ville de Myre ! »

L'empereur et le préfet, s'éveillant, se firent part l'un à l'autre de leur songe, et s'empressèrent de mander les trois prisonniers. « Etes-vous sorciers, leur demanda l'empereur pour nous tromper par de semblables visions ? » Ils répondirent qu'ils n'étaient point sorciers, et qu'ils étaient innocents du crime qu'on leur reprochait. Alors l'empereur : « Connaissez-vous, leur dit-il, un homme appelé Nicolas ? » Et eux, en entendant ce nom, levèrent les mains au ciel, et prièrent Dieu que, par le mérite de saint Nicolas, il les sauvât du péril où ils se trouvaient. Et lorsque l'empereur eut appris d'eux la vie et les miracles du saint, il leur dit : « Allez et remerciez Dieu, qui vous a sauvés sur la prière de ce Nicolas ! Mais rendez-lui compte de ma conduite, et portez-lui des présents de ma part ; et demandez-lui qu'il ne me fasse plus de menaces, mais qu'il prie Dieu pour moi et pour mon empire ! » Quelques jours après, les princes vinrent trouver le serviteur de Dieu, et, se prosternant devant lui, et l'appelant le véritable serviteur de Dieu, ils lui racontèrent en détail ce qui s'était passé. Et lui, levant les mains au ciel, il loua Dieu, et renvoya les trois princes chez eux, après les avoir bien instruits des vérités de la foi.

VII. Lorsque le Seigneur voulut rappeler à lui saint Nicolas, celui-ci le pria de lui envoyer ses anges ; et, en voyant venir les anges, il baissa la tête et récita le psaume : *In te, Domine, speravi*, etc. Puis il rendit l'âme au bruit d'une musique céleste. Cela eut lieu en l'an du Seigneur 313. Il fut enseveli dans une tombe de marbre ; et de sa tête se mit à couler une source d'huile et de ses pieds une source d'eau ; aujourd'hui encore une huile sainte sort de ses membres, qui apporte la santé à bien des malades. Cette huile cessa un jour de couler : cela se produisit lorsque le successeur de saint Nicolas, qui était un homme excellent, se vit chassé de son siège par des envieux. Mais dès que l'évêque fut réinstallé sur son siège, l'huile se remit aussitôt à couler. Longtemps après, les Turcs détruisirent la ville de Myre. Et comme quarante-sept soldats de la ville de Bari passaient par là, quatre moines leur ouvrirent la tombe de saint Nicolas : ils prirent ses os, qui nageaient dans l'huile, et les transportèrent dans la ville de Bari, en l'an du Seigneur 1087.

VIII. Certain homme avait emprunté de l'argent à un Juif, en lui jurant, sur l'autel de saint Nicolas, de le lui rendre aussitôt que possible. Et comme il tardait à rendre l'argent, le Juif le lui réclama : mais l'homme lui affirma le lui avoir rendu. Il fut traîné devant le juge, qui lui enjoignit de jurer qu'il lui avait rendu l'argent. Or l'homme avait mis tout l'argent de sa dette dans un bâton creux, et, avant de jurer, il demanda au Juif de lui tenir son bâton. Après quoi il jura qu'il avait rendu son argent. Et, là-dessus, il reprit son bâton, que le Juif lui restitua sans le moindre soupçon de sa ruse. Mais voilà que le fraudeur, rentrant chez lui, s'endormit en chemin et fut écrasé par un chariot, qui brisa en même temps le bâton rempli d'or. Ce qu'apprenant, le Juif accourut : mais bien que tous les assistants l'engageassent à prendre l'argent, il dit qu'il ne le ferait que si, par les mérites de saint Nicolas, le mort était rendu à la vie : ajoutant que lui-même, en ce cas, recevrait le baptême et se convertirait à la foi du Christ. Aussitôt le mort revint à la vie ; et le Juif reçut le baptême.

Un autre Juif, voyant le pouvoir qu'avait saint Nicolas d'opérer des miracles, plaça dans sa maison une image de ce saint. Et lorsqu'il avait à sortir pour quelque longue absence, il disait à l'image : « Nicolas, je te confie la garde de mes biens ; que si tu ne veilles pas sur eux comme je l'exige, je me vengerai en te rouant de coups ! » Or un jour, en l'absence du Juif, des voleurs arrivent qui emportent tout, ne laissant que l'image. Et le Juif, lorsqu'il se voit dépouillé, dit à l'image : « Seigneur Nicolas, ne t'avais-je pas installé dans ma maison pour garder mes biens ? Pourquoi donc ne l'as-tu pas fait ? C'est toi qui paieras pour les voleurs ! Je vais te rouer de coups : cela refroidira ma rage ! « Et il se mit à frapper cruellement la statue. Alors le saint apparut aux voleurs, qui se partageaient les dépouilles du Juif, et leur dit : « Voyez comme j'ai été battu à cause de vous ! Mon corps en est encore tout bleu ! Allez vite rendre ce que vous avez pris : faute de quoi la colère de Dieu retombera sur vous et vous serez pendus. » Et les voleurs : « Qui es-tu donc, toi qui nous dit tout cela ? » Et lui : « Je suis Nicolas, serviteur du Christ ; et celui qui m'a mis en cet état est le Juif que vous avez volé. » Effrayés, ils courent chez le Juif lui racontent leur vision, apprennent de lui ce qu'il a fait à la statue, lui rendent tous ses biens, et rentrent dans la bonne voie, tandis que le Juif, de son côté, se convertit à la foi chrétienne.

Certain homme célébrait tous les ans, en grande solennité, la fête de saint Nicolas, à l'intention de son fils, qui étudiait les belles-lettres. Or un jour, pendant le repas de la fête, le diable, vêtu en pèlerin, frappe à la porte et demande l'aumône. Le père ordonne aussitôt à son fils de porter une aumône au pèlerin ; et le jeune homme, ne trouvant plus le pèlerin devant la porte, le poursuit jusqu'à un carrefour, où le diable se jette sur lui et l'étrangle. Ce qu'apprenant, le père se lamente, ramène le corps dans sa maison, le place sur son lit, et s'écrie : « Saint Nicolas, est-ce donc ici la récompense des honneurs que je te rends depuis tant d'années ? » Et aussitôt l'enfant, comme se réveillant, ouvre les yeux et se remet sur ses pieds.

IX. Un noble avait prié saint Nicolas de lui faire obtenir un fils, promettant qu'en récompense il se rendrait avec son fils au tombeau du saint et lui offrirait un vase d'or. Le noble obtient un fils et fait faire un vase d'or. Mais ce vase lui plaît tant qu'il le garde pour lui-même et, pour le Saint, en fait faire un autre d'égale valeur. Puis il s'embarque avec son fils pour se rendre au tombeau du saint. En route le père ordonne à son fils d'aller lui prendre de l'eau dans le vase qui d'abord avait été destiné à saint Nicolas. Aussitôt le fils tombe dans la rivière et se noie. Mais le père, malgré toute sa douleur, n'en poursuit pas moins son voyage. Parvenu dans l'église de saint Nicolas, il pose sur l'autel le second vase ; au même instant une main invisible le repousse avec le vase, et le jette à terre : l'homme se relève, s'approche de nouveau de l'autel, est de nouveau renversé. Et voilà qu'apparaît, au grand étonnement de tous, l'enfant qu'on croyait noyé. Il tient en main le premier vase, et raconte que, dès qu'il est tombé à l'eau, saint Nicolas est venu le prendre, et l'a conservé sain et sauf. Sur quoi le père, ravi de joie, offre les deux vases à saint Nicolas.

Un homme riche avait obtenu, grâce à l'intercession de saint Nicolas, un fils qu'il avait appelé Dieudonné. Aussi avait-il construit, en l'honneur du saint, une chapelle dans sa maison, où il célébrait solennellement sa fête tous les ans. Or un jour Dieudonné est pris par la tribu des Agaréniens, et amené en esclavage au roi de cette tribu. L'année suivante, au jour de la Saint-Nicolas, l'enfant, pendant qu'il sert le roi, une coupe précieuse en main, se met à pleurer et à soupirer, en songeant à la douleur de ses parents, et en se rappelant la joie qu'ils éprouvaient naguère à la Saint-Nicolas. Le roi l'oblige à lui confesser la cause de sa tristesse ; puis, l'ayant apprise : « Ton Nicolas aura beau faire, tu resteras ici mon esclave ! » Mais au même instant un vent terrible s'élève, renverse le palais du roi, et emporte l'enfant avec sa coupe, jusqu'au seuil de la chapelle, où ses parents sont en train de célébrer la fête de saint Nicolas. — Mais, d'après d'autres auteurs, cet enfant aurait été de la Normandie, et aurait été ravi par le sultan ; et comme celui-ci, le jour de la Saint-Nicolas, après l'avoir battu, l'avait jeté en prison, voici que l'enfant s'endormit et, à son réveil, se trouva ramené dans la chapelle de ses parents.

IV
SAINTE LUCIE, VIERGE ET MARTYRE
(13 décembre)

Lucie, vierge syracusaine de famille noble, voyant se répandre à travers toute la Sicile la gloire de sainte Agathe, se rendit au tombeau de cette sainte, en compagnie de sa mère Euthicie, qui, depuis quatre ans déjà, souffrait d'un flux de sang incurable. Les deux femmes arrivèrent à l'église pendant la messe, et au moment où on lisait le passage de l'Evangile qui raconte la guérison miraculeuse, par Jésus, d'une femme atteinte d'un flux de sang. Alors Lucie dit à sa mère : « Si tu crois à ce qu'on vient de lire, tu dois croire aussi qu'Agathe est maintenant en présence de Celui pour le nom de qui elle a subi le martyre. Et si tu crois cela, tu retrouveras la santé en touchant le tombeau de la sainte ! » Aussitôt, tous s'écartant pour leur livrer passage, la mère et la fille s'approchèrent du tombeau, et se mirent à prier. Et voici que la jeune fille tomba soudain endormie, et eut un rêve où elle vit sainte Agathe debout au milieu des anges, toute parée de pierreries, et lui disant : « Ma sœur Lucie, vierge consacrée à Dieu, pourquoi me demandes-tu une chose que tu peux toi-même accorder sur-le-champ à ta mère ? Vois, ta foi l'a guérie ! » Et Lucie, s'éveillant, dit à sa mère : « Ma mère, tu es guérie ! Mais au nom de celle aux prières de qui tu dois ta guérison, je te prie de me délier désormais de mes fiançailles, et de distribuer aux pauvres la dot que tu me destinais ! » Sa mère lui répondit : « Attends plutôt de m'avoir fermé les yeux, et tu feras ensuite ce que tu voudras de nos biens ! » Mais Lucie : « Ce que tu donnes en mourant, dit-elle, tu le donnes parce que tu ne peux pas l'emporter avec toi. Mais, si tu le donnes de ton vivant, tu en auras la récompense là-haut ! »

De retour chez elles, Lucie et sa mère commencèrent à distribuer, peu à peu, tous leurs biens aux pauvres. Et le fiancé de Lucie, l'ayant appris, en demanda compte à la nourrice de la jeune fille. Cette femme, en personne rusée, lui répondit que Lucie avait trouvé une propriété meilleure, qu'elle voulait l'acquérir, et que c'était pour cela qu'elle vendait une partie de ses biens. Et lui, dans sa sottise, il crut à un commerce matériel, et se mit à les encourager dans la vente de leurs biens. Mais quand tout fut vendu et qu'on sut que tout était allé aux pauvres, le fiancé, furieux, porta plainte devant le consul Paschase, disant que Lucie était chrétienne et n'obéissait pas aux lois impériales.

Paschase, l'ayant aussitôt mandée, lui enjoignit de sacrifier aux idoles. Mais Lucie lui répondit : « Le sacrifice qui plaît à Dieu, c'est de visiter les pauvres et de les aider dans leurs besoins. Et comme je n'ai plus rien à offrir, je vais m'offrir moi-même au Seigneur ! » Et Paschase : « Ce sont là des paroles bonnes à dire à des sots de ton espèce ; mais à moi, qui garde les décrets de mes maîtres, tu les dis en vain ! » Et Lucie : « Tu gardes, toi, les décrets de tes maîtres, et moi je veux garder la loi de mon Dieu. Tu crains tes maîtres, et moi je crains Dieu. Tu évites de les offenser, et moi j'évite d'offenser Dieu. Tu désires leur plaire, et moi je désire plaire au Christ. Fais donc ce que tu jugeras t'être utile, et moi je ferai ce que je jugerai m'être utile ! » Alors Paschase : « Tu as dépensé ton patrimoine avec des corrupteurs, et voilà pourquoi tu parles en prostituée ! » Mais Lucie : « Mon patrimoine, je l'ai placé en lieu sûr ; et jamais n'ai admis auprès de moi des corrupteurs, ni du corps, ni de l'âme. » Paschase lui dit : « Qui sont donc ces corrupteurs du corps et de l'âme ? » Et Lucie répondit : « Les corrupteurs de l'âme, c'est vous, qui engagez les âmes à se détourner de leur créateur ; quant aux corrupteurs du corps, ce sont ceux qui conseillent de préférer le plaisir corporel aux fêtes éternelles. » Et Paschase : « Tes paroles (verba) cesseront bien quand nous en viendrons à te rouer de coups (verbera) ! » Et Lucie : « Les paroles de Dieu ne cesseront jamais. » Et Paschase : « Prétends-tu être Dieu ? » Lucie répondit : « Je suis la servante de Dieu, qui a dit : « Quand vous serez en face des rois et des princes, etc. » Et Paschase : « Prétends-tu donc avoir en toi le Saint-Esprit ? » Et Lucie : « Celui qui vit dans la chasteté, celui-là est le temple du Saint-Esprit ! » Et Paschase : « Alors je te ferai conduire dans une maison de débauche. Ton corps y sera violé, et tu perdras ton Saint-Esprit ! » Mais Lucie : « Le corps n'est souillé que si l'âme y consent ; et si, malgré moi, on viole mon corps, ma chasteté s'en trouvera doublée. Or jamais tu ne pourras contraindre ma volonté. Et quant à mon corps, le voici, prêt à tous les supplices ! Qu'attends-tu ? Fils du diable, commence à satisfaire ton désir malfaisant ! »

Alors Paschase fit venir des proxénètes, et leur dit : « Invitez tout le peuple à jouir de cette femme, et qu'on use de son corps jusqu'à ce que mort s'ensuive ! » Mais quand les proxénètes voulurent l'entraîner, l'Esprit-Saint la rendit si pesante qu'en aucune façon ils ne purent la mouvoir. Et Paschase fit venir mille hommes, et lui fit lier les pieds et les mains ; mais on ne parvenait toujours pas à la soulever. Il fit venir mille paires de bœufs, mais la vierge continua à rester immobile. Il fit venir des mages ; mais leurs incantations restèrent sans effet. Alors il dit : « Quel est donc ce maléfice, qui permet à une jeune fille de ne pas pouvoir être soulevée par un millier d'hommes ? » Et Lucie lui répondit : « Ce n'est pas un maléfice, mais un bienfait du Christ. Et tu aurais beau ajouter encore dix mille hommes, ils ne parviendraient pas à me faire bouger. » Paschase s'imagina alors, suivant l'invention de quelqu'un, que l'urine détruisait les maléfices, et il la fit asperger d'urine bouillante : mais cela encore fut inutile. Alors le consul, exaspéré, fit allumer autour d'elle un grand feu, et ordonna de jeter sur elle de la poix, de la résine, et de l'huile bouillante. Et Lucie dit : «Dieu m'a accordé de supporter ces délais, dans mon martyre, afin d'ôter aux croyants la peur de la souffrance et aux non-croyants le moyen de blasphémer ! »

Les amis de Paschase, le voyant devenir sans cesse plus furieux, enfoncèrent une épée dans la gorge de la sainte ; mais elle, loin d'en perdre la parole, elle dit : «Je vous annonce que la paix est rendue à l'Eglise ! Aujourd'hui même, Maximien est mort et Dioclétien a été chassé du trône. Et de même que Dieu a accordé pour protectrice à la ville de Catane ma sœur Agathe, de même il vient de m'autoriser à être auprès de lui la protectrice de la ville de Syracuse. » Et, en effet, pendant qu'elle parlait encore, voici que des envoyés de Rome vinrent saisir Paschase pour l'emmener, prisonnier, devant le Sénat : car celui-ci avait appris qu'il s'était rendu coupable de déprédations sans nombre dans toute la province. Il fut donc conduit à Rome, déféré au Sénat, convaincu de crime, et puni de la peine capitale. Quant à la vierge Lucie, elle ne bougea pas du lieu où elle avait souffert, et elle resta en vie jusqu'à l'arrivée de prêtres qui lui apportèrent la sainte communion ; et toute la foule y assista pieusement. C'est dans le même lieu qu'elle fut enterrée, et que fut construite une église en son honneur. Son martyre eut lieu vers l'an du Seigneur 310.

V
SAINT THOMAS, APÔTRE
(21 décembre)

I. Thomas l'apôtre, pendant qu'il était à Césarée, le Seigneur lui apparut et lui dit : « Le roi de l'Inde Gondofer a envoyé son prévôt Abbanes à la recherche d'un homme habile dans l'art de l'architecture. Viens, et je te présenterai à lui ! » Et Thomas lui dit : « Seigneur je suis prêt à aller partout où tu m'enverras ! » Et Dieu lui dit : « Va donc en paix, car je serai ton gardien ! Et quand tu auras converti l'Inde, tu viendras à moi avec la palme du martyre ! » Puis comme le prévôt marchait dans le Forum, le Seigneur lui dit : « Que cherches-tu, jeune homme ? » Abbanes répondit : « Mon maître m'a envoyé ici afin que j'engage à son service d'habiles architectes, car il veut se faire construire un palais à la manière romaine. » Alors le Seigneur lui présenta Thomas, en lui assurant qu'il était très habile dans l'art de l'architecture.

Le vaisseau qui conduisait le prévôt et Thomas fit escale dans une ville où un roi célébrait les noces de sa fille. Ce roi ayant ordonné que la ville entière assistât à la fête, Thomas et Abbanes furent forcés d'y assister. Mais Thomas ne mangeait rien, et gardait les yeux levés vers le ciel. Or le sommelier, voyant que l'apôtre ne mangeait ni ne buvait, le frappa sur la joue. Et l'apôtre lui dit : « Mieux vaut pour toi que tu sois puni sur-le-champ d'une peine passagère, et que dans la vie future ton acte te soit pardonné. Sache donc que, avant que je me lève de cette table, la main qui m'a frappé sera apportée ici par des chiens ! » Et en effet, le sommelier étant sorti pour puiser de l'eau, un lion se jeta sur lui et le tua ; et les chiens déchirèrent son corps, et l'un d'eux apporta sa main droite dans la salle du festin. Cette vengeance est blâmée par saint Augustin dans son livre contre Faust, et déclarée apocryphe ; d'où vient que beaucoup tiennent la légende pour suspecte. Mais revenons à notre récit.

Sur la demande du roi, l'apôtre bénit l'époux et l'épouse, disant : « Seigneur, donne à ces jeunes gens l'appui de ta droite, et sème dans leurs âmes la semence de vie ! » Et quand l'apôtre fut parti, le jeune homme trouva dans sa main une branche de palmier toute chargée de dattes. Et, ayant mangé de ces dattes, l'époux et l'épouse eurent tous deux le même rêve. Ils virent un roi, paré de diamants, qui les embrassait et leur disait : « Mon apôtre vous a bénis afin que vous participiez à la vie éternelle. »

Ils se réveillèrent, et se racontèrent l'un à l'autre leur rêve. Et voici que l'apôtre Thomas leur apparut dans leur chambre et leur dit : « Mon Roi s'est montré à vous tout à l'heure, et me conduit à présent ici, malgré les portes fermées, pour que, fortifiés par ma bénédiction, vous gardiez la pureté du corps, qui est la reine de toutes les vertus, et qui mène au salut éternel. La virginité est la sœur des anges, la possession de tous biens, la victoire sur les passions, le trophée de la foi, la défaite des démons, le gage des joies éternelles. Mais, au contraire, de la volupté naît la corruption, de la corruption naît la pollution, et de la pollution naît la perdition. » Et, au moment où l'apôtre leur parlait ainsi, deux anges leur apparurent, qui leur dirent : « Dieu nous envoie à vous pour vous servir de gardiens, et, si vous observez bien l'enseignement de l'apôtre, pour Lui transmettre tous vos vœux. » Puis l'apôtre les baptisa et les instruisit dans la foi. Et, longtemps après, l'épouse, qui s'appelait Pélagie, subit le martyre, et l'époux, nommé Denis, fut ordonné évêque de cette même ville.

II. Poursuivant leur voyage, l'apôtre et Abbanes parvinrent à la cour du roi de l'Inde. Thomas fit le dessin d'un palais admirable, et le roi lui donna un grand trésor afin qu'il pût diriger la construction du palais ; après quoi ce roi partit pour une autre province ; et l'apôtre distribua au peuple tout l'argent qu'il avait reçu de lui. Pendant les deux ans que dura l'absence du roi, l'apôtre ne fit que prêcher, et convertit à la foi une foule innombrable. Mais le roi, à son retour, ayant appris la conduite de Thomas, le jeta en prison ainsi qu'Abbanes, avec le projet de les faire brûler vifs. Là-dessus le frère du roi, nommé Gad, mourut, et l'on s'apprêta à lui faire de somptueuses funérailles. Or voici que, le quatrième jour de sa mort, il ressuscita, à la stupeur et à l'épouvante de tous ; et il dit à son frère : « Frère, l'homme que tu veux faire écorcher et brûler vif est un ami de Dieu, et tous les anges sont ses serviteurs. Ces anges m'ont conduit au paradis, où ils m'ont montré un palais merveilleux, fait d'or, d'argent, et de pierres précieuses, et ils m'ont dit : « Ceci est le palais que Thomas avait construit à ton frère. Mais ton frère s'en est rendu indigne. Que si tu veux l'habiter à sa place, nous demanderons à Dieu de te ressusciter pour que tu rachètes ce palais à ton frère, en lui rendant l'argent qu'il s'imagine avoir perdu ! » Puis, ayant ainsi parlé, Gad courut à la prison de l'apôtre, fit tomber ses chaînes, et le supplia d'accepter un manteau précieux. Mais l'apôtre lui dit : « Ignores-tu donc que ceux qui aspirent au pouvoir céleste ne désirent rien des choses terrestres ? » Et, comme l'apôtre sortait de la prison, le roi vint au-devant de lui, se jeta à ses pieds, et lui demanda pardon. Et l'apôtre lui dit : « Crois dans le Christ et fais-toi baptiser, afin de participer au royaume éternel ! » Le frère du roi lui dit : « J'ai vu le palais que tu as construit pour mon frère, et j'ai obtenu la permission de l'acquérir. » Et l'apôtre : « Cela dépend de ton frère. » Et le roi : « Que ce palais soit pour moi, et que l'apôtre en construise un autre pour toi, ou bien encore, si c'est impossible, nous habiterons celui-là en commun ! » Et l'apôtre leur dit : « Il y a, dans le ciel, d'innombrables palais, préparés depuis l'origine des temps, et qui s'acquièrent par la foi et l'aumône. Et quant à vos richesses, elles peuvent bien vous précéder dans ce palais, mais elles ne peuvent absolument pas vous y suivre ! »

III. Un mois après, l'apôtre fit rassembler tous les pauvres de la région ; et, quand tous furent rassemblés, il fit sortir de la foule les malades, les infirmes, et les faibles. Alors il pria sur eux, et ceux d'entre eux qui avaient reçu la foi répondirent *amen*. Alors une grande lumière descendit du ciel et se répandit sur l'apôtre et sur ces pauvres gens ; et, quand elle fut dissipée, l'apôtre dit : « Relevez-vous : c'est mon Maître qui est venu, pareil à la foudre, et qui vous a guéris ! » Et, en effet, ils furent tous guéris ; et, se relevant, ils glorifièrent Dieu et l'apôtre. Alors celui-ci se mit à les instruire, leur exposant les douze degrés de la vertu. Le premier degré est de croire en un Dieu unique d'essence en triple personne. Et l'apôtre leur expliqua, par trois exemples sensibles, comment une même essence pouvait avoir trois personnes : 1o la sagesse dans l'homme est une, et cependant elle est formée de l'intelligence, de la mémoire, et de l'imagination ; 2o une vigne est formée de trois éléments, le bois, les feuilles et les fruits, dont l'ensemble ne forme qu'une seule vigne ; 3o une tête contient quatre sens, la vue, le goût, l'ouïe et l'odorat. Le second degré de la vertu consiste à recevoir le baptême ; le troisième à s'abstenir de la luxure ; le quatrième à éviter l'avarice ; le cinquième à éviter la gourmandise ; le sixième à faire pénitence ; le septième à persévérer dans le bien ; le huitième à pratiquer l'hospitalité ; le neuvième à rechercher ce que Dieu veut que l'on fasse ; le dixième à rechercher ce que Dieu veut qu'on ne fasse pas ; le onzième à aimer amis et ennemis ; le douzième à veiller jour et nuit pour ne pas s'écarter de tous ces principes. Ainsi prêcha l'apôtre ; et, quand il eut fini, il baptisa neuf mille hommes, sans compter les enfants et les femmes.

IV. Thomas alla ensuite dans l'Inde Supérieure, où il se signala par d'innombrables miracles. Il convertit une certaine Sintice, qui était amie de Migdomie, femme d'un parent du roi de la contrée. Et Migdomie fut prise du désir de voir l'apôtre. Sur le conseil de Sintice, elle ôta ses riches vêtements, et se mêla à la foule des pauvres que l'apôtre instruisait. Or l'apôtre était en train de prêcher la misère de cette vie hasardeuse et fugitive ; et il engageait ses auditeurs à recevoir la parole de Dieu, comparant celle-ci 1o à un collyre, parce qu'elle illumine les yeux de notre âme ; 2o à un emplâtre, parce qu'elle guérit les plaies de nos péchés ; 3o à une nourriture, parce qu'elle nous alimente des choses célestes. Et Migdomie, ayant entendu l'apôtre, reçut la foi, et, depuis lors, eut horreur de la couche de son mari. Celui-ci, dont le nom était Carisius, porta plainte au roi, et fit jeter l'apôtre en prison. Alors Migdomie vint le trouver dans sa prison, et lui demanda pardon d'être la cause de son incarcération ; mais l'apôtre, la consolant avec bonté, lui dit qu'il était heureux de souffrir tout cela. Cependant Carisius pria le roi d'envoyer la reine, sœur de sa femme, auprès de celle-ci, pour essayer de la ramener à lui. Mais la reine fut convertie par celle qu'elle voulait pervertir ; et, à la vue des miracles de l'apôtre, elle dit : « Maudits soient ceux qui refusent de croire, en présence de tant de signes et d'œuvres ! » Quand elle revint près de son mari, celui-ci lui dit : « Pourquoi es-tu restée si longtemps absente ? » Et la reine lui répondit : « Je croyais que Migdomie était folle, mais elle est au contraire très sage, et, en me conduisant à l'apôtre de Dieu, elle m'a fait connaître le chemin de la vérité ; ceux là seuls sont fous qui refusent de croire au Christ ! » Et, depuis lors, elle refusa de s'accoupler avec son mari. Et, le roi stupéfait, dit à son beau-frère : « En voulant te ramener ta femme, j'ai perdu la mienne ; elle est même devenue pire pour moi que la tienne pour toi ! » Et il se fit amener l'apôtre, les mains liées, et le somma de faire en sorte que sa femme et sa belle-sœur reprissent la vie conjugale. Alors l'apôtre lui démontra que, aussi longtemps que son beau-frère et lui persisteraient dans l'erreur, leurs femmes auraient le devoir de ne pas reprendre la vie conjugale. « Toi qui es roi, lui dit-il, tu tiens à ne pas avoir des serviteurs impurs, mais, au contraire à avoir des serviteurs purs. A plus forte raison Dieu aime à avoir des serviteurs chastes et purs. Il aime, dans ses serviteurs, ce que tu aimes dans les tiens. Comment ! J'ai édifié une haute tour, et tu me dis, à moi qui l'ai édifiée, de la détruire ? J'ai fait surgir une source du sol, et tu me dis de la faire tarir ? »

Alors le roi, furieux, fit apporter des lames de fer rougies au feu, et ordonna à l'apôtre de mettre sur elles ses pieds nus. Mais aussitôt, sur un signe de Dieu, une source jaillit du sol et refroidit le fer. Puis le roi, conseillé par son beau-frère, le fit plonger dans une fournaise ardente ; mais celle-ci s'éteignit aussitôt, et l'apôtre en sortit, le lendemain, sain et sauf. Et Carisius dit au roi : « Ordonne-lui de sacrifier au dieu du soleil, afin qu'il encoure la colère de son dieu, qui le protège ! » Le roi suivit son conseil, mais Thomas lui dit : « Tu t'imagines que, comme le dit ton beau-frère, mon Dieu se fâchera contre moi, si j'adore le tien ; mais c'est plutôt contre ton dieu qu'il se fâchera, et il le détruira au moment où je l'adorerai. Si donc mon Dieu ne détruit pas le tien au moment où je l'adorerai, je consentirai à lui sacrifier ; mais si mon Dieu détruit le tien, promets-moi que tu croiras en lui ! » Et le roi dit : « Tu oses encore me traiter comme si j'étais ton égal ! » Alors l'apôtre ordonna en hébreu au démon qui était dans l'idole de détruire celle-ci aussitôt qu'il fléchirait les genoux devant elle. Puis, fléchissant les genoux, il dit : « J'adore, mais non pas cette idole, j'adore, mais non pas ce métal, j'adore, mais non pas ce simulacre : j'adore mon maître Jésus-Christ, au nom duquel je t'ordonne, démon de cette idole, de la détruire aussitôt ! » Et aussitôt l'idole fondit comme de la cire. Sur quoi tous les prêtres poussèrent des mugissements, et le grand prêtre du temple, levant son épée, transperça l'apôtre, en disant : « Je venge l'injure faite à mon dieu ! » Et le roi et Carisius s'enfuirent, voyant que le peuple voulait venger l'apôtre et brûler vif le grand prêtre. Mais les chrétiens enlevèrent le corps, et l'ensevelirent solennellement.

Longtemps après, vers l'an du Seigneur 230, le corps de l'apôtre fut transporté par l'empereur Alexandre, sur la prière des Syriens, dans la ville d'Edesse, qu'on appelait autrefois Ragès des Mèdes. Or, c'est une ville où ne peut vivre aucun hérétique, aucun juif, aucun païen, et où aucun tyran ne peut faire le mal, parce que jadis un roi de cette ville, nommé Abgar, a eu l'honneur de recevoir une lettre écrite de la propre main de Notre-Seigneur. Et, en effet, si quelque mal est tenté contre cette ville, un enfant, debout sur la porte, lit la lettre du Seigneur, et aussitôt les méchants sont mis en fuite ou font pénitence.

V. Dans sa *Vie et mort des Saints*, Isidore dit de saint Thomas : « Thomas, disciple du Christ, et qui ressemblait au Sauveur, fut incrédule en entendant, mais crut dès qu'il vit. Il prêcha l'Evangile aux Parthes, aux Mèdes, aux Perses, aux Hircaniens, et aux habitants de la Bactriane. Abordant à la plage de l'Orient et pénétrant jusqu'aux nations de l'intérieur, il y poursuivit sa prédication jusqu'au jour de son martyre. Il mourut transpercé d'un coup de lance. » Et Chrysostome dit aussi que Thomas parvint jusqu'aux régions des Rois Mages, qui jadis étaient venus adorer le Christ, qu'il les baptisa, et fit d'eux des soutiens de la foi chrétienne.

VI
LA NATIVITÉ DE NOTRE-SEIGNEUR JÉSUS-CHRIST
(25 décembre)

On n'est pas d'accord sur la date de la naissance de Notre-Seigneur Jésus-Christ dans la chair. Les uns disent qu'elle a eu lieu 5.228 ans après la naissance d'Adam, d'autres qu'elle a eu lieu 5.900 ans après cette naissance. C'est Méthode qui a fixé, le premier, la date de 6.000 ans : mais il l'a trouvée plutôt par inspiration mystique que par calcul chronologique. On sait, en tout cas, que la naissance du Christ a eu lieu sous l'empereur Octave, qui s'appelait aussi César, du nom de son oncle Jules César, et Auguste, parce qu'il avait « augmenté » la république romaine. Et au moment où le Fils de Dieu est né dans la chair, une paix universelle régnait dans le monde, réuni tout entier sous l'autorité pacifique de l'empereur romain.

Donc César Auguste, étant maître du monde, voulut savoir combien il possédait de provinces, de villes, de forteresses, de villages et d'hommes ; en conséquence de quoi il décida que tous les hommes de son empire eussent à se rendre dans la ville ou le village d'où ils étaient originaires, et à remettre au gouverneur de la province un denier d'argent, en signe de soumission à l'empire romain. Et c'est ainsi que Joseph, qui était de la race de David, partit de Nazareth pour se rendre à Bethléem, où l'appelait le recensement. Et comme le temps approchait où la Vierge Marie allait être délivrée, et comme Joseph ne savait pas quand il pourrait être de retour, il l'emmena à Bethléem, ne voulant point remettre entre des mains étrangères le trésor que Dieu lui avait confié. Le *Livre de l'Enfance du Sauveur* raconte, à ce propos, qu'en approchant de Bethléem la Vierge vit une partie du peuple qui se réjouissait, et une partie qui gémissait. Et l'ange lui expliqua la chose en lui disant : « La partie qui se réjouit est le peuple des Gentils, qui va être admis à la béatitude éternelle. La partie qui gémit est le peuple des Juifs, car Dieu va le réprouver suivant ses mérites. »

Puis Joseph et Marie vinrent à Bethléem ; et comme, étant pauvres, ils ne pouvaient pas trouver de place dans les auberges, ils durent s'installer dans un passage commun, ou abri, qui, d'après l'*Histoire scholastique*, se trouvait entre deux maisons, et servait de lieu de réunion aux habitants de Bethléem, ou encore de refuge contre les intempéries de l'air. Là, Joseph installa une crèche pour son bœuf et son âne ; ou bien encore l'étable s'y trouvait déjà, construite à l'usage des paysans qui venaient au marché. Et c'est là que, à minuit, la Vierge mit au jour son fils, et le déposa dans la crèche, sur du foin :

lequel foin fut plus tard emporté à Rome par sainte Hélène ; et l'on dit que ni le bœuf ni l'âne n'osaient y toucher.

Notons, à ce sujet, que tout fut miraculeux dans cette naissance du Christ. En premier lieu, c'est chose miraculeuse que la mère du Christ ait été vierge, après comme avant la naissance de son fils. Et sa virginité, qui nous est attestée par les prophètes et les évangélistes, se trouve encore prouvée par un miracle que nous raconte le pape Innocent III. Pendant les douze ans qu'avait duré la paix du monde, on avait construit à Rome un temple de la Paix, où l'on avait placé une statue de Romulus. Et l'oracle d'Apollon, consulté, avait déclaré que cette statue et le temple resteraient debout jusqu'au jour où une vierge enfanterait un fils. On en avait conclu que le temple serait éternel, et l'on était allé jusqu'à inscrire sur le fronton : « Temple éternel de la Paix ». Or, la nuit de la naissance de Notre-Seigneur, ce temple s'écroula de fond en comble ; et c'est sur son emplacement que s'élève aujourd'hui l'église de Sainte-Marie la Neuve.

Non moins miraculeuses sont toutes les autres circonstances de la Nativité. Nous savons, par exemple, qu'elle fut révélée à toutes les catégories des créatures, depuis les pierres, qui occupent le bas de l'échelle, jusqu'aux anges, qui en occupent le sommet.

1° La Nativité fut révélée aux créatures inanimées. On a vu déjà, par l'exemple ci-dessus, qu'elle se révéla aux pierres d'un temple de Rome. On sait, en outre, que, la nuit de la Nativité, les ténèbres de la nuit se changèrent en une lumière de plein jour. A Rome, l'eau d'une source se changea en huile, et coula ainsi jusque dans le Tibre : or, la Sibylle avait prophétisé que le Sauveur du monde naîtrait lorsque jaillirait une source d'huile. Le même jour, des mages qui priaient sur une montagne virent apparaître une étoile qui avait la forme d'un bel enfant, portant une croix de feu au-dessus de la tête. Et elle dit aux mages d'aller en Judée, où ils trouveraient un enfant nouveau-né. Le même jour, trois soleils apparurent à l'Orient, qui finirent par se fondre en un seul : symbole évident de la sainte Trinité. Enfin voici ce que nous raconte le pape Innocent III : « Pour récompenser Octave d'avoir donné la paix au monde, le Sénat voulait l'adorer comme un dieu. Mais le prudent empereur, se sachant mortel, ne voulut point se parer du titre d'immortel avant d'avoir demandé à la Sibylle si le monde verrait naître, quelque jour, un homme plus grand que lui. Or, le jour de la Nativité, comme la Sibylle était seule avec l'empereur, elle vit apparaître, en plein midi, un cercle d'or autour du soleil ; et au milieu du cercle se tenait une vierge, d'une beauté merveilleuse, portant un enfant sur son sein. La Sibylle montra ce prodige à César, et l'on entendit une voix qui disait : « Celle-ci est l'autel du ciel ! » (*ara cœli*). Et la Sibylle lui dit : « Cet enfant sera plus grand que toi ! » Aussi la chambre où eut lieu ce miracle a-t-elle été consacrée à la sainte Vierge ; et c'est sur son emplacement que s'élève aujourd'hui l'église de Sainte-Marie Ara Cœli. » Cependant d'autres historiens racontent le même fait d'une manière un peu différente. Suivant eux, Auguste, étant monté au Capitole, et ayant demandé aux dieux de lui faire savoir qui régnerait après lui, entendit une voix qui lui disait : « Un enfant éthéré, Fils du Dieu vivant, né d'une vierge sans tache. » Et c'est alors qu'Auguste aurait élevé cet autel, au-dessous duquel il aurait inscrit : « Ceci est l'autel du Fils du Dieu vivant ! »

2º La Nativité s'est révélée aux créatures qui possèdent l'existence et la vie, comme les plantes et les arbres. En effet, dans la nuit de la naissance du Sauveur, les vignes d'Engade fleurirent, fructifièrent et produisirent leur vin.

3º La Nativité s'est révélée aux créatures qui possèdent l'existence, la vie et le sentiment, c'est-à-dire aux animaux. En effet Joseph, en partant pour Bethléem, avait emmené avec lui un bœuf et un âne : le bœuf, peut-être, pour le vendre et pour avoir de quoi payer le denier du cens ; l'âne, sans doute, pour servir à porter la Vierge Marie. Or le bœuf et l'âne, reconnaissant miraculeusement le Seigneur, s'agenouillèrent devant lui, et l'adorèrent.

4º La Nativité s'est révélée aux créatures qui possèdent l'existence, la vie, le sentiment et la raison, c'est-à-dire aux hommes. En effet, dans l'heure même où elle eut lieu, des bergers veillaient auprès de leurs troupeaux, chose qu'ils faisaient deux fois par an, dans la nuit la plus courte et dans la nuit la plus longue de l'année ; car c'était l'usage des nations antiques de veiller dans les deux nuits des solstices, l'été vers le jour de la Saint-Jean, et, l'hiver, dans la nuit de Noël. A ces bergers, donc, un ange apparut qui leur annonça la naissance du Sauveur et leur enseigna le moyen d'arriver jusqu'à lui. Et ils entendirent une foule d'anges qui chantaient : « Gloire à Dieu au plus haut des cieux, » etc. D'une autre façon encore, la Nativité se révéla par les sodomites, qui tous, cette nuit-là, périrent, dans le monde entier. Ce à propos de quoi saint Jérôme nous dit : « Une telle lumière s'éleva, cette nuit-là, qu'elle éteignit tous ceux qui se livraient à ce vice. » Et saint Augustin dit que Dieu ne pouvait pas s'incarner dans la nature humaine aussi longtemps qu'existait, dans cette nature, un vice contre nature.

5º Enfin la Nativité s'est révélée aux créatures qui possèdent l'existence, la vie, le sentiment, la raison, et la connaissance, c'est-à-dire aux anges : car ce sont les anges eux-mêmes, qui, ainsi qu'on vient de le voir, ont annoncé aux bergers la naissance du Christ.

Restent à définir les divers objets en vue desquels a eu lieu l'incarnation de Notre-Seigneur.

1º Elle a eu lieu, d'abord, pour la confusion des démons. Saint Hugues, abbé de Cluny, la veille de Noël, vit la sainte Vierge, tenant son fils sur son sein, et disant : «Voici venir le jour où vont être renouvelés les oracles des prophètes ! Où est désormais l'ennemi qui, jusqu'ici, prévalait contre les hommes ? » A ces mots, le diable sortit de terre, pour démentir les paroles de Notre Dame : mais son iniquité se trouva en défaut, car il eut beau parcourir tout le couvent ; ni à la chapelle, ni au réfectoire, ni au dortoir, ni dans la salle du chapitre, aucun moine ne se laissa détourner de son devoir. D'après Pierre de Cluny, l'enfant, dans la vision de Saint Hugues, aurait dit à sa mère : «Où est maintenant la puissance du diable ? » Sur quoi le diable, sortant de terre, aurait répondu : «Je ne puis pas, en effet, pénétrer dans la chapelle, où l'on chante tes louanges ; mais le chapitre, le dortoir et le réfectoire me restent ouverts ! » Or voici que la porte du chapitre se serait trouvée trop étroite pour lui, la porte du dortoir trop basse, la porte du réfectoire obstruée d'obstacles infranchissables, lesquels n'étaient autres que la charité des moines, leur attention à la lecture du jour, et leur sobriété dans le manger et le boire.

2° La Nativité a eu lieu, ensuite, pour permettre aux hommes d'obtenir le pardon de leurs péchés. Un livre d'exemples raconte l'histoire d'une prostituée qui, s'étant enfin repentie, désespérait de son pardon : et comme elle se jugeait indigne d'invoquer le Christ glorieux, et le Christ souffrant la passion, elle se dit que les enfants étaient plus faciles à apaiser. Elle adjura donc le Christ enfant ; et une voix lui apprit qu'elle était pardonnée.

3° La Nativité a eu lieu pour nous guérir de notre faiblesse. Car, comme le dit saint Bernard : «Le genre humain souffre d'une triple maladie, la naissance, la vie et la mort. Avant le Christ, la naissance était impure, la vie perverse, la mort dangereuse. Mais le Christ est venu, et contre ce triple mal nous a apporté un triple remède. Sa naissance a purifié la nôtre ; sa vie a instruit la nôtre ; sa mort a détruit la nôtre. »

4° Enfin la Nativité a eu lieu pour humilier notre orgueil. Car, ainsi que le dit saint Augustin : «L'humilité qu'a montrée le fils de Dieu dans son incarnation nous sert à la fois d'exemple, de consécration, et de médicament. Elle nous sert d'exemple pour nous apprendre à être humbles nous-mêmes ; de consécration, parce qu'elle nous délivre des liens du péché ; de médicament, parce qu'elle guérit la tumeur de notre vain orgueil. »

VII
SAINTE ANASTASIE, MARTYRE
(25 décembre)

Anastasie était d'une des plus grandes familles de Rome. Elle fut élevée dans la foi du Christ par sa mère Fantaste, et par le bienheureux Chrysogone. Mariée contre son gré à un certain Publius, elle feignait un mal de langueur et se refusait à la vie conjugale. Mais un jour son mari apprit que, vêtue comme une femme pauvre, et en compagnie d'une de ses servantes, elle visitait les chrétiens emprisonnés, et leur portait des secours. Il la fit alors enfermer et garder étroitement, lui refusant presque toute nourriture. Il espérait ainsi la faire mourir, et jouir à son aise de sa dot, qui était très grande. Et elle, s'attendant à mourir d'un jour à l'autre, écrivait des lettres désolées à Chrysogone, qui, dans ses réponses, s'efforçait de la consoler. Cependant ce fut le mari d'Anastasie qui mourut, et Anastasie fut mise en liberté.

Elle avait trois servantes très belles, qui étaient sœurs. L'une s'appelait Agapète, l'autre Théonie, la troisième Irène. Et toutes trois étaient chrétiennes. Un préfet, qui s'était pris d'un fol amour pour elles, les fit enfermer dans la cuisine de la maison, sous le prétexte qu'elles n'obéissaient pas aux lois impériales ; et, certaine nuit, il se rendit dans cette cuisine afin d'assouvir sa luxure. Mais le Seigneur lui ôta l'esprit ; et voilà que croyant avoir affaire aux trois vierges, il caressait et couvrait de baisers des poêles, des chaudrons et d'autres ustensiles semblables ; après quoi, s'étant rassasié, il sortit tout noir de suie et les vêtements déchirés. Ses esclaves, qui l'attendaient devant la porte de la maison, quand ils le virent ainsi arrangé, le prirent pour un démon, le rouèrent de coups, et s'enfuirent, le laissant seul. Il alla trouver l'empereur, pour se plaindre ; et, sur son chemin, les uns le frappaient de verges, les autres lançaient sur lui de la poussière et de la boue. Mais lui, ayant sur les yeux un charme qui l'empêchait de voir l'état où il se trouvait, il s'étonnait que tout le monde se moquât de lui au lieu de l'honorer comme à l'ordinaire. Et quand enfin on lui apprit dans quel état il se trouvait, il supposa que les jeunes filles avaient usé de sortilèges. Il les fit donc venir devant lui, et ordonna de les dépouiller de tous leurs vêtements, afin de pouvoir au moins les voir nues. Mais aussitôt leurs vêtements se collèrent à leurs corps de telle façon que personne ne pouvait les leur enlever. Et le préfet, au moment où il s'apprêtait à jouir de leur vue, fut saisi d'un sommeil si profond que, même en le poussant, on ne parvenait pas à le réveiller. Enfin les trois vierges reçurent la couronne du martyre.

Quant à Anastasie, elle fut livrée par l'empereur à un autre préfet, afin qu'il la prît pour femme, après l'avoir forcée à sacrifier aux idoles. Et cet homme, l'ayant mise dans son lit, voulut l'embrasser : mais aussitôt il devint aveugle.

Il se fit alors conduire au temple des dieux, et demanda à ceux-ci s'il pouvait guérir. Mais les dieux lui répondirent : « Pour avoir voulu violer Anastasie, qui est une sainte, tu nous a été livré afin d'être à jamais torturé avec nous dans l'enfer ! » Et, pendant qu'on le ramenait chez lui, il mourut entre les mains de ses esclaves.

Alors Anastasie fut confiée à un autre préfet, qui fut chargé de la garder. Et cet homme, ayant appris qu'elle était très riche, lui dit en secret : « Anastasie, si vraiment tu es chrétienne, tu dois faire ce que t'ordonne ton Maître. Or celui-ci ordonne à ses disciples de renoncer à tout ce qu'ils possèdent. Donne-moi donc tout ce que tu possèdes, et va-t'en où tu voudras ! Ainsi tu seras une vraie chrétienne. » Mais elle lui répondit : « Dieu m'a ordonné, en effet, de donner tout ce que j'avais, mais de le donner aux pauvres et non aux riches. Or tu es riche : j'agirais contre les préceptes de mon Dieu en te donnant quelque chose ! »

Anastasie fut alors jetée en prison, pour y mourir de faim ; mais sainte Théodore, qui avait déjà obtenu la couronne du martyre, la nourrit pendant deux mois de la manne céleste. Enfin elle fut conduite avec deux cents vierges, dans l'île Palmaria, où de nombreux chrétiens étaient relégués. Et, quelques jours après son arrivée, le préfet du lieu manda devant lui tous les chrétiens. Il fit attacher Anastasie à un poteau et la fit brûler vive ; puis il fit périr les autres chrétiens en des supplices divers. Et il y avait parmi ces chrétiens un homme que l'on avait dépouillé de toutes ses richesses, et qui répétait toujours : « De Jésus-Christ, du moins, vous ne pourrez pas me dépouiller ! » Sainte Appolonie fit enlever le corps de sainte Anastasie et l'ensevelit dans son jardin, où une église fut élevée en son honneur. Le martyre de sainte Anastasie eut lieu sous le règne de Dioclétien, règne qui commença vers l'an du Seigneur 287.

VIII
SAINT ÉTIENNE, PREMIER MARTYR
(26 décembre)

I. Etienne fut un des sept diacres ordonnés par les apôtres pour le ministère sacré. On sait, en effet, que, le nombre des disciples se multipliant, les chrétiens d'origine étrangère se mirent à murmurer contre les chrétiens d'origine juive, parce que les veuves étaient négligées dans le ministère quotidien. La cause de ces murmures peut être comprise de deux façons : ou bien les veuves n'étaient pas admises dans le ministère, ou bien encore elles y avaient trop de travail, les apôtres leur ayant confié les soins matériels du culte afin de pouvoir se consacrer entièrement à la prédication. Toujours est-il que les apôtres, en présence de ce murmure, réunirent la foule des fidèles et dirent : « Il n'est pas raisonnable que nous délaissions la prédication de la parole de Dieu pour nous occuper des soins matériels et pour servir aux tables. Choisissez donc, frères, sept hommes d'entre vous qui aient bonne réputation et qui soient pleins de l'Esprit-Saint, afin que nous leur commettions cet emploi ! Et ainsi nous pourrons continuer à nous occuper de prier et de prêcher. » Cette proposition plut à toute l'assemblée. On élut sept hommes, dont le premier était Etienne ; et on les présenta aux apôtres qui, après avoir prié, leur imposèrent les mains.

Or, Etienne, plein de foi et de courage, faisait de grands miracles parmi le peuple. Alors les Juifs, le jalousant et désirant se défaire de lui, engagèrent la lutte contre lui de trois façons : en discutant avec lui, en subornant de faux témoins contre lui, et en le torturant. Mais lui, il eut le dessus dans la discussion : il convainquit de fausseté les faux témoins, et il triompha de ceux qui le torturaient. Dans cette triple lutte, il reçut du ciel un triple secours. Dans la discussion, il reçut le secours de l'Esprit-Saint, qui lui donna la sagesse. Devant les faux témoins, son visage revêtit une pureté angélique qui fit taire leurs témoignages. Et dans la torture le Christ lui apparut, l'aidant à supporter le martyre. Quant au détail du discours qu'il tint aux Juifs, nous le trouvons énoncé tout au long au chapitre VII des *Actes des Apôtres*.

Et comme les Juifs, entendant les paroles du saint, étaient transportés de rage et le menaçaient, Etienne étant rempli du Saint-Esprit et tenant les yeux levés au ciel, s'écria : « Voici, je vois les cieux ouverts et Jésus assis à la droite de Dieu ! » Alors ils poussèrent de grands cris et se bouchèrent les oreilles, comme pour ne pas l'entendre blasphémer ; et ils se jetèrent tous ensemble sur lui, et, l'ayant traîné hors de la ville, ils le lapidèrent. Et les deux faux témoins, qui avaient à lui jeter la première pierre, ôtèrent leurs vêtements, soit pour éviter de les souiller au contact d'Etienne, ou pour avoir plus de force ; et ils les mirent aux pieds d'un adolescent qui s'appelait Saul, et qui fut plus tard saint Paul : de telle sorte que celui-ci, gardant les vêtements de ceux qui lapidaient Etienne, pour les aider dans leur office, peut être considéré comme ayant contribué lui-même à le lapider. Et pendant qu'on le lapidait, Etienne priait, disant : « Seigneur Jésus, reçois mon esprit ! » Puis, s'étant mis à genoux, il cria à haute voix : « Seigneur, ne leur impute pas à péché ce qu'ils font ! » En quoi le martyr imitait le Christ, qui, dans sa passion, avait prié d'abord pour soi, disant : « Mon Père, je te livre mon âme ! » et avait ensuite prié pour ses bourreaux, disant : « Mon Père, pardonne-leur, car ils ne savent pas ce qu'ils font ! » Et l'auteur des *Actes* ajoute qu'après avoir ainsi parlé Etienne « s'endormit dans le Seigneur ». Expression belle et juste : car le saint ne mourut pas, il « s'endormit » dans l'espoir de la résurrection.

Le martyre d'Etienne eut lieu l'année même de l'Ascension du Seigneur, le troisième jour d'août. Saint Gamaliel et Nicodème, qui soutenaient les intérêts des chrétiens dans tous les conseils des Juifs, ensevelirent saint Etienne dans le champ dudit Gamaliel, et un grand deuil eut lieu en son honneur ; et une persécution violente s'éleva, bientôt après, contre tous les chrétiens qui étaient à Jérusalem, à tel point que tous durent se disperser dans les divers quartiers de la Judée et de la Samarie, à l'exception des apôtres, qui, sans doute, allaient au-devant de la mort au lieu de la fuir.

II. Saint Augustin rapporte que le bienheureux Etienne s'est illustré par d'innombrables miracles : qu'il a six fois ressuscité des morts, et guéri une foule de malades. Le même auteur rapporte qu'on avait coutume de mettre des fleurs sur l'autel de saint Etienne, qui, placées ensuite sur des malades, les guérissaient ; et que les linges déposés sur l'autel, et placés ensuite sur des malades, guérissaient en particulier les maladies de la moelle. Au livre XXII de sa *Cité de Dieu*, il raconte le miracle d'une femme aveugle qui fut rendue à la lumière par le contact d'une fleur prise sur l'autel du saint. Il raconte aussi l'histoire de l'un des hommes les plus considérables de la ville d'Hippone, nommé Martial, qui était infidèle et refusait de se convertir. Cet homme étant malade, son gendre, qui était chrétien, se rendit à l'église de saint Etienne, y prit des fleurs sur l'autel, et les posa en secret sous la tête de son beau-père. Et celui-ci, dès qu'au petit jour il se réveilla, envoya chercher l'évêque. L'évêque se trouvait absent, mais un prêtre vint chez Martial, et celui-ci demanda à être baptisé. Et, aussi longtemps qu'il vécut, il répéta ces mots : « Seigneur Jésus, reçois mon esprit ! » sans se douter que c'étaient les dernières paroles du bienheureux Etienne.

III. Autre miracle rapporté par saint Augustin. Certaine matrone nommée Pétronie, qui souffrait depuis longtemps d'une grave maladie contre laquelle tous les remèdes avaient échoué, s'avisa de consulter un Juif, qui lui donna une bague ornée d'une pierre, lui disant de se l'appliquer à nu sur le corps. Et Pétronie suivit le conseil, mais n'en retira aucun bien. Elle se rendit alors à l'église du Premier Martyr, et demanda sa guérison à saint Etienne. Aussitôt la bague du Juif, qu'elle avait attachée par une corde passée autour de ses reins, tomba à terre, sans que ni la corde ni la bague fussent rompues. Et, depuis cet instant, la dame fut guérie.

IV. Autre miracle, non moins étonnant, rapporté par saint Augustin. A Césarée de Cappadoce vivait une dame noble qui était veuve, mais qui avait le bonheur d'avoir dix enfants, dont sept garçons et trois filles. Or, un jour, la mère, se jugeant offensée par ses enfants, les maudit ; et aussitôt, sous l'effet de la malédiction maternelle, les dix enfants furent frappés d'une même peine, la plus effroyable du monde. Ils se virent atteints d'un tremblement de tous les membres qui ne se relâchait ni le jour, ni la nuit. N'osant s'exposer à la vue de leurs concitoyens, ils quittèrent la ville et se dispersèrent à travers le monde, attirant partout sur eux l'attention générale. Deux d'entre eux, un frère et sa sœur, nommés Paul et Palladie, arrivèrent ainsi à Hippone, et racontèrent leur histoire à saint Augustin, qui était évêque de cette ville. On était alors quinze jours avant Pâques, et les deux infortunés se rendaient tous les matins à l'église de saint Etienne, suppliant le saint d'avoir pitié d'eux. Or, le jour de Pâques, en présence de la foule, Paul pénétra soudain dans la chapelle du saint, se prosterna pieusement devant l'autel ; et tout le monde le vit ensuite se relever guéri ; et il fut à jamais délivré de son tremblement. Puis sa sœur Palladie entra à son tour dans la chapelle, et parut soudain frappée d'un sommeil dont elle se réveilla tout à fait guérie. Le frère et la sœur furent montrés à la foule, et de grandes actions de grâces furent adressées à saint Etienne pour leur guérison.

Nous avons oublié de dire qu'Orose, revenant de chez saint Jérôme, avait rapporté à saint Augustin des reliques de saint Etienne, et que ce sont ces reliques qui ont opéré les miracles ci-dessus, et bien d'autres encore.

V. Nous devons noter enfin que ce n'est pas le 26 décembre que saint Etienne a subi le martyre, mais le 3 août, jour où l'Eglise fête l'Invention de ce saint. Pourquoi cela se fait ainsi, c'est ce que nous dirons quand nous aurons à parler de l'Invention de saint Etienne. Mais disons, dès maintenant, que c'est pour une double cause que l'Eglise a placé tout de suite après la Nativité du Seigneur les trois fêtes de saint Jean l'Evangéliste, de saint Etienne et des saints Innocents. D'abord, l'Eglise a voulu adjoindre au Christ ses premiers compagnons ; et la seconde cause est que l'Eglise a voulu réunir les trois genres de martyres dans le voisinage de la naissance du Christ, qui est la raison première de tous les martyres. Car il y a trois genres de martyres : le premier à la fois de volonté et de fait, le second de volonté et non de fait, le troisième de fait et non de volonté. Or le premier de ces martyres a eu pour premier représentant saint Etienne, le second saint Jean, et le troisième les saints Innocents.

IX
SAINT JEAN, APÔTRE ET ÉVANGÉLISTE
(27 décembre)

La vie de saint Jean l'Evangéliste a été écrite par Milet, évêque de Laodicée : un résumé en a été fait par Isidore, dans sa *Vie et Mort des Saints*.

I. L'apôtre et évangéliste Jean, lorsque après la Pentecôte les apôtres se séparèrent, se rendit en Asie, où il fonda de nombreuses églises. Or, l'empereur Domitien, ayant appris sa renommée, le manda à Rome, et le fit plonger dans une chaudière d'huile bouillante ; mais le saint en sortit sain et sauf, de même qu'il avait échappé à la corruption des sens. Ce que voyant, l'empereur le relégua en exil dans l'île de Patmos, où, vivant seul, il écrivit l'*Apocalypse*. Mais, la même année, le cruel empereur fut tué, et le Sénat révoqua tout ce qu'il avait décrété. Ainsi arriva que saint Jean, qui avait été déporté comme un criminel, revint à Ephèse couvert d'honneurs ; et toute la foule accourait au-devant de lui, disant : « Béni celui qui vient au nom du Seigneur ! » Or, comme il entrait dans la ville, il rencontra le cortège qui conduisait les restes mortels d'une femme nommée Drusienne, qui autrefois avait été sa plus fidèle amie, et qui, plus que personne, avait souhaité son retour. Et les parents de cette femme, et les veuves et les orphelins d'Ephèse, dirent à saint Jean : « Voici que nous portons en terre Drusienne, qui toujours, suivant tes conseils, nous nourrissait tous de la parole divine, et qui plus que personne souhaitait ton retour, disant : « Oh, si je pouvais revoir l'apôtre de Dieu avant de mourir. » Et voici que tu es revenu, et qu'elle n'a pas pu te revoir ! » Alors l'apôtre fit déposer à terre le cercueil, le fit ouvrir, et dit : « Drusienne, mon maître Jésus-Christ te ressuscite ! Lève-toi, va dans ta maison, et prépare-moi mon repas ! » Et aussitôt elle se leva et s'en alla vers sa maison, avec l'impression de s'être éveillée du sommeil, et non de la mort.

II. Le lendemain de l'arrivée de saint Jean à Ephèse, un philosophe nommé Craton convoqua le peuple, sur la place, pour lui montrer comment on devait mépriser le monde. Il avait ordonné à deux jeunes gens très riches de vendre tout leur patrimoine, pour acheter en échange des diamants d'un prix énorme ; et, sur son ordre, ces jeunes gens avaient brisé leurs diamants en présence de tous. Or, l'apôtre passait par hasard sur la place : il appela le philosophe, et lui prouva tout ce qu'avait de blâmable une telle façon de mépriser le monde : car le dédain des richesses n'est méritoire que lorsque les richesses dédaignées servent au bien des pauvres, et c'est pour cela que le Seigneur a dit au jeune homme de l'Evangile : « Si tu veux être parfait, va vendre tous tes biens et donnes-en le produit aux pauvres ! » Alors Craton lui dit : « Si vraiment ton maître est Dieu, et s'il veut que le prix de ces diamants profite aux pauvres, fais qu'ils reprennent leur intégrité, réalisant ainsi à la gloire de ton Maître ce que j'ai su réaliser en vue de la gloire humaine ! » Alors saint Jean réunit dans sa main les fragments des pierres précieuses, et pria ; et aussitôt les pierres redevinrent telles qu'avant d'être brisées, et le philosophe et les deux jeunes gens crurent en Jésus, et le produit des diamants fut distribué aux pauvres.

III. Mais un jour ces deux jeunes gens, voyant leurs anciens esclaves vêtus de manteaux de prix, tandis qu'eux-mêmes étaient mis comme des mendiants, commencèrent à se désoler. Ce que voyant sur leurs visages, saint Jean se fit apporter du bord de la mer des roseaux et des pierres, et les changea en or et en diamants. Et, sur son ordre, tous les orfèvres de la ville examinèrent pendant sept jours l'or et les diamants ainsi obtenus ; et quand ils eurent déclaré n'en avoir jamais vu d'aussi purs, le saint dit aux deux jeunes gens : « Allez, et rachetez les terres que vous avez vendues ! Puisque vous avez perdu les trésors du ciel, soyez florissants, mais afin de vous dessécher ; soyez riches temporellement, mais afin d'être mendiants dans l'éternité ! » Et il se mit alors à parler des richesses, dénombrant les six motifs qui doivent nous empêcher d'un désir immodéré des biens terrestres. Le premier de ces motifs est le texte écrit : et saint Jean raconta l'histoire du riche et de Lazare le pauvre. Le second motif est la nature : l'homme naît nu et meurt de même. Le troisième motif est la création : car de même que le soleil, la lune, les étoiles, l'air, sont communs à tous et partagent entre tous leurs bienfaits, de même entre les hommes tout devrait être commun. Le quatrième motif est le hasard des richesses. Le cinquième est le souci qu'elles imposent. Enfin le sixième motif est les mauvaises conséquences qu'entraîne la possession des richesses, aussi bien dans cette vie que dans la future.

IV. Et, pendant que saint Jean parlait ainsi contre les richesses, il rencontra le convoi d'un jeune homme, mort après trente jours de mariage. Alors la mère et la veuve de ce jeune homme, et tous ses amis, se jetèrent en pleurant aux pieds de l'apôtre, le suppliant de ressusciter le mort au nom de Dieu, comme il avait ressuscité Drusienne. Et l'apôtre, après avoir longtemps pleuré et prié, ressuscita le jeune homme, et lui dit de raconter aux deux jeunes riches le châtiment qu'ils avaient encouru et la gloire qu'ils avaient perdue. Alors le ressuscité parla de la gloire du paradis et des châtiments de l'enfer, dont il venait d'être témoin. Il dit aux deux riches, qu'ils avaient perdu des palais éternels, construits de pierres brillantes, éclairés d'une lumière merveilleuse, pourvus de mets exquis, et tout remplis de joies et de délices. Et il leur dit les huit peines de l'enfer, qu'on a résumées dans ce distique : « Les vers et les ténèbres, le fouet, le froid et le feu, — la vue du diable, le remords, le désespoir. » Puis il ajouta, s'adressant aux deux riches : « Et j'ai vu vos anges gardiens qui pleuraient, qui gémissaient. O malheureux que vous êtes ! » Alors le ressuscité et les deux riches, se prosternant aux genoux de l'apôtre, le supplièrent d'invoquer le pardon du ciel. Et l'apôtre dit aux deux jeunes gens : « Faites pénitence pendant trente jours, et priez que les roseaux et les pierres reprennent leur ancienne forme ! » C'est ce qu'ils firent, et les roseaux et les pierres reprirent leur ancienne forme, et les deux riches obtinrent leur pardon.

V. Et lorsque saint Jean eut prêché dans toute l'Asie, les adorateurs des idoles le traînèrent au temple de Diane, voulant le forcer à sacrifier à cette déesse. Alors le saint leur offrit cette alternative : il leur dit que si, en invoquant Diane, ils parvenaient à renverser l'église du Christ, il sacrifierait à Diane, mais que si, au contraire, c'était lui qui, en invoquant le Christ, détruisait le temple de Diane, ils auraient à croire au Christ. La plus grande partie du peuple ayant consenti à cette épreuve, Jean fit sortir du temple tous ceux qui s'y trouvaient ; puis il pria, et le temple s'écroula, et la statue de Diane fut réduite en miettes.

Alors le grand prêtre Aristodème souleva une sédition dans le peuple, au point que les deux partis s'apprêtaient à en venir aux mains. Et l'apôtre lui dit : « Que veux-tu que je fasse pour t'apaiser ? » Et lui : « Si tu veux que je croie en ton Dieu, je te donnerai du poison à boire, et, s'il ne te fait aucun mal, c'est que ton Dieu sera le vrai Dieu. » Et l'apôtre : « Fais comme tu l'as dit ! » Et lui : « Mais je veux que d'abord tu voies mourir d'autres hommes par l'effet de ce poison, pour en constater la puissance ! » Et Aristodème demanda au proconsul de lui livrer deux condamnés à mort : il leur donna à boire du poison, et aussitôt ils moururent. Alors l'apôtre prit à son tour le calice, et, s'étant muni du signe de la croix, il but tout le poison et n'en éprouva aucun mal : sur quoi tous se mirent à louer Dieu. Mais Aristodème dit : « Un doute me reste encore ; mais s'il ressuscite les deux hommes qui sont morts par le poison, je ne douterai plus, et croirai au Christ. » L'apôtre, sans lui répondre, lui donna son manteau. Et lui : « Pourquoi me donnes-tu ton manteau ? Penses-tu qu'il me transmettra ta foi ? » Et saint Jean : « Va étendre ce manteau sur les cadavres des deux morts en disant : l'apôtre du Christ m'envoie vers vous, pour que vous ressuscitiez au nom du Christ ! » Et Aristodème fit ainsi, et aussitôt les deux morts ressuscitèrent. Alors l'apôtre baptisa le grand prêtre et le proconsul avec toute sa famille ; et ceux-ci, plus tard, élevèrent une église en l'honneur de saint Jean.

VI. Saint Clément rapporte, ainsi qu'on le lit au livre quatrième de l'*Histoire ecclésiastique*, qu'un jour saint Jean convertit certain jeune homme brave et beau, et le confia au soin d'un évêque, comme un dépôt. Or, quelque temps après, le jeune homme abandonna l'évêque pour devenir chef de brigands. Et, l'apôtre ayant ensuite redemandé à l'évêque le dépôt qu'il lui avait confié, l'évêque répondit : « Mon père vénéré, cet homme est mort, quant à l'âme ; il demeure maintenant sur une montagne, avec des brigands dont il est le chef. » Ce qu'entendant, l'apôtre déchira son manteau et se frappa la tête de ses poings ; et aussitôt il se fit seller un cheval, et monta, sans escorte, sur la montagne où était le brigand. Mais celui-ci, pris de honte à sa vue, enfourcha son cheval et s'enfuit. Or, l'apôtre, oubliant son âge, se mit à le poursuivre, en lui criant : « Hé, quoi, fils bien-aimé, tu fuis ton père, qui n'est qu'un vieillard sans armes ? Ne crains rien, mon fils, car je rendrai compte pour toi au Christ, et je t'assure que bien volontiers je mourrai pour toi, de même que le Christ est mort pour nous ! Reviens, mon fils, reviens ! C'est le Seigneur qui m'envoie ! » En entendant ces paroles, le jeune homme se retourna, s'approcha du saint, et fondit en larmes. Alors l'apôtre se jeta à ses pieds, lui prit la main, et la couvrit de baisers. Et il pria et jeûna pour lui, et obtint son pardon ; et, plus tard, il l'ordonna évêque.

VII. Cassien, dans son livre des *Collations*, raconte ceci. On offrit un jour à saint Jean une perdrix vivante ; et comme le saint la caressait dans sa main, un adolescent dit en riant à ses camarades : « Voyez donc ce vieillard qui joue avec un oiseau, comme un enfant ! » Alors, saint Jean, devinant la pensée de l'adolescent, l'appela et lui demanda pourquoi il tenait en main un arc et des flèches. Et l'adolescent : « C'est pour viser des oiseaux au vol ! » Et l'apôtre : « Comment fais-tu cela ? » Alors le jeune homme tendit son arc, et le garda tendu dans sa main. Mais, comme l'apôtre ne lui disait rien, il ne tarda pas à détendre son arc. Alors saint Jean : « Mon fils, pourquoi as-tu débandé ton arc ? » Et lui : « Si je l'avais tenu bandé plus longtemps, il serait devenu faible pour lancer des flèches. » Et l'apôtre : « De même, notre fragile nature humaine s'affaiblirait pour la contemplation, si, persistant dans sa rigueur, elle refusait de céder parfois à sa fragilité. Ne sais-tu pas que l'aigle, qui vole plus haut que tous les autres oiseaux, et qui regarde le soleil en face, doit cependant, de par sa nature, descendre vers la terre : de même l'esprit humain, après s'être un peu relâché de la contemplation des choses célestes, y revient ensuite avec plus d'ardeur. »

VIII. Et saint Jérôme nous rapporte ceci : « Saint Jean, qui demeura à Ephèse jusqu'à l'extrême vieillesse, devint si faible que ses disciples avaient à le porter à l'église, et qu'il pouvait à peine ouvrir la bouche ; mais à tout instant il répétait cette seule et même phrase : « Mes enfants, aimez-vous les uns les autres ! » Or, un jour, les fidèles qui étaient près de lui, s'étonnant de ce qu'il répétât toujours la même chose, lui en demandèrent le motif. Et le saint leur répondit : « Parce que c'est le grand précepte du Seigneur ; et, si seulement on applique celui-là, cela suffit. »

IX. Hélinand rapporte, d'autre part, que lorsque saint Jean eut à écrire son évangile, il ordonna d'abord aux fidèles de jeûner et de prier, afin que Dieu l'inspirât. Et quand, ensuite, il se fut retiré dans le lieu solitaire où il allait écrire le livre divin, il pria que ce livre fût abrité contre l'outrage des vents et des pluies. Et l'on dit que, aujourd'hui encore, ce lieu est respecté par les éléments.

X. Enfin voici ce que nous lisons dans le livre d'Isidore : « Quand saint Jean fut arrivé à l'âge de quatre-vingt-dix-huit ans, l'an soixante-septième de la passion du Seigneur, Jésus lui apparut avec ses disciples et lui dit : « Viens à moi, mon bien-aimé, car voici le temps où tu vas pouvoir manger à ma table avec tes frères ! » Et saint Jean se levant se mit en marche. Mais Jésus lui dit : « Non, c'est dimanche que tu viendras à moi. » Donc, le dimanche suivant, tout le peuple s'assembla dans l'église. Et saint Jean, retrouvant ses forces, prêcha dès le chant du coq, leur disant d'être stables dans la foi et fervents pour les ordres du Christ. Après quoi il fit creuser, près de l'autel, une fosse carrée, et il en fit jeter la terre hors de l'église ; et, descendant dans la fosse et étendant les mains vers le ciel, il dit : « Invité à ta table, mon Seigneur Jésus-Christ, voici que je viens, en te remerciant d'avoir daigné m'inviter, car tu sais que je l'ai désiré de tout mon cœur ! » Lorsqu'il eut ainsi prié, une lumière aveuglante l'entoura. Et lorsque la lumière se dissipa, le saint avait disparu, et la fosse était remplie de manne ; et l'on dit que cette manne sort aujourd'hui encore de la fosse, à la manière d'une source. »

XI. Saint Edmond, roi d'Angleterre avait coutume de ne rien refuser à ceux qui lui demandaient au nom de saint Jean l'Evangéliste. Un jour, pendant l'absence du chambellan du roi, certain pèlerin s'approcha d'Edmond et lui demanda l'aumône au nom de saint Jean l'Evangéliste. Et le roi, n'ayant rien d'autre qu'il pût lui donner, lui donna la bague de prix qu'il portait au doigt. Or, plusieurs jours après, un soldat anglais, qui se trouvait outremer, rencontra le même pèlerin ; et celui-ci lui remit la bague, lui disant de la porter à son roi avec ces paroles : « Celui pour l'amour de qui tu as donné cette bague, c'est lui qui te la renvoie ! » D'où apparut clairement que c'était saint Jean lui-même qui s'était montré au roi sous l'habit d'un pèlerin.

X
LES SAINTS INNOCENTS
(28 décembre)

Les Innocents sont appelés de ce nom pour trois motifs, à savoir : en raison de leur vie, en raison de leur martyre, et en raison de l'innocence que leur mort leur a acquise. Ils sont innocents en raison de leur vie, parce qu'ils ont eu une vie innocente, c'est-à-dire n'ont pu, de leur vivant, nuire à personne. Ils sont innocents en raison de leur martyre, parce qu'ils ont souffert injustement et sans être coupables d'aucun crime. Enfin ils sont innocents en raison des suites de leur mort, parce que leur martyre leur a conféré l'innocence baptismale, c'est-à-dire les a purifiés du péché originel.

I. Les Innocents ont été mis à mort par Hérode d'Ascalon. L'Ecriture Sainte cite en effet trois Hérode, fameux tous trois pour leur cruauté. Le premier est appelé Hérode d'Ascalon : c'est sous son règne qu'est né le Seigneur et qu'ont été mis à mort les Innocents. Le second s'appelle Hérode Antipas : c'est lui qui a ordonné la décollation de saint Jean. Enfin le troisième est Hérode Agrippa, qui a mis à mort saint Jacques et a fait emprisonner saint Pierre. C'est ce que résument ces deux vers :

Ascalonita necat pueros, Antipa Johannem,

Agrippa Jacobum, claudens in carcere Petrum.

Mais racontons brièvement l'histoire du premier de ces Hérode. Antipater l'Iduméen, comme nous le lisons dans l'*Histoire scholastique*, prit pour femme une nièce du roi des Arabes et eut d'elle un fils, qu'il appela Hérode, et qui fut surnommé ensuite Hérode d'Ascalon. Celui-ci fut fait, par César-Auguste, roi de Judée : ce fut la première fois que la Judée reçut un roi étranger. Cet Hérode eut à son tour six fils : Antipater, Alexandre, Aristobule, Archélaüs, Hérode Antipas, et Philippe. Alexandre et Aristobule, nés de la même mère, qui était juive, furent envoyés dans leur jeunesse, à Rome pour s'y instruire aux arts libéraux ; puis ils revinrent à Jérusalem, et Alexandre devint grammairien, tandis qu'Aristobule se distingua par la subtilité de son éloquence. Et souvent ils se querellaient avec leur père au sujet de la succession au trône. Puis, comme leur père, irrité, contre eux, parlait de les déshériter, ils entreprirent de le faire tuer. Hérode, prévenu, les chassa ; et les deux jeunes princes se rendirent à Rome, où ils portèrent plainte contre leur père devant l'empereur.

Cependant les mages vinrent à Jérusalem, s'informant de la naissance du nouveau roi que leur annonçaient les présages. Et Hérode, en les entendant, craignit que, de la famille des vrais rois de Judée, un enfant ne fût né qui pourrait le chasser comme usurpateur. Il demanda donc aux rois mages de venir lui signaler l'enfant royal dès qu'ils l'auraient trouvé, feignant de vouloir adorer celui qu'en réalité il se proposait de tuer. Mais les mages s'en retournèrent dans leur pays par une autre route. Et Hérode, ne les voyant pas revenir, crut que, honteux d'avoir été trompés par l'étoile, ils s'en étaient retournés sans oser le revoir ; et, là-dessus, il renonça à s'enquérir de l'enfant. Pourtant, quand il apprit ce qu'avaient dit les bergers et ce qu'avaient prophétisé Siméon et Anne, toute sa peur le reprit, et il résolut de faire massacrer tous les enfants de Bethléem, de façon que l'enfant inconnu dont il avait peur pérît à coup sûr. Mais Joseph, averti par un ange, s'enfuit avec l'enfant et la mère en Egypte, dans la ville d'Hermopolis, et y resta sept ans, jusqu'à la mort d'Hérode. Et Cassiodore nous dit, dans son *Histoire tripartite*, qu'on peut voir à Hermopolis, en Thébaïde, un arbre de l'espèce des persides, qui guérit les maladies, si l'on applique sur le cou des malades un de ses fruits, ou une de ses feuilles, ou une partie de son écorce. Cet arbre, lorsque la sainte Vierge fuyait en Egypte avec son fils, s'est incliné jusqu'à terre, et a pieusement adoré le Christ.

II. Or, pendant qu'Hérode méditait le massacre des enfants, lui-même fut mandé par lettre devant Auguste, pour se défendre de l'accusation de ses deux fils. Et après qu'il eut discuté avec ses fils en présence de l'empereur, celui-ci décida que les fils devaient obéir en tout à leur père, qui était libre de laisser son trône à qui il voudrait. C'est alors qu'Hérode, revenu de Rome, et rendu plus audacieux par la confirmation de la faveur impériale, ordonna de tuer tous les enfants âgés de moins de deux ans. Cet ordre s'explique fort bien si l'on songe que, le voyage d'Hérode à Rome ayant duré un an, un espace de près de deux ans devait s'être écoulé depuis le moment où l'étoile avait révélé aux mages la naissance de l'enfant royal. Mais saint Jean Chrysostome croit que le décret d'Hérode ordonnait, au contraire, le massacre de tous les enfants ayant plus de deux ans ; car l'étoile, d'après lui, serait apparue aux mages un an avant la naissance de Jésus ; et Hérode était resté un an à Rome, et sans doute il s'imaginait que, lorsque l'étoile était apparue aux mages, l'enfant était déjà né. Le fait est que certains os des saints Innocents, qui se sont conservés, sont trop grands pour provenir d'enfants de moins de deux ans ; encore qu'on puisse dire que peut-être la taille humaine était alors beaucoup plus grande qu'elle ne l'est aujourd'hui. Quant à Hérode, il fut aussitôt puni de son crime : car Macrobe et un autre chroniqueur rapportent qu'un fils d'Hérode se trouvait en nourrice à Bethléem, et fut massacré avec les autres enfants.

III. Mais Dieu, le juge des juges, ne permit pas que le châtiment d'un tel crime se bornât à cette seule mort. L'homme qui avait privé de leurs fils des pères sans nombre fut, lui-même, misérablement privé des siens. En effet, Alexandre et Aristobule devinrent de nouveau suspects à Hérode. Un de leurs complices révéla qu'Alexandre lui avait promis beaucoup de présents s'il parvenait à empoisonner son père ; d'autre part, le barbier d'Hérode révéla qu'Alexandre lui avait promis de le récompenser si, pendant qu'il rasait son père, il voulait étrangler le vieillard. Aussi Hérode, dans sa colère, les fit-il mettre à mort ; et il finit par déposséder de sa succession au trône son fils aîné Antipater, au profit de son autre fils Hérode Antipas. Et comme il avait, en outre, une affection toute paternelle pour les deux enfants d'Aristobule, Hérode Agrippa et Hérodiade, femme de son fils Philippe, Antipater se prit à l'égard de son père d'une haine si violente qu'il essaya de l'empoisonner ; et Hérode, l'ayant su, le fit jeter en prison. C'est à cette occasion que César-Auguste dit à ses familiers : « J'aimerais mieux être le porc d'Hérode que son fils, car, en sa qualité de Juif, il épargne les porcs, tandis qu'il tue ses fils. »

IV. Quant à Hérode lui-même, il avait environ soixante-dix ans lorsqu'il fut frappé d'une grave maladie. Il avait une fièvre très violente, une décomposition du corps, une inflammation des pieds, des vers dans les testicules, l'haleine courte, et une puanteur insupportable. Placé par les médecins dans un bain d'huile, il en fut retiré quasi mort. Mais, en apprenant que les Juifs attendaient avec joie l'instant de sa mort, il fit jeter en prison des jeunes gens des plus nobles familles de tout le royaume, et dit à sa sœur Salomé : « Je sais que les Juifs vont se réjouir de ma mort ; mais beaucoup d'entre eux s'en affligeront si tu veux obéir à ma recommandation, et, dès que je serai mort, faire égorger tous les jeunes gens que je tiens en prison : car, de cette manière, toute la Judée me pleurera malgré elle ! »

Il avait l'habitude de manger, après tous ses repas, une pomme, qu'il pelait lui-même ; et comme une toux affreuse le torturait, il tourna contre sa poitrine le couteau dont il se servait pour peler sa pomme. Mais un de ses parents arrêta sa main et l'empêcha de se tuer. Cependant toute la cour, le croyant mort, se remplit de cris ; et Antipater s'en réjouit fort dans sa prison, et promit de récompenser ses gardiens s'ils le délivraient. Ce qu'apprenant, Hérode fit tuer son fils par des soldats, et nomma, pour lui succéder, Archélaüs. Il mourut cinq jours après, ayant été très heureux dans sa fortune politique, mais très malheureux dans sa vie privée. Salomé, sa sœur, fit remettre en liberté tous ceux que le roi lui avait ordonné de tuer. Voilà du moins ce que nous lisons dans l'*Histoire scholastique* ; mais Remi, dans son Commentaire de saint Matthieu, dit au contraire qu'Hérode se transperça du couteau dont il se servait pour peler ses fruits, et que Salomé, sa sœur, fit mettre à mort tous ceux qu'il avait jetés en prison.

XI
SAINT THOMAS DE CANTORBERY, ÉVÊQUE ET
MARTYR
(29 décembre)

I. Thomas de Cantorbery, pendant qu'il était à la cour du roi d'Angleterre, y fut témoin d'actes contraires à la religion. Il quitta alors la cour, et se retira auprès de l'évêque de Cantorbery, qui le sacra archidiacre. Mais ensuite, sur la prière de l'évêque, il accepta de devenir chancelier du roi, afin que la sagesse dont il était doué lui permît d'empêcher les attaques des méchants contre l'Eglise. Et le roi se prit d'une telle affection pour lui, que, à la mort de l'archevêque de Cantorbery, il lui offrit de le faire nommer pour le remplacer. Thomas, après avoir longtemps résisté, finit par tendre les épaules au manteau archi-épiscopal, tant était grande son obéissance ! Et aussitôt sa nouvelle dignité fit de lui un autre homme, absolument parfait. Il se mit à macérer sa chair par le jeûne et par un cilice, dont il se couvrait non seulement le haut du corps, mais aussi les jambes jusqu'au-dessous des genoux. Et il cachait si soigneusement sa sainteté que son costume extérieur ressemblait à celui des autres évêques, sans que rien y révélât l'austérité de ses mœurs privées. Et tous les jours, se mettant à genoux, il lavait les pieds à treize pauvres, qu'ensuite il nourrissait, et à qui il donnait encore quatre deniers d'argent.

Mais le roi s'efforçait de le fléchir à sa propre volonté, au détriment de l'Eglise. Il voulait que Thomas approuvât, comme avaient fait ses prédécesseurs, certaines coutumes royales qui étaient contraires à la liberté de l'Eglise. Et comme le nouvel archevêque s'y refusait, il s'attira la colère du roi et des grands. Un jour, le roi le pressa si fort, lui et les autres évêques, allant jusqu'à les menacer de mort, que, trompé par le conseil des grands de l'Etat, il donna son approbation au désir du roi. Mais quand il vit le danger qui allait en résulter pour les âmes, il résolut de se punir lui-même, et il renonça au service des autels, jusqu'au jour où le souverain pontife le jugerait digne de rentrer en fonction. Et lorsque le roi lui demanda de confirmer par écrit ce qu'il avait approuvé de vive voix, il s'y refusa avec courage, et, tenant sa croix levée, il s'éloigna, poursuivi par les cris de mort des impies. Et deux chevaliers qui lui étaient fidèles vinrent en pleurant lui révéler, sous serment, que plusieurs chevaliers complotaient sa mort. Sur quoi l'homme de Dieu, craignant plutôt pour l'Eglise que pour lui-même, s'enfuit, fut reçu à Sens par le pape Alexandre, qui le fit entrer dans le monastère de Pontigny ; après quoi il vint en France. Et comme le roi avait envoyé à Rome pour demander qu'un légat vînt trancher ce différend, et comme sa demande avait été repoussée, sa colère contre l'archevêque ne connut plus de bornes. Il s'empara de tout ce qui appartenait à Thomas et aux siens, et condamna à l'exil toute sa famille, sans considération d'âge, de sexe, ni d'état.

Cependant, l'évêque, tous les jours, priait pour le roi et pour l'Angleterre. Un jour le ciel lui révéla que le moment approchait où il pourrait rejoindre son église, et que le Christ lui réservait bientôt la palme du martyre. Et en effet, après sept ans d'exil, il fut rappelé en Angleterre, et reçu par tous avec les plus grands honneurs.

Quelques jours avant le martyre du saint, un jeune homme, miraculeusement rappelé à la vie, dit que son âme avait été conduite jusqu'au Saint des Saints, et que là, parmi les apôtres, il avait vu un siège, et qu'un ange lui avait dit que ce siège était réservé à un haut dignitaire de l'Eglise anglaise.

II. Certain prêtre, qui célébrait tous les jours une messe en l'honneur de la sainte Vierge, fut accusé devant l'archevêque, et celui-ci le suspendit de sa charge, le jugeant idiot et inconscient. Or comme saint Thomas avait à recoudre son cilice, et, en attendant de pouvoir le recoudre, l'avait caché sous son lit, la sainte Vierge apparut au prêtre et lui dit : « Va trouver l'archevêque et dis-lui que Celle pour l'amour de qui tu célébrais des messes a recousu elle-même son cilice, qui est sous son lit ; et dis-lui qu'elle t'envoie à lui, afin qu'il lève l'interdit dont il t'a frappé ! » Et saint Thomas découvrit qu'en effet son cilice avait été recousu. Il leva l'interdit du prêtre, en le priant de lui garder le secret sur le cilice qu'il portait.

III. Et, de même que par le passé, il défendit les droits de l'Eglise, sans que le roi pût le fléchir par prière ni par force. Alors le roi, voyant qu'il ne pouvait le fléchir, envoya vers lui des soldats en armes, qui, pénétrant dans la cathédrale, demandèrent à haute voix où était l'archevêque. Celui-ci vint au-devant d'eux, et leur dit : « Me voici ; que me voulez-vous ? » Et eux : « Nous venons pour te tuer, ta dernière heure a sonné ! » Alors il leur dit : « Je suis prêt à mourir pour Dieu, et pour la défense de la justice, et pour la défense des libertés de l'Eglise. Mais puisque c'est moi que vous cherchez, je vous ordonne, de la part de Dieu tout-puissant, et sous peine d'anathème, de ne faire aucun mal à personne de mes prêtres ! Quant à moi, je recommande l'Eglise et je me recommande moi-même à Dieu, à la sainte Vierge, à saint Denis et à tous les saints. » Puis cela dit, il tendit sa tête vénérable au glaive des impies, qui lui tranchèrent le haut du crâne, faisant jaillir sa cervelle sur le pavé du temple. Ainsi saint Thomas souffrit le martyre, en l'an du Seigneur 1174.

Et, au moment où son clergé allait célébrer pour lui la messe des morts, voici que, à ce que l'on raconte, le chœur des anges vint interrompre la voix des chantres, et se mit à chanter la messe des martyrs *Lætabitur justus in Domino*. Honneur, en vérité, unique : mais bien mérité par un saint qui a souffert le martyre pour l'Eglise, dans l'église, durant la messe, entouré de son clergé ! Et Dieu a daigné faire bien d'autres miracles encore à la prière de ce saint, rendant la vue aux aveugles, l'ouïe aux sourds, la marche aux boiteux, et la vie aux morts. Bien des malades guérirent pour avoir touché l'eau qui avait servi à laver les linges tachés du sang de saint Thomas.

IV. Certaine dame anglaise qui, par coquetterie et pour devenir plus belle, souhaitait d'avoir les yeux noirs, avait fait vœu, à cette intention, de visiter pieds nus le tombeau de saint Thomas. Or quand, après s'être prosternée en prière, elle se releva, elle s'aperçut qu'elle était devenue complètement aveugle. Aussitôt, pleine de repentir, elle supplia saint Thomas non plus de lui donner des yeux noirs mais de lui rendre ses yeux. Et elle finit par l'obtenir, dit-on, mais à grand'peine.

V. Un oiseau savant et qui savait parler, se voyant un jour poursuivi par un épervier, répéta la phrase qu'on lui avait apprise : « Saint Thomas, viens à mon aide ! » Aussitôt l'épervier tomba mort, et l'autre oiseau fut sauvé.

VI. Certain homme, que saint Thomas avait beaucoup aimé, se voyant très malade, alla au tombeau du saint, et demanda sa santé, qui lui fut rendue. Mais comme il rentrait chez lui guéri de tout mal, l'idée lui vint que, peut-être, cette guérison de son corps ne convenait pas au bien de son âme. Il revint donc au tombeau du saint, et pria que, si sa guérison ne devait pas être utile à son âme, son état de maladie lui fût rendu. Et aussitôt il se retrouva malade comme auparavant.

VII. Quant aux meurtriers du saint, la vengeance du ciel s'abattit sur eux. Les uns se mangèrent les doigts avec leurs dents, d'autres pourrirent vivants, d'autres furent paralysés, d'autres encore perdirent la raison.

XII
SAINT SILVESTRE, PAPE
(31 décembre)

La légende de saint Silvestre a été compilée par Eusèbe de Césarée. Saint Blaise, dans une réunion de soixante-cinq évêques, en a recommandé la lecture aux catholiques.

I. Silvestre avait pour mère une femme qui s'appelait Juste, et qui n'était pas moins juste de fait que de nom. Instruit par le saint prêtre Cyrin, il eut de bonne heure le goût de l'hospitalité. Il recueillit chez lui le chrétien Timothée, que personne ne voulait recueillir, par crainte de la persécution. Et ce Timothée prêcha là, pendant un an et trois mois, après quoi il reçut la couronne du martyre. Or le préfet Tarquin, s'imaginant que Timothée était très riche, réclama ses richesses à Silvestre, le menaçant de mort s'il ne les lui livrait. Et quand il eut reconnu que Timothée n'avait absolument rien laissé, il ordonna à Silvestre de sacrifier aux idoles, faute de quoi il aurait à subir, le lendemain, toute sorte de supplices. Et Silvestre lui dit : « Insensé, c'est toi qui, cette nuit même, commenceras à subir les supplices éternels, et seras forcé, bon gré mal gré, de reconnaître que le Dieu que nous adorons est le seul vrai Dieu ! » Là-dessus, Silvestre fut conduit en prison, et Tarquin se rendit à un repas où il était invité. Or, pendant qu'il mangeait, une arête de poisson se fixa dans sa gorge, de telle manière qu'il ne put ni l'avaler ni la rejeter. Il mourut donc cette nuit-là, et Silvestre sortit de sa prison, à la grande joie de tous ; car il était aimé non seulement des chrétiens, mais aussi des païens. Il était, en effet, angélique de visage, éloquent de parole, pur de corps, saint d'œuvres, grand d'intelligence, zélé de foi, patient d'espoir, débordant de charité.

Et lorsque mourut Melchiade, évêque de Rome, la foule entière élut Silvestre pour le remplacer. Ainsi devenu souverain pontife, Silvestre fit dresser la liste de tous les orphelins, de toutes les veuves et de tous les pauvres, et ordonna que l'on pourvût aux besoins de tous. Il institua le jeûne du mercredi, du vendredi, et du samedi, et décréta que le jeudi serait réservé au Seigneur de même que le dimanche, donnant pour motifs que : 1° le jeudi est le jour où Jésus est monté au ciel ; 2° que c'est le jour où il a institué le sacrement de l'Eucharistie ; 3° que c'est le jour où l'Eglise prépare le saint chrême.

II. Constantin s'étant mis à persécuter les chrétiens, Silvestre sortit de Rome et se retira avec son clergé sur une montagne voisine. Mais voici que Constantin lui-même, en châtiment de sa persécution, fut atteint d'une lèpre incurable. Les prêtres des idoles lui conseillèrent alors de faire égorger, aux portes de la ville, trois mille enfants, et de se baigner dans leur sang tout chaud. Mais, en arrivant au lieu où tous les enfants étaient rassemblés, Constantin vit les mères de ces enfants qui accouraient au-devant de lui, les cheveux dénoués, et avec des gémissements à fendre l'âme. Alors, tout en larmes, il fit arrêter son char ; et, se tenant debout, il dit : « Ecoutez-moi, comtes, chevaliers, et gens du peuple, qui m'entourez ! La dignité du peuple romain naît de la pitié qui a toujours présidé à nos mœurs ; et c'est cette pitié qui, jadis, a fait décréter la peine de mort contre quiconque tuerait un enfant, même à la guerre. Or quelle cruauté serait-ce, si nous faisions nous-mêmes à nos enfants ce que nous défendons que l'on fasse aux enfants de nos ennemis ? A quoi nous servirait d'avoir vaincu les barbares, si nous nous laissions vaincre, nous-mêmes, par la barbarie ? Donc, que la pitié triomphe, dans cette circonstance ! Mieux vaut pour moi mourir et conserver la vie à ces innocents que de recouvrer, par leur mort, une vie souillée de cruauté ! » Et il ordonna que les enfants fussent rendus à leurs mères, et reconduits chez eux avec des présents, de telle sorte que les mères, qui étaient venues en pleurant d'angoisse, revinrent dans leur maison en pleurant de joie. Quant à l'empereur, il s'enferma dans son palais, résigné à mourir de son mal. Mais, la nuit suivante, saint Pierre et saint Paul lui apparurent, qui lui dirent : « Parce que tu t'es refusé à verser le sang innocent, notre Seigneur Jésus-Christ nous a envoyés à toi pour t'indiquer un moyen de recouvrer la santé ! Mande devant toi l'évêque Silvestre qui se cache sur le mont Soracte : il te désignera une source où tu te plongeras trois fois, au bout desquelles tu seras guéri de ta lèpre. Mais toi, en échange, tu détruiras les temples des idoles, tu rouvriras les églises du Christ, et tu deviendras désormais son adorateur ! » Aussitôt Constantin, s'éveillant, envoya une escorte à la recherche de Silvestre.

Et celui-ci, en voyant venir cette escorte, se crut appelé à la palme du martyre. Il se présenta donc courageusement, après s'être recommandé à Dieu, et avoir une dernière fois exhorté ses compagnons. Et Constantin lui dit : « Merci d'être venu ! » et il lui raconta tout son rêve. Après quoi il lui demanda qui étaient les deux dieux qui lui étaient apparus ; et Silvestre lui répondit que ce n'était point des dieux, mais des apôtres du Christ. Il se fit alors apporter le portrait des apôtres, et Constantin reconnut aussitôt saint Pierre et saint Paul. Silvestre l'admit donc au rang de catéchumène, lui imposa un jeûne de sept jours, et lui enjoignit de faire ouvrir toutes les prisons. Et quand Constantin fut descendu dans l'eau du baptême, une grande lumière l'environna, et il en sortit pur de toute lèpre, et dit qu'il avait vu le Christ dans les cieux. Et, pendant les sept jours qui suivirent son baptême, il promulgua des lois mémorables entre toutes. Le premier jour, il décréta que le Christ serait adoré des Romains comme le vrai Dieu ; le second jour, que tout blasphème contre le Christ serait puni ; le troisième jour, que toute injure faite à un chrétien entraînerait la confiscation de la moitié des biens ; le quatrième jour, que, de même que l'empereur de Rome, l'évêque de Rome serait le premier de l'empire, et commanderait à tous les évêques ; le cinquième jour, que tout homme se réfugiant dans une église aurait l'immunité de sa personne ; le sixième jour, que nul ne pourrait construire une église dans une ville sans la permission de son supérieur ecclésiastique ; le septième jour, que la dixième partie des biens royaux serait affectée à l'édification des églises ; le huitième jour, l'empereur se rendit à l'église de Saint-Pierre et se confessa à haute voix de ses fautes ; puis, prenant une bêche, il creusa, le premier, la terre, à l'endroit où allait s'élever la basilique nouvelle, et il emporta sur ses épaules douze hottes de terre, qu'il jeta hors de l'église.

III. Lorsqu'elle apprit cette conversion, l'impératrice Hélène, mère de Constantin, qui se trouvait alors à Béthanie, écrivit à son fils pour le louer d'avoir renoncé au culte des idoles, mais aussi pour le blâmer vivement de ce que, au lieu de croire au Dieu des Juifs, il se fût mis à adorer comme dieu un homme crucifié. L'empereur lui répondit de ramener avec elle à Rome les principaux docteurs juifs, en ajoutant qu'il les placerait en face des docteurs chrétiens, afin que la discussion réciproque fît apparaître la vérité en matière de foi. Hélène ramena donc avec elle cent soixante et un docteurs juifs, dont douze surtout brillaient par leur science et leur éloquence. Et quand Silvestre avec son clergé se présenta devant l'empereur pour discuter avec ces Juifs, on convint, d'un commun accord, de prendre pour arbitres du débat deux païens très savants et très estimés, appelés Craton et Zénophile. Alors, en présence de ces arbitres, saint Silvestre réfuta tour à tour les arguments des douze fameux docteurs juifs, dont les noms étaient : Abiathar, Jonas, Godolias, Annas, Doeth, Chusi, Benjamin, Aroel, Jubal, Thara, Siléon et Zambri. Et, chaque fois, les deux arbitres, et l'empereur et sa mère, et la foule s'accordèrent à reconnaître qu'il avait complètement réfuté et anéanti les arguments de son adversaire. Si bien que, exaspéré, Zambri, le douzième docteur, s'écria : « Je m'étonne que vous, juges très sages, vous prêtiez foi aux ambages des paroles et vous imaginiez que la toute-puissance de Dieu se puisse estimer par la raison humaine. Finissons-en avec les paroles, et venons-en aux faits ! Insensés ceux qui adorent le crucifié, tandis que le nom du Dieu tout-puissant est si fort que nulle créature ne supporte de l'entendre ! Et, pour que je vous prouve la vérité de ce que je dis, faites-moi amener un taureau furieux : dès qu'il aura entendu ce nom sacré, il mourra sur-le-champ ! » Et Silvestre lui dit : « Mais alors, toi-même, comment as-tu pu entendre ce nom sans mourir ? » Et Zambri répondit : « Il ne t'appartient pas de connaître ce mystère, à toi, l'ennemi des Juifs ! » Et l'on amena un taureau furieux, que cent hommes vigoureux avaient peine à traîner ; et aussitôt que Zambri eut prononcé un nom dans son oreille, on vit la bête mugir, renverser les yeux, et tomber morte. Sur quoi tous les Juifs d'acclamer violemment leur homme et d'insulter Silvestre. Mais alors celui-ci : « Ce nom, que ce docteur a prononcé, dit-il, n'est pas le nom de Dieu, mais celui du pire des démons, car mon Dieu Jésus-Christ non seulement ne tue pas les vivants, mais fait revivre les morts. De pouvoir tuer et de ne pas pouvoir faire revivre, c'est le propre des lions, des serpents, et d'autres bêtes féroces. Si donc cet homme veut me prouver que ce n'est pas le nom d'un démon qu'il a prononcé, qu'il fasse revivre ce qu'il a tué ! Car Dieu a écrit : « Je tuerai et je ferai revivre ! » Et comme les juges invitaient Zambri à ressusciter le taureau, il dit : « Que Silvestre le ressuscite, au nom de Jésus le Galiléen, et nous croirons tous en lui ! » Et tous les Juifs firent la même promesse. Alors Silvestre, après une prière, s'approcha de l'oreille du taureau mort, et dit : « O nom de malédiction et de mort, sors de cette bête par ordre du Seigneur Jésus, au nom duquel je dis : « Taureau, lève-toi, et va aussitôt en paix rejoindre ton troupeau ! » Et aussitôt le taureau se leva et s'en alla en toute douceur. Et alors l'impératrice, les Juifs, les juges, et tous les témoins du miracle, se convertirent à la foi chrétienne.

Quelques jours après, les prêtres des idoles vinrent trouver Constantin et lui dirent : « Saint Empereur, il y a un dragon qui est dans une fosse, et qui, depuis que tu as reçu la foi du Christ, fait périr tous les jours, par son souffle, plus de trois cents hommes ! » L'empereur rapporta la chose à Silvestre, qui lui répondit : « Par la vertu du Christ, j'obligerai ce dragon à renoncer à tout mal ! » Et les prêtres promirent que, s'il faisait cela, ils se convertiraient au Christ. Alors Silvestre se mit en prière ; et, le Saint-Esprit lui apparut et lui dit : « Descends aussitôt, sans crainte, dans la fosse du dragon avec deux de tes prêtres ; et, quand tu seras en face de lui, dis lui ces paroles : « Le Seigneur Jésus, né d'une vierge, crucifié et enseveli, puis ressuscité et assis à la droite de son Père, doit un jour venir ici pour juger les vivants et les morts ; or donc, toi, Satan, attends en ce lieu qu'il vienne ! » Après quoi tu lui lieras la gueule d'un fil, que tu cachetteras d'un anneau portant le signe de la croix. Et après cela vous viendrez tous les trois chez moi, pour manger le pain que je vous aurai préparé. »

Silvestre, avec deux prêtres, descendit dans la fosse, par cent cinquante marches, portant en main deux lanternes. Il dit au dragon les paroles du Saint-Esprit, puis il lui lia la bouche, qui sifflait de rage, il la cacheta comme il avait à le faire ; et, en sortant de la fosse, il trouva deux mages qui l'avaient suivi afin de voir s'il osait réellement affronter le dragon. Ces deux mages gisaient à terre presque morts, asphyxiés par le souffle empesté du monstre. Le saint les ranima, les ramena sains et saufs ; et, aussitôt, ils se convertirent, ainsi qu'une foule immense. Et enfin le bienheureux Silvestre, sentant s'approcher la mort, donna à son clergé trois avertissements : ils les avertit de s'aimer entre eux, de gouverner leurs églises avec diligence, et de protéger leur troupeau de la morsure des loups. Et, cela fait, il s'endormit heureusement dans le Seigneur, en l'an de grâce 320.

XIII
LA CIRCONCISION DE N.-S. JÉSUS-CHRIST
(1er janvier)

Quatre motifs rendent célèbre et solennel le jour de la Circoncision du Seigneur.

1o Ce jour est l'octave de la Nativité. Cette fête, une des plus grandes de celles que célèbre l'Eglise, n'a point d'octave propre : car les octaves de la mort des saints signifient que ceux-ci, après leur mort, renaissent à une vie nouvelle : tandis que la Nativité du Seigneur ne comporte pas d'octave, ayant eu pour suite la passion et la mort. De même n'ont d'octave propre ni la Nativité de la Vierge, ni celle de saint Jean-Baptiste, ni Pâques, — puisque cette fête a déjà elle-même pour objet de célébrer la résurrection. — Ces fêtes n'ont que des « octaves complémentaires », où nous complétons le culte de ces fêtes elles-mêmes : et telle est, en ce jour de la Circoncision, l'octave de la Nativité ;

2o La Circoncision symbolise pour nous l'imposition au Seigneur d'un nom nouveau, pour notre salut. Rappelons, à ce propos, que le Seigneur a eu trois noms, à savoir : Fils de Dieu, Christ et Jésus. Fils de Dieu le désigne en tant que Dieu ; Christ en tant qu'homme ; Jésus en tant que Dieu fait homme ;

3o La Circoncision célèbre la première effusion du sang du Christ pour les hommes. On sait, en effet, que le Christ a versé cinq fois son sang pour nous : 1o dans la Circoncision, et ce fut le commencement de notre rédemption ; 2o dans la prière, en témoignage de son désir de notre rédemption ; 3o dans la flagellation, et ce fut le mérite de notre rédemption ; 4o dans la crucifixion, et ce fut le prix de notre rédemption ; 5o dans l'ouverture de son flanc sous le coup de lance, et ce fut le sacre de notre rédemption.

4o Enfin la Circoncision célèbre le fait même de la circoncision du Seigneur. Celui-ci, en consentant à se laisser circoncire, avait plusieurs motifs : 1o il voulait montrer qu'il avait vraiment revêtu la chair humaine : car seul un corps véritable peut émettre du sang ; 2o il voulait nous montrer que, nous aussi, nous devions accepter la circoncision spirituelle, c'est-à-dire nous livrer au travail de notre purification ; 3o le Seigneur s'est laissé circoncire pour ôter aux Juifs toute excuse dans leur conduite ; car, s'il n'avait pas été circoncis, ils auraient pu lui dire : « Nous ne t'avons pas accueilli, mais c'est parce que tu étais différent de nos pères ! » 4o le Seigneur a voulu montrer son approbation de la loi de Moïse, « qu'il était venu non pas détruire, mais compléter et réaliser ».

Au sujet de la chair sacrée de la circoncision du Seigneur, on a dit qu'un ange l'avait apportée à Charlemagne, qui l'avait solennellement déposée à Aix-la-

Chapelle, dans l'église de Notre-Dame. Et l'on dit qu'elle se trouve aujourd'hui à Rome, dans l'église appelée le Saint des Saints ; et de là vient le pèlerinage que l'on fait, en ce jour, à cette église.

Notons enfin que les païens, autrefois, se livraient, le premier jour de l'année, à toutes sortes de pratiques superstitieuses que les chrétiens ont eu beaucoup de peine à déraciner, et dont saint Augustin nous parle dans un de ses sermons. Ces païens s'étaient imaginés de prendre pour dieu un certain chef appelé Janus ; et c'était lui qu'ils honoraient ce jour-là, le représentant avec deux visages, dont un tourné vers l'année passée, l'autre vers la nouvelle. On avait aussi l'habitude de se déguiser sous des formes monstrueuses : les uns se revêtaient de peaux de bêtes, d'autres n'avaient pas honte d'introduire leurs corps virils dans des tuniques de femme. Et saint Augustin ajoute : « Quiconque garde quelque chose des coutumes païennes, je crains bien que le nom de chrétien ne puisse guère lui servir ! »

XIV
L'ÉPIPHANIE
(6 janvier)

L'Epiphanie se célèbre en souvenir d'un quadruple miracle. C'est en effet ce jour-là que les mages ont adoré le Christ, que saint Jean a baptisé le Christ, que le Christ a changé l'eau en vin, et qu'il a rassasié cinq mille hommes avec cinq pains. Et cette fête porte quatre noms : 1º elle s'appelle *Epiphanie*, en souvenir de l'étoile que les mages aperçurent au-dessus d'eux ; 2º elle s'appelle Théophanie, parce que, le jour du baptême du Christ, la Trinité divine apparut tout entière, le Père dans la voix, le Fils dans la chair, le Saint-Esprit sous la forme d'une colombe ; 3º elle s'appelle Béthanie (de *Beth*, maison), parce qu'aux noces de Cana Jésus montra sa divinité dans une maison ; 4º enfin elle s'appelle Phagiphanie, en souvenir du jour où le Christ a nourri cinq mille hommes avec cinq pains. Mais nous devons ajouter que l'on doute que ce quatrième miracle se soit accompli ce jour-là : car saint Jean nous dit que « le temps de la Pâque approchait ».

Au reste, le premier de ces quatre miracles est celui que l'Eglise célèbre tout particulièrement ; de telle sorte que nous n'aurons à nous occuper ici que de lui. Donc, treize jours après la naissance du Christ, trois mages vinrent à Jérusalem. Leurs noms étaient, en grec, Appellius, Amérius, et Damascus ; en hébreu, Galgalat, Malgalath et Sarathin ; en latin, Gaspard, Balthasar, et Melchior. Ces trois mages étaient des sages, et en même temps des rois ; car le mot mage, qui signifie imposteur et sorcier, a aussi le sens de « homme très savant ».

On peut se demander pourquoi ces mages vinrent à Jérusalem, puisque ce n'était point là que le Christ était né. Remi en donne quatre raisons : 1º les mages ignoraient le lieu exact de la naissance du Christ, et sont venus à Jérusalem parce qu'ils supposaient qu'un enfant aussi merveilleux ne pouvait être né que dans la capitale du royaume ; 2º ils sont venus à Jérusalem pour consulter les savants et les scribes de la ville sur le lieu de naissance du Sauveur ; 3º ils sont venus à Jérusalem pour ôter aux Juifs l'excuse de pouvoir dire qu'ils ignoraient le temps de la naissance du Messie ; 4º enfin ils sont venus à Jérusalem pour condamner, par le spectacle de leur zèle, l'indifférence et la mollesse des Juifs.

Saint Jean Chrysostome nous donne une autre explication de la venue des mages à Jérusalem. C'étaient, suivant lui, des astrologues qui, de père en fils, passaient trois jours par mois sur une haute montagne, dans l'attente de l'étoile qu'avait prédite Balaam. Or, dans la nuit de la naissance du Christ, une étoile leur apparut qui avait la forme d'un merveilleux enfant, avec une croix de feu sur la tête ; et elle leur dit : «Allez vite dans la terre de Juda, vous y trouverez un enfant nouveau-né qui est le roi que vous attendez ! »

On peut se demander ensuite comment douze jours ont pu leur suffire pour faire un si long trajet, depuis les confins de l'Orient jusqu'à Jérusalem, que l'on dit située au centre du monde. Suivant Remi, c'est l'Enfant divin lui-même qui les a conduits. Ou encore, suivant d'autres, la rapidité de leur course tient à ce qu'ils étaient montés sur des dromadaires, animaux très rapides, qui font plus de chemin en un jour que les chevaux en trois.

Arrivés à Jérusalem, ils ne demandèrent pas si le roi des Juifs était né, car ils le savaient déjà par l'étoile. Ils demandèrent où était né le roi des Juifs. Ce qu'entendant, Hérode se troubla fort, et la ville entière avec lui. Hérode en fut troublé pour trois raisons : 1o il craignait que les Juifs ne prissent pour maître ce roi nouveau-né ; 2o il craignait d'être mis en accusation par les Romains, s'il permettait à un homme non proclamé roi par Auguste de revêtir le titre de roi ; 3o comme le dit saint Grégoire, un roi terrestre ne pouvait manquer de se sentir troublé, se voyant en présence du roi des Cieux. Et quant au trouble des Juifs, il s'expliquait également par trois raisons, d'après Chrysostome : 1o par l'impossibilité où sont les impies de se réjouir de l'avènement du juste ; 2o par l'adulation de ces Juifs pour Hérode, dont ils voyaient le trouble ; 3o par l'incertitude où ils étaient de leur sort devant la perspective d'une révolution.

Hérode, ayant convoqué tous les prêtres et scribes, leur demanda où était né le Christ. Et quand il apprit que c'était à Bethléem, il le dit aux mages, en leur demandant de venir lui rendre compte de ce qu'ils auraient vu ; lui-même, prétendait-il, irait alors adorer l'enfant nouveau-né : mais en réalité il ne songeait qu'à le faire périr.

Autre particularité : l'étoile cessa de guider les mages dès qu'ils furent entrés à Jérusalem, sans doute pour forcer les mages à s'enquérir du lieu de la nativité du Christ, et ainsi à fournir devant tous le témoignage du miracle. Quant à la nature même de cette étoile, les uns disent que c'était l'Esprit-Saint qui avait pris cette forme pour guider les mages, d'autres que c'était un ange ; d'autres enfin, dont nous partageons l'avis, supposent que cette étoile était un astre nouvellement créé, qui, ayant rempli sa mission, sera rentré dans le sein de la matière universelle. D'après Fulgence, cette étoile différait de toutes les autres en trois choses : 1o elle n'était pas localisée dans le firmament, mais pendait dans les airs, près de la terre ; 2o elle était si brillante qu'on la voyait même en plein jour, éclipsant la lumière du soleil ; 3o elle marchait en avant des mages, comme une personne vivante, au lieu de suivre le mouvement circulaire des autres étoiles.

Entrés dans la crèche, et y ayant trouvé l'enfant avec sa mère, les mages se mirent à genoux, et offrirent, en présent, de l'or, de l'encens, et de la myrrhe. Le choix de ces présents et leur don s'expliquent par plusieurs motifs : 1° c'était l'usage, chez les anciens, de ne jamais approcher d'un dieu ou d'un roi sans lui offrir des présents ; et les mages, qui venaient des confins de la Perse et de la Chaldée, à l'endroit où coule le fleuve Saba (d'après l'*Histoire scholastique*), apportaient les présents qu'avaient coutume d'offrir les Perses et les Chaldéens ; 2° d'après saint Bernard, l'or était destiné à alléger la pauvreté de la Vierge, l'encens à effacer la mauvaise odeur de l'étable, la myrrhe à consolider les membres de l'enfant en expulsant les vers de ses intestins ; 3° ces trois présents signifiaient la royauté du Christ, sa divinité, et son humanité : car l'or sert pour le tribut royal, l'encens pour le sacrifice divin, la myrrhe pour la sépulture des morts ; 4° enfin ces trois présents signifient ce que nous devons offrir au Christ : car l'or est le symbole de l'amour, l'encens celui de la prière, et la myrrhe symbolise la mortification de la chair.

Ayant adoré l'enfant Jésus, les mages, qu'un songe avait avertis de ne point retourner auprès d'Hérode, s'en revinrent dans leurs pays par un autre chemin. Leurs corps furent retrouvés par Hélène, mère de Constantin, qui les transporta à Constantinople. Plus tard, saint Eustorge les transporta à Milan, dont il était évêque, et les déposa dans l'église qui appartient aujourd'hui à notre Ordre des Frères prêcheurs. Mais lorsque l'empereur Henri s'empara de Milan, il fit transporter les corps des mages, par le Rhin, à Cologne, où le peuple les entoure d'une grande dévotion.

XV
SAINT RÉMY, ÉVÊQUE ET CONFESSEUR
(14 janvier)

La vie de saint Rémy a été écrite par Hincmar, archevêque de Reims.

I. La naissance de ce glorieux docteur et confesseur de la foi a été prophétisée par un ermite, dans les circonstances que voici. Au moment où la persécution des Vandales désolait toute la France, un saint ermite, qui était aveugle, priait avec ardeur pour la paix de l'Eglise des Gaules. Or un ange lui apparut et lui dit : « Sache que la femme qui s'appelle Ciline mettra au monde un fils du nom de Rémy, qui délivrera son peuple des attaques des méchants ! » Aussi l'ermite, dès qu'il s'éveilla, se fit-il conduire à la maison de Ciline et lui raconta sa vision. Et comme la dame refusait d'y croire, — car elle était déjà vieille, et avait renoncé à l'espoir d'enfanter, — l'ermite lui dit : « Sache que, lorsque ton enfant aura pris le sein, tu n'auras qu'à me frotter les yeux de ton lait pour qu'aussitôt je recouvre la vue ! » Et tout arriva, en effet, de cette façon.

Dès sa jeunesse, Rémy évita le monde et entra dans un couvent. Mais à vingt-deux ans sa renommée, sans cesse croissante, lui valut d'être choisi par tout le peuple pour l'archevêché de Reims. Et c'était un homme d'une telle douceur que, quand il mangeait, les moineaux venaient sur sa table, et qu'il les nourrissait dans le creux de sa main. Ayant été un jour reçu dans la maison d'une dame, et apprenant que celle-ci n'avait plus de vin, saint Rémy entra dans sa cave, fit un signe de croix sur le tonneau ; et voici que le vin en jaillit en telle abondance que toute la cave s'en trouva inondée.

Le roi de France Clovis était alors païen, et sa pieuse femme ne parvenait pas à le convertir. Mais un jour, se voyant menacé par l'immense armée des Allemands, il fit vœu au Dieu qu'adorait sa femme de se convertir à lui, s'il lui accordait la victoire sur ses ennemis. Et Dieu lui accorda la victoire, de sorte qu'il se rendit auprès de saint Rémy et demanda à être baptisé. Mais, en arrivant aux fonds baptismaux, l'évêque et le roi s'aperçurent que le saint chrême manquait ; et voici qu'une colombe, fendant les airs, apporta dans son bec une ampoule pleine de saint chrême, dont le prélat oignit le roi. Et cette ampoule se conserve dans l'église de Reims, où elle sert, aujourd'hui encore, au sacre des rois de France.

II. Longtemps après, Génébald, homme sage et pieux, qui avait épousé la nièce de saint Rémy, mais s'était séparé d'elle, d'un commun accord, par scrupule de piété, fut ordonné évêque de Laon par saint Rémy. Mais comme ce Génébald avait permis à sa femme de venir souvent s'instruire auprès de lui, ces fréquents entretiens allumèrent le désir dans son âme, et le firent tomber dans le péché. Et la femme, ayant mis au monde un fils, manda cette nouvelle à l'évêque, qui, rempli de honte, lui dit : « Puisque cet enfant est le résultat d'un larcin, je veux qu'il s'appelle Larron ! » Mais plus tard, il permit de nouveau à sa femme de venir s'instruire auprès de lui, et de nouveau il finit par se précipiter dans le péché. Et comme, cette fois, sa femme mit au monde une fille, il dit : « Je veux que cette fille s'appelle Renarde ! » Puis, rentrant en lui-même, il alla se jeter aux pieds de saint Rémy, et le pria de lui ôter du cou l'étole épiscopale. Mais saint Rémy s'y refusa ; et après l'avoir doucement consolé, il l'enferma pendant sept ans dans une cellule, et, durant cet intervalle, gouverna lui-même son diocèse. Or, la septième année, comme Génébald célébrait sa messe, un ange lui apparut, qui lui annonça que son péché lui était remis, et lui ordonna de quitter sa cellule. Alors Génébald répondit : « Je ne le puis pas, car mon maître Rémy a fermé cette porte et l'a scellée de son sceau. » L'ange lui dit alors : « Afin que tu saches que le ciel s'est rouvert, cette porte va s'ouvrir sans que le sceau soit brisé ! » Et aussitôt la porte s'ouvrit. Mais alors Génébald, se jetant en croix sur le sol, dit : « Si même le Seigneur Jésus venait me mettre en liberté, je ne sortirais pas d'ici sans y être autorisé par mon chef Rémy, qui m'a enfermé ! » Alors saint Rémy, mandé par l'ange, vint à Laon, et replaça Génébald sur son siège épiscopal ; et Génébald persévéra dans la piété jusqu'à sa mort, et Larron, son fils, lui succéda sur son siège, et mérita même d'être canonisé. Enfin saint Rémy s'endormit en paix, vers l'an 500. Le jour de sa fête est aussi celui où se célèbre la naissance de saint Hilaire, évêque de Poitiers.

XVI
SAINT HILAIRE, ÉVÊQUE ET CONFESSEUR
(14 janvier)

Hilaire, évêque de Poitiers, originaire de l'Aquitaine, brilla parmi les hommes comme l'étoile Lucifer parmi les astres. Marié, et père d'une fille, il s'était mis, après la naissance de cet enfant, et tout en restant laïc, à mener la vie d'un moine : si bien que, en raison de sa vie et de sa science, il fut élu évêque. Et il défendit contre les hérétiques, non seulement son diocèse, mais la France entière, ce qui ne l'empêcha pas d'être un jour exilé, en compagnie du bienheureux Eusèbe, évêque de Verceil, l'empereur ayant écouté l'avis de deux autres évêques qui avaient été corrompus par l'hérésie d'Arius, ainsi d'ailleurs que l'empereur lui-même. Et lorsque cette hérésie se fut propagée partout, l'empereur ayant permis à tous les évêques de se réunir pour discuter la vérité de la foi, saint Hilaire se rendit à la réunion ; mais lesdits évêques obtinrent de l'empereur l'ordre, pour lui, de retourner aussitôt à Poitiers. Et comme, durant son retour, il était descendu dans l'île Gallibaria[4], qui était toute pleine de serpents, aucun de ces animaux n'osa l'approcher ; et lui, il planta au milieu de l'île un poteau, et défendit aux serpents de le dépasser, de telle sorte que la moitié de l'île fut pour eux non comme une terre, mais comme une mer.

[4] Petite île de la Méditerranée, à quelques centaines de mètres d'Alassio.

A Poitiers, lorsqu'il y revint, il ressuscita par ses prières un enfant mort sans baptême. Longtemps il resta prosterné, en prière ; et enfin tous deux se relevèrent ensemble, le vieillard, de sa prière, et l'enfant, de la mort. Et comme la fille d'Hilaire, Apia, voulait se marier, son père lui adressa un discours qui la décida à rester dans l'état de virginité. Mais son père, craignant qu'elle ne fléchît un jour dans cette résolution, pria le Seigneur de la rappeler à lui, au lieu de la laisser vivre plus longtemps ; et ainsi fut fait, car, peu de jours après, la jeune fille mourut ; et Hilaire l'ensevelit de ses propres mains. Alors la mère de la bienheureuse Apia pria l'évêque d'obtenir pour elle aussi ce qu'il avait obtenu pour sa fille. Et Hilaire le fit, et par sa prière, l'envoya au ciel.

En ce temps-là, le pape Léon, s'étant laissé corrompre par l'hérésie, convoqua en concile tous les évêques ; et Hilaire, qui n'avait pas été convoqué, vint à ce concile. Alors le pape, apprenant son arrivée, défendit que personne se levât pour lui ni lui fît une place. Et lorsque Hilaire entra, le pape lui dit : « Tu es Hilaire le Gaulois ? » Et lui : « Je ne suis pas Gaulois, mais évêque dans les Gaules. » Et le pape : « Donc tu es Hilaire des Gaules, et moi je suis Léon, évêque et juge suprême, assis sur le siège apostolique ! » Alors Hilaire : « Si tu es Léon (lion), du moins tu n'es pas le lion de la tribu de Juda ; et peut-être es-tu juge, mais certes tu ne juges pas sur le siège divin ! » Alors l'évêque, indigné, se leva, disant : « Attends ici un moment, je vais revenir tout à l'heure, et saurai bien te traiter suivant ton mérite ! » Et Hilaire : « Mais si tu ne reviens pas, qui me répondra pour toi ? » Et lui : « Je reviendrai à l'instant, et verrai à humilier ton orgueil ! » Là-dessus le pape se rendit où l'appelait un besoin naturel, et il fut saisi de dysenterie, et il mourut là misérablement, perdant tous ses boyaux. Cependant Hilaire, voyant que personne ne se levait pour lui faire place, s'assit patiemment à terre, disant : « La terre est à Notre-Seigneur ! » Et aussitôt la terre, à l'endroit où il était assis, s'éleva, de façon qu'Hilaire se trouva au niveau des autres évêques. Et lorsque fut apportée la nouvelle de la mort misérable du pape, Hilaire, se levant, ramena tous les évêques à la foi catholique, et les renvoya dans leurs diocèses. Nous devons toutefois ajouter que ce miracle de la mort du pape Léon reste douteux, car ni l'*Histoire ecclésiastique*, ni la *Tripartite* n'en font mention, et aucune chronique ne signale l'existence, à cette époque, d'un pape de ce nom ; et enfin saint Jérôme dit que « la sainte Eglise romaine est toujours restée immaculée, sans se souiller d'aucune hérésie ». Mais on peut supposer que peut-être ce Léon, sans avoir été élu pape régulièrement, avait usurpé le titre de pape ; ou peut-être encore le nom de Léon n'était-il qu'un surnom du pape Libère, dont on sait qu'il a favorisé l'hérésie de l'empereur Constantin.

Quand enfin, après de nombreux miracles, saint Hilaire, vieux et malade, sentit approcher la mort, il appela le prêtre Léonce, son favori, et le pria de sortir de sa maison et puis de revenir lui faire part de ce qu'il aurait entendu. Et Léonce sortit, et revint dire qu'il avait entendu le bruit de la ville en tumulte. Et, vers minuit, une lumière surnaturelle, telle que Léonce lui-même ne pouvait en supporter la vue, entra dans la chambre de l'évêque : elle s'évanouit peu à peu, emportant avec elle l'âme de saint Hilaire. Celui-ci florissait vers l'an 340, sous le règne de Constantin.

XVII
SAINT FÉLIX, PRÊTRE ET CONFESSEUR
(14 janvier)

On raconte que saint Félix était maître d'école, et traitait ses élèves avec une rigueur extrême. Et comme, pris par les païens, il proclamait ouvertement sa foi chrétienne, il fut livré aux mains des enfants de son école, qui le tuèrent à coup de poinçons. Pourtant l'Eglise paraît nous affirmer que saint Félix n'a pas été martyr mais seulement confesseur. Et une autre légende raconte que, l'évêque de Nole Maxime étant un jour tombé à terre, à demi mort de faim et de froid (car il s'était enfui pour échapper à la persécution), Félix, averti par un ange, vint à son secours ; et comme il n'avait apporté avec lui aucune nourriture, il pressa dans la bouche de l'évêque le jus d'une grappe de raisin qu'il vit miraculeusement attachée à une haie voisine, après quoi, prenant le vieillard sur ses épaules, il l'emporta chez lui ; et, à la mort de Maxime, c'est lui qui fut élu évêque à sa place.

Un jour qu'il prêchait, et que ses persécuteurs le poursuivaient, il se cacha entre des murs en ruines ; et aussitôt Dieu ordonna à des araignées de tisser leur toile devant l'entrée de cette ruine : si bien que, en apercevant cette toile d'araignée, les persécuteurs s'en allèrent, convaincus que personne n'était entré par là. Saint Félix se cacha ensuite dans un autre lieu, où une femme le nourrit pendant trois mois sans voir une seule fois son visage. Enfin, au retour de la paix, il revint à son église, et c'est là qu'il s'endormit dans le Seigneur. Il fut enterré aux portes de la ville, dans un endroit nommé Pinci.

Il avait un frère, qui s'appelait, lui aussi, Félix, et qui montra un grand courage dans la persécution. Et l'on raconte que saint Félix cultivait un jardin, et que des voleurs, qui avaient entrepris de lui dérober ses légumes, ne purent s'empêcher, toute la nuit, de lui cultiver son jardin, de telle sorte que, le lendemain matin, saint Félix les trouva ainsi occupés. Aux compliments qu'il leur fit, les voleurs avouèrent leurs mauvais desseins ; et le saint les renvoya doucement chez eux. Un autre jour certains païens, venus pour s'emparer de saint Félix, éprouvèrent une douleur affreuse dans les mains ; et comme ils hurlaient, le saint leur dit : « Si vous voulez que votre douleur cesse aussitôt, dites : le Christ est Dieu ! » Et ils le dirent et furent guéris. Alors le prêtre des idoles vint le trouver et dit : « Seigneur évêque, mon dieu a pris la fuite dès qu'il t'a vu venir, en me disant qu'il ne pouvait pas supporter ta vertu. Si donc mon dieu te craint à ce point, combien davantage je dois te craindre ! » Et Félix l'instruisit dans la foi chrétienne, et le baptisa.

XVIII
SAINT PAUL, ERMITE
(15 janvier)

Paul fut le premier ermite, ainsi que l'atteste saint Jérôme, qui a écrit sa vie. Pour échapper aux persécutions de Décius, il se retira dans un immense désert, et là, au fond d'une caverne, il demeura pendant soixante ans inconnu aux hommes.

Ce Décius se nommait aussi Gallien, et avait commencé de régner en l'an 256. Il tourmentait cruellement les chrétiens. Il fit un jour saisir deux jeunes chrétiens, fit enduire de miel le corps de l'un d'eux, et le fit exposer, sous un soleil torride, aux piqûres des mouches, des abeilles et des guêpes ; l'autre jeune homme fut placé sur un lit moelleux, dans un lieu charmant où l'air était doux, rempli du murmure de l'eau, du chant des oiseaux, et du parfum des fleurs ; et ce jeune homme fut lié, avec des cordes enguirlandées de fleurs, de façon à ne pouvoir remuer ni les pieds ni les mains. Le méchant empereur fit venir auprès de ce jeune homme certaine femme aussi impure que belle, qui reçut l'ordre de souiller la chair de ce jeune chrétien, rempli du seul amour de Dieu. Mais celui-ci, dès qu'il sentit dans sa chair des mouvements contraires à la raison, n'ayant point d'arme pour se défendre, coupa sa langue avec ses dents et la cracha au visage de l'impudique, échappant ainsi à la tentation par l'excès de la douleur, et se préparant un trophée à jamais admirable.

Effrayé de tels supplices et d'autres encore, saint Paul s'enfuit au désert. Et lorsque saint Antoine vint à son tour au désert, s'imaginant être le premier ermite, un songe lui apprit qu'un autre ermite, meilleur que lui, avait droit à son hommage. Aussi saint Antoine s'efforça-t-il de découvrir cet autre ermite. Et comme il le cherchait par les forêts, il rencontra d'abord un centaure, à demi-homme, à demi-cheval, qui lui dit d'aller devant lui. Il rencontra ensuite un animal qui portait des dattes, et qui, par le haut du corps ressemblait à un homme, avec le ventre et les pieds d'une chèvre. Antoine lui demanda qui il était : il répondit qu'il était un satyre, c'est-à-dire une de ces créatures que les païens prenaient pour des dieux des bois. Enfin saint Antoine rencontra un loup, qui le conduisit jusqu'à la cellule de saint Paul. Or celui-ci, pressentant l'arrivée d'un homme, avait fermé sa porte. Mais Antoine le supplia de lui ouvrir, affirmant qu'il mourrait sur place plutôt que de se retirer. Et Paul, vaincu par ses prières, lui ouvrit ; et aussitôt les deux ermites se jetèrent dans les bras l'un de l'autre.

Et comme l'heure de midi approchait, un corbeau vint apporter un pain formé de deux parties. Et comme Antoine s'en étonnait, Paul lui dit que Dieu le nourrissait tous les jours de cette façon : il avait seulement doublé la ration, ce jour-là, à cause de la visite d'Antoine. Là-dessus s'engagea une pieuse dispute pour savoir qui des deux serait le plus digne de diviser le pain. Paul voulait que ce fût Antoine, en sa qualité d'hôte, Antoine voulait que ce fût Paul, en sa qualité d'aîné. Enfin tous deux prirent le pain, et le divisèrent en parties égales.

Et comme Antoine s'en revenait vers sa cellule, il vit passer au-dessus de lui deux anges portant l'âme de Paul. Il retourna aussitôt sur ses pas, et trouva le corps de Paul agenouillé dans l'attitude de la prière, de telle sorte qu'il crut qu'il était vivant. Le saint, cependant, était mort ; et Antoine s'écria : « O âme sainte, ce que tu faisais dans la vie, tu en gardes le signe jusque dans la mort ! » Et pendant qu'il songeait au moyen d'ensevelir Paul, voici qu'arrivèrent deux lions qui creusèrent une fosse, aidèrent à la sépulture, et s'en retournèrent dans leur forêt. Et Antoine prit le manteau de Paul, fait de feuilles de palmier : il le revêtit, depuis lors, aux jours de fêtes. La mort de Paul eut lieu vers l'an 287.

XIX
SAINT MACAIRE, ERMITE
(15 janvier)

Macaire, étant abbé, et marchant dans le désert, entra pour dormir dans un monument où étaient ensevelis des corps de païens ; et il plaça un de ces corps sous sa tête, en guise d'oreiller. Et les démons, voulant l'effrayer, appelaient, disant : « Lève-toi et viens avec nous au bain ! » Et un autre démon, s'étant introduit dans le corps du mort, et prenant une voix de femme, répondait : « Je ne puis me lever, car un étranger s'est mis sur moi ! » Mais Macaire, sans s'effrayer, dit au corps, après l'avoir battu : « Lève-toi et va-t'en, si tu le peux ! » Ce qu'entendant, les démons s'enfuirent, en criant à haute voix : « Seigneur, tu nous as vaincus ! »

Un jour, saint Macaire, traversant un marais pour regagner sa cellule, rencontra le diable, qui, armé d'une faux, voulut le frapper et ne put y parvenir. Et le démon lui dit : « J'ai beaucoup à souffrir de ton fait, Macaire, et cela, parce que je ne parviens pas à te vaincre. Je fais pourtant tout ce que tu fais ; tu jeûnes et moi je ne mange pas, tu veilles et moi je ne dors pas ; et il n'y a qu'une seule chose où tu me dépasses. » Et l'abbé dit : « Quelle est donc cette chose ? » Et le diable : « C'est ton humilité, en raison de laquelle je suis sans force contre toi ! »

Ayant trop à souffrir de la tentation, Macaire, mit sur ses épaules un grand sac rempli de sable, et alla le porter dans le désert, plusieurs jours de suite. Théosèbe, le rencontrant, lui dit : « Abbé, pourquoi portes-tu ce fardeau ? » Et il lui répondit : « Pour tourmenter mon corps qui me tourmente ! » Une autre fois, il vit Satan vêtu d'un manteau percé de trous et auquel pendaient d'innombrables flacons. Et Macaire lui dit : « Où vas-tu ? » Et lui : « Je porte à boire aux frères ! » Et Macaire : « Mais pourquoi as-tu tant de flacons ? » Et le diable : « C'est pour être sûr de contenter les frères ; car si un des flacons ne leur plaît pas, je leur offrirai de l'autre ou du troisième, jusqu'à ce que l'un de mes flacons soit à leur goût ! » Plus tard, le voyant revenir, Macaire lui dit : « Eh bien, qu'as-tu fait ? » Il répondit : « Tous se sont sanctifiés et ont refusé mes flacons, à l'exception d'un seul, nommé Théotiste. » Aussitôt Macaire, se levant, alla trouver ce frère, et, par ses discours, le délivra de la tentation. Et le lendemain, Macaire, rencontrant de nouveau le diable, lui dit : « Où vas-tu ? » Il répondit : « Chez les frères ! » Et Macaire, quand il le vit revenir, lui demanda : « Eh bien, comment vont les frères ? » Et le diable répondit : « Mal ! » Et Macaire : « Comment cela ? » Et le diable : « Ils sont tous saints, et, pour comble de malheur, le seul d'entre eux que j'avais est perdu pour moi, et est même devenu le plus saint de tous ! » Et le vieillard, quand il entendit ces paroles, rendit grâces à Dieu.

Un autre jour, Macaire, ayant trouvé un crâne de mort, lui demanda de qui il avait été la tête. « — D'un païen ! — Et où est ton âme ? — En enfer ! » Macaire demanda au crâne si sa place en enfer était très profonde. « — Aussi profonde que la terre par rapport au ciel ! — Et y a-t-il des âmes logées encore plus bas que la tienne ? — Oui, celles des Juifs ! — Et, au-dessous des Juifs, y a-t-il encore d'autres âmes ? — Oui, celles des mauvais chrétiens qui, rachetés par le sang du Christ, font bon marché de ce privilège ! »

Ce bon abbé tua, un jour, de sa main, une puce ; et, l'ayant tuée, il fut désolé d'avoir vengé sa propre injure ; et pour se punir, il resta pendant six mois tout nu dans le désert, jusqu'à ce que tout son corps ne fût plus qu'une plaie. Et après cela, il s'endormit en paix, laissant au monde le souvenir de grandes vertus.

XX
SAINT MARCEL
(16 janvier)

Marcel était pape à Rome. Ayant osé reprocher à l'empereur Maximien sa cruauté à l'égard des chrétiens, et s'étant permis de célébrer la messe dans la maison d'une femme noble consacrée au Christ, il excita à tel point la rage de l'empereur, que celui-ci changea cette maison en écurie, et contraignit Marcel à y garder les chevaux, en qualité d'esclave. Et saint Marcel, après de nombreuses années de cet esclavage, s'endormit dans le Seigneur vers l'an 287.

XXI
SAINT ANTOINE, ERMITE
(17 janvier)

La vie de ce saint a été écrite par saint Anastase.

I. Antoine avait vingt ans lorsqu'il entendit lire, à l'Eglise, les paroles de Jésus : « Si tu veux être parfait, vends ce que tu possèdes, et donnes-en le produit aux pauvres ! » Aussitôt Antoine vendit tous ses biens, en donna le produit aux pauvres, et alla se faire ermite au désert. Il eut à y soutenir des tentations innombrables de la part des démons. Un jour qu'il avait vaincu par sa foi le démon de la luxure, le diable lui apparut sous la forme d'un enfant noir, et, se prosternant devant lui, se reconnut vaincu. Une autre fois, comme il était dans une tombe d'Egypte, la foule des démons le maltraita si affreusement qu'un de ses compagnons le crut mort et l'emporta sur ses épaules ; mais comme tous les frères, rassemblés, le pleuraient, il se releva et demanda à l'homme qui l'avait apporté de le rapporter à l'endroit où il l'avait trouvé. Et comme il y gisait, accablé de la douleur que lui causaient ses blessures, les démons reparurent, sous diverses formes d'animaux féroces, et se remirent à le déchirer avec leurs dents, leurs cornes, et leurs griffes. Alors, soudain, une lumière merveilleuse remplit le caveau, et mit en fuite tous les démons ; et Antoine se trouva aussitôt guéri. Et alors, comprenant que c'était Jésus qui venait à son secours, le saint lui dit : « Où étais-tu tout à l'heure, bon Jésus, et pourquoi n'étais-tu pas ici pour me secourir et guérir mes blessures ? » Et le Seigneur lui répondit : « Antoine, j'étais là, mais j'attendais de voir ton combat ; et maintenant que tu as lutté avec courage, je répandrai ta gloire dans le monde entier ! » Et telle était la ferveur du saint, que lorsque l'empereur Maximien mettait à mort les chrétiens, il suivait les martyrs jusqu'au lieu de leur supplice, espérant être supplicié avec eux ; et il s'affligeait fort de voir que le martyre lui était refusé.

II. Etant venu dans une autre partie du désert, il y trouva un grand disque d'argent ; et il se dit : « D'où peut venir ce disque d'argent, en un lieu où ne se voient nulles traces d'hommes ? Si un voyageur l'avait perdu, il serait revenu le chercher, et l'aurait certainement retrouvé, grand comme est ce disque. Satan, c'est encore un de tes tours ! Mais tu ne parviendras pas à ébranler ma volonté ! » Et, comme il disait cela, le disque s'évanouit en fumée. Il trouva ensuite une énorme masse d'or ; mais il l'évita comme le feu, et s'enfuit sur une montagne où il resta vingt ans, éclatant de miracles. Un jour qu'il était ravi en esprit, il vit le monde tout couvert de filets étroitement unis. Et il s'écria : « Oh ! qui pourra s'échapper hors de ces filets ? » Et une voix lui répondit : « L'humilité ! » Une autre fois, comme les anges l'emportaient dans les airs, les démons voulurent l'empêcher de passer en lui rappelant les péchés qu'il avait commis depuis sa naissance. Mais les anges : « Vous n'avez pas à parler de ces péchés, que la grâce du Christ a déjà effacés. Mais, si vous en connaissez qu'Antoine ait commis depuis qu'il est moine, dites-les ! » Et, comme les diables se taisaient, Antoine put librement s'élever dans les airs et en redescendre.

III. Saint Antoine raconte qu'il a vu, un jour, certain diable de haute taille qui, osant se faire passer pour la Providence divine, lui dit : « Que veux-tu, Antoine, afin que je te le donne ? » Mais le saint, s'armant de sa foi, lui cracha au visage, se jeta sur lui, et aussitôt le diable s'évanouit. Une autre fois le diable lui apparut dans un corps d'une taille si haute que sa tête semblait toucher le ciel. Antoine lui ayant demandé qui il était, il avoua qu'il était Satan, et ajouta : « Pourquoi les moines me combattent-ils, et pourquoi les chrétiens me maudissent-ils ? » Et Antoine : « Ils ont raison de le faire, car tu ne cesses de les tourmenter ! » Et le diable : « Ce n'est pas moi qui les tourmente, mais ce sont eux qui se tourmentent eux-mêmes : car moi je ne puis plus rien, depuis que le règne du Christ s'est répandu sur toute la terre. »

IV. Quelqu'un demanda à saint Antoine : « Que dois-je faire pour plaire à Dieu ? » Et le saint lui répondit : « Où que tu ailles, aie toujours Dieu devant les yeux ; quoi que tu fasses, obéis aux préceptes de la Sainte Ecriture ; et, dans quelque lieu que tu te trouves, restes-y ! Fais ces trois choses, et tu seras sauvé ! » Un abbé ayant demandé, lui aussi, à saint Antoine ce qu'il devait faire, le saint répondit : « Ne te fie pas à ta justice, contiens ton ventre et ta langue, et, quand une chose est passée, ne la regrette pas ! » Et il dit encore : « De même que les poissons meurent si on les met à sec, de même les moines qui s'attardent hors de leur cellule et fréquentent les séculiers se relâchent de leur bon propos. » Et il dit encore : « Celui qui vit dans la solitude est délivré de trois guerres, à savoir : contre l'ouïe, la vue et la parole, et n'a à lutter que contre son cœur. »

V. Saint Antoine disait que les mouvements du corps pouvaient être de trois sortes : les uns provenant de la nature même, les autres de l'excès d'aliments, d'autres enfin de la suggestion du démon. Un frère de son ermitage avait renoncé au siècle, mais non pas entièrement, car il gardait encore quelques biens. Et Antoine lui dit : « Va acheter de la viande ! » Et comme le frère revenait avec la viande, des chiens se jetèrent sur lui et le mordirent. Alors Antoine lui dit : « Ceux qui renoncent au monde et qui veulent garder des biens, c'est ainsi qu'ils sont déchirés par les démons ! »

Un jour qu'il s'ennuyait dans sa cellule, il dit : « Seigneur, je veux être sauvé, et mes pensées ne me le permettent pas ! » Alors, sortant de sa cellule, il vit un inconnu qui était assis et travaillait, après quoi il se relevait et priait. Or cet inconnu était un ange, et il dit à Antoine : « Fais ainsi, et tu seras sauvé ! »

Et un jour, comme Antoine travaillait avec ses frères, ceux-ci l'entendirent prier Dieu de détourner du monde le malheur qui se préparait. Puis, comme les frères lui demandaient quel était ce malheur, il répondit, avec des larmes et des sanglots : « J'ai vu dans le ciel l'autel de Dieu entouré par une multitude de chevaux qui foulaient aux pieds les choses saintes ; et j'ai entendu la voix du Seigneur disant : « Mon autel sera souillé ! » Et, en effet, deux ans après, les ariens hérétiques rompirent l'unité de l'Eglise, souillèrent les choses saintes, et foulèrent aux pieds les autels chrétiens.

VI. Un chef égyptien, nommé Ballachius, s'étant affilié à la secte des ariens, persécutait l'Eglise de Dieu, et faisait exposer à nu et battre de verges les moines et les religieuses. Alors saint Antoine lui écrivit : « Je vois la colère de Dieu prête à s'abattre sur toi. Cesse de persécuter les chrétiens, si tu veux la détourner de toi ! » Le malheureux lut la lettre, en rit, la jeta à terre, fit battre les moines qui l'avaient apportée, et les chargea de dire à leur maître Antoine que, lui aussi, il sentirait bientôt la rigueur de sa discipline. Or, cinq jours après, Ballachius, ayant voulu monter un de ses chevaux, animal d'une douceur parfaite, fut renversé par ce cheval, mordu, foulé aux pieds ; et il mourut le surlendemain.

Un jour, les frères demandèrent à Antoine le secret du salut. Le saint leur répondit : « N'avez-vous pas entendu que Jésus a dit : « Si l'on te frappe sur une joue, tends l'autre joue ? » Et eux : « Oui, mais cela est au-dessus de nos forces ! » Et Antoine : « Alors souffrez du moins avec patience d'être frappés sur une joue ! » Et eux : « Cela encore est au-dessus de nos forces ! » Et saint Antoine : « Alors contentez-vous, du moins, de ne pas frapper plus qu'on ne vous aura frappés ! » Et eux : « Cela même est encore au-dessus de nos forces ! » Sur quoi Antoine, se tournant vers son disciple, lui dit : « Va préparer une liqueur fortifiante pour ces frères, car en vérité ils sont bien débiles ; et quant à vous, la prière est la seule chose que je puisse vous recommander ! » Tout cela se lit dans les *Vies des Pères.* Enfin saint Antoine, parvenu à l'âge de cent cinq ans, s'endormit en paix après avoir embrassé ses frères : il mourut sous le règne de Constantin, qui monta sur le trône en l'an 340.

XXII
SAINT FABIEN, PAPE ET MARTYR
(20 janvier)

Fabien était citoyen romain ; et, un jour que la foule avait à élire un nouveau pape, il se joignit à elle pour connaître l'issue de l'élection. Or, voici qu'une colombe blanche descendit du ciel et se posa sur la tête de Fabien : ce que voyant, la foule l'élut pape. Alors, comme le rapporte le pape Damase, il envoya dans les diverses régions du monde sept diacres et sept sous-diacres, chargés de recueillir par écrit tous les actes des martyrs. Il fit également bâtir de nombreuses basiliques sur les lieux où étaient ensevelis ces saints martyrs. Et c'est lui aussi qui a décidé que, tous les ans, le jour de la Sainte-Cène[5], le saint chrême de l'année précédente serait brûlé et remplacé par un nouveau, consacré en ce même jour. Et Haimon rapporte que, l'empereur Philippe ayant voulu assister à la veillée de Pâques et participer aux sacrements, le pape Fabien lui résista et lui défendit l'accès de l'église jusqu'à ce qu'il eut confessé ses péchés et fait pénitence. Enfin saint Fabien, dans la treizième année de son pontificat, obtint la couronne du martyre, ayant été décapité sur l'ordre de Décius. Son martyre eut lieu vers l'an du Seigneur 253.

[5] Le jeudi saint.

XXIII
SAINT SÉBASTIEN, MARTYR
(20 janvier)

I. Sébastien, originaire de Narbonne et citoyen de Milan, était animé d'une foi chrétienne très ardente. Mais les empereurs païens Maximien et Dioclétien avaient pour lui une telle affection qu'ils l'avaient nommé chef de la première cohorte ; et l'avaient attaché à leur personne. Et lui, il ne portait la chlamyde militaire que pour pouvoir aider et consoler les chrétiens persécutés.

Or comme, un jour, deux frères jumeaux, Marcellin et Marc, allaient être décapités pour s'être refusés à abjurer la foi du Christ, leurs parents vinrent les trouver pour les engager à se laisser fléchir. Leur mère, d'abord, se présenta devant eux, les cheveux dénoués, les vêtements déchirés, la poitrine nue, et leur dit : « O mes fils chéris, une misère inouïe et un deuil affreux s'abattent sur moi ! Malheureuse que je suis, je perds mes fils de leur propre gré ! Si l'ennemi me les avait enlevés, je serais allée les lui reprendre au plus fort du combat ; si des juges s'étaient emparés d'eux pour les mettre en prison, je me serais fait tuer pour les délivrer. Mais ceci est un nouveau genre de mort, où la victime prie le bourreau de la frapper, où le vivant aspire à ne plus vivre, et invite la mort au lieu de l'éviter. Ceci est un nouveau genre de souffrance, où la jeunesse des fils, spontanément, se perd, tandis que la vieillesse des parents est condamnée à survivre ! » Ensuite arriva le père, conduit sur les bras de ses esclaves ; et ce vieillard, la tête couverte de cendres, s'écria : « Je suis venu dire adieu à mes fils, qui, de leur plein gré, ont voulu nous quitter ! O mes fils, bâton de ma vieillesse et sang de mon cœur, pourquoi avez-vous ainsi soif de la mort ? Que tous les jeunes gens viennent pleurer sur ces jeunes gens obstinés à périr ! Que tous les vieillards viennent pleurer avec moi sur la mort de mes fils ! Et vous, mes yeux, éteignez-vous à force de larmes, pour que je ne voie pas mes fils tomber sous le glaive ! » Puis arrivèrent les femmes des deux jeunes gens, tenant dans leurs bras leurs fils, et gémissant, et disant : « A qui nous confiez-vous, qui prendra soin de ces enfants, qui se partagera vos biens ? Avez-vous donc des cœurs de fer, vous qui dédaignez vos parents, repoussez vos femmes, reniez vos fils ? » Et déjà le courage des deux jeunes gens commençait à mollir, lorsque saint Sébastien, qui assistait à la scène, s'avança et dit : « Braves soldats du Christ, que ces flatteries et ces prières ne vous fassent pas renoncer à la couronne éternelle ! » Puis, se tournant vers les parents, il leur dit : « Soyez sans crainte ! Ils ne seront pas séparés de vous, mais, au contraire, ils iront vous préparer au Ciel des demeures durables ! » Et pendant que saint Sébastien parlait ainsi, il se trouva entouré d'une grande lumière descendue du ciel, et on le vit soudain revêtu d'un manteau étincelant de blancheur, avec sept anges debout devant lui. Et Zoé, la femme de Nicostrate, dans la maison de qui les deux gens étaient gardés, vint se prosterner aux pieds de Sébastien, et l'implora par signes, car elle avait perdu l'usage de la parole. Alors le saint dit : « Si je suis le serviteur du Christ, et si les choses que j'ai dites sont vraies, ô toi qui as ouvert la bouche du prophète Zacharie, ouvre la bouche de cette femme ! » Et la femme, retrouvant la parole, s'écria : « Béni soit ton discours, et bénis ceux qui croient à ce que tu dis ! car j'ai vu un ange debout devant toi et tenant un livre où il inscrivait toutes tes paroles ! » Et le mari de cette femme, se jetant à son tour aux pieds du saint, implora son pardon, après quoi, brisant les chaînes des martyrs, il les pria de s'en aller en liberté. Mais eux, ils déclarèrent que, pour rien au monde, ils ne renonceraient à la victoire qu'ils avaient remportée. Et telles étaient la grâce et la vertu divines de la parole de saint Sébastien que non seulement il fortifia Marcellin et Marc dans la constance du martyre, mais qu'il convertit aussi leur père Tranquillin, et leur mère, et d'autres personnes, qui toutes furent baptisées par le prêtre Polycarpe.

Et le vieux Tranquillin, qui était atteint d'une maladie grave, guérit dès qu'il fut baptisé. Ce qu'apprenant le préfet de la ville de Rome, qui était lui-même très malade, demanda à Tranquillin de lui amener l'homme qui l'avait guéri. Et quand le vieillard lui eut amené Sébastien et Polycarpe, il les pria de lui rendre la santé. Mais Sébastien lui dit qu'il ne guérirait que s'il permettait à Polycarpe et à lui de briser en sa présence les idoles des dieux. Et, le préfet Chromace ayant fini par y consentir, les deux saints brisèrent plus de deux cents idoles. Puis ils dirent à Chromace : « Puisque l'acte que nous venons de faire ne t'a pas rendu la santé, c'est donc que, ou bien tu n'as pas encore abjuré tes erreurs, ou bien que tu gardes debout quelque autre idole ! » Alors il avoua qu'il possédait, dans sa maison, une chambre où était représenté tout le système des étoiles, et qui lui permettait de prévoir l'avenir : ajoutant que son père avait dépensé plus de deux cents livres d'or pour l'installation de cette chambre. Et saint Sébastien : « Aussi longtemps que cette chambre ne sera pas détruite, tu ne retrouveras pas la santé ! » Et Chromace consentit à ce qu'elle fût détruite. Mais son fils Tiburce, jeune homme des plus remarquables, s'écria : « Je ne souffrirai pas que l'on détruise impunément une œuvre aussi magnifique ! Mais comme, d'autre part, je souhaite de tout mon cœur le retour de mon père à la santé, je propose que l'on chauffe deux fours, et que, si après la destruction de cette chambre mon père ne guérit pas, les deux chrétiens soient brûlés vifs ! » Et Sébastien : « Qu'il en soit fait comme tu as dit ! » Et pendant qu'il brisait la chambre magique, un ange apparut au préfet et lui annonça que le Seigneur Jésus lui avait rendu la santé. Alors le préfet et son fils Tiburce et quatre mille personnes de sa maison reçurent le baptême. Et Zoé, qui s'était convertie la première, fut prise par les infidèles et mourut après de longues tortures ; ce qu'apprenant le vieux Tranquillin s'écria : « Voici que les femmes nous devancent au martyre ! » Et lui-même fut lapidé peu de jours après.

Or, saint Tiburce reçut l'ordre d'offrir de l'encens aux dieux, ou bien de marcher pieds nus sur des charbons ardents. Alors, ayant fait le signe de la croix, il se mit à marcher sur les charbons ardents, en disant : « Il me semble que je marche sur un lit de roses. » Et le préfet Fabien lui dit : « Oui, je sais que votre Christ vous a enseigné des artifices magiques ! » Mais Tiburce : « Tais-toi, malheureux, car tu n'es pas digne de prononcer ce saint nom ! » Et le préfet, furieux, lui fit couper la tête. Quant à Marcellin et à Marc, ils furent attachés à un poteau, et là ils chantaient joyeusement : « Quelle belle et douce chose, pour deux frères, d'être réunis…, etc. » Alors le préfet leur dit : « Malheureux, renoncez à votre folie, et regagnez votre liberté ! » Mais eux : « Jamais nous n'avons été aussi heureux, et nous te supplions de nous laisser ainsi jusqu'à ce que nos âmes soient délivrées de l'enveloppe de nos corps ! » Sur quoi le préfet leur fit percer le flanc à coups de lance ; et ainsi s'acheva leur martyre.

Après cela, ce préfet dénonça Sébastien à l'empereur Dioclétien, qui, l'ayant appelé, lui dit : « Ingrat, je t'ai placé au premier rang dans mon palais, et toi tu as travaillé contre moi et mes dieux ! » Et Sébastien : « Pour toi et pour l'Etat romain j'ai toujours prié Dieu, qui est dans le Ciel. » Alors Dioclétien le fit attacher à un poteau au milieu du champ de Mars, et ordonna à ses soldats de le percer de flèches. Et les soldats lui lancèrent tant de flèches qu'il fut tout couvert de pointes comme un hérisson ; après quoi, le croyant mort, ils l'abandonnèrent. Et voici que peu de jours après, saint Sébastien, debout sur l'escalier du palais, aborda les deux empereurs et leur reprocha durement le mal qu'ils faisaient aux chrétiens. Et les empereurs dirent : « N'est-ce point là Sébastien, que nous avons fait tuer à coups de flèches ? » Et Sébastien : « Le Seigneur a daigné me rappeler à la vie, afin qu'une fois encore je vienne à vous, et vous reproche le mal que vous faites aux serviteurs du Christ ! » Alors les empereurs le firent frapper de verges jusqu'à ce que mort s'ensuivît, et ils firent jeter son corps à l'égout, pour empêcher que les chrétiens ne le vénérassent comme la relique d'un martyr. Mais, dès la nuit suivante, saint Sébastien apparut à sainte Lucine, lui révéla où était son corps, et lui ordonna de l'ensevelir auprès des restes des apôtres : ce qui fut fait. Il subit le martyre vers l'an du Seigneur 187.

II. Saint Grégoire rapporte, au premier livre de ses *Dialogues*, l'histoire que voici. Certaine femme de la Toscane, récemment mariée, avait été invitée à la dédicace d'une église de saint Sébastien. Mais, la nuit qui précédait la cérémonie, elle se sentit si vivement stimulée par la volupté charnelle qu'elle ne put s'abstenir des caresses de son mari. Or, le matin suivant, cette femme se rendit cependant à l'église, ayant plus de honte des hommes que de Dieu. Mais à peine entrée dans la chapelle où étaient les reliques de saint Sébastien, un diable s'empara d'elle, et se mit à la tourmenter en présence de tous. Alors le prêtre de l'église la couvrit du voile de l'autel, et aussitôt le diable s'empara de ce prêtre. On conduisit la femme chez des magiciens ; mais, au cours de leurs incantations, une légion entière de démons, c'est-à-dire une troupe de six mille six cent soixante-six d'entre eux, pénétra dans cette femme pour la tourmenter encore davantage. Et seul un pieux vieillard, nommé Fortunat, réussit par ses prières à chasser les diables du corps de la femme.

On lit dans les *Annales lombardes* qu'au temps du roi Humbert l'Italie entière fut atteinte d'une peste si malfaisante qu'on avait peine à trouver quelqu'un pour ensevelir les cadavres : et cette peste ravageait surtout Pavie. Alors, un ange révéla que le mal ne cesserait que si l'on élevait un autel à saint Sébastien, dans la ville de Pavie. Et l'on éleva aussitôt cet autel dans l'église de Saint-Pierre aux Liens : sur quoi la peste disparut tout à fait. Et les reliques de saint Sébastien furent transportées à Pavie, de Rome, où avait eu lieu son martyre.

XXIV
SAINTE AGNÈS, VIERGE ET MARTYRE
(21 janvier)

I. Agnès, vierge très sage, avait treize ans lorsqu'elle perdit la mort et trouva la vie. Elle était jeune d'années, mais mûre d'esprit et d'âme ; elle était belle de visage, mais plus belle de cœur. Le fils d'un préfet, la voyant revenir de l'école, se prit d'amour pour elle. Il lui promit des diamants et de nombreuses richesses si elle consentait à être sa femme. Mais Agnès lui répondit : « Eloigne-toi de moi, aiguillon du péché, aliment du crime, poison de l'âme, car je me suis déjà donnée à un autre amant ! » Elle se mit à lui faire l'éloge de son amant et fiancé, vantant chez lui les cinq qualités que les fiancées estiment le plus chez leurs fiancés, à savoir : la noblesse de race, la beauté, la richesse, le courage uni à la force, et enfin l'amour. Et elle dit : « Celui que j'aime est plus noble que toi, le soleil et la lune admirent sa beauté, ses richesses sont inépuisables, il est assez puissant pour faire revivre les morts, et son amour dépasse tout amour. Il a mis son anneau à mon doigt, m'a donné un collier de pierres précieuses, et m'a vêtue d'une robe tissée d'or. Il a posé un signe sur mon visage, pour m'empêcher d'aimer aucun autre que lui, et il a arrosé mes genoux de son sang. Déjà je me suis donnée à ses caresses, déjà son corps s'est mêlé à mon corps ; et il m'a fait voir un trésor incomparable qu'il m'a promis de me donner si je persévérais à l'aimer. » Ce qu'entendant, le jeune homme devint malade d'amour, en danger de mort. Son père va trouver la jeune fille, au nom de son fils ; mais Agnès lui répond qu'elle ne peut violer la foi promise à son premier fiancé ! Alors le préfet lui demande quel est ce fiancé, et comme quelqu'un lui fait entendre que c'est le Christ qu'elle appelle son fiancé, il se met d'abord à la questionner doucement, puis la menace de la punir si elle refuse de répondre. Mais Agnès lui dit : « Fais ce que tu voudras, je ne te livrerai pas mon secret ! » Alors le préfet : « Choisis entre deux partis ! Ou bien sacrifie à Vesta avec les vierges de la déesse, si tu tiens à ta virginité, ou bien je te ferai enfermer avec des prostituées ! » Mais elle : « Je ne sacrifierai pas à tes dieux, et cependant je ne me laisserai pas souiller, car j'ai près de moi un gardien de mon corps, un ange du Seigneur ! » Alors le préfet la fit dépouiller de ses vêtements, et conduire toute nue dans une maison de débauche. Mais Dieu lui fit pousser des cheveux en telle abondance que ces cheveux la couvraient mieux que tous les vêtements. Et, quand elle entra dans le mauvais lieu, elle y trouva un ange qui l'attendait, tenant une tunique d'une blancheur éclatante. Et ainsi le lupanar devint pour elle un lieu de prière, et l'ange l'éclaira d'une lumière surnaturelle.

Or, le fils du préfet vint dans ce lieu avec d'autres jeunes gens, et invita ses compagnons à jouir d'abord de la jeune fille. Mais, en pénétrant dans la chambre d'Agnès, ils furent si effrayés de la vue de cette lumière qu'ils s'enfuirent auprès du fils du préfet ; et lui, les traitant de lâches, se rua dans la chambre, plein de fureur. Mais aussitôt le diable l'étrangla, Dieu l'ayant abandonné. Alors le préfet, tout en larmes, se rendit auprès d'Agnès, et l'interrogea sur la mort de son fils. Et Agnès : « Celui dont il voulait réaliser la volonté a reçu pouvoir sur lui, et l'a tué. » Et le préfet lui dit : « Si tu ne veux pas que je croie que c'est toi qui l'as tué par des artifices magiques, demande et obtiens qu'il ressuscite ! » Et, sur la prière d'Agnès, le jeune homme ressuscita, et se mit à confesser publiquement le Christ.

Mais alors les prêtres des dieux, soulevant le peuple, s'écrièrent : « A mort la magicienne, qui, par sorcellerie, change les âmes et pervertit les cerveaux ! » Cependant le préfet, en présence d'un tel miracle, aurait voulu la délivrer ; mais, craignant la proscription, il se retira tristement, et laissa Agnès sous la garde d'un lieutenant. Et celui-ci, dont le nom était Aspasius, fit jeter la jeune fille dans un feu ardent ; mais la flamme, se séparant en deux, brûlait la foule des païens sans toucher Agnès. Alors Aspasius lui fit plonger un poignard dans la gorge : et c'est ainsi que le fiancé céleste la prit pour épouse, après l'avoir ornée de la couronne du martyre. Ce martyre eut lieu, à ce que l'on croit, sous le règne de Constantin le Grand, qui régnait vers l'an 309. Et comme les parents de sainte Agnès et les autres chrétiens l'ensevelissaient avec joie, à grand'peine ils échappèrent à la pluie de pierres que les païens lançaient contre eux.

II. Sainte Agnès avait une sœur de lait nommée Emérantienne, vierge pleine de sainteté, et qui se préparait à recevoir le baptême. Or cette jeune fille se tint debout devant le sépulcre d'Agnès, et se mit à invectiver les païens qui l'avaient tuée, jusqu'à ce que ces païens la tuèrent elle-même à coups de pierres. Aussitôt la terre trembla, et la foudre de Dieu s'abattit sur ce lieu, tuant bon nombre de païens : de telle sorte que, depuis lors, on laissa les fidèles s'approcher du tombeau sans leur faire aucun mal. Et le corps d'Emérantienne fut enseveli auprès de celui de sainte Agnès. Et, huit jours après, comme les parents de celle-ci veillaient autour du tombeau, ils virent un chœur de vierges en robes d'or ; et parmi elles ils virent la bienheureuse Agnès, ayant à côté d'elle un agneau plus blanc que la neige. Et elle leur dit : « Voyez, afin que vous ne me pleuriez pas comme morte, mais que vous vous réjouissiez avec moi et vous félicitiez avec moi ; car j'ai été admise désormais à siéger au milieu de cette troupe de lumière ! » C'est à cause de cette vision que l'Eglise célèbre, huit jours après la fête de sainte Agnès, l'octave de cette fête.

III. La nouvelle de cette vision parvint jusqu'à Constance, fille de Constantin, qui était affligée d'une lèpre très maligne. Aussitôt la jeune princesse se rendit au tombeau de la sainte, et là, après avoir prié, elle vit en rêve sainte Agnès

lui disant : « Constance, sois constante ! Crois au Christ et tu seras guérie ! »
Se réveillant soudain, Constance se trouva guérie ; elle reçut le baptême, fit
élever une basilique sur le tombeau de la sainte, et y rassembla autour d'elle
de nombreuses vierges qui, comme elle, vécurent toute leur vie dans la
chasteté.

IV. Certain prêtre de l'église de sainte Agnès, nommé Paulin, commença un
jour à être tourmenté d'une terrible tentation de la chair ; et, comme il ne
voulait pas offenser Dieu, il demanda au souverain pontife la permission de
prendre femme. Mais le pape, qui connaissait sa bonté et sa simplicité, lui
remit un anneau orné d'une émeraude, et lui dit de s'adresser avec la même
demande à une belle statue de sainte Agnès qui se trouvait dans son église.
Et comme le prêtre demandait à sainte Agnès de l'autoriser à se marier, la
statue étendit tout à coup vers lui son doigt annulaire, y passa l'anneau donné
par le pape, puis retira sa main ; et, sur-le-champ, le prêtre fut délivré de toutes
ses tentations. Telle est, dit-on, l'origine de l'anneau qui se voit aujourd'hui
encore au doigt de la statue. Mais d'autres disent que cet anneau fut donné
par le pape à un prêtre qui se trouva chargé, en même temps, de veiller sur la
basilique de sainte Agnès comme sur une épouse ; car, faute de soins, le
temple vénérable tombait en ruines ; et la statue de la sainte aurait passé
l'anneau à son doigt en signe d'acceptation de ces fiançailles.

XXV
SAINT VINCENT, MARTYR
(22 janvier)

Le martyre de saint Vincent a été raconté, dit-on, par saint Augustin. Prudence l'a chanté en des vers magnifiques.

I. Vincent, noble de race, mais plus noble encore de foi et de piété, était diacre du saint évêque Valère ; et comme il avait plus d'éloquence que le vieil évêque, celui-ci lui avait confié le soin de prêcher à sa place, afin de pouvoir mieux se livrer, lui-même, à la prière et à la contemplation. Or, sur l'ordre du gouverneur Dacien, tous deux furent conduits à Valence et jetés en prison. Le gouverneur les y laissa longtemps sans nourriture ; puis, quand il les crut presque morts de faim, il les fit amener devant lui. Et, en voyant qu'ils étaient pleins de santé et de joie, il devint furieux et s'écria : « Comment, oses-tu, Valère, sous prétexte de religion, résister aux décrets de tes princes ? » Saint Valère se mit en devoir de répondre, avec sa douceur habituelle ; mais Vincent lui dit : « Père vénéré, ce n'est pas le moment de murmurer d'une voix faible, comme si l'on avait peur, mais de parler haut et librement ! Si donc tu veux me l'ordonner, mon père, je répondrai pour toi à ce juge ! » Et Valère : « Fils bien-aimé, depuis longtemps déjà je t'ai confié le soin de parler à ma place. Je te charge à présent de répondre au nom de la foi que nous défendons. » Alors Vincent, se tournant vers Dacien : « Sache, lui dit-il, toi qui nous accuses, que pour nous, chrétiens, c'est un blasphème affreux de renier notre foi ! » Dacien, de plus en plus irrité, envoya le vieil évêque en exil ; et, tant pour punir le jeune diacre de son audace que pour effrayer par son exemple les autres chrétiens, il fit étendre Vincent sur un chevalet, et ordonna qu'on lui rompît les membres. Et lorsque l'on eut rompu les membres du saint, le gouverneur lui dit : « Hé bien, Vincent, voilà ton misérable corps dans un bel état ! » Mais le saint lui répondit en souriant : « C'est ce que j'ai de tout temps souhaité ! » Dacien, exaspéré, le menaça d'autres supplices, s'il persistait à ne pas céder. Mais Vincent : « Insensé, plus tu crois te fâcher contre moi, plus en réalité tu as pitié de moi. Laisse-toi donc aller à toute ta malice ! Tu verras que, avec l'aide de Dieu, j'aurai plus de pouvoir dans les supplices que toi en me suppliciant ! » Et comme le gouverneur criait, et frappait les bourreaux pour les punir de leur mollesse, Vincent lui dit encore : « Pauvre Dacien, c'est toi-même qui me venges de mes bourreaux ! » Le gouverneur écumait de rage. « Pourquoi vos mains faiblissent-elles ? dit-il aux bourreaux. Vous avez pu avoir raison d'adultères et de parricides, et leur arracher des aveux : pourquoi, seul, ce Vincent reste-t-il au-dessus de vos coups ? » Alors les bourreaux enfoncèrent des peignes de fer dans les côtes du saint, à tel point que, de tout son corps, le sang coulait, et que ses entrailles sortaient entre les côtes brisées. Et Dacien lui dit : « Vincent, aie pitié de toi ! Tu peux encore recouvrer ta belle jeunesse et t'épargner d'autres supplices qu'on apprête pour toi ! » Mais Vincent : « Langue empoisonnée, je ne crains pas tes tourments ; mais, ce qui m'effraie, c'est que tu feignes d'avoir pitié de moi. Car plus je te vois furieux, plus grand est mon plaisir. Garde-toi de rien atténuer aux supplices que tu me prépares, afin que j'aie plus d'occasions de te montrer ma victoire ! » Alors Dacien le fit retirer du chevalet, fit apporter un gril, et ordonna d'allumer un grand feu. Et le saint, par ses paroles, encourageait les bourreaux à presser leur travail. Puis, montant de son plein gré sur le gril, il offrit au feu tous ses membres, pendant que des pointes enflammés s'enfonçaient dans ses chairs, et pendant qu'on jetait du sel dans le feu, pour que ce sel, pénétrant dans ses plaies, lui rendît plus cruelle la sensation de la brûlure. Et, après ses jointures, ses entrailles elles-mêmes furent transpercées et se répandirent autour de lui ; et lui, immobile et les yeux levés au ciel, il invoquait le Seigneur.

Les bourreaux vinrent en apporter la nouvelle à Dacien. « Hélas, dit celui-ci, il nous a vaincus ! Mais pour prolonger son supplice, jetez-le maintenant dans le plus sombre des cachots, après avoir semé sur le sol des pointes très aiguës ; et, lui ayant lié les pieds, laissez-le là ! Puis, quand il sera mort, venez me le dire ! » Et les cruels serviteurs s'empressèrent d'obéir à leur maître, plus cruel encore. Mais voici que le Roi pour qui souffre le glorieux soldat, voici qu'il change sa peine en une gloire nouvelle. Car les ténèbres du cachot se trouvent chassées par une immense lumière, l'aspérité des pointes se change en un lit de douces fleurs, les liens des pieds se brisent, et des anges viennent consoler le martyr. Et celui-ci, marchant sur les fleurs, chante avec les anges ; l'harmonie du chant, le parfum des fleurs se répandent hors de la prison. Les gardiens, épouvantés, regardent à l'intérieur du cachot, par les fentes de la porte, et le spectacle qu'ils aperçoivent les convertit à la foi du Christ. Mais Dacien, apprenant cette nouvelle défaite, dit : « Décidément, cet homme nous a vaincus. Inutile de lutter davantage. Qu'on le transporte sur un lit, pour le ranimer ; et quand il commencera à se remettre, nous verrons à lui faire goûter d'autres supplices ! » On transporta donc le saint sur un lit ; et là, après s'être un peu reposé, il rendit l'âme. Cela se passait vers l'an du Seigneur 287, sous le règne des empereurs Dioclétien et Maximien.

Mais Dacien, en apprenant cette mort, fut saisi à la fois de frayeur et de honte. Et il dit : « Puisque je n'ai pu le vaincre vivant, du moins je le punirai mort et me rassasierai de son châtiment. De cette façon, j'aurai le dernier mot sur lui ! » Et il fit exposer le corps du saint dans un champ, pour y être dévoré par les bêtes et les oiseaux de proie. Mais aussitôt des anges vinrent garder le corps, le protégeant contre l'approche des bêtes. Un corbeau gigantesque chassa à grands coups d'ailes les loups et les oiseaux de proie, puis se tint immobile devant le corps, considérant avec admiration les anges chargés de le garder. Et Dacien, à cette nouvelle, dit : « Je crains bien que, même mort, il ne se laisse pas vaincre par moi ! » Il tenta cependant une dernière épreuve. Il fit attacher au corps une énorme pierre et le fit jeter à la mer, pour être dévoré par les poissons. Mais en vain les matelots essayèrent de submerger le corps ; celui-ci se mit à flotter, devançant les matelots, et rejoignit le rivage, où il fut recueilli par une pieuse femme qui, avec l'aide de ses frères chrétiens, l'ensevelit solennellement.

II. Saint Augustin dit de ce martyre : « Le bienheureux Vincent vainquit dans les mots et vainquit dans les maux, il vainquit dans la confession et dans la tribulation, il vainquit broyé et vainquit noyé. » Et saint Ambroise, dans une préface, dit : « Vincent est rompu, écartelé, coupé, flagellé, brûlé ; mais son esprit reste indomptable, parce qu'il craint Dieu plus que le siècle et aime mieux mourir au monde qu'à Dieu. » Et Prudence, qui brillait sous le règne de Théodore l'Ancien, vers l'an du Seigneur 387, nous raconte que saint Vincent dit encore à Dacien : « Les tourments, les prisons, les pointes de fer, les flammes et la mort, tout cela n'est qu'un jeu pour le chrétien. » Alors Dacien : « Qu'on le lie et qu'on lui détende les bras en tous sens jusqu'à ce que toutes les jointures de ses os éclatent et que son foie lui sorte du corps ! » Mais le soldat de Dieu se riait de ces supplices, reprochant au fer de ne pas entrer plus avant en lui. Et plus tard, dans le cachot, un des anges lui dit : « Lève-toi, saint martyr, et viens prendre ta place dans la troupe céleste ! Soldat invincible, le plus brave des braves, les tortures elles-mêmes te craignent comme leur vainqueur ! » Et Prudence, après avoir raconté cela, s'écrie : « Héros sublime, tu as obtenu une double palme, tu t'es rendu digne d'un double laurier ! »

XXVI
SAINT JEAN L'AUMONIER, CONFESSEUR
(23 janvier)

I. Jean, patriarche d'Alexandrie, une nuit qu'il était en prière, vit une jeune fille merveilleusement belle qui se tenait debout près de lui et qui avait sur la tête une couronne d'olivier. Jean, stupéfait, lui demanda qui elle était, et la jeune fille lui répondit : « Je suis la miséricorde, c'est moi qui ai amené sur la terre le Fils de Dieu. Prends-moi pour femme et tu t'en trouveras bien ! » Et en effet, Jean devint depuis lors si miséricordieux qu'il fut appelé « Eleymon », c'est-à-dire l'aumônier. Il avait l'habitude d'appeler les pauvres « ses maîtres » ; et c'est à son exemple que les hospitaliers donnent aux pauvres le titre de « seigneurs ». Un jour, ayant rassemblé ses serviteurs, il leur dit : « Allez par toute la ville, et dressez-moi une liste de tous mes seigneurs. » Et comme on ne comprenait pas ce qu'il voulait dire, il reprit : « Ceux que vous appelez indigents et mendiants, je les appelle, moi, nos maîtres et seigneurs. Ce sont eux, en effet, qui, seuls, peuvent nous donner le royaume des cieux. » Et pour exhorter les fidèles à l'aumône, il avait l'habitude de leur raconter l'histoire que voici :

Un jour, des mendiants se chauffaient au soleil, et s'amusaient à comparer le mérite des riches de la ville, louant les bons et blâmant les méchants. Vint à passer par là un receveur d'impôts nommé Pierre, homme riche et puissant, mais sans pitié pour les pauvres, et qui faisait chasser brutalement ceux qui mendiaient à sa porte. Les mendiants se trouvèrent d'accord pour constater que pas un d'entre eux n'avait jamais reçu de lui une aumône. Alors l'un d'entre eux dit à ses compagnons : « Voulez-vous gager avec moi que, aujourd'hui même, je me ferai donner une aumône par lui ? » La gageure fut tenue, et le mendiant, s'avançant vers Pierre, lui demanda l'aumône. Or le receveur marchait accompagné d'un esclave qui portait des pains de seigle dans un panier ; et, dans sa colère, ne trouvant pas de caillou sous la main, il prit un pain dans le panier et le lança sur le mendiant. Celui-ci saisit le pain, et courut montrer à ses compagnons l'aumône qu'il avait reçue. Deux jours après, Pierre tomba malade et eut une vision. Il se vit comparaissant devant le tribunal suprême, et, sur l'un des plateaux de la balance, des diables tout noirs déposaient ses péchés, tandis que de l'autre côté se tenaient tristement des anges vêtus de blanc, ne trouvant rien à mettre pour faire contre-poids. Et l'un de ces anges dit : « En vérité nous n'avons rien à mettre sur ce plateau, si ce n'est un pain de seigle qu'il a donné au Christ il y a deux jours, et encore malgré lui ! » Et les anges mirent ce pain sur le plateau, et Pierre vit qu'il faisait contrepoids à tous ses péchés. Et les anges lui dirent : « Ajoute quelque chose à ce pain de seigle, si tu ne veux pas tomber entre les mains de tous ces méchants diables !» Alors Pierre, s'éveillant, dit : « En vérité, si un seul pain de seigle, jeté par colère à un pauvre, m'a été d'un tel profit, combien davantage me profitera de donner tous mes biens aux pauvres !» Donc, le jour suivant, comme il allait dans la rue, vêtu de son meilleur manteau, et qu'un naufragé lui demandait de quoi se couvrir, il se dépouilla de son manteau précieux et le lui donna ; mais le naufragé, aussitôt, courut le vendre à un brocanteur. Et Pierre, en voyant son manteau à l'étalage du brocanteur, s'affligea fort, se disant : « Je ne suis pas digne, même, qu'un mendiant garde rien en souvenir de moi !» Mais la nuit suivante, il vit en rêve un inconnu qui brillait plus que le soleil, et qui avait une croix sur sa tête ; et il vit que cet inconnu portait sur ses épaules le manteau que lui, Pierre, avait donné au naufragé. Et l'inconnu lui dit : « De quoi t'affliges-tu ?» Pierre lui raconta alors la cause de sa peine. Et l'inconnu, qui était Jésus, lui dit : « Reconnais-tu ce manteau ?» Et lui : « Oui, Seigneur !» Et le Seigneur : « Je m'en revêts parce que tu me l'as donné ! J'avais froid et tu m'as couvert. Merci de ta bonne volonté !» Alors Pierre, se réveillant, commença à bénir les pauvres, et dit : « Vive Dieu, je ne mourrai pas avant d'être devenu l'un d'entre eux !» Il donna donc aux pauvres tout ce qu'il avait. Puis, appelant son notaire, il lui dit : « Emmène-moi à Jérusalem et vends-moi comme esclave à quelque chrétien, après quoi tu distribueras aux pauvres le prix de la vente !» Et comme le notaire s'y refusait, Pierre lui dit : « Fais ce que je te demande, et voici de l'argent pour te récompenser ! Mais si tu ne le fais pas, c'est moi qui te vendrai aux barbares. » Alors le notaire le revêtit de haillons, le conduisit à Jérusalem, et le vendit à un argentier, moyennant trente pièces d'or qu'il distribua aux pauvres. Et Pierre, devenu esclave, se chargeait, spontanément des tâches les plus viles, au point que les autres esclaves eux-mêmes se moquaient de lui, le battaient, et le méprisaient comme un fou. Mais le Seigneur lui apparaissait souvent, et le consolait en lui montrant les vêtements et tous les autres dons qu'il avait reçus de lui. Cependant, à Constantinople, qui était la patrie de Pierre, l'empereur et les citoyens déploraient sa disparition. Or, un jour, des habitants de Constantinople, venus à Jérusalem pour visiter les lieux sacrés, furent invités à dîner chez le maître de Pierre ; et ils se dirent à l'oreille : « Combien cet esclave que voici ressemble au noble Pierre, le receveur d'impôts !» Et l'un d'eux, l'ayant bien observé, dit : « En vérité, c'est le seigneur Pierre lui-même ! Je vais aller à lui et je le ramènerai de force à Constantinople !» Aussitôt l'esclave, se voyant découvert, s'enfuit. Le portier de la maison était sourd et muet ; mais Pierre, dès qu'il fut arrivé près de la porte, lui parla afin qu'il lui ouvrît. Et aussitôt le sourd-muet retrouva l'ouïe et la parole. Il ouvrit à Pierre, puis, abordant les autres esclaves, il leur dit : « L'esclave qui faisait la cuisine vient de s'enfuir ; mais c'était sans doute un esclave de Dieu et non de notre maître, car lorsqu'il m'a ordonné de lui ouvrir la porte, une flamme a jailli de sa bouche qui, touchant ma bouche et mes oreilles, m'a aussitôt rendu la parole et l'ouïe. » Et tous, sortant de la maison, se mirent à la recherche du fugitif, mais sans pouvoir le retrouver. Sur quoi ils firent tous pénitence d'avoir traité avec mépris un homme de Dieu.

II. Un moine nommé Vital eut l'idée d'éprouver saint Jean, pour voir si cet homme, d'ailleurs parfait, se laissait persuader par les on-dit, et était facilement accessible au scandale. Il se rendit donc à Alexandrie et se fit donner la liste de toutes les courtisanes. Puis, entrant chez elles tour à tour, il leur disait : « Donne-moi cette nuit, et, en échange de l'argent que je t'offrirai, consens à t'abstenir jusqu'à demain de toute fornication ! » Et il passait toutes les nuits chez ces courtisanes, mais agenouillé dans un coin de la chambre et priant pour elles ; et, le matin, il s'en allait en leur défendant de révéler ce qu'il avait fait. Il y eut cependant une de ces femmes qui divulgua la chose : et, en punition, un démon s'empara d'elle. Et tous lui disaient : « Tu n'as que ce que tu mérites, menteuse ! car ce mauvais moine est allé chez toi pour forniquer, et non pour autre chose ! » Et, tous les soirs, le moine Vital disait à ceux qui l'entouraient : « Il faut maintenant que je m'en aille, parce que telle ou telle courtisane m'attend ! » Et à ceux qui lui faisaient des reproches, il répondait : « N'ai-je pas un corps, comme tout le monde ? Et les moines ne sont-ils pas des hommes comme les autres ? » Alors on lui disait : « Défroque-toi plutôt, l'abbé, et prend une femme chez toi, afin de ne pas scandaliser les autres ! » Mais Vital, feignant la colère, leur répondait : « Laissez-moi tranquille, vous m'ennuyez ! Dieu vous a-t-il constitués mes juges ? Occupez-vous donc de vous-mêmes ! Personne ne vous demandera de rendre compte de moi ! » Il criait cela très haut, pour que le bruit en revînt à saint Jean ; et l'on pense bien que celui-ci ne fut pas longtemps à connaître le scandale de la ville. Mais, avec l'aide de Dieu, il sut endurcir son cœur au point de ne prêter aucune créance à tout ce que l'on disait de Vital.

Et celui-ci, tout en continuant son manège, priait Dieu que, après sa mort, le vrai sens de sa conduite pût être révélé à saint Jean et aux autres hommes. Il y eut une foule de courtisanes qui, grâce à lui, se convertirent et se vouèrent à la vie religieuse. Mais un matin, comme il sortait de chez l'une d'elles, il rencontra quelqu'un qui se rendait chez elle pour forniquer ; et cet homme donna au moine un soufflet, en disant : « Misérable, ne te corrigeras-tu donc jamais de ton immondice ! » Et Vital : « Mon ami je te revaudrai ce soufflet ! » Et en effet, quelques heures plus tard, voici qu'un diable, sous la forme d'un nègre, applique sur la joue de cet homme un terrible soufflet, en lui disant : « Reçois ce soufflet de la part de l'abbé Vital ! » Et ce diable s'empara de lui et le tourmenta si fort que la foule s'amassait à ses cris. Mais Vital, voyant son repentir, pria pour lui et obtint qu'il fût délivré. Puis, sentant approcher la mort, ce bon moine laissa un papier où était écrit : « Gardez-vous de juger personne trop tôt ! » Et, quand il fut mort, toutes les courtisanes révélèrent la pureté de sa conduite et tous, dans Alexandrie, glorifiaient Dieu à cette occasion, mais surtout saint Jean, qui disait : « Combien j'aurais voulu mériter de recevoir, à la place de Vital, le soufflet qu'il a reçu ! »

III. Un pauvre vint à Jean en habit de pèlerin et lui demanda l'aumône. Jean dit à son économe : « Donne-lui six pièces d'argent ! » L'homme s'en alla alors changer d'habit et revint demander l'aumône au patriarche. Et celui-ci dit à son économe : « Donne-lui six pièces d'or ! » L'économe les lui donna, mais, quand le mendiant fut parti, il dit à Jean : « Père, cet homme est venu deux fois aujourd'hui sous des habits différents, et deux fois a reçu l'aumône ! » Mais saint Jean feignit de ne pas l'avoir reconnu. Et le mendiant, ayant changé d'habit une troisième fois, revint de nouveau lui demander l'aumône ; alors l'économe fit signe à saint Jean que c'était le même mendiant. Mais saint Jean lui répondit : « Va et donne-lui douze pièces d'or ; car qui sait si ce n'est pas mon Seigneur Jésus-Christ qui veut me tenter, pour voir qui se fatiguera le premier, lui de demander ou moi de donner ? »

IV. Un jour le patrice voulut employer à des achats une somme qui appartenait à l'église, et que le patriarche voulait faire distribuer aux pauvres. Les deux hommes discutèrent longtemps, et se séparèrent fâchés l'un contre l'autre. Mais, à l'approche de la neuvième heure, saint Jean fit dire au patrice par son archiprêtre : « Seigneur, le soleil va bientôt se coucher ! » Et le patrice, entendant ces paroles, fondit en larmes, et courut demander pardon à saint Jean.

V. Un neveu de saint Jean avait été insulté par un boutiquier et était venu se plaindre à son oncle. Celui-ci lui répondit : « Comment est-ce possible que quelqu'un ait osé te contredire et ouvrir la bouche contre toi ? Mon fils, fie-toi à moi : je ferai aujourd'hui quelque chose dont la ville entière sera étonnée ! » Ce qu'entendant, le jeune homme fut consolé, croyant que son oncle allait faire fouetter l'impertinent. Mais saint Jean, le voyant consolé, lui dit : « Mon fils, si tu es vraiment le neveu de Mon Humilité, prépare-toi à recevoir le fouet en présence de tous ! Car la vraie parenté ne vient pas de la chair et du sang, mais se reconnaît à la vertu de l'âme. » Et il envoya chercher le boutiquier, et l'affranchit de tout tribut. Et tous comprirent ce qu'il avait voulu dire en annonçant qu'il ferait quelque chose dont la ville entière serait étonnée.

VI. Apprenant que, dès qu'un empereur était couronné, on commençait à lui construire un tombeau de marbre et de métal, saint Jean se fit construire, lui aussi, un tombeau ; mais il ordonna qu'on le laissât inachevé, et que tous les jours, pendant qu'il officierait à la tête de son clergé, on vînt lui dire : « Hâte-toi de faire achever ta tombe, car tu ne sais pas à quelle heure la mort viendra te prendre ! »

VII. Un homme riche fut peiné de voir que saint Jean couchait dans des draps grossiers ; et il lui fit don d'une couverture de grand prix. Mais le saint, ayant mis cette couverture sur son lit, ne put dormir de toute la nuit, tant le tourmentait la pensée que trois cents de ses « seigneurs » auraient eu de quoi se couvrir avec le prix de cette couverture. Et il se disait en pleurant : « Combien d'hommes se sont couchés cette nuit sans avoir dîné, combien d'hommes sont exposés à la pluie, sur les places, et claquent des dents, au froid de la nuit ! Et toi, après avoir mangé d'excellents poissons, tu t'es couché avec tous tes péchés dans un lit, sous une couverture qui vaut trente-six deniers ! Non, non, le misérable Jean ne se couvrira plus de cette façon-là ! » Et, dès que le jour parut, le saint fit vendre la couverture, et en donna le prix aux pauvres. Et le riche, à cette nouvelle, acheta une seconde couverture et la donna au saint, le priant, cette fois, de la garder pour lui. Le saint prit la couverture, mais aussitôt la fit vendre, et en fit distribuer le prix aux pauvres. Le riche la racheta, la rapporta au saint et lui dit : « Nous verrons qui se fatiguera le premier, toi de revendre ou moi de racheter ! » Et le saint se complaisait à vendanger ainsi le riche, disant que ce n'était point pécher, mais bien agir, de dépouiller des riches avec l'intention de donner aux pauvres.

VIII. Voulant engager les fidèles à l'aumône, saint Jean leur racontait souvent l'histoire de saint Sérapion. Celui-ci, ayant donné son manteau à un pauvre, rencontra un autre pauvre, qui souffrait du froid. Il lui donna alors sa tunique, et resta tout nu, tenant en main l'Evangile. Alors un passant lui demanda : « Abbé ; qui t'a dépouillé ? » Et l'abbé, montrant l'Evangile, répondit : « Voici celui qui m'a dépouillé ! » Mais, voyant ensuite un autre pauvre, il alla vendre son Evangile pour lui en donner le prix. Et comme on lui demandait ce qu'il avait fait de son Evangile, il répondit : « Cet Evangile me disait : vends ce que tu possèdes et donnes-en le prix aux pauvres ! Or je n'avais que lui ! Pour lui obéir, je l'ai vendu ! »

IX. Un mendiant à qui saint Jean avait fait donner cinq deniers, se fâcha de n'avoir pas reçu davantage, et se mit à insulter publiquement le patriarche. Les serviteurs de celui-ci voulaient le chasser ; mais saint Jean le leur défendit en disant : « Laissez-le, frères, laissez-le me maudire ! J'ai pu, moi, pendant soixante ans, insulter le Christ par mes péchés : de quel droit m'opposerais-je à ce que cet homme m'insultât un moment ? » Et il fit apporter le petit sac où était son argent, et ordonna que le mendiant y prît autant qu'il voudrait.

X. Le peuple ayant pris l'habitude de sortir de l'église, après l'évangile, pour aller bavarder vainement sur la place, le patriarche sortit un jour de l'église avec eux, après l'évangile, et s'assit au milieu d'eux sur la place. Et comme tous s'en étonnaient, il leur dit : « Mes chers enfants, la place du berger est au milieu de son troupeau. Ou bien donc vous rentrerez dans l'église et j'y rentrerai avec vous pour achever ma messe, ou bien vous resterez ici, et j'y resterai comme vous ! » Deux fois il fit de même, et ainsi il habitua le peuple à ne plus sortir de l'église pendant les offices.

XI. Un jeune homme avait enlevé une nonne, et le clergé l'accusait devant saint Jean, demandant qu'il fût excommunié : car il avait perdu deux âmes, la sienne et celle de sa maîtresse. Mais saint Jean se refusait à rien faire contre lui, disant à son clergé : « Non, mes fils, pas du tout ! Et c'est vous qui, en ce moment, commettez deux péchés. Vous péchez d'abord en allant contre le précepte du Seigneur, qui a dit : *Ne jugez pas, vous ne serez pas jugés !* Et puis, vous péchez aussi par présomption, car vous ignorez si ces deux malheureux continuent à pécher, ou si, au contraire, ils ne commencent pas déjà à se repentir. »

XII. Souvent, pendant ses prières, le bienheureux saint Jean avait des extases où on l'entendait s'entretenir familièrement avec le Seigneur. Et quand, saisi de fièvre, il comprit qu'il allait mourir, il s'écria : « Je te remercie, mon Dieu, de ce que ta bonté ait exaucé le vœu de ma faiblesse, qui souhaitait de ne rien posséder en mourant qu'un seul drap de lit ! Et maintenant ce drap, va pouvoir, lui aussi, être donné aux pauvres ! » Après quoi il mourut, et son corps vénérable fut placé dans un tombeau où se trouvaient déjà les corps de deux évêques ; et voici que ces corps s'écartèrent miraculeusement, pour faire une place, au milieu d'eux, au bienheureux Jean.

XIII. Peu de jours avant sa mort, une pécheresse vint lui dire qu'elle avait commis de tels péchés qu'elle n'osait s'en confesser à personne. Le saint lui conseilla d'écrire sur un papier ses péchés, de cacheter le papier, et de le lui apporter, ajoutant qu'il prierait pour elle. Et la femme fit tout cela ; mais quand, quelques jours après, elle apprit la mort du saint, elle s'épouvanta à la pensée que sa confession pourrait tomber entre des mains étrangères. Elle se rendit donc au tombeau du saint, et supplia celui-ci de lui faire savoir où se trouvait son papier. Et voici que saint Jean sortit de son tombeau, en habit pontifical, s'appuyant sur l'épaule des deux évêques qui gisaient près de lui. Et il dit à la femme : « Pourquoi nous importunes-tu dans notre repos, moi et ces deux saints hommes qui me tiennent compagnie ? » Et il lui tendit son papier avec le cachet qu'elle y avait mis, disant : « Ouvre ton cachet, et lis ta confession ! » Mais elle, ayant brisé le cachet, vit que la liste de ses péchés avait été effacée, et remplacée par l'inscription suivante : « Je te remets tes péchés en considération de la prière de Jean, mon serviteur. » Et la femme rendit grâces à Dieu ; et saint Jean, avec ses deux compagnons, rentra dans son tombeau.

Ce grand saint florissait vers l'an du Seigneur 605, sous le règne de l'empereur Phocas.

XXVII
LA CONVERSION DE SAINT PAUL
(25 janvier)

La conversion de l'apôtre saint Paul eut lieu la même année que la passion du Christ et la lapidation de saint Etienne : mais cela n'est vrai qu'à la condition de considérer l'année comme la succession de douze mois, et non point comme l'espace compris entre le 1er janvier et le 31 décembre : car la crucifixion du Christ a eu lieu le 25 mars, la lapidation de saint Etienne le 3 août, et la conversion de saint Paul le 25 janvier.

Trois raisons expliquent pourquoi l'Eglise célèbre cette conversion plutôt que celle des autres saints : 1o c'est que cette conversion constitue un plus grand exemple, pour nous prouver qu'il n'y a point de pécheur qui ne puisse espérer sa grâce ; 2o c'est qu'elle provoque une plus grande joie, car l'Eglise s'est d'autant plus réjouie de la conversion de saint Paul qu'elle s'était plus affligée de ses persécutions ; 3o c'est que cette conversion a eu un caractère plus miraculeux, Dieu ayant voulu montrer que, de son plus cruel persécuteur, il pouvait faire son plus fidèle prédicateur.

XXVIII

SAINT JULIEN, ÉVÊQUE ET CONFESSEUR
(26 janvier)

I. Saint Julien fut évêque du Mans. C'était, dit-on, le même homme que ce Simon le Lépreux qui, guéri de sa lèpre par Jésus, invita celui-ci à sa table. Après l'ascension du Seigneur il fut ordonné évêque du Mans. Il brilla de nombreuses vertus, ressuscita trois morts, et s'endormit lui-même dans la paix du Seigneur. Peut-être est-ce ce saint Julien-là que les voyageurs invoquent pour leur faire trouver une bonne hospitalité sur leur route : ce privilège lui viendrait, en ce cas, de l'honneur qu'il a eu d'offrir l'hospitalité à notre Seigneur. Mais, plus vraisemblablement le saint Julien qu'on nomme « l'Hospitalier » est un autre saint Julien, dont nous raconterons l'histoire tout à l'heure, à savoir celui qui a tué ses parents sans les connaître.

II. Il y eut un autre saint Julien, qui fut originaire d'Auvergne, noble de race, mais plus noble encore de foi, et qui, par soif du martyre, allait au-devant de ses persécuteurs. Enfin le consul Crispin envoya un de ses officiers avec ordre de le tuer : ce qu'apprenant Julien courut à la rencontre de l'officier, et tendit son corps à ses coups. On porta sa tête coupé à son ami Ferréol, en le menaçant d'une mort semblable s'il ne sacrifiait aussitôt aux idoles. Et comme saint Ferréol s'y refusait, on le tua, et on mit dans le même tombeau son corps et la tête de saint Julien. Et de longues années après, saint Mamert, évêque de Vienne, trouva la tête de saint Julien entre les mains de saint Ferréol ; et cette tête était intacte et fraîche comme si on l'eût ensevelie le jour même. — Grégoire de Tours raconte qu'un paysan qui voulait labourer le dimanche eut aussitôt les doigts contractés de telle façon que la cognée dont il se servait pour nettoyer le soc de sa charrue se trouvât attachée à sa main ; et ce paysan ne fut guéri que deux années plus tard, dans l'église de saint Julien, sur les prières de ce saint.

III. Il y eut encore un autre saint Julien, qui était frère de saint Jules ; ces deux frères vinrent trouver l'empereur Théodose, qui était plein de zèle pour la foi chrétienne, et lui demandèrent la permission d'élever partout, sur leur chemin, des églises à la place des temples des idoles. L'empereur le leur permit volontiers, et leur donna un écrit aux termes duquel tout le monde devait leur obéir et les aider, sous peine de mort. Or, comme, près de Tours, saint Julien et saint Jules étaient occupés à construire une église dans un lieu nommé Joué, et se faisaient aider par tous les passants, une compagnie d'hommes, qui avaient à passer par là en voiture, se dirent : « Quelle excuse pourrions-nous trouver pour passer librement, sans devoir nous arrêter et travailler à construire l'église ? » Et ils se dirent : « Que l'un de nous se couche sur le dos, au fond de la voiture ; nous le couvrirons d'un drap et nous dirons

que nous conduisons un mort : sur quoi on nous laissera passer librement. »
L'un de ces hommes s'étendit donc dans la voiture, et ses compagnons lui
dirent : « Ne parle pas, ferme les yeux, et fais semblant d'être mort jusqu'à ce
que nous ayons dépassé l'église que l'on construit ! » Et lorsque la voiture
arriva à l'endroit où Julien et Jules construisaient l'église, les deux saints dirent
aux voyageurs : « Chers enfants, daignez-vous arrêter un moment, pour nous
donner un coup de main dans notre travail ! » Les voyageurs répondirent :
« Nous ne pouvons nous arrêter, car nous conduisons un mort, dans notre
voiture ! » Et saint Julien leur dit : « Mes enfants, pourquoi mentez-vous ? »
Et eux : « Seigneur, nous ne mentons pas : c'est la vérité que nous vous
disons ! » Et saint Julien leur dit : « Qu'il en soit donc comme vous le dites ! »
Et les voyageurs, piquant leurs bœufs, s'éloignèrent ; et quand ils furent
arrivés à quelque distance, ils se mirent à appeler leur compagnon, en lui
disant : « Lève-toi maintenant, et, aide-nous à stimuler le bœuf, car nous
n'avançons pas ! » Et comme l'homme ne bougeait pas, ils se mirent à le
secouer, en disant : « Rêves-tu ? Allons, lève-toi ! » Et, comme il ne répondait
toujours pas, ils le découvrirent ; et ils virent qu'il était mort. Personne, depuis
ce moment, n'osa plus mentir aux serviteurs de Dieu.

IV. Il y eut encore un autre saint Julien. Celui-là, qui était de famille noble, se
trouvait un jour à la chasse, dans sa jeunesse, et poursuivait un cerf, lorsque
soudain le cerf, sur un signe de Dieu, se retourna vers lui et lui dit :
« Comment oses-tu me poursuivre, toi qui es destiné à être l'assassin de ton
père et de ta mère ? » Et le jeune homme, à ces paroles, fut si épouvanté, que,
pour empêcher la prédiction du cerf de se réaliser, il s'éloigna secrètement,
traversa d'immenses régions, et parvint enfin dans un royaume où il entra au
service du roi. Il se conduisit avec tant d'éclat dans la guerre et dans la paix
que le roi le créa chevalier, et lui donna pour femme la veuve d'un très riche
seigneur. Cependant, les parents de Julien, désolés de sa disparition, erraient
à travers le monde, en quête de leur fils, jusqu'à ce qu'ils arrivèrent, un jour,
au château qui était maintenant la demeure de Julien. Mais celui-ci, par
hasard, n'était pas au château, et ce fut sa femme qui reçut les deux voyageurs.
Et quand ils lui eurent raconté toute leur histoire, elle comprit qu'ils étaient
les parents de son mari : car celui-ci, sans doute, lui avait souvent parlé d'eux.
Aussi leur fit-elle l'accueil le plus tendre, par amour pour son mari ; et elle les
fit coucher dans son propre lit. Le lendemain matin, pendant qu'elle était à
l'église, voici que Julien rentra. Il s'approcha du lit pour réveiller sa femme ;
et, voyant deux personnes qui dormaient sous les draps, il crut que c'était sa
femme avec un amant. Sans rien dire, il tira son épée et tua les deux dormeurs.
Puis, sortant de la maison, il rencontra sa femme qui revenait de l'église, et il
lui demanda, stupéfait, qui étaient les deux personnes qui dormaient dans son
lit. Et sa femme lui répondit : « Ce sont tes parents, qui longtemps t'ont

cherché ! Je les ai fait coucher dans notre lit. » Ce qu'entendant, Julien pensa
mourir de chagrin. Il fondit en larmes, et dit : « Que vais-je devenir, misérable
que je suis ? Ce sont mes chers parents que j'ai tués ! J'ai accompli la
prédiction du cerf, pour avoir essayé d'y échapper ! Adieu donc, ma douce
petite sœur, car je n'aurai plus de repos jusqu'à ce que je sache que Dieu a
agréé mon repentir ! » Mais elle : « Ne crois pas, mon frère bien-aimé, que je
te laisse partir sans moi ! De même que j'ai participé à ta joie, je participerai à
tes douleurs ! » Ainsi, s'enfuyant ensemble, ils allèrent demeurer au bord d'un
grand fleuve dont la traversée était pleine de périls ; et là, tout en faisant
pénitence, ils transportaient d'une rive à l'autre ceux qui voulaient traverser
le fleuve. Et ils les recueillaient dans un hôpital qu'ils avaient construit. Et,
longtemps après, par une nuit glaciale, Julien, qui s'était couché accablé de
fatigue, entendit la voix plaintive d'un étranger qui lui demandait de lui faire
traverser le fleuve. Aussitôt, se levant, il courut vers l'étranger, à demi mort
de froid ; et il l'emporta dans sa maison, et alluma un grand feu pour le
réchauffer. Puis, le voyant toujours glacé, il le porta dans son lit et le couvrit
avec soin. Or voici que cet étranger, qui était rongé de lèpre et répugnant à
voir, se transforma en un ange éclatant de lumière. Et tout en s'élevant dans
les airs il dit à son hôte : « Julien, le Seigneur m'a envoyé vers toi pour
t'apprendre que ton repentir a été agréé, et que ta femme et toi pourrez
bientôt vous reposer en Dieu. » Et l'ange disparut, et, peu de temps après,
Julien et sa femme s'endormirent dans le Seigneur, pleins d'aumônes et de
bonnes œuvres.

V. Et il y eut encore un autre Julien, qui, celui-là, ne fût pas un saint, mais un
monstre abominable : c'est, à savoir, Julien l'Apostat. Ce Julien fut d'abord
moine, et feignit une grande piété. Mais voici ce que raconte de lui maître
Jean Beleth, dans sa *Somme de l'Office de l'Église*. Certaine femme avait trois
pots pleins d'or, et, pour cacher l'or, elle l'avait recouvert de cendres ; et elle
avait remis les pots à la garde de Julien, qu'elle tenait pour le plus saint moine
du couvent. Mais Julien, dès qu'il eut les pots, regarda ce qu'ils contenaient,
et il prit tout l'or qui s'y trouvait, mit des cendres à sa place, et s'enfuit à Rome
avec cet or volé. Et il fit si bien que, grâce à cet or, il devint consul, et fut
ensuite élevé à l'empire.

Il avait été instruit dès l'enfance dans l'art de la magie, et y avait pris beaucoup
de goût. Un jour (à ce que raconte l'*Histoire tripartite*), encore enfant, il invoqua
les démons en l'absence de son maître ; et aussitôt apparut devant lui une
nombreuse troupe de démons, sous la forme de nègres d'Éthiopie. Alors
Julien, effrayé, se hâta de faire le signe de la croix ; et aussitôt les démons
disparurent. Et le maître de Julien lui dit, au récit de cette aventure : « C'est
que les démons ne haïssent et ne craignent rien autant que le signe de la
croix ! » Aussi, lorsque Julien fut élevé à l'empire, se rappelant cette aventure,

et désirant recourir à l'art de la magie, il renia sa foi, détruisit partout le signe de la croix, et persécuta les chrétiens de toutes ses forces, afin de se faire mieux obéir des démons.

On lit dans les *Vies des Pères* que Julien, ayant envahi la Perse, envoya un démon en occident pour savoir ce qui s'y passait ; mais le démon dut rester immobile pendant dix jours devant la cellule d'un moine, et revint vers Julien sans avoir pu continuer sa route. Et il dit à l'empereur : « J'ai attendu pendant dix jours que ce maudit moine s'interrompît de prier, car, sa prière m'empêchait de passer ; mais, le dixième jour, comme il ne s'interrompait toujours pas, j'ai dû rebrousser chemin et revenir ici. » Alors Julien, furieux, dit qu'en arrivant au désert il tirerait vengeance de ce moine.

Les démons lui avaient promis qu'il vaincrait les Perses. Son sophiste dit un jour à un chrétien : « Que penses-tu que fasse, à cette heure, le fils du charpentier ? » Et le chrétien répondit : « Il prépare le cercueil de Julien. » Et lorsque Julien arriva à Césarée de Cappadoce (ainsi que le raconte l'histoire de saint Basile, et que l'atteste Fulbert, évêque de Chartres), saint Basile vint au-devant de lui et lui fit présent de quatre pains d'orge. Et Julien, furieux, refusa de les prendre, et, en échange, fit porter à saint Basile une botte de foin, en disant : « Reçois l'équivalent de ce que tu m'as donné ! » Et saint Basile répondit : « Nous t'avons donné, nous, ce que nous mangions nous-mêmes ; et toi, tu nous as donné ce que tu fais manger à tes bêtes ! » Et Julien irrité, répondit : « Quand j'aurai soumis les Perses, je détruirai votre ville et y ferai promener la charrue, et elle méritera plus de s'appeler « frumentifère » qu'« hominifère. »

La nuit suivante, saint Basile vit en rêve une multitude d'anges réunis dans l'église de Notre-Dame. Et au milieu d'eux trônait une femme, qui leur disait : « Faites-moi venir tout de suite le vaillant Mercure, afin qu'il tue l'apostat Julien, qui, dans sa superbe, blasphème contre mon Fils et moi ! » Ce Mercure était un soldat chrétien que Julien avait mis à mort en punition de sa foi, et qui se trouvait enterré avec ses armes dans l'église Notre-Dame. Et aussitôt saint Mercure apparut devant l'auguste assemblée, et, sur l'ordre de la Vierge, se prépara au combat. Frappé de ce rêve, saint Basile, dès qu'il fut levé, fit ouvrir le tombeau de saint Mercure, et vit que le saint ni ses armes n'y étaient plus. Il interrogea le gardien de l'église, mais celui-ci lui jura que, la veille encore, il avait vu les armes du saint à leur place accoutumée. Et quand saint Basile se fit de nouveau ouvrir le tombeau, le matin suivant, le corps du saint s'y trouvait réinstallé avec ses armes ; et sa lance était rouge de sang. Et bientôt quelqu'un, qui revenait de l'armée, raconta qu'un chevalier inconnu était venu attaquer Julien au milieu de ses gardes, l'avait transpercé de sa lance, et s'était éloigné si vite qu'on n'avait pu le rejoindre.

Et l'infâme Julien, avant de mourir, prit dans sa main des gouttes de son sang et les lança en l'air, disant : « Tu as vaincu, Galiléen ! » Après quoi il rendit son âme misérable ; et son corps, abandonné des siens, resta sans sépulture ; et les Perses lui arrachèrent la peau, que leur roi fit tendre sur le trône où il s'asseyait.

XXIX
LA SEPTUAGÉSIME

La septuagésime désigne le temps de la déchéance, la sexagésime celui de l'abandon, la quinquagésime celui de la rémission, et la quadragésime celui de la pénitence spirituelle.

La septuagésime a été instituée pour trois motifs : 1º comme un rachat ; 2º comme un signe ; 3º comme une représentation.

1º Les saints Pères avaient décidé que, pour vénérer le jour de l'Ascension, une fête solennelle aurait lieu tous les cinq jours, où l'on serait dispensé du jeûne ; mais comme les fêtes des saints sont ensuite survenues, on a dû renoncer à célébrer cette fête tous les cinq jours. Et c'est pour racheter (ou pour compenser) ces fêtes, que les Pères nous ont imposé une semaine d'abstinence, qu'ils ont appelée la septuagésime.

2º La septuagésime est également un signe : elle signifie la déchéance, l'exil, et la tribulation du genre humain, depuis Adam jusqu'à la fin du monde. Ces sept jours signifient les sept milliers d'années que dure le monde : car, six mille ans se sont écoulés depuis Adam jusqu'à l'ascension du Christ ; et tout le temps qui s'écoule depuis l'ascension jusqu'à la fin du monde constitue un septième millénaire, dont Dieu seul connaît le terme.

3º Enfin la septuagésime représente les soixante-dix ans que dura pour Israël la captivité de Babylone, qui, à son tour, représentent le temps de notre pérégrination terrestre. Dans ce temps d'exil, l'Eglise, accablée de tribulations, et presque désespérée, chante : *Circumdederunt me gemitus morbis*, etc. Mais, pour l'empêcher de désespérer tout à fait, l'épître et l'évangile de la septuagésime lui proposent un triple remède et une triple récompense. Le remède consiste à travailler dans la vigne de l'âme, puis à courir dans le stade de la vie présente, enfin à lutter dans l'arène contre les tentations du diable. Et les trois récompenses sont : le denier accordé au bon vigneron, les applaudissements au coureur, la couronne au combattant.

XXX
LA SEXAGÉSIME

La sexagésime a été instituée comme remplacement, comme signe, et comme représentation.

1º Le pape Melchiade et saint Sylvestre ont décidé que, tous les samedis, les fidèles pourraient manger deux fois, de façon à ne pas s'affaiblir par un jeûne trop prolongé. Mais, pour remplacer ces samedis, ils ont ajouté une semaine au carême, et l'ont appelée la sexagésime.

2º La sexagésime signifie le temps de veuvage de l'Eglise, et sa tristesse en l'absence de son époux ; car on accordait aux veuves la soixantième partie (*sexagesima*) des récoltes. Mais, pour se consoler de cette absence de l'époux, deux ailes sont données à l'Eglise, à savoir l'exercice des six œuvres de miséricorde, et l'accomplissement du Décalogue. Et en effet « sexagésime » signifie dix fois six : dix, c'est le Décalogue ; six, ce sont les œuvres de miséricorde.

3º Enfin, la sexagésime représente le mystère de notre rédemption, ou plutôt les six mystères, qui sont : l'Incarnation, la Nativité, la Passion, la Descente aux Enfers, la Résurrection et l'Ascension.

XXXI
LA QUINQUAGÉSIME

La quinquagésime a été instituée comme complément, comme signe, et comme représentation.

1o Nous devrions jeûner pendant quarante jours, à la ressemblance du Christ, et en réalité nous ne jeûnons que pendant trente-six jours, car les dimanches sont libres de jeûnes. Et les dimanches sont libres de jeûnes tant à cause de la joie de la résurrection qu'à cause de l'exemple du Christ, qui, le jour de sa résurrection, a mangé deux fois, à savoir avec les disciples d'Emmaüs, et avec ses disciples réunis à Jérusalem, quand il est entré chez eux toutes portes fermées. En compensation de ces quatre jours, perdus pour le jeûne, l'Eglise a institué les quatre derniers jours de la quinquagésime, puis le clergé, voulant donner au peuple l'exemple de la sainteté, a résolu de jeûner encore pendant les deux jours précédant ceux-là ; et ainsi s'est trouvée constituée une semaine entière de jeûne, que le pape Telesphore a sanctionnée, comme le dit saint Ambroise, sous le nom de quinquagésime.

2o La quinquagésime signifie le temps de la rémission des péchés ; car, tous les cinquante ans, avait lieu une année de jubilé, où les dettes étaient remises, où les esclaves étaient libérés, et où tous rentraient en possession de leurs biens.

3o Enfin la quinquagésime représente l'état de béatitude. Car, tous les cinquante ans, les esclaves étaient libérés ; cinquante jours après l'immolation de l'agneau, la loi fut donnée ; et c'est cinquante jours après Pâques qu'est descendu l'Esprit-Saint.

L'épître et l'évangile de la quinquagésime nous enseignent que trois choses sont nécessaires, pour que l'œuvre de la pénitence soit parfaite : 1o la charité, qui nous est recommandée par l'épître ; 2o le souvenir de la passion du Seigneur, et, 3o la foi, qui nous sont recommandés dans l'évangile, par le récit du miracle de l'aveugle guéri.

XXXII
LA QUADRAGÉSIME

Le jeûne de la quadragésime s'explique par trois raisons : 1° l'évangile de saint Matthieu indique quarante générations du Christ ; 2° le Christ est resté quarante jours avec ses disciples après sa résurrection ; 3° le monde se divise en quatre parties, l'année en quatre saisons, l'univers en quatre éléments, la nature humaine en quatre tempéraments, la loi nouvelle en quatre évangiles. Et comme nous avons transgressé cette loi, et aussi l'ancienne, qui consistait en dix commandements, il convient que nous jeûnions pendant quatre fois dix fois, c'est-à-dire quarante jours.

XXXIII
LE JEÛNE DES QUATRE-TEMPS

Le jeûne des Quatre-Temps a été institué par le pape Calixte. Il consiste à jeûner quatre fois par an, suivant les quatre saisons. Ce jeûne se justifie par quatre arguments :

1º Le printemps étant une saison humide, nous jeûnons au printemps pour tempérer en nous les humeurs pernicieuses, c'est-à-dire la luxure. L'été étant une saison chaude et sèche, nous jeûnons pour châtier en nous la sécheresse de l'avarice. L'automne étant une saison également sèche, mais froide, nous jeûnons pour châtier la sécheresse froide de l'orgueil. Enfin l'hiver étant une saison froide et humide, nous jeûnons pour châtier le froid de l'infidélité et de la malice.

2º Le jeûne des Quatre-Temps a pour objet de nous rappeler le jeûne des Juifs, qui jeûnaient quatre fois par an, avant la Pâque, avant la Pentecôte, avant la fête des Tabernacles et avant la dédication de décembre.

3º L'homme étant formé de quatre éléments, quant au corps, et de trois facultés, quant à l'âme, nous devons jeûner quatre fois par an, pendant trois jours chaque fois.

4º Le printemps se rapporte à l'enfance, l'été à l'adolescence, l'automne à l'âge viril, l'hiver à la vieillesse. Nous devons donc jeûner au printemps pour être innocents comme des enfants ; en été, pour être forts comme des adolescents, en automne, pour être mûrs par la justice, comme le veut l'âge viril ; en hiver pour acquérir la sagesse et la probité des vieillards. Ou, plutôt encore, nous devons jeûner en hiver pour expier les fautes commises par nous pendant les saisons précédentes.

XXXIV
SAINT JEAN CHRYSOSTOME, ÉVÊQUE ET
CONFESSEUR
(27 janvier)

Jean, surnommé Chrysostome, naquit à Antioche, de Second et d'Anture, nobles tous deux. Sa vie, sa généalogie, son caractère, et les persécutions qu'il eut à subir, se trouvent racontés tout au long dans l'*Histoire tripartite*.

Après avoir étudié la philosophie, il l'abandonna pour s'occuper uniquement des choses divines. Ordonné prêtre, il eut un zèle de chasteté qui le fit accuser de sévérité excessive. Plus fervent que doux, exécutant toujours sans scrupule ce que lui ordonnait sa conscience, il passait pour arrogant aux yeux de ceux qui ne le connaissaient point. Mais personne ne l'égalait pour enseigner, pour expliquer, comme aussi pour corriger les mœurs. Ayant été fait évêque, sous le règne des empereurs Honorius et Arcade, et pendant que Damase occupait le siège de saint Pierre, il voulut aussitôt réformer la vie de son clergé, et s'attira ainsi la haine de tous. On le traitait d'insensé, on le diffamait partout ; et comme jamais il n'invitait personne à sa table, ni n'acceptait aucune invitation, on faisait courir le bruit que cela provenait de ce qu'il avait une façon dégoûtante de manger ; tandis que, en réalité, il n'agissait ainsi que par abstinence, et parce que le moindre excès de nourriture lui donnait des maux de tête. D'ailleurs le peuple l'aimait beaucoup, à cause de ses sermons, et ne tenait nul compte des calomnies répandues contre lui. Mais la haine dont il était l'objet grandit encore lorsqu'on le vit s'attaquer courageusement aux plus gros personnages. Et il y eut une chose, en particulier, qui produisit une émotion générale. Le consul Eutrope, favori de l'empereur, voulant soumettre à sa juridiction ceux qui se réfugiaient dans les églises, obtint de l'empereur une loi annulant le droit d'asile, et permettant d'extraire des églises ceux qui s'y étaient réfugiés. Or, peu de temps après, Eutrope lui-même, ayant offensé l'empereur, se réfugia dans l'église de Jean Chrysostome et se cacha sous l'autel. Alors l'évêque, venant à lui, lui adressa une homélie pleine des plus durs reproches ; après quoi il le laissa prendre par l'empereur, qui lui fit couper la tête. Et bien des gens s'indignèrent de ce que, en présence du malheur de son ennemi, l'évêque n'eût eu pour lui aucune pitié. Il était d'ailleurs sans pitié dans toutes ses invectives contre les méchants ; et par là s'explique qu'il ait soulevé tant de haines. L'évêque d'Alexandrie, Théophile, notamment, s'efforçait de déposséder Jean de son siège épiscopal, pour mettre à sa place un prêtre nommé Isidore. Mais le peuple continuait à défendre Jean, et à se repaître de son enseignement.

Et Jean, non content de gouverner avec vigueur le diocèse de Constantinople, s'occupait aussi de maintenir le bon ordre dans les provinces voisines, par de sages lois qu'il obtenait de l'empereur. Quand il apprit qu'en Phénicie on sacrifiait encore aux idoles, il y envoya des prêtres et des moines et y fit détruire tous les temples.

En ce temps-là, un Celte nommé Gaïmas, barbare d'humeur tyrannique, et dépravé par l'hérésie arienne, fut créé tribun des soldats. Il demanda à l'empereur qu'une église fût concédée aux ariens dans Constantinople. Et l'empereur, désirant le satisfaire, pria Jean de se déposséder pour lui d'une de ses églises. Mais Jean lui répondit, enflammé d'un saint zèle : « Empereur, garde-toi de consentir à cela, et de livrer aux chiens un lieu sacré ! Et ne crains pas ce barbare ; mais plutôt laisse-moi m'entretenir avec lui, et écoute, en secret, ce que nous dirons ! Je me charge de réfréner sa langue de telle sorte qu'il n'ose plus renouveler sa demande ! » L'empereur les convoqua donc tous deux pour le lendemain. Et comme Gaïmas réclamait pour lui une église, Jean lui dit : « Toutes les églises te sont ouvertes, et nul ne te défend d'y prier. » Et Gaïmas : « Je suis d'une autre secte, et j'ai bien le droit d'exiger une église pour mon culte, après tous les services que j'ai rendus à la république ! » Et Jean : « Tu as déjà reçu bien des récompenses, et au delà de ton mérite ! Tu as été créé tribun des soldats, tu as revêtu la toge consulaire : songe seulement à ce que tu étais autrefois et à ce qu'a fait de toi la faveur de ton maître ! Et, te rappelant tout cela, garde-toi d'être ingrat pour ton bienfaiteur ! » Ainsi il lui ferma la bouche, et le contraignit au silence. Mais Gaïmas, voyant qu'il ne pouvait rien contre lui ouvertement, ordonna à une troupe de barbares de mettre le feu, le nuit, à son palais. Et l'on sut alors avec quelle assistance saint Jean gardait la ville. Car la troupe des barbares vit s'avancer contre elle une troupe d'anges en armes, qui, aussitôt, les mirent en fuite. Ces barbares vinrent rapporter la chose à Gaïmas, qui en fut très étonné, se demandant quels pouvaient être ces soldats qu'il ne connaissait pas. La nuit suivante, le même miracle se reproduisit. Et, la nuit qui suivit celle-là, Gaïmas lui-même, s'étant mis à la tête de ses hommes, se trouva repoussé par une cohorte invincible, qu'il se figura être formée de soldats recrutés en secret par l'évêque, et tenus cachés par lui au fond de son palais. Sortant alors de Constantinople, il se rendit en Thrace, y réunit une grande armée de barbares, et s'apprêta à dévaster tout le pays. L'empereur, effrayé, chargea l'évêque Jean de se rendre auprès de lui en ambassadeur ; et Jean se mit courageusement en route, oubliant son inimitié. Or Gaïmas, ayant reconnu ses torts et le bon droit de l'évêque, vint au-devant de lui, lui baisa la main, et ordonna à ses fils d'embrasser ses genoux.

Vers le même temps surgit, dans l'église, la question de savoir si Dieu avait un corps ; et de cette question naquirent des luttes sans fin. La majorité des moines, dans leur simplicité, se laissèrent séduire par ceux qui soutenaient que Dieu avait un corps. Et comme, au contraire, l'évêque d'Alexandrie,

Théophile, connaissant la vérité, avait solennellement condamné ceux qui prêtaient à Dieu une forme humaine, les moines d'Egypte, sortis de leurs cellules, vinrent à Alexandrie pour exciter le peuple à la révolte contre l'évêque. Celui-ci, effrayé, leur dit : «Vous m'apparaissez comme la face même de Dieu !» Et eux : «Puisque tu reconnais que Dieu a une face comme nous, aie soin de prononcer l'anathème contre les livres d'Origène, qui contredisent notre opinion ! Que si tu ne le fais pas, nous te tiendrons pour rebelle aux empereurs et à Dieu, et nous te traiterons en conséquence !» Et lui : «Epargnez-moi, car je suis prêt à faire ce qui vous plaira !» Et ainsi il détourna la colère des moines. Mais on entend bien que ce sont seulement les simples d'esprit, parmi les moines, qui se laissèrent séduire par une erreur aussi puérile.

Tandis que cela se passait en Egypte, Jean, à Constantinople, maintenait la pure doctrine, à l'admiration de tous. Mais les ariens, dont le nombre avait grandi, et qui possédaient une église en dehors de la ville, poussaient l'audace jusqu'à pénétrer, le dimanche, dans l'église même de Jean, en chantant leurs hymnes et antiennes, ou bien encore en disant, par dérision à l'adresse des orthodoxes : «Voilà donc les insensés qui prétendent que trois ne font qu'un !» Alors Jean, craignant que les simples ne se laissassent entraîner à l'hérésie, ordonna aux fidèles de se réunir la nuit dans les églises, pour entendre des prédications et chanter des hymnes. Et il organisa aussi des processions, où l'on portait des croix d'argent avec des flambeaux d'argent. Sur quoi les ariens, furieux, poussèrent leur audace jusqu'au meurtre. Une nuit, l'eunuque Brison, qui assistait Jean dans ses offices de nuit, fut frappé d'une pierre à l'aine ; et un certain nombre d'hommes des deux partis furent mis à mort. De telle sorte que l'empereur, pour arrêter le scandale, interdit formellement aux ariens de chanter leurs hymnes en public.

Vers le même temps l'évêque Sévérien, favori de l'empereur et de l'impératrice, vint à Constantinople, et fut affectueusement accueilli par Jean, qui, lorsqu'il partit pour l'Asie, lui laissa la garde de son église. Mais Sévérien, au lieu de s'acquitter loyalement de cette mission, travailla à détourner sur lui-même la faveur que le peuple accordait à Jean. Et comme le prêtre Sérapion avait averti Jean de ce qui se passait, Sévérien, furieux, s'écria : «Si ce Sérapion ne meurt pas, je veux que le Christ n'ait pas été incarné !» Ce qu'apprenant, Jean, à son retour, le chassa de la ville comme blasphémateur. La chose déplut fort à l'impératrice, qui, rappelant Sévérien, demanda à Jean de se réconcilier avec lui. Mais Jean s'y refusa ; et l'impératrice, pour le fléchir, dut mettre sur ses genoux son fils Théodose.

Vers le même temps, Théophile, l'évêque d'Alexandrie, chassa injustement un saint homme nommé Dioscore, et cet Isidore qu'autrefois il avait soutenu. Tous deux vinrent alors à Constantinople pour se plaindre de lui ; mais Jean, tout en les honorant fort, ne voulut point prendre parti pour eux avant de mieux connaître la cause. Cependant, on rapporta faussement à Théophile que Jean avait pris parti pour eux ; et Théophile, furieux, n'en travailla que plus ardemment à le déposséder de son siège épiscopal. Cachant sa véritable intention, il écrivit aux divers évêques pour leur dire qu'il condamnait les livres d'Origène. Il circonvint aussi le saint et glorieux évêque de Chypre, Epiphane, qui, ayant réuni son clergé, lui interdit la lecture d'Origène, et écrivit à Jean pour lui demander de suivre son exemple. Mais Jean, sans s'émouvoir de toutes les intrigues organisées contre lui, continuait à développer la pure doctrine de l'Eglise.

Enfin Théophile laissa voir ouvertement sa haine, et révéla son désir de déposséder Jean de son siège. Il eut aussitôt pour le seconder bon nombre de prêtres et de fonctionnaires impériaux, qui ne cherchaient qu'une occasion de se débarrasser de l'évêque.

Peu de temps après, Epiphane vint à Constantinople, pour faire condamner les écrits d'Origène. Par égard pour son ami Théophile, il déclina l'invitation de Jean. Et tel était le respect qu'on avait pour lui que, sur sa demande, bien des gens souscrivirent à la condamnation d'Origène. D'autres, au contraire, s'y refusèrent, et parmi eux Théotine, évêque de Sicée, homme célèbre par la droiture de sa vie. Jean, cependant, supporta sans se fâcher qu'Epiphane intervînt dans les affaires de son église, en dehors de toute règle. Il demandait seulement à Epiphane de prendre rang parmi ses évêques. Mais Epiphane répondit qu'il n'en ferait rien aussi longtemps que Jean n'aurait pas chassé Dioscore et souscrit à la condamnation des livres d'Origène. Et bientôt Epiphane, devant la résistance de Jean, commença à attaquer celui-ci comme un défenseur des hérétiques. Jean lui écrivit alors : « Tu as fait bien des choses contre les règles, Epiphane ! Tu as ordonné des prêtres dans mon église, tu y as célébré les offices saints, de ta propre autorité, tu as refusé de répondre à mes invitations. Que si le peuple se soulève contre toi, la responsabilité en sera toute à toi seul ! » Au reçu de cette lettre, Epiphane quitta Constantinople. Mais, avant de partir, il écrivit à Jean : « J'espère que tu ne mourras pas évêque ! » A quoi Jean répondit : « J'espère que tu ne rentreras pas vivant dans ta patrie ! » Et les deux prophéties se réalisèrent : car Epiphane mourut en chemin, et Jean, dépossédé de son épiscopat, finit sa vie en exil.

Cet Epiphane, dont les reliques eurent, plus tard, le privilège de chasser les démons, était un homme d'une générosité merveilleuse. Un jour, comme il avait dépensé en aumônes tout le trésor de son église, un inconnu vint tout à coup lui apporter un sac plein d'or, après quoi il disparut, et jamais on ne sut d'où il était venu. Une autre fois, des méchants, voulant tromper Epiphane pour en obtenir de l'argent, imaginèrent la ruse que voici : l'un d'eux s'étendit à terre, contrefaisant le mort, tandis que l'autre, debout près de lui, feignait de se lamenter, et gémissait qu'il n'avait pas d'argent pour ensevelir son ami. Survient Epiphane, qui prie pour le repos de l'âme du mort, pourvoit à sa sépulture, console le survivant, et s'en va. Aussitôt l'homme de secouer son compagnon, en lui disant : «Lève-toi, nous allons pouvoir nous régaler!» Mais en vain il le secouait, car le malheureux était mort. L'imposteur, désolé, courut avouer sa faute à Epiphane, en le suppliant de ressusciter son compagnon. Et Epiphane le consola de son mieux, mais ne voulut point ressusciter le mort, afin que l'accident servît d'exemple à ceux qui seraient tentés de tromper les ministres de Dieu.

Or, quand Epiphane eut quitté Constantinople, on rapporta à Jean que l'impératrice Eudoxie avait excité contre lui ce vénérable évêque. Aussitôt Jean, avec son zèle accoutumé, fit, en présence de tous, un sermon où il parlait de toutes les femmes en des termes très violents. Et l'on fut unanime à considérer ce sermon comme dirigé contre l'impératrice. Ce qu'apprenant, celle-ci se plaignit à l'empereur, et réclama vengeance. Poussé par elle, l'empereur ordonna la convocation du synode réclamé par Théophile, et auquel Jean s'était toujours opposé.

Aussitôt Théophile convoqua tous les évêques ennemis de Jean ; et ceux-ci, réunis à Constantinople, ne s'occupaient plus des livres d'Origène mais se posaient ouvertement en adversaires de Jean. Ils sommèrent celui-ci de comparaître devant eux. Mais Jean, malgré quatre appels, refusa de se livrer à des ennemis, et réclama la convocation d'un synode universel. Sur quoi les évêques le condamnèrent, sans avoir rien trouvé à lui reprocher, sinon son refus de se rendre à leur citation. En conséquence, l'empereur ordonna qu'il fût au plus vite envoyé en exil ; mais le peuple, indigné, se souleva en sa faveur et refusa de le laisser sortir de l'église, demandant que sa condamnation fût portée devant un concile général. Alors Jean, pour éviter que la sédition ne s'étendît, quitta l'église à l'insu du peuple et partit pour l'exil. Mais le peuple, dès qu'il l'apprit, se souleva plus encore ; et bon nombre de ses anciens ennemis se convertirent à sa cause, reconnaissant qu'on l'avait calomnié.

Cependant Sévérien, dont nous avons parlé plus haut, diffamait Jean jusque dans son église. Il disait que, si même Jean n'avait pas commis d'autre faute, son orgueil aurait suffi à justifier sa condamnation. Et cet impudent propos accrut à tel point la fureur du peuple contre les évêques et l'empereur lui-même, qu'Eudoxie dut prier son mari de faire revenir d'exil celui qu'elle avait contribué à chasser : sans compter que, un grand tremblement de terre ayant ravagé la ville, le peuple avait été d'accord pour voir là un châtiment de l'injuste expulsion de Jean.

On envoya donc à celui-ci des ambassadeurs pour le prier de revenir au plus vite. A trois reprises il s'y refusa ; mais, la troisième fois, il fut ramené de force à Constantinople, où tout le peuple vint au-devant de lui avec des cierges et des lampes. Et comme il se refusait à s'asseoir sur son siège épiscopal aussi longtemps que le synode n'aurait pas retiré la sentence portée contre lui, c'est encore de force que le peuple le réinstalla sur son siège et l'amena à prêcher de nouveau. Aussitôt Théophile s'enfuit de Constantinople. Lorsqu'il arriva à Hierapolis, l'évêque de cette ville venait de mourir, et sa succession avait été offerte à un saint moine appelé Lamon. Celui-ci ne voulait à aucun prix accepter une telle offre. Et comme Théophile insistait pour qu'il l'acceptât, il feignit enfin de consentir, en disant : « Demain, ce qui plaît à Dieu s'accomplira ! » Le lendemain, comme on l'engageait de nouveau à accepter l'épiscopat, il dit : « Adressons d'abord une prière au Seigneur ! » Et, quand il eut achevé sa prière, on s'aperçut que sa vie s'était achevée du même coup.

Jean, cependant, persistait vigoureusement dans sa doctrine. On venait alors d'élever, sur une place, en face de l'église de Sainte-Sophie, une statue d'argent de l'impératrice Eudoxie : et des jeux publics y avaient lieu en son honneur. Jean en fut indigné, voyant là un outrage à son église. Il s'arma donc la langue de nouveau, avec son intrépidité ordinaire : et au lieu de supplier l'empereur de faire cesser le scandale, il employa toute son éloquence à protester contre celui-ci. Ce dont l'impératrice s'offensa profondément ; et de nouveau elle mit tout en œuvre pour faire condamner Jean par un synode d'évêques. C'est alors que Jean, dans son église, prononça contre elle l'homélie fameuse qui commençait ainsi : « Une fois de plus Hérodiade délire, une fois de plus elle rêve de voir la tête de Jean déposée sur un plat ! » Et la fureur d'Eudoxie redoubla encore.

Mais, comme un de ses serviteurs voulait tuer Jean, le peuple s'empara de lui ; et on l'aurait mis à mort si le préfet n'avait eu la précaution de le faire disparaître. Quelques jours après, le domestique d'un prêtre se jeta sur Jean et voulut le tuer. Retenu par des fidèles, il frappa trois d'entre eux, et, la foule étant accourue, il commit encore d'autres meurtres. Mais le peuple continuait à tenir Jean sous sa garde, entourant sa maison, nuit et jour, pour empêcher qu'on ne l'attaquât.

Sur le conseil d'Eudoxie, un nouveau synode d'évêques se réunit à Constantinople, avec la mission de condamner Jean ; et, la veille de Noël, l'empereur défendit à Jean de donner la communion avant de s'être justifié des accusations portées contre lui. Les évêques, de leur côté, le condamnèrent une deuxième fois, lui reprochant, à présent, d'avoir siégé sur son trône épiscopal après sa déposition. Et, aux approches de Pâques, l'empereur manda à Jean défense d'entrer désormais dans son église, puisque deux synodes l'avaient condamné. Sur son ordre, Jean fut chassé de Constantinople et relégué dans une petite ville, à la frontière de l'empire, dans le voisinage immédiat de cruels barbares. Mais Dieu, dans sa clémence, ne permit point que son fidèle athlète demeurât longtemps en cette situation. Comme Jean, fatigué d'un long voyage, souffrait cruellement de ses maux de tête, exposé à l'ardeur insupportable du soleil, son âme s'envola de son corps, à Cumanes, le quatorzième jour de septembre.

A sa mort, une grêle effroyable s'abattit sur Constantinople et tous les environs ; et tous reconnurent là un signe de la colère de Dieu, à cause de l'injuste condamnation de Jean. Croyance qui se trouva confirmée encore, quatre jours après, par la mort subite de l'impératrice Eudoxie.

Les évêques d'Occident, désolés de la mort de l'admirable docteur, se refusèrent à communiquer avec les évêques d'Orient jusqu'au jour où le nom sacré de saint Jean Chrysostome serait réinstallé dans l'honneur à lui dû. Et le pieux Théodose, fils d'Arcade, fit transporter les restes de saint Jean à Constantinople, où, les invoquant dévotement, il demanda au saint d'intercéder en faveur de ses parents Arcade et Eudoxie, qui avaient péché contre lui dans leur ignorance.

Ce Théodose était un prince si clément que jamais il ne voulut condamner à mort aucun de ceux qui lui faisaient du mal. Il disait à ce propos : « Hélas, que ne m'est-il possible, plutôt, de rappeler à la vie les morts ! » Sa cour ressemblait à un monastère ; et il ne cessait point de lire des livres sacrés. Il avait une femme, nommée Eudoxie, qui écrivit de nombreux poèmes. Et il avait aussi une fille, également nommée Eudoxie, qu'il donna en mariage à Valentinien, associé par lui à l'empire.

Jean Chrysostome mourut vers l'an du Seigneur 407. Ajoutons que tout ce qu'on vient de lire est directement extrait de l'*Histoire tripartite*.

XXXV

LA PURIFICATION DE LA BIENHEUREUSE VIERGE MARIE
(2 février)

I. La Purification se célèbre le quarantième jour après la Nativité du Seigneur ; et cette fête porte aussi les noms d'Hypopante et de Chandeleur. On l'appelle la Purification, parce que, quarante jours après la Nativité du Seigneur, la Vierge vint au temple, pour être purifiée suivant la loi. Car la loi juive avait décrété que toute femme ayant enfanté un fils restait absolument impure pendant sept jours, c'est-à-dire exclue à la fois du contact de l'homme et de l'entrée du temple. Après sept jours, elle devenait pure quant au contact de l'homme, mais restait impure pendant trente-trois jours encore quant à l'entrée du temple. Enfin, le quarantième jour après sa délivrance, elle était admise dans le temple, où elle offrait son enfant avec des présents. Que si elle avait mis au monde une fille, la durée de son état d'impureté était doublée, tant quant au contact de l'homme que quant à l'entrée du temple.

La Vierge Marie n'avait pas à se soumettre à cette loi de purification, puisque sa grossesse ne venait point d'une semence humaine, mais de l'inspiration divine. Cependant elle voulut se soumettre à cette loi, pour quatre raisons : 1° pour donner l'exemple de l'humilité ; 2° pour rendre hommage à la Loi, que son divin fils venait accomplir et non point détruire ; 3° pour mettre fin à la purification juive, et pour commencer la purification chrétienne, qui se fait par la foi, purifiant les cœurs ; 4° pour nous apprendre à nous purifier, durant toute notre vie.

Donc la Vierge vint au temple, y présenta son fils, et le racheta moyennant cinq cicles. Car les premiers nés des douze tribus pouvaient se racheter, tandis que les premiers nés des lévites ne le pouvaient pas, et, parvenus à l'âge adulte, devaient tous servir dans le Temple. Et comme le Christ était de la tribu de Juda, il avait à être racheté. La Vierge offrit pour lui au Seigneur un couple de tourterelles, ce qui était l'offrande des pauvres, tandis que l'agneau était l'offrande des riches. Et l'on peut se demander, à ce propos, si la Vierge Marie, qui avait reçu des mages un grand poids d'or, n'avait pas le moyen d'acheter un agneau. Mais nous devons admettre, avec saint Bernard, que la Vierge, au lieu de garder cet or pour elle-même, l'avait aussitôt distribué aux pauvres ; ou bien, peut-être, le réservait-elle pour les sept années de sa fuite en Egypte ; ou peut-être encore les mages n'avaient-ils pas offert une grande quantité d'or, mais simplement un peu d'or, à titre de symbole mystique ?

En second lieu, cette fête s'appelle l'Hypopante, ou Présentation, parce que le Christ fut présenté au Temple, où Siméon et Anne le reçurent. Et Siméon, le prenant dans son sein, le bénit en disant : « Tu peux maintenant congédier ton serviteur, etc. » Et Siméon, dans son cantique, appela Jésus de trois noms : salut, lumière et gloire du peuple d'Israël.

En troisième lieu, cette fête s'appelle la Chandeleur, parce que les fidèles portent, ce jour-là, des cierges allumés. Et cette institution s'explique par quatre raisons :

1° Elle a pour objet de corriger une habitude païenne. Car autrefois les Romains, pour honorer la déesse Februa, mère du dieu Mars, avaient coutume, tous les cinq ans, les premiers jours de février, d'illuminer la ville avec des cierges et des torches, pour obtenir de la déesse que son fils Mars leur assurât la victoire sur leurs ennemis. Et l'intervalle de cinq ans compris entre ces fêtes s'appelait un lustre. Les Romains avaient aussi la coutume de célébrer, durant le mois de février, Pluton, et les autres dieux infernaux ; et, pour obtenir leur faveur à l'égard des âmes des morts, ils leur offraient des victimes solennelles, et passaient toute une nuit à chanter leurs louanges, avec des torches et des cierges allumés. Les femmes, surtout, célébraient cette fête, à cause de l'une des fables de leur religion. Car les poètes avaient dit que Pluton, frappé de la beauté de Proserpine, l'avait enlevée et en avait fait sa femme ; mais que les parents de la déesse, ne sachant ce qu'elle était devenue, l'avaient longtemps cherchée avec des torches et des cierges allumés : en souvenir de quoi les femmes romaines faisaient leur procession, pour se gagner la faveur de Proserpine. Et, comme c'est toujours chose difficile de renoncer à une habitude, le pape Serge décréta que, pour donner à cette habitude-là une portée chrétienne, on honorerait tous les ans la Vierge, dans ce jour, en portant à la main un cierge bénit. De cette façon l'ancienne coutume subsistait, mais relevée par une intention nouvelle.

2° La Chandeleur a été instituée pour démontrer la pureté de la Vierge. Pour bien affirmer cette pureté aux yeux de tous, l'Eglise a ordonné que nous portions des cierges allumés, comme afin de dire : « Vierge bienheureuse, tu n'as pas besoin de purification, mais au contraire tu es toute lumière, toute pureté ! » Telle était, en effet, la pureté de la Vierge qu'elle rayonnait même au dehors d'elle, éteignant chez les autres tout mouvement de concupiscence charnelle. Aussi les Juifs nous disent-ils que, bien que Marie ait été d'une beauté merveilleuse, aucun homme jamais n'a pu la désirer.

3° La procession de la Chandeleur symbolise celle que firent Marie, Joseph, Siméon et Anne, lorsqu'ils présentèrent au temple l'enfant Jésus.

4° Enfin la Chandeleur a pour but notre instruction. Elle nous apprend que, si nous voulons être purifiés devant Dieu, nous devons posséder la foi sincère, l'action désintéressée, et l'intention droite. Car le cierge allumé représente la foi avec les bonnes œuvres. Et la mèche qui est cachée dans la cire représente l'intention droite, dont saint Grégoire nous dit : « Que vos œuvres soient publiques, mais que vos intentions demeurent cachées ! »

II. Une femme noble avait pour la sainte Vierge une grande dévotion. Elle s'était fait construire une chapelle près de sa maison ; et, tous les jours, son chapelain disait devant elle une messe en l'honneur de la Vierge. Mais un jour, qui était la fête de la Purification, cette femme ne put pas assister à sa messe, soit que son chapelain se fût absenté, ou que, suivant d'autres, elle se fût défaite de tous ses vêtements, par générosité, et n'eût pas de quoi se vêtir pour la messe. Désespérée, elle se prosterna devant l'autel de la Vierge, sans doute dans sa chambre ; et soudain, ravie en extase, elle se vit transportée dans une église merveilleuse où entraient une foule de vierges, sous la conduite d'une d'entre elles, la plus belle de toutes, couronnée d'un diadème. Et lorsque toutes se furent assises, une troupe de jeunes gens vinrent s'asseoir près d'elles. Puis apparut un homme apportant un énorme faisceau de cierges qu'il distribua aux assistants, en commençant par la Vierge couronnée qui occupait la place d'honneur. Cet homme vint enfin à notre matrone, et lui remit également un cierge, qu'elle reçut avec joie. Elle regarda ensuite dans le chœur, et vit s'avancer vers l'autel deux porteurs de cierges, puis un sous-diacre, puis un diacre, enfin un prêtre revêtu des ornements sacrés, comme pour célébrer la messe. Et elle reconnut que les deux acolytes étaient saint Vincent et saint Laurent, que le diacre et le sous-diacre étaient deux anges, et que le prêtre était le Christ lui-même, Et la messe commença, chantée à haute voix par les officiants, tandis que toute l'assistance, en chœur, l'accompagnait. Quand vint l'offrande, la reine des vierges, les autres vierges et toute l'assistance allèrent, suivant l'usage, s'agenouiller devant le prêtre et lui remettre leurs cierges. Seule la matrone restait debout, au fond de l'église. Alors le prêtre lui envoya la reine des vierges, pour lui dire que c'était une inconvenance de le faire attendre si longtemps. Mais la matrone répondit que le prêtre eût à continuer sa messe, car elle ne voulait pas rendre son cierge. On lui délégua un autre messager : elle répondit que, par piété, elle garderait toujours le cierge qui lui avait été remis. Un troisième messager alla vers elle, avec ordre de lui enlever par force le cierge, si elle se refusait à venir l'offrir. Et comme elle continuait à s'y refuser, une longue lutte s'engagea entre le messager et elle, jusqu'à ce qu'enfin le cierge se rompît, de telle façon que la matrone et le messager en gardaient en main chacun une moitié. Là-dessus, la dame se réveilla de sa vision, et constata qu'elle tenait en main la moitié d'un cierge. Ce que voyant, elle rendit d'immenses grâces à Notre Dame, qui lui avait permis d'assister à la messe ce jour-là, et à une messe comme celle où elle avait assisté. Après quoi elle garda le cierge comme une relique des plus précieuses ; et quiconque le touchait était aussitôt guéri, de quelque maladie qu'il fût atteint.

XXXVI
SAINT BLAISE, ÉVÊQUE ET MARTYR
(3 février)

I. Blaise s'étant signalé par sa mansuétude et sa sainteté, les chrétiens de Sébaste en Cappadoce l'élurent pour leur évêque ; et lorsque les persécutions de Dioclétien l'eurent forcé à quitter son évêché, il se réfugia dans une caverne, et y mena la vie d'un ermite. Les oiseaux lui apportaient sa nourriture, et venaient en foule vers lui, et ne s'envolaient pas avant qu'il les eût bénis. Et lorsque l'un d'eux était malade, il venait à lui, et recouvrait la santé. Or, certain jour, l'équipage du gouverneur de la province, après avoir longtemps battu le pays sans rencontrer aucun gibier, parvint à l'endroit où s'était retiré saint Blaise, et y vit une foule énorme d'oiseaux et d'autres bêtes, entourant l'ermite comme pour lui demander de les protéger. Et, en effet, les chasseurs ne purent absolument pas mettre la main sur eux. Etonnés, ils firent part de la chose à leur maître, qui ordonna que l'ermite fût amené devant lui. Cette même nuit, saint Blaise vit trois fois, en rêve, le Christ, qui lui dit : « Lève-toi et offre-moi un sacrifice ! » Et voilà qu'arrivèrent les soldats, disant : « Viens, le gouverneur t'appelle ! » Et saint Blaise leur répondit : « Bienvenus êtes-vous, mes enfants ! Je vois que Dieu ne m'a pas oublié ! »

II. Sur tout son chemin il ne cessa point de prêcher, et fit, en présence de ses gardiens, de nombreux miracles. Une femme lui amena son fils, dans le gosier duquel s'était fixée une arête de poisson ; elle le déposa à ses pieds et demanda, en pleurant, qu'il fût guéri. Et saint Blaise, étendant les mains sur lui, pria Dieu qu'il fût guéri ; et l'enfant fut guéri aussitôt. Une autre femme, qui était très pauvre, vint demander à saint Blaise de lui faire rendre son unique pourceau, qu'un loup lui avait enlevé. Et le saint lui dit en souriant : « Bonne femme, ne te fais pas de chagrin ! Ton pourceau te sera rendu ! » Et aussitôt on vit accourir le loup, qui rapportait à la veuve le pourceau qu'il lui avait pris.

III. Dès qu'il fut arrivé dans la ville, saint Blaise fut jeté en prison. Le lendemain, le gouverneur se le fit amener, et, d'abord essaya de le séduire par de douces paroles, lui disant : « Bonjour, Blaise ami des dieux ! » Et Blaise : « Bonjour aussi à toi, excellent gouverneur ! Mais ne donne pas le nom de dieux à des démons, qui rôtissent au feu éternel avec ceux qui les honorent ! » Le gouverneur, furieux, le fit battre de verges et reconduire dans sa prison. Et Blaise lui dit : « Insensé ! Espères-tu donc m'enlever, par tes punitions, l'amour d'un Dieu qui est en moi et qui me donne la force de supporter toutes les punitions ? » Apprenant qu'on l'avait mis en prison, la veuve à qui il avait fait rendre son pourceau tua le pourceau et lui en envoya la tête et les pieds, ainsi qu'un pain et une chandelle. Et saint Blaise rassasia sa faim, et fit dire à la veuve : « Offre tous les ans une chandelle dans l'église qui portera mon nom, et tu t'en trouveras bien, toi, et tous ceux qui feront comme toi ! » La veuve le fit tous les ans, et vécut depuis lors dans la prospérité.

IV. Cependant le gouverneur, voyant qu'il ne pouvait convertir le saint au culte des dieux, le fit suspendre à un poteau et ordonna qu'on lui labourât les chairs avec des pointes de fer. Après quoi il le fit ramener dans sa prison.

Or sept femmes, suivant le saint, recueillaient les gouttes de son sang. Le gouverneur les fit saisir et voulut les forcer à sacrifier aux dieux. Mais elles dirent : « Si tu veux que nous adorions tes dieux, fais-les conduire au bord de l'étang, afin que, lorsqu'on les aura lavés, nous puissions les adorer ! » Le gouverneur y consentit volontiers. Et les sept femmes, empoignant les idoles, les lancèrent au milieu de l'étang, disant : « Si ce sont des dieux, nous le verrons bien ! » Et comme le gouverneur, exaspéré, invectivait ses officiers, qui avaient permis un tel sacrilège, les sept femmes lui dirent : « Si ces idoles avaient été des dieux, elles auraient bien prévu ce que nous avions l'intention de leur faire ! » Le préfet fit préparer, d'une part, du plomb fondu, des peignes de fer et sept casques de fer rougi, et, d'autre part, sept tuniques de lin. Et il dit aux femmes de choisir entre ces tuniques et les pires supplices. Alors l'une des femmes, qui était mère de deux petits enfants, saisit les tuniques de lin et les jeta au feu. Et ses enfants lui dirent : « Mère chérie, ne nous laisse pas derrière toi, mais, de même que tu nous as remplis de la douceur de ton lait, remplis-nous de la douceur du royaume des cieux ! » Alors le gouverneur les fit attacher à des poteaux, et fit labourer leurs corps de pointes de fer. Mais leur chair restait blanche comme la neige, et, au lieu de sang, du lait en jaillissait. Et, pendant qu'on les torturait, un ange leur apparut et les consola en leur disant : « Soyez sans crainte, car le bon ouvrier qui a bien commencé sa tâche et qui l'a bien finie se trouve récompensé en conséquence ! « Alors le gouverneur les fit plonger dans un four ardent ; mais le feu s'éteignit aussitôt, et elles en sortirent intactes. Et le gouverneur leur dit : « Cessez maintenant vos sortilèges magiques, et adorez nos dieux ! » Mais elles lui répondirent : « Achève ce que tu as commencé, car déjà on nous attend dans le royaume des cieux ! » Le gouverneur ordonna alors qu'on leur coupât la tête. Et au moment où le bourreau s'approchait d'elles, elles tombèrent à genoux et prièrent en ces termes : « Dieu, qui nous a arrachées aux ténèbres et nous a conduites vers la douce lumière, reçois nos âmes dans la vie éternelle ! » Après quoi elles eurent la tête tranchée et s'envolèrent au ciel.

V. Le gouverneur fit ensuite venir saint Blaise et lui dit : « Une dernière fois, veux-tu, oui ou non, adorer les dieux ? » Et Blaise : « Impie, je ne crains pas tes menaces. Je te livre mon corps, fais-en ce que tu voudras ! » Le gouverneur donna ordre de le jeter dans l'étang. Mais saint Blaise fit le signe de la croix sur l'eau de l'étang, et aussitôt celle-ci se figea comme une terre sèche. Et le saint dit : « Si vos dieux sont de vrais dieux, montrez leur pouvoir en entrant dans cette eau ! » Et soixante-cinq hommes entrèrent dans l'eau et furent noyés. Et un ange descendit vers saint Blaise et lui dit : « Blaise, sors de l'étang et va recevoir la couronne que Dieu t'a préparée ! » Et, quand il fut sorti de l'étang, le gouverneur lui dit : « Refuses-tu toujours d'adorer les dieux ? » Et Blaise : « Apprends, malheureux, que je suis serviteur du Christ, et ne saurais adorer les démons ! » Le gouverneur le condamna à être décapité. Et le saint, avant de tendre le cou au bourreau, pria Dieu que tous ceux qui, souffrant d'une maladie de la gorge, imploreraient son aide, fussent exaucés et guéris. Et voici qu'une voix, du haut du ciel, lui dit que ce qu'il demandait lui était accordé. Après quoi, le saint fut décapité, en compagnie des deux petits enfants. Ce martyre eut lieu vers l'an du Seigneur 283.

XXXVII
SAINT IGNACE, ÉVÊQUE ET MARTYR
(4 février)

Saint Ignace était disciple de saint Jean, et évêque d'Antioche. Il écrivit à la Vierge Marie une lettre ainsi conçue : « A Marie, qui a porté le Christ, son humble serviteur Ignace. En ma qualité de néophyte et de disciple de Jean, à qui ton Fils t'a confiée en mourant, je viens te demander réconfort et consolation. Car j'ai entendu raconter les choses les plus extraordinaires au sujet de ton fils Jésus, et j'hésite à les croire. Et je te demande, à toi qui l'as toujours connu de près et qui as su ses secrets, de me confirmer la vérité de ce que j'ai entendu. Adieu ! Les néophytes qui sont ici avec moi attendent aussi de toi leur réconfort. » Et la bienheureuse Vierge Marie, mère de Dieu, lui répondit en ces termes : « A Ignace, disciple aimé, l'humble servante de Jésus-Christ. Ce que Jean t'a raconté et appris de Jésus, tout cela est vrai. Crois-y fermement, et garde ton vœu de chrétienté, et conforme à ce vœu tes actes et tes sentiments ! J'irai d'ailleurs te voir ainsi que Jean et tous ceux qui sont avec toi. Persévère courageusement dans ta foi ; et que la persécution ne te trouble pas, mais que ton esprit fleurisse et exulte dans le Dieu sauveur ! Amen. »

II. Saint Ignace s'acquit une telle autorité que même l'admirable et parfait docteur saint Denis, disciple de l'apôtre Paul, ne dédaigna pas d'invoquer son témoignage pour la confirmation de ses paroles. Il nous dit, en effet lui-même, dans son livre sur les noms de Dieu, que quelques-uns ont objecté que le mot d'*amour* n'était pas de mise pour définir le sentiment du chrétien à l'égard de Dieu ; mais, pour réfuter cette objection, il ajoute, « Saint Ignace n'a-t-il pas écrit que son *amour* était crucifié ? »

III. On lit, dans l'*Histoire tripartite*, que saint Ignace entendit un jour des anges qui, debout sur une montagne, chantaient des antiennes. C'est alors qu'il résolut de faire chanter des antiennes à l'église, et de faire entonner les psaumes d'après les antiennes.

IV. Et, après avoir longtemps prié pour la paix des églises, redoutant les dangers non pour soi-même, mais pour les faibles, il se présenta devant l'empereur Trajan, fier de ses victoires, et qui menaçait de mort tous les chrétiens. Et saint Ignace déclara à Trajan qu'il était chrétien ; sur quoi l'empereur le fit lier de chaînes, le confia à la garde de dix soldats, et l'envoya à Rome, en lui signifiant que, là, il serait livré en pâture aux bêtes. Et, pendant qu'on le conduisait à Rome, il écrivait des lettres à toutes les églises, pour les fortifier dans la foi du Christ. Dans une de ces lettres, adressée à l'église de Rome, il priait cette église de ne rien faire pour s'opposer à son martyre. Et il ajoutait : « Depuis la Syrie jusqu'à Rome, je lutte déjà contre des bêtes féroces : car je suis gardé par dix soldats plus cruels que des léopards ; mais leur cruauté est pour moi pleine d'instruction. Et quant aux bêtes bienfaisantes que l'on prépare pour moi à Rome, j'ai hâte qu'on les lâche sur moi, j'ai hâte de leur offrir ma chair en pâture ! Je les inviterai à me dévorer. Je les supplierai de ne pas craindre de toucher mon corps, comme elles ont fait parfois pour d'autres martyrs. Mes chers frères, pardonnez-moi, mais je sais mieux que personne ce qui me convient. Le feu, la croix, les bêtes, la rupture des os, le morcellement de tous les membres, et tous les supplices que le diable pourra inventer, c'est tout cela qui me convient, car tout cela me rendra digne d'être admis en présence de Jésus ! »

A Rome, Trajan le fit venir, et lui dit : « Ignace, pourquoi excites-tu à la révolte mes sujets d'Antioche et les convertis-tu à la foi chrétienne ? » Et Ignace : « Plût à Dieu que je pusse t'y convertir, toi aussi ; car tu obtiendrais à ce prix le seul pouvoir réel et durable ! » Et Trajan : « Sacrifie aux dieux, et je te nommerai le premier de mes prêtres ! » Et Ignace : « Je ne sacrifierai pas à tes dieux, et je n'ai que faire du titre que tu m'offres. Fais de moi ce que tu voudras, rien ne parviendra à me changer ! » Alors Trajan dit aux bourreaux : « Frappez-lui les épaules d'un fouet muni de plomb, déchirez-lui les côtes de pointes de fer, et frottez ses plaies de pierres aiguës ! » Et comme, sous tous ces tourments, Ignace restait inflexible, Trajan dit : « Qu'on apporte des charbons ardents et qu'on le fasse marcher sur eux, pieds nus. » Et Ignace : « Ni le feu ni l'eau bouillante ne pourront éteindre en moi l'amour de Jésus-Christ ! » Et Trajan : « C'est la sorcellerie qui te permet de résister aux supplices que je t'impose ! » Mais Ignace : « Non, les chrétiens ne sont point des sorciers, et notre loi n'a rien de commun avec la sorcellerie ; et c'est vous qui pratiquez le maléfice, en adorant les idoles ! » Alors Trajan dit : « Déchirez-lui le dos avec des ongles de fer, et envenimez les plaies en y jetant du sel ! Mais Ignace se borna à dire : « Que sont les souffrances de ce monde en comparaison de la gloire future ? » Alors Trajan lui fit remettre des chaînes, le fit enfermer au fond d'un cachot, défendit qu'on lui donnât à manger ni à boire, et déclara que, trois jours après, on le livrerait aux bêtes dans le cirque.

Donc, trois jours après, l'empereur, le sénat, et tout le peuple se rendirent au cirque pour voir le combat de l'évêque d'Antioche et des bêtes féroces. Et Trajan dit : « Puisque cet Ignace montre tant d'orgueil et d'obstination, qu'on lui lie les membres et qu'on lâche sur lui deux lions, afin que rien ne reste de son misérable corps ! » Et Ignace, se tournant vers la foule, lui dit : « Romains qui assistez à ce combat, sachez que ma peine n'est point sans récompense, car ce n'est point pour ma dépravation, mais pour ma piété que je souffre ici ! » Et il dit encore, d'après ce que rapporte l'*Histoire ecclésiastique* : « Je suis le froment du Christ, et les dents des bêtes vont me broyer afin de me changer en un pain savoureux !» Ce qu'entendant, l'empereur dit : «Grande est la patience de ces chrétiens ! Où est le Grec qui souffrirait tout cela pour son Dieu !» Et Ignace lui répondit : «Ce n'est point ma propre vertu qui me donne la force de souffrir, mais l'aide du Christ !» Après quoi il se mit à provoquer les lions pour le contraindre à le dévorer. Et les deux terribles lions s'élancèrent enfin sur lui et l'étranglèrent ; mais rien ne put les forcer à manger sa chair. Et Trajan, à ce spectacle, fut rempli d'étonnement. Il quitta le cirque, après avoir ordonné qu'on ne s'opposât pas à ceux qui voudraient enlever le corps d'Ignace. Et les chrétiens enlevèrent ce corps, et l'ensevelirent avec honneur. Et, quelque temps après, Trajan reçut une lettre de Pline le Jeune, où celui-ci intercédait en faveur des chrétiens, louant fort leurs vertus. Alors l'empereur eut regret des maux qu'il avait infligés à Ignace ; et il décida que, désormais, les chrétiens ne seraient plus recherchés, mais qu'on punirait seulement ceux qui feraient profession publique de leur foi.

V. Et l'on raconte encore que saint Ignace, parmi tous les tourments qu'il eut à subir, ne cessa point d'invoquer le nom de Jésus-Christ. Et comme ses bourreaux lui demandaient pourquoi il répétait si souvent ce nom, il répondit : «C'est que je porte ce nom inscrit dans mon cœur !» Et en effet, après sa mort, on ouvrit son cœur, et on y trouva le nom de Jésus-Christ écrit en lettres d'or. Et, à la vue de ce miracle, de nombreux païens se convertirent.

Saint Bernard dit de ce saint, à propos du psaume *Qui habitat* : «Le grand saint Ignace, élève du disciple préféré de Jésus, et martyr lui-même, saluait Marie, dans les lettres qu'il lui écrivait, du nom de Porte-Christ, Titre en vérité admirable, et commémoration d'un honneur infini !»

XXXVIII
SAINTE AGATHE, VIERGE ET MARTYRE
(5 février)

I. Agathe, vierge, de famille noble et d'une grande beauté, habitait Catane, où, dès l'enfance, elle cultivait saintement le Seigneur. Or, le consul de Sicile, Quintien, homme d'extraction basse, débauché, avare et idolâtre, convoitait de la prendre pour femme. Etant d'extraction basse, il pensait qu'un mariage avec une jeune fille noble le ferait respecter ; étant débauché, il désirait jouir de la beauté d'Agathe ; étant avare, il guettait ses richesses ; étant idolâtre, il rêvait de l'amener à sacrifier aux dieux. Mais comme la jeune fille, sollicitée par lui, restait inébranlable dans sa foi et sa chasteté, il la livra à une entremetteuse nommée Aphrodise et à ses neuf filles, qui vivaient de leur corps ; et il ordonna à ces créatures d'insister pendant trente jours auprès d'Agathe pour la faire changer d'avis. Et ces femmes s'ingéniaient à la détourner de la bonne voie, tantôt par la promesse de grands plaisirs, tantôt par la menace de cruels supplices. Mais sainte Agathe leur disait : « Mon âme s'appuie sur la pierre et a ses fondements dans le Christ ; et vos paroles ne sont que du vent, vos promesses des pluies, et les supplices dont vous voulez m'effrayer ne sont que des flots battant le rivage. En vain tout cela fait assaut contre ma maison ; celle-ci est solide et ne tombera pas ! » Mais tout en parlant ainsi elle pleurait jour et nuit, et priait, et implorait du ciel la palme du martyre. Et Aphrodise, la voyant rester inébranlable, dit au consul : « Ce serait chose plus facile d'amollir une pierre ou de changer du fer en plomb que d'écarter de sa direction chrétienne l'âme de cette jeune fille ! »

II. Alors Quintien se fit amener Agathe et lui dit : « De quelle condition es-tu ? » Et elle : « Non seulement je suis noble, mais aussi d'une famille illustre, comme peut l'attester toute ma maison ! » Et Quintien : « Si tu es noble, pourquoi as-tu des mœurs d'esclave ? » Et elle : « Parce que je suis l'esclave du Christ ! » Et Quintien : « Si tu te dis noble, comment peux-tu, en même temps, te dire esclave ? » Et elle : « L'esclavage du Christ est la noblesse suprême. » Alors le consul lui dit de sacrifier aux dieux, ou, si elle s'y refusait, de s'apprêter à tous les supplices. Et Agathe lui dit : « Que ta femme soit comme ta déesse, Vénus, et que tu sois, toi-même, comme a été ton dieu Jupiter ! » Alors Quintien la fit souffleter, disant : « Ne t'avise pas d'injurier ton juge ! » Mais Agathe lui répondit : « Je m'étonne que, raisonnable comme tu es, tu aies la sottise d'appeler dieux des êtres à qui tu ne veux point que ta femme et toi vous ressembliez. Tu dis, en effet, que je t'ai injurié en te souhaitant d'être comme Jupiter. Or, si tes dieux sont bons, je ne t'ai rien souhaité que de bon ; et si, au contraire, tu détestes leur coupable amour, tu n'as plus qu'à devenir chrétien comme je suis chrétienne. » Et le consul : « Assez parlé ! Sacrifie aux dieux, ou je te ferai mourir dans les pires supplices ! » Et, comme elle bravait ses menaces et l'invectivait devant tous, il la fit conduire en prison. Elle y alla joyeuse et triomphante, comme à un festin.

III. Le lendemain, le consul lui dit : « Renie le Christ et adore les dieux ! » Puis, sur son refus, il la fit attacher à un chevalet pour être torturée. Et Agathe dit : « J'éprouve, parmi ces souffrances, la joie qu'éprouve un homme qui apprend une bonne nouvelle, ou qui voit ce qu'il a longtemps désiré voir, ou qui reçoit un immense trésor ! » Le consul, furieux, lui fit tordre les seins, et ordonna ensuite de les lui arracher. Et Agathe : « Tyran cruel et impie, n'as-tu pas honte de couper, chez une femme, ce que tu as toi-même sucé chez ta mère ? Mais sache que j'ai d'autres mamelles, dans mon âme, dont le lait me nourrit, et sur lesquelles tu es sans pouvoir ! » Alors le consul la fit remettre en prison, défendant qu'aucun médecin vînt la visiter, ni qu'on lui donnât rien à manger ni à boire. Or, voici qu'à minuit un vieillard entra dans sa prison, précédé d'un enfant qui portait une torche. Et ce vieillard lui dit : « Ce consul insensé qui t'a fait souffrir, tu l'as fait souffrir davantage encore par tes réponses. Et moi, qui ai assisté à ton supplice, j'ai vu que les plaies de tes seins pouvaient être guéries. » Et Agathe : « Jamais je n'ai usé pour mon corps de remèdes matériels : ce serait une honte que je perdisse aujourd'hui ce que j'ai su garder jusqu'ici ! » Et le vieillard lui dit : « Ma fille, que ta pudeur ne s'alarme pas de moi, car je suis chrétien ! » Et Agathe : « En vérité, ma pudeur ne saurait s'alarmer, car, d'abord, tu es un vieillard, et puis, mon corps se trouve si affreusement déchiré qu'il ne peut inspirer de convoitise à personne. Mais je te remercie, respectable père, d'avoir daigné t'intéresser à moi ! » Et le vieillard : « Mais alors, pourquoi ne veux-tu pas me permettre de te guérir ? » Agathe répondit : « Parce que j'ai pour maître Jésus-Christ, qui, s'il le juge bon, peut, avec un seul mot, me guérir de suite ! » Alors le vieillard sourit, et lui dit : « Eh bien, ma fille, je suis l'apôtre de Jésus, et c'est lui qui m'a envoyé vers toi pour t'annoncer en son nom que tu étais guérie ! » Sur quoi ce vieillard, qui était saint Pierre, disparut, répandant sur son passage une lumière si prodigieuse que tous les gardes de la prison s'enfuirent, épouvantés. Et sainte Agathe se trouva entièrement guérie, avec ses deux seins restaurés par miracle. Et, comme les portes de la prison étaient ouvertes, d'autres prisonniers l'engagèrent à s'enfuir avec eux. Mais elle répondit : « A Dieu ne plaise que je perde, en m'enfuyant, la couronne qui m'est réservée, et que j'expose aussi les gardes à souffrir de mon fait ! »

IV. Quatre jours après, le consul la fit comparaître devant lui, et, de nouveau, lui ordonna d'adorer les dieux. Et Agathe : « Tes paroles ne sont que du vent ; comment veux-tu, insensé, que j'adore les pierres, et que je renie le Dieu du ciel qui m'a guérie ? » Et le consul : « Qui t'a guérie ? » Et Agathe : « Le Christ, fils de Dieu ! » Et Quintien : « Oses-tu citer de nouveau ce nom que je ne veux pas entendre ? » Et Agathe : « Tant que je vivrai, mon cœur et mes lèvres invoqueront le Christ ! » Et Quintien : « Nous allons bien voir si ton Christ te guérit une seconde fois ! » Il ordonna alors de répandre des tessons brisés, d'y mêler des charbons ardents, et de traîner la jeune fille, toute nue, sur ce lit mortel. Mais pendant qu'on procédait au supplice, un grand tremblement de terre survint, qui ébranla toute la ville, renversa le palais, et écrasa deux conseillers de Quintien. Et tout le peuple accourut vers le consul, lui reprochant d'avoir causé cette catastrophe par l'injuste punition infligée à Agathe. Alors Quintien, qui redoutait à la fois le tremblement de terre et la sédition du peuple, fit ramener Agathe dans sa prison, où elle se mit en prière et dit : « Seigneur Jésus, toi qui m'as créée et gardée depuis l'enfance, toi qui as préservé mon corps de souillure et mon esprit de l'amour du siècle, toi qui m'as permis de vaincre les souffrances, reçois maintenant mon âme dans ta miséricorde ! » Et, après avoir ainsi prié à très haute voix, elle expira. Cela se passait vers l'an du Seigneur 253, sous le règne de l'empereur Décius.

V. Les fidèles oignirent son corps d'aromates et le placèrent dans un sarcophage. Et voici qu'un jeune homme revêtu d'une tunique de soie, et accompagné de cent autres beaux jeunes gens en tuniques blanches, s'approcha du tombeau, y déposa une tablette de marbre, et disparut aussitôt avec ses compagnons. Et, sur la tablette était écrit ceci : « Ame sainte, spontanée, honneur à Dieu et délivrance de la patrie. » Ce qui signifie qu'Agathe eut une âme sainte, s'offrit spontanément au martyre, fit honneur à Dieu, et sauva sa patrie. Et le don miraculeux de cette tablette de marbre eut pour résultat que même les païens et les Juifs commencèrent à vénérer le tombeau de la sainte. Quant à Quintien, il se rendait à la maison de sainte Agathe, dans l'espoir d'y découvrir des trésors cachés, lorsque les deux chevaux de son char se mirent à frémir des dents et à ruer ; et l'un d'eux le mordit, l'autre, d'un coup de sabot, le lança dans le fleuve, où jamais son corps ne put être retrouvé.

VI. Un an environ après la mort de sainte Agathe, une montagne voisine de Catane se rompit et un torrent de feu en jaillit, qui, sautant de rocher en rocher et brûlant tout sur son passage, menaçait de s'abattre bientôt sur la ville. Alors la foule des païens courut au tombeau de la sainte, arracha le voile qui le couvrait et l'étendit au pied de la montagne ; et ce voile arrêta la descente du feu, et sauva la ville. Ce miracle eut lieu le jour même de l'anniversaire de la naissance de sainte Agathe.

XXXIX
SAINT VAST, ÉVÊQUE ET CONFESSEUR
(6 février)

Vast fut ordonné par saint Rémy à l'évêché d'Arras. En arrivant à la porte de cette ville, il rencontra deux mendiants, un boiteux et un aveugle, qui lui demandèrent l'aumône. Et il leur dit : « Je n'ai ni or ni argent, mais ce que j'ai, je vous le donne ! » Et il pria pour eux, et tous deux furent guéris. — Un loup s'était installé dans une église abandonnée : saint Vast lui ordonna de sortir de l'église et de n'y plus jamais revenir, et le loup obéit.

La quarantième année de son épiscopat, après avoir converti une foule de païens par sa parole et son exemple, saint Vast vit une colonne de feu qui descendait du ciel jusque sur sa maison. Il comprit que sa fin approchait ; et, en effet, peu de temps après il s'endormit dans le Seigneur, vers l'an 550. Et comme on l'enterrait, le vieux saint Omer, qui, étant aveugle, se désolait de ne pouvoir pas voir le corps du saint évêque, recouvra la vue ; puis, quand il eut vu le corps du saint, il demanda et obtint de redevenir aveugle.

XL
SAINT AMAND, ÉVÊQUE ET CONFESSEUR
(6 février)

Né de parents nobles, Amand se fit moine dès sa jeunesse. Se promenant dans son monastère, il vit un serpent : il pria Dieu, fit le signe de la croix, et obtint que la bête rentrât dans son nid pour n'en plus jamais sortir. Il se rendit, plus tard, au tombeau de saint Martin et y resta quinze ans, couvert d'un cilice, et sans autre aliment que de l'eau et du pain d'orge.

S'étant rendu à Rome, il voulut prier toute la nuit dans l'église de saint Pierre ; mais le gardien de l'église le chassa brutalement. Alors le saint s'endormit devant la porte, et saint Pierre lui apparut, qui lui ordonna de se rendre en Gaule pour y faire honte de ses crimes au roi Dagobert. Mais ce roi, irrité, lui enjoignit tout de suite de sortir de son royaume.

Cependant Dagobert, qui se désolait de n'avoir pas de fils, finit par en obtenir un, à force de prières ; et l'idée lui vint de faire baptiser son fils par saint Amand. Il fit donc rechercher celui-ci, se prosterna à ses pieds, le supplia de lui pardonner et de baptiser le fils que le Seigneur lui avait accordé. Le saint consentit volontiers à la première de ces demandes, mais se refusa à la seconde, ne voulant se mêler en rien aux choses séculières. Il céda pourtant aux instances du roi ; et, au moment où il baptisait l'enfant, celui-ci lui répondit à haute voix : *Amen*. Le roi le promut alors à l'évêché de Maestricht. Mais comme saint Amand voyait qu'on y faisait peu de cas de sa prédication, il se rendit en Gascogne. Là, un jongleur qui se moquait de ses paroles fut envahi du démon et se déchira de ses propres dents, avouant qu'il avait fait injure à un homme de Dieu.

Certain évêque fit garder l'eau dans laquelle saint Amand s'était lavé les mains ; et cette eau rendit, plus tard, la vue à un aveugle. Une autre fois, le saint, avec l'approbation du roi, voulut faire construire un monastère en un certain lieu ; et l'évêque d'une ville voisine, à qui ce projet déplaisait, envoya ses serviteurs pour chasser le saint, ou même pour le tuer. Et les serviteurs, abordant le saint, lui dirent par ruse qu'ils le conduiraient dans un autre lieu plus convenable encore pour la construction. Et le saint devina leur malice ; mais, ayant soif du martyre, il les suivit jusqu'au haut d'une montagne où ils se proposaient de le tuer. Or, voici qu'une pluie et un brouillard si épais couvrirent la montagne que les serviteurs de l'évêque ne se voyaient pas les uns les autres. Ils crurent qu'ils allaient mourir et, prosternés aux pieds du saint, ils le supplièrent d'obtenir de Dieu de s'en aller vivants. Et, sur la prière du saint, le beau temps reparut, et les serviteurs de l'évêque s'en retournèrent chez eux ; et saint Amand fit encore beaucoup d'autres miracles avant de s'endormir dans la paix du Seigneur. Ce saint florissait vers l'an 653, sous le règne d'Héraclius.

XLI[6]
SAINTE APOLLINE, VIERGE ET MARTYRE
(9 février)

[6] Ce chapitre, qui manque dans plusieurs anciens manuscrits, n'est probablement pas de Jacques de Voragine.

Sous l'empereur Décius une grande persécution sévit, à Alexandrie, contre les serviteurs de Dieu. Prévenant les édits de l'empereur, un misérable, nommé Divin, excita contre les chrétiens une foule superstitieuse, qui, enflammée par lui, devint tout altérée du sang des fidèles. On s'empara d'abord de quelques saintes personnes des deux sexes, dont les unes eurent le corps déchiré membre à membre, les yeux crevés, le visage mutilé, et furent ensuite chassées de la ville ; d'autres qu'on avait traînées devant les idoles, et qui, loin de vouloir les adorer, les accablaient d'invectives, se voyaient traînées par les rues de la ville, les pieds enchaînés, jusqu'à ce que leurs corps s'en allassent en morceaux.

Or il y avait à Alexandrie une vierge admirable nommée Apolline, déjà fort avancée en âge, et tout éclatante de chasteté, de pureté, de piété et de charité. Et lorsque la foule furieuse eut envahi les maisons des serviteurs de Dieu, Apolline fut conduite au tribunal des impies. S'acharnant sur elle, ses persécuteurs commencèrent par lui arracher toutes ses dents ; puis, ayant allumé un grand bûcher, ils la menacèrent de l'y jeter vive, si elle se refusait à blasphémer avec eux. Mais elle, dès qu'elle vit le bûcher allumé, se recueillit d'abord un instant en elle-même, puis, s'échappant des mains de ses bourreaux, s'élança dans le feu dont on la menaçait, effrayant même la cruauté des persécuteurs. Eprouvée déjà par divers supplices, elle ne se laissa vaincre ni par ses souffrances, ni par l'ardeur des flammes, qui n'était rien en comparaison de l'ardeur allumée en elle par les rayons de la vérité.

XLII
SAINT VALENTIN, PRÊTRE ET MARTYR
(14 février)

Valentin était un saint prêtre. L'empereur Claude se le fit amener, et lui dit : « Pourquoi donc, Valentin, ne t'acquiers-tu pas notre amitié en adorant nos dieux et en renonçant à tes vaines superstitions ? » Et Valentin : « Si tu connaissais la grâce de Dieu, tu ne parlerais pas ainsi, et c'est toi qui, renonçant à tes idoles, adorerais le Dieu du Ciel ! » Alors un des familiers de Claude dit : « Oserais-tu médire de la sainteté de nos dieux ? » Et Valentin : « Vos dieux ne sont que de misérables créatures humaines, et remplies d'impureté. » Alors Claude : « Si ton Christ est le vrai Dieu, dis-moi la vérité ! » Et Valentin : « La vérité est que le Christ est le seul Dieu, et que, si tu crois en lui, ton âme sera sauvée, ton pouvoir s'accroîtra, tes ennemis seront vaincus ! » Et Claude, se tournant vers les assistants, leur dit : « Romains, entendez-vous comme cet homme parle bien et avec sagesse ? » Mais le préfet dit : « On trompe l'empereur ! Faudra-t-il donc que nous abandonnions ce que nous avions tenu pour vrai depuis l'enfance ? » Et ces paroles endurcirent le cœur de Claude, qui livra saint Valentin à un prince de sa cour, en le chargeant de le garder prisonnier chez lui.

Et quand il fut arrivé dans la maison de ce prince, Valentin s'écria : « Seigneur Jésus, lumière unique, illumine cette maison afin qu'on te reconnaisse comme le vrai Dieu ! » Sur quoi le prince lui dit : « Puisque tu affirmes que ton Christ est la lumière, demande-lui de rendre la vue à ma fille aveugle ! S'il le fait, je croirai en lui ! » Valentin se mit en prière, rendit la vue à l'aveugle, et convertit toute la maison. Mais l'empereur ne l'en fit pas moins décapiter. Ce martyre eut lieu en l'an du Seigneur 280.

XLIII
SAINTE JULIENNE, VIERGE ET MARTYRE
(16 février)

Julienne était fiancée à Euloge, préfet de Nicomédie ; mais elle refusait d'entrer dans le lit d'Euloge avant qu'il eût reçu la foi du Christ. Alors son père, furieux de sa désobéissance, la fit mettre à nu, rouer de coups, et la livra ensuite au préfet. Et celui-ci lui dit : « Ma douce Julienne, pourquoi m'as-tu trompé par tes promesses d'amour, puisque, aujourd'hui, tu refuses ma main ? » Et elle : « Si tu veux adorer mon Dieu, je serai à toi ; sinon, jamais tu ne seras mon maître ! » Et le préfet : « Bien-aimée, je ne puis consentir à ce que tu me demandes, car l'empereur me ferait couper le cou ! » Et Julienne : « Si tu crains si fort un empereur mortel, combien davantage je dois craindre mon empereur à moi, qui est immortel ! Fais de moi ce que tu voudras, rien ne pourra me fléchir ! » Alors le préfet la fit battre de verges, puis, pendant une demi-journée, il la fit suspendre par les cheveux et lui fit verser sur la tête du plomb fondu. Et comme, de tout cela, elle n'avait aucun mal, il lui fit mettre des chaînes et l'enferma dans une prison.

Là un diable vint la voir, sous l'apparence d'un ange, et lui dit : « Julienne, je suis un ange du Seigneur, et mon maître m'envoie vers toi pour t'engager à sacrifier aux dieux : car le Seigneur a pitié de toi, et veut t'épargner un affreux supplice suivi d'une mort affreuse. » Alors Julienne fondit en larmes et s'écria : « Jésus mon Seigneur, sauve-moi du péril de mon âme en me faisant connaître qui est celui qui me donne un tel conseil ! » Et une voix d'en haut lui dit de saisir son visiteur et de le contraindre à avouer lui-même qui il était. Julienne ayant donc saisi le faux ange, et lui ayant demandé qui il était, il répondit qu'il était un démon, envoyé par son père pour la tromper. Julienne lui demanda qui était son père. Et le démon répondit : « C'est Belzébuth, qui nous conduit à mal faire, et nous bat cruellement toutes les fois que nous nous laissons vaincre par les chrétiens. Aussi suis-je sûr de payer cher cette journée, où je n'ai pu triompher de toi ! » Et, entre autres choses qu'il lui avoua, il lui dit que les diables souffrent surtout pendant que les chrétiens célèbrent la messe, ou pendant que se font les prières et les prédications. Alors Julienne lui lia les mains derrière le dos, et, l'ayant jeté à terre, elle le battit rudement avec la chaîne dont on l'avait liée ; et le diable la suppliait avec de grands cris, lui disant : « Bonne Julienne, ayez pitié de moi ! » Puis, le préfet ayant donné ordre qu'on la tirât de sa prison, elle traîna derrière elle le démon, toujours lié. Et le démon la priait, en lui disant : « Madame Julienne, cessez de me rendre ridicule, ou bien jamais plus je ne pourrai avoir d'action sur aucun chrétien ! On dit que les chrétiens sont miséricordieux, et vous, cependant, vous ne voulez pas avoir un peu pitié de moi ! » Mais la sainte n'en continua pas moins à le traîner par tout le marché, après quoi elle le jeta dans une latrine.

Le préfet fit étendre sainte Julienne sur une roue qui lui broya tous les os jusqu'à en faire jaillir la moelle ; mais un ange détruisit la roue et guérit la sainte. Ce que voyant, tous les assistants crurent au Christ, et subirent aussitôt le martyre. Cinq cents hommes et cent trente femmes eurent la tête tranchée. Le préfet fit ensuite plonger la sainte dans une chaudière de plomb fondu ; mais le plomb se refroidit soudain au point de devenir comme un bain tiède. Alors le préfet maudit ses dieux, pour leur impuissance à punir une jeune femme qui leur faisait tant d'outrages. Puis il ordonna qu'elle eût la tête tranchée. Et comme on la conduisait à l'échafaud, voici que le démon qu'elle avait battu se montra de nouveau, cette fois sous l'apparence d'un jeune homme ; et il criait aux bourreaux : « Ne ménagez pas cette coquine, car elle a dit les pires choses de vos dieux, et m'a moi-même battu cette nuit ! Rendez-lui ce qu'elle mérite ! » Mais comme Julienne, qui avait les yeux fermés, les entrouvrait pour voir celui qui parlait ainsi, le démon s'enfuit en criant : « Malheur à moi, elle va encore me prendre et me lier ! » Et la sainte subit son supplice ; et, quelques jours après, le préfet, qui voyageait sur mer, périt dans une tempête avec trente-quatre hommes. Leurs corps, que la mer avait vomis sur le rivage, furent dévorés par les bêtes et les oiseaux de proie.

XLIV
LA CHAIRE DE SAINT PIERRE A ANTIOCHE
(22 février)

L'église célèbre en ce jour la Chaire de saint Pierre parce que c'est en ce jour que ce saint, à Antioche, s'assit pour la première fois dans le siège pontifical. Et l'institution de cette fête est due à quatre causes.

1° Comme saint Pierre prêchait à Antioche, le préfet Théophile lui dit : « Pierre, pourquoi corromps-tu mon peuple ? » Et comme Pierre lui prêchait la foi du Christ, il le fit enchaîner et jeter en prison, où il ordonna qu'on le laissât sans boire et sans manger. Mais Pierre, déjà défaillant, reprit assez de forces pour lever les yeux au ciel et pour dire : « Jésus-Christ, soutien des malheureux, sois mon soutien dans ces tribulations ! » Et le Seigneur lui répondit : « Crois-tu donc que je t'aie abandonné ? Bientôt viendra quelqu'un qui secourra ta misère ! » En effet, saint Paul, en apprenant l'incarcération de Pierre, vint trouver Théophile, et se présenta à lui comme un artiste d'une habileté extrême, sachant sculpter le bois et le marbre, peindre sur la toile, etc. Théophile le pria d'habiter chez lui. Et, peu de jours après, Paul pénétra secrètement dans le cachot de Pierre. Voyant celui-ci presque mort d'épuisement, il pleura des larmes amères ; puis, se jetant dans ses bras, il lui dit : « O Pierre, mon frère, ma gloire, ma joie, moitié de mon âme, reprends tes forces ! » Alors Pierre, ouvrant les yeux et le reconnaissant, se mit à pleurer, mais sans pouvoir parler. Paul lui ouvrit la bouche et y versa de la nourriture, qui ne tarda pas à le réconforter. Puis, se rendant auprès de Théophile, saint Paul lui dit : « O bon Théophile, homme aimable et hospitalier, rappelle-toi qu'un petit mal suffit pour détruire un grand bien ! Qu'as-tu fait de ce serviteur de Dieu qui s'appelle Pierre ? Faible et pauvre, il ne vit que par la parole : et c'est un tel homme que tu as pu mettre en prison ! Sans compter que, si tu l'avais laissé en liberté, il aurait pu t'être utile ; car on dit qu'il guérit les malades et ressuscite les morts ! » Et Théophile : « Ce sont là des fables, mon cher Paul, car si cet homme pouvait ressusciter des morts, il pourrait bien se délivrer lui-même de sa prison ! » Et Paul : « On m'a dit que, de même que le Christ, qui ensuite est ressuscité, n'a pas voulu descendre de sa croix, de même ce Pierre, pour suivre l'exemple de son maître, refuse de se délivrer, préférant souffrir pour le Christ. » Alors Théophile : « Eh bien, va lui dire que je lui rendrai sa liberté s'il ressuscite mon fils, mort depuis quatorze ans ! » Paul rapporta cette condition à Pierre, qui lui dit : « C'est là un bien grand miracle qu'on exige de moi : mais la grâce de Dieu le fera par moi ! » Puis, conduit au sépulcre du fils de Théophile, il ordonna qu'on ouvrît la porte, et le mort ressuscita. — Mais nous devons avouer que ce miracle ne nous paraît pas très vraisemblable : d'abord à cause des quatorze ans que

Dieu aurait permis que le mort passât dans son tombeau ; et puis, surtout, à cause de la ruse et du mensonge que l'histoire prête à saint Paul. Toujours est-il que Théophile et tout le peuple d'Antioche finirent par se convertir au Seigneur, et construisirent une magnifique église au milieu de laquelle ils mirent une chaire très élevée pour Pierre, d'où il put être vu et entendu par tous. Il y siégea pendant sept ans avant de se rendre à Rome, où il siégea ensuite dans la chaire romaine pendant vingt-cinq ans. Et c'est en souvenir de cet événement que l'Eglise célèbre cette fête, parce que, ce jour-là, pour la première fois, les chefs de l'Eglise commencèrent à être élevés en nom et en puissance.

Cette fête est, comme l'on sait, la troisième de celles où l'Eglise célèbre le glorieux successeur du Christ. Saint Pierre a, en effet, mérité d'avoir trois fêtes, d'abord parce qu'il a été privilégié, parmi les apôtres, en trois choses : en autorité, en amour du Christ, et en pouvoir d'opérer des miracles. De plus, saint Pierre a été le prince de toute l'Eglise, qui est répandue dans les trois parties du monde, l'Asie, l'Afrique et l'Europe : de là les trois fêtes où l'Eglise l'honore. Enfin, saint Pierre, depuis qu'il a reçu la faculté de lier ou de délier, nous délivre des trois genres de péchés, ceux de la pensée, de la parole et de l'acte, comme aussi de ceux que nous commettons envers Dieu, envers le prochain et envers nous-mêmes.

2o La seconde cause de l'institution de cette fête se trouve indiquée dans l'*Itinéraire de Clément*. Comme saint Pierre s'approchait d'Antioche, tous les habitants vinrent au-devant de lui revêtus de cilices, les pieds nus et la tête couverte de cendres, en signe de leur repentir, car ils avaient cru aux mensonges de Simon le Magicien. Et Pierre, heureux de ce repentir, fit placer devant lui tous les malades et les possédés ; et dès qu'il eut invoqué sur eux le nom de Dieu, une immense lumière apparut et tous furent guéris. Pendant la semaine qui suivit, plus de dix mille hommes reçurent le baptême. Ce que voyant, le préfet Théophile transforma son palais en basilique, et y fit placer pour l'apôtre une chaire très élevée d'où il pût être vu et entendu par tous. Et la contradiction n'est qu'apparente entre cette histoire et celle que nous venons de raconter : car rien n'empêche que Pierre ait été mis en prison par Théophile et délivré par l'entremise de saint Paul, puis que, pendant un de ses voyages, les habitants d'Antioche se soient laissés prendre aux mensonges de Simon le Magicien, et s'en soient enfin repentis.

3o En troisième lieu cette fête, — qu'on appelle aussi le Banquet de saint Pierre, — doit son institution à une coutume ancienne que l'Eglise a transformée en une fête chrétienne. En effet, maître Jean Beleth raconte que c'était l'usage chez les païens, au mois de février, d'aller porter un repas sur la tombe des morts. Les païens croyaient que ces repas étaient mangés par les âmes de leurs parents défunts, tandis qu'en réalité c'étaient les démons qui s'en régalaient. Et comme les premiers convertis au christianisme avaient peine à se départir de cette coutume, on résolut de substituer au banquet des morts, le jour de la Chaire de saint Pierre, un banquet célébré en l'honneur du saint.

4º Et cette fête a aussi pour objet de célébrer l'institution de la tonsure des prêtres. Car, pendant que Pierre prêchait à Antioche, on lui fit raser la tête en signe d'infamie ; et ce signe d'infamie fut ensuite adopté par tout le clergé, en signe d'honneur. Au point de vue symbolique, la tonsure signifie la conservation de la pureté, l'abandon des ornements extérieurs et le renoncement aux biens temporels. Et si la tonsure est de forme circulaire, c'est pour donner à entendre que, le cercle étant la plus parfaite des figures, les prêtres doivent veiller à représenter sur terre la perfection chrétienne.

XLV
SAINT MATHIAS, APÔTRE
(24 février)

La vie de saint Mathias, telle qu'elle se lit dans les églises, a été écrite, croit-on, par le vénérable Bède.

I. Mathias fut appelé à prendre, parmi les apôtres, la place laissée vide par la défection de Judas. Et, puisque l'occasion s'en présente à nous, nous allons d'abord résumer ce que l'on a dit de l'origine et de la jeunesse de Judas lui-même. Certaine histoire, qui malheureusement est apocryphe et ne mérite que peu de créance, raconte à ce sujet ce qui suit :

Il y avait à Jérusalem un homme appelé Ruben (et de son autre nom Simon) de la tribu de Dan (ou, selon saint Jérôme, de la tribu d'Issachar) et marié à une femme nommée Ciborée. Or, une nuit, après que les deux époux eussent accompli le devoir conjugal, Ciborée, s'étant endormie, eut un songe dont elle s'éveilla tout effrayée, avec des gémissements et des soupirs. Et elle dit à son mari : « J'ai vu en rêve que j'enfantais un fils monstrueux, qui devait causer la perte de toute notre race. » Et Ruben : « Quelle sottise scandaleuse tu dis là ! Le diable, sans doute, te fait délirer ! » Mais elle : « Si notre acte de cette nuit a pour effet que je conçoive un fils, ce sera la preuve que je ne suis point victime d'une illusion diabolique, mais que mon rêve est bien la révélation de la vérité ! » Et comme, neuf mois après cette nuit, elle mit au monde un fils, son mari et elle furent épouvantés, et ne surent que faire : car ils avaient horreur de tuer leur enfant, et, d'autre part, ne pouvaient consentir à nourrir le futur destructeur de leur race. Ils décidèrent enfin de poser l'enfant dans un petit panier et de le laisser aller au gré des flots. Et ceux-ci poussèrent le panier jusqu'à une île nommée Iscarioth, d'où viendrait le nom de Judas Iscarioth donné à l'apôtre maudit. Et la reine de cette île, qui n'avait point d'enfants, ayant aperçu le panier pendant qu'elle se promenait sur le rivage, le fit tirer de l'eau, et s'écria, quand elle vit l'enfant : « Oh ! comme je serais heureuse d'avoir un tel enfant, afin que mon trône, après moi, ne restât pas vide ! » Et elle fit nourrir l'enfant en cachette, et feignit d'être enceinte, et présenta l'enfant comme son fils, ce qui fut fêté par tout le royaume. Le roi, enchanté d'être père, fit élever l'enfant avec toute la magnificence qui convenait à son rang. Or, peu de temps après, la reine fut vraiment enceinte du fait de son mari, et mit au monde un fils. Les deux enfants furent élevés ensemble ; mais Judas, dans leurs jeux, injuriait et battait souvent l'enfant royal, et le faisait pleurer : sur quoi la reine, qui savait qu'il n'était pas son fils, le faisait très souvent battre à son tour. Mais rien ne parvenait à corriger le méchant enfant. Un jour enfin toute la vérité se découvrit, et l'on sut que Judas n'était pas le vrai fils du roi. Alors Judas, plein de honte et de jalousie, tua secrètement le vrai fils du roi, son frère supposé. Puis, craignant d'en être puni, il s'enfuit avec ses familiers à Jérusalem, où le préfet Pilate (tant on a raison de dire que qui se ressemble s'assemble) reconnut en lui un caractère pareil au sien, et se prit pour lui d'une vive affection.

Voilà donc Judas régnant en maître à la cour de Pilate. Et un jour, Pilate, considérant un champ de pommes voisin de son palais, éprouva un extrême désir de goûter aux pommes de ce champ. Or ce champ appartenait à Ruben, le père de Judas ; mais ni Judas ne connaissait son père, ni celui-ci ne savait que Judas était son fils. Et Judas, voyant le désir de Pilate, entra dans le champ et cueillit des pommes. Et comme Ruben le surprit, tous deux commencèrent par s'injurier, puis en vinrent aux coups ; et Judas finit par tuer Ruben en le frappant d'une pierre sur la nuque. Après quoi il porta les pommes à Pilate et lui raconta ce qui s'était passé. Et lorsque la mort de Ruben fut connue, Pilate donna à son favori Judas tous les biens du mort, et le maria avec la veuve de celui-ci, qui n'était autre que sa mère Ciborée.

Un soir, Ciborée soupirait si tristement que Judas, son nouveau mari, lui demanda ce qu'elle avait. Elle lui répondit : « Hélas ! je suis la plus malheureuse de toutes les femmes ! J'ai dû noyer mon unique enfant, on m'a tué mon mari, et, pour comble de misère, Pilate m'a forcée à me remarier malgré mon deuil ! » Elle raconta alors l'histoire de l'enfant ; et Judas lui raconta toutes ses aventures ; et ils découvrirent ainsi que Judas avait tué son père et épousé sa mère. Alors, sur le conseil de Ciborée, le misérable voulut faire pénitence, et, étant allé trouver Nôtre-Seigneur Jésus-Christ, il implora de lui le pardon de ses péchés. Voilà ce qu'on lit dans cette histoire apocryphe. Doit-on tenir pour vraie ou non cette suite d'aventures ? C'est au lecteur à en décider : mais, suivant nous, elle mérite infiniment plus d'être rejetée qu'admise.

Ce qui est, au contraire, certain, c'est que Notre-Seigneur fit de Judas son disciple, et l'élut au nombre de ses douze apôtres. Et Judas entra si fort dans sa familiarité qu'il devint son procureur. C'était lui, en effet, qui portait les aumônes qu'on donnait à Jésus ; et, sans doute, il ne se faisait pas faute de les voler. Peu de temps avant la passion de Notre-Seigneur, il s'irrita de ce qu'on ne vendît point un parfum qu'on avait donné à Jésus, et qui valait trois cents deniers : car, sans doute, il avait projeté de s'approprier cette somme. Il alla donc trouver les Juifs, et leur vendit le Christ pour trente deniers. Notons que deux versions ont cours sur ce point. L'une prétend que les deniers obtenus par Judas valaient chacun dix deniers ordinaires, de façon qu'en les recevant Judas eut l'équivalent des trois cents deniers que lui aurait procurés la vente du parfum. D'après l'autre version, Judas avait l'habitude de s'approprier la dixième partie de l'argent qu'on lui donnait à garder ; et ainsi les trente deniers reçus des Juifs ont été, pour lui, l'équivalent du profit qu'il aurait tiré de la vente du parfum. Mais, dès qu'il eut reçu les trente deniers, la honte le prit ; et il les rapporta, et il alla se pendre à un arbre, et son corps creva par le milieu, et tous ses boyaux se répandirent sur le sol. Il ne les vomit point par la bouche, car sa bouche ne pouvait pas être profanée, ayant eu l'honneur de toucher le visage glorieux du Christ. Et il mourut en l'air, car, ayant offensé les anges dans le ciel et les hommes sur la terre, il avait mérité de périr entre ciel et terre.

II. Or, quelques jours après l'Ascension du Seigneur, saint Pierre se leva au milieu des disciples et dit : « Frères, il faut que, de ceux qui ont été avec nous tout le temps que le Seigneur Jésus a vécu parmi nous, il y en ait un pour témoigner avec nous de sa résurrection. » Alors les disciples présentèrent deux d'entre eux, à savoir : 1° Joseph, appelé Barsabas, et surnommé le Juste en raison de sa sainteté ; 2° Mathias, dont l'auteur des *Actes* a jugé inutile de faire l'éloge, estimant que le fait de son élection à l'apostolat rendait tous les éloges superflus. Et, tombant en prière, les apôtres dirent : « Toi, Seigneur, qui connais les cœurs de tous, montre-nous lequel de ces deux hommes tu as choisi pour prendre la place de Judas, dans le ministère et l'apostolat ! » Et l'on jeta les sorts, et le sort désigna Mathias, qui, d'un commun accord, fut adjoint aux onze apôtres.

Saint Jérôme fait observer, à ce propos, que l'exemple de ce choix ne prouve nullement qu'on doive se servir du sort pour les élections religieuses : car le privilège du petit nombre ne saurait constituer la loi de tous. Comme le dit en effet, Bède, c'est seulement au jour de la Pentecôte que fut consommée l'hostie immolée dans la Passion ; c'est au jour de la Pentecôte que la vérité du dogme se trouva entièrement constituée. Or, l'élection de Mathias étant avant la Pentecôte, on s'y est servi du sort pour se conformer à la loi ancienne, suivant laquelle le grand prêtre était choisi au sort. Mais, dès que la Pentecôte eut achevé d'abroger l'ancienne loi, ce n'est plus au sort que furent élus les sept diacres, mais bien par le choix des disciples ; et ils furent ensuite ordonnés par l'imposition des mains des apôtres.

III. L'apôtre Mathias eut pour mission d'évangéliser la Judée. Il y prêcha de longues années, fit de nombreux miracles, et s'endormit enfin dans la paix du Seigneur. Certains auteurs affirment, cependant, qu'il souffrit le martyre et périt sur la croix. Son corps est, dit-on, enseveli à Rome, sous une dalle de porphyre, dans l'église Sainte-Marie Majeure, et l'on y montre sa tête aux fidèles.

D'après une autre légende, qui a cours à Trèves, Mathias serait né à Bethléem, d'une famille noble de la tribu de Juda. Prêchant en Judée, il éclairait les aveugles, purifiait les lépreux, chassait les démons, rendait aux boiteux la marche, aux sourds l'ouïe, et la vie aux morts. Il opéra de nombreuses conversions : sur quoi les Juifs, par jalousie, le firent passer en jugement. Là deux faux témoins, qui l'avaient accusé, lui jetèrent des pierres ; et il voulut que ces pierres fussent ensevelies avec lui, en témoignage contre eux. Et pendant qu'on le lapidait il eut la tête tranchée d'une hache, à la manière romaine, et rendit l'âme à Dieu, les mains tendues vers le ciel. La même légende ajoute que son corps, après avoir été transporté de Judée à Rome, se trouve aujourd'hui dans une église de Trèves.

IV. Suivant une autre légende, Mathias serait allé en Macédoine, et y aurait bu, au nom du Christ, une potion empoisonnée qui privait de la vue ceux qui en buvaient. Mais non seulement Mathias n'en aurait souffert aucun mal : la légende veut encore qu'il ait rendu la vue, par une simple imposition de mains, à plus de deux cent cinquante personnes que la susdite potion avait aveuglées. Les habitants de la province lui auraient, ensuite, attaché les mains derrière le dos et l'auraient enfermé dans une prison ; et le Seigneur, venant à lui entouré d'une grande lumière, aurait rompu ses liens et l'aurait remis en liberté. Et comme, ensuite, quelques-uns des Macédoniens persistaient dans l'erreur, le saint leur aurait dit : «Je vous annonce que vous descendrez vivants en enfer !» Sur quoi la terre se serait ouverte, et les aurait engloutis.

La vie de saint Grégoire, écrite d'abord par Paul, historiographe des Lombards, a été ensuite soigneusement résumée par le diacre Jean.

I. Grégoire, fils de Gordien et de Sylvie, était de famille sénatoriale. Bien que, dès l'adolescence, il eût atteint au plus haut sommet de la philosophie, et bien qu'il fût, en outre, fort riche, il résolut de renoncer à tous ses biens et de se consacrer au service de Dieu. Mais comme il ajournait sa conversion, pensant pouvoir servir le Christ tout en remplissant les fonctions d'un juge laïque, le goût des choses séculières commença à grandir en lui à tel point qu'il fut tenté de servir le monde non seulement en acte, mais aussi en esprit. Enfin, après la mort de son père, il fonda six monastères en Sicile, et un septième à Rome, dans sa propre maison ; et là, ôtant ses vêtements de soie ornés d'or et de pierreries, il vécut sous l'humble habit du moine. Et il arriva bientôt à un état de perfection qu'il se rappelait, plus tard, en ces termes, dans l'introduction d'un de ses *dialogues* : « Mon âme malheureuse, accablée sous le poids de ses occupations, aime à se rappeler le bonheur qu'elle avait jadis pendant mon séjour au monastère ; alors tout le cours des choses fugitives lui était indifférent, accoutumée qu'elle était à ne penser qu'aux choses célestes ; et souvent elle sortait, par la contemplation, du cloître de la chair ; et la mort même, qui presque toujours apparaît comme une peine, lui apparaissait comme l'entrée dans la vie, et la douce récompense de toutes les peines. » Et Grégoire infligeait de telles privations à son corps que son estomac s'était paralysé, et qu'il souffrait fréquemment de ces arrêts de vie que les Grecs appellent des « syncopes ».

II. Un jour, comme il était occupé à écrire dans une cellule du monastère dont il était abbé, un ange lui apparut sous la forme d'un naufragé et lui demanda l'aumône. Grégoire lui fit donner six deniers d'argent ; mais, quelques heures après, le naufragé revint, disant qu'il avait beaucoup perdu et trop peu reçu. Grégoire lui fit de nouveau donner six deniers d'argent ; et une troisième fois le mendiant revint, sollicitant l'aumône avec plus d'insistance que jamais ; alors l'économe du monastère dit à Grégoire qu'on n'avait plus rien à donner, sinon une écuelle d'argent dans laquelle la mère de Grégoire avait coutume d'envoyer des légumes à son fils. Aussitôt Grégoire fit donner cette écuelle au mendiant, qui la reçut avec joie et disparut. Et ce mendiant était un ange qui, comme nous le dirons plus loin, se révéla ensuite lui-même à saint Grégoire.

III. Certain jour, saint Grégoire, passant sur le marché, vit de jeunes esclaves, d'une extrême beauté de forme et de visage, qui étaient à vendre. Il demanda au marchand d'où étaient ces jeunes gens. Le marchand répondit qu'ils étaient de la Grande-Bretagne, et que tous les habitants de ce pays avaient les mêmes cheveux blonds et la même beauté de figure. Grégoire demanda s'ils étaient chrétiens. Et, apprenant qu'ils étaient païens, il s'écria : « Hélas, faut-il que d'aussi beaux visages appartiennent encore au prince des ténèbres ! » Il demanda comment s'appelait ce peuple, et le marchand lui dit qu'on l'appelait le peuple « anglique ». Et le saint dit : « Bien nommés sont-ils, ces Angliques, ou plutôt Angéliques, car ils ont vraiment des visages d'anges ! » Alors il se rendit auprès du Souverain Pontife et obtint de lui, à grand'force de prières, d'être envoyé en Bretagne pour convertir les Anglais. Mais à peine s'était-il mis en route que les Romains, troublés de son départ, dirent au pape : « En renvoyant Grégoire, tu as offensé saint Pierre et détruit Rome ! » Si bien que le pape, effrayé, ordonna que l'on courût à sa poursuite pour le ramener. Et comme Grégoire, ayant déjà fait trois jours de route, s'occupait à lire en certain lieu, et que ses compagnons dormaient, une cigale survint qui le força à se distraire de sa lecture et lui dit qu'il eût à rester dans ce lieu. Aussitôt Grégoire exhorta ses compagnons à le quitter au plus vite, et, reprenant sa lecture, il resta immobile jusqu'à ce que les messagers du pape, l'ayant rejoint, le forcèrent à rentrer avec eux. Il rentra donc à Rome, bien malgré lui ; et le pape le fit sortir de son monastère, et le nomma son cardinal-diacre.

IV. Le Tibre, étant sorti de son lit, avait grossi d'une façon si démesurée qu'il avait coulé jusque par-dessus les murs de Rome, et avait renversé plusieurs maisons. Puis, quand l'inondation avait pris fin, une foule de serpents, dragons, et autres monstres, apportés par les flots et laissés par eux, avaient corrompu l'air de leur pourriture, et ainsi s'était produite une peste si meurtrière que l'on croyait voir des flèches tombant du ciel et tuant les Romains. La première victime de cette peste fut le pape Pélage ; après quoi, le mal prit une telle extension que, par la mort des habitants, il vida un très grand nombre des maisons de Rome. Mais comme l'Eglise de Dieu ne pouvait rester sans chef, le peuple entier élut pour pape Grégoire, bien que celui-ci s'en défendît de toutes ses forces. Le jour où il devait être consacré, il parla au peuple, organisa une procession et des litanies, et exhorta les fidèles à prier Dieu avec plus de ferveur. Et pendant que le peuple, rassemblé autour de lui, priait, la peste fit périr, en moins d'une heure, quatre-vingt-dix personnes, parmi les auditeurs ; mais Grégoire n'en continua pas moins à prêcher, exhortant le peuple à ne se relâcher de sa prière que quand la peste aurait disparu. Puis, la procession achevée, il voulut s'enfuir de Rome, pour empêcher qu'on le consacrât comme pape. Mais il ne le put, car les portes étaient gardées jour et nuit afin qu'il ne pût sortir. Il obtint enfin de certains marchands d'être transporté hors de la ville dans un tonneau ; et, se réfugiant dans une caverne, au fond des bois, il y resta caché pendant trois jours. Mais les hommes envoyés à sa recherche aperçurent une colonne lumineuse qui descendait du ciel jusque sur l'endroit où il était caché ; et un moine reconnut, dans cette colonne, des anges qui montaient et descendaient. Aussitôt Grégoire fut pris et traîné à Rome par le peuple tout entier, et consacré en qualité de souverain pontife.

La peste continuant à sévir, il ordonna que, le jour de Pâques, on promenât en procession, autour de la ville, l'image de la sainte Vierge que possède l'église de Sainte-Marie Majeure, et qui fut peinte, dit-on, par saint Luc, aussi habile dans l'art de la peinture que dans celui de la médecine. Et aussitôt l'image sacrée dissipa l'infection de l'air, comme si la peste ne pouvait supporter sa présence ; partout où passait l'image, l'air devenait pur et vivifiant. Et l'on raconte que, autour de l'image, la voix des anges se fit entendre, chantant : « Reine des cieux, réjouis-toi, alléluia, car ton divin fils est ressuscité, alléluia, comme il l'a dit, alléluia. » Et aussitôt saint Grégoire ajouta : « Mère de Dieu, priez pour nous, alléluia ! » Alors il vit, au-dessus de la forteresse de Crescence, un grand ange qui essuyait et remettait au fourreau un glaive ensanglanté ; et le saint comprit que la peste était finie ; et en effet elle l'était. Et depuis lors cette forteresse prit le nom de Fort-Saint-Ange. Après quoi saint Grégoire, réalisant son ancien désir, envoya en Angleterre Augustin, Mélitus, Jean, et quelques autres prêtres, et convertit les Anglais, par leur entremise, comme aussi par ses prières et par ses mérites.

V. Telle était l'humilité de saint Grégoire, que jamais il ne permettait qu'on fît son éloge. A l'évêque Etienne, qui l'avait loué dans ses lettres, il répondait : « Vous m'accablez d'éloges dans vos lettres, et cependant il est écrit qu'on doit s'abstenir de louer un homme aussi longtemps qu'il vit. » De même, dans une lettre à Anastase, patriarche d'Antioche : « Les éloges que vous me donnez m'embarrassent fort. Car je considère ce que je suis, et j'ai conscience de ne rien avoir qui mérite de telles éloges ; et, d'autre part, considérant ce que vous êtes, je n'admets point que vous puissiez mentir. » Quant aux appellations flatteuses, il les rejetait absolument. Il écrivait à Euloge, patriarche d'Alexandrie, qui l'avait appelé *pape universel* : « Je prie Votre Sainteté de ne plus m'appeler de ce titre. Car ce n'est point un honneur pour moi qu'un titre obtenu aux dépens de mes frères ! » Et lorsque Jean, évêque de Constantinople, eut obtenu par fraude du Synode le titre de pape universel, saint Grégoire écrivit à son sujet : « Qui est celui qui, contre les statuts évangéliques, contre les décrets canoniques, ose s'affubler d'un titre nouveau ? » Il n'admettait même point que les autres évêques le considérassent comme leur donnant des ordres ; et il écrivait à Euloge : « Je vous prie de ne plus employer, à mon endroit, l'expression d'*ordres*, car je sais qui je suis et qui vous êtes : en titre, vous êtes mes frères, en sainteté, vous êtes mes pères!» Dans l'excès de son humilité, il ne tolérait point que les femmes se dissent ses servantes. Il écrivait à la patricienne Rusticana : «Une chose m'a fâché, dans votre lettre : c'est que, à plusieurs reprises, vous vous y soyez appelée *ma servante*. Comment pouvez-vous vous dire la servante d'un homme qui, en acceptant la charge de l'épiscopat, est devenu le serviteur de tous ?» Le premier, il se proclama «le serviteur des serviteurs de Dieu»; et il ordonna que ses successeurs porteraient le même titre. Il ne voulut pas non plus, par humilité, publier ses livres de son vivant; et, en comparaison des livres des autres, il tenait les siens pour dénués de toute valeur. Il écrivait à Innocent, préfet d'Afrique : «Que vous me demandiez communication de mes Commentaires sur *Job*, cela fait honneur à votre application. Mais si vous désirez vous nourrir d'un aliment délicieux, lisez plutôt les ouvrages de votre compatriote saint Augustin, et, pouvant jouir de cet or, ne vous occupez point de mon misérable billon!» On lit aussi, dans un livre traduit du grec en latin, qu'un saint abbé nommé Jean, étant venu à Rome pour voir les tombeaux des apôtres, rencontra le pape Grégoire passant par la ville. Et Grégoire, voyant qu'il voulait s'agenouiller devant lui, prit les devants, s'agenouilla le premier devant l'abbé, et ne se releva qu'après que l'abbé se fut relevé.

VI. La charité de saint Grégoire égalait son humilité. Il était si charitable qu'il pourvoyait aux besoins non seulement des pauvres de Rome, mais aussi de pauvres des pays les plus lointains. Il avait fait dresser une liste de tous les indigents, et leur venait largement en aide. Il envoyait des secours aux moines du mont Sinaï, entretenait à ses frais un monastère fondé par lui à Jérusalem, et offrait tous les ans quatre-vingts livres d'or dont vivaient trois mille servantes de Dieu. Il recevait tous les jours à sa table les pèlerins et autres étrangers, quels qu'ils fussent. Et parmi ces hôtes il y en eut un qui, au moment où saint Grégoire s'apprêtait à lui verser l'eau du lave-mains, disparut sans qu'on sût par où il était passé. Et, la nuit suivante, le Seigneur apparut à saint Grégoire, et lui dit : «Les autres jours, tu me reçois dans la personne des pauvres ; mais, hier, c'est ma propre personne que tu as reçue.»

Un autre jour, il avait demandé à son chancelier d'inviter à sa table douze pèlerins. Et, pendant le repas, considérant les convives, il vit qu'ils étaient treize, et le fit remarquer à son chancelier. Mais celui-ci, après les avoir comptés, lui dit : «Croyez-moi, Saint-Père, ils ne sont que douze!» Et Grégoire s'aperçut alors que l'un des convives, assis non loin de lui, changeait constamment de figure, ayant tantôt l'apparence d'un jeune homme, et tantôt d'un vieillard. Quand le repas fut achevé, Grégoire conduisit ce convive dans sa chambre et le supplia de daigner lui dire son nom. Et le convive lui répondit : «Eh bien, sache que je suis ce naufragé à qui tu as, jadis, donné l'écuelle d'argent où ta mère avait l'habitude de t'envoyer des légumes ! Et sache aussi que c'est depuis le jour où tu m'as donné cette écuelle que le Seigneur t'a destiné à devenir le chef de son Eglise et le successeur de l'apôtre Pierre. » Et Grégoire : « Mais toi, comment as-tu su que le Seigneur me destinait à ces fonctions ? » Et l'inconnu : « Je l'ai su parce que je suis un ange, chargé maintenant par le Seigneur de veiller sur toi. » Et aussitôt il disparut.

VII. Il y avait alors un ermite, homme d'une grande vertu, qui avait tout abandonné pour se consacrer à Dieu, et qui ne possédait rien qu'une chatte, qu'il s'amusait parfois à caresser sur ses genoux. Cet ermite pria Dieu de lui révéler en quelle compagnie il serait admis dans la demeure céleste, en récompense de son renoncement. Et Dieu lui révéla qu'il y serait admis en compagnie de Grégoire, le pontife de Rome. Sur quoi l'ermite fut désolé, se disant que sa pauvreté ne lui profiterait guère, si elle ne suffisait pas pour le mettre au-dessus d'un homme aussi riche en richesses mondaines. Mais le Seigneur lui dit : « Le riche n'est pas celui qui possède la richesse, mais celui qui la désire. Et tu ne saurais comparer ta pauvreté à la richesse de Grégoire, car tu prends plus de plaisir à caresser ta chatte que Grégoire à posséder des biens qu'il méprise, et dont il ne se sert que pour subvenir aux besoins de tous. » Et le solitaire pria Dieu, depuis lors, de lui faire la grâce de l'admettre aux récompenses réservées à saint Grégoire.

VIII. Ayant été accusé devant l'empereur Maurice et ses fils d'avoir causé la mort d'un évêque, Grégoire écrivit à un familier de l'empereur une lettre où il disait : « Fais entendre à mes maîtres que si moi, leur esclave, je voulais me mêler de nuire aux Lombards, la race des Lombards n'aurait plus aujourd'hui ni roi, ni chefs, et serait dans la confusion. Mais je crains trop Dieu pour oser me mêler de causer la mort de personne. » Admirable humilité : car Grégoire, qui était souverain pontife, s'appelait l'esclave de l'empereur, et appelait celui-ci son maître ! Admirable innocence : car l'empereur lombard Maurice persécutait Grégoire et l'Eglise de Dieu, et Grégoire se refusait à causer la mort de ses pires ennemis ! Il écrivait, entre autres choses, à Maurice : « Je suis si plein de péchés que, sans doute, vous apaisez Dieu d'autant plus que vous me persécutez davantage. » Mais un jour l'empereur vit se dresser devant lui un inconnu qui, vêtu en moine, brandissait devant lui une épée tirée du fourreau, et lui prédisait la mort par l'épée. Aussitôt Maurice, effrayé, cessa de persécuter Grégoire, et pria Dieu de le punir plutôt dans cette vie que de réserver son châtiment pour la vie à venir. Et aussitôt la voix divine ordonna, dans une vision, que Maurice, sa femme, ses fils et ses filles fussent livrés, pour être tués, au soldat Phocas. Et ainsi fut fait : car, peu de temps après, un soldat nommé Phocas tua l'empereur avec toute sa famille, et lui succéda au trône impérial.

IX. Un jour de Pâques, Grégoire, célébrant la messe dans l'église de Sainte-Marie Majeure, venait de dire : *Pax Domini !* Et voici qu'un ange lui répondit à haute voix : *Et cum spiritu tuo !* C'est depuis lors que le pape, au jour de Pâques, officie dans cette église, et, que, lorsqu'il dit *Pax Domini*, personne des assistants n'a le droit de lui répondre.

X. Il y avait eu autrefois à Rome un empereur païen nommé Trajan qui, quoique païen, avait montré une grande bonté. On racontait que, un jour qu'il se hâtait de partir pour une guerre, une veuve était venue le trouver, toute en larmes, lui disant : « Je te supplie de venger le sang de mon fils, tué injustement ! » Trajan lui avait répondu que, s'il revenait vivant de la guerre, il vengerait la mort du jeune homme. Mais la veuve : « Et si tu meurs à la guerre, qui me fera justice ? » Et Trajan : « Celui qui régnera après moi ! » Et la veuve : « Mais toi, quel profit en auras-tu, si c'est un autre qui me fait justice ? » Et Trajan : « Aucun profit ! » Et la veuve : « Ne vaut-il pas mieux pour toi que tu me fasses justice toi-même, de manière à t'assurer la récompense de ta bonne action ? » Et Trajan, ému de pitié, était descendu de son cheval, et s'était occupé de faire justice du meurtre de l'innocent. On raconte aussi qu'un fils de Trajan, parcourant à cheval les rues de la ville, avait tué le fils d'une pauvre femme : sur quoi l'empereur avait donné son propre fils comme esclave à la mère de la victime, et avait magnifiquement doté cette femme.

Or, comme un jour, Grégoire passait par le Forum de Trajan, le souvenir lui revint de la justice et de la bonté de ce vieil empereur : si bien que, en arrivant à la basilique de Saint-Pierre, il pleura amèrement sur lui et pria pour lui. Et voici qu'une voix d'en-haut lui répondit : « Grégoire, j'ai accueilli ta demande et libéré Trajan de la peine éternelle ; mais prends bien garde à l'avenir de ne plus prier pour aucun damné ! » D'après Damascène, la voix aurait simplement dit à Grégoire : « J'exauce ta prière et je pardonne à Trajan. » Ce point est absolument hors de doute, mais on ne s'accorde pas sur les détails qui l'entourent. Les uns prétendent que Trajan a été rappelé à la vie, de façon à pouvoir devenir chrétien et obtenir ainsi son pardon. D'autres disent que l'âme de Trajan ne fut pas absolument libérée du supplice éternel, mais que sa peine fut simplement suspendue jusqu'au jour du jugement dernier. D'autres encore soutiennent que la punition de Trajan fut simplement adoucie, à la demande de Grégoire. D'autres — comme le diacre Jean, qui a compilé l'histoire du saint — affirment que celui-ci n'a point prié pour Trajan, mais pleuré pour lui. D'autres estiment que Trajan a été exempté de la peine matérielle, qui consiste à être tourmenté en enfer, mais qu'il n'a pas été exempté de la peine morale, qui consiste à être privé de la vue de Dieu.

Certains auteurs veulent aussi que la voix céleste, après avoir accordé à Grégoire le pardon de Trajan, ait ajouté : « Mais toi, pour avoir prié pour un damné, tu dois être puni ! Choisis donc entre deux peines : ou bien deux jours de souffrances en purgatoire après ta mort, ou bien, pour tout le temps qui te reste à vivre, une vie de souffrance et de maladie ! » Et le saint aurait choisi ce dernier parti. Le fait est que, depuis lors, il ne cessa plus d'être malade, tourmenté tantôt par la fièvre, tantôt par la goutte, tantôt par des maux d'estomac intolérables. Il écrit, dans une de ses lettres : « La goutte et d'autres maladies me font tant souffrir que la vie me pèse, et que j'aspire au remède que me sera la mort. »

XI. Une femme qui, parfois, offrait du pain à l'église, suivant l'usage des fidèles, se mit un jour à sourire en entendant saint Grégoire s'écrier à l'autel, pendant la consécration de l'hostie : « Que le corps de Notre-Seigneur Jésus-Christ te profite dans la vie éternelle ! » Aussitôt le saint détourna la main qui allait mettre l'hostie dans la bouche de cette femme, et déposa la sainte hostie sur l'autel. Puis, en présence de tout le peuple, il demanda à la femme de quoi elle avait osé rire. Et la femme répondit : « J'ai ri parce que tu appelais « corps de Dieu » un pain que j'avais pétri de mes propres mains. » Alors Grégoire se prosterna et pria Dieu pour l'incrédulité de cette femme ; et, quand il se releva, il vit que l'hostie déposée sur l'autel s'était changée en un morceau de chair ayant la forme d'un doigt. Il montra alors cette chair à la femme incrédule, qui revint à la foi. Et le saint pria de nouveau, et la chair redevint du pain, et Grégoire la donna en communion à la femme.

XII. Certains princes ayant demandé au pape des reliques précieuses, Grégoire leur donna un petit fragment de la dalmatique de saint Jean l'Evangéliste. Or les princes, tenant une telle relique pour indigne d'eux, là rendirent dédaigneusement à saint Grégoire. Alors celui-ci, après avoir prié, perça l'étoffe avec la pointe d'un couteau ; et aussitôt un flot de sang en jaillit, attestant ainsi miraculeusement le prix de la relique.

XIII. Un riche Romain qui avait abandonné sa femme, et que Grégoire avait puni de l'excommunication, voulut se venger du pontife ; ne pouvant rien par lui-même contre lui, il s'adressa à des magiciens qui lui promirent d'envoyer un démon dans le corps du cheval de Grégoire, de façon à faire périr celui-ci. Et voici que, au moment où Grégoire montait sur son cheval, l'animal, possédé du démon, se mit à ruer si fort que personne ne parvenait à le retenir. Mais Grégoire vit aussitôt le caractère diabolique de l'entreprise ; et, d'un seul signe de croix, il apaisa la fureur du cheval, et rendit aveugles les magiciens, qui vinrent confesser leur crime et furent ensuite admis à la grâce du baptême. Grégoire refusa cependant de les guérir de leur cécité, de peur qu'ils ne revinssent à leur magie, mais il les fit nourrir, leur vie durant, aux frais de l'Eglise.

XIV. On lit encore, dans le livre que les Grecs appellent *Lymon*, le trait que voici. L'abbé du monastère fondé par saint Grégoire vint un jour dire au saint que l'un des moines avait en sa possession trois pièces d'argent. Et Grégoire, pour faire un exemple, excommunia ce moine. Or, peu de temps après, le moine mourut, et Grégoire, en apprenant sa mort, fut désolé de l'avoir laissé mourir sans absolution. Il écrivit du moins, sur une feuille de papier, un acte par lequel il absolvait le défunt de l'excommunication prononcée contre lui ; et il chargea un de ses diacres de placer ce papier sur la poitrine du moine. Et, la nuit suivante, le moine apparut à son abbé et lui dit que, depuis sa mort, il avait été tenu en prison, mais qu'il venait enfin de recevoir sa grâce.

XV. Saint Grégoire institua l'office et le chant ecclésiastiques, ainsi qu'une école de chant. Et il fit élever, à cette intention, deux maisons : l'une proche la basilique de Saint-Pierre, l'autre proche l'église de Latran. On montre aujourd'hui encore, dans l'une de ces maisons, le lit sur lequel il s'étendait pour composer ses chants, le fouet dont il menaçait les élèves de l'école, ainsi qu'un antiphonaire écrit de sa main. C'est aussi lui qui ajouta au canon de la messe les paroles suivantes : « Et nous te prions de maintenir nos jours dans ta paix, de nous sauver de la damnation éternelle, et de nous admettre dans le troupeau de tes élus ! »

Enfin saint Grégoire, après avoir siégé sur le trône de saint Pierre pendant treize ans, six mois, et dix jours, s'endormit dans le Seigneur, tout plein de bonnes œuvres. Sa mort eut lieu en l'an 604, sous le règne de Phocas.

XVI. Après sa mort, Rome et toute la région furent envahies par la famine ; et les pauvres, que Grégoire avait coutume de nourrir généreusement, venaient trouver son successeur et lui disaient : « Seigneur, notre père Grégoire avait coutume de nous nourrir, que Ta Sainteté ne nous laisse pas mourir de faim ! » Mais ces paroles irritaient le pape, qui répondait : « Grégoire a toujours eu en vue la popularité et y a tout sacrifié ; mais nous, nous ne pouvons rien pour vous ! » Sur quoi il renvoyait les pauvres sans les secourir. Alors saint Grégoire lui apparut trois fois, et le gronda doucement de sa dureté comme de son injustice. Mais le pape ne prit aucun soin de s'amender. La quatrième fois, Grégoire lui apparut avec un visage terrible et le frappa à la tête : et le pape mourut peu de temps après.

Pendant que la même famine durait encore, quelques envieux commencèrent à déprécier saint Grégoire, affirmant qu'il avait gaspillé, en prodigue, tout le trésor de l'Eglise. Et, pour s'en venger sur sa mémoire, ils engagèrent le clergé à brûler les écrits du saint. On en brûla effectivement un certain nombre ; et l'on s'apprêtait à brûler le reste, lorsque le diacre Pierre, qui avait été le familier du saint, et à qui celui-ci avait dicté les quatre livres de ses *Dialogues*, s'opposa vivement à cette destruction. Il dit d'abord qu'elle ne pouvait servir à rien, les écrits du saint s'étant répandus dans toutes les parties du monde. Et il ajouta que c'était un horrible sacrilège de détruire l'œuvre d'un homme sur la tête duquel il avait vu si souvent descendre l'Esprit-Saint sous la forme d'une colombe. Et le diacre dit que, pour attester la vérité de cette affirmation, il était prêt à mourir aussitôt ; et il déclara que, s'il n'obtenait point la mort qu'il demandait, il consentirait à ce que les livres de son maître fussent détruits. Car saint Grégoire lui avait dit que, si jamais il révélait le miracle de la sainte colombe, il mourrait sur-le-champ. Après quoi le vénérable Pierre revêtit son costume solennel de diacre, et jura, sur les saints Evangiles, la vérité de ce qu'il avait affirmé ; et, au moment où il achevait son serment, son âme s'envola au ciel sans éprouver les douleurs de la mort.

XVII. Un moine du monastère de saint Grégoire avait amassé une somme d'argent. Alors le saint apparut en rêve à un autre moine et lui dit de signifier à son compagnon qu'il eût à distribuer son pécule et à faire pénitence, faute de quoi il mourrait le troisième jour. Ce qu'entendant, le moine, épouvanté, fit pénitence et distribua son pécule. Mais il n'en fut pas moins saisi d'une fièvre si forte que, pendant trois jours, il parut sur le point de rendre l'âme. Ses frères, l'entourant, chantaient des psaumes, jusqu'à ce que, le troisième jour, s'interrompant de chanter, ils se mirent à l'accabler de reproches. Mais voici que soudain le moine, revivant, et rouvrant les yeux avec un sourire, leur dit : « Que le Seigneur vous pardonne, mes frères, de m'avoir si durement jugé ! Et si désormais vous voyez quelqu'un en train de mourir, puissiez-vous lui accorder non des reproches, mais votre compassion ! Sachez donc que je viens de passer en jugement, avec un diable pour accusateur, et que, avec l'aide de saint Grégoire, j'ai bien répondu à toutes les objections de l'ennemi, sauf à une seule, que j'ai dû reconnaître pour fondée et à cause de laquelle j'ai subi ces trois jours de tortures. Puis il s'écria : « O André, André, tu périras dès cette année, toi qui, par tes mauvais conseils, m'as exposé à un tel danger ! » Et là-dessus le moine mourut. Or il y avait à Rome un certain André qui, à l'instant même où le moine le nomma ainsi par son nom, fut atteint d'un mal épouvantable, mais sans parvenir à mourir malgré ses souffrances. Et ce malheureux ayant appelé près de lui les moines du monastère, leur avoua que, sur son conseil, le moine défunt avait volé quelques-uns des manuscrits de la bibliothèque et les avait vendus à des étrangers. Et à peine eut-il achevé cette confession qu'il ferma les yeux et rendit l'âme.

XVIII. En un temps où l'office ambrosien était encore employé dans les églises plus volontiers que l'office grégorien, le pape Adrien réunit un concile qui décida que l'office grégorien devait seul être universellement observé. Et, conformément à cette décision, l'empereur Charlemagne obligeait, par des menaces et des supplices le clergé de toutes ses provinces à employer l'office grégorien, brûlait les livres de l'office ambrosien, et mettait en prison bon nombre de prêtres qui voulaient rester fidèles à cet office. Alors l'évêque saint Eugène conseilla au pape de rappeler le concile ; et ce nouveau concile décida que le missel ambrosien et le missel grégorien seraient placés, côte à côte, sur l'autel de Saint-Pierre, que les portes de l'église seraient fermées et cachetées du sceau des évêques et du concile ; et que ceux-ci, toute la nuit, prieraient

Dieu de leur révéler, par quelque signe, lequel des deux offices devait être employé de préférence dans les églises. Et, tout cela ayant été fait, lorsqu'on rouvrit les portes de l'église, le lendemain matin, les deux missels qu'on avait laissés fermés furent trouvés tous deux également ouverts. Mais une autre version veut que le missel grégorien ait été miraculeusement divisé, et qu'on ait trouvé ses pages éparses sur l'autel, tandis que le missel ambrosien était ouvert, mais restait à la place où on l'avait mis : ce qui fut considéré comme un signe pour faire entendre que l'office grégorien devait se répandre à travers le monde, tandis que l'ambrosien devait continuer à être employé dans l'église de Saint-Ambroise. Et, en effet, c'est là ce que décidèrent les Pères du concile et qui est en usage aujourd'hui encore.

XIX. Le diacre Jean, qui a compilé la vie de saint Grégoire, raconte ceci. Un jour, pendant qu'il était occupé à son travail, un inconnu se montra devant lui, portant les signes sacerdotaux, et vêtu d'un manteau blanc si transparent qu'on voyait, par-dessous, le noir de la tunique. Cet inconnu s'approcha du diacre et éclata de rire. Et comme Jean lui demandait ce qui pouvait faire rire de la sorte un personnage aussi grave, il lui répondit : « C'est de te voir écrivant l'histoire de morts que tu n'as jamais connus de leur vivant ! » Et Jean lui dit : « Je n'ai pas connu personnellement saint Grégoire, c'est vrai, mais j'écris sur lui ce que l'on m'en a rapporté. » Et l'étranger : « Au reste, peu m'importe ce que tu fais ; mais moi, je ne cesserai pas de faire ce que je puis ! » Et, là-dessus, le voici qui éteint la lampe à la lumière de laquelle écrivait le diacre, et qui lui donne un coup si fort que le pauvre diacre s'imagine être tué. Alors se présente à lui saint Grégoire, ayant à sa droite saint Nicolas, à sa gauche le diacre Pierre ; et il lui dit : « Homme de peu de foi, pourquoi as-tu douté ? » Et comme l'inconnu se cachait sous le lit, Grégoire prend des mains de Pierre une grande torche et brûle le visage de cet inconnu au point de le rendre noir, comme un Ethiopien. Une étincelle tombe alors sur le manteau blanc et le consume ; et cet inconnu, qui n'est autre que le diable, apparaît noir comme de la suie. Et le diacre Pierre dit à saint Grégoire : « En vérité nous l'avons bien noirci ! » Et Grégoire : « Ce n'est pas nous qui l'avons noirci, nous l'avons simplement fait paraître tel qu'il était ! » Sur quoi ils s'envolent, laissant dans la cellule de Jean un grande lumière.

XLVII
SAINT LONGIN, MARTYR
(15 mars)

Longin était le centurion qui avait été chargé par Pilate d'assister, avec ses soldats, à la crucifixion du Seigneur, et qui avait percé de sa lance le flanc divin. Il se convertit à la foi en voyant les signes qui suivirent la mort de Jésus, c'est-à-dire l'éclipse du soleil et le tremblement de terre. Mais on dit que ce qui contribua surtout à le convertir fut que, souffrant d'un mal d'yeux, il toucha par hasard ses yeux avec une goutte du sang du Christ, qui découlait le long de sa lance, et recouvra aussitôt la santé. Il renonça au service militaire, se fit instruire par les apôtres, et, pendant vingt-huit ans, mena la vie monastique à Césarée de Cappadoce, faisant de nombreuses conversions par sa parole et son exemple.

Il fut amené devant le gouverneur de la province, qui, sur son refus de sacrifier aux idoles, lui fit arracher toutes les dents et couper la langue. Mais Longin ne perdit point, pour cela, le don de la parole. Saisissant une hache, il se mit à briser toutes les idoles, en disant : « Si ce sont des dieux, qu'ils le fassent voir ! » Et de toutes les idoles sortirent des démons, qui entrèrent dans le corps du gouverneur et de ses compagnons. Et Longin dit à ces démons : « Pourquoi habitez-vous dans les idoles ? » Ils répondirent : « Nous nous logeons partout où n'est pas invoqué le nom du Christ et où ne figure pas le signe de la croix ! » Cependant le gouverneur avait perdu la vue. Et Longin lui dit : « Sache, mon pauvre ami, que tu ne pourras être guéri qu'après m'avoir tué ! Mais aussitôt que tu m'auras tué je prierai pour toi, et obtiendrai la guérison de ton corps et de ton âme ! » Le gouverneur lui fit donc trancher la tête ; après quoi, se prosternant devant son cadavre, il pleura et fit pénitence ; et aussitôt il recouvra la vue et la santé ; et il acheva sa vie dans les bonnes œuvres.

XLVIII
SAINT PATRICE, ÉVÊQUE ET CONFESSEUR
(17 mars)

I. Saint Patrice vivait vers l'an du Seigneur 280. Un jour, pendant qu'il prêchait la Passion du Christ au roi d'Ecosse, il transperça par accident le pied de ce roi avec la pointe du bourdon sur lequel il s'appuyait. Et le roi se laissa faire et souffrit sans se plaindre, s'imaginant que le saint évêque l'avait blessé à dessein, et que, pour être admis à la foi du Christ, on avait d'abord à subir des souffrances pareilles à celles qu'avait subies le Christ. Et quand le saint comprit la pieuse erreur du roi, il en fut émerveillé. Il le guérit par ses prières et obtint, en outre, pour tout son royaume, que nul animal venimeux ne pût y nuire. On dit même que, grâce à saint Patrice, l'écorce du bois, en Ecosse, a le pouvoir de guérir les venins.

II. Certain homme avait volé à son voisin un mouton et l'avait mangé. Saint Patrice exhorta à plusieurs reprises le voleur, quel qu'il fût, à avouer son vol et à faire pénitence ; et comme personne ne se déclarait, il ordonna un jour, au nom de Jésus, en pleine église, que, dans le ventre du voleur, le mouton dérobé se fît connaître en bêlant. Et aussitôt le mouton se mit à bêler dans le ventre du voleur, qui avoua sa faute et fit pénitence. Et les autres habitants s'abstinrent désormais de voler.

III. Saint Patrice avait coutume de saluer pieusement toutes les croix qu'il rencontrait. Mais, un jour, il passa devant une grande et belle croix sans la voir. Ses compagnons le lui ayant fait observer, une voix sortit de terre et lui dit : « Si tu n'as pas vu cette croix, c'est que l'homme qui est enterré sous elle est un païen, et indigne de l'emblème sacré ! » Et saint Patrice fit enlever la croix, qu'on avait mise là par erreur.

IV. Prêchant en Irlande, et n'obtenant que peu de fruit de sa prédication, saint Patrice pria Dieu de se révéler aux Irlandais par quelque signe qui les effrayât et les amenât à faire pénitence. Alors, sur l'ordre de Dieu, il dessina un grand cercle avec son bâton, et aussitôt la terre s'ouvrit dans ce cercle, et un puits très profond apparut. Et saint Patrice apprit, par révélation, que ce puits conduisait à un purgatoire, et que ceux qui voudraient y descendre y expieraient leurs péchés et seraient dispensés de tout purgatoire après leur mort, mais que la plupart de ceux qui y entreraient n'en pourraient plus jamais sortir. Et quelques-uns entrèrent dans le puits, mais, en effet, ils ne revinrent plus.

Or, longtemps après la mort de saint Patrice, un noble nommé Nicolas, qui avait commis beaucoup de péchés, consentit à faire pénitence en entrant dans le purgatoire du saint. Après s'être préparé pendant quinze jours par le jeûne et la prière, il se fit ouvrir l'accès du puits, et se trouva dans un oratoire où des moines, vêtus de blanc et occupés à officier, lui dirent de s'armer de constance, car il aurait à subir, de la part du diable, de nombreuses tentations. Mais ils ajoutèrent que, au moment où il commencerait à souffrir, il ne devait pas manquer de s'écrier : « Jésus-Christ, fils du Dieu vivant, aie pitié de moi malgré mes péchés ! » Puis ces moines disparurent, et Nicolas se trouva entouré de démons qui, d'abord, essayèrent, par de douces promesses, de l'engager à leur obéir. Puis, sur son refus, il entendit des rugissements de bêtes féroces, et ce fut comme si tous les éléments se fussent bouleversés. Alors, tremblant d'épouvante, il s'écria : « Jésus-Christ, fils du Dieu vivant, aie pitié de moi malgré mes péchés ! » Et aussitôt le tumulte s'apaisa. Nicolas fut ensuite conduit dans un autre lieu où une foule de démons l'entourèrent et lui dirent : « Te figures-tu que tu puisses nous échapper ? Non, certes, et c'est à présent que nous allons commencer à te tourmenter ! » Sur quoi il se trouva devant un grand feu et les démons lui dirent : « Si tu ne cèdes pas, nous te jetterons dans ce feu ! » Et en effet ils le saisirent et le jetèrent dans le feu. Mais lui, dès qu'il sentit la flamme, il invoqua Jésus-Christ, et aussitôt le feu s'éteignit. Il fut ensuite conduit dans un autre lieu, où il vit des hommes, qu'on brûlait vifs, d'autres qu'on écrasait sur des pointes de fer rouge, d'autres qui, étendus à plat ventre, mordaient la terre en demandant grâce, pendant que des démons les rouaient de coups. A d'autres, des serpents dévoraient les membres ; à d'autres, des monstres arrachaient les entrailles avec des pointes de fer rouge. Et comme Nicolas refusait toujours d'obéir aux diables, ceux-ci se préparèrent à lui faire subir ces divers tourments. Mais, de nouveau, il invoqua Jésus, et fut délivré de ces tourments, il fut ensuite transporté dans un autre lieu où il vit des hommes qu'on enfermait dans une glacière, et où se trouvait une grande roue, portant des hommes accrochés à chacun de ses rayons ; et cette roue tournait si vite qu'elle semblait former un cercle de feu. Il vit aussi une grande maison contenant des fosses pleines de métal en fusion ; et dans ces fosses des hommes plongeaient qui un pied, qui les deux pieds, qui le corps jusqu'aux genoux, qui le corps jusqu'au ventre, qui le corps jusqu'à la poitrine, qui le corps jusqu'au cou, qui le corps jusqu'aux yeux ; et Nicolas traversait tous ces lieux en invoquant Jésus-Christ. Il vit, plus loin, un énorme trou d'où s'échappaient une fumée affreuse et une puanteur intolérable ; et des hommes s'efforçaient d'en sortir, mais les démons les y replongeaient. Et les démons dirent à Nicolas : « Ce lieu que tu vois, c'est le cercle de l'enfer qu'habite notre Seigneur Belzébuth. Et si tu refuses de nous obéir, nous te jetterons dans ce trou ; et quand tu y seras entré, jamais plus tu ne pourras en sortir ! » Nicolas resta inflexible ; et les démons le jetèrent dans le trou, et la souffrance qu'il ressentit fut si vive qu'il oublia presque d'invoquer le nom du Seigneur. Il finit cependant par s'écrier, — de cœur, n'ayant plus de voix : « Jésus-Christ, etc. » Et aussitôt il sortit du trou, et toute la foule des démons s'évanouit. Il fut ensuite conduit dans un lieu où il avait à passer sur un pont très étroit, et poli comme une glace, et sous lequel coulait un grand fleuve de soufre et de feu. Déjà il désespérait de pouvoir franchir ce pont, lorsqu'il se rappela la prière qui, bien souvent déjà, l'avait sauvé du danger. Et, posant avec confiance son pied sur le pont, il s'écria : « Jésus-Christ, aie pitié, etc. » Alors s'éleva une clameur si épouvantable que c'est à grand'peine que Nicolas s'empêcha de tomber ; mais de nouveau il invoqua Jésus, et il répéta l'invocation à chaque pas qu'il fit sur le pont, et ainsi il put traverser ce pont jusqu'au bout. Et quand il l'eut traversé, il se trouva dans une prairie d'une douceur merveilleuse, où s'épanouissaient mille variétés de fleurs admirables. Et deux beaux jeunes gens vinrent à sa rencontre et le conduisirent devant la porte d'une ville toute resplendissante d'or et de pierreries ; et de la porte de cette ville se dégageait un parfum si plaisant que Nicolas oublia, en le respirant, toutes les terreurs et toutes les souffrances où il venait d'échapper. Et les deux jeunes gens lui dirent que cette ville était le paradis. Mais comme Nicolas voulait y entrer, les deux jeunes gens lui dirent qu'il eût d'abord à rejoindre les siens sur la terre, en repassant par où il avait passé ; mais que, cette fois, les démons ne lui feraient plus aucun mal, et s'enfuiraient, épouvantés, à sa vue. Et les jeunes gens ajoutèrent que, trente jours après, Nicolas pourrait s'endormir dans le Seigneur, et devenir à jamais citoyen de la ville céleste. Alors Nicolas remonta sur la terre, à l'endroit d'où il était parti. Il fit part à tous de ce qui lui était arrivé ; et, trente jours après, il s'endormit heureusement dans le Seigneur.

XLIX
SAINT BENOIT, ABBÉ
(21 mars)

La vie de saint Benoît a été écrite par saint Grégoire.

I. Benoît était originaire de la province de Nursie, mais ses parents l'avaient conduit, tout enfant encore, à Rome, afin qu'il s'y livrât aux études libérales. Et lui, dès l'enfance, il renonça à ces études et s'enfuit de Rome, pour aller vivre au désert. Sa nourrice, qui l'aimait tendrement, le suivit jusqu'à un certain lieu appelé Œside. Là, voulant cuire du pain, elle emprunta un crible pour passer le froment ; et, comme elle avait mis ce crible sur la table, elle le fit tomber par mégarde, de telle sorte qu'il se brisa en deux. Alors Benoît, la voyant pleurer, prit les deux moitiés, fit une prière sur elles, et obtint qu'elles se rejoignissent sans trace de fracture. Puis, fuyant sa nourrice, il se réfugia dans une caverne où, pendant trois ans, il vécut ignoré de tous les hommes à l'exception d'un moine nommé Romain, qui pourvoyait à son entretien. La caverne où se trouvait Benoît étant d'un accès difficile, ce Romain attachait un pain à une longue corde, et le lançait ainsi à Benoît du haut de la montagne. Et il avait attaché à la corde une clochette dont le son avertissait le jeune ermite d'avoir à sortir pour prendre le pain. Or le vieil ennemi des hommes, voyant cela, brisa la clochette, de manière à ce que Benoît ne fût plus averti de l'arrivée de son pain. Et voilà que certain prêtre, qui se préparait à fêter le jour de Pâques, vit apparaître le Seigneur, qui lui dit : « Tu t'apprêtes là à un festin, et, au même moment, dans une caverne de la montagne, mon serviteur souffre de la faim ! » Aussitôt le prêtre se leva ; et, quand il eut enfin trouvé la retraite de Benoît, il lui dit : « Lève-toi et mangeons ensemble le repas que j'apporte, car c'est aujourd'hui la fête de Pâques ! » Et Benoît lui dit : « Oui, c'est une vraie fête, puisque j'ai le bonheur de te voir ! » Car, dans son isolement, il ne savait pas que c'était en effet le jour de Pâques. Et le prêtre lui dit : « Sache que c'est aujourd'hui vraiment le jour de la Résurrection, et que le Seigneur lui-même m'envoie vers toi pour te relever de ton abstinence ! » Après quoi, ayant béni Dieu, ils mangèrent ensemble.

Un autre jour, un merle noir se mit à voler avec insistance tout contre le visage de Benoît ; mais celui-ci fit un signe de croix, et aussitôt l'oiseau disparut. Un autre jour encore, le diable lui remit devant les yeux l'image d'une femme qu'il avait vue jadis, et alluma dans sa chair une telle convoitise que peu s'en fallut que Benoît, vaincu par la volupté, n'abandonnât sa solitude. Mais soudain, revenant à lui, il se mit à nu, se roula dans les épines et les ronces qui entouraient sa cellule, se déchira tout le corps, et fit sortir la plaie de son âme par les plaies de sa peau ; et ainsi il vainquit le péché. Et, depuis ce temps, jamais plus il ne connut la tentation charnelle.

Cependant sa renommée se répandait aux alentours. Et lorsque mourut l'abbé d'un monastère voisin, tous les moines vinrent le trouver pour le prier de se mettre à leur tête. Longtemps Benoît refusa, leur disant qu'il n'était point le chef qui leur convenait, vu leurs mœurs. Mais il finit par consentir. Et, comme il appliquait la règle avec une grande rigueur, les moines se reprochèrent de l'avoir pris pour abbé. Un jour donc ils mêlèrent du poison à son vin, et le lui offrirent au moment où il allait se coucher. Mais Benoît fit le signe de la croix, et aussitôt le vase de verre se brisa, comme cassé par une pierre. Et Benoît, comprenant que ce vase contenait un breuvage de mort, puisqu'il n'avait pu supporter le signe de la vie, se leva, avec un sourire tranquille, et dit : « Que Dieu tout-puissant vous pardonne, mes frères ! Mais ne vous l'avais-je pas dit, que vos mœurs et les miennes ne se convenaient pas ? » Et là-dessus il s'en retourna dans sa caverne, où sa sainteté s'affirma par de nombreux miracles. Les fidèles venaient à lui en si grande foule qu'il fonda douze monastères.

Dans un de ces monastères se trouvait un moine qui, pendant que ses frères priaient, sortait de la chapelle pour se livrer à des occupations temporelles. Informé de cette conduite par l'abbé du monastère, Benoît vit que ce moine, à la chapelle, était entraîné dehors par un petit nain noir, qui le tirait par le pan de sa robe. Et il dit à l'abbé et à un moine nommé Maur : « Ne voyez-vous pas cet homme qui l'entraîne ? » Ils répondirent : « Non ! » Et il leur dit : « Prions, afin que, vous aussi, vous le voyiez ! » Et ils prièrent, et alors saint Maur vit le nain, mais l'abbé ne put le voir. Le lendemain, Benoît rencontra hors de la chapelle le moine entraîné par le diable ; il le frappa de son bâton ; et, depuis lors, ce moine ne manqua plus aux offices, comme si, de son coup de bâton, Benoît avait assommé le diable qui l'entraînait.

Trois des monastères étaient placés sur une montagne escarpée ; et les moines, qui avaient à descendre jusqu'en bas pour puiser de l'eau, suppliaient Benoît de transporter ailleurs leurs monastères. Or, une nuit, Benoît gravit la montagne avec un jeune frère, pria longtemps, et posa trois pierres en un certain lieu. Et le lendemain il dit aux moines : « Allez à l'endroit où vous trouverez trois pierres, et, là, creusez le sol ! » Ils y allèrent, virent que l'eau suintait déjà du rocher, creusèrent une fosse ; et aussitôt celle-ci se remplit d'eau ; et aujourd'hui encore l'eau en jaillit en telle abondance qu'elle descend jusqu'au bas de la montagne.

Un jour, un homme fauchait les ronces près du monastère, lorsque le fer de sa faux se détacha du manche et tomba dans un abîme sans fond, ce dont l'homme s'affligea fort. Mais saint Benoît mit le manche de la faux dans le creux de la fontaine, et bientôt le fer, sortant du rocher, nagea jusqu'au manche. Une autre fois, le jeune moine Placide, pendant qu'il puisait de l'eau, tomba dans le torrent, et, en un clin d'œil, roula jusqu'au bas de la montagne.

Saint Benoît, dans sa cellule, en eut aussitôt la vision, et appelant le moine Maur, lui ordonna d'aller chercher Placide. Saint Maur, après avoir reçu la bénédiction de saint Benoît, se plongea dans le torrent, avec l'impression de marcher sur la terre ferme. Il rejoignit Placide, le retira de l'eau par les cheveux, et vint en rendre compte à saint Benoît, qui en attribua tout le mérite à l'obéissance de saint Maur.

Un prêtre, nommé Florent, jaloux du saint, empoisonna un pain et le lui envoya comme un présent. Le saint accepta l'envoi avec reconnaissance et dit à un corbeau qu'il avait l'habitude de nourrir : « Au nom de Jésus-Christ, prends ce pain et va le jeter en un endroit où aucun homme ne puisse y toucher ! » Alors le corbeau se mit à voler autour du pain avec le bec ouvert et les ailes déployées, comme expliquant qu'il aurait voulu obéir, et ne le pouvait pas. Et le saint lui disait : « Prends, ne crains rien, et fais ce que je te dis ! » Enfin le corbeau prit le pain et s'envola ; et il revint sain et sauf au bout de trois jours. Sur quoi Florent, voyant qu'il ne pouvait tuer le corps du maître, entreprit de faire périr l'âme de ses disciples. Il amena dans le jardin du monastère sept jeunes femmes nues qui chantaient et dansaient, pour engager les moines à la volupté. Ce que voyant de la fenêtre de sa cellule, Benoît craignit pour ses disciples, et, prenant avec lui quelques-uns d'entre eux, s'en alla demeurer ailleurs. Mais au moment où Florent, debout sur le seuil, se réjouissait de le voir partir, il fit un faux pas et se tua sur le coup. Alors Maur, courant vers saint Benoît, lui cria avec enthousiasme : « Reviens, car l'homme qui te persécutait vient de mourir ! » Mais, en l'entendant, Benoît soupira, désolé à la fois de la mort de son ennemi et de ce que son disciple préféré se fût réjoui de cette mort. Il infligea au moine une pénitence, et poursuivit son chemin.

Mais, en changeant de séjour, il ne changea point d'adversaire. Arrivé au mont Cassin, il transforma en une église, dédiée à saint Jean-Baptiste, un temple d'Apollon qui se trouvait là ; et il convertit à la foi les habitants du voisinage. Mais le vieil ennemi lui apparaissait tous les jours sous les formes les plus terribles, et, lançant des flammes par les yeux, lui disait : « Béni ! Béni ! » Et comme le saint ne répondait rien, le diable reprenait : « Maudit, maudit, et non Béni, pourquoi t'acharnes-tu à me persécuter ? » Un autre jour, les frères voulant soulever une pierre pour bâtir l'église, découvrirent que la pierre était si lourde qu'on ne pouvait la soulever. Alors saint Benoît fit le signe de la croix, et aussitôt il souleva la pierre avec une extrême facilité, ce qui prouva que c'était le diable qui avait pesé sur elle. Une autre fois, le diable apparut à saint Benoît et l'informa qu'il se rendait auprès des frères occupés à construire l'église. Aussitôt Benoît envoya à ceux-ci un novice pour leur dire : « Frères, soyez prudents, car le méchant esprit est près de vous ! » Et à peine le messager leur avait-il dit ces paroles, que le diable fit tomber un pan de mur, qui écrasa sous sa chute le pauvre novice. Mais saint Benoît se fit apporter le mort, tout meurtri, dans un sac, et, ayant prié sur lui, le ressuscita.

Un laïc pieux venait tous les ans voir saint Benoît ; et il avait coutume de faire la route à jeun, par manière de mortification. Or, un jour, un voyageur inconnu se joignit à lui ; et, comme l'heure s'avançait, cet inconnu montra au pèlerin des provisions qu'il portait, et lui dit « Frère, restaurons-nous, pour ne pas être trop fatigués ! » Deux fois l'étranger fit cette offre au pèlerin, qui persista dans son abstinence. Mais une troisième fois, comme on s'était assis dans une belle prairie auprès d'une source, le pèlerin, exténué, finit par se laisser tenter. Et Benoît, dès qu'il le vit entrer chez lui, lui dit : « Hé bien, mon frère, le méchant ennemi a échoué deux fois à te persuader, mais la troisième fois il y a réussi ! » Et le pèlerin, tout honteux, se jeta aux pieds du saint.

Totila, roi des Goths, voulut savoir si saint Benoît avait vraiment le don de vision. Il imagina donc d'envoyer au saint, avec une grande pompe, un de ses écuyers, revêtu du manteau royal. Et le saint, en l'apercevant, lui cria : « Mon fils, ôte tout ce que tu portes là sur toi, car cela ne t'appartient pas ! » Et l'écuyer se dévêtit aussitôt de son appareil royal, épouvanté d'avoir osé tendre un piège à un tel homme.

Un clerc qui était possédé du démon fut amené à saint Benoît, qui le guérit et lui dit : « Va, mais garde toi de manger de la viande et aussi d'entrer dans les saints ordres ; car le jour où tu entreras dans les ordres, le diable reprendra ses droits sur toi. » Et le clerc suivit longtemps cette recommandation ; mais un jour, dépité de voir promus aux ordres sacrés des clercs plus jeunes et moins dignes que lui, il oublia l'avis de saint Benoît et reçut les ordres ; et aussitôt le diable recommença à le tourmenter et ne le lâcha plus qu'il n'eût causé sa mort.

Un homme envoya à saint Benoît deux flacons de vin ; mais l'enfant qui les portait en cacha un sur la route, et ne donna que l'autre au saint. Celui-ci reçut le flacon avec reconnaissance, et, au moment où l'enfant repartait, il lui dit : « Mon fils, garde-toi de boire du flacon que tu as caché, mais penche-le avec précaution et tu verras ce qu'il contient ! » L'enfant, confus, s'enfuit au plus vite, et, arrivé auprès du flacon, le pencha avec précaution ; et il en vit sortir un affreux serpent.

Un soir, comme saint Benoît mangeait son souper, un moine, qui était fils d'un sénateur, fut chargé de le servir et de lui tenir la lumière. Et ce jeune homme se dit : « Qui est cet homme, pour que je le serve à table et lui tienne la lumière ? » Et aussitôt le saint lui dit : « Sonde ton cœur, mon fils, sonde ton cœur ! » Puis, appelant ses frères, il fit enlever la lampe des mains du jeune moine et ordonna à celui-ci de s'enfermer dans sa cellule.

Un certain Goth nommé Galla, et qui appartenait à l'hérésie arienne, brûlait d'une haine si féroce contre les religieux catholiques, qu'il tuait tous les clercs ou moines qu'il rencontrait. Un jour cet homme avait envahi les biens d'un paysan et torturait celui-ci des pires supplices ; alors le paysan déclara qu'il avait mis sa personne et ses biens sous la protection de Benoît. Sur quoi Galla fit surseoir au supplice du paysan, mais lui fit lier les mains et lui ordonna de marcher devant lui, pour lui montrer ce Benoît à qui il avait cédé ses biens. Et le paysan le conduisit au monastère de saint Benoît, et lui montra celui-ci occupé à lire tranquillement dans sa cellule. Galla, dans sa folle fureur, cria au saint : « Allons, lève-toi, et restitue à ce paysan les biens qu'il t'a confiés ! » Au son de cette voix inconnue, saint Benoît leva les yeux ; et, au moment où son regard s'arrêtait sur le paysan, les fortes courroies qui liaient les mains de celui-ci se rompirent d'un seul coup. Et Galla, effrayé d'un tel miracle, se jeta aux pieds du saint, se recommandant à ses prières. Mais le saint ne se leva point de sa lecture ; il se borna à appeler des frères, et les chargea d'emmener Galla dans la chapelle, pour qu'il reçût la bénédiction. Et lorsque le Goth revint auprès de lui, il l'engagea à se relâcher de sa folle cruauté. Et Galla, avant de repartir, promit de ne jamais rien exiger du paysan, que le saint avait délivré par son seul regard.

Une grande famine désolait toute la Campanie ; et, dans le monastère de saint Benoît, les frères s'aperçurent un jour qu'ils ne possédaient plus que cinq pains. Mais saint Benoît, les voyant affligés, leur adressa une indulgente admonestation pour les corriger de leur pusillanimité ; après quoi, pour les consoler, il leur dit : « Comment pouvez-vous être en peine d'une chose aussi peu importante ? Aujourd'hui le pain manque, mais rien ne vous prouve que demain vous n'en aurez pas en abondance ! » Or, le lendemain, on trouva devant les portes de la cellule de saint Benoît deux cents muids de farine, sans qu'on puisse savoir, aujourd'hui encore, à quel messager Dieu a confié le soin de les apporter. A la vue de ce miracle, les frères, rendant grâces à Dieu, apprirent à ne plus désespérer parmi la disette.

On amena un jour à saint Benoît un enfant atteint du mal éléphantin, au point que ses cheveux tombaient et que toute la peau de son crâne enflait ; et à ce mal se joignait une faim que rien ne pouvait apaiser. Mais le saint le guérit aussitôt ; et, par la suite, cet enfant persévéra dans les bonnes œuvres jusqu'au jour où il s'endormit dans le Seigneur.

Envoyant deux frères en un certain lieu où il voulait faire construire un monastère, saint Benoît leur promit de venir les y rejoindre, à une date déterminée, pour leur donner ses instructions. Or, dans la nuit du jour où il leur avait promis de les rejoindre, les deux frères le virent en rêve, et entendirent qu'il leur donnait diverses instructions. Mais ils refusèrent d'attacher de l'importance à un rêve, et, après avoir vainement attendu saint

Benoît, ils revinrent vers lui et lui dirent : « Père, nous t'avons attendu suivant ta promesse, et tu n'es pas venu ! » Et le saint : « Que dites-vous là, mes frères ? Ne me suis-je pas montré à vous et ne vous ai-je pas donné toutes mes instructions ? Allez, et faites ce que je vous ai prescrit dans votre rêve ! »

Non loin du monastère de saint Benoît vivaient deux religieuses de famille noble, qui avaient le malheur de ne pas savoir retenir leur langue, et qui, par leurs bavardages, fâchaient souvent leur confesseur. Celui-ci se plaignit d'elles à saint Benoît, qui leur fit dire : « Retenez votre langue, ou bien je vous excommunierai ! » Il n'avait fait cette menace que pour les corriger ; mais elles, sans se corriger, moururent toutes deux peu de temps après, et furent ensevelies dans la chapelle de leur couvent. Et là, à la messe, au moment où le diacre prononçait les paroles : « *Que celui qui n'est pas admis à la communion s'en aille !* » la nourrice de ces deux femmes les vit, plusieurs fois de suite, se dresser dans leurs tombeaux et sortir de l'église. Et lorsque saint Benoît en fut informé, il dit : « Offrez de ma part cette offrande pour elles, et leur excommunication sera levée ! » Ainsi fut fait ; et, depuis lors, les deux femmes ne sortirent plus de leurs tombeaux.

Un moine, étant allé voir ses parents sans avoir reçu la bénédiction, mourut pendant qu'il était chez eux. On l'ensevelit ; mais, à deux reprises, la terre rejeta son cadavre. Alors les parents vinrent prier saint Benoît d'intervenir. Et le saint, prenant une hostie consacrée, leur dit : « Mettez ceci sur la poitrine de votre fils avant de l'ensevelir de nouveau ! » Les parents firent ainsi, et la terre ne rejeta plus le cadavre.

Un moine, qui s'ennuyait au monastère, importuna si fort saint Benoît de ses doléances, que le saint, irrité, lui permit de s'en aller. Mais le moine, à peine sorti du monastère, rencontra un dragon qui, la gueule ouverte, voulait le dévorer. Et il se mit à crier au secours. Les frères accoururent et ne virent point trace de dragon, mais ramenèrent dans sa cellule le moine, tout tremblant, qui promit bien de ne plus s'en aller.

Pendant une famine qui désolait la région, saint Benoît fit donner aux pauvres tout ce que l'on pouvait trouver, de telle sorte que rien ne resta plus au monastère, qu'un peu d'huile dans un vase de verre. Et cette huile aussi, saint Benoît ordonna au frère économe de la donner à un pauvre. Mais l'économe refusa d'obéir, afin que, du moins, cette huile restât pour les frères. Ce qu'apprenant, saint Benoît la fit jeter par la fenêtre, ne voulant point que quelque chose restât au monastère qui fût le produit de la désobéissance. Mais le vase eut beau tomber sur d'énormes rochers, il ne se brisa point, et pas une seule goutte d'huile ne se répandit. Saint Benoît fit alors reprendre le vase et le fit donner au pauvre. Et aussitôt un grand tonneau, qui était dans la cave du monastère, se remplit d'huile, à tel point que tout le pavé en fut inondé.

Saint Benoît était un jour allé voir sa sœur et avait dîné avec elle ; mais, malgré les supplications de sa sœur, il avait refusé de passer la nuit sous son toit. Et sa sœur pria Dieu avec force larmes, et aussitôt une pluie torrentielle succéda au beau temps, de façon qu'on ne pouvait songer à sortir, même pour faire un pas. Et saint Benoît, contristé, dit : « Dieu te pardonne, ma sœur, qu'as-tu fait là ? » Et la sœur : « Je t'ai prié, et tu as refusé de m'entendre ; alors j'ai prié Dieu et il m'a entendue ! Il a changé mes larmes en pluie pour te forcer à rester près de moi. » Et, en effet, le saint passa la nuit près d'elle, et jusqu'au matin tous deux s'entretinrent des choses sacrées. Or, voici que, trois jours après, saint Benoît, dans sa cellule, vit l'âme de sa sœur montant au ciel sous la forme d'une colombe. Il fit transporter son corps au monastère, et l'ensevelit dans le tombeau qu'il avait préparé pour elle.

Une nuit, saint Benoît, debout à la fenêtre de sa cellule, vit une grande lumière se substituer aux ténèbres. Et il aperçut, dans un rayon plus éclatant que tous ceux du soleil, l'âme de l'évêque de Capoue, Germain, qu'on emportait au ciel. Il comprit aussitôt que cette âme venait de quitter le corps de l'évêque ; et, en effet, saint Germain était mort en ce même instant.

L'année de sa mort, saint Benoît annonça à ses frères qu'il allait mourir. Et six jours avant sa fin, il se fit creuser sa fosse. Le lendemain, une fièvre le saisit, qui alla tous les jours s'aggravant. Le sixième jour, il se fit transporter à la chapelle et reçut le corps du Seigneur en manière de viatique. Puis, soutenu par ses disciples, il se tint debout, les mains levées au ciel, et rendit le dernier soupir au milieu d'une prière.

II. Or, ce même jour, deux frères, dont l'un était enfermé dans sa cellule, et dont l'autre se trouvait très loin, eurent tous deux la révélation de la mort du saint. Car ils virent une voie lumineuse qui, partant de la cellule de saint Benoît, montait à l'orient jusqu'au ciel. Et un inconnu leur demanda ce qu'était cette voie. Et comme tous deux répondaient qu'ils l'ignoraient, l'inconnu leur dit : « Sachez donc que c'est la voie par laquelle le bienheureux Benoît monte au ciel ! »

Il fut enseveli dans l'oratoire de Saint-Jean-Baptiste, qu'il avait fait construire sur les ruines d'un temple d'Apollon. Il florissait vers l'an du Seigneur 518, au temps de Justin l'Ancien.

L
SAINT TIMOTHÉE, PRÊTRE ET MARTYR
(24 mars)

Saint Timothée était d'Antioche ; mais c'est à Rome que se fête l'anniversaire de sa naissance, parce que c'est dans cette ville qu'il fut ordonné prêtre, sous le pape Melchiade, par Sylvestre, qui devint plus tard évêque de Rome. Et Sylvestre non seulement l'ordonna prêtre et le reçut dans sa maison, mais il ne craignit pas de louer en public sa vie et sa doctrine. Pendant un an et trois mois, Timothée enseigna la vérité du Christ, faisant de nombreuses conversions ; après quoi, Dieu l'ayant jugé digne du martyre, il fut pris par les païens, livré au préfet Tarquin, soumis à un long emprisonnement et à mille tortures, et enfin, en bon athlète de Dieu, décapité en compagnie d'assassins. La nuit suivante, saint Sylvestre emporta son corps dans sa maison, où il manda aussitôt l'évêque Melchiade. Celui-ci vint avec ses prêtres et diacres, passa toute la nuit en prières auprès du corps, et consacra ainsi son martyre. Le lendemain, une pieuse femme nommée Théone demanda au pape susdit de pouvoir enterrer Timothée dans son jardin, à côté du lieu où reposait l'apôtre Paul : s'offrant, si on lui donnait le corps, à lui élever à ses frais un tombeau. Et les chrétiens accueillirent sa demande d'autant plus volontiers qu'ils étaient heureux de voir enseveli à côté de saint Paul ce martyr, qui avait été jadis le disciple du grand apôtre.

LI
L'ANNONCIATION
(25 mars)

I. La fête de l'Annonciation célèbre le souvenir du jour où un ange a annoncé l'avènement du fils de Dieu dans la chair.

La Vierge était restée, depuis sa troisième année jusqu'à sa quatorzième, dans le temple avec les autres vierges. Puis, sur la révélation de Dieu, elle avait été fiancée à Joseph, et celui-ci s'était rendu à Bethléem, d'où il était originaire, afin de préparer les choses nécessaires pour les noces. Et Marie, pendant ce temps, était revenue dans la maison de ses parents, à Nazareth. C'est là que l'ange Gabriel lui apparut, et la salua, en lui disant : « Je vous salue, Marie, pleine de grâce, le Seigneur est avec vous, vous êtes bénie entre toutes les femmes ! » Ce qu'entendant, Marie fut profondément troublée des paroles de l'ange et se demanda ce que signifiait cette salutation. Notons à ce propos qu'elle fut troublée des paroles de l'ange, non de sa vision : car souvent elle voyait des anges. Et l'ange, la réconfortant, lui dit : « Ne craignez pas, Marie, car vous avez trouvé grâce auprès du Seigneur. Voici que vous allez concevoir et mettre au monde un fils, qui s'appellera Jésus, c'est-à-dire le Sauveur, parce qu'il sauvera son peuple de ses péchés. » Et Marie dit à l'ange : « Comment sera-ce possible, puisque je ne connais aucun homme ? » Elle voulait dire par là : « Puisque je suis résolue à ne point connaître d'homme ! » Et l'ange, répondant, lui dit : « L'Esprit-Saint surviendra en vous, et vous fera concevoir. » Alors Marie, étendant les mains et levant les yeux au ciel, dit : « Me voici, la servante du Seigneur ! Que me soit fait suivant ta parole ! » Puis, se relevant, elle se rendit sur la montagne, auprès d'Elisabeth ; et comme elle la saluait, l'enfant saint Jean bondit de joie dans le ventre de sa mère.

II. Un soldat riche et noble avait renoncé au siècle et était entré dans l'Ordre de Cîteaux. Mais il était si illettré que les moines, rougissant de son ignorance, chargèrent un maître de lui donner des leçons. Or il eut beau recevoir des leçons ; il ne put rien apprendre que deux mots : *Ave Maria*, qu'il allait répétant toute la journée. Quand il mourut, et qu'on l'ensevelit avec les autres frères, voici que sur sa tombe poussa un lys magnifique, qui portait inscrit sur chacune de ses feuilles en lettres d'or : *Ave Maria*. Les frères, étonnés d'un si grand miracle, enlevèrent la terre du tombeau, et virent que le lys prenait sa racine dans la bouche du mort. Ainsi ils comprirent avec quelle dévotion il avait dit ces deux mots.

III. Un brigand s'était construit une forteresse au bord d'une route, et dépouillait sans miséricorde tous les passants ; mais il récitait tous les jours la Salutation Angélique, sans qu'aucun empêchement pût l'y faire manquer. Un jour vint à passer un saint moine, que les compagnons du brigand se mirent en devoir de dépouiller : mais l'homme de Dieu leur demanda à être conduit près de leur chef, disant qu'il avait un secret à lui communiquer. Amené en présence du brigand, il demanda à celui-ci de réunir tous les habitants de la forteresse, afin qu'il leur prêchât la parole de Dieu. Mais, lorsqu'ils furent assemblés, le religieux dit : « Vous n'êtes pas tous là ; quelqu'un manque ! » Et comme on lui disait que personne ne manquait : « Cherchez bien, » reprenait-il ; « vous verrez qu'il manque quelqu'un ! « Alors un des brigands s'écria : « En effet, un des valets n'est pas ici ! » Et le moine : « C'est précisément lui que j'attends. » On l'envoya donc chercher, mais, à la vue de l'homme de Dieu, il roula des yeux effrayés, se démena comme un insensé, et refusa d'approcher. Et l'homme de Dieu lui dit : « Au nom de Notre-Seigneur Jésus-Christ je t'adjure de dire qui tu es et pourquoi tu es venu ici ! » Le valet répondit : « Puisque je suis forcé de parler, sachez que je ne suis pas un homme, mais un démon, qui, sous forme humaine, demeure depuis quatorze ans auprès de ce brigand. Notre chef m'avait envoyé auprès de lui pour guetter le jour où il négligerait de réciter la Salutation Angélique ; car, ce jour-là, il nous aurait appartenu, et j'avais ordre de l'étrangler sur-le-champ. Seule, cette prière quotidienne l'empêchait de tomber en notre pouvoir. Mais j'ai eu beau le guetter : pas une fois il n'a manqué à la réciter. » Ce qu'entendant, le brigand, stupéfait, tomba aux pieds de l'homme de Dieu, demanda son pardon, et se convertit désormais à une vie meilleure.

LII
LA PASSION DE NOTRE-SEIGNEUR

La passion du Christ fut, en premier lieu, ignominieuse. Elle eut lieu sur le mont du Calvaire, où l'on châtiait les malfaiteurs. Elle eût lieu au moyen de la croix, qui était le supplice le plus honteux de tous. Et elle eut lieu dans une compagnie ignominieuse, puisque le Christ fut crucifié entre deux larrons. L'un d'eux, celui qui était à droite, et s'appelait Dismas (d'après l'évangile de Nicodème), se convertit et fut sauvé ; l'autre, appelé Gesmas, fut damné pour l'éternité.

En second lieu, la passion du Christ fut injuste : car il n'avait point péché, et l'on n'avait point trouvé de ruse dans sa bouche. On l'accusait surtout de trois choses : de s'opposer à ce qu'on payât le tribut, de se dire roi, et de se prétendre le Fils de Dieu.

En troisième lieu, la passion de Christ fut d'autant plus douloureuse qu'elle lui fut infligée par les hommes de sa race, qui auraient dû être ses amis, et à qui il avait rendu d'innombrables services.

En quatrième lieu, la passion du Christ fut douloureuse à cause de la délicatesse de son corps, et parce qu'il eut à la subir en chacun de ses sens. Il la subit en effet dans les yeux, car il pleura. (Il pleura deux autres fois, en voyant pleurer la famille de Lazare, et en prévoyant la ruine de Jérusalem : mais, dans le premier cas, ce furent des larmes d'amour, dans le second des larmes de pitié, tandis que les larmes de sa passion furent des larmes de douleur.) Il subit sa passion dans son ouïe, car il eut à entendre toutes sortes d'opprobres et de blasphèmes. Il eut à la subir dans son odorat : car le calvaire où il fut crucifié était infecté de la puanteur des cadavres qu'on y laissait après le supplice. Il subit la passion dans son goût : car, ayant demandé à boire, il obtint du vinaigre mêlé de myrrhe et de fiel. Le vinaigre, dit-on, faisait mourir plus vite les crucifiés ; le fiel avait pour objet de faire souffrir Jésus dans son goût. Et Jésus subit la passion dans son toucher : car il n'y eut pas une partie de son corps depuis la plante des pieds jusqu'au haut de la tête, qui n'eût à souffrir de la cruauté des bourreaux.

Mais autant cette passion fut douloureuse pour le Christ, autant pour nous elle fut fructueuse. Et son utilité est triple, à savoir par la rémission des péchés, la collation de la grâce, et la démonstration de la gloire céleste.

La passion du Christ eut trois auteurs, qui tous furent justement punis de leurs crimes. C'est d'abord Judas, qui livra le Christ par avidité, puis les Juifs, qui le livrèrent par envie, enfin Pilate, qui le livra par lâcheté. Mais le récit du châtiment de Judas se trouve dans l'histoire de saint Mathias, celui du châtiment des Juifs, dans l'histoire de saint Jacques le Mineur. Quant au châtiment et à toute la vie de Pilate, le récit suivant nous en est donné par une histoire, qui est, en vérité, apocryphe.

Un roi nommé Tyrus, ayant séduit une jeune fille nommée Pyla, fille d'un meunier nommé Atus, eut d'elle un fils ; et Pyla donna à son fils un nom composé du sien propre et du nom de son père, à savoir Pylatus. Et lorsque Pilate eut trois ans, sa mère le transmit au roi, qui le donna pour compagnon de jeux à son fils légitime, à peu près du même âge. Mais le fils légitime, de même qu'il était plus noble de naissance que Pilate, était encore plus habile que lui à tous les exercices de son âge : de telle sorte que Pilate, miné par la jalousie jusqu'à ressentir une douleur dans le foie, tua son frère. Ce qu'apprenant, le roi convoqua son assemblée pour la consulter sur ce qu'il devait faire du meurtrier. Tous furent d'avis de le mettre à mort ; mais le roi, rentrant en lui-même, ne voulut point doubler un crime d'un autre crime, et envoya son fils à Rome, en otage du tribut annuel qu'il devait à l'empire.

Or se trouvait à Rome, en même temps, le fils du roi de France, envoyé de la même façon, en otage. Pilate l'eut pour compagnon, et, le voyant supérieur à lui tant pour les mœurs que pour le talent, en fut jaloux et le tua. Et comme les Romains se demandaient ce qu'ils pourraient faire de lui, ils se dirent : « Un gaillard qui a déjà tué son frère et son compagnon peut être très utile à la république pour dompter ses ennemis ! » Ils l'envoyèrent donc, en qualité de juge, dans l'île de Pont, dont les habitants ne pouvaient supporter aucun juge. Et Pilate, sachant que sa vie était l'enjeu de ses succès, fit si bien, par les promesses et les menaces, par les récompenses et les supplices, qu'il dompta cette race, qu'on croyait indomptable. En souvenir de quoi il fut appelé Pilate le Pontien ou Ponce Pilate.

Or Hérode, en apprenant l'habileté de cet homme, l'invita à venir à Jérusalem, et lui transmit son pouvoir sur les Juifs. Mais Pilate, plus tard, obtint de Tibère, à force d'argent, de remplacer Hérode dans toute son autorité : ce qui eut pour effet de brouiller Pilate et Hérode, jusqu'au jour où celui-ci, pour se réconcilier, envoya à Pilate Notre-Seigneur Jésus.

Lorsque Pilate eut transmis Jésus aux Juifs pour le crucifier, il craignit que l'empereur Tibère ne s'offensât de ce qu'il avait condamné le sang innocent, et, pour se justifier, il envoya à l'empereur un de ses familiers. Tibère souffrait alors d'une grave maladie, et comme on lui disait qu'il y avait à Jérusalem un médecin qui, d'un seul mot, guérissait toutes les maladies, l'empereur (ignorant que ce médecin venait d'être mis à mort par Pilate), dit à un de ses familiers, nommé Volusien : « Va vite au-delà des mers, et dis à Pilate de m'envoyer ce médecin ! » Volusien se mit en route ; mais Pilate, effrayé, demanda un délai de quatorze jours.

Pendant ce temps Volusien, ayant rencontré une femme nommée Véronique, qui avait connu Jésus, lui demanda où il pourrait trouver celui-ci. Et Véronique lui dit : « Hélas, Jésus était mon maître et mon Dieu, mais Pilate, par envie, l'a condamné et fait crucifier ! » Volusien fut désolé et dit : « Je regrette de ne pouvoir pas accomplir l'ordre de mon maître. » Et Véronique : « Comme Jésus était toujours en route pour prêcher, et que sa présence me manquait fort, je me rendis un jour chez un peintre pour qu'il me fît son portrait, sur une toile que je lui portais. Or le Seigneur, m'ayant rencontrée, et ayant su où j'allais, appuya ma toile contre sa face, et je vis que son image s'y était gravée. Que si l'empereur ton maître regarde pieusement cette image, il sera aussitôt guéri. » Et Volusien : « Peut-on acquérir cette image pour de l'or ou de l'argent ? » Et Véronique : « Non, mais on peut en acquérir le bénéfice par une piété sincère. Je vais aller à Rome avec toi, je montrerai l'image à César, et puis je reviendrai ici ! » Ainsi fut fait, et Volusien dit à Tibère : « Ce Jésus que tu désirais voir a été injustement condamné et crucifié par Pilate et les Juifs. Mais j'ai amené avec moi une femme qui possède une image de Jésus, et qui dit que, si tu regardes cette image avec dévotion, tu recouvreras bientôt la santé. » Alors Tibère fit tendre tout le chemin d'étoffes de soie, et se fit présenter l'image et, dès qu'il l'eut regardée, il recouvra la santé.

Ponce Pilate fut alors conduit à Rome, et Tibère, furieux, ordonna qu'on le fît venir devant lui. Mais Pilate avait pris la précaution de revêtir la tunique sans couture de Nôtre-Seigneur : de telle sorte que Tibère, en le voyant, oublia toute sa fureur, et ne put s'empêcher de le traiter avec déférence. A peine l'eut-il congédié, que sa fureur le ressaisit de plus belle : mais, chaque fois qu'il le revoyait, sa fureur tombait, au grand étonnement de tous. Enfin, sur l'ordre de Dieu, et peut-être sur le conseil d'un chrétien, Tibère fit dépouiller Pilate de sa tunique, et, pouvant désormais s'abandonner à sa fureur contre lui, il le fit jeter en prison pour y attendre la mort honteuse qu'il lui réservait. Ce qu'apprenant, Pilate prit son couteau et se tua. Son cadavre fut attaché à une grosse pierre et lancé dans le Tibre ; mais les esprits malins et sordides s'emparèrent avec joie de ce corps malin et sordide ; tantôt le plongeant dans l'eau, tantôt le ravissant dans les airs, ils causaient d'innombrables inondations, tempêtes, etc., dont tout le monde était effrayé. Aussi les Romains retirèrent-ils du Tibre ce cadavre malfaisant et l'envoyèrent-ils à Vienne, par dérision, pour y être plongé dans le Rhône, car le nom de Vienne provient de *Via gehennæ*, qui veut dire : Voie de la malédiction. Mais, là encore, les mauvais esprits recommencèrent leurs tours, si bien que les habitants de Vienne, pressés de se défaire de ce vase de malédiction, l'ensevelirent sur le territoire de la ville de Lausanne. Mais les habitants de cette ville, voulant eux aussi s'en débarrasser, le jetèrent au fond d'un puits entouré de hautes montagnes, et l'on dit que, aujourd'hui encore, on voit bouillonner, en ce lieu, des machinations diaboliques.

Tel est le récit qu'on lit dans la susdite histoire apocryphe : je laisse au lecteur le soin de juger du degré de confiance qu'il mérite. Et je dois ajouter que, d'après l'*Histoire scholastique*, Pilate fut accusé par les Juifs, devant Tibère, d'avoir permis le massacre des Innocents, et d'avoir fait placer dans les temples des images païennes, et d'avoir affecté à son usage personnel l'argent déposé dans les troncs : toutes accusations qui lui valurent d'être exilé à Lyon, d'où il était originaire, et où il est mort, l'opprobre de sa race. D'autre part Eusèbe et Bède, dans leur chronique, ne parlent point de son exil, mais disent seulement que, accablé de justes calamités, il se tua de ses propres mains.

LIII
LA RÉSURRECTION DE NOTRE-SEIGNEUR

La résurrection du Christ eut lieu le troisième jour après sa mort. Elle eut lieu sans que le sépulcre s'ouvrît. Car de même que Nôtre-Seigneur a pu sortir du ventre de sa mère sans que celui-ci s'ouvrît, de même qu'il a pu entrer auprès de ses disciples sans que la porte s'ouvrît, de même il a pu se relever de son sépulcre sans que celui-ci s'ouvrît. On lit à ce propos, dans l'*Histoire scholastique*, que, l'an du Seigneur 505, un moine de Saint-Laurent Hors les Murs eut un jour la surprise de voir sa ceinture se projeter devant lui sans être dénouée ni rompue ; et qu'il entendit, au même moment, une voix lui disant : « C'est ainsi que le Christ a pu sortir de son sépulcre sans que celui-ci s'ouvrît. »

Le Christ est ressuscité avec son corps propre et réel.

Nous avons, de cela, cinq preuves : 1° la parole de l'ange, qui ne saurait mentir ; 2° les fréquentes apparitions du Christ ; 3° le fait qu'il a mangé avec ses disciples ; 4° le fait qu'il s'est laissé toucher, ce qui prouve que son corps était véritable ; 5° le fait qu'il a montré ses cicatrices, ce qui prouve que ce corps était le même qui avait subi la passion. Et toutes ces preuves nous portent à croire que les disciples ont eu des doutes sur la réalité de la résurrection corporelle du Christ.

Saint Denis rapporte, dans son épître à Démophile, que le Christ, après son Ascension, est apparu à un saint homme nommé Carpe et lui a dit : « Je suis prêt à souffrir de nouveau pour le salut des hommes. » C'est ce même Carpe qui, voyant un chrétien perverti par un infidèle, en eut tant de chagrin qu'il en devint malade. C'était un homme d'une telle sainteté, que jamais il ne célébrait la messe sans être honoré d'une vision divine. Et comme il devait prier pour la conversion des deux infidèles, il ne pouvait s'empêcher de demander en même temps que le feu du ciel s'abattît sur eux et mît fin au scandale de leur vie. Or, à minuit, pendant qu'il exprimait ce vœu, la maison où il était lui apparut divisée en deux ; et au milieu était une immense fournaise, tandis qu'au-dessus, dans le ciel ouvert, Jésus trônait entouré de la multitude des anges. Puis, tout près de la fournaise, vinrent se placer en tremblant les deux infidèles ; des serpents s'efforçaient, en les mordant et en les entourant, de les entraîner, de force, dans la fournaise ; et il y avait là des hommes qui les y poussaient aussi. Et Carpe fut si ravi de ce châtiment qu'il oublia de regarder la vision supérieure, regrettant seulement que les deux pécheurs tardassent aussi longtemps à tomber dans la fournaise. Or, lorsque enfin il se décida à relever la tête, il vit que Jésus, ayant pitié des deux malheureux, se levait de son trône céleste, descendait vers eux avec la multitude des anges, leur tendait la main, et les sauvait de la fournaise. Après quoi Jésus dit à Carpe : « Frappez-moi encore, je suis prêt à souffrir de nouveau pour sauver les hommes ! »

Le Christ ressuscité est apparu cinq fois le jour même de sa résurrection, et cinq fois encore durant les jours suivants : 1° il apparut d'abord à Marie-Madeleine, afin de montrer qu'il était mort pour sauver les pécheurs ; 2° il apparut ensuite aux femmes qui revenaient du tombeau ; 3° il apparut ensuite à Simon, mais sans qu'on sache où ni à quel moment ; 4° il apparut ensuite aux disciples allant à Emmaüs ; 5° il apparut aux disciples réunis ; 6° le jour de l'octave de sa résurrection, le Christ apparut aux disciples réunis, en présence de Thomas, qui avait dit qu'il ne croirait que quand il verrait ; 7° il apparut à ses disciples occupés à pêcher le poisson ; 8° il leur apparut sur le mont Thabor ; 9° il leur apparut pendant qu'ils étaient couchés dans le cénacle, et les blâma de leur crédulité et de la dureté de leur cœur ; 10° enfin il leur apparut sur le mont des Oliviers au moment de son ascension.

Et il y a encore trois autres apparitions qui nous sont rapportées comme s'étant produites le jour de sa résurrection, mais, de celles-là, les textes saints ne font point mention : 1° il apparut à Jacques, fils d'Alphée, ainsi qu'on le trouvera exposé dans l'histoire de ce saint ; 2° d'après l'Evangile de Nicodème, il apparut à Joseph d'Arimathie. Nous lisons, en effet, dans cet évangile que les Juifs, en apprenant que Joseph avait réclamé le corps de Jésus et l'avait placé dans son monument, s'emparèrent de lui et l'enfermèrent dans une chambre soigneusement scellée, avec l'intention de le mettre à mort après le sabbat ; et voilà que Jésus, la nuit même de sa résurrection, fit soulever par quatre anges la maison où était enfermé Joseph, s'approcha de celui-ci, lui donna un baiser, et, l'emmenant avec, lui, le reconduisit dans sa maison d'Arimathie ; 3° enfin on croit généralement que le Christ est apparu, en premier lieu, à la Vierge Marie. Les évangélistes, en vérité, n'en disent rien ; mais si l'on devait interpréter leur silence comme une négation, on devrait en conclure que, pas une seule fois, le Christ ressuscité ne serait apparu à sa mère.

On sait que, dans l'intervalle de sa passion et de sa résurrection, le Christ est descendu dans les limbes, pour y faire sortir les saints Pères qui y attendaient sa venue. L'Evangile ne nous donne aucun détail sur cette descente aux limbes ; mais nous en trouvons un récit, d'ailleurs très sujet à caution, dans l'évangile de Nicodème. D'après ce livre, deux fils du vieux Siméon, Carin et Leucius, ressuscitèrent avec le Christ, et se montrèrent à Anne, à Caïphe, à Nicodème, à Joseph d'Arimathie et à Gamaliel. Et comme on leur demandait ce que le Christ avait fait, aux enfers, ils répondirent : « Pendant que nous étions plongés dans les ténèbres, en compagnie de nos pères les patriarches, soudain une lumière d'or et de pourpre nous a environnés. » Aussitôt Adam, le père du genre humain, s'est écrié joyeusement : « Cette lumière est celle de l'auteur de toute lumière, qui nous a promis de nous envoyer sa lumière éternelle ! » Puis Isaïe s'est écrié : « Ceci est le Fils de Dieu, lumière du Père, de même que je l'ai prédit de mon vivant, quand j'ai dit que le peuple, qui marchait dans les ténèbres, verrait une grande lumière. » Puis est survenu notre père Siméon qui a dit : « Glorifiez le Seigneur, que j'ai tenu enfant dans mes mains, et de qui j'ai dit, sous la dictée de l'Esprit-Saint : maintenant mes yeux ont vu cela. » Puis est survenu un ermite qui nous a dit : « Je suis Jean, qui ai baptisé le Christ, et lui ai préparé les voies, et qui l'ai désigné du doigt en disant : voici l'Agneau de Dieu ! Je suis descendu ici aujourd'hui pour vous annoncer que le Christ va bientôt venir près de vous. » Puis Seth dit : « Comme je me rendais aux portes du paradis, pour prier Dieu de me transmettre, par son ange, un peu d'huile de l'arbre de miséricorde, afin que j'en oignisse le corps de mon père Adam, l'ange Michel m'apparut et me dit que je ne pourrais pas avoir de cette huile avant que se fussent écoulés cinq mille cinq cents ans. » Ce qu'entendant, tous les patriarches et prophètes furent remplis de joie ; mais Satan, prince de la mort, dit à l'enfer : « Prépare-toi à recevoir Jésus, qui se glorifie d'être le Fils de Dieu, et qui cependant craint la mort, car il a dit que son âme était triste jusqu'à la mort, etc. Il a rendu l'ouïe à bien des hommes que j'avais faits sourds, et remis sur leurs pieds bien des hommes que j'avais faits boiteux. » A quoi l'enfer répondit : « Si tu es puissant, quel homme est donc ce Jésus, qui, tout en craignant la mort, résiste à ta puissance ? » Et Satan : « Je l'ai tenté, j'ai excité le peuple contre lui, j'ai aiguisé la lance qui l'a transpercé, je lui ai mêlé du fiel et du vinaigre, j'ai préparé le bois de sa croix. D'un instant à l'autre, il va mourir, et je te l'amènerai. » L'enfer lui répondit : « Au nom de ton pouvoir et du mien, je te conjure de ne pas me l'amener ici, car j'ai eu déjà à reconnaître la toute-puissance de sa parole, et je n'ai pas pu l'empêcher, tout récemment encore, de m'enlever Lazare. » Au même instant, une voix haute comme le tonnerre s'est fait entendre, qui disait : « Enfer, relève tes portes, car voici que va entrer le roi de gloire ! » A ces mots, les démons accoururent et fermèrent les portes d'airain avec des barres de fer. Et David s'écria : « N'ai-je point prédit que le Seigneur briserait les portes d'airain ? » De nouveau, la voix retentit et dit : « Enfer, relève tes portes ! » Puis le Roi de gloire entra ; et tendant sa main, il prit la main d'Adam et lui dit : « Paix à toi et à tous les justes d'entre tes fils ! » Puis il sortit des enfers, et tous les saints le suivirent. Jésus remit ensuite Adam à l'archange Michel, qui le fit entrer au paradis. Et comme nous y entrions tous, nous vîmes venir à nous deux vieillards, dont l'un nous dit : « Je suis Enoch, et mon compagnon est Elie, qui s'est élevé jusqu'ici dans un char de feu. Tous deux, nous n'avons pas encore goûté de la mort, car nous sommes destinés à attendre la venue de l'Antéchrist, à combattre avec lui, à être tués par lui, et, le troisième jour, à être élevés dans les nuages. » Pendant qu'Enoch parlait, survint un homme qui portait une croix sur ses épaules ; et il leur dit : « J'étais un larron, et, étant crucifié près de Jésus, j'ai cru en lui, et l'ai prié de se souvenir de moi dans le royaume de son Père. Alors il m'a répondu que, aujourd'hui même, je serais avec lui dans le paradis. Et il m'a dit que si l'on refusait de me laisser entrer, le signe de cette croix suffirait à me faire ouvrir les portes. En effet, on vient de m'admettre ici, et de m'indiquer ma place sur le côté droit du paradis. » Et lorsque Carin et Leucius eurent dit cela, soudain ils se transfigurèrent, et on ne les revit plus.

LIV
SAINT SECOND, MARTYR
(30 mars)

1. Second était un vaillant soldat, en même temps qu'un admirable chevalier du Christ, pour qui il souffrit glorieusement le martyre dans la ville d'Asti ; et, aujourd'hui encore, cette ville s'honore de son souvenir et le vénère comme un saint patron. Il fut d'abord instruit dans la foi du Christ par le bienheureux Calocérus, que le préfet Sapritius avait fait enfermer dans la prison d'Asti. Or comme, un jour, ce Sapritius se préparait à sortir d'Asti pour se rendre à Tortone et pour y présider à l'exécution d'un autre prisonnier chrétien, le bienheureux Marcien, Second lui demanda de pouvoir l'accompagner, soi-disant pour se distraire, mais en réalité pour voir Marcien. Et voici qu'au sortir des murs d'Asti une colombe descendit sur le casque de Second ; et Sapritius dit à son compagnon : « Vois-tu, Second, comme nos dieux t'aiment ? Ils te font rendre hommage par les oiseaux du ciel ! » Plus tard, quand ils arrivèrent au fleuve Tanaro, Second vit un ange qui marchait sur l'eau et qui lui disait : « Second, aie la foi, et tu marcheras de même sur les adorateurs des idoles ! » Et Sapritius : « Mon frère Second, j'entends les dieux qui t'adressent la parole ! » Et quand ils arrivèrent à un autre fleuve, nommé la Bormida, de nouveau un ange leur apparut, marchant sur les eaux ; et il dit à Second : « Crois-tu en Jésus, ou bien doutes-tu ? » Et Second répondit : « Je crois à la vérité de sa passion ! » Et Sapritius dit : « Qu'entends-je là ? ». En arrivant à Tortone, ils virent sur la porte de la prison le bienheureux Marcien, qui, mis en liberté par un ange, dit à Second : « Second, entre dans la voie de vérité, et marches-y, et tu recevras la palme de la foi ! » Et Sapritius lui dit : « Qui est cet homme, qui nous parle ainsi comme en songe ? » Et Second répondit : « Ce qui te fait l'effet d'un songe est pour moi un avertissement et une consolation ! »

II. Second se rendit ensuite à Milan ; et, devant les portes de la ville, il rencontra Faustin et Jonitas, qui eux aussi étaient prisonniers pour leur foi, mais qu'un ange avait fait sortir de la prison et conduits jusque-là. Et ces deux saints hommes le baptisèrent avec l'eau d'un nuage qui se changea en pluie. Alors voici soudain qu'une colombe descendit du ciel, apportant une hostie consacrée, qu'elle donna à Faustin et à Jonitas, qui, à leur tour, la remirent à Second, en le chargeant d'aller la porter au bienheureux Marcien. Second rebroussa chemin ; et, la nuit, comme il était parvenu au bord du Pô, un ange vint au-devant de lui, prit son cheval par la bride, et lui fit traverser les eaux du fleuve comme sur un pont ; puis, à Tortone, il fit entrer Second dans la cellule où Marcien était revenu s'enfermer. Ainsi Second put remettre à

Marcien la sainte hostie ; et Marcien, la prenant, dit : « Que le corps et le sang du Seigneur soient avec moi dans la vie éternelle ! » Puis, sur l'ordre de l'ange, Second sortit de la prison et se rendit à son hôtellerie. Et, le lendemain, lorsque Marcien eut subi le martyre, Second enleva son corps et l'ensevelit.

III. Ce qu'apprenant, Sapritius le fit venir et lui dit : « A ce que je vois, tu fais profession d'être chrétien ? — Oui. — Aspires-tu donc à mourir dans les supplices ? — C'est toi, plutôt, qui mériterais de mourir ainsi ! » Puis, comme il se refusait à sacrifier aux idoles, le préfet le fit dépouiller de ses vêtements, mais aussitôt un ange s'approcha de lui et le couvrit d'un manteau. Sapritius le fit alors suspendre sur un chevalet, et ordonna qu'il fût torturé jusqu'à ce que se rompissent toutes les articulations de ses bras ; mais, de nouveau, le Seigneur lui rendit aussitôt la santé. Le préfet, exaspéré, le fit enfermer dans la prison. Mais là un ange lui apparut qui lui dit « Lève-toi, Second, et suis-moi ! Je te conduirai vers ton Créateur. » Puis l'ange le conduisit jusqu'à la ville d'Asti et le fit entrer dans la prison ou se trouvait Calocérus ; et le Sauveur y était aussi. L'apercevant, Second se jeta à ses pieds. Mais le Sauveur : « Ne crains rien, Second, car je suis ton Maître, et je t'arracherai à tous les maux ! » Après quoi, les ayant bénis, il remonta au ciel.

IV. Or le lendemain matin, à Tortone, les gardes envoyés par Sapritius trouvèrent la prison fermée comme la veille, mais n'y trouvèrent plus Second. Sapritius revint alors à Asti. Afin de châtier au moins Calocérus, il se fit amener celui-ci ; mais voilà qu'on lui annonce que Second est dans la prison avec Calocérus ! Le préfet les fit donc venir tous deux, et leur dit : « Ce sont nos dieux qui, sachant que vous les dédaigniez, veulent que vous périssiez ensemble ! » Et, sur leur nouveau refus de sacrifier aux idoles, il leur fit répandre sur la tête et dans la bouche un mélange de poix et de résine bouillante. Mais eux, ils buvaient ce mélange comme une eau délicieuse, et disaient d'une voix claire : « Seigneur, que tes dons sont doux à ma gorge ! » Enfin Sapritius ordonna que tous deux fussent décapités, Second à Asti, et Calocérus dans la ville d'Albenga. Et, aussitôt que saint Second eut été décapité, des anges enlevèrent son corps, et l'ensevelirent avec beaucoup de chants et de louanges. Ce martyre eut lieu le troisième jour des calendes d'avril.

LV
SAINT MAMERTIN, ABBÉ
(30 mars)

Mamertin fut d'abord païen. Pendant qu'il adorait une idole, il perdit un œil, et une de ses mains se dessécha. Il crut avoir offensé ses dieux, et voulut courir au temple pour obtenir son pardon. Mais il rencontra en route un saint homme nommé Savin, qui lui demanda d'où lui était venue son infirmité. Il répondit : « J'ai offensé mes dieux et maintenant je vais les prier de me rendre ce que, dans leur colère, ils m'ont enlevé. » Et Savin : « Tu te trompes, mon frère, en prenant les démons pour des dieux. Va plutôt trouver Germain, évêque d'Auxerre et, si tu suis ses conseils, tu seras guéri ! » Mamertin partit aussitôt ; mais la pluie le força à s'arrêter, en route, dans un lieu où étaient ensevelis saint Amator et plusieurs autres saints évêques. Dans une cellule placée sur une tombe de saint Concordien, il trouva un abri pour la nuit. Et il vit en rêve un homme qui, venant jusqu'à la porte de la cellule, appelait saint Concordien pour assister à une fête, où il disait que se trouvaient déjà saint Amator, saint Pèlerin et d'autres évêques. Et une voix répondit de la tombe : « Je ne puis venir cette nuit, étant forcé de veiller sur mon hôte, pour l'empêcher d'être dévoré par les serpents qui habitent ici. » Mais bientôt l'inconnu revint et dit : « Saint Concordien, lève-toi, viens, et emmène avec toi ton sous-diacre Vivien et son acolyte Junien ! Alexandre se chargera de veiller sur ton hôte. » Et Mamertin vit ensuite que saint Concordien, le prenant par la main, l'emmenait avec lui ; mais, lorsqu'ils furent arrivés près des autres évêques, saint Amator dit : « Qui est cet étranger que tu nous amènes ? » Et saint Concordien : « C'est mon hôte ! » Et saint Amator : « Chasse-le d'ici, car il est impur et ne saurait rester avec nous ! » Sur quoi Mamertin, toujours en rêve, se prosterna devant saint Amator, qui lui ordonna de se rendre au plus vite auprès de saint Germain. Aussi, dès qu'il fut éveillé, courut-il vers ce saint ; et dès que celui-ci eut entendu l'histoire de son rêve, il retourna avec lui au tombeau de saint Concordien. Là, sous la pierre du tombeau, ils virent un grand nombre de serpents dont la longueur dépassait dix pieds. Et saint Germain leur ordonna de sortir de là, pour aller se cacher dans un lieu où ils ne pourraient faire de mal à personne. C'est ainsi que Mamertin fut baptisé. Il recouvra aussitôt la santé, et entra dans le monastère de saint Germain, dont il devint abbé, après la mort de saint Ollodius.

Il y avait alors, dans ce monastère, un saint moine nommé Marin, dont Mamertin voulut éprouver l'obéissance. Il lui confia donc la tâche la plus vile du monastère, qui consistait à paître les bœufs. Et saint Marin, pendant qu'il gardait ses bœufs et ses vaches dans le bois, rayonnait d'une telle sainteté, que tous les oiseaux du bois accouraient à lui pour qu'il les nourrît de sa main. Un sanglier s'étant réfugié dans sa cellule, il le sauva des chiens qui le poursuivaient, et lui permit de s'en aller librement. Un jour, des voleurs le dépouillèrent de ses vêtements, ne lui laissant qu'une petite tunique. Et le voici qui court derrière eux, et qui leur crie : « Revenez, Messieurs, car j'ai encore trouvé ce denier dans la doublure de ma tunique ! Et peut-être en aurez-vous besoin ! » Aussitôt les voleurs, retournant sur leurs pas, lui enlevèrent la tunique avec le denier et le laissèrent complètement nu. Après quoi ils reprirent le chemin de leur caverne ; mais ils marchèrent toute la nuit, et, à l'aube, ils se retrouvèrent devant la cellule du saint berger. Celui-ci, les ayant salués tendrement, les reçut dans sa cellule, leur lava les pieds, et s'occupa de leur préparer à manger. Ce que voyant, les voleurs, stupéfaits, eurent honte de leur conduite et se convertirent tous à la foi.

Un jour, un jeune moine du monastère de saint Mamertin s'était amusé à tendre un piège à un ours qui attaquait les brebis ; et l'ours, la nuit, s'était laissé prendre. Mais saint Mamertin, ayant deviné la chose du fond de son lit, se leva, alla trouver l'ours, et lui dit : « Que fais-tu là, malheureux ? Va-t'en bien vite pour n'être pas pris ! » Et il le délivra et le laissa partir.

Lorsqu'il mourut, on porta son corps à Auxerre. Mais, comme on passait près d'une prison, le corps devint tout à coup si lourd qu'on ne put le faire avancer, jusqu'au moment où un des prisonniers, dont les chaînes s'étaient rompues miraculeusement, accourut et aida à porter le corps jusqu'à la ville. Saint Mamertin fut enterré en grande pompe dans l'église de Saint-Germain.

LVI
SAINTE MARIE L'ÉGYPTIENNE, PÉCHERESSE
(2 avril)

Sainte Marie l'Egyptienne, qu'on appelle aussi la Pécheresse, mena pendant quarante-sept ans, au désert, une vie de repentir et de privations. Certain abbé, nommé Zosime, qui avait franchi le Jourdain et parcourait le désert, dans l'espoir d'y rencontrer quelque saint ermite, aperçut un jour devant lui une créature bizarre, toute nue, avec un corps tout noir et brûlé du soleil. Cette créature aussitôt s'enfuit, et Zosime se mit à courir à sa poursuite, de toute la force de ses jambes. Alors elle lui dit : « Abbé Zosime, pourquoi me poursuis-tu ? Pardonne-moi de ne pouvoir me retourner vers toi ; mais c'est que je suis une femme et que je suis nue ! Lance-moi ton manteau, afin que, m'en étant couverte, je puisse te regarder sans honte ! » L'abbé, stupéfait de s'entendre appeler par son nom, lui jeta son manteau, et, se prosternant devant elle la pria de le bénir. Mais elle : « C'est à toi plutôt de me bénir, mon père, toi qui as revêtu la dignité du sacerdoce ! » Et Zosime, voyant qu'elle connaissait non seulement son nom, mais aussi sa qualité de prêtre, s'étonnait davantage encore, et mettait encore plus d'insistance à lui demander sa bénédiction. Alors elle dit : « Que béni soit Dieu, rédempteur de nos âmes ! » Et pendant qu'elle priait, avec les mains étendues, il vit qu'elle était soulevée de terre à la hauteur d'une coudée. Sur quoi un doute surgit dans l'âme du vieil abbé, qui se demanda si ce n'était pas un esprit, faisant semblant de prier pour le décevoir. Mais elle : « Que Dieu te rassure, abbé, et t'empêche de prendre une pauvre pécheresse pour un mauvais esprit ! » Zosime la somma alors, au nom du Seigneur, d'avoir à lui dire qui elle était. Et elle : « Père, pardonne-moi, mais si je t'avoue qui je suis, tu t'enfuiras effrayé comme à la vue d'un serpent, et tes oreilles seront souillées de mes paroles, et l'air sera empesté de mon impureté ! » Mais, comme Zosime insistait, elle finit par lui dire :

« Je m'appelle Marie, et suis née en Egypte. Venue à Alexandrie, vers l'âge de douze ans, j'y ai fait pendant dix-sept ans métier de fille publique, vendant mon corps à qui en voulait. Mais, un jour, comme des habitants de la ville partaient pour adorer la sainte Croix à Jérusalem, je priai les matelots de me laisser m'embarquer avec eux. Ils me demandèrent si j'avais l'argent du passage. Et je leur répondis que je n'avais point d'argent, mais que, pour payer mon passage, je leur offrais mon corps. Et ainsi ils me prirent, et ce fut mon corps qui servit à les payer. Mais voici qu'à Jérusalem, comme je me présentais avec les autres pèlerins aux portes de l'église, je me sentis soudain repoussée par une force invisible, qui ne me permit point d'entrer dans l'église. Vingt fois je m'approchai des portes ; vingt fois, sur le seuil, cette force invisible me retint et m'empêcha d'entrer. Et tous les autres entraient librement, sans que rien les en empêchât : de telle sorte que, sitôt revenue à l'auberge, je compris que c'était là une conséquence de ma vie criminelle ; et je me mis à me déchirer la poitrine, à verser des larmes amères, et à soupirer du plus profond de mon cœur. Puis, apercevant sur le mur une image de la bienheureuse Vierge Marie, je me mis à la supplier de m'obtenir le pardon de mes péchés, et la permission d'entrer dans l'église pour adorer la sainte Croix ; en échange de quoi je promis de renoncer au monde et de vivre désormais dans la chasteté. Cette prière me rendit confiance, et de nouveau je me présentais aux portes de l'église ; et voilà que, cette fois, je pus y entrer sans aucun empêchement. Et, pendant que j'adorais pieusement la sainte Croix, un inconnu me remit trois pièces de monnaie, avec lesquels j'achetai trois pains. Et j'entendis une voix qui me disait : «Traverse le Jourdain, et tu seras sauvée !» Je traversai donc le Jourdain et vins dans ce désert, où, depuis quarante-six ans, je demeure sans avoir jamais vu figure humaine, vivant des trois pains que j'ai emportés avec moi, et qui, devenus maintenant durs comme des pierres, suffisent encore à ma nourriture. Quant à mes vêtements, depuis longtemps déjà ils sont tombés en morceaux. Et, pendant les dix-sept premières années de mon séjour au désert, j'ai été tourmentée de tentations charnelles ; mais, à présent, par la grâce de Dieu, je les ai toutes vaincues. Voilà mon histoire. Je te l'ai racontée afin que tu daignes prier Dieu pour moi !»

Alors le vieillard, se prosternant à terre, bénit le Seigneur dans la personne de sa servante. Et celle-ci lui dit : «Ecoute ce que je vais te demander ! C'est que, le jour de Pâques, tu passes de nouveau le Jourdain, en apportant avec toi une hostie consacrée. Je t'attendrai sur le rivage, et recevrai de ta main le corps du Seigneur, car je n'ai plus communié depuis le jour de mon arrivée ici !» Le vieillard s'en retourna donc dans son monastère ; et, l'année suivante, aux approches de la fête de Pâques, il revint jusqu'à la rive du Jourdain, emportant avec lui une hostie consacrée. Et voici qu'il aperçut la femme debout sur l'autre rive. Et voici que, ayant fait le signe de la croix sur les eaux, elle se mit à marcher sur elles et parvint ainsi jusqu'au vieillard. Celui-ci, émerveillé de ce miracle, voulut se prosterner humblement à ses pieds. Mais elle lui dit : «Mon père, garde-toi de te prosterner devant moi, surtout maintenant que tu es porteur du corps du Christ ; mais daigne seulement revenir encore vers moi l'année prochaine !» Puis, ayant reçu le sacrement, elle fit de nouveau un signe de croix, et de nouveau marcha sur les eaux jusqu'à l'autre rive.

L'année suivante, Zosime ne la trouva plus sur le rivage. Il passa le fleuve, se rendit à l'endroit où il l'avait vue la première fois ; et là il la vit, morte, étendue sur le sable. Alors il fondit en larmes ; et il n'osait point toucher ses restes, par crainte de lui déplaire, car elle était nue. Mais tandis qu'il songeait aux moyens de l'ensevelir, il lut une inscription tracée sur le sable : « Zosime, ensevelis mon corps, rends mes cendres à la terre, et prie pour moi le Seigneur, sur l'ordre de qui j'ai enfin été délivrée de ce monde, le second jour d'avril ! » Ainsi le vieillard découvrit qu'elle était morte presque aussitôt après avoir reçu la sainte communion. Et comme il s'épuisait à creuser une fosse, il vit un lion, qui, doucement, s'approchait de lui. Et il lui dit : « Cette sainte femme m'a ordonné d'ensevelir son corps ; mais, vieux comme je le suis, et n'ayant point de bêche, je ne parviens pas à creuser la fosse. Toi donc, mon ami, creuse une fosse, afin que nous puissions ensevelir le corps vénéré de Marie l'Egyptienne ! » Et aussitôt le lion se mit à creuser une grande fosse, après quoi il s'en alla, doux comme un agneau ; et le vieillard s'en retourna vers son monastère en glorifiant Dieu.

LVII
SAINT AMBROISE, ÉVÊQUE ET DOCTEUR
(4 avril)

La vie de saint Ambroise a été écrite par Paulin, évêque de Nole, dans une lettre à saint Augustin.

I. Saint Ambroise était fils d'un préfet de Rome nommé Ambroise. Pendant qu'il dormait dans son berceau, un essaim d'abeilles descendit sur lui, et les abeilles entraient dans sa bouche comme dans une ruche ; après quoi elles s'envolèrent si haut que l'œil humain les perdait de vue. Alors le père de l'enfant s'écria : « Cet enfant, s'il vit, deviendra quelque chose de grand ! » Plus tard Ambroise, étant adolescent, et voyant que sa mère et sa sœur baisaient les mains des prêtres, offrit un jour à sa sœur ses propres mains à baiser, par manière de jeu, et ajouta qu'elle aurait un jour à les lui baiser sérieusement. Il étudia les lettres à Rome, et plaida au prétoire avec tant d'éclat que l'empereur Valentinien le chargea de gouverner les provinces de la Ligurie et de l'Emilie. Il vint donc à Milan, où tout le peuple s'était réuni pour élire un évêque. Et comme les ariens et les catholiques se querellaient au sujet de cette élection, Ambroise intervint entre eux pour apaiser leur querelle. Et voici qu'une voix d'enfant se fit entendre tout à coup, disant qu'Ambroise lui-même devait être élu évêque : ce à quoi tout le peuple consentit, de telle sorte qu'Ambroise fut élu par acclamation. Mais lui, dès qu'il le sut, s'efforça de les détourner de ce choix en les terrorisant : sortant de l'église il se rendit à son tribunal, et, contre son habitude, condamna plusieurs prévenus à des peines corporelles. Cependant le peuple persistait dans son choix et continuait à l'acclamer, disant : « Que la faute de ton péché retombe sur nous ! » Alors, tout troublé, Ambroise rentra chez lui et y fit venir, au su de tous, des filles publiques, espérant que la vue de ce scandale détournerait le peuple de le prendre pour évêque. Mais cela même ne servit de rien, car le peuple persistait à lui dire : « Que ta faute retombe sur nous ! » Alors Ambroise, désespéré, résolut de s'enfuir au milieu de la nuit, et se mit en route dans la direction du Tessin. Mais, après avoir marché toute la nuit, il se retrouva, le matin, devant une porte de Milan qu'on appelle la Porte Romaine. Il y fut reconnu par le peuple, et gardé par lui ; et l'on rendit compte de la chose à l'empereur Valentinien, qui fut enchanté de voir qu'on prenait pour évêque un de ses fonctionnaires. Et le bon préfet, père d'Ambroise, se réjouissait de voir sa prédiction réalisée. Cependant Ambroise, à Milan, était de nouveau parvenu à se cacher, mais de nouveau il fut retrouvé. Il reçut le baptême, car il n'était encore que catéchumène, et, huit jours après, il montait dans la chaire épiscopale. Et comme, quatre ans plus tard, il était retourné à Rome et que sa sœur lui baisait respectueusement la main, il lui dit en riant : « Eh bien, ne l'avais-je pas prédit, que tu aurais un jour à me baiser la main pour de bon ? »

II. Ambroise vint un jour ordonner un évêque dans une ville où l'impératrice Justine et d'autres hérétiques voulaient faire élire un homme de leur secte. Et voici qu'une jeune fille arienne, plus hardie que les autres, monta dans la chaire où se tenait saint Ambroise, et se mit à le tirer par le pan de son manteau ; elle espérait l'entraîner vers un groupe de femmes qui l'auraient frappé et jeté hors de l'église. Mais Ambroise lui dit : « Si indigne que je sois de mon sacerdoce, tu n'as pas le droit de porter la main sur un prêtre ! Crains le jugement de Dieu, et prends garde que quelque mal n'en résulte pour toi ! » Paroles que l'événement ne tarda pas à confirmer : car, le lendemain, la jeune fille mourut, et Ambroise la conduisit jusqu'au lieu de sa sépulture, rendant ainsi le bien pour le mal. Et l'exemple de cette mort effraya toute la ville.

Revenu à Milan, saint Ambroise eut à éviter d'innombrables pièges de l'impératrice Justine qui, par l'argent et par les honneurs, excitait le peuple contre lui. Et comme plusieurs s'efforçaient de le contraindre à quitter la ville, l'un d'eux, plus mal avisé que les autres, loua une maison tout contre l'église et y tint prêt un char à quatre chevaux, de façon à pouvoir emmener au plus vite l'évêque quand, avec l'aide de Justine, il serait parvenu à s'emparer de lui. Mais Dieu voulut que, le jour où cet homme avait espéré emmener saint Ambroise hors de Milan, ce fut lui-même qui dût partir pour l'exil sur son quadrige. Et Ambroise, rendant le bien pour le mal, s'occupa de pourvoir à son entretien.

Certain hérétique, homme acharné à la discussion et très difficile à convertir, comme un jour il entendait prêcher saint Ambroise, vit un ange qui lui soufflait à l'oreille les paroles de son discours. Ce que voyant, cet homme se mit à défendre la foi qu'il attaquait.

III. Il y avait à Milan un sorcier qui conjurait les démons et les envoyait vers Ambroise pour le tourmenter ; mais les démons, revenant vers lui, déclaraient tous qu'ils ne pouvaient s'approcher ni d'Ambroise, ni de sa maison, parce qu'un feu terrible entourait tout cet édifice, si bien que, même à distance, ils en sentaient la brûlure. Un autre démon, qui s'était emparé de l'esprit d'un homme, sortait de l'esprit de cet homme toutes les fois que celui-ci entrait à Milan, et reprenait possession de lui toutes les fois que l'homme sortait de la ville. Interrogé sur les motifs de sa conduite, ce démon répondit qu'il avait peur de se trouver en contact avec saint Ambroise. Il y eut aussi un homme qui, à l'instigation de Justine, entra de nuit dans la chambre du saint pour le poignarder ; mais au moment où il levait le bras, prêt à frapper, son bras se trouva soudain desséché.

Les habitants de la ville de Thessalonique s'étaient rendus coupables envers l'empereur ; et celui-ci, sur la prière d'Ambroise, leur avait d'abord pardonné ; mais ensuite, excité par la malice de ses courtisans, il avait fait mettre à mort plusieurs des habitants de la ville. Ambroise, dès qu'il l'apprit, interdit à l'empereur l'accès de son église. Et comme Théodose lui disait que le sage David lui-même avait commis un meurtre et un adultère, l'évêque lui répondit : « Tu l'as imité dans ses erreurs, imite-le maintenant dans sa pénitence ! » Et l'empereur fut si touché de ces paroles qu'il entreprit aussitôt de faire pénitence.

IV. Se promenant un jour dans Milan, saint Ambroise fit un faux pas, et tomba. Un passant, à cette vue, se mit à rire. Mais le saint lui dit : « Toi qui es debout, prends garde à ne pas tomber ! » Et, en effet, au même instant, le rieur s'étendit à terre et eut à déplorer sa propre chute, après s'être moqué de celle d'autrui.

Un autre jour, Ambroise, s'étant rendu au palais d'un magistrat nommé Macédonius, auprès de qui il voulait intercéder pour un accusé, trouva les portes du palais fermées et ne put se faire admettre. Sur quoi il dit au magistrat : « Toi aussi, bientôt, tu viendras à mon église, et tu en trouveras les portes ouvertes, mais tu ne parviendras pas à y entrer ! » Et, en effet, peu de temps après, Macédonius, poursuivi par ses ennemis, voulut se réfugier dans l'église ; mais bien que toutes les portes fussent ouvertes, un pouvoir invisible l'empêcha d'entrer.

Saint Ambroise institua dans l'église de Milan des chants et un office qui y sont célébrés, aujourd'hui encore. Il vivait avec tant d'austérité qu'il jeûnait tous les jours, sauf le jour du sabbat, le dimanche et les jours de grande fête. Telle était sa générosité qu'il donnait aux églises et aux pauvres tout ce qu'il pouvait avoir, ne gardant rien pour lui-même. Telle était sa compassion que, lorsque quelqu'un lui racontait un de ses péchés, il en pleurait si amèrement que le pécheur était forcé de pleurer avec lui. Telles étaient son humilité et sa passion au travail qu'il écrivait tous ses livres de sa propre main, aussi longtemps que ses forces le lui permettaient. Telles étaient sa piété et la douceur de son âme qu'en apprenant la mort d'un saint prêtre ou évêque il pleurait au point de ne pouvoir pas être consolé : et il expliquait qu'il ne pleurait point parce que ces saints hommes étaient entrés dans la gloire, mais parce qu'ils l'y avaient précédé lui-même, laissant un vide impossible à remplir. Et tels étaient son courage et sa fermeté qu'il avait coutume de reprocher ouvertement leurs vices à l'empereur et aux princes.

V. On raconte que saint Ambroise, pendant un voyage à Rome, reçut l'hospitalité dans une villa de Toscane, chez un homme extrêmement riche, et qu'il s'informa avec insistance auprès de son hôte sur sa condition de fortune. A quoi l'hôte répondit : « Ma condition, seigneur, a toujours été heureuse et glorieuse. Voyez, j'ai des richesses infinies, un nombre incalculable d'esclaves et de serviteurs ; toujours tous mes vœux ont été réalisés, et jamais rien ne m'est arrivé de contraire, ni même de désagréable. » Ce qu'entendant, saint Ambroise fut stupéfait ; et il dit à ses compagnons de route : « Levez-vous, et fuyons au plus vite d'ici, car le Seigneur n'a point de place dans cette maison. Hâtez-vous, mes enfants, hâtons-nous de fuir, de peur que la vengeance divine ne nous surprenne ici et ne nous enveloppe dans l'expiation des péchés de ces gens-là ! » Et à peine Ambroise et ses compagnons avaient-ils quitté la maison, que, soudain, la terre s'ouvrit et engloutit, sans laisser de trace, ce riche et tout ce qui lui appartenait. Ce que voyant, Ambroise dit : « Voyez, mes frères, comme Dieu nous traite avec miséricorde quand il nous envoie des épreuves, et comme il nous traite avec sévérité quand il nous envoie une longue suite de plaisirs ! » Et l'on ajoute que, aujourd'hui encore, un fossé très profond reste creusé en ce lieu, pour garder le témoignage de cet événement.

VI. Cependant, saint Ambroise voyait croître de jour en jour parmi les hommes la cupidité, cette source de tous les maux. Il la voyait croître surtout chez les fonctionnaires, qui trafiquaient de tout, et aussi chez les dignitaires de l'Eglise. Et cette vue lui inspira une telle douleur qu'il pria Dieu de le délivrer du commerce d'un siècle aussi corrompu. Dieu entendit sa prière ; et, un jour, le saint évêque annonça à ses frères qu'après les fêtes de Pâques il ne serait plus avec eux. Or, quelques jours avant Pâques, pendant que, couché dans son lit, il dictait à son secrétaire une explication du psaume XLIII, le secrétaire vit soudain une langue de feu descendre sur lui, et pénétrer dans sa bouche. Et aussitôt le visage du saint revêtit une blancheur de neige, pour reprendre bientôt après sa couleur ordinaire. Et, ce même jour, le saint dut cesser d'écrire comme de dicter, de telle sorte qu'il ne put pas même achever le commentaire du psaume ; et la faiblesse de son corps allait augmentant d'heure en heure. Alors le comte d'Italie rassembla tous les notables de Milan, leur dit que la mort d'un tel homme serait un danger mortel pour le pays, et leur demanda d'aller trouver le saint pour l'engager à obtenir de Dieu la prolongation de sa vie, durant une année. Mais saint Ambroise s'y refusa, disant : « Je n'ai ni honte, ni peur de mourir. »

Quatre diacres, qui se trouvaient dans une chambre très éloignée de celle où était couché saint Ambroise, discutaient entre eux la question de savoir qui l'on devrait élire pour évêque à la mort du saint. Et au moment où l'un d'eux citait le nom de Simplicien, saint Ambroise, de son lit, s'écria trois fois : « Il est vieux, mais c'est le meilleur de tous ! » Et, en effet, ce fut Simplicien qui fut élu en remplacement d'Ambroise.

Et celui-ci, sur le lit où il agonisait, vit ensuite Jésus s'approcher de lui et lui sourire tendrement. Et comme Honoré, évêque de Verceil, qui attendait d'un instant à l'autre, la nouvelle de la mort d'Ambroise, s'était laissé aller au sommeil, il entendit en rêve une voix qui, trois fois, lui répétait : « Lève-toi, car l'heure approche où il va mourir ! » Sur quoi l'évêque se rendit en grande hâte à Milan, donna à Ambroise la sainte communion, lui étendit les bras en forme de croix, et recueillit son dernier soupir. Cette mort eut lieu en l'an du Seigneur 399.

Et dans la nuit de Pâques, qui fut celle de la translation à l'église du corps de saint Ambroise, une foule de petits enfants chrétiens virent celui-ci en rêve ; les uns le virent assis dans sa chaire, les autres y montant ; et il y en eut qui racontèrent à leurs parents qu'ils avaient vu une étoile au-dessus de sa tête.

VII. Saint Ambroise peut être cité comme le modèle d'une foule de vertus chrétiennes. Il peut être cité, premièrement, comme un modèle de générosité. Tout ce qu'il avait appartenait aux pauvres. Et lorsque l'empereur voulut lui prendre une église, il répondit : « Si vous me demandiez ce qui m'appartient, je vous le donnerais, bien que tout ce qui m'appartient appartienne aux pauvres. » Secondement, il peut être cité comme un modèle de chasteté, car il resta vierge toute sa vie. Troisièmement, il nous offre l'exemple de la fermeté dans la foi, car à l'empereur, qui voulait lui ôter l'église, il répondit : « Vous m'ôterez la vie avant de m'arracher de mon siège ! » Quatrièmement, saint Ambroise nous est un modèle de la soif du martyre. Un préfet de Valentinien l'ayant menacé de le mettre à mort, il lui répondit : « Fasse Dieu que tu puisses réaliser ta menace, et que tous tes traits épargnent l'Eglise pour n'accabler que moi seul ! » En cinquième lieu, saint Ambroise nous est un modèle d'application à la prière. Nous lisons, en effet, dans le XIe livre de l'*Histoire ecclésiastique* que, contre les fureurs de Justine, il ne se défendait que par le jeûne, la veille et les prières au pied de l'autel.

En sixième lieu, saint Ambroise peut être cité comme un modèle de constance. Sa constance nous apparaît surtout en trois choses : 1o dans sa défense de la vérité catholique contre les attaques de Justine, mère de l'empereur Valentinien, et protectrice de l'hérésie arienne ; 2o dans sa défense de la liberté de l'Eglise, lorsque l'empereur voulut lui enlever certaine basilique pour la livrer aux ariens. Il nous dit lui-même, dans son 23e décret, comment il résista à l'empereur, en lui disant : « Ne commets point la faute, empereur, de prétendre que tu aies aucun droit dans les choses divines ! A l'empereur appartiennent les palais, mais les églises sont aux prêtres. Naboth, autrefois, a défendu de son propre sang la vigne qu'on voulait lui prendre : s'il a refusé de céder sa vigne, comment peux-tu t'imaginer que nous te céderons une église du Christ ? Le tribut est à César, et nous ne refusons pas de le lui donner ; mais les églises sont à Dieu, et nous ne pouvons donc pas les donner à César. » Enfin, 3o la constance de saint Ambroise nous apparaît dans la façon dont il a su blâmer le vice et l'iniquité. On lit dans l'*Histoire tripartite* que, le peuple de Thessalonique s'étant révolté et ayant tué quelques fonctionnaires, l'empereur Théodose en fut si irrité qu'il fit mettre à mort tous les habitants de la ville, au nombre de près de cinq mille, sans distinguer les innocents des coupables. Or, lorsqu'il vint ensuite à Milan et voulut entrer dans l'église, saint Ambroise le reçut devant la porte et lui interdit l'entrée, en lui disant : « Comment, empereur, après un tel crime, ne reconnais-tu pas l'énormité de ta présomption ? Ou bien, peut-être, ta dignité impériale t'empêcherait-elle de reconnaître tes péchés ? Tu es prince, ô empereur, mais tu es, comme les autres hommes, l'esclave de Dieu. Comment oserais-tu étendre vers Dieu des mains encore tachées du sang innocent ? Comment oserais-tu prier Dieu, dans son temple, avec la même bouche qui a proféré un ordre injuste et monstrueux ? Allons, retire-toi, afin de ne pas accroître d'un second péché le poids du premier ! » Et l'empereur, pleurant et gémissant, reprit le chemin de son palais. Et comme le chef de ses troupes lui demandait la cause de sa tristesse : « Hélas ! répondit-il, aux esclaves et aux mendiants les églises sont ouvertes, et moi seul n'ai pas le droit d'y pénétrer ! » Alors Rufin : « Si tu veux, je vais courir vers Ambroise, pour qu'il te délivre de son excommunication ! » Et il insista si fort que Théodose finit par le laisser aller. Mais dès qu'Ambroise vit Rufin, il lui dit : « Tu imites l'impudence des chiens, Rufin, en aboyant contre la majesté divine ! » Et comme Rufin le suppliait pour son maître, Ambroise, enflammé du feu céleste, lui dit : « Je te déclare que je lui interdis l'accès du saint lieu. Et s'il change son pouvoir en tyrannie, volontiers j'accepterai la mort ! » Rufin rapporta ces paroles à l'empereur, qui dit : « Je vais aller vers Ambroise, pour recevoir, en face, ses justes reproches. » Alors Ambroise, continuant à lui défendre l'entrée de l'église, lui dit : « Quelle pénitence as-tu faite après un tel crime ? » Et l'empereur lui dit : « C'est à toi de l'imposer, à moi d'obéir ! » Et il fit pénitence publique jusqu'à ce que son excommunication fût levée. Plus tard, étant entré dans l'église, il pénétra dans le chœur, mais Ambroise lui demanda ce qu'il venait y faire, et comme il répondait qu'il était venu pour assister au saint sacrifice, Ambroise lui dit : « O empereur, le chœur de l'église est réservé aux seuls prêtres. Retire-toi donc d'ici, et va rejoindre le reste des fidèles dans la nef : car la pourpre fait de toi un empereur, mais nullement un prêtre ! » Et l'empereur obéit aussitôt. Et comme, de retour à Constantinople, il se tenait dans la nef de la cathédrale, l'évêque lui fit dire d'entrer dans le chœur ; mais Théodose s'y refusa, disant : « Je sais maintenant, grâce à Ambroise, la différence qu'il y a entre un empereur et un prêtre. »

En septième lieu, saint Ambroise peut être cité comme modèle pour la sainteté de sa doctrine : car sa doctrine est si pleine de profondeur que saint Jérôme a pu dire de lui, dans ses *Douze Docteurs* : « Toutes les phrases de saint Ambroise sont des colonnes de la foi et de toutes les vertus. » Et saint

Augustin ajoute que « les adversaires eux-mêmes n'ont jamais osé reprendre la doctrine d'Ambroise, ni le sens très pur qu'il a eu des Livres Saints ». Et telle était l'autorité de saint Ambroise que, pour tous les auteurs du temps, chacune de ses paroles faisait foi. Dans sa lettre à Janvier, Augustin raconte que, sa mère, s'étonnant de ce que l'on ne jeûnât pas à Milan le jour du sabbat, en demanda la cause à Ambroise, qui lui dit : « Quand je vais à Rome, je jeûne le jour du sabbat. Et de même toi, lorsque tu te trouves dans un diocèse, fais en sorte d'en suivre les usages, si tu ne veux scandaliser personne, ni être scandalisée par personne ! » Et Augustin ajoute que, depuis lors, après avoir beaucoup réfléchi à ces paroles, il en est venu à les tenir pour un oracle céleste.

La vie et la passion des saints Tiburce et Valérien, — que l'église fête également le 4 avril, — se trouveront racontées dans l'histoire de sainte Cécile.

LVIII
SAINT SIXTE, PAPE ET MARTYR
(6 avril)

I. Le pape Sixte était originaire d'Athènes et avait d'abord étudié la philosophie. Il devint, plus tard, disciple du Christ, et fut élu souverain Pontife. Il comparut devant Décius et Valérien, avec ses deux diacres Felicissime et Agapite. Et Décius, voyant qu'il ne parvenait pas à le persuader par ses arguments, le fit conduire au temple de Mars pour y sacrifier aux idoles, faute de quoi il aurait à être jeté en prison. Et saint Laurent, courant derrière Sixte, lui disait : « Père, où vas-tu sans ton fils ? Prêtre, où vas-tu sans ton assistant ? » Et Sixte : « Mon fils, ne crois pas que je t'abandonne ; mais de plus grands combats t'attendent encore pour la foi du Christ. Dans trois jours tu me suivras, comme le lévite suit le prêtre. Et, en attendant, reçois les trésors de l'Eglise, et distribue-les à qui bon te semblera ! » Laurent distribua ces trésors aux chrétiens pauvres. Et le préfet Valérien voyant que Sixte refusait de sacrifier aux idoles, ordonna qu'il eût la tête tranchée. Or, comme on le conduisait au supplice, de nouveau saint Laurent courut derrière lui en lui disant : « Ne m'abandonne pas, saint père, car j'ai déjà dépensé les trésors que tu m'as remis ! » Sur quoi les soldats, l'entendant parler de trésors, s'emparèrent de lui. Puis ils tranchèrent la tête de Sixte et celles de ses deux compagnons.

II. Le même jour, l'Eglise célèbre la fête de la Transfiguration du Seigneur. Et certaines églises célèbrent aussi la fête du Sang du Christ avec le vin nouveau, lorsqu'elles peuvent s'en procurer ; et le peuple communie de ce vin. Cela se fait en souvenir de ce que, durant la Cène, le Seigneur a dit à ses disciples : « Maintenant je ne boirai plus de ce jus de la vigne, jusqu'à ce que j'en boive du nouveau dans le royaume de mon père. » On dit cependant que ce n'est point ce jour-là qu'eut lieu la transfiguration, mais qu'elle fut seulement, ce jour-là, révélée par les apôtres. Elle eut lieu, en réalité, au commencement du printemps ; mais défense fut faite aux disciples d'en parler, et ce n'est que ce jour-là qu'ils la révélèrent. C'est du moins ce qu'on lit dans le livre appelé *Mitral*.

LIX
SAINT GEORGES, MARTYR
(23 avril)

I. Georges était originaire de Cappadoce, et servait dans l'armée romaine, avec le grade de tribun. Le hasard d'un voyage le conduisit un jour dans les environs d'une ville de la province de Libye, nommée Silène. Or, dans un vaste étang voisin de cette ville habitait un dragon effroyable qui, maintes fois, avait mis en fuite la foule armée contre lui, et qui, s'approchant parfois des murs de la ville, empoisonnait de son souffle tous ceux qui se trouvaient à sa portée. Pour apaiser la fureur de ce monstre et pour l'empêcher d'anéantir la ville tout entière, les habitants s'étaient mis d'abord à lui offrir, tous les jours, deux brebis. Mais bientôt le nombre des brebis se trouva si réduit qu'on dut, chaque jour, livrer au dragon une brebis et une créature humaine. On tirait donc au sort le nom d'un jeune homme ou d'une jeune fille ; et aucune famille n'était exceptée de ce choix. Et déjà presque tous les jeunes gens de la ville avaient été dévorés lorsque, le jour même de l'arrivée de saint Georges, le sort avait désigné pour victime la fille unique du roi. Alors ce vieillard, désolé, avait dit : « Prenez mon or et mon argent, et la moitié de mon royaume, mais rendez-moi ma fille, afin que lui soit épargnée une mort si affreuse ! » Mais son peuple, furieux, lui répondit : « C'est toi-même, ô roi, qui as fait cet édit ; et maintenant que, à cause de lui, tous nos enfants ont péri, tu voudrais que ta fille échappât à la loi ? Non, il faut qu'elle périsse comme les autres, ou bien nous te brûlerons avec toute ta maison ! » Ce qu'entendant, le roi fondit en larmes, et dit à sa fille : « Hélas, ma douce enfant, que ferai-je de toi ? Et ne me sera-t-il pas donné de voir un jour tes noces ? » Après quoi, voyant qu'il ne parviendrait pas à obtenir le salut de sa fille, il la revêtit de robes royales, la couvrit de baisers, et lui dit : « Hélas, ma douce enfant, j'espérais voir se nourrir sur ton sein des enfants royaux, et voici que tu dois me quitter pour aller servir de pâture à cet horrible dragon ! Hélas, ma douce enfant, j'espérais pouvoir inviter à tes noces tous les princes du pays, et orner de perles mon palais, et entendre le son joyeux des orgues et des tambours ; et voici que je dois t'envoyer à ce dragon qui doit te dévorer ! » Et il la renvoya en lui disant encore : « Hélas, ma fille, que ne suis-je mort avant ce triste jour ! » Alors la jeune fille tomba aux pieds de son père, pour recevoir sa bénédiction ; après quoi, sortant de la ville, elle marcha vers l'étang où était le monstre.

Saint Georges, qui passait par là, la vit toute en larmes, et lui demanda ce qu'elle avait. Et elle : « Bon jeune homme, remonte vite sur ton cheval et fuis, pour ne pas mourir de la même mort dont je vais mourir ! » Et saint Georges : « Ne crains point cela, mon enfant, mais dis-moi pourquoi tu pleures ainsi, sous les yeux de cette foule qui se tient debout sur les murs ? » Et elle : « A ce que je vois, bon jeune homme, tu as le cœur généreux, et tu veux périr avec moi ! Mais, je t'en supplie, enfuis-toi au plus vite ! » Et Georges : « Je ne partirai point d'ici que tu ne m'aies dit ce que tu as ! » Alors, la jeune fille lui raconta toute son histoire, et Georges lui dit : « Mon enfant, sois sans crainte, car, au nom du Christ, je te secourrai ! » Mais elle : « Vaillant chevalier, hâte-toi de te secourir toi-même, pour ne point périr avec moi ! C'est assez que je sois seule à périr ! »

Et pendant qu'ils parlaient ainsi, le dragon souleva sa tête au-dessus de l'étang. La jeune fille, toute tremblante, s'écria : « Fuis, cher seigneur, fuis au plus vite ! » Mais Georges, après être remonté sur son cheval et s'être muni du signe de la croix, assaillit bravement le dragon qui s'avançait vers lui et, brandissant sa lance et se recommandant à Dieu, il fit au monstre une blessure qui le renversa sur le sol. Et le saint dit à la jeune fille : « Mon enfant, ne crains rien, et lance ta ceinture autour du cou du dragon ! » La jeune fille fit ainsi, et le dragon, se redressant, se mit à la suivre comme un petit chien qu'on mènerait en laisse.

Mais, en le voyant s'avancer vers la ville, les habitants épouvantés prirent la fuite, bien certains que tous allaient être dévorés. Saint Georges leur fit signe de revenir, et leur dit : « Soyez sans crainte, car le Seigneur m'a permis de vous délivrer des méfaits de ce monstre ! Croyez au Christ, recevez le baptême, et je tuerai votre persécuteur ! » Alors le roi et tout son peuple se firent baptiser ; on baptisa, ce jour-là vingt mille hommes ainsi qu'une foule de femmes et d'enfants. Et saint Georges, tirant son épée, tua le dragon, qui fut emporté hors de la ville sur un char attelé de quatre paires de bœufs. Et le roi fit élever, en l'honneur de la sainte Vierge et de saint Georges, une immense église, de laquelle jaillit une source vive dont l'eau guérit toutes les maladies de langueur. Le roi offrit aussi à saint Georges une grosse somme d'argent ; mais le saint, sans rien prendre pour lui, la fit distribuer aux pauvres. Il enseigna ensuite au roi quatre choses : Il lui apprit : 1º à avoir soin de l'église de Dieu ; 2º à honorer les prêtres ; 3º à suivre assidûment les offices divins ; 4º à garder toujours le souvenir des pauvres. Après quoi, ayant encore embrassé le vieux roi, il prit congé de lui.

D'autres auteurs racontent cependant l'histoire d'une autre façon. Ils disent que, au moment où le dragon s'avançait pour dévorer la jeune fille, saint Georges, ayant fait le signe de la croix, se jeta sur lui et le tua du coup.

II. En ce temps-là, sous le règne de Dioclétien et Maximien, le préfet Dacien ouvrit contre les fidèles une persécution si violente que, dans l'espace d'un mois, dix-sept mille d'entre eux reçurent la couronne du martyre, et que beaucoup d'autres, à force de souffrir dans les tourments, fléchirent et se résignèrent à sacrifier aux idoles. Ce que voyant, saint Georges, éperdu de douleur, se dépouilla de tous ses biens, rejeta ses habits guerriers pour revêtir le manteau des chrétiens, et, s'élançant au milieu de la place publique, s'écria : « Tous vos dieux ne sont que des démons ; et c'est notre Seigneur qui a créé le ciel et la terre ! » Le préfet, irrité, lui dit : « Comment oses-tu, présomptueux, blasphémer contre nos dieux ! Qui es-tu, et d'où viens-tu ? » Et saint Georges : « Je me nomme Georges, je descends d'une famille noble de la Cappadoce et, avec l'aide de mon Dieu, j'ai combattu en Palestine ; mais maintenant j'ai renoncé à tout pour servir plus librement le Dieu du ciel. » Alors le préfet, ne pouvant le fléchir, le fit étendre sur un chevalet et ordonna que tous ses membres fussent déchirés, l'un après l'autre, par des ongles de fer ; il lui fit aussi brûler le corps avec des torches ardentes, et fit frotter avec du sel les plaies par où sortaient ses entrailles. Mais, la nuit suivante, le Seigneur apparut à saint Georges avec une grande lumière, et le réconforta si doucement, par sa vision et par ses paroles, que toutes les souffrances lui parurent légères. Et Dacien, voyant que les tourments n'avaient point de prise sur lui, fit venir un magicien, et lui dit : « Ces chrétiens ont des sortilèges qui leur adoucissent les tourments et les rendent intraitables. » Et le magicien répondit : « Si je ne parviens pas à avoir raison des sortilèges de Georges, je consens que tu m'ôtes la vie ! » Sur quoi, après avoir invoqué ses dieux, il versa du poison dans du vin, et fit boire ce vin à saint Georges : celui-ci le but en faisant un signe de croix, et n'en souffrit aucun mal. Le magicien mit alors dans le vin une dose plus forte de poison ; le saint fit un signe de croix, et but le vin sans avoir aucun mal. Ce que voyant, le magicien se prosterna à ses pieds, le supplia en pleurant de lui pardonner, et demanda à devenir chrétien : le préfet lui fit couper la tête peu de temps après. Quant à saint Georges, il le fit placer sur une roue qu'entouraient de toutes parts des glaives à deux tranchants ; mais la roue se brisa au premier mouvement, et saint Georges fut retrouvé sain et sauf où on l'avait mis. Dacien le fit alors plonger dans une chaudière de plomb fondu ; mais lui, ayant fait le signe de la croix, il n'éprouva que la sensation d'un bain rafraîchissant.

Alors Dacien, voyant que menaces et tortures étaient sans prise sur lui, pensa l'amollir par des flatteries et lui dit : « Tu vois, mon cher Georges, quelle est la mansuétude de nos dieux, qui te laissent patiemment blasphémer contre eux, et qui n'en restent pas moins prêts à te favoriser pour peu que tu consentes à te convertir ! Fais donc ce que je te conseille, mon cher enfant, renonce à ta superstition et sacrifie à nos dieux, afin d'obtenir d'eux et de nous d'immenses honneurs ! » Et saint Georges lui répondit en souriant : « Pourquoi n'as-tu pas, dès le début, cherché à me persuader par de douces paroles plutôt que par des tourments ? Soit, je suis prêt à faire ce que tu me conseilles ! » Dacien, tout joyeux de cette promesse, fit annoncer à son de trompe que tout le peuple eût à se rendre au temple, où Georges, après une longue résistance, allait enfin sacrifier aux dieux. Toute la ville fut pavoisée comme pour une fête, et des milliers de personnes se pressèrent devant le temple. Et Georges, dès qu'il y fut entré, s'agenouilla et pria le Seigneur de détruire sur-le-champ ce temple avec ses idoles. Et sur-le-champ un feu, tombant du ciel, brûla le temple, les idoles et les prêtres ; et la terre, s'entr'ouvrant, engloutit leurs restes. C'est de ce miracle que parle saint Ambroise quand il nous dit : « Georges, le fidèle soldat du Christ, en un temps où le christianisme était caché, seul osa courageusement proclamer sa foi dans le Fils de Dieu. Et la grâce divine, lui donna en récompense, une telle fermeté qu'il brava mille menaces et mille tortures. O bienheureux et admirable combattant de Dieu ! Et non seulement il ne se laissa point séduire par l'offre du pouvoir temporel, mais, se jouant de son persécuteur il anéantit le temple avec toutes ses idoles. » Alors Dacien se fit amener Georges et lui dit : « Par quels maléfices as-tu osé, scélérat, commettre un tel forfait ? » Et Georges : « Maître, tu te trompes. Viens avec moi dans un autre temple, et tu me verras sacrifier aux idoles ! » Et lui : « Je devine ta ruse ! tu veux me faire périr, comme tu as fait déjà périr mon temple et mes dieux ! » Alors Georges : « Mais, malheureux, si tes dieux n'ont pas pu se secourir eux-mêmes, comment pourraient-ils t'être d'aucun secours ? »

Dacien, exaspéré, dit à sa femme Alexandrie : « Je mourrai de dépit, car cet homme est plus fort que moi ! » Mais elle : « Tyran sanguinaire, ne t'ai-je pas dit de ne plus tourmenter les chrétiens, parce que leur Dieu combattait pour eux ? Sache maintenant que, moi aussi, je veux devenir chrétienne ! » Le préfet, étonné, s'écria : « Comment ? Toi-même tu t'es laissée séduire ? » Et il la fit suspendre par les cheveux et battre de verges. Et elle, pendant qu'on la battait, dit à Georges : « Georges, lumière de vérité, que penses-tu qu'il advienne de moi, qui vais mourir sans avoir été régénérée par l'eau du baptême ? » Et Georges : « N'aie point de doute à ce sujet, ma fille, car l'effusion de ton sang te tiendra lieu de baptême et te vaudra la couronne céleste ! » Alors Alexandrie, après avoir prié le Seigneur, rendit l'âme. C'est ce qu'atteste saint Ambroise et il ajoute que « cet exemple nous prouve que le martyre permet, à défaut du baptême, de posséder le royaume des cieux ».

Le lendemain, Dacien ordonna que saint Georges fût traîné par toute la ville, puis décapité. Et le saint pria Dieu que quiconque implorerait son aide obtînt la réalisation de son désir ; et une voix divine se fit entendre qui lui dit que sa prière était exaucée. Puis, ayant fini de prier, saint Georges eut la tête tranchée. Quant à Dacien, comme il quittait le lieu du supplice pour rentrer dans son palais, le feu du ciel tomba sur lui et le consuma avec ses ministres.

III. Grégoire de Tours raconte que des moines qui portaient des reliques de saint Georges, et qui s'étaient arrêtés en route dans un certain oratoire, ne purent soulever la châsse où étaient ces reliques, aussi longtemps qu'ils n'en eurent pas laissé une partie dans cet oratoire.

IV. On lit dans l'histoire d'Antioche que, durant la croisade, comme les chrétiens allaient assiéger Jérusalem, un jeune homme merveilleusement beau apparut à un prêtre. Il lui dit qu'il était saint Georges, chef des armées chrétiennes, et que si les croisés emportaient de ses reliques à Jérusalem, il serait là avec eux. Et comme les croisés, assiégeant la ville, n'osaient point grimper aux échelles par crainte des Sarrasins qui défendaient les murs, saint Georges se montra à eux, vêtu d'une armure blanche qu'ornait une croix rouge. Il leur fit signe de le suivre sans crainte à l'assaut des murs. Et eux, ainsi encouragés, ils repoussèrent les Sarrasins et conquirent la ville.

LX
SAINT MARC, ÉVANGÉLISTE
(25 avril)

I. L'évangéliste Marc était de la tribu de Lévi et remplissait les fonctions de prêtre. Baptisé par saint Pierre et instruit par lui dans la foi chrétienne, il l'accompagna lorsque ce saint partit pour Rome. Et là, comme saint Pierre prêchait l'évangile, les fidèles prièrent Marc de mettre par écrit le récit de la vie du Seigneur, de façon à leur en laisser un souvenir durable. Marc écrivit donc ce récit, tel qu'il l'entendait de la bouche de son maître saint Pierre ; et celui-ci, après avoir examiné son travail et en avoir constaté la parfaite exactitude, l'approuva comme pouvant être admis par tous les fidèles.

Puis, voyant la constance de Marc dans la foi, il l'envoya à Aquilée, où sa prédication convertit au christianisme une foule innombrable, et où l'on conserve aujourd'hui encore, très pieusement, un manuscrit de son évangile qui passe pour écrit de sa main. Enfin saint Marc, ayant achevé son œuvre à Aquilée, revint à Rome, emmenant avec lui un citoyen d'Aquilée, Hermagoras, qu'il avait converti, et que saint Pierre, sur sa recommandation, consacra évêque de sa ville natale. Cet Hermagoras gouverna dès lors son diocèse d'une façon exemplaire, jusqu'au jour où, pris par les infidèles, il reçut la couronne glorieuse du martyre.

Quant à Marc, saint Pierre l'envoya ensuite à Alexandrie, où, le premier, il prêcha la parole de Dieu. Le savant juif Philon avoue lui-même que, dès son arrivée dans cette ville, une multitude d'hommes se trouvèrent unis dans la foi et la continence. Papias, évêque d'Hiéropolis, a d'ailleurs résumé en beau style quelques-uns de ses sermons, et Pierre Damien nous dit de lui : « Dieu lui accorda une si précieuse faveur que, dès son arrivée à Alexandrie, tous ceux qu'il convertit acquirent aussitôt une perfection de mœurs presque monastique, ce à quoi lui-même les a d'ailleurs encouragés non seulement par ses miracles, mais aussi par l'exemple de ses propres mœurs. Et Dieu lui a encore permis de revenir, après sa mort, en Italie, de telle sorte que la terre où il a écrit son évangile a obtenu l'honneur de posséder ses reliques. Bienheureuse es-tu, Alexandrie, qui as été empourprée de son sang triomphal ! Bienheureuse es-tu, Italie, qui as été enrichie du trésor de ses restes ! »

Telle était l'humilité de saint Marc qu'il se coupa le pouce afin de ne pouvoir pas être ordonné prêtre : mais saint Pierre passa outre, et le consacra évêque d'Alexandrie. On raconte que, en arrivant dans cette ville, son soulier se rompit et qu'il le donna à réparer à un savetier rencontré sur sa route. Le savetier, en réparant le soulier, se blessa grièvement à la main gauche, sur quoi il s'écria : « Ah ! Dieu unique ! » Ce qu'entendant, saint Marc dit : « En vérité le Seigneur bénit mon chemin ! » Puis, ayant fait de la boue avec sa salive, il en frotta la main du savetier et aussitôt la guérit. Cet homme, étonné de sa puissance, le fit entrer dans sa maison et se mit à lui demander qui il était et d'où il venait. Saint Marc lui répondit qu'il était le serviteur du Seigneur Jésus. Le savetier dit : « Je voudrais bien voir ton maître ! » Et saint Marc lui répondit : « Je vais te le faire voir ! » Puis il se mit à l'évangéliser, et le baptisa avec toute sa maison. Mais bientôt des hommes de la ville, apprenant l'arrivée d'un Juif qui méprisait leurs dieux, lui tendirent des pièges ; et lui, en ayant été informé, il créa évêque à sa place l'homme qu'il avait guéri, et qui s'appelait Aniane ; après quoi lui-même se rendit en Pentapole, où il resta deux ans. Il revint ensuite à Alexandrie, où il avait construit une église au bord de la mer, dans l'endroit qui se nomme l'Abattoir ; et il trouva que le nombre des fidèles s'était encore augmenté. Mais les prêtres des faux dieux mirent de nouveau tout en œuvre pour s'emparer de lui. Et, le jour de Pâques, pendant qu'il célébrait la messe, ils l'entourèrent, lui passèrent une corde au cou et le traînèrent par les rues de la ville, comme un bœuf mené à l'abattoir. Ses chairs pendaient jusqu'à terre, et le pavé s'arrosait de son sang. Dans la prison où on l'enferma ensuite, il fut consolé par des anges ; et Notre-Seigneur Jésus-Christ lui-même daigna le visiter et lui dire : « Que la paix soit avec toi, Marc, mon évangéliste ! Ne crains rien, car je suis près de toi pour te défendre. » Le lendemain, les prêtres le traînèrent de nouveau, la corde au cou, à travers la ville. Mais au moment où il disait : *In manus tuas commendo spiritum meum !* il rendit son âme au Seigneur. Cela se passait sous le règne de Néron.

Et comme les païens voulaient brûler le corps du martyr, soudain l'air se troubla, la grêle s'abattit, le tonnerre mugit, les éclairs jaillirent ; si bien que chacun dut prendre la fuite, laissant intact le corps de saint Marc, que les chrétiens se hâtèrent de prendre et d'ensevelir pieusement dans son église. Saint Marc avait un long nez, des sourcils épais, de beaux yeux, une barbe touffue, une taille moyenne et un port excellent. Il était âgé d'une cinquantaine d'années lorsqu'il souffrit le martyre. Son miracle de la main guérie a été célébré par saint Ambroise.

II. L'an du Seigneur 468, sous le règne de l'empereur Léon, les Vénitiens transportèrent le corps de saint Marc, d'Alexandrie, à Venise, où l'on construisit en l'honneur du saint une église d'une beauté merveilleuse. Ce furent certains marchands vénitiens qui, se trouvant à Alexandrie, obtinrent, par des prières et des promesses, que les deux prêtres préposés à la garde du corps leur permissent d'emporter secrètement le corps et de l'emmener à Venise. Mais quand ils soulevèrent la pierre du tombeau, un si fort parfum se répandit par toute la ville d'Alexandrie que chacun se demandait avec étonnement d'où pouvait venir cette douce odeur. Et comme, durant le voyage, les marchands avaient dit à l'équipage d'un autre bateau quel était le saint corps qu'ils emportaient avec eux, des hommes de cet équipage leur dirent : « Peut-être les Égyptiens vous ont-ils trompés, en vous donnant un autre corps que celui de saint Marc ? » Mais aussitôt le vaisseau où était le corps se retourna contre l'autre vaisseau, fondit sur lui, lui fit une brèche, et aurait achevé de l'anéantir si tout l'équipage ne s'était empressé de proclamer que le corps était bien celui de saint Marc. Une autre fois, le pilote ayant perdu son chemin, dans la nuit, et ne sachant plus où se trouvait le vaisseau, saint Marc apparut au moine chargé de garder son corps, et lui dit : « Va dire aux matelots de plier tout de suite les voiles pour ralentir la course du vaisseau, car la terre est toute proche ! » Les matelots suivirent ce conseil, et bien leur en prit : car le lendemain, au petit jour, ils s'aperçurent qu'ils étaient dans le voisinage d'une île sur laquelle, sans la protection de saint Marc, le vaisseau se serait brisé. Et, dans tous les pays où le vaisseau faisait relâche, les habitants, sans qu'on leur eût rien dit du trésor qu'il portait, accouraient en s'écriant : « Oh ! comme vous êtes heureux de pouvoir porter le corps de saint Marc ! Laissez-nous l'adorer pieusement ! » Et il y avait sur le vaisseau un matelot qui restait incrédule : mais le diable s'empara de lui et le tourmenta jusqu'à ce que, mis en présence du corps, il eût déclaré qu'il y croyait. Et depuis lors cet homme, ainsi délivré du diable, eut pour saint Marc une dévotion toute particulière.

A Venise, le corps du saint fut placé sous une des colonnes de marbre de l'église ; et un petit nombre de personnes seulement furent admises à connaître l'endroit où il était déposé, de façon qu'il pût être gardé plus sûrement. Or voici que, ces quelques personnes étant mortes, on se trouva ne plus savoir du tout où était déposé le saint trésor ; et toutes les recherches qu'on fit pour le découvrir restèrent sans effet. Grande fut la désolation, aussi bien parmi les laïcs que parmi les clercs. La foule tremblait à la pensée que son saint patron avait peut-être été dérobé. Un jeûne solennel fut ordonné, une procession parcourut en grande pompe toutes les rues de Venise. Et voici que, à la vue et à l'émerveillement de tous, les pierres de l'une des colonnes s'ébranlent et tombent, mettant à découvert le caveau où est caché le corps. Toute la ville, ravie de bonheur, remercie Dieu d'un tel miracle, et depuis lors, le jour anniversaire de ce miracle est célébré à Venise comme une fête solennelle.

III. Un jeune homme qui avait la poitrine rongée par un cancer implora l'assistance de saint Marc : la nuit suivante, il vit en rêve un pèlerin qui marchait d'un pas rapide sur une route. Le jeune homme lui ayant demandé qui il était et pourquoi il marchait si vite, le pèlerin répondit qu'il était saint Marc, et qu'il courait au secours d'un vaisseau en danger ; après quoi, étendant la main, il toucha le malade, qui se réveilla entièrement guéri. Or, peu de temps après, un vaisseau entra dans le port de Venise ; et l'équipage raconta que, étant en danger, il avait invoqué saint Marc, qui l'avait secouru.

IV. Des marchands vénitiens se rendaient à Alexandrie, dans un vaisseau qui appartenait à des Sarrasins. Une tempête s'étant élevée, les marchands sautèrent dans une barque, et, à l'instant même où ils sortaient du vaisseau, celui-ci fut englouti par les vagues, et tous les Sarrasins furent noyés. Seul, l'un d'entre eux, se voyant près de périr, invoqua saint Marc, et fit vœu, s'il était sauvé, de recevoir le baptême dans l'église du saint. Et aussitôt lui apparut un étranger tout vêtu de lumière, qui, le retirant des flots, l'installa dans la barque avec les Vénitiens.

Or, cet homme, étant arrivé à Alexandrie, oublia sa miraculeuse délivrance et le vœu qu'il avait fait en échange. Mais saint Marc lui apparut de nouveau, pour lui faire honte de son ingratitude : si bien que le Sarrasin, tout confus, se mit en route pour Venise, où il reçut avec le baptême le nom de Marc, et désormais il crut parfaitement au Christ, et termina sa vie dans les bonnes œuvres.

V. Un homme qui travaillait au haut du campanile de Saint-Marc, à Venise, perdit pied tout à coup et se mit à tomber ; mais ayant imploré saint Marc pendant sa chute, il put s'accrocher à une poutre qu'il trouva devant lui, et descendit de là sans danger le long d'une corde qu'on lui lança, après quoi il s'en retourna achever son travail.

VI. Un fidèle chrétien, qui était au service d'un noble de Provence, avait fait le vœu de visiter le tombeau de saint Marc, mais ne pouvait obtenir de son maître la permission de se rendre à Venise. Enfin, sacrifiant sa peur du châtiment corporel à sa peur de la disgrâce céleste, il partit sans demander la permission, et alla prier au tombeau du saint. Quand il revint auprès de son maître, celui-ci, furieux, ordonna de lui crever les yeux. Aussitôt ses esclaves, plus cruels encore que leur maître, étendirent sur le sol leur pieux compagnon, et se mirent en devoir de lui crever les yeux avec des pointes de fer. Mais tout leur zèle ne leur servait à rien, car les pointes se brisaient en touchant les yeux. Alors le maître ordonna de rompre à coups de hache les membres du malheureux, et de lui couper les pieds ; mais le fer des haches s'amollissait et devenait du plomb. Alors le maître ordonna de lui briser les dents avec des marteaux de fer. Mais de nouveau le fer s'amollit, comme hébété par la puissance de Dieu. Ce que voyant, le maître, stupéfait, se repentit, demanda pardon à l'esclave, et alla prier avec lui au tombeau de saint Marc.

VII. Un soldat fut si grièvement blessé au bras, dans une bataille, qu'il eut la main presque détachée. Et médecins et amis lui conseillaient de se la faire couper : mais il hésitait, ayant honte de devenir manchot, car il était réputé pour très adroit de ses mains. Il demanda enfin qu'on lui remît en place la main pendante, et qu'on l'attachât avec des linges : après quoi il invoqua l'aide de saint Marc, et aussitôt sa main recouvra son ancienne santé. Seule une cicatrice resta toujours visible, pour porter témoignage du précieux miracle.

VIII. Un habitant de Mantoue, ayant été faussement accusé par des infâmes, fut mis en prison. Il y était depuis quarante jours et s'ennuyait fort, lorsque enfin, après s'être mortifié par trois jours de jeûne, il invoqua l'appui de saint Marc. Aussitôt le saint lui apparut, et lui dit de sortir de sa prison. Mais l'homme, jugeant la chose impossible, crut qu'il avait rêvé et ne tint nul compte de l'ordre du saint. Une seconde fois, puis une troisième fois, le saint lui apparut et lui renouvela son ordre. Alors le prisonnier, voyant que la porte de sa cellule était ouverte, sortit, après avoir brisé comme de l'étoupe les chaînes de ses pieds. Et il allait, en plein jour, au milieu des gardiens et des autres habitants de la ville, sans que personne d'entre eux pût le voir. Il parvint ainsi à Venise, où il s'empressa d'aller pieusement rendre grâces au tombeau de saint Marc.

IX. Comme toute la Pouille souffrait de disette, et que la pluie s'obstinait à ne point tomber pour arroser le sol, on apprit que cette calamité venait de ce que les habitants ne célébraient point la fête de saint Marc. Ils s'empressèrent donc d'invoquer ce saint, avec la promesse de célébrer solennellement sa fête ; et aussitôt saint Marc, les délivrant de la sécheresse, leur accorda un air sain et la pluie qu'ils désiraient.

LXI
SAINT MARCELIN, PAPE
(26 avril)

Saint Marcelin, pape, gouverna l'église de Rome pendant neuf ans et quatre mois. Sur l'ordre de Dioclétien et de Maximien, il fut arrêté et mis en demeure de sacrifier aux idoles. Il s'y refusa d'abord ; mais, comme on le menaçait de diverses tortures, la peur de la souffrance fit qu'il consentit à sacrifier, sur l'autel, deux grains d'encens. Grande fut la joie des infidèles, mais plus grande encore la tristesse des fidèles. Ceux-ci se rendent en foule auprès de Marcelin et lui reprochent son manque de courage ; et Marcelin, tout confus, demande à être jugé par l'assemblée des évêques. Mais les évêques lui disent : « En ta qualité de souverain pontife, aucun homme sur terre ne saurait être ton juge ; mais recueille-toi en toi-même, et juge-toi de ta propre bouche ! » Alors Marcelin, plein de repentir et pleurant amèrement, se déposa lui-même de ses fonctions de pape ; mais la foule s'empressa de le réélire. Ce qu'apprenant, les empereurs le firent de nouveau arrêter ; et comme, cette fois, il se refusait absolument à sacrifier aux dieux, ils ordonnèrent qu'il eût la tête tranchée ; après quoi, leur rage s'accrut à tel point qu'en un seul mois ils firent périr dix-sept mille chrétiens. Quant à Marcelin, se jugeant indigne de la sépulture chrétienne, il décréta, avant de mourir, que tous ceux qui voudraient l'ensevelir seraient excommuniés. Et ainsi son corps resta privé de sépulture pendant trente-cinq jours. Mais, au bout de ce temps, saint Pierre apparut à son successeur, le pape Marcel, et lui dit : « Mon frère Marcel, pourquoi tardes-tu à m'ensevelir ? » Et Marcel : « Mais, maître, est-ce que vous n'êtes pas enseveli depuis longtemps ? » Et l'apôtre : « Je me considérerai comme n'étant pas enseveli aussi longtemps que je verrai Marcelin privé de sépulture. » Et le pape : « Mais, maître, ne savez-vous donc pas qu'il a excommunié tout ceux qui penseraient à l'ensevelir ? » Et saint Pierre : « Ne sais-tu pas qu'il est écrit que celui qui s'humilie sera élevé ? Va donc, et ensevelis Marcelin au pied de mon tombeau ! » Et le pape fit ainsi ; obéissant à l'ordre de l'apôtre.

LXII
SAINT VITAL, MARTYR
(28 avril)

Saint Vital, chevalier consulaire, eut pour fils, de sa femme Valérie, les deux saints Gervais et Protais. Entrant un jour dans la ville de Ravenne en compagnie d'un juge nommé Paulin, il se trouva assister à l'exécution d'un médecin chrétien qui avait nom Urcisin. Et comme celui-ci, déjà éprouvé par divers supplices, paraissait effrayé, saint Vital lui cria : « Hé, mon frère le médecin, toi qui avais l'habitude de guérir les autres, ne te laisse pas mourir toi-même de la mort éternelle, et ne perds pas la couronne que Dieu t'a préparée ! » Ce qu'entendant, Urcisin reprit courage, et, rougissant de sa lâcheté, accepta avec joie le martyre ; et saint Vital, après l'avoir enseveli chrétiennement, refusa d'aller rejoindre son maître Paulin. Celui-ci, furieux, le fit étendre sur un chevalet. Et Vital lui dit : « Comment peux-tu croire, insensé, que tu parviendras à me détourner de ma foi, moi qui ai souvent empêché les autres d'en être détournés ? » Et Paulin dit à ses serviteurs : « Conduisez-le au temple, et, s'il refuse de sacrifier, creusez une fosse très profonde, jusqu'à ce que vous ayez trouvé de l'eau ; et alors ensevelissez-le tout vivant, la tête en bas ! » C'est ce qu'ils firent, et ainsi saint Vital fut enseveli vivant, sous le règne de l'empereur Néron. Mais le prêtre païen, qui avait suggéré aux juges l'idée de cette mort, fut aussitôt envahi par un démon. Pendant sept jours il délira sur le lieu où avait été ensevelie sa victime, disant : « Tu me brûles, Vital ! » Et, le septième jour, il se précipita dans le fleuve et périt misérablement.

La femme de saint Vital, sainte Valérie, se rendant à Milan, rencontra des païens qui sacrifiaient aux idoles et qui l'engagèrent à prendre sa part de leur sacrifice. Mais elle répondit : « Sachez que je suis chrétienne et que je n'ai pas le droit de me mêler à vos cérémonies ! » Alors ces hommes se jetèrent sur elle et la battirent si cruellement que ses serviteurs l'emportèrent à Milan à demi morte, et que, trois jours après, son âme s'envola joyeusement vers le Seigneur.

LXIII
SAINT PIERRE LE NOUVEAU, MARTYR
(29 avril)

I. Pierre le Nouveau, martyr, de l'ordre des Frères Prêcheurs, naquit dans la ville de Vérone. De même qu'une lumière brillante jaillissant de la fumée, ou qu'un lys blanc surgissant parmi des ronces, ou qu'une rose s'épanouissant entre des épines, ce grand confesseur de la foi naquit de parents aveuglés par l'erreur : car son père et sa mère appartenaient tous deux à la secte hérétique, dont lui-même sut, dès l'enfance, se tenir à l'écart.

Il avait sept ans, et revenait un jour de l'école, lorsque son oncle, hérétique comme ses parents, lui demanda ce que ses maîtres lui apprenaient. L'enfant répondit qu'ils lui apprenaient à dire : « Je crois en Dieu, père tout-puissant, créateur du ciel et de la terre, etc. » Sur quoi l'oncle : « Ne dis pas que Dieu est le créateur du ciel et de la terre, car ce n'est pas Dieu, mais le diable, qui a créé toutes les choses qui se voient ! » Mais l'enfant répondit qu'il préférait dire comme on le lui avait appris à l'école, et croire à ce qu'il avait lu dans les livres saints. En vain son oncle s'efforçait de le convaincre, à grand renfort d'autorités de sa secte : l'enfant, plein de l'Esprit-Saint, retournait contre lui tous ses arguments, le frappant ainsi de son propre glaive, sans lui laisser d'issue par où s'échapper. Et l'oncle, furieux de se voir confondre par un enfant, se plaignit au père du petit Pierre, insistant pour que celui-ci quittât aussitôt l'école qu'il fréquentait. « Je crains, en effet, disait-il, que ce Pierrot, ses études achevées, se rallie à l'odieuse église de Rome, et aide par là à détruire notre foi ! » En quoi cet hérétique, à son insu, se montra bon prophète, car Pierre était en effet destiné à détruire la perfide hérésie d'Arius. Mais Dieu fit en sorte que le père refusa de suivre le conseil de son frère, se disant qu'il pourrait toujours ramener son fils aux doctrines de sa secte lorsque l'enfant aurait achevé son éducation. Or l'enfant, jugeant que c'était chose peu sûre d'habiter avec des scorpions, et dédaignant le monde, et haïssant l'erreur de ses parents, s'empressa, dès sa sortie de l'école, d'entrer dans l'ordre des Frères Prêcheurs. Le pape Innocent nous dit à ce sujet, dans son épître : « Renonçant de bonne heure aux mensonges du monde, le bienheureux Pierre s'affilia à l'ordre des Prêcheurs. Il y passa près de trente ans et lutta vaillamment pour la défense de sa foi, jusqu'au jour où ses ennemis, exaspérés des coups qu'il leur portait, lui fournirent l'occasion d'un enviable martyre. Et ainsi Pierre, s'appuyant sur la pierre de la foi, s'éleva enfin jusqu'au trône du Christ. Toute sa vie, aussi, il garda intacte la virginité de son corps et de son âme, et jamais il n'éprouva l'atteinte d'aucun péché mortel, suivant ce qu'ont attesté ses confesseurs. Et toute sa vie il mortifia sa chair en s'abstenant de tout excès de nourriture ou de boisson. Et, de peur que, durant son repos, il ne fût tenté de succomber aux pièges de l'ennemi, il s'exerçait sans relâche à défendre sa foi. La nuit même, après un court sommeil, il se levait, et étudiait les vérités du dogme. Quant à ses journées, il les employait à prêcher contre les tentations du monde, ou bien à recevoir des confessions, ou bien à réfuter par d'excellentes raisons la doctrine empoisonnée des hérétiques, et l'on sait combien, avec l'aide de Dieu, il parvint à briller dans ces réfutations. Pieux, humble et doux, obéissant, patient, plein de charité et de compassion, il attirait à lui tous les cœurs par le parfum même de ses vertus. Et dans l'ardeur de sa foi, il suppliait le Seigneur de ne point l'ôter de ce monde autrement qu'en l'autorisant à boire le calice de la passion : et sa prière finit par être exaucée. »

II. Nombreux furent les miracles qu'il fit de son vivant. Comme, un jour, à Milan, il interrogeait un évêque hérétique que les fidèles avaient fait prisonnier, et comme nombre d'évêques, de prêtres et d'habitants de la ville se trouvaient réunis autour de lui, et comme cette foule souffrait d'une chaleur torride, l'hérétique s'écria en présence de tous : « O Pierre, si tu es aussi saint que l'affirme ce peuple stupide, pourquoi le laisses-tu étouffer de chaleur, et ne demandes-tu pas à ton Dieu d'envoyer un nuage, qui rafraîchisse l'air ? » Et Pierre, lui répondit : « Si tu veux promettre de renoncer à ton hérésie et de te convertir à la foi catholique, je prierai Dieu, et il fera ce que tu demandes ! » Alors tous les hérétiques, qui entouraient leur évêque lui crièrent : « Promets, promets ! » Ils croyaient, en effet, impossible le miracle annoncé par Pierre, car on ne voyait pas au ciel l'ombre même du moindre nuage. Et, au contraire, les catholiques s'affligeaient de la proposition de Pierre, craignant qu'un échec ne nuisît aux intérêts de leur foi. Et comme l'hérétique refusait de s'engager, Pierre lui dit, d'un ton plein de confiance : « N'importe ! Afin que le vrai Dieu, créateur des choses visibles et invisibles, se montre ici pour la consolation des fidèles et la confusion des hérétiques, je le prie de faire en sorte qu'un nuage vienne se placer entre le soleil et cette foule ! » Après quoi il fit le signe de la croix, et aussitôt un nuage se déploya au ciel ; et, pendant une grande heure, ce nuage abrita la foule de la chaleur du soleil, à la manière d'un pavillon.

III. On conduisit un jour vers saint Pierre, à Milan, un homme nommé Asserbus, qui, depuis cinq ans, était paralysé au point de devoir être traîné dans un petit chariot. Saint Pierre fit sur lui le signe de la croix, et aussitôt le paralytique se releva guéri. Et le saint fit encore, de son vivant, bien d'autres miracles, dont quelques-uns nous sont rappelés par le pape Innocent dans l'épître déjà citée. Telle l'histoire d'un jeune homme noble qui avait dans la gorge une horrible tumeur, l'empêchant de parler comme de respirer : le saint fit sur lui le signe de la croix et le couvrit de son propre manteau, et aussitôt il le guérit. Et plus tard le même noble, souffrant de douleurs internes, et se voyant menacé de mort, se fit apporter ce manteau, qu'il avait conservé. A peine s'en fut-il couvert, qu'il vomit un ver à deux têtes et tout noir de poils ; et aussitôt il se sentit guéri. Une autre fois, saint Pierre rendit la parole à un jeune homme muet, en lui introduisant un doigt dans la bouche et en brisant le lien qui retenait sa langue.

IV. Or, comme la peste de l'hérésie sévissait en Lombardie, et que déjà plusieurs villes en étaient contaminées, le souverain pontife délégua dans les diverses parties de la province des inquisiteurs, tous appartenant à l'ordre des Frères Prêcheurs, et leur confia le soin de détruire cette peste diabolique. A Milan le nombre des hérétiques était particulièrement grand, et l'hérésie y possédait des partisans qui joignaient à leur influence politique une éloquence pleine de ruses et un savoir malfaisant. Aussi le souverain pontife, connaissant l'intrépide bravoure de Pierre, sa fermeté, et son éloquence, le choisit pour mener la lutte à Milan et dans le Milanais, lui concédant à cet effet autorité plénière. Et le saint, prenant à cœur sa mission, harcelait les hérétiques sans leur laisser de repos ; il confondait leurs arguments, les réfutait, leur opposait la vérité divine, de telle sorte que personne ne pouvait résister à sa sagesse et à l'Esprit qui parlait par lui. Ce que voyant, les hérétiques, consternés, se mirent à méditer sa mort, avec l'idée qu'ils retrouveraient la paix s'ils parvenaient à se débarrasser d'un aussi vaillant adversaire. Et un jour, comme Pierre revenait de Côme à Milan, il reçut en chemin la palme du martyre. Le pape Innocent raconte que, sur la route, le saint fut assailli par un hérétique qui, se jetant sur lui comme le loup sur l'agneau, lui porta à la tête de cruelles blessures. Et le saint ne fit entendre ni plainte ni murmure, mais plutôt s'offrit en victime à son assassin, et, souffrant patiemment, se contenta de dire : « Seigneur, je remets mon âme entre tes mains ! » Après quoi il récita encore le symbole de la foi, ainsi que l'ont rapporté son assassin lui-même, — qui tomba aux mains des fidèles peu de temps après, — et un frère dominicain qui accompagnait Pierre, et qui, frappé lui aussi, survécut quelques jours à ses blessures. Puis, voyant que le martyr tardait à mourir, l'assassin tira son couteau et lui transperça le flanc. Ainsi Pierre eut l'insigne bonheur de pouvoir être à la fois, dans cette même journée, confesseur, martyr et aussi prophète ; car le matin, au moment de se mettre en route, comme ses frères lui disaient que, fatigué et souffrant de la fièvre, il aurait peine à aller d'une seule traite jusqu'à Milan, il leur avait répondu : « Si je ne parviens pas jusqu'au couvent de mes frères, saint Simplicien pourra toujours me donner un abri pour la nuit. Or, le soir, lorsque son corps sacré fut ramené à Milan, les frères, en raison de la fréquence de la foule, se trouvèrent empêchés de le conduire jusqu'à leur couvent, si bien qu'ils le déposèrent dans l'église de saint Simplicien, où il resta toute la nuit. Mais son assassin et ses complices furent trompés dans leurs prévisions : car Pierre, par son martyre, contribua autant et plus que par les actes de sa vie à convertir les hérétiques. Il y contribua si puissamment, par le souvenir de ses mérites et par d'éclatants miracles, que la plupart des hérétiques renoncèrent à leurs erreurs pour rentrer dans le sein de l'église romaine. La ville et le comté de Milan se trouvèrent, en quelques jours, purgés de l'hérésie. Et bon nombre des plus influents et des plus fameux, parmi les prédicateurs de l'hérésie, entrèrent dans l'ordre des Prêcheurs, ordre qui, aujourd'hui encore, continue à lutter énergiquement contre l'hérésie. Ainsi notre Samson, en mourant, tua plus de Philistins qu'il n'en aurait tués s'il fût resté en vie[7].

[7] Le martyre de saint Pierre le Nouveau avait eu lieu en 1252, deux ou trois ans à peine avant le temps où Jacques de Voragine écrivait sa *Légende*.

V. Et, après sa mort, Dieu permit que son triomphe fût illustré par de nombreux miracles, dont quelques-uns nous sont rapportés par le pape Innocent. C'est ainsi que, plusieurs fois, les lampes suspendues au-dessus de son tombeau, s'allumèrent d'elles-mêmes. Un homme qui, étant à table, dépréciait la sainteté et les miracles de Pierre, sentit soudain le morceau qu'il mangeait s'arrêter dans sa gorge de manière qu'il ne pouvait ni l'avaler ni le rejeter. Déjà son visage avait changé de couleur, déjà il devinait l'approche de la mort, lorsque, se repentant, il fit vœu de ne plus jamais employer sa langue à mal parler du saint : et aussitôt il rejeta la bouchée qui l'étranglait, et se trouva délivré.

VI. Lorsque le pape Innocent IV inscrivit Pierre au nombre des saints, les Frères Prêcheurs, réunis en chapitre à Milan, voulurent déterrer le corps du saint pour le transporter sous un autel. Et, bien que plus d'une année se fût écoulée depuis le martyre, le corps fut trouvé intact comme s'il n'était enseveli que depuis la veille. Les frères l'étendirent sur une estrade, où le peuple fût admis à le voir et à l'honorer.

Certain jeune homme du nom de Guiffroy, de la ville de Côme, gardait un fragment de la tunique de saint Pierre. Un hérétique, pour se moquer de lui, lui conseilla de jeter au feu ce fragment, disant que, si les flammes l'épargnaient, la sainteté de Pierre serait par là prouvée, et que lui-même, dans ce cas, se convertirait. Guiffroy jeta donc le fragment du manteau de saint Pierre sur des charbons enflammés ; mais le fragment se tint d'abord en l'air au-dessus du feu, puis, retombant sur lui, l'éteignit du coup. Alors l'incrédule dit : « Un fragment de mon manteau en fera tout autant ! » On alluma d'autres charbons et on y plaça, en face l'un de l'autre, les deux fragments de manteaux. Et le manteau de l'hérétique fut, tout de suite, brûlé, tandis que celui de saint Pierre éteignit le feu sans qu'un seul de ses poils fût endommagé. Ce que voyant, l'hérétique revint à la vérité, et fit part à tous du miracle dont il avait été témoin.

VII. On raconte que certain hérétique, dialecticien éloquent et infatigable, discutant avec saint Pierre, le pressait d'arguments si subtils que le saint, désolé, entra dans une église voisine, et pria Dieu, avec des larmes, de défendre pour lui la cause de sa foi. Après quoi, revenant vers l'hérétique, il lui dit d'exposer de nouveau ses raisons. Mais l'hérétique était devenu muet, au point qu'il ne put prononcer une seule parole : ce qui arriva à la grande confusion de son parti, et les fidèles en rendirent de grandes grâces à Dieu.

VIII. Un hérétique nommé Opiso, étant un jour entré dans la chapelle des frères, à Milan, et ayant aperçu deux deniers sur la tombe de saint Pierre, s'empara de ces deniers en disant : « Voilà qui est bon pour m'offrir à boire ! » Et aussitôt il fut saisi d'un tremblement, et se trouva incapable de faire un seul pas. Epouvanté, il restitua les deux deniers et se convertit.

IX. Dans un couvent de Florence, une religieuse, étant en prière le jour du martyre du saint, vit la Vierge Marie assise sur son trône de gloire et faisant asseoir près d'elle deux frères de l'ordre des Prêcheurs. Elle demanda qui étaient ces frères ; et une voix lui répondit : « C'est le frère Pierre et son compagnon, qui viennent de s'élever jusqu'au ciel comme la fumée de l'encens. » Et, plus tard, cette religieuse, souffrant d'une grave maladie, invoqua saint Pierre et fut aussitôt guérie.

X. Un clerc qui revenait de Maguelone à Montpellier, se fit un effort dans l'aîne, en sautant ; et il souffrait horriblement, et ne pouvait marcher. Il entendit raconter qu'une femme atteinte d'un cancer avait étendu sur sa plaie un peu de terre arrosée du sang de Saint Pierre, et ainsi avait été guérie. Alors il dit : « Mon Dieu, je n'ai point de cette terre ; mais puisque, par les mérites du saint, tu as pu donner à cette terre un tel pouvoir, tu peux bien le donner aussi à celle que j'ai sous les pieds ! » Et, ramassant une poignée de terre, après avoir invoqué le martyr, il se frotta l'aîne et fut aussitôt guéri.

XI. L'an du Seigneur 1259[8], un habitant d'Apostelle, nommé Benoît, avait les jambes enflées comme des outres, le ventre ballonné comme une femme en couches, le visage dévoré d'une énorme tumeur, et chacun était effrayé de lui comme d'un monstre. Or comme, un jour, il demandait l'aumône à une vieille femme, celle-ci lui dit : « Tu aurais plutôt besoin d'une fosse que de tout autre bien ; mais suis mon conseil, va au couvent des Frères Prêcheurs, confesse tes péchés, et invoque l'aide de saint Pierre Martyr ! » L'homme se rendit au couvent des Frères, mais en trouva la porte encore fermée. Il s'étendit devant cette porte et s'endormit. Et voici que lui apparut un Frère qui, le cachant sous sa cape, l'introduisit dans l'église ; et, en effet, quand Benoît s'éveilla, il se trouvait dans l'église et complètement guéri. Ce qui fut une grande source d'étonnement et d'admiration pour tous ceux qui, ayant vu la veille cet homme presque mort, le retrouvèrent soudain rendu à la santé.

[8] Cette date ne peut malheureusement pas aider à connaître l'année où fut écrite la *Légende Dorée*, car la plupart des miracles de saint Pierre Martyr

paraissent avoir été interpolés par des copistes de l'ordre des Frères Prêcheurs. Certains manuscrits en énumèrent ainsi plus de cent.

LXIV
SAINT PHILIPPE, APÔTRE
(1er mai)

L'apôtre Philippe prêchait depuis vingt ans en Scythie, lorsque les païens s'emparèrent de lui, et voulurent le contraindre à sacrifier devant une statue du dieu Mars. Mais soudain un énorme dragon, sortant du pied de la statue, mit à mort le fils du prêtre, qui préparait le feu du sacrifice, et les deux tribuns qui avaient fait arrêter Philippe ; en même temps qu'il répandait une haleine si fétide, que tout le reste des assistants en était étouffé. Et Philippe dit : « Croyez-moi, brisez cette statue, et à sa place, adorez la croix du Seigneur, afin que ceux d'entre vous qui souffrent soient guéris, et que ces trois morts ressuscitent ! » Mais les païens, de plus en plus malades, criaient : « Fais seulement que nous soyons guéris, et nous te promettons de détruire aussitôt la statue ! » Alors, Philippe, parlant au dragon, lui ordonna de s'enfuir dans un lieu désert, où il ne pût faire de mal à personne : le dragon obéit, s'enfuit et ne se montra jamais plus. Après quoi Philippe guérit tous ceux que l'haleine du dragon avait rendus malades, et obtint que les trois morts fussent rendus à la vie. Il convertit ainsi la ville entière, et passa un an encore à prêcher dans ses murs. Puis, y ayant ordonné des prêtres et des diacres, il se rendit dans une ville d'Asie appelée Hierapolis, où il éteignit l'hérésie des Ebionites, qui prétendaient que le Christ s'était incarné dans une chair différente de notre chair humaine.

Il avait avec lui ses deux filles, d'une grande sainteté, par l'entremise desquelles Dieu convertissait à la foi de nombreuses âmes. Quant à Philippe, une semaine avant sa mort, il convoqua les évêques et les prêtres, et leur dit : « Le Seigneur m'accorde encore sept jours pour continuer à vous instruire. » Il était alors âgé de quatre-vingt-sept ans. Et en effet, une semaine après, il fut pris par les infidèles et attaché par eux à une croix, à l'exemple du maître divin dont il prêchait la doctrine. C'est ainsi que son âme s'envola heureusement au trône du Seigneur ; et on ensevelit près de lui les deux vierges, ses filles, l'une à sa droite, l'autre à sa gauche.

Isidore nous dit, dans son livre sur l'origine, la vie et la mort des saints : « Philippe le Galiléen prêcha le Christ, convertit à la foi les nations barbares des bords de l'Océan, et fut enfin crucifié, lapidé, et mis à mort, à Hierapolis, dans la province de Phrygie, où il repose entre ses deux filles. »

D'un autre Philippe, qui fit partie des sept premiers diacres, saint Jérôme nous dit qu'il est mort à Césarée, le huitième jour des ides de juillet, après avoir accompli de nombreux miracles, et qu'il fut enterré avec ses trois filles, tandis qu'une quatrième repose à Ephèse. Mais le premier Philippe diffère de celui-là, ayant été apôtre et non diacre, ayant été enterré à Hierapolis et non à Césarée, et ayant eu deux filles et non quatre. L'*Histoire ecclésiastique*, en vérité, paraît affirmer que ce fut l'apôtre Philippe qui eut quatre filles douées du don de prophétie ; mais l'opinion de saint Jérôme, sur ce point, mérite plus de créance.

LXV
SAINT JACQUES LE MINEUR, APÔTRE
(1er mai)

I. Le saint Jacques dont nous allons parler est désigné sous différents noms. On l'appelle notamment Jacques fils d'Alphée, ou Jacques le frère du Seigneur, ou encore Jacques le Mineur et Jacques le Juste. Il est Jacques, fils d'Alphée, non seulement à cause du nom de son père, mais aussi à cause du sens d'Alphée, qui signifie sage, ou leçon, où encore millième. Et, en effet, saint Jacques fut sage dans la science divine, il fut une leçon pour les autres, il fuit le monde qu'il dédaignait, et il voulut être le millième par humilité. Son nom de « frère du Seigneur » lui vient, croit-on, de ce qu'il ressemblait si fort au Seigneur, par les traits du visage, que plus d'une fois on le confondit avec lui. Aussi, lorsque les Juifs vinrent s'emparer du Christ, craignirent-ils de prendre Jacques au lieu du Christ ; et c'est pour ce motif qu'ils ordonnèrent à Judas de leur désigner le Christ en lui donnant un baiser. Cette explication du nom de saint Jacques nous est, en outre, confirmée par saint Ignace dans sa lettre à l'évangéliste Jean, où nous lisons : « Avec ta permission, je voudrais me rendre à Jérusalem pour voir le vénérable Jacques, surnommé le Juste, dont on dit qu'il ressemblait si fort à Jésus-Christ de figure, de manières, et de langage, qu'on aurait pu le tenir pour son frère jumeau. »

Ou bien encore ce surnom peut venir de ce que Jésus et Jacques étaient enfants de deux sœurs, et que le père de Jacques, Cléophas, était le frère de Joseph. Mais, en tout cas, ce nom de « frère du Seigneur » ne saurait venir, comme d'aucuns l'ont prétendu, de ce que Jacques fût le fils de Joseph, le mari de la Vierge : car il était fils de Marie, fille de Cléophas, qui lui-même était frère de Joseph, le mari de la Vierge. Les Juifs, en effet, appelaient frères tous ceux que rattachaient entre eux les liens du sang. Quant au nom de Jacques Mineur, il s'oppose à celui de Jacques Majeur, le fils de Zébédée, qui, bien qu'il ait reçu la vocation après l'autre Jacques, était cependant son aîné par l'âge. Enfin, le surnom de Juste nous rappelle l'éminente sainteté de Jacques, qui, d'après saint Jérôme, était l'objet d'une vénération si profonde que le peuple se disputait l'honneur de toucher les pans de son manteau. Et voici, ce qu'écrit de sa sainteté Hégésippe, qui eut l'occasion de connaître les apôtres : « La direction de l'Eglise fut confiée à Jacques, le frère du Seigneur, que tous se sont toujours accordé à appeler le Juste. Telle était sa sainteté, dès le ventre de sa mère, que jamais il ne but de vin ni de bière, jamais il ne mangea de viande, jamais il ne s'oignit d'huile, jamais il n'eut besoin de prendre des bains. Toute sa vie il fut vêtu d'un simple manteau de toile. Et, à force de s'agenouiller pour prier, on voyait sur ses genoux des durillons comme ceux qui se forment sous les pieds. Aussi lui seul, parmi les apôtres, en raison de sa sainteté, était-il admis à pénétrer dans le Saint des Saints. » On dit également qu'il fut le premier, parmi les apôtres, à célébrer la messe, les disciples lui ayant fait l'honneur de lui confier la célébration de la première messe à Jérusalem, après l'ascension du Seigneur, et avant même qu'il fût ordonné évêque. Saint Jérôme ajoute, dans son écrit contre Jovinien, que Jacques le Mineur ne connut jamais les plaisirs de la chair. Lorsque Jésus mourut sur la croix, Jacques fit le vœu de ne rien manger jusqu'à ce que son maître fût ressuscité d'entre les morts. Le jour même de sa résurrection, Jésus lui apparut, et dit à ceux qui étaient avec lui : « Préparez la table et le pain ! » Puis, prenant le pain, il le bénit et le donna à Jacques, en lui disant : « Lève-toi et mange, mon frère, car le Fils de l'Homme est ressuscité d'entre les morts ! »

La septième année de son épiscopat, au jour de Pâques, les apôtres se réunirent à Jérusalem et rapportèrent à Jacques tout ce que le Seigneur avait fait par leur entremise depuis leur séparation. Après quoi Jacques, pendant sept jours, prêcha dans le temple avec les autres apôtres, en présence de Caïphe et d'un grand nombre de Juifs ; et déjà ceux-ci étaient sur le point de demander le baptême, lorsque soudain un autre Juif, entrant dans le temple, se mit à crier : « O hommes d'Israël, que faites-vous ? Vous laisserez-vous longtemps encore tromper par ces magiciens ? » Et cet homme excita le peuple à un tel degré que les apôtres faillirent être lapidés. Il s'élança lui-même sur l'estrade d'où Jacques prêchait, et le précipita au bas de cette estrade, de façon qu'il le rendit boiteux pour le reste de sa vie. Ainsi, sept ans après l'ascension du Christ, Jacques eut une première fois à souffrir pour son maître.

La trentième année de son épiscopat, les Juifs, dépités de ne pouvoir tuer saint Paul, qui en avait appelé à César et avait été mandé à Rome, tournèrent leur fièvre de persécution contre saint Jacques, et cherchèrent une occasion de le faire périr. Hégésippe, le contemporain des apôtres, nous raconte que les Juifs vinrent trouver Jacques et lui dirent : « Nous te demandons de ramener dans la bonne voie les gens du peuple qui, dans leur aveuglement, croient que Jésus était le Messie. Si tu détournes de Jésus la foule qui va se réunir pour les fêtes de Pâques, nous t'obéirons tous, et te rendrons tous hommage comme au plus juste d'entre nous. » Ils le conduisirent ensuite au haut du temple et se mirent à lui crier : « Homme juste, toi à qui nous devons tous obéir, dis-nous ton avis sur l'erreur des gens du peuple au sujet de ce Jésus qu'on a crucifié ! » Mais Jacques, trompant leur attente, s'écria d'une voix immense : « Que m'interrogez-vous sur le Fils de l'Homme ? Le voici lui-même assis dans le ciel à la droite de son Père, en attendant qu'il revienne juger les vivants et les morts ! » Ce qu'entendant, les chrétiens furent remplis de joie ; mais les scribes et les pharisiens se dirent : « Nous avons eu tort d'invoquer son témoignage ! Montons à présent jusqu'à lui et précipitons-le à terre, afin que la foule, effrayée, ne s'avise pas de croire à ses paroles ! » Là-dessus, ils s'écrièrent : « Eh quoi ! le juste lui-même est tombé dans l'erreur ! » Puis ils montèrent sur le haut du temple et le précipitèrent sur le sol, où ils se mirent à lui jeter des pierres. Mais lui, se relevant sur ses genoux, disait : « Je t'en prie, maître, pardonne-leur, car ils ne savent ce qu'ils font ! » Alors un des prêtres, fils de Rahab, s'écria : « Que faites-vous, insensés ? Voici que ce juste que vous lapidez prie pour vous ! » Alors un des Juifs, saisissant un marteau de foulon, asséna sur la tête de saint Jacques un coup vigoureux qui fit jaillir la cervelle. Et ainsi le martyr rendit son âme à Dieu, sous le règne de Néron. Il fut enseveli près du temple. La foule voulut venger sa mort et s'emparer de ses meurtriers, mais ceux-ci, déjà, avaient pris la fuite.

II. Josèphe rapporte que c'est en châtiment du meurtre de Jacques qu'a été autorisée la destruction de Jérusalem, ainsi que la dispersion des Juifs. Mais plus encore que la mort de Jacques, c'est la mort du Seigneur qui a attiré sur Jérusalem ce terrible châtiment, selon ce qu'avait dit le Seigneur lui-même : « On ne te laissera pas pierre sur pierre, puisque tu n'as point connu le temps de ta visitation ! » Mais comme Dieu ne veut pas la mort du pécheur, cinquante ans de délai furent laissés aux Juifs pour faire pénitence, en même temps que la prédication des apôtres, et en particulier celle de saint Jacques le Mineur, les exhortait sans cesse à se repentir. Et ce n'est pas tout. Ne pouvant convertir les Juifs par la prédication des apôtres, le Seigneur voulut au moins les effrayer par des prodiges ; et Josèphe nous rapporte toute une série de prodiges qui se produisirent pendant ces cinquante années de délai. Une étoile, pareille à un glaive, flamboya au-dessus de la ville pendant une année entière. Un jour de fête des Azymes, à neuf heures de la nuit, une lumière aussi brillante que celle du midi entoura le temple. Dans la même fête, une génisse qu'on allait sacrifier, déjà livrée aux mains des prêtres, enfanta un agneau. Plusieurs jours après, au coucher du soleil, on vit courir de toutes parts, sur les nuages, des chars remplis de troupes en armes. La nuit de la Pentecôte, les prêtres qui entraient dans le temple pour préparer les sacrifices, entendirent d'étranges bruits comme d'écroulement, pendant que des voix invisibles disaient : « Quittons ces lieux ! » Enfin, quatre ans avant la guerre, le jour de la fête des Tabernacles, un certain Jésus, fils d'Ananias, se mit à crier : « Voix de l'Orient, voix de l'Occident, voix des quatre points cardinaux, voix sur Jérusalem et sur le temple, voix sur les époux et les épouses, voix sur le peuple tout entier ! » Cet homme fut saisi, frappé de verges, mais toujours il répétait les mêmes paroles, criant plus fort à chaque coup reçu. On le conduisit devant le juge, on le tortura jusqu'à mettre à nu les os de ses membres. Mais lui, sans pleurer ni demander grâce, hurlait toujours les mêmes paroles, ajoutant encore : « Malheur à toi, malheur à toi, Jérusalem ! »

Alors, comme les Juifs ne se laissaient ni toucher par les avertissements ni effrayer par les prodiges, le Seigneur envoya à Jérusalem Vespasien et Titus, qui détruisirent la ville de fond en comble. Et voici quelle fut l'occasion de leur arrivée à Jérusalem, à ce que nous raconte certaine histoire, en vérité apocryphe. Pilate, comprenant qu'il avait condamné un innocent, et craignant la colère de l'empereur Tibère, lui envoya, pour s'excuser de la mort de Jésus, un messager nommé Albain. Or, à cette époque, Vespasien gouvernait, au nom de Tibère, le pays des Galates, et Albain, poussé par la tempête sur la côte de Galatie, fut amené en présence de Vespasien. Et c'était la coutume du pays que tout naufragé qui y débarquait devenait l'esclave du prince. Vespasien demanda à Albain qui il était, d'où il venait, et où il allait. Et Albain : « Je suis habitant de Jérusalem, je viens de cette ville, et je me rends à Rome. » Alors Vespasien : « Tu viens du pays des mages, et, par suite, tu dois connaître le secret de guérir. Vois donc à me donner tes soins ! » Car Vespasien avait dans le nez, depuis l'enfance, une espèce de vermine, d'où lui était venu son surnom même de Vespasien. Albain répondit : « Seigneur, je ne connais point la médecine, et ne puis donc pas te guérir. » Mais Vespasien : « Si tu ne me guéris, tu seras mis à mort ! » Alors Albain lui dit : « Celui qui a su rendre la vue aux aveugles, exorcisé les démons, ressuscité les morts, celui-là pourra te guérir, non pas moi ! » Et Vespasien : « Qui est donc celui-là ? » Et Albain : « C'est Jésus de Nazareth, que les Juifs ont mis à mort par jalousie. Si tu crois en lui, tu retrouveras aussitôt la santé ! » Et Vespasien : « Je crois que, s'il a pu ressusciter les morts, il pourra me délivrer de mon infirmité ! » Et aussitôt les vers lui sortirent du nez, et il retrouva la santé. Rempli de joie, il s'écria : « Oui, certes, c'était un Fils de Dieu, celui qui a pu me guérir ! Et je vais demander à César la permission de me rendre à Jérusalem, pour châtier tous ceux qui ont livré cet homme et l'ont fait mourir. Quant à toi, Albain, retourne auprès de ton maître, je te rends la liberté ! » Vespasien alla donc à Rome, afin d'obtenir de Tibère la permission de détruire Jérusalem et toute la Judée. Et pendant de nombreuses années il réunit des troupes, sous le règne de Néron, pendant que les Juifs, de leur côté, se révoltaient contre l'Empire. Mais d'autres chroniques affirment que ce n'était point le zèle pour le Christ qui le faisait agir, mais le désir de réprimer l'insurrection des Juifs. Enfin il se mit en route vers Jérusalem, avec une nombreuse armée, et, le jour de Pâques, il mit le siège autour de la ville, où se trouva ainsi enfermée une foule de Juifs venus de la campagne pour les fêtes. Sur son chemin, il attaqua une ville de Judée nommée Jonapata, dont Josèphe était le chef ; et celui-ci, après une courageuse résistance, voyant que la destruction de la ville était imminente, se réfugia avec onze autres Juifs dans un souterrain, où ses compagnons et lui souffrirent de la faim pendant quatre jours. Ces malheureux, malgré l'avis de Josèphe, aimaient mieux mourir là que de se soumettre au joug de Vespasien. Ils résolurent donc de se tuer les uns les autres, afin d'offrir leur sang à Dieu en sacrifice ; et comme Josèphe était le principal d'entre eux, c'était lui qu'on voulait mettre à mort le premier. Mais Josèphe, personnage prudent, et qui tenait à la vie, se constitua le juge du sacrifice, et décida que l'on tirerait au sort, deux par deux, ceux qui auraient à être tués les premiers. Après quoi, il livra à la mort tantôt l'un tantôt l'autre de ses compagnons, jusqu'à ce qu'enfin ne restèrent plus que lui-même et l'homme qui devait tirer au sort avec lui. Alors Josèphe, adroitement, prit à cet homme son épée, et lui demanda ensuite s'il préférait vivre ou mourir. L'homme, épouvanté, le supplia de lui conserver la vie. Josèphe s'adressa en secret à un familier de Vespasien, et le pria de demander à son maître que grâce lui fût faite de la vie. Amené devant Vespasien, il lui dit : « Prince, je t'informe que l'empereur de Rome vient de mourir, et que le Sénat t'a nommé pour le remplacer ! » Et Vespasien : « Si tu es prophète, pourquoi n'as-tu pas prédit à cette ville qu'elle aurait à se soumettre à moi ? » Cependant, quelques jours après, des délégués arrivèrent de Rome pour annoncer à Vespasien qu'il était élevé à l'Empire. Le nouvel empereur partit pour Rome, laissant à son fils Titus le soin de poursuivre le siège de Jérusalem.

La même histoire apocryphe raconte ensuite que Titus, en apprenant l'honneur échu à son père, fut rempli d'une joie qui lui tordit les nerfs et paralysa ses membres. Ce qu'apprenant, Josèphe devina la cause véritable de la maladie, et s'ingénia à y trouver un remède, se fondant sur le principe que les contraires peuvent être guéris par leurs contraires. Or, Titus avait un esclave qui lui était si odieux qu'il ne pouvait, sans souffrir, le voir ni même entendre prononcer son nom. Josèphe dit donc à Titus : « Si tu veux être guéri, aie soin de saluer tous ceux que tu verras en ma compagnie ! » Titus s'engagea à le faire. Et aussitôt Josèphe fit préparer un festin où il se plaça en face de Titus, en faisant asseoir à sa droite l'esclave détesté. Et dès que Titus l'aperçut, il eut un frémissement d'aversion qui, aussitôt, réchauffa ses nerfs, refroidis par l'excès de joie, et le guérit de sa paralysie. Et, depuis lors, il rendit sa faveur à l'esclave et admit Josèphe dans son amitié. Telle est l'histoire ; mais je laisse au jugement du lecteur le soin de décider si une telle histoire valait même la peine d'être rapportée.

Le fait est que Jérusalem fut assiégée par Titus, pendant deux ans, et qu'entre autres maux, dont elle eut à souffrir au cours de ce siège, elle eut à souffrir une famine si affreuse que les parents arrachaient la nourriture non seulement des mains mais de la bouche même des enfants, et les enfants de la bouche des parents ; les plus vigoureux des jeunes gens erraient par les rues comme des fantômes et tombaient morts, épuisés de faim ; souvent ceux qui ensevelissaient les morts mouraient sur les cadavres, si bien qu'on finit par ne plus ensevelir les morts, et qu'on se borna à les précipiter en masse du haut des murs. Titus, voyant les fossés remplis de ces cadavres, leva les mains au ciel, pleura, et dit : « Seigneur, tu vois que ce n'est point moi qui les ai fait mourir ! » Et la famine était telle que les assiégés mangeaient leurs chaussures. Une femme noble et riche, voyant des pillards envahir et dépouiller sa maison, s'écria, tandis qu'elle élevait en l'air son enfant nouveau-né : « Fils plus infortuné d'une mère infortunée, pour quel destin te réserverais-je au milieu de tant de misères ? Viens, mon enfant, sois pour ta mère une nourriture, pour les pillards un scandale, pour les siècles un avertissement ! » Sur quoi elle étrangla son fils, le fit cuire, en mangea la moitié, et cacha l'autre moitié. Or, voici que les pillards, sentant une odeur de viande cuite, se précipitèrent dans la maison et menacèrent la femme de la tuer si elle ne leur livrait sa provision de viande. Alors la femme, leur montrant les membres de son enfant : « Tenez, leur dit-elle, je vous ai réservé la meilleure partie ! » Une telle horreur les envahit qu'ils ne surent que répondre. Et elle : « C'est mon fils, leur dit-elle, le péché est sur moi : mangez sans crainte, puisque moi-même, qui l'ai mis au monde, en ai mangé la première ; et si l'horreur vous retient, j'achèverai seule de manger ce dont j'ai déjà mangé la moitié ! »

Enfin, la seconde année du règne de Vespasien, Titus prit Jérusalem, détruisit le temple de fond en comble ; et, de même que les Juifs avaient acheté le Christ pour trente deniers, de même Titus ordonna qu'on vendît trente Juifs pour un seul denier. Josèphe raconte que quatre-vingt-dix-sept mille Juifs furent vendus, et que onze mille périrent par la faim ou le fer. On raconte encore que Titus, en entrant à Jérusalem, aperçut un mur plus épais que les autres ; il y fit pratiquer une ouverture, et l'on vit derrière le mur un vieillard d'aspect vénérable qui, aux questions qu'on lui posa, répondit qu'il s'appelait Joseph, qu'il était de la ville d'Arimathie, et que les Juifs l'avaient enfermé et muré là parce qu'il avait enseveli le corps du Christ. Il ajouta que, depuis lors, il avait été nourri et soutenu par des anges descendant du ciel. Mais, d'autre part, l'évangile de Nicodème nous dit que Joseph d'Arimathie, ayant été muré par les Juifs, avait été délivré par le Christ et ramené par lui dans sa ville natale. Après cela, rien n'empêche d'admettre que, revenu à Arimathie, Joseph ait continué à prêcher le Christ et ait été muré par les Juifs une seconde fois.

A la mort de Vespasien, Titus succéda à son père sur le trône : homme plein de clémence et de générosité, dont Eusèbe de Césarée et Jérôme nous rapportent que, certain jour, se rappelant qu'il n'avait fait ce jour-là aucune bonne action, il s'est écrié : « O mes amis, j'ai perdu ma journée ! » Longtemps après, certains Juifs voulurent reconstruire Jérusalem. Mais, étant sortis de leurs maisons, le matin, pour y travailler, ils aperçurent à terre des croix faites de rosée : ils s'enfuirent, épouvantés. Le matin suivant, quand ils se remirent à l'ouvrage, chacun d'eux vit une croix de sang peinte sur son manteau, ce qui, de nouveau, les mit en fuite. Enfin, le troisième jour, une vapeur brûlante sortit du sol, qui les consuma. C'est du moins ce que raconte Milet, dans sa chronique.

LXVI
L'INVENTION DE LA SAINTE CROIX
(3 mai)

Sous le nom de l'Invention de la Sainte Croix, l'Eglise fête l'anniversaire du jour où a été retrouvée la croix de Notre-Seigneur. Cet événement eut lieu plus de deux cents ans après la résurrection du Christ.

On lit dans l'*Evangile de Nicodème* que, un jour que le vieil Adam était malade, son fils Seth se rendit jusqu'à la porte du Paradis et demanda de l'huile de l'arbre de miséricorde, afin d'en frotter le corps de son père et de lui rendre ainsi la santé. Or, l'archange Michel lui apparut et lui dit : « N'espère pas obtenir, par tes larmes ni par tes prières, de l'huile de l'arbre de miséricorde, car les hommes ne pourront obtenir de cette huile que dans cinq mille cinq cents ans », — c'est-à-dire après la passion du Christ. Une autre chronique raconte que l'archange Michel offrit cependant à Seth un rameau de l'arbre miraculeux, en lui ordonnant de le planter sur le mont Liban. Une autre histoire, en vérité apocryphe, ajoute que cet arbre était le même qui avait fait pécher Adam, et que l'ange, en donnant le rameau à Seth, lui dit que, le jour où ce rameau porterait des fruits, son père recouvrerait la santé. Et Seth, de retour chez lui trouva son père déjà mort ; il planta le rameau sur la tombe d'Adam, et le rameau devint un grand arbre qui vivait encore au temps de Salomon.

Ce prince, frappé de la beauté de l'arbre, le fit couper afin qu'il servît à la construction du temple ; mais là, on ne put trouver aucun endroit où le placer : car tantôt il paraissait trop long et tantôt trop court ; et, quand les ouvriers essayaient de le couper à la longueur voulue, ils s'apercevaient ensuite qu'ils l'avaient trop coupé : de telle sorte que, impatientés, ils le jetèrent en travers d'un lac, pour servir de pont. Or la reine de Saba, venant à Jérusalem pour consulter la sagesse de Salomon, et ayant à traverser le susdit lac, vit en esprit que le Sauveur du monde serait un jour attaché au bois de cet arbre. Elle refusa donc de mettre le pied sur lui, et, au contraire, s'agenouilla pour l'adorer. Une autre histoire veut que la reine de Saba ait vu le bois miraculeux dans le temple même, et que de retour dans son pays, elle ait écrit à Salomon qu'à ce bois serait un jour attaché l'homme dont la mort mettrait fin au royaume des Juifs ; sur quoi Salomon aurait fait enlever l'arbre et aurait ordonné de l'enfouir profondément sous terre. Et, à l'endroit où l'arbre était enfoui, se forma plus tard la piscine probatique : si bien que ce n'était pas seulement la descente d'un ange, mais aussi la vertu du bois caché sous terre, qui produisait, dans cette piscine, la commotion de l'eau et guérissait les malades.

Enfin l'on raconte que, aux approches de la passion du Christ, le bois sortit de terre, et que les Juifs, le voyant surnager à la surface de l'eau, le prirent pour en faire la croix du Seigneur. Mais la tradition affirme, d'autre part, que la croix du Christ fut faite de quatre bois différents, à savoir de palmier, de cyprès, d'olivier et de cèdre, chacune de ces espèces servant à l'une des quatre parties de la croix, c'est-à-dire la poutre verticale, l'horizontale, la tablette placée au sommet, et le tronc soutenant la croix, ou encore, selon Grégoire de Tours, la tablette placée sous les pieds du Christ. Mais jusqu'à quel point sont vraies les diverses légendes que nous venons de rapporter, c'est ce dont le lecteur jugera par lui-même : car le fait est qu'on ne les trouve mentionnées dans aucune chronique ni histoire authentique.

Après la passion du Christ, le bois précieux de la croix resta caché sous terre pendant plus de deux cents ans ; il fut enfin retrouvé par Hélène, mère de l'empereur Constantin, dans les circonstances que nous allons raconter.

En ce temps-là, une multitude innombrable de barbares se rassembla sur la rive du Danube, s'apprêtant à traverser le fleuve afin de soumettre à leur domination l'Occident tout entier. A cette nouvelle, l'empereur Constantin se mit en marche avec son armée et vint camper sur l'autre rive du Danube ; mais, comme le nombre des barbares augmentait toujours, et que déjà ils commençaient à traverser le fleuve, Constantin fut saisi de frayeur à la pensée de la bataille qu'il aurait à livrer. Or la nuit, un ange le réveilla et lui dit de lever la tête ; et Constantin aperçut au ciel l'image d'une croix faite d'une lumière éclatante ; et au-dessus de l'image était écrit, en lettres d'or : « Ce signe te donnera la victoire ! » Alors, réconforté par la vision céleste, il fit faire une croix de bois, et la fit porter en avant de son armée : puis, fondant sur l'ennemi, il l'extermina ou le mit en fuite. Après quoi il convoqua les prêtres des divers temples, et leur demanda de quel dieu cette croix était le signe. Les prêtres ne savaient que répondre, lorsque survinrent des chrétiens, qui expliquèrent à l'empereur le mystère de la Sainte Croix et le dogme de la Trinité. Et Constantin, les ayant entendus, crut au Christ : il reçut le baptême des mains du pape Eusèbe, ou, suivant d'autres auteurs, de celles d'Eusèbe, évêque de Césarée.

Mais, ici encore, nous avons affaire à une légende qui se trouve contredite par l'*Histoire tripartite*, par l'*Histoire ecclésiastique*, par la vie de saint Sylvestre et par la chronique des papes. Aussi une autre tradition affirme-t-elle que le Constantin en question n'était pas le fameux empereur qui fut converti et baptisé par le saint pape Sylvestre, mais que c'était un autre Constantin, père de celui-là. Et cette tradition ajoute que, à la mort de son père, Constantin, se rappelant la victoire que le défunt avait due à la vertu de la sainte croix, envoya sa mère Hélène à Jérusalem pour y retrouver cette croix miraculeuse.

L'*Histoire ecclésiastique* nous donne, de la victoire de Constantin, une autre version. Suivant elle, la bataille aurait eu lieu près du Pont Albin, où Constantin se serait rencontré avec Maxence, qui voulait envahir l'empire romain. Et comme l'empereur, anxieux, levait les yeux au ciel pour en implorer du secours, il vit à l'orient, sur le ciel, le signe resplendissant de la croix entouré d'anges, qui lui dirent : « Constantin, ce signe te donnera la victoire ! » Et comme Constantin se demandait ce que cela signifiait, le Christ lui apparut la nuit, avec le même signe, et lui ordonna d'en faire exécuter une image, qui lui servirait d'aide dans la bataille. Alors Constantin, sûr désormais de la victoire, fit sur son front le signe de la croix, et prit dans sa main une croix d'or. Après quoi il pria Dieu que sa main, qui avait tenu le signe de la croix, n'eût pas à être tachée de sang romain. Et en effet Maxence, au moment où il traversait le fleuve, oublia qu'il avait fait miner les ponts pour tromper Constantin, passa lui-même sur un pont miné, et se noya dans le fleuve. Alors Constantin fut reconnu empereur sans opposition ; et une chronique, suffisamment autorisée, ajoute que, cependant, il hésita quelque temps encore à se convertir tout à fait, jusqu'au jour où, saint Pierre et saint Paul lui étant apparus, il fut guéri de sa lèpre, et reçut enfin le baptême des mains du pape Sylvestre. D'autre part saint Ambroise, dans sa lettre à Théodose, et l'*Histoire tripartite*, affirment que, même alors, il ajourna son baptême, afin d'être baptisé dans les flots du Jourdain. Et c'est aussi ce que nous dit la chronique de saint Jérôme.

Mais, quoi qu'il en soit de cette question, le fait est que c'est la mère de Constantin, Hélène, qui présida à l'Invention de la Sainte Croix. Cette Hélène, suivant les uns, aurait été d'abord fille d'auberge, et le père de Constantin l'aurait épousée pour sa beauté. D'autres affirment qu'elle était fille unique de Coël, roi des Bretons, que le père de Constantin l'avait épousée lorsqu'il était venu en Bretagne, et que, ainsi, après la mort de Coël, il était devenu le maître de l'île. C'est aussi ce qu'affirment les Bretons, bien qu'une autre version veuille qu'Hélène ait été de Trèves.

Arrivée à Jérusalem, Hélène fit mander devant elle tous les savants juifs de la région. Et ceux-ci, effrayés, se disaient l'un à l'autre : « Pour quel motif la reine peut-elle bien nous avoir convoqués ? »

Alors l'un d'eux, nommé Judas, dit : « Je sais qu'elle veut apprendre de nous où se trouve le bois de la croix sur laquelle a été crucifié Jésus. Or mon aïeul Zachée a dit à mon père Simon, qui me l'a répété en mourant : « Mon fils, quand on t'interrogera sur la croix de Jésus, ne manque pas à révéler où elle se trouve, faute de quoi on te fera subir mille tourments ; et cependant ce jour-là sera la fin du règne des Juifs, et ceux-là régneront désormais qui adoreront la croix, car l'homme qu'on a crucifié était le Fils de Dieu ! » Et j'ai dit à mon père : « Mon père, si nos aïeux ont su que Jésus était le fils de Dieu, pourquoi l'ont-ils crucifié ? » Et mon père m'a répondu : « Le Seigneur sait que mon père Zachée s'est toujours refusé à approuver leur conduite. Ce sont les Pharisiens qui ont fait crucifier Jésus, parce qu'il dénonçait leurs vices. Et Jésus est ressuscité, le troisième jour, et est monté au ciel en présence de ses disciples. Et mon oncle Etienne a cru en lui ; ce pourquoi les Juifs, dans leur folie, l'ont lapidé. Vois donc, mon fils, à ne jamais blasphémer Jésus ni ses disciples ! » Ainsi parla Judas ; et les Juifs lui dirent : « Jamais nous n'avons entendu rien de pareil. » Mais lorsqu'ils se trouvèrent devant la reine, et que celle-ci leur demanda en quel lieu Jésus avait été crucifié, tous refusèrent de la renseigner : si bien qu'elle ordonna, qu'ils fussent jetés au feu. Alors les Juifs, épouvantés, lui désignèrent Judas, en disant : « Princesse, cet homme-ci, fils d'un prophète, sait toutes choses mieux que nous, et te révélera ce que tu veux connaître ! » Alors la reine les congédia tous à l'exception de Judas, à qui elle dit : « Choisis entre la vie et la mort ! Si tu veux vivre, indique-moi le lieu qu'on appelle Golgotha, et dis-moi où je pourrai découvrir la croix du Christ ! » Judas lui répondit : « Comment le saurais-je, puisque deux cents ans se sont écoulés depuis lors, et qu'à ce moment je n'étais pas né ? » Et la reine : « Je te ferai mourir de faim, si tu ne veux pas me dire la vérité ! » Sur quoi elle fit jeter Judas dans un puits à sec, et défendit qu'on lui donnât aucune nourriture.

Le septième jour, Judas, épuisé par la faim, demanda à sortir du puits, promettant de révéler où était la croix. Et comme il arrivait à l'endroit où elle était cachée, il sentit dans l'air un merveilleux parfum d'aromates ; de telle sorte que, stupéfait, il s'écria : « En vérité, Jésus, tu es le sauveur du monde ! »

Or, il y avait en ce lieu un temple de Vénus qu'avait fait construire l'empereur Adrien, de façon que quiconque y viendrait adorer le Christ parût en même temps adorer Vénus. Et, pour ce motif, les chrétiens avaient cessé de fréquenter ce lieu. Mais Hélène fit raser le temple ; après quoi Judas commença lui-même à fouiller le sol et découvrit, à vingt pas sous terre, trois croix qu'il fit aussitôt porter à la reine.

Restait seulement à reconnaître celle de ces croix où avait été attaché le Christ. On les posa toutes trois sur une grande place, et Judas, voyant passer le cadavre d'un jeune homme qu'on allait enterrer, arrêta le cortège, et mit sur le cadavre l'une des croix, puis une autre. Le cadavre restait toujours immobile. Alors Judas mit sur lui la troisième croix ; et aussitôt le mort revint à la vie. D'autres historiens racontent que c'est Macaire, évêque de Jérusalem, qui reconnut la vraie croix, en ravivant par elle une femme déjà presque morte. Et saint Ambroise affirme que Macaire reconnut la croix à l'inscription placée jadis par Pilate au-dessus d'elle.

Judas se fit ensuite baptiser, prit le nom de Cyriaque, et, à la mort de Macaire, fut ordonné évêque de Jérusalem. Or sainte Hélène, désirant avoir les clous qui avaient transpercé Jésus, demanda à l'évêque de les rechercher. Cyriaque se rendit de nouveau sur le Golgotha, et se mit en prière ; et aussitôt, étincelants comme de l'or, se montrèrent les clous, qu'il s'empressa de porter à la reine. Et celle-ci, s'agenouillant et baissant la tête, les adora pieusement.

Elle rapporta à son fils Constantin une partie de la croix, laissant l'autre partie dans l'endroit où elle l'avait trouvée. Elle donna également à son fils les clous, qui, d'après Grégoire de Tours, étaient au nombre de quatre. Deux de ces clous furent placés dans les freins dont Constantin se servait pour la guerre ; un troisième fut placé sur la statue de Constantin qui dominait la ville de Rome. Quant au quatrième, Hélène le jeta elle-même dans la mer Adriatique, qui jusqu'alors avait été un gouffre dangereux pour les navigateurs. Et c'est elle aussi qui ordonna qu'on fêtât tous les ans, en grande solennité, l'anniversaire de l'invention de la Sainte Croix.

Le saint évêque Cyriaque fut, plus tard, mis à mort par Julien l'Apostat, qui s'efforçait de détruire en tous lieux le signe de la croix. Julien, avant de partir pour la guerre contre les Perses, invita Cyriaque à sacrifier aux idoles ; et, sur son refus, il lui fit couper la main droite, en disant : « Cette main a écrit bien des lettres qui ont détourné plus d'une âme du culte des dieux ! » Mais l'évêque lui répondit : « Insensé, tu me rends là un précieux service ; car cette main était un scandale pour moi, ayant jadis écrit bien des lettres aux synagogues pour détourner les Juifs du culte du Christ. » Alors Julien lui fit verser dans la bouche du plomb fondu, et puis, l'ayant fait étendre sur un lit de fer, il fit jeter sur lui des charbons ardents mêlés de sel et de graisse. Cyriaque, cependant, restait inflexible. Et Julien lui dit : « Si tu ne veux pas sacrifier aux dieux, proclame du moins que tu n'es pas chrétien ! » Sur le refus de Cyriaque, il le fit jeter parmi des serpents venimeux ; mais aussitôt les serpents périrent, sans faire aucun mal à l'évêque. Julien le fit jeter dans une chaudière pleine d'huile bouillante ; et Cyriaque, au moment d'y entrer, pria Dieu de lui accorder le second baptême du martyre. Sur quoi Julien, exaspéré, ordonna qu'on lui perçât la poitrine à coups de glaive ; et c'est ainsi que le saint évêque rendit son âme à Dieu.

Quant à la vertu souveraine de la sainte Croix, elle nous est prouvée par l'histoire d'un pieux intendant que certain magicien conduisit, par ruse, dans un lieu où il avait évoqué les démons. L'intendant aperçut dans ce lieu un grand Éthiopien, assis sur un trône élevé, et entouré d'autres noirs portant des lances et des verges. L'Éthiopien, qui était Lucifer lui-même, dit à l'intendant : « Si tu veux m'adorer et me servir, et renier ton Christ, je te ferai asseoir à ma droite ! » Mais l'intendant déclara qu'il préférait rester le serviteur du Christ ; et, au moment où il faisait le signe de la croix, toute la foule des démons s'évanouit. Plus tard, le même intendant entra, avec son maître, dans l'église de Sainte-Sophie ; et là, comme tous deux se tenaient debout devant une image du Christ, le maître vit que cette image avait les yeux fixés sur l'intendant. Il fit alors passer celui-ci à droite, puis à gauche : les yeux de l'image suivaient ses mouvements, et restaient toujours fixés sur lui. Le maître, émerveillé, demanda à son intendant par quoi il s'était rendu digne d'un si grand honneur. Et l'intendant répondit qu'il n'avait conscience d'aucun acte qui pût lui valoir cet honneur, à cela près qu'un jour, en présence du diable, il avait refusé de renier le Christ.

LXVII
LES ROGATIONS

Les Rogations, ou Litanies, se célèbrent deux fois par an ; la première fois le jour de la fête de saint Marc, la seconde fois pendant les trois jours qui précèdent l'Ascension. La première de ces deux Litanies s'appelle Majeure, la seconde Mineure. Le mot Litanie signifie supplication ou prière.

La première Litanie a trois noms : On l'appelle la Litanie Majeure, ou la procession septiforme, ou les Croix-Noires. On l'appelle la Litanie Majeure : 1º parce qu'elle a été instituée par Grégoire le Grand ; 2º parce qu'elle a été instituée à Rome, siège des apôtres ; 3º parce qu'elle a été instituée dans des circonstances graves et mémorables. Car les Romains, après avoir vécu dans la continence pendant le carême, s'abandonnaient ensuite à une telle débauche de jeux et de plaisirs, que Dieu, irrité, leur envoya une terrible peste, qu'on appelle *inguinale* parce qu'elle a pour symptôme l'enflure de l'aîne. Et cette peste fut si cruelle que les hommes mouraient dans la rue, à table, en jouant, en causant. Souvent un homme éternuait, et dans cet éternuement rendait l'âme. Aussi, lorsqu'on entendait quelqu'un éternuer, s'empressait-on de lui dire : « Que Dieu vous aide ! » Et c'est de là, dit-on, que s'est conservée cette habitude. De même, souvent, un homme bâillait, et sur-le-champ il rendait l'âme. Aussi, dès que quelqu'un se sentait une approche de bâillement, il s'empressait de faire le signe de la croix ; et c'est de là encore que s'est gardée cette habitude. Quant au développement de cette peste et à sa guérison miraculeuse, ainsi qu'à l'institution de la Litanie, nous avons déjà raconté tout cela dans l'histoire de saint Grégoire.

On appelle cette Litanie la *procession septiforme* parce que saint Grégoire disposait la procession, qu'on faisait ce jour-là, en sept rangs. En premier lieu venait tout le clergé, puis venaient les moines et les religieux, puis les religieuses, puis les enfants, puis les laïcs mâles, puis les veuves et les vierges, enfin les femmes mariées. Et comme nous ne pouvons guère, aujourd'hui, compter dans notre procession sur le concours de ces divers éléments, nous remplaçons les sept rangs par sept récitations de la Litanie.

En troisième lieu cette fête s'appelle les Croix-Noires, parce que, en signe de deuil et de pénitence, non seulement toute la procession était vêtue de noir, mais les croix et les autels étaient voilés de crêpe noir.

La Litanie Mineure, qui se célèbre pendant les trois jours qui précèdent l'Ascension, a été instituée avant la Majeure, vers l'an 458, par saint Mamert, évêque de Vienne, sous le règne de l'empereur Léon. On l'appelle aussi les Rogations, et aussi la Procession.

On l'appelle Litanie Mineure par opposition à la Majeure, comme ayant été instituée par un moindre dignitaire de l'Eglise, en un lieu moindre, et dans de moindres circonstances. Il y avait alors à Vienne de fréquents tremblements de terre, qui renversaient les maisons et bon nombre d'églises ; on entendait, la nuit, des bruits effrayants ; et, le jour de Pâques un feu tomba du ciel, qui consuma le palais du roi. Et, de même qu'autrefois Dieu avait permis aux démons d'entrer dans le corps d'un troupeau de porcs, les loups et autres bêtes féroces entraient librement dans les maisons, dévorant enfants et vieillards, hommes et femmes. Devant une telle réunion de calamités, l'évêque susdit ordonna un jeûne de trois jours, institua les litanies et obtint de cette façon la cessation du mal dont souffrait la ville. Plus tard l'Eglise décréta que cette Litanie serait observée par tous les fidèles.

La Litanie Mineure s'appelle aussi fête des Rogations, parce que nous implorons, ces trois jours-là, les suffrages de tous les saints, leur demandant, par nos prières et nos jeûnes : 1° que Dieu pacifie les guerres, particulièrement fréquentes au printemps ; 2° qu'il conserve et multiplie les fruits, qui commencent à naître ; 3° qu'il réprime en nous les mouvements charnels, qui sont toujours plus violents en cette saison ; 4° pour que, par ces prières et ce jeûne, nous nous préparions mieux à recevoir le Saint-Esprit et à nous en rendre dignes.

Enfin cette fête s'appelle aussi Procession parce que l'Eglise fait, ces jours-là, une grande procession où l'on porte des croix, où l'on sonne toutes les cloches, et où l'on invoque, en particulier, le patronage de tous les saints. On porte les croix et on sonne les cloches pour effrayer les démons, ou bien encore on porte les croix pour effrayer les démons, et on sonne les cloches pour rappeler aux fidèles leur devoir de prier, en présence du danger de la tentation. Dans certaines églises, surtout dans les églises françaises, on a aussi l'habitude de porter en procession un dragon avec une longue queue gonflée de paille, et que l'on dégonfle devant la croix, le troisième jour : ce qui signifie que, avant la Loi et sous la Loi, le diable a régné en ce monde, mais que le Christ, par la grâce de sa Passion, l'a chassé de son royaume. Et l'on a également coutume de chanter, à ces processions, le cantique des anges : *Sancte Deus, sancte fortis, sancte et immortalis, miserere nobis.*

Jean de Damas rapporte que, à Constantinople, un jour qu'on célébrait les Litanies, un enfant qui se trouvait parmi la foule fut ravi au ciel, où les anges lui apprirent ce cantique ; après quoi, revenant à sa place dans la foule, il chanta le cantique qu'il venait d'apprendre ; et aussitôt cessa la calamité pour laquelle s'étaient organisées les Litanies. Aussi le synode de Chalcédoine sanctionna-t-il l'usage universel de ce cantique, qui a le privilège d'inspirer aux démons une peur toute particulière.

LXVIII
SAINT JEAN PORTE-LATINE
(6 mai)

L'apôtre et évangéliste Jean prêchait à Ephèse lorsque le proconsul le fit saisir et lui ordonna de sacrifier aux dieux. Sur son refus, il fut jeté en prison ; et le proconsul écrivit à l'empereur Domitien une lettre où il l'accusait d'être sacrilège, de mépriser les dieux, et d'adorer la croix. Domitien, au reçu de cette lettre, fit venir saint Jean à Rome. Là, après lui avoir fait raser les cheveux en signe d'infamie, il le condamna à être plongé dans une chaudière d'huile bouillante, en présence de la foule, devant une des portes de la ville, nommée Porte-Latine. Mais le saint n'y éprouva aucun mal, et en sortit tout à fait intact. C'est en souvenir de ce miracle que les chrétiens ont élevé, en ce lieu, une église, et qu'on célèbre l'anniversaire du supplice de saint Jean comme la fête de son martyre.

Cependant le saint, sorti de la chaudière, continuait à prêcher le Christ, jusqu'à ce que, par ordre de Domitien, il fut relégué dans l'île de Pathmos. Et nous devons ajouter, à ce propos, que, si les empereurs romains persécutaient les apôtres, ce n'était point parce que ceux-ci prêchaient le Christ, mais parce qu'ils affirmaient la divinité du Christ sans que cette divinité eût été reconnue par le Sénat romain, comme le voulait la loi. Et l'*Histoire ecclésiastique* raconte que, Pilate ayant écrit à Tibère pour lui exposer la mort du Seigneur, Tibère se déclara prêt à imposer aux Romains la foi chrétienne ; mais le Sénat s'y refusa, parce que le Christ avait été nommé dieu sans son autorisation. Suivant une autre chronique, le refus du Sénat vint de ce que le Christ ne se fût pas d'abord révélé à Rome. Suivant une autre encore, le Sénat refusa d'admettre le Christ parce que celui-ci prêchait le mépris du monde, tandis que les Romains étaient, par nature, avides et ambitieux. Enfin Orose soutient que le Sénat fut fâché de ce que Pilate eût annoncé les miracles du Christ à Tibère et non à lui ; et que Tibère, irrité à son tour du refus du Sénat, mit à mort bon nombre de sénateurs et en exila plusieurs autres.

On raconte aussi que la mère de saint Jean, apprenant que son fils était prisonnier à Rome, se mit en route pour l'aller voir ; mais en arrivant à Rome elle découvrit que saint Jean était parti pour l'île de Pathmos. Elle reprit alors le chemin de la Palestine, et, en voyage, elle mourut, dans une ville de la Campanie appelée Vétulana. Son corps resta longtemps caché dans une caverne, jusqu'au jour où saint Jean révéla à saint Jacques où il se trouvait. Le corps fut alors transporté avec de grands honneurs dans une église de Vétulana, où il opéra de nombreux miracles.

LXIX
SAINT GORDIEN, MARTYR
(10 mai)

Gordien était officier de l'empereur Julien. Chargé par celui-ci de faire sacrifier aux idoles un chrétien du nom de Janvier, il fut converti par la prédication de ce chrétien, et reçut le baptême avec sa femme, appelée Marine et cinquante-trois autres personnes. Ce qu'apprenant, Julien fit envoyer Janvier en exil et ordonna que Gordien eût la tête tranchée s'il refusait de sacrifier aux idoles.

Saint Gordien eut donc la tête tranchée, et son corps resta offert aux chiens pendant huit jours ; mais comme il se conservait absolument intact, il fut enfin recueilli par des parents du martyr et enterré à un mille de Rome avec les restes de saint Epimaque, que le susdit Julien avait fait mourir précédemment.

LXX
SAINTS NÉRÉE ET ACHILLÉE, MARTYRS
(12 mai)

Nérée et Achillée, qui reçurent le baptême des mains de l'apôtre saint Pierre, étaient eunuques, et attachés au service particulier de Domicille, nièce de l'empereur Domitien. Or, comme cette princesse était fiancée à Aurélien, fils d'un consul, et qu'on la revêtait de pourpre et de pierreries, Nérée et Achillée lui prêchèrent la foi. Ils lui recommandèrent la virginité, comme une vertu chère à Dieu et innée dans l'homme. Ils lui dirent que la femme était soumise à son mari, que souvent elle avait à subir des coups, que souvent aussi elle s'exposait à de mauvaises grossesses, et que, ayant peine déjà à supporter les avertissements tendres de sa mère, elle se condamnait, par le mariage, à supporter de bien autres injures. Domicille leur répondait : « Je sais que mon père était jaloux et que ma mère a eu à souffrir de lui ; mais pourquoi croirais-je que mon mari dût lui ressembler ? » Et eux : « Parce que, tant qu'ils sont fiancés, ils paraissent pleins de douceur, tandis que, après le mariage, ils règnent en maîtres cruels ; sans compter que souvent, ils préfèrent les servantes à leur maîtresse. Et toutes les autres vertus qu'on a perdues peuvent se reconquérir par la pénitence, tandis que, seule, la virginité ne se reconquiert pas. » Alors Domicilie crut en Jésus, fit vœu de virginité, et reçut le voile des mains de saint Clément.

Sur quoi son fiancé, avec la permission de Domitien, la rélégua, avec Nérée et Achillée, dans l'île de Pont, s'imaginant, par là, pouvoir fléchir la jeune fille. Quelque temps après, il se rendit lui-même dans cette île, et offrit de nombreux présents aux deux eunuques, pour qu'ils intervinssent en sa faveur auprès de leur maîtresse ; mais eux, dédaignant ses offres, n'en mettaient que plus de zèle à la raffermir dans sa foi. Sommés de sacrifier aux idoles, ils dirent ne pouvoir le faire, puisqu'ils avaient reçu le saint baptême. Et, en conséquence, tous deux eurent la tête tranchée, l'an du Seigneur 80. Leurs corps furent ensevelis auprès du tombeau de sainte Pétronille.

Puis le consul condamna aux plus durs travaux trois autres esclaves de Domicille, Victorin, Euthice et Maron. Et il ordonna enfin qu'Euthice fût frappé à mort, Victorin étouffé dans un bain de fiente, Maron écrasé sous une grosse pierre. Mais Maron, lorsqu'on jeta sur lui cette pierre immense, que soixante-dix hommes pouvaient à peine mouvoir, la reçut aisément sur ses épaules, et la porta comme un caillou à deux milles de là. Ce que voyant, plusieurs se convertirent ; et le consul le fit mettre à mort.

Puis le consul rappela d'exil la jeune fille et envoya vers elle ses deux sœurs de lait, Euphrosine et Théodore, avec mission de la persuader ; mais

Domicille les convertit à la foi chrétienne. Alors Aurélien se rendit chez Domicille avec les fiancés de ces deux jeunes filles et trois jongleurs, afin de célébrer son mariage avec elle : mais Domicille avait déjà converti les deux fiancés. Cependant, le consul la mit de force dans son lit, ordonna aux jongleurs de chanter, aux deux jeunes gens de danser avec lui, et voulut s'entraîner ainsi à violer la jeune vierge. Mais bientôt les jongleurs se lassèrent de chanter, les deux danseurs de danser ; et lui, emporté par un vertige, ne s'arrêta point de danser pendant deux jours, jusqu'à ce qu'enfin il mourût de fatigue.

Son frère Luxurius obtint alors de l'empereur la permission de mettre à mort tous les chrétiens de la ville. Il fit incendier, la nuit, le lit où reposaient les trois vierges ; et celles-ci rendirent, en priant, leurs âmes à Dieu. Saint Césaire, le lendemain, retrouva leurs trois corps absolument intacts.

LXXI
SAINT PANCRACE, MARTYR
(12 mai)

Pancrace, de famille noble, ayant perdu son père et sa mère pendant un séjour en Phrygie, fut remis à la charge de son oncle Denis. En compagnie de son oncle il revint à Rome, où sa famille possédait un grand patrimoine ; et c'est ainsi qu'ils firent connaissance avec le pape Corneille, qui se cachait, avec les fidèles, dans le voisinage de leur propriété. Convaincus par la prédication de Corneille, Denis et Pancrace reçurent la foi du Christ ; après quoi Denis mourut en paix, et Pancrace, fait prisonnier, fut amené devant l'empereur. Il avait alors à peine quatorze ans. Et l'empereur Dioclétien lui dit : « Enfant, laisse-moi te donner un conseil et te sauver d'une mort affreuse : car je sais qu'à ton âge on est facilement trompé, et puis tu es de noble race, et fils d'un homme que j'ai beaucoup aimé. Ecoute-moi donc, renonce à la folie de ton christianisme ; et je te traiterai comme mon propre fils ! » Mais Pancrace lui répondit : « Je suis enfant par le corps, c'est vrai, mais je porte un cœur d'homme ; et, par la grâce de mon maître Jésus-Christ, tes supplices m'apparaissent aussi vains que cette idole qui est là devant moi. Quant aux dieux que tu m'engages à adorer, ils n'ont été que des imposteurs, souillant les femmes de leur propre maison et n'épargnant pas même leurs parents. Que si tu avais aujourd'hui des esclaves qui agissent comme eux, tu t'empresserais de les mettre à mort. Et je m'étonne que tu ne rougisses pas d'adorer de tels dieux ! » Alors l'empereur, honteux de se voir vaincu par un enfant, lui fit trancher la tête, sur la Voie Aurélienne, l'an du Seigneur 287. Le corps du martyr fut pieusement enseveli par Cocavilla, femme d'un sénateur.

Grégoire de Tours raconte que, lorsqu'un faux témoin s'approche du tombeau de saint Pancrace, ou bien il tombe aussitôt mort sur les dalles, ou bien un démon s'empare de lui et le fait délirer. Deux hommes étaient en procès, et le juge ne parvenait pas à découvrir le coupable. Dans son zèle de justice, ce juge conduisit les deux hommes à l'autel de saint Pierre et leur fit jurer à tous deux qu'ils étaient innocents, priant l'apôtre de lui faire reconnaître la vérité par quelque signe miraculeux. Et comme tous deux, ayant juré, ne souffraient aucun mal, le juge, indigné, s'écria : « Le vieux saint Pierre est décidément trop indulgent ! Allons plutôt consulter le jeune saint Pancrace ! » Et comme, sur le tombeau du saint, le vrai coupable allait recommencer à se parjurer, il ne parvint pas à lever la main, et tomba mort dès l'instant d'après. De là vient que, aujourd'hui encore, dans les cas difficiles, on a coutume de faire jurer les accusés sur les reliques de saint Pancrace.

LXXII
SAINT BONIFACE, MARTYR
(14 mai)

Passion de saint Boniface, qui souffrit le martyre dans la ville de Tarse, sous le règne de Dioclétien, et fut enseveli à Rome, sur la Voie Latine.

Boniface était, à Rome, l'intendant d'une dame noble nommée Aglaé, et entretenait avec elle des rapports coupables. Un jour enfin, sa maîtresse et lui, comme avertis par un signe divin, décidèrent que Boniface irait chercher les corps des martyrs, avec l'espoir que son culte pour eux leur vaudrait, à tous deux, d'obtenir leur salut. Boniface se mit donc en route ; et lorsqu'il arriva dans la ville de Tarse, il dit à ses compagnons : « Amis, occupez-vous de nous trouver un logement ! J'ai hâte, moi, d'aller voir ceux pour qui je suis venu. » Après quoi, étant accouru sur la place publique, il vit les bienheureux martyrs, l'un pendu avec du feu sous les pieds, un autre étendu sur un chevalet, un autre labouré d'ongles de fer, un autre les mains coupées ; et tandis que, brûlant lui-même de l'amour du Christ, il considérait ces supplices divers, il se mit à invoquer le Dieu des martyrs. Puis, s'approchant d'eux, il s'assit à leurs pieds, baisa leurs chaînes, et dit : « Martyrs du Christ, foulez aux pieds le démon, prenez patience ! votre peine n'est rien en comparaison du repos et de la joie qui vous attendent ! » Ce qu'entendant, le juge Simplicius le fit mander à son tribunal et lui dit : « Qui es-tu ? » Le saint répondit : « Je me nomme Boniface, et je suis chrétien. » Alors le juge, irrité, le fit prendre, et ordonna qu'on labourât son corps de pointes de fer jusqu'à mettre à nu tous ses os. Il ordonna ensuite qu'on introduisît des aiguillons sous les ongles de ses doigts. Et comme le martyr, les yeux levés au ciel, se réjouissait parmi tous ces tourments, le méchant juge ordonna qu'on lui ouvrît la bouche et qu'on y versât du plomb bouillant. Mais le martyr répétait toujours : « Je te rends grâces, Seigneur Jésus ! » Alors le juge le fit plonger, la tête en bas, dans une cuve de poix bouillante ; et, comme, de cela non plus, le martyr ne souffrait aucun mal, le juge ordonna qu'il eût la tête tranchée. Et à l'instant où on lui trancha la tête, se produisit un grand tremblement de terre, qui convertit nombre d'infidèles en leur montrant la vertu du Christ.

Cependant, les autres serviteurs d'Aglaé, qui avaient accompagné Boniface, allaient par la ville, en quête de lui, et, ne le trouvant pas, se disaient : « Sûrement il sera occupé à quelque adultère, ou à s'enivrer dans quelque cabaret ! » Comme ils parlaient, ils rencontrèrent dans la rue un des officiers impériaux. Ils lui demandèrent : « N'aurais-tu pas vu ici un étranger, un Romain ? » Il leur répondit : « Hier, sur la place, un étranger a eu la tête tranchée. » Ils lui dirent : « Quelle figure avait-il ? l'homme que nous cherchons est trapu et solide, avec une chevelure abondante ; et vêtu d'un manteau rouge. » Alors l'officier répondit : « L'homme que vous cherchez, c'est lui que nous avons torturé et mis à mort hier ! » Mais eux : « Tu dois te tromper : l'homme que nous cherchons est un ivrogne et un débauché ! » L'officier leur dit : « Venez, et vous le verrez ! » Et lorsqu'il leur eût montré le corps du martyr et sa tête vénérable, ils lui dirent : « Oui, c'est bien celui que nous cherchions ; donne-nous ses restes ! » L'officier se refusa à les leur donner gratuitement. Mais, en échange de cinq cents sous, ils obtinrent d'emporter le corps du martyr, qu'ils s'empressèrent d'oindre d'aromates et d'envelopper de linges de prix ; après quoi ils le ramenèrent à Rome, se réjouissant et glorifiant Dieu.

Un ange du ciel apparut à la maîtresse du martyr, et lui révéla sa mort bienheureuse. Aussitôt Aglaé partit à la rencontre de son corps, et fit élever une église digne de lui à l'endroit même où elle le rencontra, éloigné de la ville d'environ cinq stades. Le martyre de saint Boniface eut lieu le quatorzième jour du mois de mai ; son ensevelissement, le neuvième jour de juillet.

Ensuite Aglaé, renonçant au monde, distribua tous ses biens aux pauvres, affranchit tous ses esclaves, et, par ses jeûnes et ses prières, s'acquit tant de faveur auprès de Jésus, qu'elle put accomplir des miracles en son nom. Elle survécut ainsi douze ans au martyr, auprès de qui elle fut enterrée.

LXXIII
L'ASCENSION DE NOTRE-SEIGNEUR

L'Ascension de Notre-Seigneur a eu lieu quarante jours après sa résurrection. Ce jour-là, il apparut deux fois à ses disciples. Une première fois, il apparut aux onze apôtres assis à table. Les apôtres, ainsi que d'autres disciples, et aussi des femmes, habitaient la partie de Jérusalem appelée Mello, sur la montagne de Sion, où David s'était construit un palais. Il y avait là un grand cénacle où Jésus, naguère, avait fait préparer la Pâque ; à présent, les onze apôtres y demeuraient, tandis que les autres disciples habitaient à l'entour, dans des auberges. Or, comme les Onze étaient à table dans ce cénacle, le Seigneur leur apparut. Il leur reprocha leur incrédulité, mangea avec eux, et leur dit de se rendre sur le mont des Oliviers, au versant tourné vers Béthanie. C'est là que, pour la seconde fois ce jour-là, il leur apparut : il leva les mains, les bénit, et, en leur présence, monta au ciel.

Au sujet du lieu de l'Ascension, Sulpice, évêque de Jérusalem, raconte que, lorsque plus tard on y éleva une église, l'endroit précis où s'étaient posés les pieds du Christ ne put absolument pas être recouvert de dalles : les plaques de marbre qu'on y mettait se rompaient, et sautaient au visage de ceux qui les mettaient. Aujourd'hui encore, on y voit, dans une poussière calcaire, des traces de pieds.

LXXIV
LA PENTECÔTE

La Pentecôte célèbre le souvenir du jour où le Saint-Esprit est descendu sur les apôtres en langues de feu, ainsi que le raconte le livre des *Actes*. Au sujet de cette descente du Saint-Esprit, six questions sont à considérer : 1° par qui il a été envoyé ; 2° de quelle manière il a été envoyé ; 3° à quel moment il a été envoyé ; 4° combien de fois il a été envoyé ; 5° à qui il a été envoyé ; 6° pourquoi il a été envoyé.

1° Le Saint-Esprit a été envoyé par le Père, le Fils, et par lui-même. En effet, Jésus dit, dans l'évangile de saint Jean : « Le Saint-Esprit, que mon Père vous enverra en mon nom » ; et il dit aussi : « Quand je vous aurai quittés, je vous l'enverrai ! » Mais le Saint-Esprit est aussi venu de lui-même, étant Dieu. Citons à ce propos, la définition que donne saint Ambroise de la divinité : « Un Dieu se reconnaît ou bien à ce qu'il est sans péché, ou bien à ce qu'il remet les péchés, ou bien à ce qu'il est créateur et non créature, ou bien à ce qu'il est adoré et non adorant. » Et le pape Léon dit : « L'Esprit-Saint est l'inspirateur de la foi, le docteur de la science, la source de l'amour et la cause du salut. »

2° L'Esprit-Saint est envoyé de deux façons : d'une façon invisible quand il pénètre dans les âmes, et d'une façon visible quand il apparaît avec des signes visibles. De sa mission invisible, l'évangile de saint Jean dit : « L'Esprit souffle où il veut et tu entends sa voix, mais sans savoir d'où il vient ni où il va. » Quant à la mission visible du Saint-Esprit, elle s'est manifestée par cinq signes : 1° sous la forme d'une colombe au baptême du Christ (saint Luc, III) ; 2° sous la forme d'un nuage lumineux, à la transfiguration du Christ (saint Matthieu, XVI) ; 3° sous la forme d'un souffle (saint Jean, XX) ; 4° sous la forme d'un feu, et 5° sous la forme d'une langue : ces deux dernières manifestations ont eu lieu en ce jour de la Pentecôte.

3° L'Esprit-Saint a été envoyé aux apôtres le cinquantième jour après la Pâque.

4° L'Esprit-Saint a été envoyé aux apôtres trois fois, d'après la *Glosse* : avant la passion, après la résurrection et après l'ascension. La première fois, il a été envoyé aux apôtres pour leur permettre de faire des miracles (saint Matthieu, XII). D'où l'on ne doit point conclure que quiconque possède l'Esprit-Saint puisse faire des miracles : car, comme le dit saint Grégoire : « Les miracles ne font pas le saint, mais ne sont que son signe » ; et, d'autre part, on peut faire des miracles sans avoir l'Esprit-Saint, puisque les méchants eux-mêmes ont pu se vanter de faire des miracles. La seconde fois, l'Esprit-Saint a été envoyé aux apôtres pour leur permettre de pardonner les péchés ; car Jésus leur a dit : « Recevez l'Esprit-Saint et ceux à qui vous remettrez leurs péchés, etc. » Et nous devons noter, à ce propos, que personne ne peut remettre les péchés, quant à la tache qui est dans l'âme, ni quant à l'offense commise envers Dieu. Quand on dit qu'un prêtre absout, cela signifie seulement qu'il annonce au pécheur que Dieu l'a absous, ou bien qu'il change la peine du purgatoire en une peine temporelle, ou bien encore qu'il relâche une partie de cette peine temporelle. Enfin, la troisième fois, en ce jour de la Pentecôte, l'Esprit-Saint a été envoyé aux apôtres pour fortifier leurs cœurs, et pour leur donner le courage d'affronter toutes les persécutions.

5º L'Esprit-Saint a été envoyé aux disciples, qui étaient prêts à le recevoir, en raison de sept qualités qui étaient en eux : car ils étaient tranquilles, unis par l'amour, recueillis, persévérants dans la prière, humbles, pacifiques et élevés dans la contemplation.

6º L'Esprit-Saint a été envoyé sur terre pour six motifs : 1º pour consoler les affligés ; 2º pour vivifier les morts ; 3º pour sanctifier et pour purifier ; 4º pour consolider l'amour au milieu des discordes ; 5º pour sauver les justes ; 6º enfin pour instruire les ignorants, car le Christ a dit : « Mon Esprit vous apprendra tout. »

LXXV
SAINT URBAIN, PAPE ET MARTYR
(25 mai)

Urbain succéda au pape Calixte ; et, sous son pontificat, se produisit une grande persécution des chrétiens. Mais enfin l'empire échut à Alexandre dont la mère Ammée avait été convertie au christianisme par Origène. Cette sainte femme obtint de son fils, à force de prières, qu'il renonçât à persécuter les chrétiens.

Cependant, le préfet Almaque, qui avait décapité sainte Cécile, continuait à sévir cruellement contre les chrétiens. Il fit rechercher soigneusement saint Urbain, le découvrit — sur la dénonciation d'un certain Carpasius — dans une grotte où il était caché avec trois prêtres et trois diacres, et les fit jeter en prison. Il le manda ensuite en sa présence, lui reprocha d'avoir corrompu cinq mille personnes, parmi lesquelles la sacrilège Cécile et deux hommes illustres, Tiburce et Valérien. Après quoi il le somma d'avoir à lui restituer le trésor de Cécile. Mais Urbain : « A ce que je vois, ta cruauté à l'égard des saints s'inspire davantage de ta cupidité que de ta dévotion à tes dieux. Sache donc que le trésor de sainte Cécile est monté au ciel par les mains des pauvres ! » Le préfet fit alors battre Urbain et ses compagnons avec des verges plombées. Et comme le pontife invoquait le Seigneur sous son nom d'Elyon, il s'écria en souriant : « Ce vieillard veut paraître savant, et voilà pourquoi il emploie des mots que nous ignorons ! » Mais comme les martyrs restaient fermes dans leur foi, ils furent reconduits dans la prison, où Urbain baptisa le geôlier Anolinus et trois tribuns que le préfet lui avait envoyés. Ce qu'apprenant, celui-ci fit trancher la tête à Anolinus, puis ordonna à Urbain et à ses compagnons de répandre de l'encens devant une idole ; mais, sur la prière d'Urbain, l'idole s'abattit de son piédestal et tua les vingt-deux prêtres qui lui rendaient hommage. De nouveau roués de coups, les chrétiens furent de nouveau sommés de sacrifier devant une idole ; mais ils crachèrent sur l'idole, firent le signe de la croix, et, s'étant donné réciproquement le baiser de paix, se laissèrent mettre à mort, sous le règne de l'empereur Alexandre.

Aussitôt l'homme qui les avait dénoncés, Carpasius, fut saisi du démon, et, avant de mourir étouffé, se mit à blasphémer ses dieux et à faire malgré lui l'éloge des chrétiens ; sur quoi sa femme, Arménie, sa fille Lucine, et toute sa famille reçurent le baptême des mains du saint prêtre Fortunat, et ensevelirent pieusement les corps des martyrs.

LXXVI
SAINTE PÉTRONILLE, VIERGE
(31 mai)

Pétronille, dont la vie nous a été racontée par saint Marcel, était la fille de l'apôtre saint Pierre ; et celui-ci, la voyant trop belle, obtint de Dieu qu'elle souffrît de la fièvre. Or un jour, comme ses disciples étaient auprès de lui, Tite lui dit : « Toi qui guéris tous les malades, pourquoi ne fais-tu pas que Pétronille se lève de son lit ? » Et Pierre lui répondit : « Parce que cela me convient ainsi ! » Ce qui ne signifie nullement, d'ailleurs, qu'il n'ait pas eu le moyen de la guérir ; car, aussitôt, il lui dit : « Lève-toi, Pétronille, et viens vite nous servir ! » La jeune fille, guérie, se leva et vint les servir. Mais, quand elle eut fini, son père lui dit : « Pétronille, retourne dans ton lit ! » Elle y retourna, et fut tout de suite reprise de sa fièvre. Et plus tard, lorsqu'elle commença à être parfaite dans l'amour de Dieu, son père lui rendit la parfaite santé.

Alors un seigneur, nommé Flaccus, frappé de sa beauté, vint la demander en mariage. Et elle répondit : « Si tu veux m'épouser, envoie-moi des jeunes filles qui me conduisent jusque dans ta maison ! » Mais quand elles furent arrivées, Pétronille se mit à jeûner et à prier, communia, se coucha dans son lit, et, après trois jours, rendit son âme à Dieu.

Alors Flaccus, se voyant déçu, s'adressa à une compagne de Pétronille appelée Félicula, la sommant de se marier avec lui ou de se sacrifier aux idoles. La jeune fille s'étant refusée à faire aucune de ces deux choses, Flaccus la jeta en prison, où elle resta sept jours sans manger ni boire ; puis il ordonna qu'elle fût torturée sur un chevalet et que son corps fût jeté à la voirie. Saint Nicodème en retira ses restes et les ensevelit : ce qui lui valut à son tour d'être emprisonné, frappé de lanières plombées, et jeté dans le Tibre, d'où le clerc Juste retira ses restes pour les ensevelir honorablement.

LXXVII
SAINT PIERRE L'EXORCISTE, MARTYR
(2 juin)

Pierre l'exorciste avait été mis en prison par un préfet qui persécutait les chrétiens. Or la fille du geôlier de la prison, nommé Archémius, était possédée d'un démon qui la faisait beaucoup souffrir. Et un jour que son père s'en plaignait devant son prisonnier, celui-ci lui dit que, s'il voulait croire au Christ, sa fille recouvrerait aussitôt la santé. Archémius lui répondit : « Je me demande comment ton maître pourrait guérir ma fille, tandis qu'il n'a pas même le pouvoir de te délivrer, toi qui souffres tant pour lui ! » Et Pierre : « Mon Dieu a bien le pouvoir de me délivrer, mais il veut que, par des souffrances passagères, nous parvenions à une gloire éternelle. » Et Archémius : « Hé bien, je vais te mettre une double chaîne : et si ton Dieu te délivre, et s'il guérit ma fille, je croirai au Christ ! » Or, cette même nuit, Pierre, délivré de sa double chaîne, tout vêtu de blanc, et tenant en main une croix, apparut devant Archémius, qui se prosterna à ses pieds. Puis, trouvant sa fille guérie, le geôlier reçut le baptême avec toute sa maison ; et plusieurs des prisonniers, s'étant convertis, furent baptisés par le prêtre Marcellin. Ce qu'apprenant, le préfet se fit amener tous ces prisonniers. Et Archémius, tout en les convoquant et en leur baisant les mains, leur dit que ceux qui redouteraient d'aller au martyre pouvaient s'enfuir impunément.

Cependant le préfet, apprenant que Marcellin et Pierre avaient baptisé leurs compagnons, les fit mettre tous deux dans des cachots séparés. Marcellin, dépouillé de ses vêtements, dut s'étendre sur du verre brisé, avec privation de manger et de boire ; Pierre fut enfermé au haut d'une tour, dans une cellule sans air et sans lumière, où il fut également condamné à mourir de faim. Mais un ange vint les délivrer l'un et l'autre et les reconduisit auprès d'Archémius, leur enjoignant de se présenter devant le préfet sept jours plus tard, après avoir, pendant ces sept jours, réconforté leurs frères prisonniers. Or le préfet, ne les trouvant plus dans leurs cachots, manda Archémius, et, sur son refus de sacrifier aux idoles, ordonna qu'il fût enterré vif avec sa femme. Et les deux saints, à cette nouvelle, sortirent de leur cachette, rejoignirent Archémius dans son cachot, où saint Marcellin célébra la messe, et dirent ensuite aux incrédules : « Voyez, nous aurions pu délivrer Archémius et rester cachés ; mais nous n'avons voulu faire ni l'un ni l'autre ! » Alors les païens, irrités, tuèrent Archémius à coups d'épée et lapidèrent sa femme et sa fille. Quant à Marcellin et à Pierre, ils eurent la tête tranchée, à l'entrée d'une forêt qui aujourd'hui encore porte le nom de « blanche », en commémoration de leur martyre. Un certain Dorothée vit leurs deux âmes, toutes couvertes de soie éclatante et de pierreries, être emportées au ciel par des anges : sur quoi lui-même devint chrétien, et plus tard mourut dans le Seigneur. Le martyre des saints Pierre et Marcellin eut lieu sous le règne de l'empereur Dioclétien.

LXXVIII
SAINTE SOPHIE ET SES TROIS FILLES
MARTYRES[9]
(4 juin)

[9] Ce chapitre manque dans plusieurs manuscrits, et pourrait bien être une interpolation.

Nous allons raconter le martyre de Sophie et de ses trois filles, Foi, Espérance et Charité. C'est à sainte Sophie qu'est consacrée la cathédrale de Constantinople.

Cette sainte avait élevé ses filles sagement dans la crainte de Dieu. La première de ses filles avait onze ans, la seconde dix, et la troisième huit. Etant venue à Rome avec elles, et visitant les églises tous les dimanches, elle fut dénoncée à l'empereur Adrien, qui fut si frappé de la beauté des trois vierges qu'il offrit de les adopter comme ses propres filles. Mais les trois vierges refusent l'offre et se proclament chrétiennes. Alors Foi est rouée de coups par trente-six soldats. En second lieu, on lui arrache les mamelles, et des mamelles jaillit du sang, et du lait des blessures. Les spectateurs acclament la jeune fille, et celle-ci, toute joyeuse, insulte son persécuteur. En troisième lieu, elle est mise sur un gril ardent, en quatrième lieu plongée dans un mélange d'huile bouillante et de cire. Et comme tout cela ne lui fait aucun mal, en cinquième lieu on lui tranche la tête. Vient ensuite le tour de sa sœur Espérance ; mais elle, non plus, ne consent pas à sacrifier aux idoles. On la plonge dans un chaudron plein de graisse, de cire et de résine. Des gouttes tombant de ce chaudron brûlent les infidèles, mais la jeune fille ne souffre aucun mal. Enfin, on lui tranche la tête. La troisième fille, encore tout enfant, refuse à son tour de flatter Adrien et de lui obéir. Le cruel empereur lui fait rompre les membres ; il la fait fouetter ; il la fait jeter dans un four enflammé d'où sortent des étincelles qui tuent six mille païens ; mais la petite ne souffre aucun mal, et se promène parmi les flammes comme rayonnante d'or. On la perce alors de pointes de fer rouge, et on finit par lui trancher la tête : ainsi elle recueille la couronne du martyre.

La sainte mère ensevelit pieusement les restes de ses filles, puis, se couchant sur leur tombeau, elle dit : « Filles chéries, prenez-moi près de vous ! » Et aussitôt elle s'endormit en paix, et fut ensevelie avec ses filles. Et on doit la considérer comme triplement martyre, car elle a souffert de tous les supplices infligés à ses trois filles. Quant à l'empereur Adrien, il pourrit vivant et finit par crever, en avouant qu'il avait injustement torturé des saintes de Dieu.

LXXIX
SAINTS PRIME ET FÉLICIEN, MARTYRS
(9 juin)

Prime et Félicien furent dénoncés à Dioclétien par les prêtres des temples, qui affirmaient ne rien pouvoir obtenir de leurs dieux aussi longtemps que ces deux hommes refuseraient de sacrifier. Tous deux furent alors jetés en prison, mais un ange vint les délivrer. Ramenés devant l'empereur, et comme ils persistaient dans leur foi, ils furent cruellement frappés de lanières. Après quoi le préfet dit à Félicien, qui était un vieillard, d'avoir égard pour son âge et de sacrifier aux dieux. Mais Félicien : « Sur les quatre-vingts ans que j'ai vécus, en voici trente déjà que j'ai reconnu la vérité, et choisi de vivre pour mon Dieu, qui peut me délivrer de tes mains ! » Alors le préfet le fit ligoter, lui fit enfoncer des clous dans les mains et les pieds, et lui dit : « Tu resteras ainsi jusqu'à ce que tu aies cédé ! » Et comme le saint gardait un visage joyeux, il le fit de nouveau torturer et lui refusa toute nourriture. Puis, appelant devant lui saint Prime, qu'il avait séparé de son compagnon, il lui dit : « Ecoute, ton frère Félicien s'est soumis au décret de l'empereur, et il est maintenant en grand honneur au palais. Imite donc son exemple ! » Mais Prime : « Bien que tu sois fils du diable, tu as dit vrai en partie, lorsque tu as affirmé que mon frère s'était soumis à la volonté de l'empereur suprême, qui est Dieu ! » Le préfet, furieux, lui fit brûler les côtes, et lui fit verser dans la bouche du plomb bouillant, tout cela en présence de Félicien qu'il espérait effrayer : mais Prime avala le plomb avec délice, comme de l'eau fraîche. Alors le préfet fit lancer sur eux deux lions ; mais ceux-ci s'étendirent aussitôt à leurs pieds et restèrent là comme de doux agneaux. Des ours, qui furent ensuite lâchés contre les saints, se comportèrent de la même façon. Et à ce spectacle assistaient plus de douze mille personnes, dont cinq cents se convertirent au Seigneur. Enfin le préfet fit trancher la tête aux deux saints, et ordonna que leurs corps fussent jetés en pâture aux chiens et aux oiseaux. Mais ceux-ci n'osèrent y toucher, et les deux corps, recueillis par les chrétiens, furent pieusement ensevelis.

LXXX
SAINT BARNABÉ, APÔTRE
(11 juin)

Le lévite Barnabé, originaire de Chypre, était un des soixante-deux disciples du Seigneur. On trouve son nom très souvent cité dans les *Actes des Apôtres*, qui nous racontent ses voyages avec saint Paul, ses prédications et ses miracles. Le même livre nous apprend encore comment Barnabé s'est séparé de saint Paul. Un de leurs disciples, Jean, surnommé Marc, les avait quittés. Lorsqu'il revint, plein de repentir, Barnabé lui pardonna et consentit à le reprendre pour disciple, tandis que Paul, au contraire, s'y refusa. En quoi tous deux agirent par intention pieuse : car Barnabé pardonna par charité chrétienne, et l'inflexibilité de Paul lui fut commandée par la rigueur de sa justice. Et, d'ailleurs, cette séparation des deux saints fut sans doute inspirée d'en haut, afin que, s'étant séparés, ils pussent prêcher à un plus grand nombre de gens. Comme Barnabé se trouvait dans la ville d'Icone, le susdit Jean, son compagnon, vit apparaître un homme au visage resplendissant, qui lui dit : « Jean, sois ferme dans ta foi, car bientôt tu ne t'appelleras plus Jean, mais Sublime ! » Le disciple rapporta cette vision à son maître qui lui dit : « Ne révèle à personne ce que tu viens de voir, car, à moi aussi, le Seigneur est apparu cette nuit, m'a ordonné d'être ferme, et m'a promis que bientôt je recueillerais les récompenses éternelles ! » Et, la même nuit encore, saint Paul, qui prêchait également à Antioche, vit en rêve un ange qui lui dit : « Hâte-toi de te rendre à Jérusalem ! » Et comme Barnabé voulait se rendre dans l'île de Chypre, pour revoir encore ses parents, et que Paul se préparait au voyage de Jérusalem, l'Esprit-Saint fit qu'ils purent se dire adieu de la façon suivante. Paul ayant répété à Barnabé ce que lui avait dit l'ange, Barnabé répondit : « Que la volonté de Dieu soit faite ! Quant à moi, je vais en Chypre pour y finir ma vie : de telle sorte que je ne te reverrai plus ! » Puis il se jeta en pleurant aux pieds de saint Paul ; et celui-ci, plein de compassion, lui dit : Ne pleure pas, car c'est aussi la volonté de Dieu que tu ailles en Chypre. L'ange, en effet, m'a dit cette nuit de ne point m'opposer à ton départ, attendu qu'en Chypre tu opérerais de nombreux miracles, et recevrais la couronne du martyre. »

Barnabé se rendit donc en Chypre avec Jean. Il avait emporté avec lui l'Evangile de saint Matthieu : et, en posant cet évangile sur la tête des malades, il en guérissait un grand nombre, avec l'aide de Dieu. Comme ils sortaient de Chypre, ils rencontrèrent le mage Elymas, que saint Paul avait privé, pour un temps, de l'usage de ses yeux. Cet homme barra le passage aux deux chrétiens, et les empêcha d'entrer à Paphos. Mais un jour, devant les murs de cette ville, Barnabé vit une foule d'hommes et de femmes qui célébraient une fête, en courant tout nus. Il en fut si indigné qu'il maudit le temple de ces païens ; et aussitôt ce temple s'écroula, écrasant dans sa chute bon nombre de païens.

Enfin, Barnabé se rendit à Salamine, où le susdit Elymas souleva une sédition contre lui. Les Juifs de la ville s'emparèrent du saint, l'accablèrent d'injures, et le livrèrent au juge, en réclamant qu'il fût châtié. Quelque temps après, on apprit la prochaine arrivée à Salamine d'un certain Eusèbe, homme très influent, de la famille de Néron. Alors les Juifs, craignant que ce haut fonctionnaire n'arrachât de leurs mains Barnabé pour lui rendre la liberté, s'empressèrent de lui passer une corde au cou, de le traîner ainsi hors de la ville, et là, aussitôt, de le brûler vif. Puis ces impies, ne se trouvant pas encore rassasiés, enfermèrent les os du saint dans un vase de plomb, qu'ils résolurent de lancer à la mer. Mais Jean, son compagnon, s'étant levé de nuit, avec deux autres de ses disciples, s'emparèrent de ses reliques, et les ensevelirent secrètement dans une crypte, où elles demeurèrent ignorées jusque vers l'an 500, sous le règne de Zénon et le pontificat de Gélase. A cette date, elles révélèrent elles-mêmes leur présence, et furent ainsi découvertes. Ajoutons que saint Dorothée affirme que saint Barnabé, avant de venir à Antioche, a prêché à Rome et a été élu évêque de Milan.

LXXXI

SAINT BASILE, ÉVÊQUE ET DOCTEUR
(14 juin)

I. Saint Basile, dont la vie a été écrite par Amphiloque, évêque d'Icone, était un évêque vénérable et un éminent docteur ; et à quel degré de sainteté il s'était élevé, c'est ce que put apprendre, dans une vision, certain ermite nommé Ephrem. Cet Ephrem, étant en extase, vit une colonne de feu dont le sommet touchait au ciel, et il entendit une voix qui disait, d'en haut : « Basile est grand comme cette colonne ! » L'ermite se rendit donc à la ville, le jour de l'Epiphanie, désireux de connaître un si grand homme. Mais, en voyant l'évêque revêtu de l'étole blanche et occupé à officier au milieu de la troupe de son clergé, il se dit : « Sans doute je me serai dérangé en vain ; car, pour vivre entouré de tels honneurs, cet homme n'est certainement pas le saint que je pensais. Je ne puis croire qu'un homme qui vit entouré de tels honneurs soit regardé au ciel comme une colonne de feu, de préférence à nous, qui portons le poids des saisons dans nos ermitages ! » Mais Basile, devinant sa pensée, le fit venir en sa présence ; et Ephrem vit alors qu'une langue de feu était dans sa bouche, et il lui dit : « Oui, Basile, tu es vraiment grand, oui, Basile, tu es vraiment une colonne de feu, et c'est vraiment l'Esprit-Saint qui parle par ta bouche ! » Et il dit encore à l'évêque : « Je t'en prie, saint père, obtiens pour moi que je parle grec ! » Et Basile : « Quelle étrange chose tu souhaites là ! » Mais il pria pour lui, et aussitôt Ephrem sut parler la langue grecque.

II. Un autre ermite, voyant Basile officier dans son église en habit pontifical, le méprisa, car il s'imaginait que cette pompe plaisait à l'évêque. Mais voici qu'il entendit une voix qui lui disait : « Tu prends plus de plaisir à caresser le dos de ta chatte, dans ton ermitage, que Basile n'en prend à vivre dans l'appareil de sa dignité ! »

III. L'empereur Valens, qui favorisait les ariens, leur donna une église qu'il enleva aux catholiques. Alors Basile vint le trouver et lui dit : « Sire, il est écrit que l'honneur du roi aime la justice. Pourquoi donc as-tu consenti à ce que les catholiques fussent dépouillés de leur église au profit des ariens ? » Et l'empereur : « Voici de nouveau que tu viens m'injurier, Basile ! cela n'est pas digne de toi ! » Mais Basile : « Il est digne de moi de mourir même, au besoin, pour la justice ! » Alors Démosthène, préfet de la table impériale et partisan des ariens, se mit à l'invectiver. Et Basile lui dit : « Mon ami, ton affaire est de faire cuire les poulets de l'empereur, et non pas de faire cuire les dogmes divins ! » Sur quoi le garde-bouche se tut, plein de confusion. Et l'empereur dit : « Basile, va et sois arbitre entre les deux partis, mais ne te laisse pas entraîner par ton amour excessif du peuple ! » Alors Basile se rendit à l'endroit où catholiques et ariens étaient rassemblés, fit fermer les portes de l'église, et ordonna à chacun des deux partis de les sceller de son sceau, ajoutant que l'église devrait appartenir au parti qui, par ses prières, parviendrait à l'ouvrir. Sur quoi, tous s'étant mis d'accord, les ariens prièrent durant trois jours et trois nuits, et vinrent ensuite voir les portes de l'église ; mais celles-ci restaient fermées. Alors Basile conduisit son clergé en procession jusqu'à l'église ; et là, après avoir prié, du bout de son bâton pastoral il toucha les portes, en leur enjoignant de s'ouvrir. Et aussitôt les portes s'ouvrirent ; et l'église fut restituée aux catholiques.

IV. L'*Histoire tripartite* raconte que l'empereur promit de grandes récompenses à Basile s'il voulait se convertir à l'arianisme. Mais l'évêque : « Seul un enfant pourrait se rendre à de telles raisons ; car, pour peu qu'on ait pratiqué les sciences divines, on sait que les dogmes de la foi ne souffrent pas qu'on altère la moindre de leurs syllabes ! » Alors l'empereur voulut écrire la sentence d'exil de l'évêque ; mais, à trois reprises, la plume se brisa entre ses doigts ; et, à la troisième reprise, sa main fut saisie d'un grand tremblement ; et l'empereur, honteux de lui-même, renonça à son projet.

V. Un saint homme nommé Héradius avait une fille unique, qu'il voulait consacrer au Seigneur. Mais le diable, dans sa haine du genre humain, enflamma d'un grand amour pour la jeune fille un des esclaves du susdit Héradius. Et l'esclave, voyant que c'était chose impossible pour lui d'être admis à partager la couche d'une si noble jeune fille, vint trouver un sorcier et lui promit beaucoup d'argent s'il voulait l'aider. Et le sorcier lui dit : « Je ne puis rien pour toi ; mais, si tu veux, je t'enverrai vers le diable, mon maître ; et si tu fais ce qu'il te dira, tu obtiendras ton désir. » Et le jeune homme dit : « Je suis prêt à tout pour avoir cette jeune fille ! » Alors le sorcier l'envoya vers le diable avec une lettre, en lui disant : « Rends-toi, à l'heure de minuit, sur le tombeau d'un païen, et, là, invoque les démons en élevant en l'air la lettre que voici ! » Le jeune homme fit tout cela, et bientôt il vit apparaître le prince des ténèbres, entouré d'une foule de démons ; et Satan, ayant lu la lettre, lui dit : « Crois-tu en moi, toi qui veux que j'accomplisse ta volonté ? » L'esclave répondit : « Seigneur, je crois en toi ! » Et le diable : « Et renies-tu ton ancien maître le Christ ? » Et l'esclave : « Je le renie ! » Mais le diable lui dit : « C'est que vous autres, les chrétiens, vous êtes des perfides ! Quand vous avez besoin de moi, vous venez à moi ; et, quand ensuite vous avez obtenu ce que vous désiriez, aussitôt vous me reniez de nouveau pour vous retourner vers votre Christ, qui, avec son indulgence ordinaire, ne manque jamais à vous accueillir. Mais toi, si tu veux que j'accomplisse ton désir, tu auras à m'écrire de ta propre main un papier où tu reconnaîtras que tu renonces au Christ, au baptême, et à la foi chrétienne, pour devenir mon serviteur. » L'esclave écrivit aussitôt le papier et le donna au diable. Alors celui-ci manda devant lui ceux de ses démons qui étaient préposés à la luxure : il leur ordonna de s'approcher de la fille d'Héradius et de lui inspirer l'amour du jeune esclave. Et les démons y réussirent si bien que la jeune fille, se roulant à terre, suppliait son père d'une voix lamentable : « Aie pitié de moi, père, aie pitié de moi, car je souffre cruellement à cause de l'amour que j'éprouve pour un de nos esclaves ! Montre-moi ta tendresse paternelle, et permets-moi de m'unir à ce jeune homme, que j'aime ! Et, si tu t'y refuses, bientôt tu me verras mourir, et tu en seras responsable au jour du jugement ! » Le père était désolé. Il disait : « Malheureux que je suis ! Qu'est-il arrivé à ma pauvre fille ? Qui m'a dérobé mon trésor ? Qui a éteint la douce lumière de mes yeux ? Ma fille, je voulais te donner pour femme à l'époux céleste, et j'espérais avoir ainsi mon salut grâce à toi ! Et toi, voici que la luxure amoureuse t'a rendue folle ! Permets-moi, ma chère fille, de t'unir au Seigneur suivant mon projet ! » Mais la jeune fille continuait à crier que, si son père n'accomplissait pas son désir, elle mourrait de chagrin. Et elle pleurait amèrement, et délirait, de telle sorte que son père, désespéré, sur le conseil de ses amis, céda à son désir et la maria avec l'esclave, après lui avoir légué tous ses biens. Mais bientôt des voisins dirent à la jeune femme que son mari n'entrait jamais à l'église, ne faisait jamais le signe de la croix, ne priait jamais, et, sans doute, n'était pas chrétien. La jeune femme, entendant cela, fut épouvantée. Elle rapporta la chose à son mari ; et, comme celui-ci affectait de ne point prendre au sérieux ces accusations, elle lui dit : « Si tu veux que je te croie, tu entreras demain à l'église avec moi ! » Alors le mari, ne pouvant pas dissimuler davantage, lui raconta toute son aventure, dont elle fut bouleversée ; et, tout en larmes, elle courut raconter à saint Basile ce qui était arrivé à son mari et à elle.

Alors le saint fit venir le mari, lui fit tout avouer, et lui dit : « Cher fils, veux-tu revenir à Dieu ? » Et le jeune homme : « Ah ! mon père, je le voudrais de tout mon cœur, mais je ne le puis, car je me suis livré au diable, et ai renié le Christ, et ai donné au diable un papier où j'ai écrit mon reniement, de ma propre main ! » Et Basile : « Ne t'en fais point de souci ! Jésus est bon : il t'admettra à faire pénitence ! » Puis, s'approchant du jeune homme, il lui fit au front le signe de la croix, et l'enferma dans une cellule, où il revint le voir trois jours après. Et il lui demanda comment il se trouvait. Et le jeune homme : « Seigneur, je suis bien en peine, car les diables, tenant en main mon papier, m'invectivent jour et nuit en me disant : C'est toi qui es venu nous trouver, et non pas nous qui sommes allés te chercher ! » Alors saint Basile lui dit : « Mon fils, ne crains rien, mais aie seulement la foi ! » Puis il lui donna un peu de nourriture, fit de nouveau sur lui le signe de la croix, l'enferma de nouveau, et pria pour lui. Revenant le voir, quelques jours après, il lui demanda comment il se trouvait. Le jeune homme répondit : « Mon père, j'entends toujours leurs cris et leurs reproches, mais du moins je ne les vois plus ! » Et de nouveau l'évêque lui donna de la nourriture, fit sur lui le signe de la croix, l'enferma, et pria pour lui. Le quarantième jour, il lui demanda une troisième fois comment il se trouvait. Et le jeune homme : « Je me trouve très bien, mon saint père, car aujourd'hui je t'ai vu, en rêve, combattant pour moi et vainquant le diable ! »

Alors Basile le fit sortir de sa cellule, le recommanda aux prières de son clergé, des moines et du peuple ; puis, le prenant par la main, il le conduisit vers l'église. Or le diable, avec la troupe des démons, accourut, et, tout en restant invisibles, ils saisirent le jeune homme et s'efforcèrent de l'arracher des mains de l'évêque. Et Satan, toujours invisible, disait, d'une voix si haute que chacun pouvait l'entendre : « Basile, tu me fais tort ! Cet homme m'appartient ! Et ce n'est pas moi qui suis allé le chercher : il est venu à moi de son plein gré, s'est offert à moi et a renié le Christ. J'ai là, dans ma main, l'écrit qu'il m'a signé ! » Mais Basile lui répondit : « Nous ne cesserons pas de prier, jusqu'à ce que tu nous aies rendu cet écrit ! » Et comme Basile priait, les mains levées au ciel, voici qu'une feuille de papier, traversant les airs, tomba dans ses mains au vu de tous. Et Basile la montra au jeune homme, en lui disant : « Frère, reconnais-tu cette écriture ? » Et le jeune homme : « Certes, car elle vient de ma propre main ! » Alors Basile, après avoir déchiré le papier, fit entrer le jeune homme dans l'église, l'initia aux saints mystères, lui imposa une règle de vie, et le rendit à sa femme.

VI. Certaine femme qui avait sur la conscience beaucoup de péchés, en avait écrit la liste ; et comme, un jour, elle avait commis un péché plus grave que tous les autres, elle l'inscrivit aussi dans sa liste ; après quoi elle remit sa liste à saint Basile en lui demandant de prier pour que ses péchés lui fussent remis. Le saint pria, et la femme, rouvrant le papier, vit que tous ses péchés étaient effacés de la liste, à l'exception du plus grave d'entre eux. Elle dit alors au saint : « Aie pitié de moi, et obtiens la miséricorde de Dieu pour ce péché-là, comme tu l'as obtenue pour tous les autres ! » Et Basile lui dit : « Hélas, ma sœur, je ne suis qu'un pécheur comme toi, et j'ai moi-même besoin d'indulgence, au moins autant que toi ! » Mais comme la femme insistait, il lui dit : « Va trouver le saint ermite Ephrem ! Celui-là, sans doute, pourra obtenir ce que tu demandes. » Et la femme alla à l'ermite Ephrem, et lui dit pourquoi Basile l'envoyait à lui. Mais l'ermite répondit : « Hélas, ma fille, je ne suis qu'un pauvre pécheur ! Retourne vers Basile ! Il a déjà obtenu pour toi le pardon de tes autres péchés : il obtiendra bien encore le pardon de celui-là ! Mais hâte-toi, si tu veux le trouver en vie ! » Et, au moment où la femme rentrait en ville, voici qu'on portait au cimetière le corps du saint. Alors la femme s'écria : « Que Dieu nous voie et qu'il juge entre moi et toi, car tu m'as envoyée vers un homme qui ne pouvait rien pour moi, tandis que tu avais toi-même le pouvoir de me gagner le pardon du ciel ! » Alors elle jeta sur le cercueil le papier où était écrit son péché ; et quand on reprit le papier, on vit que le dernier péché avait été effacé, comme tous les autres.

VII. Au moment où il sentait qu'il allait mourir, saint Basile appela près de lui un savant médecin juif nommé Joseph, qu'il aimait beaucoup, et qu'il aurait voulu convertir à la foi du Christ. Et Joseph, lui ayant tâté le pouls, reconnut que l'heure de mourir était venue pour lui. Il dit donc aux serviteurs de l'évêque : « Préparez ce qui est nécessaire à sa sépulture, car il va mourir d'un instant à l'autre ! » Mais Basile, l'ayant entendu, lui dit : « Tu ne sais pas ce que tu dis ! » Et Joseph : « Seigneur, je ne me trompe pas ! Bientôt le soleil va se coucher, et toi aussi tu t'éteindras avec le soleil. » Alors Basile : « Et que diras-tu si je ne meurs pas aujourd'hui ? » Et Joseph : « Seigneur, c'est impossible ! » Et Basile : « Mais si cependant, je survis jusqu'à la sixième heure de demain, que feras-tu ? » Et Joseph : « Si tu survis jusqu'à cette heure-là, je consens moi-même à mourir ! » Et Basile : « Consens seulement à mourir au péché, pour vivre dans le Christ ! » Et Joseph : « Seigneur, je comprends ce que tu veux dire : et si tu survis jusqu'à la sixième heure de demain, je ferai ce que tu m'engages à faire ! » Alors saint Basile, qui, suivant la nature, devait mourir en ce jour, obtint de Dieu que la mort l'épargnât jusqu'au lendemain. Et Joseph, voyant qu'il ne mourait pas, en fut émerveillé, et crut au Christ. Sur quoi Basile, trouvant dans son âme la force de vaincre la faiblesse de son corps, se leva de son lit, entra dans l'église, et baptisa Joseph de sa propre main ; puis il revint s'étendre sur son lit, et aussitôt rendit doucement son âme à Dieu. Ce grand saint florissait vers l'an du Seigneur 370.

LXXXII
SAINTS VIT ET MODESTE, MARTYRS
(15 juin)

Vit, enfant admirable, n'avait que douze ans lorsqu'il souffrit le martyre, en Sicile. Déjà dans sa maison son père avait coutume de le battre, parce qu'il méprisait les idoles et se refusait à les adorer : ce qu'apprenant, le préfet Valérien manda l'enfant devant lui, et, sur son refus de sacrifier, le fit frapper de verges. Mais aussitôt les bras de ceux qui frappaient, et la main même du préfet, séchèrent. Et le préfet de crier : « Malheur à moi, j'ai perdu la main droite ! » Alors Vit lui dit : « Appelle tes dieux, et qu'ils te guérissent s'ils le peuvent ! » Et le préfet : « Prétends-tu que tu aurais le pouvoir de me guérir ? » Et Vit : « Oui, j'ai ce pouvoir au nom du Seigneur ! » Et aussitôt, sur la prière de l'enfant, le préfet et les bourreaux recouvrèrent l'usage de leurs bras. Sur quoi le préfet dit au père de Vit : « Emmène ton fils, de crainte qu'il ne lui arrive malheur ! »

Alors son père, l'ayant ramené dans sa maison, essaya de le corrompre par de belles musiques, et des jeux de jeunes filles, et d'autres délices. Mais, un jour qu'il l'avait enfermé dans sa chambre, une odeur merveilleuse sortit de cette chambre et parvint jusqu'à lui : sur quoi, regardant par la porte de la chambre, il aperçut sept anges debout auprès de son fils. Il s'écria : « Les dieux sont venus dans ma maison ! » Et aussitôt il devint aveugle.

A ses cris, toute la ville accourut et notamment Valérien, qui lui demanda ce qui lui était arrivé. Et lui : « J'ai vu des dieux de feu, et je n'ai pu supporter leur vue ! » Conduit au temple de Jupiter, il promit, si ses yeux se rouvraient, d'offrir un taureau avec des cornes dorées. Puis, comme cette promesse restait sans effet, il implora son fils de lui rendre la vue, et, sur la prière de l'enfant, ses yeux se rouvrirent.

Mais comme ce miracle même ne parvenait pas à le convaincre, et qu'il songeait au contraire à tuer son fils, un ange apparut à Modeste, professeur de l'enfant, et lui ordonna, de faire monter celui-ci dans une barque pour le conduire vers une autre terre. En mer, un aigle venait leur apporter leur nourriture ; et nombreux furent les miracles qu'ils accomplirent, dans les diverses régions où ils abordèrent.

Or le fils de l'empereur Dioclétien fut possédé d'un démon qui déclara qu'il ne sortirait point si l'on ne faisait venir Vit le Lucanien. On se mit donc à chercher Vit ; et, quand il fut découvert, Dioclétien lui dit : « Enfant, as-tu vraiment le pouvoir de guérir mon enfant ? » Et Vit : « Je n'ai pas ce pouvoir, mais mon Maître l'a ! » Et il imposa les mains sur l'enfant possédé, et aussitôt le démon s'enfuit. Alors Dioclétien lui dit : « Enfant, aie pitié de toi-même et sacrifie aux dieux, pour échapper à une mort terrible ! » Vit, s'y étant refusé, fut jeté en prison avec Modeste. Mais soudain leurs chaînes tombèrent, et leur cachot s'emplit d'une lumière éblouissante. Ce qu'apprenant, l'empereur les fit plonger dans de la poix bouillante : mais ils en sortirent sans avoir aucun mal. Puis un lion farouche fut lâché sur eux ; mais la bête, vaincue par la vertu de leur foi, s'étendit à leurs pieds. Enfin Dioclétien fit suspendre l'enfant à un chevalet, ainsi que son professeur Modeste et sa nourrice Crescence, qui toujours l'avait accompagné. Mais aussitôt l'air se trouble, la terre tremble, le tonnerre mugit, les temples des idoles s'écroulent, écrasant nombre de païens. Et l'empereur, fuyant épouvanté, se frappait de ses poings, et disait : « Malheur à moi, qu'un enfant a vaincu ! » Quant aux trois martyrs, ils se retrouvèrent, dès l'instant d'après, au bord d'un fleuve ; et c'est là que, après avoir prié, ils rendirent leurs âmes au Seigneur. Des aigles se chargèrent de veiller sur leurs corps jusqu'à ce qu'une matrone, appelée Florence, les ayant retrouvés, les ensevelit avec grand honneur.

LXXXIII
SAINT CYR ET SA MÈRE SAINTE JULITE,
MARTYRS
(15 juin)

Cyr était fils de Julite, noble dame d'Icone, qui, pour échapper à la persécution, s'était réfugiée à Tarse, en Cilicie, avec son enfant alors âgé de trois ans. Julite fut amenée devant le préfet Alexandre : et ses deux servantes, la voyant prise, s'enfuirent aussitôt, de telle sorte qu'elle eut à porter dans ses bras le petit Cyr, encore emmaillotté dans ses langes. Or le préfet, voyant que Julite refusait de sacrifier aux idoles, lui ôta son enfant des bras, et la fit battre de lanières plombées. Et l'enfant, assistant au supplice de sa mère, se mit à pleurer et à pousser des cris. En vain le préfet, le tenant sur ses genoux, essayait de le séduire par des baisers et des caresses : le petit repoussait avec horreur ces caresses du bourreau de sa mère, et lui lacérait le visage de ses ongles, et répétait, de sa voix d'enfant : « Moi aussi, je suis chrétien ! » Enfin il mordit le préfet à l'épaule : sur quoi Alexandre, furieux, le précipita du haut de son tribunal, de telle sorte que son petit cerveau se répandit sur les marches. Et Julite, tout heureuse, rendait grâce à Dieu de ce que son fils la devançât au royaume céleste. Elle-même fut, ensuite, écorchée vive, plongée dans de la poix bouillante, et enfin décapitée.

Cependant une autre légende raconte que l'enfant, au moment de son martyre, n'était pas encore en âge de parler, mais que l'Esprit-Saint avait parlé par sa bouche quand il avait dit au préfet : « Je suis chrétien. » Le préfet lui avait alors demandé qui l'avait instruit ; et l'enfant avait répondu : « Je m'étonne de ta sottise, et de ce que, voyant mon âge, tu me demandes qui m'a instruit de la science divine ! » Et, pendant son martyre il aurait continué à répéter : « Je suis chrétien ! » et, chaque fois, ce cri lui aurait rendu de nouvelles forces.

Le préfet, pour les empêcher d'être ensevelis par les chrétiens, fit découper les membres de l'enfant et ceux de la mère, et ordonna qu'ils fussent dispersés au vent. Mais un ange rassembla les membres épars, que les chrétiens ensevelirent nuitamment. Et lorsque, sous le règne de Constantin le Grand, la paix fut enfin restituée à l'Eglise, une vieille servante, qui avait assisté à l'ensevelissement, révéla le lieu où se trouvaient les deux corps : et ceux-ci, depuis, sont pour toute la ville un objet de grande de dévotion. Le martyre de la mère et de l'enfant eut lieu vers l'an 230, sous le règne de l'empereur Alexandre.

LXXXIV
SAINTE MARINE, VIERGE
(18 juin)

Marine était fille unique. Son père, devenu veuf, entra dans un monastère ; et, ayant fait prendre à sa fille un costume masculin, il demanda à l'abbé et aux autres moines de recevoir dans le monastère son unique fils : ce qui lui fut accordé, de telle sorte que la jeune fille fut reçue parmi les moines, et porta le nom de frère Marin. Elle vivait très pieusement, et dans une obéissance parfaite. Quand elle eut vingt-sept ans, son père, sentant la mort approcher, l'appela à son chevet et lui dit de ne jamais révéler à personne qu'elle était une femme.

Or la jeune fille allait souvent aux champs avec la charrue et les bœufs, ou bien était chargée de rapporter du bois au monastère ; et souvent elle recevait l'hospitalité dans la maison d'un homme dont la fille, séduite par un soldat, était devenue grosse. Cette fille, interrogée, s'avisa d'affirmer qu'elle avait été violée par le frère Marin. Et celui-ci, interrogé à son tour, se reconnut coupable : en conséquence de quoi il fut aussitôt chassé du monastère. Pendant trois ans, il se tint devant la porte du monastère, ne se nourrissant que de miettes de pain. Quand l'enfant dont on le croyait père fut sevré, on le remit à l'abbé, qui le remit au frère Marin ; et pendant deux ans encore celui-ci en prit soin, supportant tout avec une extrême patience, sans cesser de rendre grâces à Dieu.

Enfin les frères, touchés de son humilité et de sa patience, le reprirent au monastère, où ils lui confièrent des besognes trop viles pour eux ; et lui, il acceptait tout gaîment, et faisait tout patiemment et pieusement. Après une longue vie de bonnes œuvres, il rendit son âme au Seigneur. Et pendant que ses frères lavaient son corps, qu'ils s'apprêtaient à ensevelir misérablement, comme le corps d'un grand pécheur, ils s'aperçurent que le frère Marin était une femme. Etonnés et effrayés, ils confessèrent avoir été durs et cruels envers la servante de Dieu ; et tous, se jetant à genoux, devant son cadavre, implorèrent le pardon de leur conduite. Son corps fut enseveli avec honneur dans la chapelle du monastère. Et quant à la fille qui l'avait accusée, elle fut possédée du démon, et avoua son crime ; mais, conduite au tombeau de la vierge, elle fut aussitôt guérie. A ce tombeau, aujourd'hui encore, le peuple vient de toutes parts ; et de nombreux miracles s'y accomplissent tous les jours.

LXXXV
SAINTS GERVAIS ET PROTAIS, MARTYRS
(19 juin)

I. Gervais et Protais, frères jumeaux, étaient fils de saint Vital et de sainte Valérie. Ayant donné tous leurs biens aux pauvres, ils vivaient avec saint Nazaire, qui se construisait un oratoire près d'Embrun, et à qui un enfant nommé Celse[10] apportait des pierres. Puis, lorsque les trois saints furent conduits vers l'empereur Néron, le petit Celse les suivait en se lamentant : et comme un des soldats lui avait donné un soufflet, Nazaire le gronda de sa cruauté : sur quoi, les soldats furieux, l'accablèrent de coups de pied, l'enfermèrent dans un cachot, et finirent par le jeter à l'eau. Gervais et Protais furent conduits à Milan, où ils furent bientôt rejoints par Nazaire, miraculeusement sauvé.

[10] Jacques de Voragine ajoute que cet enfant ne pouvait pas, vu les dates, être saint Celse, qui ne se joignit à saint Nazaire que beaucoup plus tard.

Or, dans le même temps, vint à Milan le comte Astase, qui partait en guerre contre les Marcomans ; et les païens accoururent à lui, lui déclarant que leurs dieux se refusaient à les protéger aussi longtemps que Gervais et Protais n'auraient pas été immolés. Les deux chrétiens furent donc sommés de sacrifier aux idoles. Et comme Gervais disait que toutes les idoles étaient sourdes et muettes, et que seul son Dieu pouvait donner la victoire, Astase, furieux, le fit frapper à mort de lanières plombées. Puis il fit venir Protais et lui dit : « Malheureux, évite de périr misérablement comme ton frère ! » Et Protais : « Qui de nous deux est malheureux, moi, qui ne le crains pas, ou toi qui me crains ? » Et Astase : « Eh ! misérable, comment peux-tu dire que je te craigne ? » Et Protais : « Tu crains que je ne te nuise, si je refuse de sacrifier à tes dieux : car si tu ne craignais pas cela, tu n'essaierais pas à me contraindre à ce sacrifice ! » Alors Astase le fit étendre sur un chevalet. Et Protais : « Je n'ai point de colère contre toi, comte, car je sais que les yeux de ton cœur sont aveugles ; mais plutôt j'ai pitié de toi, parce que tu ignores ce que tu fais. Continue donc à me supplicier, afin que je puisse partager avec mon frère la faveur de notre Maître ! » Astase lui fit trancher la tête. Et Philippe, serviteur du Christ, vint avec son fils, la nuit, prendre les corps des deux martyrs, qu'il ensevelit secrètement chez lui dans un sarcophage de pierre, déposant sous leurs têtes un écrit qui indiquait leur origine, leur vie, et les circonstances de leur mort. Et leur martyre eut lieu sous l'empereur Néron.

II. Les corps des deux saints restèrent longtemps cachés : ils furent découverts au temps de saint Ambroise, et de la façon que nous allons rapporter. Donc Ambroise se trouvait, une nuit, dans l'église des saints Nabor et Félix ; et comme, après avoir longtemps prié, il était tombé dans un état intermédiaire entre la veille et le sommeil, deux beaux jeunes gens vêtus de blanc lui apparurent, priant avec lui, les bras étendus. Alors Ambroise demanda que, si c'était là une illusion, elle s'évanouît, et que, si c'était une réalité, elle se révélât de nouveau à lui. Et les deux jeunes gens lui apparurent de nouveau au chant du coq ; et, la nuit suivante, ils lui apparurent une troisième fois, mais cette fois en compagnie d'une autre personne, en qui il reconnut l'apôtre saint Paul. Et saint Paul lui dit : « Tu vois là deux jeunes gens qui, dédaignant tous les biens de la terre, ont fidèlement suivi mes leçons. Leurs corps habitent le lieu où tu te trouves. A douze pieds sous terre tu trouveras un coffre de pierre contenant leurs restes, ainsi qu'un écrit où tu apprendras leurs noms et l'histoire de leur fin. » Aussitôt saint Ambroise convoqua les évêques voisins : puis, creusant la terre, il entra le premier dans la fosse, et y trouva tout ce que lui avait dit saint Paul. Et bien que trois siècles et plus se fussent écoulés depuis la mort des deux saints, leurs corps étaient aussi intacts que s'ils n'étaient là que depuis la veille. Et une odeur délicieuse s'en exhalait. Et un aveugle, ayant touché le cercueil, recouvra la vue, et bien d'autres malades furent guéris par l'intercession des deux saints.

C'est le jour anniversaire de leur fête que fut rétablie la paix entre les Lombards et l'Empire romain. En souvenir de quoi le pape Grégoire ordonna que, dans l'introït de la messe et dans les autres offices, le jour de leur fête, fussent introduites des allusions à cette heureuse paix.

III. Au vingtième livre de sa *Cité de Dieu*, saint Augustin raconte que, en sa présence et en celle de l'empereur, un aveugle recouvra la vue, à Milan, devant le tombeau des, saints Gervais et Protais. Mais si cet aveugle était ou non celui dont nous avons parlé plus haut, c'est ce que nous ne saurions dire. Nous lisons dans le même livre qu'un jeune homme qui baignait son cheval dans un fleuve, près d'Hippone, fut attaqué par un démon et jeté à l'eau, à demi mort. Mais comme, le soir, on chantait dans l'église des saints Gervais et Protais, non loin de là, le jeune homme entra dans l'église et se cramponna à l'autel, d'où personne ne pouvait l'arracher. En vain le démon l'adjurait de s'éloigner de l'autel : il menaçait de se couper les membres, si on le faisait sortir. Et lorsque enfin il sortit, ses yeux jaillirent de l'orbite, et ne restèrent plus attachés que par une veine : mais, peu de jours après, par les mérites des saints Gervais et Protais, le jeune homme recouvra la santé ; et ses yeux, qu'on avait rentrés tant bien que mal dans les orbites, se rouvrirent à la lumière.

LXXXVI
LA NATIVITÉ DE SAINT JEAN-BAPTISTE
(24 juin)

I. La nativité de saint Jean-Baptiste a été annoncée par un archange de la façon qu'on va lire. Le roi David, comme le raconte l'*Histoire scholastique*, voulant donner plus de développement au culte divin, institua vingt-quatre grands prêtres, dont l'un, supérieur aux autres, portait le titre de prince des prêtres. Et chacun des vingt-quatre, grands prêtres, à son tour, remplissait les fonctions de prince des prêtres pendant une semaine. La huitième semaine, le sort désigna, pour cette fonction, le grand prêtre Abias, de la famille duquel fut, plus tard, Zacharie. Or Zacharie et sa femme étaient parvenus à la vieillesse sans avoir d'enfants. Et un jour qu'il était entré dans le Temple, pour mettre de l'encens sur l'autel, pendant qu'une grande foule l'attendait au dehors, l'archange Gabriel lui apparut. Et comme Zacharie, à sa vue, s'effrayait, l'archange lui dit : « N'aie pas peur, Zacharie, car ta prière a été exaucée ! »

Nous devons dire ici en passant, d'après la *Glosse*, que c'est le propre des bons anges de rassurer aussitôt par des paroles bienveillantes ceux qu'ils effraient en leur apparaissant ; et, au contraire, les démons qui prennent la forme d'anges, dès qu'ils voient qu'on s'effraie de leur présence, ont coutume d'accroître encore la terreur qu'ils inspirent.

Gabriel annonça donc à Zacharie qu'il aurait un fils nommé Jean, qui jamais ne boirait de vin ni d'autre boisson fermentée, et qui, devant le trône du Seigneur, précéderait le prophète Elie lui-même en esprit et en vertu. Et Zacharie, considérant sa vieillesse et la stérilité de sa femme, eut des doutes, et, à la façon des Juifs, demanda à l'ange un signe matériel à l'appui de sa prédiction. Sur quoi l'ange, pour le punir de n'avoir point cru à sa parole, en manière de signe le rendit muet. Et lorsque Zacharie se présenta ensuite devant le peuple, et qu'on vit qu'il était devenu muet, il fit entendre, par des signes, qu'il avait eu une vision dans le Temple. Puis, ayant achevé la semaine de son office, il rentra dans sa maison, et Elisabeth conçut un enfant de ses œuvres, et, pendant cinq mois, elle se cacha, parce que, comme le dit saint Ambroise, elle avait honte d'être grosse à son âge, et qu'on la soupçonnât, dans sa vieillesse, de s'être abandonnée au plaisir de la chair : ce qui, d'autre part, ne l'empêchait point de se réjouir de ce que le Seigneur l'eût délivrée de l'opprobre de la stérilité, car c'est un opprobre, pour les femmes, de ne pas avoir ce fruit de leurs noces en vue duquel se célèbrent les noces, et par qui se justifie l'accouplement charnel.

Elisabeth était grosse de six mois, lorsque la bienheureuse Vierge Marie, qui avait déjà conçu le Sauveur, vint la voir pour la féliciter. Et, au moment où elle la saluait, saint Jean, déjà rempli de l'Esprit-Saint, et sentant l'approche du Fils de Dieu, se mit à bondir de joie dans le ventre de sa mère, comme pour saluer par ses mouvements celui qu'il ne pouvait pas encore saluer par la voix. Puis la sainte Vierge resta trois mois avec sa parente, la soignant dans sa grossesse ; et ce fut elle qui, de ses saintes mains, reçut l'enfant nouveau-né, et remplit, en quelque sorte, pour lui, l'office de sage-femme.

Le saint précurseur du Christ eut neuf privilèges singuliers : 1º sa naissance fut annoncée par le même ange qui annonça la naissance du Christ ; 2º il bondit dans le ventre de sa mère ; 3º il fut recueilli entre les bras de la Mère de Dieu ; 4º il délia, en naissant, la langue de son père ; 5º il institua le sacrement de baptême ; 6º il annonça la mission du Christ ; 7º il baptisa le Christ ; 8º il eut l'honneur d'être loué par-dessus tous par le Christ ; 9º il annonça la venue du Christ à ceux qui étaient dans les limbes. C'est à cause de ces neuf privilèges que le Seigneur le déclara un prophète, et plus qu'un prophète.

Sa nativité, selon maître Guillaume d'Auxerre, est célébrée par l'Eglise pour trois raisons : 1º parce qu'il fut sanctifié dès le ventre de sa mère ; 2º parce qu'il remplit dans la vie un rôle d'une importance exceptionnelle, étant venu comme un porte-lumière pour nous annoncer la joie du salut ; 3º parce que sa naissance même fut une cause de joie. En effet l'archange avait dit : « Et beaucoup se réjouiront de sa nativité. » Aussi est-ce juste que, nous aussi, nous nous en réjouissions.

Nous devons noter que ce jour de la nativité de saint Jean-Baptiste est aussi le jour où saint Jean l'Evangéliste rendit son âme à Dieu. Mais l'Eglise a placé la fête de l'Evangéliste trois jours après Noël, parce que c'est ce jour-là qu'a été consacrée la basilique élevée en son honneur, tandis que la fête de la nativité de saint Jean-Baptiste se célèbre le jour même où ce saint est né. D'où l'on doit bien se garder de conclure, cependant, que l'Evangéliste soit inférieur au Baptiste, comme le cadet à l'aîné. Et Dieu a même daigné nous apprendre, par un exemple formel, qu'il ne lui convenait pas que l'on discutât la question de savoir lequel des deux saints était le plus grand. Il y avait, en effet, deux savants théologiens dont l'un préférait saint Jean-Baptiste, l'autre saint Jean l'Evangéliste : si bien qu'ils convinrent d'un jour pour une discussion en règle. Et comme chacun s'inquiétait de recueillir des autorités et de bons arguments à l'appui de ses préférences, à chacun d'eux se montra le saint Jean qu'il préférait, et lui dit : « Nous nous accordons fort bien au ciel ; ne vous disputez donc pas sur la terre à notre sujet ! » Ce dont les deux docteurs se firent part l'un à l'autre ainsi qu'au peuple, en bénissant Dieu.

II. L'historiographe des Lombards, Paul, diacre de l'Eglise romaine et moine du Mont-Cassin, s'apprêtait un jour à bénir un cierge, lorsque tout à coup sa voix, auparavant très belle, s'enroua. Et, pour recouvrer sa voix, il composa en l'honneur de saint Jean l'hymne *Ut queant laxis resonare fibris*, où il demandait à Dieu que sa voix lui fût rendue, comme elle l'avait été autrefois à Zacharie.

III. Le même Paul rapporte, dans son *Histoire lombarde*, qu'un voleur ouvrit un jour le tombeau où le roi lombard Rocharith s'était fait enterrer, dans l'église de saint Jean-Baptiste. Alors saint Jean lui apparut et lui dit : « Puisque tu as osé toucher à ces objets précieux qui m'étaient confiés, tu ne pourras plus désormais entrer dans mon église ! » Et ainsi fut fait, car chaque fois que cet homme voulut entrer dans l'église de saint Jean, une main invisible lui asséna sur la gorge un coup si violent qu'il se vit forcé de rebrousser chemin.

LXXXVII
SAINTS JEAN ET PAUL, MARTYRS
(26 juin)

Jean et Paul étaient officiers de Constance, fille de l'empereur Constantin. Or, comme les Scythes occupaient la Thrace et la Dacie, Gallican, le chef de l'armée romaine envoyée contre eux, demandait que, en récompense, on lui donnât pour femme la fille de Constantin ; et les principaux citoyens de Rome insistaient en faveur de sa demande. Mais Constantin s'en affligeait fort ; car il savait que sa fille, depuis qu'elle avait été guérie par sainte Agnès, avait fait vœu de virginité, et se laisserait tuer plutôt que d'enfreindre son vœu. Cependant Constance, confiante en l'aide de Dieu, conseilla à son père de consentir à son mariage avec Gallican, le jour où celui-ci reviendrait vainqueur, à la condition seulement que Gallican lui permît de garder près d'elle les deux filles qu'il avait eues d'un premier mariage, et qu'en échange il prît avec lui ses deux officiers Jean et Paul. Et ainsi fut convenu. Mais Gallican, s'étant mis en route avec une nombreuse armée, fut battu par les Scythes et assiégé par eux dans une ville de Thrace. Alors Jean et Paul, s'approchant de lui, lui dirent : « Fais un vœu au Dieu du ciel, et tu seras vainqueur ! » Et lorsque Gallican eut fait le vœu de devenir chrétien, un jeune homme, portant la croix sur l'épaule, lui apparut et lui dit : « Prends ton épée et suis-moi ! » Gallican, suivant l'ange, se précipita dans le camp ennemi, parvint jusqu'au roi des Scythes, le tua, épouvanta l'armée ennemie, et la soumit à la domination romaine. Et l'on raconte que deux chevaliers en armes lui apparurent, qui se tinrent à ses côtés jusqu'à la fin du combat. Il se convertit donc au christianisme ; et, reçu à Rome avec de grands honneurs, il demanda à Constantin de ne pas épouser sa fille, car il avait promis au Christ, de vivre désormais dans la continence. Ses deux filles, converties par Constance, étaient devenues, elles aussi, de pieuses chrétiennes. Et bientôt Gallican, renonçant à son commandement, distribua tous ses biens, et se mit à servir Dieu dans la pauvreté. Et il faisait tant de miracles que, à sa seule vue, les démons s'enfuyaient des corps des possédés. Aussi la renommée de sa sainteté se répandit-elle dans le monde entier ; et de l'Orient et de l'Occident on venait voir ce patricien, cet ancien consul, qui lavait les pieds aux pauvres qui leur versait de l'eau sur les mains, qui les servait à table, qui soignait les malades, et vivait ainsi en esclave de Dieu.

A la mort de Constantin l'empire échut à son fils Constance, qui s'était laissé corrompre par l'hérésie des ariens. Et comme le frère de Constantin avait laissé deux fils, Gallus et Julien, Constance promut Gallus au titre de César et l'envoya contre les Juifs révoltés ; mais, plus tard, il le tua. Alors Julien, craignant d'avoir le sort de son frère, entra dans un monastère, où, à force de simuler la piété, il fut ordonné lecteur ; et là le démon consulté par lui, lui apprit qu'il serait promu à l'empire. Et, quelque temps après, Constance, pressé par la nécessité, éleva Julien au titre de César, et l'envoya en Gaule, où il montra une grande valeur.

A la mort de Constance, Julien, devenu empereur, ordonna que Gallican eût à sacrifier aux dieux où à s'éloigner de Rome : car il n'osait pas mettre à mort un tel homme. Gallican se rendit donc à Alexandrie, où les infidèles lui transpercèrent le cœur, lui donnant ainsi la couronne du martyre.

Quant à Julien, il colorait du témoignage de l'Evangile l'avidité sacrilège dont il était possédé. Il dépouillait les chrétiens et leur disait : « C'est votre Christ lui-même qui dit, dans son Evangile, que celui-là ne saurait être son disciple qui ne renonce pas à tout ce qu'il a ! » Aussi, quand il apprit que Jean et Paul, avec l'argent que leur avait laissé la pieuse Constance, subvenaient aux besoins des chrétiens pauvres, il les fit venir tous deux et leur dit qu'ils devaient le servir de la même façon qu'ils avaient servi Constantin. A quoi ils répondirent : « Nous servions le glorieux empereur Constantin parce que lui-même se proclamait le serviteur du Christ ; mais toi, comme tu as abandonné la sainte religion, nous nous sommes retirés de toi, et nous dédaignons de t'obéir ! » Et Julien leur dit : « Sachez que j'ai été clerc dans votre Eglise, et que, si j'avais voulu, je m'y serais élevé aux premières dignités : mais, considérant que c'était chose vaine de pratiquer la paresse, je me suis livré à l'art de la guerre ; et ayant sacrifié aux dieux, j'ai été par eux élevé à l'empire. Quant à vous, nourris à la cour, vous avez le devoir de rester près de moi, où vous serez au premier rang de mes serviteurs. Mais que si vraiment vous me méprisez, je serai forcé d'agir, pour vous en empêcher ! » Et les deux saints répondirent : « Nous mettons Dieu au-dessus de toi ; et nous ne craignons pas tes menaces, mais seulement d'encourir l'inimitié de Dieu tout-puissant. » Et Julien : « Si, dans dix jours, vous ne venez pas de votre plein gré près de moi, vous ferez, contraints, ce que vous aurez refusé de faire volontairement ! » Et eux : « Imagine que les dix jours sont déjà passés, et accomplis dès aujourd'hui ce dont tu nous menaces ! » Et Julien : « Vous croyez que les chrétiens vont faire de vous des martyrs ? Sachez donc que, si vous ne m'obéissez, ce n'est pas en martyrs que je vous punirai, mais en ennemis publics ! »

Alors Jean et Paul, pendant dix jours, redoublant leurs aumônes, distribuèrent aux pauvres tout l'argent qui leur restait. Le dixième jour, ils virent arriver près d'eux un certain Térentien, qui leur dit : « Notre maître Julien vous envoie cette petite statue de Jupiter, pour que vous brûliez de l'encens devant elle : si vous ne le faites pas, vous périrez tous deux. » Et les saints lui dirent : « Si tu as pour maître Julien, obéis à ses ordres ; mais nous,

nous n'avons d'autre maître que Jésus-Christ!» Alors Térentien les fit décapiter en secret, et fit ensevelir leurs corps dans leur maison; et il répandit le bruit qu'ils étaient partis en exil. Mais bientôt son fils fut possédé d'un démon qui le faisait beaucoup souffrir : ce que voyant, Térentien avoua son crime, se fit chrétien, et écrivit lui-même le récit du martyre des deux saints; en échange de quoi son fils fut délivré.

Saint Grégoire raconte, dans une de ses homélies, qu'une femme, qui visitait souvent l'église des deux martyrs, aperçut un jour devant sa porte, en revenant de cette église, deux moines en manteaux de pèlerins. Elle leur fit, aussitôt, donner l'aumône par son intendant. Mais eux, s'approchant d'elle, lui dirent : «Puisque tu aimes à nous faire visite, nous te réclamerons au jour du jugement, et, tout ce que nous pourrons faire pour toi, nous le ferons!» Puis, cela dit, ils disparurent.

LXXXVIII
SAINT LÉON, PAPE
(28 juin)

Le pape Léon, célébrant la messe dans l'église de Sainte-Marie Majeure, faisait, suivant la coutume, communier les fidèles, lorsqu'une femme lui déposa un baiser sur la main, ce qui fit naître en lui une véhémente tentation charnelle. Mais l'homme de Dieu, se châtiant lui-même avec plus de sévérité que ne l'aurait fait aucun autre juge, s'amputa en secret la main qui avait été cause du scandale. Cependant le peuple murmurait de ne pas voir le Souverain Pontife célébrer l'office divin comme de coutume. Alors Léon s'adressa à la sainte Vierge, se remettant de tout à sa providence. Et la Vierge aussitôt lui apparut, et, de ses saintes mains, lui rendit sa main, lui ordonnant de procéder au divin sacrifice. Et Léon révéla au peuple ce qui lui était arrivé, montrant à tous la main qui venait de lui être miraculeusement restituée.

C'est le pape Léon qui présida le concile de Chalcédoine, où l'on décida que les vierges seules pourraient prendre le voile, et où fut également décrété que, désormais, la Vierge Marie serait appelée « Mère de Dieu ».

Et comme Attila ravageait l'Italie, saint Léon, après avoir prié pendant trois jours et trois nuits dans l'église des apôtres, dit aux siens : « Qui veut me suivre, me suive ! » Et Attila, dès qu'il l'aperçut, descendit de son cheval, se prosterna à ses pieds, et lui dit de demander tout ce qu'il voudrait. Le pape lui demanda, et obtint aussitôt, qu'il quitterait l'Italie et rendrait la liberté à tous ses captifs. Et comme les compagnons d'Attila lui reprochaient que lui, le vainqueur du monde, se fût laissé vaincre par un prêtre, le barbare répondit : « J'ai agi dans mon intérêt et dans le vôtre, car j'ai vu, à la droite de cet homme, un guerrier gigantesque qui m'a dit, l'épée en main : « Si tu n'obéis à ce prêtre, tu périras avec tous les tiens ! »

Le pape Léon, ayant écrit une lettre à Fabien, évêque de Constantinople, contre Eutychès et Nestorius, la déposa sur le tombeau de saint Pierre, et, priant le saint, lui dit : « Tout ce que, en ma qualité d'homme, j'ai écrit d'erroné dans cette, lettre, toi, gardien de l'Eglise, corrige-le et rectifie-le ! » Et, quarante jours après, saint Pierre lui apparut et lui dit : « J'ai lu et corrigé ! » Et, lorsque Léon reprit sa lettre, il la trouva corrigée et rectifiée par la main de l'apôtre.

Une autre fois, Léon passa quarante jours à jeûner et à prier sur le tombeau de saint Pierre, afin d'obtenir le pardon de ses péchés. Et saint Pierre, lui apparaissant, lui dit : « J'ai prié pour toi le Seigneur, et il t'a remis tous tes péchés. Mais tu devras seulement te renseigner au sujet de l'imposition des mains, » c'est-à-dire veiller à ce que cette imposition se fasse de la manière convenable. Saint Léon mourut vers l'an du Seigneur 460.

LXXXIX
SAINT PIERRE, APÔTRE
(29 juin)

I. L'apôtre Pierre surpassait en ferveur les autres apôtres : car il voulut connaître le nom de celui qui livrerait Jésus, et, comme dit saint Augustin, il n'eût pas manqué de déchirer avec ses dents le traître, s'il avait connu son nom : et, à cause de cela, Jésus ne voulut point le lui nommer, parce que, comme dit Chrysostome, s'il l'avait nommé, Pierre se serait aussitôt levé et l'aurait égorgé. C'est lui aussi qui, sur les flots, marcha vers Jésus, et qui fut choisi par Jésus pour assister à la transfiguration, comme aussi à la résurrection de la fille de Jaïre ; c'est lui qui trouva la pièce de monnaie dans la bouche du poisson ; c'est lui qui reçut du Seigneur les clefs du royaume des cieux, qui fut chargé de paître les agneaux du Christ, qui, le jour de la Pentecôte, convertit trois mille hommes par sa prédication, qui annonça la mort à Ananias et à Saphir, qui guérit le paralytique Enée, qui baptisa Corneille, qui ressuscita Tabite, qui, par l'ombre seule de son corps, rendit la santé aux malades, qui fut emprisonné par Hérode et délivré par un ange. Quant à ce que furent sa nourriture et son vêtement, lui-même nous l'apprend, dans le livre de Clément : « Je ne me nourris, dit-il, que de pain avec des olives, et, plus rarement, avec quelques légumes ; pour vêtement j'ai toujours la tunique et le manteau que tu vois sur moi ; et, ayant tout cela, je ne demande rien d'autre. » On dit aussi qu'il portait toujours dans son sein un suaire dont il se servait pour essuyer ses larmes, parce que, toutes les fois qu'il se rappelait la douce voix de son divin maître, il ne pouvait s'empêcher de pleurer de tendresse. Il pleurait aussi au souvenir de son reniement ; et, de là, lui était venue une telle habitude de pleurer que Clément nous rapporte que son visage semblait tout brûlé de larmes. Clément nous dit encore que, la nuit, en entendant le chant du coq, il se mettait en prières, et que de nouveau les larmes coulaient de ses yeux. Et nous savons aussi, par le témoignage de Clément, que, le jour où la femme de Pierre fut conduite au martyre, son mari, l'appelant par son nom, lui cria joyeusement : « Ma femme, souviens-toi du Seigneur ! »

Un jour, Pierre envoya en prédication deux de ses disciples : l'un d'eux mourut en chemin, l'autre revint faire part à son maître de ce qui était arrivé. Ce dernier était, suivant les uns, saint Martial, suivant d'autres, saint Materne, et suivant d'autres encore, saint Front ; le disciple qui était mort était le prêtre Georges. Alors Pierre remit au survivant son bâton, lui disant d'aller le poser sur le cadavre de son compagnon. Et, dès qu'il l'eut fait, le mort, qui gisait déjà depuis quarante jours, aussitôt revint à la vie.

II. En ce temps-là vivait à Jérusalem un magicien nommé Simon qui se prétendait la Vérité Première, promettait de rendre immortels ceux qui croiraient en lui, et disait que rien ne lui était impossible. Il disait encore, ainsi que nous le rapporte le livre de Clément : « Je serai adoré publiquement comme un dieu, je recevrai les honneurs divins, et je pourrai faire tout ce que je voudrai. Un jour que ma mère Rachel m'avait envoyé aux champs pour moissonner, j'ordonnai à une faux de moissonner d'elle-même, et elle se mit à l'œuvre, et fit dix fois plus d'ouvrage que les autres. » Il disait aussi, d'après Jérôme : « Je suis le Verbe de Dieu, je suis l'Esprit-Saint, je suis Dieu tout entier ! » Il faisait mouvoir des serpents d'airain, il faisait rire des statues de pierre et de bronze, il faisait chanter les chiens. Or cet homme voulut discuter avec Pierre, et lui montrer qu'il était Dieu. Au jour convenu, Pierre se rencontra avec lui, et dit aux assistants : « Que la paix soit avec vous, mes frères, qui aimez la vérité ! » Alors Simon : « Nous n'avons pas besoin de ta paix : car si nous nous tenons en paix, nous ne pourrons pas travailler à découvrir la vérité. Les voleurs aussi ont la paix entre eux. N'invoque donc pas la paix, mais la lutte ; et la paix ne se produira que lorsque l'un de nous deux aura vaincu l'autre. » Et Pierre : « Pourquoi crains-tu le mot de paix ? La guerre ne naît que du péché ; et où il n'y a pas péché, il y a paix. C'est dans les discussions que se trouvent la vérité, c'est par les œuvres que se réalise la justice. » Et Simon : « Tout cela ne signifie rien. Mais moi je te montrerai la puissance de ma divinité, et tu seras forcé de m'adorer : car je suis la Vertu Première, je puis voler dans les airs, créer de nouveaux arbres, changer les pierres en pain, rester dans la flamme sans souffrir aucun mal ; tout ce que je veux faire, je peux le faire. » Mais Pierre discutait une à une toutes ses paroles, et découvrait la fraude de tous ses maléfices. Et Simon, voyant qu'il ne pouvait résister à Pierre, jeta à l'eau tous ses livres de magie, afin de n'être pas dénoncé comme magicien, et s'en alla à Rome, pour s'y faire adorer comme un dieu. Et Pierre, dès qu'il le sut, le suivit à Rome.

III. Il y arriva dans la quatrième année du règne de Claude, y passa vingt-cinq ans, et y ordonna, en qualité de coadjuteurs, deux évêques, Lin et Clef, l'un pour le dehors, l'autre pour la ville même. Infatigable à prêcher, il convertissait à la foi de nombreux païens, guérissait de nombreux malades ; et, comme il faisait toujours l'éloge de la chasteté, les quatre concubines du préfet Agrippa, converties par lui, refusèrent de retourner près de leur amant : en telle sorte que celui-ci, furieux, cherchait une occasion de perdre l'apôtre. Or le Seigneur apparut à Pierre et lui dit : « Simon et Néron ont de mauvais desseins contre toi ; mais ne crains rien, car je suis avec toi, et je te donnerai comme consolation la société de mon serviteur Paul, qui, dès demain, arrivera à Rome. » Sur quoi Pierre, comme le raconte Lin, devinant que la fin de son pontificat approchait, se rendit à l'assemblée des fidèles, prit par la main Clément, l'ordonna évêque, et le fit asseoir dans sa chaire. Le lendemain, ainsi que le Seigneur l'avait annoncé, Paul arriva à Rome, et, en compagnie de Pierre, commença à y prêcher le Christ.

Cependant le magicien Simon était si aimé de Néron qu'on savait qu'il tenait entre ses mains les destinées de la ville entière. Un jour, comme il se trouvait en présence de Néron, il avait su changer son visage de telle sorte que tantôt il paraissait un vieillard, et tantôt un adolescent : ce que voyant, Néron avait cru qu'il était vraiment le fils de Dieu. Un autre jour, le magicien dit à l'empereur : « Pour te convaincre que je suis le fils de Dieu, fais-moi trancher la tête ; et, le troisième jour, je ressusciterai ! » Néron ordonna à son bourreau de lui trancher la tête. Mais Simon, par un artifice magique, fit en sorte que le bourreau, croyant le décapiter, décapita un bélier ; après quoi, il cacha les membres du bélier, laissa sur le pavé les traces du sang, et se cacha lui-même pendant trois jours. Le troisième jour il comparut devant Néron, et lui dit : « Fais effacer les traces de mon sang sur le pavé, car voici que je suis ressuscité, comme je te l'ai promis ! » Et Néron ne douta plus de sa divinité. Un autre jour encore, pendant que Simon était auprès de Néron dans une chambre, un diable qui avait revêtu sa figure parla au peuple sur le Forum. Enfin il sut inspirer aux Romains un tel respect qu'ils lui élevèrent une statue, sous laquelle fut placée l'inscription : « Au saint dieu Simon. »

Or Pierre et Paul, s'étant introduits auprès de Néron, dévoilaient tous les maléfices du magicien ; et Pierre, notamment, disait que, de même qu'il y a dans le Christ deux substances, la divine et l'humaine, de même il y avait en Simon deux substances, à savoir l'humaine et la diabolique. Et Simon déclara : « Je ne souffrirai pas plus longtemps cet adversaire ! Je vais ordonner à mes anges de me venger de lui ! » Et Pierre : « Je ne crains pas tes anges, mais ce sont eux qui me craignent ! » Et Néron : « Tu ne crains pas Simon, qui, par ses actes même, prouve sa divinité ? » Et Pierre : « Si la divinité est vraiment en lui, qu'il dise ce que je pense et ce que je fais en ce moment ! Et d'abord je vais te dire ma pensée à l'oreille, afin qu'il n'ait pas l'audace de mentir ! » Néron lui dit : « Approche-toi et dis-moi ce que tu penses ! » Et Pierre lui dit à l'oreille : « Fais-moi apporter en secret du pain d'orge ! » Puis, quand il eut reçu le pain et l'eut béni en le cachant dans sa manche, il dit : « Que Simon dise maintenant, ce que j'ai dit, pensé, et fait ! » Mais Simon, au lieu de s'avouer vaincu, reprit : « Que Pierre dise plutôt ce que je pense, moi ! » Et Pierre : « Ce que pense Simon, je montrerai que je le sais, en faisant ce à quoi il aura pensé ! » Alors Simon, furieux, s'écria : « Que de grands chiens arrivent et le dévorent ! » Et aussitôt de grands chiens apparurent qui se jetèrent sur l'apôtre : mais celui-ci leur offrit le pain qu'il venait de bénir ; et aussitôt il les mit en fuite. Et il dit à Néron : « Voilà comment j'ai prouvé, non par mes paroles, mais par mes actes, que je savais ce que penserait Simon contre moi ! » Et Simon dit : « Ecoutez, Pierre et Paul, je ne puis rien vous faire ici, et je vous épargne pour aujourd'hui ; mais nous nous retrouverons, et alors je vous jugerai ! »

Le même Simon, dans son orgueil, osa se vanter de pouvoir ressusciter les morts. Et comme certain jeune homme venait de mourir, on appela Pierre et Simon et, sur le désir de ce dernier, on décida qu'on ferait mourir celui des deux qui ne pourrait pas ressusciter le mort. Après quoi Simon, par ses incantations, fit en sorte que le mort remua la tête, et déjà tous, avec de grands cris, voulaient lapider Pierre. Mais celui-ci, ayant obtenu le silence, s'écria : « Si ce jeune homme est vraiment vivant, qu'il se lève, qu'il marche, et qu'il parle : faute de quoi vous saurez que c'est un démon qui fait remuer la tête du mort. Mais qu'avant tout on écarte Simon du lit, pour mettre à nu les artifices du diable ! » On écarta donc Simon du lit, et aussitôt le mort reprit son immobilité. Mais alors Pierre, se tenant à distance, et ayant prié, dit : « Jeune homme, au nom de Jésus-Christ de Nazareth, lève-toi et marche ! » Et aussitôt le mort, ressuscité, se leva et marcha. Sur quoi le peuple voulut lapider Simon. Mais Pierre dit : « Il est suffisamment puni, en ayant à reconnaître la défaite de ses artifices ! Et notre Maître nous a enseigné à rendre le bien pour le mal. » Et Simon : « Sachez, Pierre et Paul, que, malgré voire désir, je ne daignerai pas vous accorder la couronne du martyre ! » Et Pierre : « Puissions-nous obtenir ce que nous désirons ; mais toi, puisses-tu n'avoir que du mal, car toutes tes paroles ne sont que mensonges ! »

Alors Simon se rendit à la maison de son disciple Marcel et lui dit, après avoir attaché un grand chien à sa porte : « Je verrai bien si Pierre, qui a l'habitude de venir te voir, pourra désormais entrer chez toi ! » Et Pierre, lorsqu'il vint chez Marcel, d'un signe de croix détacha le chien, qui, depuis lors, se mit à caresser tout le monde à l'exception de Simon, qu'il étendit à terre et voulut étrangler. Il l'aurait étranglé si Pierre, accourant, ne lui avait défendu de lui faire aucun mal. Et, en effet, le chien ne toucha plus au corps de Simon, mais il déchira tous ses vêtements. Et là-dessus le peuple, mais surtout les enfants, se mirent à poursuivre le magicien, qu'ils chassèrent hors de la ville comme un loup. De telle sorte que Simon, tout honteux, n'osa point se montrer pendant une année entière ; et son disciple Marcel, convaincu par ces miracles, devint désormais le disciple de Pierre.

Mais, plus tard, Simon revint à Rome et rentra en faveur auprès de Néron. Un jour, il convoqua le peuple, et déclara que, gravement offensé par les Galiléens, il allait abandonner la ville, que jusqu'alors il avait protégée de sa présence : ajoutant qu'il allait monter au ciel, puisque la terre n'était plus digne de le porter. Donc, au jour convenu, il monta sur une haute tour, ou, suivant Lin, sur le Capitole ; et, de là, il se mit à voler dans les airs, avec une couronne de laurier sur la tête. Et Néron dit aux deux apôtres : « Simon dit la vérité ; vous, vous n'êtes que des imposteurs. » Et Pierre dit à Paul : « Lève la tête, et regarde ! » Paul leva la tête, vit Simon qui volait, et dit à Pierre : « Pierre, ne tarde pas davantage à achever ton œuvre, car déjà le Seigneur nous appelle ! » Alors Pierre s'écria : « Anges de Satan, qui soutenez cet homme dans les airs, au nom de mon maître Jésus-Christ, je vous ordonne de ne plus le soutenir ! » Et aussitôt Simon fut précipité sur le sol, où il se brisa le crâne et mourut.

Ce qu'apprenant, Néron fut désolé de la perte d'un tel homme, et dit aux apôtres qu'il les en punirait. Il les remit entre les mains d'un haut fonctionnaire nommé Paulin, qui les fit jeter en prison, sous la garde de deux soldats, Procès et Martinien. Mais ceux-ci, convertis par Pierre, leur ouvrirent la prison et les remirent en liberté, ce qui leur valut, après le martyre des apôtres, d'avoir tous deux la tête tranchée par ordre de Néron. Or Pierre, cédant enfin aux supplications de ses frères, résolut de s'éloigner de Rome ; mais comme il arrivait à une des portes de la ville, à l'endroit où s'élève aujourd'hui l'église Sainte-Marie ad Passus, il rencontra le Christ qui venait au-devant de lui ; et il lui dit : « Seigneur où vas-tu ? » Et le Seigneur répondit : « Je vais à Rome, afin d'y être de nouveau crucifié ! » Et Pierre : « De nouveau crucifié ? » Et le Seigneur : « Oui ! » Et Pierre dit : « Alors, Seigneur, je vais retourner à Rome, pour être crucifié avec toi ! » Sur quoi le Seigneur remonta au Ciel, laissant Pierre tout en larmes. Et celui-ci, comprenant que l'heure de son martyre était venue, revint à Rome, où il fut saisi par les ministres de Néron, et conduit devant le préfet Agrippa ; et Lin rapporte que son vieux visage rayonnait de joie. Le préfet lui dit : « Tu es bien l'homme qui te plais à vivre parmi les gens du peuple, et à éloigner du lit de leurs maris les femmes des faubourgs ? » Mais Pierre répondit : « Je ne me plais que dans la croix du Seigneur ! » Alors, en sa qualité d'étranger, il fut condamné au supplice de la croix : tandis que Paul, qui était citoyen romain, fut condamné à avoir la tête tranchée.

Dans sa lettre à Timothée sur la mort de saint Paul, Denis rapporte que la foule des païens et des juifs ne se fatiguait point de frapper les deux apôtres et de leur cracher au visage : Et lorsque vint le moment de leur séparation, Paul dit à Pierre : « Que la paix soit avec toi, fondement des églises, pasteur des agneaux du Christ ! » Et Pierre dit à Paul : « Va en paix, prédicateur de la vérité et du bien, médiateur du salut des justes ! » Après quoi, Denis suivit son maître Paul, car les deux apôtres furent exécutés en deux endroits différents. Et Pierre, quand il fut en face de la croix, dit : « Mon maître est descendu du ciel sur la terre, aussi a-t-il été élevé sur la croix. Mais moi, qu'il a daigné appeler de la terre au ciel, je veux que, sur ma croix, ma tête soit tournée vers la terre et mes pieds vers le ciel. Donc, crucifiez-moi la tête en bas, car je ne suis pas digne de mourir de la même façon que mon Maître Jésus. » Et ainsi fut fait : on retourna la croix, de sorte qu'il fut placé la tête en bas et les pieds en haut. Cependant, le peuple, furieux, voulait tuer Néron et le préfet, et délivrer l'apôtre : mais celui-ci les priait de ne pas empêcher son martyre. Et alors Dieu ouvrit les yeux de ceux qui pleuraient ; et ils virent des anges debout avec des couronnes de roses et de lys, et Pierre, debout entre eux, recevait du Christ un livre dont il lisait tout haut les paroles. Et l'apôtre, reconnaissant que les fidèles voyaient sa gloire, les recommanda une dernière fois à Dieu, et rendit l'esprit.

Alors deux frères, Marcel et Apulée, ses disciples, le descendirent de la croix, et l'ensevelirent après l'avoir embaumé d'aromates. Et, le même jour, Pierre et Paul apparurent à Denis, qui les vit entrer tous deux par la porte de la ville, la main dans la main, vêtus de lumière, et la tête ceinte d'une couronne de clarté.

IV. Mais Néron ne resta pas sans châtiment pour ce crime et pour tous les autres qu'il commit, et dont nous allons brièvement rapporter quelques-uns. On lit, d'abord, dans une histoire en vérité apocryphe, que, comme Sénèque, le maître de Néron, s'attendait à recevoir la digne récompense de ses travaux, Néron lui dit que, pour sa récompense, il aurait le droit de choisir l'arbre aux branches duquel il serait pendu. Et comme Sénèque demandait comment il avait pu mériter d'être condamné à mort, Néron fit agiter au-dessus de sa tête la pointe d'une épée, de telle sorte que Sénèque, effrayé, fermait les yeux et baissait la tête. Et Néron lui dit : « Mon maître, pourquoi baisses-tu la tête devant ce glaive ? » Sénèque lui répondit : « Etant homme, je crains la mort et ne désire point mourir. » Et Néron : « Hé bien, moi aussi je te crains, comme déjà je te craignais dans mon enfance, et je ne vivrai pas tranquille tant que tu vivras ! » Alors Sénèque dit : « Si je dois mourir, accorde-moi du moins de choisir mon genre de mort ! » Et Néron : « Choisis-le à ton gré, pourvu seulement que tu meures tout de suite ! » Sur quoi Sénèque s'ouvrit les veines dans un bain, et mourut de l'écoulement de son sang, justifiant ainsi le présage de son nom ; car *se necans* signifie : qui se tue de sa propre main. Ce Sénèque eut deux frères, dont l'un, le déclamateur Julien Gallion, se tua également de sa propre main, et dont l'autre, Méla, fut père du poète Lucain, qui, par ordre de Néron, s'ouvrit les veines.

Toujours d'après la même histoire apocryphe, Néron, entraîné par sa folie sanguinaire, ordonna de mettre à mort sa mère et de lui couper le ventre, afin de voir la façon dont il avait habité dans son sein. Or les médecins lui disaient : « Les lois divines et humaines défendent qu'un fils tue sa mère, qui l'a enfanté dans la douleur, et s'est fatiguée à le nourrir. » Mais Néron : « Faites en sorte que je conçoive un enfant dans mon sein, afin que je puisse me rendre compte de ce que ma mère a souffert en m'enfantant ! » Et les médecins : « La chose est impossible, étant contraire à la nature et à la raison ! » Mais Néron : « Si vous ne faites pas en sorte que je conçoive un enfant, vous mourrez tous dans les pires supplices ! » Alors les médecins, l'ayant enivré, lui firent avaler une grenouille, qui gonfla dans son ventre et lui donna l'illusion d'être pareil à une femme enceinte. Mais bientôt, la douleur devenant trop forte, il dit : « Hâtez l'heure de mon accouchement, car ma grossesse me fatigue et m'étouffe ! » Ils lui donnèrent alors un vomitif, et aussitôt il rendit la grenouille qu'il avait dans le ventre, mais tout infectée d'humeur et toute tachée de sang. Et lui, en voyant cette chose monstrueuse, demanda : « Etais-je ainsi moi-même lorsque je suis sorti du sein de ma mère ? » Et eux : « Oui ! » Alors l'insensé ordonna qu'on nourrît son enfant, et qu'on l'enfermât, en guise de berceau, dans l'écaille d'une tortue. Mais tout cela ne se trouve point mentionné dans les chroniques, et doit être considéré comme apocryphe.

Plus tard, Néron, admirant le récit de l'incendie de Troie, fit brûler Rome pendant sept jours et sept nuits ; et lui, assistant à l'incendie du haut d'une tour, il récitait pompeusement des morceaux de *l'Iliade*. Il pêchait avec des filets d'or, prétendait chanter mieux que tous les tragédiens et joueurs de cithare, faisait changer les hommes en femmes, et jouait lui-même le rôle d'une femme auprès d'un homme. Mais à la fin les Romains, ne pouvant supporter davantage sa folie, se jetèrent sur lui et le poursuivirent jusqu'en dehors de la ville. Alors, se voyant perdu, il aiguisa avec ses dents la pointe d'un bâton et se l'enfonça dans le cœur. Ou bien encore, suivant d'autres, il aurait été dévoré par les loups. Et l'on raconte qu'après sa mort, les Romains, ayant retrouvé la grenouille qu'il avait vomie, allèrent la brûler hors des murs de la ville : et, depuis ce moment, l'endroit où avait été cachée la grenouille (*latuerat rana*) porta le nom de Lateran ou Latran.

V. Au temps du pape saint Corneille, des Grecs pieux volèrent les corps des apôtres, qu'ils voulaient emporter dans leur pays ; mais les démons habitant les idoles furent contraints, par la force divine, de crier : « Au secours, Romains, car on emporte vos dieux ! » Sur quoi toute la ville se mit à la poursuite des voleurs : car les fidèles comprenaient qu'il était question des apôtres, et les païens croyaient qu'il était question de leurs idoles, si bien que les Grecs, épouvantés, jetèrent les corps des apôtres dans un puits voisin des catacombes, d'où les fidèles parvinrent plus tard à les retirer. Et comme on hésitait pour savoir lesquels des os appartenaient à saint Pierre et lesquels à saint Paul, on pria et jeûna et une voix du ciel répondit : « Les os les plus grands sont ceux du prédicateur, les plus petits ceux du pêcheur. » Et les os des deux saints se séparèrent spontanément et ceux de chacun des deux saints furent rapportés dans l'église qui leur était consacrée. Cependant d'autres auteurs prétendent que le pape Sylvestre fit peser dans une balance les os les plus grands et les plus petits, en proportion égale, et donner à chaque église la moitié exacte des deux corps.

VI. Saint Grégoire raconte, dans son *Dialogue*, que, près de l'église où repose le corps de saint Pierre, vivait un saint homme nommé Agontius. Or, une jeune fille paralytique passait toutes ses journées dans cette église : elle rampait sur les mains, car ses reins et ses pieds étaient paralysés. Et comme depuis longtemps elle implorait saint Pierre de lui rendre la santé, le saint lui apparut et lui dit : « Va trouver Agontius, qui demeure près d'ici ; il te guérira ! » Aussitôt la jeune fille se mit à se traîner à travers les bâtiments de l'église, dans l'espoir de découvrir où était cet Agontius. Mais voici que ce dernier vint au-devant d'elle ; et elle lui dit : « Notre pasteur et père nourricier saint Pierre m'envoie vers toi pour que tu me guérisses de mon infirmité ! » Et Agontius : « Si vraiment c'est lui qui t'envoie, lève-toi et marche ! » Après quoi il lui tendit la main pour l'aider à se lever, et aussitôt elle fut guérie, sans garder la moindre trace de sa paralysie.

Grégoire rapporte aussi, dans le même livre, l'histoire d'une jeune romaine nommée Galla, fille du consul et patricien Symmaque, qui devint veuve après un an de mariage. Mais tandis que son âge et sa fortune l'engageaient à se remarier, elle préféra s'unir, en noces spirituelles, à Dieu. Et comme son corps était dévoré d'un feu intérieur, les médecins dirent que, si elle se refusait toujours aux caresses des hommes, la chaleur qui était en elle lui ferait pousser une barbe sur le visage. Et c'est, en effet, ce qui lui arriva. Mais elle n'eut aucune crainte de cette difformité extérieure, comprenant bien que rien de tel ne pouvait l'empêcher d'être aimée de son mari céleste, si seulement elle restait pure au dedans. Abandonnant la vie séculière, elle entra dans un couvent qui dépendait de l'église de saint Pierre ; et là, longtemps, elle servit Dieu par la prière et par les aumônes. Elle fut enfin atteinte d'un cancer au sein. Et comme, auprès de son lit, étaient toujours allumés deux flambeaux, — parce que, aimant la lumière, elle ne pouvait supporter ni les ténèbres spirituelles ni les corporelles, — elle vit l'apôtre Pierre debout devant elle entre les deux flambeaux. Alors, pleine d'amour et de joie, elle s'écria : « Qu'est-ce, mon maître ? Mes péchés me sont-ils remis ? » Et lui, inclinant la tête avec un sourire bienveillant, répondit : « Oui ! viens ! » Et elle : « Je demande que ma mère chérie l'abbesse vienne avec moi ! » Galla rapporta la chose à l'abbesse ; et, trois jours après, toutes deux moururent ensemble.

Saint Grégoire nous dit encore qu'un prêtre d'une grande sainteté, étant sur le point de mourir, s'écria : « Bienvenus êtes-vous, mes maîtres, qui daignez vous approcher d'un misérable esclave tel que moi ! » Et comme les assistants lui demandaient à qui il parlait ainsi : « Ne voyez-vous donc pas que les saints apôtres Pierre et Paul sont là près de moi ? » Et, pendant qu'il recommençait à remercier les deux apôtres, son âme fut délivrée des liens du corps.

VII. Certains auteurs ont mis en doute que Pierre et Paul aient été martyrisés le même jour, et ont prétendu qu'ils étaient morts à un an d'intervalle. Mais saint Jérôme et tous les saints qui traitent de cette question s'accordent à dire que le martyre des deux saints eut lieu le même jour et la même année. C'est, d'ailleurs, ce qui apparaît clairement de l'épître de Denis. La vérité est seulement que les deux saints n'ont pas été suppliciés au même endroit ; et quand le pape Léon dit qu'ils l'ont été au même endroit, il entend simplement par là que tous deux ont été suppliciés à Rome.

Mais bien qu'ils soient morts le même jour et à la même heure, saint Grégoire a ordonné que leur fête soit célébrée séparément, et que la commémoration de saint Paul ait lieu le lendemain de celle de saint Pierre. Celui-ci mérite, en effet, d'être honoré le premier, étant à la fois supérieur en dignité et antérieur en conversion : sans compter que son titre de souverain pontife achève de lui donner tous les droits à cette primauté.

XC
SAINT PAUL, APÔTRE
(30 juin)

L'apôtre Paul, après sa conversion, eut à souffrir de nombreuses persécutions, dont saint Hilaire résume l'histoire en ces termes : « A Philippes il fut frappé de verges, mis en prison, et attaché par les pieds à une barre de bois ; à Lystre, il fut lapidé ; à Icone et à Thessalonique, injustement accusé ; à Ephèse, livré aux bêtes ; à Damas, jeté du haut d'un mur ; à Jérusalem, arrêté, frappé, lié, attaqué ; à Césarée, mis en prison ; dans son voyage d'Italie, exposé à une tempête ; enfin à Rome, sous Néron, jugé et mis à mort. »

Nous devons ajouter qu'à Lystre il guérit un paralytique, ressuscita un jeune homme tombé d'une fenêtre, et fit encore beaucoup d'autres miracles. A Mitylène, une vipère le mordit à la main sans lui faire aucun mal ; et l'on dit que toute la descendance de l'homme dont il était l'hôte est à l'abri du venin des serpents ; au point que, quand un enfant naît dans cette race, on met des serpents dans son berceau, pour reconnaître s'il est bien le fils de son père. Et Haymon raconte que Paul travaillait de ses mains depuis le chant du coq jusqu'à la cinquième heure, puis se livrait à la prédication jusqu'à la nuit, et estimait que les quelques heures qui lui restaient suffisaient fort bien pour sa nourriture, son sommeil, et ses prières.

Lorsqu'il vint à Rome, Néron, qui n'était pas encore confirmé dans l'empire, apprit que les Juifs lui cherchaient querelle au sujet de leur loi et de la foi chrétienne ; mais il n'y prit point garde et laissa Paul aller librement où il voulait. Saint Jérôme, de son côté, raconte que, la vingt-cinquième année après la passion du Seigneur, et la seconde année du règne du Néron, Paul vint à Rome comme prisonnier, mais y resta deux ans libre, puis, relâché par l'empereur, alla prêcher l'évangile en Occident, et fut enfin décapité le même jour où saint Pierre fut crucifié, dans la quatorzième année du règne de Néron.

Sa science et sa piété étaient si éclatantes qu'il eut même pour disciples et pour amis plusieurs familiers de la maison de Néron, et que lecture fut faite devant Néron de quelques-uns de ses écrits. Un soir qu'il prêchait dans une cour, un jeune homme nommé Patrocle, que Néron aimait beaucoup, monta sur une fenêtre pour mieux l'entendre : il tomba de la fenêtre et se tua. Ce qu'apprenant, Néron, désolé de sa mort, lui choisit un successeur ; mais Paul se fit apporter le cadavre de Patrocle, le ressuscita, et l'envoya chez Néron avec ses compagnons. Et Néron, effrayé de cette visite de l'homme qu'il savait mort, refusa d'abord de le recevoir. Puis, quand il l'eut reçu : « Patrocle, tu es vivant ? » Et lui : « Oui, César ! » Et Néron : « Qui t'a rendu la vie ? » Et lui : « Jésus-Christ, roi des siècles ! » Alors, Néron, furieux : « Et ainsi, c'est ce roi que tu sers ? » Et lui : « Puissé-je servir celui qui m'a réveillé des morts ! » Au même instant cinq autres des familiers de l'empereur, qui se trouvaient là, lui dirent : « César, pourquoi t'irriter contre un jeune homme qui te répond la vérité ? Sache donc que, nous aussi, nous sommes les soldats de ce roi invincible ! » Ce qu'entendant, Néron les fit jeter en prison, malgré toute l'amitié qu'il avait eue pour eux. Puis il fit rechercher tous les chrétiens, et, sans les interroger, les condamna tous aux plus affreux supplices. Et quand Paul, enchaîné, comparut devant lui : « Serviteur d'un grand roi, mais mon prisonnier ; pourquoi détournes-tu de leur devoir mes officiers ? » Et Paul : « Ce n'est pas seulement à ta cour que je recrute mes soldats, mais dans le monde entier. Et toi-même, si tu veux te soumettre à notre loi, tu seras sauvé ! Ce roi est si puissant, qu'il viendra juger tous les hommes et brûlera ce monde ! » Sur quoi Néron, furieux de ces paroles fit brûler tous les chrétiens à l'exception de Paul, qu'il condamna à avoir la tête tranchée comme coupable de lèse-majesté. Et tel fut le massacre des chrétiens que le peuple de Rome envahit le palais, menaçant de se révolter, et disant : « César, mets un terme au massacre, car les hommes que tu fais périr sont nos parents, et les meilleurs soutiens de l'empire ! » Si bien que l'empereur, effrayé, révoqua son édit, et déclara qu'il se réservait le droit de juger les chrétiens.

Paul comparut donc une seconde fois devant lui. Et Néron, repris de fureur à sa vue, s'écria : « Emmenez d'ici et décapitez ce malfaiteur ! » Et Paul : « Néron, ma souffrance ne durera que quelques instants, et puis je vivrai pendant une éternité auprès de mon maître Jésus ! » Et Néron : « Coupez-lui la tête, pour qu'il sache que je suis plus fort que son maître ! Et nous verrons bien, ensuite, s'il vit encore ! » Et Paul : « Pour que tu saches que je continuerai de vivre après la mort de mon corps, je t'apparaîtrai vivant quand on m'aura coupé la tête ! Ainsi tu verras que le Christ est le Dieu de la vie, et non pas de la mort ! » Puis il se laissa conduire au lieu de son supplice.

En chemin, les trois soldats qui le conduisaient lui dirent : « Quel est donc ce roi que vous aimez tant, et quelle récompense attendez-vous de lui ? » Paul leur parla si bien du royaume de Dieu qu'il les convertit. Ils le prièrent de s'enfuir. Et lui : « Non, mes frères, je ne suis pas un fuyard, mais un soldat du Christ. Quand je serai mort, des fidèles enlèveront mes restes, pour les transporter en un certain lieu. Et vous, venez en ce lieu demain matin ! Vous y trouverez deux hommes en prière, nommés Tite et Luc ; Vous leur direz pourquoi je vous ai envoyés vers eux ; ils vous baptiseront, et vous serez admis au royaume céleste. » Survinrent alors deux autres soldats, envoyés par Néron pour voir s'il avait subi sa peine. Et comme il voulait également les convertir, ils lui dirent : « Si tu ressuscites après ta mort, nous croirons à tes paroles ; mais, maintenant, marche plus vite pour aller recevoir le châtiment qui t'est dû ! » Un peu plus loin, sous la porte d'Ostie, il rencontra une femme chrétienne appelée Plautille, qu'on appelait aussi Lemobie ; et cette femme, toute en larmes, se recommanda à ses prières. Et Paul lui dit : « Plautille, ma chère enfant, prête-moi le voile dont tu recouvres ta tête ; je m'en lierai les yeux et puis tu le reprendras ! » Et les bourreaux se moquaient d'elle, disant : « Comment peux-tu donner à cet imposteur un objet aussi précieux ? »

Parvenu au lieu de sa passion, Paul se tourna vers l'Orient, et, les yeux levés au ciel, il pria longtemps. Puis, ayant dit adieu à ses frères, il s'attacha autour des yeux le voile de Plautille, s'agenouilla, tendit le cou, et fut décapité. Et lorsque déjà sa tête était séparée de son tronc, sa bouche prononça, en hébreu, le nom de Jésus, que, vivante, elle avait eu tant de douceur à répéter sans cesse ! De sa blessure jaillit d'abord un flot de lait, jusque sur le manteau d'un soldat, puis le sang coula, et de son corps s'exhala un parfum délicieux. Or Néron, ayant appris tous ces miracles fut grandement effrayé, et s'enferma chez lui avec ses confidents. Soudain, toutes les portes étant fermées, Paul entra et lui dit : « César, me voici, soldat du roi éternel et invincible ! Et toi, malheureux, tu mourras d'une mort éternelle, pour avoir injustement tué les serviteurs de ce roi ! » Cela dit, il disparut. Néron, épouvanté, ne sut plus ce qu'il faisait. Sur le conseil de ses amis, il fit remettre en liberté Patrocle, Barnabé et les autres chrétiens. Cependant, les soldats qui avaient conduit Paul vinrent le lendemain matin au tombeau du martyr. Ils y trouvèrent Tite et Luc occupés à prier, et, debout au milieu d'eux, Paul lui-même. Tite et Luc en voyant les soldats, s'enfuirent, et Paul disparut. Mais les soldats crièrent aux deux disciples : « Nous ne venons pas ici pour vous persécuter, mais pour recevoir de vous le baptême, ainsi que nous l'a ordonné Paul, qui était tout à l'heure debout près de vous ! » Ce qu'entendant, les disciples revinrent sur leurs pas et les baptisèrent avec une grande joie.

La tête de Paul fut jetée dans une fosse avec une foule d'autres, de telle sorte qu'on ne parvenait guère à la retrouver. Mais un jour, comme on vidait la fosse, un berger ramassa un crâne, du bout de son bâton, et le mit dans son étable. Et pendant trois nuits ce berger et son maître virent une lumière ineffable briller au-dessus de ce crâne. Ce qu'apprenant, l'évêque et les fidèles reconnurent que c'était la tête de Paul. On la porta donc en grande pompe, et déjà l'on s'apprêtait à la placer au-dessus du tronc lorsque le patriarche dit : « Tant de saints martyrs ont eu leurs têtes jetées, pêle-mêle, dans cette fosse, que nous ne pouvons pas être sûrs que ceci soit la tête de saint Paul. Mettons-la donc plutôt à ses pieds ; et si c'est vraiment sa tête, que le tronc se retourne pour l'avoir sur ses épaules ! » Ainsi fut fait ; et voilà que, à l'étonnement de tous, le corps se retourna dans le cercueil ! Et tous, bénissant Dieu, reconnurent que c'était bien là la tête de Paul. C'est du moins ce que raconte saint Denis, dans sa lettre à Timothée.

Grégoire de Tours affirme que les chaînes de saint Paul font de nombreux miracles. Lorsque des fidèles désirent avoir un peu de limaille de ces chaînes, un prêtre frotte les chaînes avec une lime ; et parfois la limaille s'obtient aussitôt, tandis que d'autres fois le prêtre a beau frotter très longtemps, pas un grain de limaille ne tombe des chaînes.

On lit, dans le même Grégoire de Tours, qu'un désespéré se préparait un lacet pour se pendre, tout en ne cessant pas de répéter : « Saint Paul, viens à mon secours ! » Alors lui apparut une ombre sinistre, qui lui dit : « Hé mon ami, fais vite ce que tu as à faire ! » Mais lui, tout en préparant son lacet, répétait toujours : « Saint Paul, viens à mon secours ! » Et quand il eut achevé le lacet, une autre ombre apparut, et dit à celle qui exhortait l'homme à se tuer : « Fuis, malheureux, car voici saint Paul qui arrive ! » Aussitôt l'ombre sinistre s'évanouit, et l'homme, revenant à lui, jeta son lacet et fit pénitence.

XCI
LES SEPT FILS DE SAINTE FÉLICITÉ, MARTYRS
(10 juillet)

Sainte Félicité eut sept fils, nommés Janvier, Félix, Philippe, Sylvain, Alexandre, Vital et Martial. Par ordre de l'empereur Antonin, le préfet Publius fit venir leur mère, et lui conseilla d'avoir pitié d'elle-même et de ses fils. Mais elle répondit : « Ni tes flatteries ne pourront me séduire, ni tes menaces m'effrayer : car l'Esprit-Saint qui est en moi m'assure que, vivante, je te vaincrai, et, morte, mieux encore ! » Puis, se tournant vers ses fils, elle leur dit : « Mes fils, levez les yeux au ciel, et voyez le Christ qui nous y attend ! Et puis combattez courageusement pour le Christ et montrez-vous fidèles dans son amour ! » Ce qu'entendant, le préfet la fit souffleter. Mais comme la mère et ses fils persévéraient dans leur foi, les sept jeunes gens furent condamnés à des supplices divers, sous les yeux de leur mère, qui leur prodiguait les encouragements. Aussi, saint Grégoire, dans ses homélies, appelle-t-il sainte Félicité « plus que martyre », car elle souffrit sept fois dans ses sept fils, et une huitième fois dans son propre corps. Elle-même, en effet, après avoir vu mourir ses enfants, reçut à son tour la palme du martyre. Leur mort eut lieu vers l'an du Seigneur 110.

XCII
SAINT ALEXIS, CONFESSEUR
(17 juillet)

Alexis était fils d'Euphémien, noble romain qui occupait une des premières places à la cour de l'empereur, et qui avait à son service trois mille esclaves vêtus de soie avec des ceintures dorées. Euphémien était, avec cela, un homme très charitable : tous les jours on préparait chez lui trois tables, pour les pauvres, les orphelins, les veuves et les étrangers ; et c'était Euphémien lui-même qui les servait ; après quoi, à neuf heures, il prenait enfin son repas, en compagnie d'autres hommes bons et pieux comme lui. Sa femme, nommée Aglaé, partageait sa foi et tous ses sentiments. Longtemps ils n'eurent point d'enfants ; mais le ciel, cédant à leurs prières, finit par leur accorder un fils ; et, dès qu'ils l'eurent, ils firent vœu de vivre désormais dans la chasteté.

L'enfant reçut l'instruction la plus libérale ; et plus tard, quand il fut parvenu à la puberté, on choisit dans la maison de l'empereur une belle jeune fille qu'on lui donna pour femme. Mais, la nuit des noces, dès qu'il se trouva seul dans sa chambre avec sa jeune femme, il se mit à l'instruire dans la crainte de Dieu et à lui inspirer le goût de la virginité ; puis il lui remit son anneau d'or et le ruban qui lui servait de ceinture, et il lui dit : « Prends cela et garde-le aussi longtemps que Dieu le voudra ; et que le Seigneur soit entre nous ! » Le lendemain, emportant une partie de son bien, il s'embarqua secrètement sur un navire qui le conduisit à Laodicée ; et il se rendit, de là, à Edesse, ville de Syrie, où l'on conservait l'image de Jésus-Christ miraculeusement gravée sur un linge.

Arrivé dans cette ville, il distribua aux pauvres tout l'argent qu'il avait apporté avec lui, se vêtit de haillons, et s'installa parmi la foule des mendiants, à l'entrée de l'église de Notre-Dame. Et, sur les aumônes qu'il recevait, il ne gardait pour lui que ce qui était strictement nécessaire : le reste allait aux autres pauvres de la ville.

Or son père Euphémien, désolé de son départ, envoya aux quatre coins du monde des serviteurs chargés de le retrouver. Et quelques-uns de ces serviteurs vinrent à Edesse, ou, sans reconnaître Alexis, ils lui firent l'aumône ainsi qu'à d'autres mendiants : ce dont Alexis remercia Dieu, disant : « Je te rends grâce, Seigneur, de ce que tu m'aies permis de recevoir l'aumône de mes serviteurs ! » Cependant les serviteurs, de retour à Rome, déclarèrent à ses parents que nulle part ils n'avaient pu le retrouver. Sa mère, dès le jour de son départ, avait étendu un sac sur le pavé de sa chambre, en disant : « Je passerai toutes mes nuits à pleurer sur ce sac, jusqu'à ce que mon fils me soit rendu ! » Et la femme d'Alexis avait dit à sa belle-mère : « Jusqu'à ce que j'aie eu des nouvelles de mon cher mari, je resterai près de toi comme une tourterelle solitaire ! » Or, après qu'Alexis eut servi Dieu pendant dix-sept ans sous le porche de l'église, l'image miraculeuse de la Vierge, qui était dans cette église, dit au gardien : « Fais entrer l'homme de Dieu, car il est digne du royaume céleste, et l'esprit divin repose sur lui, et sa prière monte comme l'encens jusqu'au visage de Dieu ! » Le gardien ne savait pas de qui la Vierge voulait parler ; mais elle lui dit : « Le mendiant qui se trouve à la porte de l'église, c'est lui ! » Alors le gardien s'empressa de faire entrer Alexis dans l'église, ce qui valut au mendiant l'attention et le respect de tous. Mais lui, afin de fuir la gloire humaine, revint à Laodicée, où il s'embarqua sur un vaisseau qui partait pour Tarse en Cilicie. Et ce vaisseau, par la volonté de Dieu, se trouva jeté dans le port de Rome. Ce que voyant, Alexis se dit : « Sans me faire connaître, je demeurerai dans la maison de mon père, de façon à n'être à charge à personne ! » Rencontrant donc son père qui revenait du palais, entouré d'une foule de quémandeurs, il alla au-devant de lui, et lui dit : « Serviteur de Dieu, je suis étranger. Daigne m'admettre dans ta maison et me laisser manger les miettes de ta table, afin que, si quelqu'un des tiens se trouve à l'étranger, Dieu ait pareillement pitié de lui ! » Sur quoi son père, se souvenant de son fils, offrit à l'étranger une chambre dans sa maison, le fit nourrir des mets de sa propre table, et attacha à sa personne un serviteur spécial. Mais lui, il passait tout son temps en prières, macérant son corps par le jeûne et les veilles. Et les familiers de la maison se moquaient de lui et lui versaient de l'eau sale sur la tête : mais il supportait tout sans jamais se plaindre.

Il vécut ainsi dix-sept ans, inconnu, dans la maison de son père. Puis, l'Esprit-Saint lui ayant annoncé que le terme de sa vie était proche, il se procura un papier avec de l'encre, et consigna par écrit toute l'histoire de sa vie.

Le dimanche suivant, après la messe, une voix se fit entendre dans le temple, disant : « Venez à moi, vous tous qui souffrez, et je vous consolerai ! » Ce qu'entendant, toute la foule, effrayée, se prosterna la face contre terre. Et la voix dit de nouveau : « Cherchez l'homme de Dieu, afin qu'il prie pour Rome ! » On chercha sans trouver personne. Alors la voix dit : « Cherchez dans la maison d'Euphémien ! » Mais celui-ci, interrogé, répondit qu'il ne connaissait point l'homme qu'on cherchait.

Alors les empereurs Arcade et Honorius se rendirent dans sa maison avec le pape Innocent ; et voici que le serviteur chargé d'Alexis vint trouver son maître et lui dit : « Seigneur, peut-être l'homme qu'on cherche est-il votre étranger, car personne ne l'égale en patience et en sainteté ! » Aussitôt Euphémien courut à la chambre de l'étranger ; il trouva celui-ci déjà mort, mais avec un visage illuminé comme celui d'un ange. Et Euphémien voulut prendre le papier qu'il tenait en main, mais le mort refusa de s'en dessaisir.

Ce qu'apprenant, les empereurs et le pontife s'approchèrent de lui à leur tour, et lui dirent : « Quelque pécheurs que nous soyons, nous tenons le gouvernail de l'empire, et le pontife que voici préside à tout le troupeau de l'Eglise. Donne-nous donc ce papier, pour que nous sachions ce qui y est écrit ! » Et le pape voulut prendre le papier de la main du mort, qui aussitôt le lui abandonna. Lecture publique en fut faite devant la foule, parmi laquelle se trouvait Euphémien.

Aussitôt qu'il apprit la vérité, Euphémien fut si désespéré qu'il perdit connaissance et s'affaissa sur le sol. Puis, revenant un peu à lui, il déchira ses vêtements, s'arracha les cheveux et la barbe ; et, se roulant sur le corps de son fils, il disait : « Hélas, mon fils, pourquoi m'as-tu tant affligé et laissé gémir pendant si longtemps ? » De son côté, la mère d'Alexis, les vêtements déchirés et les cheveux en désordre, levait les yeux au ciel, s'écriant : « O hommes, laissez-moi passer, pour que je voie mon fils, la consolation de mon âme, celui qui a sucé le lait de mes mamelles ! » Puis, parvenue auprès du corps, elle s'étendit sur lui en gémissant : » Hélas, mon fils, lumière de mes yeux, pourquoi as-tu si cruellement agi envers nous ? Tu nous voyais pleurer, ton père et moi, et tu ne te montrais pas à nous ! Les esclaves t'injuriaient et tu ne disais rien ! » Puis elle reprenait, en couvrant de baisers son angélique visage : « Pleurez tous avec moi, vous qui êtes ici : car, pendant dix-sept ans, je l'ai eu dans ma maison sans savoir que c'était mon fils ! » Et la femme d'Alexis, toute vêtue de deuil, accourut en pleurant, et dit : « Malheur à moi, qui désormais suis veuve, et n'ai plus personne sur qui lever les yeux ! » Et la foule, entendant ces discours, pleurait amèrement.

Alors le pontife et les empereurs placèrent le corps sur un dais somptueux, le firent conduire à travers la ville, et firent annoncer qu'on avait enfin trouvé l'homme de Dieu que tout le monde, jusque-là, avait cherché en vain. Et tout le monde accourait au-devant du saint. Et les malades qui touchaient son corps étaient aussitôt guéris, les aveugles recouvraient la vue, les possédés étaient affranchis de leur possession. Si bien que les deux empereurs, à la vue de tant de miracles, voulurent porter eux-mêmes le dais avec le pontife, afin d'être sanctifiés par le contact du corps. Ils ordonnèrent aussi de distribuer au peuple de l'or et de l'argent, de manière à détourner son attention et à permettre que le corps du saint poursuivît son chemin jusqu'à l'église. Mais la foule, oubliant son amour de l'argent, se précipitait, de plus en plus abondante, pour toucher le corps d'Alexis ; et c'est à grand'peine, que celui-ci put enfin parvenir jusqu'à l'église de Saint-Boniface, où, en l'espace d'une semaine, on lui éleva un monument tout orné d'or et de pierres précieuses. C'est dans ce monument que fut placé son corps : et un parfum si doux s'en exhalait, que tous croyaient que le monument était rempli d'aromates.

Saint Alexis mourut le dix-septième jour de juillet, en l'an du Seigneur 398.

XCIII
SAINTE MARGUERITE, VIERGE ET MARTYRE
(20 juillet)

Marguerite naquit à Antioche, où son père, Théodose, était patriarche de la religion païenne. Après sa naissance, elle fut confiée aux soins d'une nourrice chez qui elle s'instruisit de la foi du Christ : de telle sorte que, parvenue à l'âge adulte, elle reçut le baptême, ce qui lui valut la haine de son père. Or, un jour que, âgée de quinze ans, elle s'occupait avec d'autres jeunes filles a garder les brebis de sa nourrice, le préfet Olybrius vint à passer près de l'endroit où elle se trouvait, et, voyant, une jeune fille d'une beauté merveilleuse, ne tarda pas à s'enflammer d'amour pour elle. Il appela donc ses serviteurs et leur dit : « Allez vous emparer de cette jeune fille : si elle est de naissance libre, je la prendrai pour femme ; si elle est esclave, j'en ferai ma concubine. » Et quand l'enfant lui fut amenée, il l'interrogea sur sa condition, son nom et sa religion. Elle répondit qu'elle était de condition noble, qu'elle s'appelait Marguerite, et qu'elle était chrétienne. Alors le préfet : « Les deux premières de ces trois choses te conviennent à merveille, car tout est noble en toi, et il n'y a point de perle (*margarita*) qui égale ta beauté. Mais la troisième chose ne te convient pas, c'est-à-dire qu'une jeune fille si belle et si noble ait, pour Dieu, un crucifié. » Et elle : « D'où sais-tu que le Christ a été crucifié ? » Et lui : « Je l'ai lu dans les livres des chrétiens ! » Et Marguerite : « Puisque tu as lu ces livres, tu y as vu à la fois le supplice du Christ et sa gloire ; comment donc oses-tu croire à l'un et nier l'autre ? » Après quoi elle lui affirma que le Christ s'était spontanément soumis à son supplice pour notre rédemption, mais que, maintenant, il vivait de la vie éternelle. Et le préfet, irrité, la fit jeter en prison.

Le lendemain, il la manda de nouveau, et lui dit : « Enfant stupide, aie pitié de ta beauté, et adore nos dieux, si tu veux être heureuse ! » Mais elle : « J'adore celui qui fait trembler la terre, qui épouvante la mer et que craignent toutes les créatures ! » Et le préfet : « Si tu ne me cèdes, je ferai lacérer ton corps ! » Mais elle : « Je n'ai pas de souhait plus cher que de mourir pour le Christ, qui s'est condamné lui-même à mourir pour moi ! » Alors le préfet la fit attacher à un chevalet ; et on la battit si cruellement, d'abord avec des verges, puis avec des pointes de fer, que ses os furent mis à nu, et que le sang jaillit de son corps comme d'une source pure. Et tous les assistants disaient : « O Marguerite, quelle pitié nous avons de toi ! Oh ! quelle beauté tu as perdue par ton incrédulité ! Mais à présent, du moins, pour conserver ta vie, reviens à la vraie foi ! » Et elle : « O mauvais conseillers, éloignez-vous de moi ! Ce supplice de ma chair est le salut de mon âme ! » Puis, s'adressant au préfet : « Chien insatiable et impudent, tu as pouvoir sur ma chair, mais mon âme n'appartient qu'au Christ ! » Cependant le préfet, n'ayant pas la force de voir une telle effusion de sang, se cachait le visage avec son manteau. Il la fit enfin détacher du chevalet, et ordonna qu'elle fût reconduite dans sa prison, qui, aussitôt, s'illumina d'une immense clarté.

Dans sa prison, Marguerite pria le Seigneur de lui faire apparaître, sous forme visible, l'ennemi qui luttait contre elle. Et voici que lui apparut un dragon hideux, qui voulut se jeter sur elle pour la dévorer. Mais elle fit le signe de la croix, et le dragon disparut. Ou encore, comme l'affirme une légende, le monstre la saisit par la tête et l'introduisit dans sa bouche ; et c'est alors qu'elle fit un signe de croix par la vertu duquel le dragon creva, et la vierge sortit de son corps sans avoir aucun mal. Mais cette légende est apocryphe, et on s'accorde à la tenir pour une fable sans fondement.

S'obstinant à vouloir tromper Marguerite, le démon lui apparut sous la forme d'un jeune homme. Et comme elle s'était mise en prières, il s'approcha d'elle, lui prit la main, et lui dit : « Que ce que tu as déjà fait te suffise : cesse maintenant de me tourmenter ! » Mais Marguerite le saisit par la tête, l'étendit à terre, et, posant sur lui son pied droit, elle dit : « Démon orgueilleux, prosterne-toi sous le pied d'une femme ! » Mais le démon criait : « O Marguerite, je suis vaincu, et, pour comble de honte, vaincu par une petite fille, et dont le père et la mère ont été mes amis ! »

La sainte le força à lui dire pourquoi il était venu : c'était pour l'engager à obéir aux ordres du préfet. Elle lui demanda ensuite pourquoi il tentait si obstinément les chrétiens. Il répondit que c'était, d'abord, parce qu'il haïssait tous les hommes vertueux, et ensuite parce que, dans sa jalousie, il voulait ôter aux chrétiens un bonheur que, lui-même, il avait perdu. Il ajouta que Salomon avait enfermé dans un vase une foule de démons, mais que, après sa mort, les hommes, en voyant du feu sortir de ce vase, s'étaient figuré qu'il contenait un trésor, l'avaient brisé, et avaient ainsi remis les démons en liberté. Enfin Marguerite, ayant forcé le démon à tous ces aveux, souleva son pied et dit : « Va-t'en, misérable ! » Et aussitôt le démon s'enfuit.

Ayant vaincu le prince, elle n'eut pas de peine à vaincre son ministre. Le lendemain, comme de nouveau elle se refusait à sacrifier aux idoles, elle fut dépouillée de ses vêtements et brûlée avec des torches ardentes ; et tous s'étonnaient qu'une enfant pût supporter tant de supplices divers. Seul, le préfet resta impitoyable : pour aggraver sa douleur par la variété des souffrances, il la fit plonger dans un bassin plein d'eau ; mais aussitôt la terre trembla, le bassin se brisa, et la jeune fille en sortit saine et sauve sous les yeux de la foule. Ce que voyant, cinq mille personnes se convertirent, et furent punies de mort pour le nom du Christ. Enfin le préfet, redoutant d'autres conversions, ordonna qu'elle fût au plus vite décapitée. Mais elle, après avoir obtenu la permission de faire une prière, pria pour elle-même et pour ses persécuteurs, et aussi pour ceux qui, par la suite, invoqueraient son nom. Elle demanda, en particulier, que toutes les fois qu'une femme en couches invoquerait son nom, l'enfant pût naître sans avoir aucun mal. Et une voix du ciel lui dit que toutes ses prières étaient exaucées. Alors, se relevant, elle dit au bourreau : « Mon frère, tire maintenant ton épée et frappe-moi ! » Le bourreau, d'un seul coup, lui trancha la tête ; et c'est ainsi qu'elle reçut la couronne du martyre, le quatorzième jour des calendes d'août, suivant les uns, suivant d'autres le troisième jour des ides de juillet.

XCIV
SAINTE PRAXÈDE, VIERGE
(21 juillet)

Praxède, vierge, et sa sœur Pudentienne, eurent pour frères les saints Donat et Timothée, qui furent instruits dans la foi par les apôtres. Au milieu des persécutions, elles ensevelirent les corps de nombreux chrétiens. Elles distribuèrent aussi aux pauvres tous leurs biens. Et elles s'endormirent enfin dans le Seigneur, vers l'an 165, sous le règne des empereurs Marc et Antoine II.

XCV
SAINTE MARIE-MADELEINE, PÉCHERESSE
(22 juillet)

I. Marie-Madeleine naquit de parents nobles, et qui descendaient de famille royale. Son père s'appelait Syrus, sa mère Eucharie. Avec son frère Lazare et sa sœur Marthe, elle possédait la place forte de Magdala, voisine de Genézareth, Béthanie, près de Jérusalem, et une grande partie de cette dernière ville ; mais cette vaste possession fut partagée de telle manière que Lazare eut la partie de Jérusalem, Marthe, Béthanie, et que Magdala revint en propre à Marie, qui tira de là son surnom de Magdeleine. Et comme Madeleine s'abandonnait tout entière aux délices des sens, et que Lazare servait dans l'armée, c'était la sage Marthe qui s'occupait d'administrer les biens de sa sœur et de son frère. Tous trois, d'ailleurs, après l'ascension de Jésus-Christ, vendirent leurs biens et en déposèrent le prix aux pieds des apôtres.

Autant Madeleine était riche, autant elle était belle ; et elle avait si complètement livré son corps à la volupté qu'on ne la connaissait plus que sous le nom de la Pécheresse. Mais, comme Jésus allait prêchant çà et là, elle apprit un jour, sous l'inspiration divine, qu'il s'était arrêté dans la maison de Simon le lépreux ; et aussitôt elle y courut ; mais, n'osant pas se mêler aux disciples, elle se tint à l'écart, lava de ses larmes les pieds du Seigneur, les essuya de ses cheveux et les oignit d'un onguent précieux : car l'extrême chaleur forçait les habitants de cette région à se servir, plusieurs fois par jour, d'eau et d'onguent. Et comme le Pharisien Simon s'étonnait de voir qu'un prophète se laissât toucher par une prostituée, le Seigneur le blâma de son orgueilleuse justice, et dit que tous les péchés de cette femme lui étaient remis. Et, depuis lors, il n'y eut point de grâce qu'il n'accordât à Marie-Madeleine, ni de signe d'affection qu'il ne lui témoignât. Il chassa d'elle sept démons, il l'admit dans sa familiarité, il daigna demeurer chez elle, et, en toute occasion, se plut à la défendre. Il la défendit devant le pharisien qui la disait impure, et devant sa sœur Marthe, qui l'accusait de paresse, et devant Judas, qui lui reprochait sa prodigalité. Et il ne pouvait la voir pleurer sans pleurer lui-même. C'est par faveur pour elle qu'il ressuscita son frère, mort depuis quatre jours, qu'il guérit Marthe d'un flux de sang dont elle souffrait depuis sept ans, et qu'il choisit la servante de Marthe, Martille, pour prononcer cette parole mémorable : « Bienheureux le ventre qui t'a porté ! » Madeleine eut aussi l'honneur d'assister à la mort de Jésus, au pied de la croix ; c'est elle qui oignit de parfum le corps de Jésus après sa mort, et qui resta près du tombeau tandis que tous les disciples s'en étaient éloignés, et à qui Jésus ressuscité apparut tout d'abord.

Après l'ascension du Seigneur, la quatorzième année après la Passion, les disciples se répandirent dans les diverses contrées pour y semer la parole divine ; et saint Pierre confia Marie-Madeleine à saint Maximin, l'un des soixante-douze disciples du Seigneur. Alors saint Maximin, Marie-Madeleine, Lazare, Marthe, Martille, et avec eux saint Cédon, l'aveugle-né guéri par Jésus, ainsi que d'autres chrétiens encore, furent jetés par les infidèles sur un bateau et lancés à la mer, sans personne pour diriger le bateau. Les infidèles espéraient que, de cette façon, ils seraient tous noyés à la fois. Mais le bateau, conduit par la grâce divine, arriva heureusement dans le port de Marseille. Là, personne ne voulut recevoir les nouveaux venus, qui s'abritèrent sous le portique d'un temple. Et, lorsque Marie-Madeleine vit les païens se rendre dans leur temple pour sacrifier aux idoles, elle se leva, le visage calme, se mit à les détourner du culte des idoles et à leur prêcher le Christ. Et tous l'admirèrent, autant pour son éloquence que pour sa beauté : éloquence qui n'avait rien de surprenant dans une bouche qui avait touché les pieds du Seigneur.

II. Or le chef de la province se rendit dans le temple pour sacrifier aux idoles, espérant obtenir ainsi un enfant, car leur mariage était resté sans fruit. Mais Madeleine, par sa prédication, les dissuada de sacrifier aux idoles. Et, quelques jours après, elle apparut en rêve à la femme de ce chef et lui dit : « Pourquoi, étant riches, laissez-vous mourir de faim et de froid les serviteurs de Dieu ? » Et elle la menaça de la colère divine si elle se refusait à faire en sorte que son mari devînt plus charitable. Mais la femme eut peur de parler à son mari de cette vision. Madeleine lui apparut encore la nuit suivante ; et, de nouveau, elle négligea d'en avertir son mari. Enfin, la troisième nuit, Madeleine se montra, tout irritée et le visage enflammé, et elle lui reprocha amèrement la dureté de son cœur. La femme se réveilla toute tremblante, et vit que son mari tremblait aussi. « Seigneur, lui dit-elle, as-tu vu de ton côté ce que j'ai vu en rêve ? » Et le mari répondit : « J'ai vu la chrétienne, qui m'a reproché mon manque de charité, et m'a menacé de la colère divine. Que devons-nous faire ? » Et la femme : « Mieux vaut lui obéir que d'encourir la colère de son Dieu ! » Ils donnèrent donc l'hospitalité aux chrétiens, et promirent de pourvoir à tous leurs besoins.

Un jour que Marie-Madeleine prêchait, ce même chef lui dit : « Te crois-tu en état de défendre la foi que tu prêches ? » Et elle : « Certes, je suis prête à défendre une foi qui se trouve encore fortifiée tous les jours par les miracles et la prédication de mon maître Pierre, l'évêque de Rome ! » Alors le chef et sa femme lui dirent : « Nous t'obéirons en toute chose si tu parviens à obtenir pour nous, de ton Dieu, la naissance d'un fils. » Et Marie-Madeleine pria le Seigneur pour eux, et sa prière fut entendue, car bientôt la femme se trouva enceinte.

Alors le chef résolut de se rendre auprès de Pierre, pour savoir de lui si ce que Madeleine disait du Christ était vrai. Et sa femme lui dit : « Eh ! quoi, mon ami, penses-tu donc partir sans moi ? » Et lui : « Je ne puis songer à te prendre avec moi, car tu es enceinte, et les dangers de la mer sont grands ! » Mais elle insista si fort, comme savent faire les femmes, et se jeta à ses pieds avec tant de larmes, qu'elle finit par obtenir ce qu'elle demandait. Madeleine fit sur eux le signe de la croix, pour les mettre à l'abri des pièges du démon, et ils partirent, laissant à la garde de Madeleine tout ce qu'ils n'emportaient pas avec eux sur le bateau. Or, après un jour et une nuit du voyage, la mer se leva, la tempête souffla ; et la femme du chef, accablée de frayeur et toute secouée par l'orage, enfanta un fils avant le terme naturel, et, l'ayant enfanté, mourut. Quant à l'enfant nouveau-né, il tremblait de faim, cherchait vainement le sein maternel et poussait des cris lamentables. Le malheureux père se désespérait, disant : « Hélas ! que vais-je faire ? J'ai désiré avoir un fils, et voilà que, par ce désir, j'ai perdu à la fois ma femme et mon fils ! » Cependant les matelots s'écriaient : « Qu'on jette à la mer ce cadavre, car aussi longtemps qu'il sera avec nous la tempête continuera à nous tourmenter ! » Déjà même ils s'étaient emparés du cadavre pour le jeter à la mer, malgré les supplications du pèlerin, lorsque apparut à l'horizon une terre inconnue. L'apercevant, le pèlerin obtint des matelots, à force de prières et de promesses, qu'on transportât sur cette terre le cadavre de sa femme et l'enfant nouveau-né. On aborda donc, et l'on se mit en devoir de creuser une fosse. Mais le sol était si dur qu'on ne pouvait le creuser ; de telle sorte que le pèlerin enveloppa le cadavre dans un manteau, et le disposa dans un endroit écarté, après lui avoir placé l'enfant sur la poitrine. Puis, après avoir invoqué l'aide de Marie-Madeleine, il remonta à bord et poursuivit sa route.

Quand il arriva auprès de Pierre, celui-ci vint à sa rencontre ; et, voyant sur son manteau le signe de la croix, il lui demanda qui il était et d'où il venait. Le pèlerin lui raconta toute son histoire. Et Pierre : « Que la paix rentre en toi, et prends ton mal en patience ! Ta femme dort et son enfant avec elle. Mais Dieu est puissant : il peut tout enlever et tout rendre. Il pourra, s'il le veut, changer ta tristesse en joie : » Pierre le conduisit ensuite à Jérusalem, lui montra tous les lieux où le Christ avait prêché et fait des miracles, le lieu de sa passion et celui de son ascension ; et pendant deux ans il l'instruisit dans la foi. Après quoi le pèlerin reprit la mer pour rentrer dans sa patrie. Et comme, sur l'ordre de Dieu, le vent avait poussé de nouveau le bateau près de l'île où avaient été déposés la femme morte et l'enfant, le pèlerin obtint des matelots la permission d'y aborder.

Or, le petit garçon, dont Marie-Madeleine s'était chargée, et sur qui elle veillait de loin pour le maintenir en vie, venait souvent jouer dans le sable du rivage ; et le pèlerin, en approchant de l'île, fut très surpris de voir cet enfant en un tel lieu. L'enfant, de son côté, n'ayant jamais vu aucun homme, prit peur, et se réfugia auprès de sa mère morte, dont il téta le sein à son habitude. Et le pèlerin, s'étant approché, aperçut sa femme, qui semblait dormir, et un bel enfant qui lui tétait le sein. Alors il prit l'enfant dans ses bras et s'écria : « O bienheureuse Marie-Madeleine, combien ma joie serait grande si seulement ma femme vivait encore et pouvait rentrer avec moi dans notre patrie ! Et je sais que toi, qui m'as donné un enfant, et qui pendant deux ans as veillé sur lui, tu aurais le pouvoir d'obtenir du ciel que la vie fût rendue à la mère ! » A peine avait-il ainsi parlé que sa femme ouvrit les yeux, comme si elle s'éveillait, et dit : « Bénie sois-tu, Marie-Madeleine, qui m'as tenu lieu de sage-femme dans mes couches et m'as fidèlement secourue dans tous mes besoins ! » Et le pèlerin stupéfait : « Es-tu donc vivante, ma femme chérie ? » Et elle : « Oui, certes ; et je reviens à présent du pèlerinage dont tu reviens toi-même. Et, quand saint Pierre te conduisait dans Jérusalem, te montrant tous les lieux où a vécu et est mort le Christ, j'étais là aussi, sous la conduite de sainte Marie-Madeleine. » Le pèlerin, ravi de joie, remonta sur le bateau avec sa femme et son enfant ; et, peu de temps après, ils entrèrent dans le port de Marseille. Ils trouvèrent là Marie-Madeleine occupée à prêcher avec ses disciples. Se jetant à ses pieds, ils lui racontèrent tout ce qui leur était arrivé ; et saint Maximin les baptisa solennellement.

Alors les habitants de Marseille détruisirent tous les temples des idoles, qu'ils remplacèrent par des églises chrétiennes ; et, d'un consentement unanime, ils nommèrent Lazare évêque de Marseille. Puis Marie-Madeleine et ses disciples se rendirent à Aix, où, par de nombreux miracles, ils convertirent le peuple à la foi du Christ ; et saint Maximin y fut élu évêque.

III. Cependant sainte Marie-Madeleine, désireuse de contempler les choses célestes, se retira dans une grotte de la montagne, que lui avait préparée la main des anges, et pendant trente ans elle y resta à l'insu de tous. Il n'y avait là ni cours d'eau, ni herbe, ni arbre ; ce qui signifiait que Jésus voulait nourrir la sainte des seuls mets célestes, sans lui accorder aucun des plaisirs terrestres. Mais, tous les jours, les anges l'élevaient dans les airs, où, pendant une heure, elle entendait leur musique ; après quoi, rassasiée de ce repas délicieux, elle redescendait dans sa grotte, sans avoir le moindre besoin d'aliments corporels.

Or, certain prêtre, voulant mener une vie solitaire, s'était aménagé une cellule à douze stades de la grotte de Madeleine. Et, un jour, le Seigneur lui ouvrit les yeux, de telle sorte qu'il vit les anges entrer dans la grotte, prendre la sainte, la soulever dans les airs et la ramener à terre une heure après. Sur quoi le prêtre, afin de mieux constater la réalité de sa vision, se mit à courir vers l'endroit où elle lui était apparue ; mais, lorsqu'il fut arrivé à une portée de pierre de cet endroit, tous ses membres furent paralysés ; il en retrouvait l'usage pour s'en éloigner, mais, dès qu'il voulait se rapprocher, ses jambes lui refusaient leur service. Il comprit alors qu'il y avait là un mystère sacré, supérieur à l'expérience humaine. Et, invoquant le Christ, il s'écria : « Je t'en adjure par le Seigneur ! si tu es une personne humaine, toi qui habites cette grotte, réponds-moi et dis-moi la vérité ! » Et, après qu'il eut répété trois fois cette adjuration, sainte Marie-Madeleine lui répondit : « Approche-toi davantage, et tu sauras tout ce que tu désires savoir ! » Puis, lorsque la grâce du ciel eut permis au prêtre de faire encore quelques pas en avant, la sainte lui dit : « Te souviens-tu d'avoir lu, dans l'évangile, l'histoire de Marie, cette fameuse pécheresse qui lava les pieds du Sauveur, les essuya de ses cheveux, et obtint le pardon de tous ses péchés ? » Et le prêtre : « Oui, je m'en souviens ; et, depuis trente ans déjà, notre sainte Eglise célèbre ce souvenir. » Alors la sainte : « Je suis cette pécheresse. Depuis trente ans, je vis ici à l'insu de tous ; et, tous les jours, les anges m'emmènent au ciel, où j'ai le bonheur d'entendre de mes propres oreilles les chants de la troupe céleste. Or, voici que le moment est prochain où je dois quitter cette terre pour toujours. Va donc trouver l'évêque Maximin, et dis-lui que, le jour de Pâques, dès qu'il sera levé, il se rende dans son oratoire : il m'y trouvera, amenée par les anges. » Et le prêtre, pendant qu'elle lui parlait, ne la voyait pas, mais il entendait une voix d'une suavité angélique.

Il courut aussitôt vers saint Maximin, à qui il rendit compte de ce qu'il avait vu et entendu, et, le dimanche suivant, à la première heure du matin, le saint évêque, entrant dans son oratoire, aperçut Marie-Madeleine encore entourée des anges qui l'avaient amenée. Elle était élevée à deux coudées de terre, les mains étendues. Et, comme saint Maximin avait peur d'approcher, elle lui dit : « Père, ne fuis pas ta fille ! » Et Maximin raconte lui-même, dans ses écrits, que le visage de la sainte, accoutumé à une longue vision des anges, était devenu si radieux, qu'on aurait pu plus facilement regarder en face les rayons du soleil que ceux de ce visage. Alors l'évêque, ayant rassemblé son clergé, donna à sainte Marie-Madeleine le corps et le sang du Seigneur ; et, aussitôt qu'elle eut reçu la communion, son corps s'affaissa devant l'autel et son âme s'envola vers le Seigneur. Et telle était l'odeur de sa sainteté, que, pendant sept jours, l'oratoire en fut parfumé. Saint Maximin fit ensevelir en grande pompe le corps de la sainte, et demanda à être lui-même enterré près d'elle, après sa mort.

Le livre attribué par les uns à Hégésippe, par d'autres à Josèphe, raconte l'histoire de Marie-Madeleine presque de la même façon. Il ajoute seulement que le prêtre trouva la sainte enfermée dans sa cellule, que, sur sa demande, il lui donna un manteau dont elle se couvrit, et que c'est avec lui qu'elle se rendit à l'église, où, après avoir communié, elle s'endormit en paix devant l'autel.

IV. Au temps de Charlemagne, Girard, duc de Bourgogne, désolé de ne pouvoir pas avoir un fils, faisait de grandes charités aux pauvres, et construisait nombre d'églises et de monastères. Lorsqu'il eut ainsi construit le monastère de Vézelay, l'abbé de ce monastère, sur sa demande, envoya à Aix un moine avec une escorte, afin qu'il essayât, si la chose était possible, de ramener de cette ville le corps de sainte Madeleine. Le moine, en arrivant à Aix, vit la ville détruite de fond en comble par les païens ; mais un heureux hasard lui permit de découvrir un tombeau de marbre qu'il supposa être celui de la sainte : car toute l'histoire de celle-ci y était sculptée. La nuit suivante, donc, le moine ouvrit le tombeau, prit les ossements qui s'y trouvaient, et les rapporta à son hôtellerie. Et, dans cette même nuit, sainte Madeleine, lui apparaissant en rêve, lui dit d'être sans crainte et de poursuivre son œuvre. Le moine s'en retourna vers son monastère avec les précieuses reliques ; mais, quand il arriva à une demi-lieue du monastère, ni lui ni ses compagnons ne purent faire avancer davantage les reliques jusqu'à ce que l'abbé fût venu au-devant d'elles, et les eût fait solennellement conduire en procession.

V. Un soldat, qui avait l'habitude de faire, tous les ans, un pèlerinage au tombeau de sainte Madeleine, fut tué dans un combat. Ses parents, pleurant autour de son cercueil, reprochaient pieusement à la sainte d'avoir permis que leur fils mourût sans confession. Et voilà que tout à coup le mort, à la surprise générale, se leva et demanda un prêtre. Puis, lorsqu'il se fut confessé et eut reçu l'extrême-onction, aussitôt il s'endormit en paix dans le Seigneur.

VI. Sur un bateau en péril, une femme, qui était enceinte, invoqua sainte Madeleine, faisant le vœu que, si elle était sauvée et s'il lui naissait un fils, elle donnerait cet enfant au monastère de la Madeleine. Alors une femme d'apparence surnaturelle s'approcha d'elle, et, la prenant par le menton, la conduisit saine et sauve jusqu'au rivage : en récompense de quoi, la naufragée, ayant mis au monde un fils, remplit fidèlement son vœu.

VII. Certains auteurs racontent que Marie-Madeleine était la fiancée de saint Jean l'Evangéliste, et que celui-ci s'apprêtait à l'épouser lorsque le Christ, survenant au milieu de ses noces, l'appela à lui : ce dont Madeleine fut si indignée que, depuis lors, elle se livra tout entière à la volupté. Mais c'est là une légende fausse et gratuite : et le Frère Albert, dans sa préface à l'évangile de saint Jean, nous affirme que la fiancée que le saint quitta pour suivre Jésus, resta vierge toute sa vie, et vécut, plus tard, dans la société de la Vierge Marie.

VIII. Un aveugle se rendait en pèlerinage au monastère de Vézelay. Lorsque l'homme qui le conduisait lui dit que déjà on apercevait l'église, l'aveugle s'écria : « O sainte Marie-Madeleine, ne me sera-t-il jamais donné de voir ton église ? » Et aussitôt il recouvra la vue.

IX. Un homme qui était en prison appela à son aide Marie-Madeleine ; et, dans le nuit, une femme inconnue lui apparut, qui brisa ses chaînes, lui ouvrit la porte de la prison, et lui ordonna de s'enfuir.

X. Un clerc de Flandre, nommé Etienne, était tombé dans une telle dépravation qu'il se livrait à tous les vices, et ne voulait pas même entendre parler des choses du salut. Il gardait seulement une grande dévotion à Marie-Madeleine, et ne manquait pas de jeûner la veille de sa fête. Or, comme il visitait le tombeau de la sainte, celle-ci lui apparut, tout en larmes, et soutenue des deux côtés par des anges. Et elle lui dit : « Pourquoi, Etienne, te conduis-tu d'une façon si indigne de moi ? Mais moi, du jour où tu as commencé à m'invoquer, j'ai toujours prié le Seigneur pour toi ! Maintenant donc, lève-toi et fais pénitence, et je ne t'abandonnerai pas jusqu'à ce que tu te sois réconcilié avec Dieu ! » Et Etienne se sentit rempli d'une telle grâce divine que, renonçant au siècle, il entra en religion, et mena depuis lors une vie parfaite. A sa mort, on vit Marie-Madeleine descendre vers lui, soutenue par deux anges, et emporter son âme au ciel comme une blanche colombe.

XCVI
SAINT APOLLINAIRE, MARTYR
(23 juillet)

Apollinaire, disciple de l'apôtre Pierre, fut envoyé par son maître, de Rome, à Ravenne, où il guérit la femme d'un tribun et la baptisa, ainsi que son mari et toute sa maison. Ce qu'apprenant, le magistrat de la ville le fit arrêter et conduire au temple de Jupiter, pour qu'il y sacrifiât aux idoles. Et comme Apollinaire, voyant l'or et l'argent qui ornaient les idoles, s'écriait qu'on ferait mieux de donner tout cela aux pauvres, il fut sur-le-champ battu de verges et laissé à demi mort. Mais ses disciples le recueillirent et, pendant sept mois, il vécut dans la maison d'une veuve, où, peu à peu, les forces lui revinrent.

Il se rendit ensuite dans la ville de Classe, pour y guérir un homme noble qui avait perdu la parole. Et, au moment où il entrait dans la maison de cet homme, une jeune fille possédée du démon s'écria : « Eloigne-toi, serviteur de Dieu, ou bien je te ferai emporter hors de la ville pieds et poings liés ! » Et Apollinaire ordonna au démon qui était en elle de la quitter, ce qu'il fit aussitôt. Puis, s'approchant du muet, il invoqua Dieu sur lui et le guérit ; et plus de cinq cents personnes se convertirent au Christ. Mais les païens, pour l'empêcher de prononcer le nom de Jésus, le frappèrent de verges ; et lui, gisant à terre, il continuait à proclamer le vrai Dieu. Alors ils le firent se tenir debout, les pieds nus, sur des pointes de fer ; et comme il continuait à prêcher le Christ, ils le chassèrent de la ville.

Apollinaire revint à Ravenne, où un patricien, nommé Rufus, l'appela près de sa fille qui était malade. Et à peine était-il entré dans la maison de Rufus que cette jeune fille mourut. Alors Rufus : « Mieux eût valu que tu n'entrasses point dans ma maison, car les dieux s'en sont irrités, et ont refusé de guérir ma fille ! Et maintenant que peux-tu pour elle ? » Mais Apollinaire : « Sois sans crainte ; et jure-moi seulement que, si ta fille revient à la vie, tu la laisseras librement se consacrer au service de son Créateur ! » Rufus l'ayant juré, le saint fit une prière, et aussitôt la jeune femme se leva ; après quoi, confessant le Christ, elle reçut le baptême avec sa mère et toute sa maison ; et elle resta vierge durant toute sa vie.

La nouvelle en étant parvenue à l'empereur, celui-ci écrivit au préfet du prétoire que, si Apollinaire refusait de sacrifier aux idoles, il eût à être envoyé en exil. Et le préfet, pour obtenir d'Apollinaire qu'il sacrifiât aux idoles, le fit battre de verges et attacher à un chevalet. Et comme le saint continuait à prêcher le Christ, il fit verser de l'eau bouillante dans ses plaies, le chargea de chaînes et voulut que, dans cet état, il partît pour l'exil. Mais les chrétiens, indignés à la vue d'une telle cruauté, s'élancèrent sur les païens, dont ils tuèrent plus de deux cents. Le préfet, épouvanté, se cacha dans son palais et y fit cacher Apollinaire, qu'il fit ensuite transporter à bord d'un bateau avec trois clercs, ses disciples. Mais, sur le bateau, le saint échappa aux périls de la tempête et convertit les deux soldats chargés de sa garde. Revenu à Ravenne, il fut repris par les païens et conduit au temple d'Apollon où, sur un signe de lui, la statue du dieu se brisa en morceaux. Alors les prêtres le conduisirent devant le juge Taurus ; mais celui-ci avait un fils aveugle à qui le saint rendit la vue ; et le juge, émerveillé de ce miracle, se convertit et, pendant quatre ans, le saint demeura dans sa maison. Au bout de ce temps, les prêtres l'accusèrent auprès de l'empereur Vespasien : mais celui-ci se borna à dire que, si quelqu'un refusait de sacrifier aux idoles, il aurait à être puni de l'exil ; ajoutant que ce n'était pas aux hommes de venger les dieux, mais aux dieux eux-mêmes, s'ils le jugeaient bon. Alors le patricien Démosthène somma le saint de sacrifier aux idoles ; et, sur son refus, il le livra à un centurion qui, déjà, s'était secrètement converti au christianisme. Ce centurion, pour dérober le saint à la fureur de la foule païenne, le conduisit dans un faubourg habité par des lépreux ; mais la foule le suivit jusque-là, le roua de coups, et l'accabla de blessures mortelles. Il survécut cependant toute une semaine encore, enseignant ses disciples. Puis il rendit l'âme, et fut solennellement enseveli par les chrétiens. Ce martyre eut lieu sous le règne de Vespasien, vers l'an du Seigneur 70.

XCVII
SAINTE CHRISTINE, VIERGE ET MARTYRE
(24 juillet)

Christine, jeune fille noble, naquit à Tyr, en Italie. Comme elle était fort belle, et que nombre d'hommes la demandaient en mariage, ses parents, qui voulaient la consacrer au culte des dieux, l'enfermèrent dans une tour, avec douze suivantes, en compagnie d'idoles d'or et d'argent. Mais elle, instruite par l'esprit divin, elle avait horreur de sacrifier aux idoles, et jetait par la fenêtre l'encens qu'elle aurait dû brûler devant les dieux. Et ses suivantes dirent à son père ; « Ta fille, notre maîtresse, dédaigne de sacrifier à nos dieux et se proclame chrétienne ! » Le père voulut, par des caresses, ramener sa fille au culte des dieux. Mais elle : « Ce n'est pas à des dieux mortels, mais au Dieu céleste que j'offre mon sacrifice ! » Et son père : « Ma fille, si tu n'offres de sacrifice qu'à un seul Dieu, les autres dieux en seront fâchés ! » Et elle : « Tu as raison sans t'en douter ; car le fait est que j'offre mon sacrifice au Père, au Fils et au Saint-Esprit. » Et le père : « Si tu adores trois dieux, pourquoi refuses-tu d'adorer les autres ? » Mais elle : « Ces trois dieux n'en forment qu'un seul ! »

Christine brisa ensuite les idoles de son père et distribua aux pauvres l'or et l'argent dont elles étaient faites. Son père, furieux de sa désobéissance, la fit dévêtir, et ordonna à douze de ses serviteurs de la frapper, ce qu'ils firent jusqu'à ce que les forces leur manquèrent. Alors Christine dit à son père : « Homme sans honneur, sans pudeur et détesté de Dieu, vois : les bourreaux n'ont plus la force de me frapper ! que ne demandes-tu à tes dieux de leur rendre des forces ? » Le père la fit charger de chaînes et jeter en prison.

Ce qu'apprenant, sa mère déchira ses vêtements, et, s'étant rendue auprès d'elle, se jeta à ses pieds et lui dit : « Ma chère fille, lumière de mes yeux, aie pitié de moi ! » Mais elle : « Je ne suis plus ta fille, mais bien celle du Dieu dont je porte le nom ! » Enfin la mère, ne parvenant pas à la persuader, revint vers son mari et lui répéta ses réponses. Alors le père fit comparaître Christine devant lui et lui dit : « Si tu ne veux pas sacrifier aux dieux, c'est toi-même qui sera sacrifiée et tu cesseras d'être ma fille ! » Mais elle : « Je te remercie du moins de ce que tu ne m'appelles plus la fille du diable que tu es ; car ce qui naît d'un diable ne peut être que diabolique ! » Alors il ordonna qu'on lui déchirât les chairs et qu'on rompît ses membres. Mais Christine, prenant des morceaux de sa chair, les lui jetait au visage, et lui disait : « Prends cela, tyran et mange cette chair que tu as engendrée ! » Son père la fit ensuite attacher à une roue et fit allumer sous elle un bûcher où l'on jeta de l'huile ; mais une grande flamme en jaillit, qui tua quinze cents personnes sans lui faire aucun mal.

Son père, qui attribuait tous ces miracles à des artifices magiques, la fit ramener en prison et ordonna que, la nuit, elle fût jetée à la mer avec une grande pierre attachée au cou. Mais aussitôt les anges la maintinrent au-dessus de l'eau, et le Christ, descendant vers elle, la baptisa dans la mer ; après quoi il la confia à l'archange Michel, qui la ramena sur le rivage.

Son père, exaspéré, lui dit : « Par quels maléfices parviens-tu à dompter jusqu'aux flots de la mer ? » Mais elle : « Homme malheureux et stupide, ne comprends-tu pas que c'est le Christ qui m'accorde cette grâce ? » Son père la fit jeter en prison, avec l'intention de la faire décapiter le jour suivant ; mais, dans la nuit, ce mauvais père, qui s'appelait Urbain, fut trouvé mort dans son palais.

Il eut pour successeur un magistrat non moins inique, nommé Elius, qui la fit plonger dans une chaudière allumée avec de l'huile, de la résine et de la poix ; et il ordonna à quatre hommes de secouer la chaudière, pour activer la flamme. Mais Christine louait Dieu de ce que, née d'hier à la foi, il lui permît d'être bercée comme un petit enfant. Et le juge, furieux, lui fit raser la tête et la fit conduire nue à travers la ville jusqu'au temple d'Apollon ; mais là, sur un signe d'elle, la statue du dieu tomba en poussière ; ce dont le juge fut si effrayé qu'il en mourut.

Il eut pour successeur Julien, qui fit plonger Christine dans une fournaise ardente ; elle y resta cinq jours saine et sauve, chantant avec des anges et se promenant avec eux. Julien fit lancer sur elle deux aspics, deux vipères et deux couleuvres. Mais les vipères lui léchèrent les pieds, les aspics se pendirent sur sa poitrine, et les couleuvres, s'enroulant autour de son cou, léchèrent sa sueur. Alors Julien dit à son mage : « Profite de ton art pour exciter ces bêtes ! » Mais les bêtes, aussitôt, se retournèrent contre le mage et le tuèrent. Puis Christine leur ordonna de se réfugier dans le désert ; et elle montra encore son pouvoir en ressuscitant un mort. Alors Julien lui fit trancher les mamelles, d'où jaillit du lait au lieu de sang. Puis il lui fit couper la langue ; mais Christine n'en continua pas moins de parler et, prenant un morceau de sa langue coupée, elle le jeta au visage de Julien, qui fut atteint à l'œil, et aussitôt perdit la vue. Enfin Julien fit lancer deux flèches dans son cœur et une dans son côté, et la sainte, ainsi frappée, mourut. Cela se passait vers l'an du Seigneur 287, sous Dioclétien.

Le corps de sainte Christine repose aujourd'hui dans une place forte appelée Bolsène et qui est située entre Viterbe et Civita-Vecchia. Quant à la ville de Tyr, qui était située tout près de là, elle a été détruite de fond en comble.

SAINT JACQUES LE MAJEUR, APÔTRE
(25 juillet)

I. L'apôtre Jacques, fils de Zébédée, après l'ascension du Seigneur, prêcha d'abord en Judée et en Samarie, puis il se rendit en Espagne pour y semer la parole divine. Mais voyant que son séjour en Espagne était sans profit et qu'il n'était parvenu à y former que neuf disciples, il y laissa deux de ces disciples, et, avec les sept autres, revint en Judée. Jean Beleth assure même que, pendant tout son séjour en Espagne il ne put faire qu'une seule conversion.

Rentré en Judée, il se remit à prêcher la parole de Dieu. Sur la demande des pharisiens, un mage nommé Hermogène envoya vers lui son disciple Philet pour le convaincre devant les Juifs de la fausseté de sa prédication. Mais ce fut, au contraire, l'apôtre qui, en présence de la foule, convertit Philet, tant par ses arguments que par ses miracles ; et le disciple du mage, quand il s'en retourna près de son maître, lui vanta la doctrine de Jacques, lui raconta ses miracles, lui dit qu'il était résolu à devenir chrétien, et l'engagea à imiter son exemple. Alors Hermogène, furieux, se servit de la magie pour l'immobiliser de telle sorte que le malheureux Philet n'avait plus la force de faire un mouvement ; et il lui dit : « Nous verrons bien si ton Jacques parviendra à te délivrer ! » Or Jacques, informé de la chose, envoya à Philet un linge qu'il avait sur le corps. Et à peine Philet eut-il touché ce linge que, délivré de ses chaînes magiques, il brava Hermogène et alla rejoindre l'apôtre. Le mage, exaspéré, ordonna aux démons de lui amener Jacques et Philet chargés de chaînes, pour intimider, par cet exemple, les autres disciples. Mais les démons, arrivés en face de Jacques, commencèrent à gémir piteusement, en disant : « Apôtre Jacques, aie pitié de nous, car voici que nous brûlons avant notre temps ! » Et Jacques : « Pourquoi venez-vous ici ? » Et les démons : « C'est Hermogène qui nous a envoyés pour que nous nous emparions de toi et de Philet ; mais aussitôt l'ange de Dieu nous a liés avec des chaînes de feu, et il ne cesse pas de nous torturer. » Et Jacques : « Que l'ange de Dieu vous rende la liberté : mais ce n'est qu'à la condition que vous vous empariez d'Hermogène et me l'ameniez ici enchaîné, sans cependant lui faire aucun mal ! » Les démons firent comme il l'ordonnait ; et Jacques dit à Philet : « Suivons l'exemple du Christ, qui nous a enseigné de rendre le bien pour le mal ! Hermogène t'a enchaîné ; toi, délivre-le ! » Et comme Hermogène, débarrassé de ses liens, se tenait tout confus devant l'apôtre, celui-ci lui dit : « Va librement où tu veux aller ! car notre doctrine n'admet pas que personne se convertisse malgré lui ! » Et Hermogène lui dit : « Je connais l'humeur vindicative des démons. Ils me tueront si tu ne me donnes pas, pour me protéger, quelque objet t'ayant appartenu. » Alors Jacques lui donna son bâton ; et le mage alla chercher ses livres, et les rapporta à l'apôtre, qui lui ordonna de les jeter à la mer. Après quoi Hermogène, se jetant à ses pieds, lui dit : « Libérateur des âmes, reçois en pénitent celui que tu as daigné secourir tandis qu'il t'enviait et cherchait à te nuire ! » Et, depuis lors, il se montra parfait dans la crainte de Dieu.

Mais les Juifs, furieux de cette conversion, vinrent trouver Jacques et lui reprochèrent de prêcher la divinité de Jésus. Et l'apôtre leur prouva si clairement cette divinité, par le témoignage des livres saints, que plusieurs d'entre eux se convertirent. Ce que voyant, le grand prêtre Abiathar souleva le peuple, fit passer une corde autour du cou de l'apôtre, et le conduisit devant Hérode Agrippa, qui le condamna à avoir la tête tranchée. Or, comme on le conduisait au supplice, un paralytique, gisant sur la route, le supplia de lui rendre la santé. Et Jacques lui dit : « Au nom de Jésus-Christ, pour qui je vais souffrir la mort, sois guéri, lève-toi et bénis ton Créateur ! » Et aussitôt le malade guérit, se leva et bénit le Seigneur. Alors le scribe qui conduisait Jacques se jeta à ses pieds, lui demanda pardon, et lui dit qu'il voulait devenir chrétien. Ce que voyant, Abiathar le fit saisir et lui dit : « Si tu ne maudis pas le nom du Christ, tu seras toi-même décapité avec Jacques ! » Et le scribe : « Maudis sois-tu toi-même, et que le nom du Christ soit béni à jamais ! » Alors Abiathar le fit frapper au visage, et obtint d'Hérode qu'il partageât le supplice de l'apôtre. Et comme on s'apprêtait à les décapiter tous deux, Jacques demanda au bourreau un vase plein d'eau, dont il se servit pour baptiser le scribe, nommé Joséas : après quoi tous deux eurent la tête tranchée. Ce martyre eut lieu le huitième jour des calendes d'avril ; mais l'Eglise a décidé que la fête de saint Jacques Majeur serait célébrée le huitième jour des calendes d'août (25 juillet), date où le corps du saint fut transporté à Compostelle.

II. Après la mort de Jacques, ses disciples, par crainte des Juifs, placèrent le corps sur un bateau, s'y embarquèrent avec lui, se confiant à la sagesse divine ; et les anges conduisirent le bateau en Galice ; dans le royaume d'une reine qui s'appelait Louve, et qui méritait de porter ce nom. Les disciples déposèrent le corps sur une grande pierre, qui, à son contact, mollit comme de la cire et forma d'elle-même un sarcophage adapté au corps. Puis les disciples se rendirent auprès de la reine Louve et lui dirent : « Notre-Seigneur Jésus-Christ t'envoie le corps de son disciple, afin que tu reçoives mort celui que tu n'as pas voulu recevoir vivant ! » Ils lui racontèrent le miracle qui avait permis au bateau de naviguer sans gouvernail ; et ils la prièrent de désigner un lieu pour la sépulture du saint. Alors la méchante reine les envoya traîtreusement au roi d'Espagne, sous prétexte de lui demander son autorisation ; et le roi s'empara d'eux et les jeta en prison. Mais, la nuit, un ange leur ouvrit les portes de la prison et les remit en liberté. Le roi, dès qu'il l'apprit, envoya des soldats à leur poursuite ; mais, au moment où ces soldats allaient franchir un pont, le pont se rompit et tous furent noyés. A cette nouvelle, le roi eut peur pour lui-même, et se repentit. Il envoya d'autres hommes à la recherche des disciples de Jacques, mais, cette fois, avec mission de leur dire que, s'ils voulaient revenir, il n'aurait rien à leur refuser. Ils revinrent donc et convertirent toute la ville à la foi du Christ, puis ils retournèrent auprès de Louve, pour lui faire part du consentement du roi. Et la reine, furieuse, leur répondit : « Allez prendre, dans la montagne, des bœufs que j'ai là, mettez-leur un joug, et emportez le corps de votre maître dans un lieu où vous puissiez lui élever un tombeau ! » La perfide créature savait, en effet, que ces prétendus bœufs étaient des taureaux indomptés ; et elle se disait que, si les disciples de Jacques leur mettaient le joug, les taureaux ne manqueraient point de les tuer et de jeter à terre le corps du saint. Mais il n'y a point de sagesse qui vaille contre Dieu. Les disciples, ne soupçonnant point la ruse, gravirent la montagne, où d'abord un dragon vomissait des flammes ; ils lui présentèrent une croix, et le dragon se rompit en deux. Il firent ensuite le signe de la croix, et les taureaux, devenus doux comme des agneaux, se laissèrent mettre le joug, et coururent porter le corps du saint dans le palais même de la Louve : ce que voyant, celle-ci, émerveillée, crut en Jésus, transforma son palais en une église de Saint-Jacques, et la dota magnifiquement. Et le reste de sa vie s'écoula dans les bonnes œuvres.

III. Le pape Calixte raconte qu'un certain Bernard, du diocèse de Modène, ayant été enchaîné en haut d'une tour, ne cessait d'invoquer saint Jacques. Le saint lui apparut et lui dit : « Viens, suis-moi en Galice ! » Puis il brisa les chaînes du prisonnier, et disparut. Alors Bernard s'élança du haut de la tour, qui avait plus de soixante coudées, et il descendit ainsi à terre sans se faire aucun mal.

Bède raconte qu'un homme avait commis tant de péchés que son évêque hésitait à l'absoudre. Enfin l'évêque envoya cet homme au tombeau de saint Jacques avec un papier où étaient inscrits ses péchés. Le jour de la Saint-Jacques, le papier fut placé sur le tombeau du saint ; et quand le pécheur, après une fervente prière, reprit le papier et l'ouvrit, il vit que la liste de ses péchés se trouvait effacée.

Hubert de Besançon raconte que l'an 1070, trente hommes de Lorraine, qui allaient en pèlerinage au tombeau de saint Jacques, se jurèrent de se rendre service mutuellement, à l'exception d'un seul qui ne voulut point jurer. L'un de ces pèlerins tomba malade, en route, et ses compagnons l'attendirent pendant quinze jours ; mais enfin tous l'abandonnèrent à l'exception de celui qui avait refusé de jurer. Et, le soir, le malade mourut au pied du mont Saint-Michel. Alors son compagnon s'épouvanta fort, et de la solitude du lieu, et de l'obscurité de la nuit, et du voisinage du cadavre. Mais saint Jacques lui apparut sous la forme d'un cavalier, et le consola en lui disant : « Confie-moi ce mort, et monte en croupe derrière moi sur mon cheval!» Et dans cette même nuit, le saint, lui faisant franchir une distance de plus de quinze étapes, l'amena à une demi-lieue de Saint-Jacques de Compostelle. Il lui ordonna ensuite de rassembler les chanoines pour ensevelir le mort, et aussi de dire à ses vingt-huit compagnons que, ayant manqué à leur serment, ils ne tireraient aucun profit de leur pèlerinage.

Un Allemand qui se rendait avec son fils au tombeau de saint Jacques, en l'an 1020, s'arrêta en route dans la ville de Toulouse. L'hôte chez qui ils logeaient enivra le père et cacha, dans son sac, un vase d'argent. Le lendemain, comme les pèlerins voulaient repartir, l'hôte les accusa de lui avoir volé un vase qui, en effet, fut retrouvé dans leur sac. Le magistrat devant qui ils furent conduits les condamna à remettre tout leur bien à l'hôte qu'ils avaient voulu dépouiller, et il ordonna, en outre, que l'un des deux eût à être pendu. Après un long conflit où le père voulait mourir pour son fils et le fils pour son père, ce fut le fils qui l'emporta. Il fut pendu, et le père, désolé, poursuivit son pèlerinage. Lorsqu'il revint à Toulouse, trente-six jours après, il courut au gibet où pendait son fils, et commença à pousser des cris lamentables. Mais voilà que le fils, lui adressant la parole, lui dit : «Mon cher père, ne pleure pas, car rien de mauvais ne m'est arrivé, grâce à l'appui de saint Jacques qui m'a toujours nourri et soutenu!» Ce qu'entendant, le père courut vers la ville ; et la foule détacha de la potence son fils, qui se trouva en parfaite santé ; et ce fut l'hôte qu'on pendit à sa place.

D'après Hugues de Saint-Victor, un pèlerin, qui se rendait au tombeau de saint Jacques, vit le diable lui apparaître sous la forme du saint ; et le faux saint Jacques, après lui avoir exposé les misères de la vie terrestre, l'engagea à se tuer en l'honneur de lui. Le naïf pèlerin prit son épée et se tua sur-le-champ. Et déjà la foule allait mettre à mort l'hôte chez qui il demeurait, et que l'on soupçonnait d'être son assassin, lorsque soudain le mort, revenant à la vie, raconta, que, au moment où le démon le conduisait en enfer, le vrai saint Jacques était intervenu, et avait sommé les démons de lui rendre la vie.

Hugues, abbé de Cluny, nous raconte un autre miracle de saint Jacques. Un jeune homme du diocèse de Lyon, qui avait une grande dévotion pour le saint et faisait de fréquents pèlerinages à son tombeau, se laissa un jour tenter en chemin, et commit le péché de fornication. Alors le diable lui apparut, sous la forme de saint Jacques, et lui dit : «Je suis l'apôtre Jacques, à qui tu as l'habitude de venir faire visite. Mais, cette fois, tu peux te dispenser de poursuivre ton chemin, car ton péché ne te sera remis que si tu te coupes entièrement les parties génitales. Et tu serais plus heureux encore si tu avais le courage de te tuer, et de souffrir ainsi le martyre en mon nom!» Donc, la nuit suivante, pendant que ses compagnons dormaient, le jeune homme se coupa les parties génitales, après quoi il se transperça le ventre d'un coup de couteau. Le lendemain matin, ses compagnons, épouvantés, s'enfuirent, de peur d'être soupçonnés d'homicide. Mais au moment où l'on préparait le cercueil du mort, celui-ci, à l'étonnement de tous, revint à la vie. Il raconta que, après sa mort, déjà les démons entraînaient son âme vers l'enfer lorsque le véritable saint Jacques accourut au-devant d'eux et se mit à les gourmander. Le saint le conduisit ensuite dans une prairie où se tenait assise la sainte Vierge, conversant avec d'autres saints. Et dès que saint Jacques eut intercédé auprès d'elle en faveur du jeune homme, elle manda les démons et ordonna que le mort fût rendu à la vie. Seules, les cicatrices de l'opération qu'il s'était faite lui restèrent toujours.

Autre miracle, rapporté par le pape Calixte. Vers l'an du Seigneur 1100, un Français se rendait à Saint-Jacques-de-Compostelle avec sa femme et ses fils, en partie pour fuir la contagion qui désolait son pays, en partie pour voir le tombeau du saint. Dans la ville de Pampelune, sa femme mourut, et leur hôte le dépouilla de tout son argent, lui prenant même la jument sur le dos de laquelle il conduisait ses enfants. Alors le pauvre père prit deux de ses enfants sur ses épaules, et traîna les autres par la main. Un homme qui passait avec un âne eut pitié de lui et lui donna son âne, afin qu'il pût mettre ses enfants sur le dos de la bête. Arrivé à Saint-Jacques-de-Compostelle, le Français vit le saint qui lui demanda s'il le reconnaissait, et qui lui dit : « Je suis l'apôtre Jacques. C'est moi qui t'ai donné un âne pour venir ici et qui te le donnerai de nouveau pour t'en retourner. Mais sache que l'hôte qui t'a dépouillé va mourir et que tout ce qu'il t'a pris te sera rendu ! » Elles choses arrivèrent comme le saint l'avait dit ; et, dès que le pèlerin rentra en possession de son cheval, l'âne qui avait porté ses enfants disparut aussitôt.

Miracle rapporté par Hubert de Besançon. Trois soldats du diocèse de Lyon allaient en pèlerinage à Saint-Jacques-de-Compostelle. L'un d'eux, rencontrant une femme qui le priait de la décharger de son sac, prit le sac et le mit sur son cheval. Il rencontra ensuite un malade qui défaillait sur la route. Il le mit sur son cheval, prit en main son bourdon ainsi que le sac de la femme, et se mit à marcher à pied, derrière le cheval. Mais l'ardeur du soleil et la fatigue l'épuisèrent si fort que, arrivé en Galice, il tomba gravement malade. Ses compagnons lui rappelèrent le salut de son âme ; mais, pendant trois jours, il n'ouvrit point la bouche. Enfin, le quatrième jour, il soupira profondément et dit : « Grâces soient rendues à saint Jacques, par les mérites de qui me voici délivré ! Car, pendant ces trois jours, des démons m'avaient assailli et me serraient de partout, me mettant dans l'impossibilité de vous répondre. Mais, tout à l'heure, enfin, j'ai vu entrer ici saint Jacques, portant dans une main, comme une lance, le bourdon du mendiant, et dans l'autre main, comme un bouclier, le sac de la femme ; et il s'est jeté sur les démons, et les a mis en fuite. Maintenant appelez vite un prêtre, car je sens que ma vie va bientôt finir ! » Puis se tournant vers l'un d'eux en particulier, il lui dit :

« Ami, sache que le maître que tu sers est damné, et qu'il va mourir de malemort ! » L'ami ainsi prévenu, quand il revint de son pèlerinage, avertit son maître ; mais celui-ci ne tint nul compte de l'avertissement et refusa de s'amender ; et, peu de temps après, il fut tué à la guerre, d'un coup de lance.

Miracle rapporté par le pape Calixte. Un pèlerin de Vézelay, qui se rendait au tombeau de saint Jacques, se trouva, un jour, à court d'argent ; et, comme il avait honte de mendier, il trouva sous un arbre, sous lequel il s'était endormi, un pain cuit dans la cendre. Aussi bien avait-il rêvé, dans son sommeil, que saint Jacques se chargeait de le nourrir. Et, de ce pain, il vécut pendant quinze jours, jusqu'à son retour dans son pays. Non qu'il se privât d'en manger à sa faim, deux fois par jour ; mais, le lendemain, il retrouvait le pain tout entier dans son sac.

Autre miracle rapporté par le pape Calixte. Un habitant de Barcelone, étant allé en pèlerinage au tombeau de saint Jacques, lui demanda, comme seule faveur, de n'être jamais retenu prisonnier. Or, comme il s'en retournait par mer, il fut pris par des Sarrasins, qui le vendirent comme esclave : mais les chaînes dont on voulait le lier se brisaient aussitôt. Il fut ainsi vendu et revendu douze fois ; mais, la treizième fois, on lui mit une double chaîne qui ne se brisa plus. Il invoqua saint Jacques, qui apparut et lui dit : « Tous ces maux t'ont été infligés parce que, dans mon église, tu as oublié le salut de ton âme pour ne t'occuper que de la liberté de ton corps. Mais le Seigneur, dans sa miséricorde, m'a envoyé pour te délivrer. » Aussitôt les chaînes de l'esclave se brisèrent, et il revint dans son pays en portant dans ses mains une partie de ces chaînes, comme signe du miracle.

L'an du Seigneur 238, la veille de la fête de saint Jacques, dans la place forte de Prato, située entre Florence et Pistoie, un jeune paysan, d'esprit un peu simple, mit le feu à la grange de son tuteur, qui voulait le dépouiller de son héritage. Arrêté, il avoua sa faute, et fut attaché à la queue d'un cheval. Mais, s'étant voué à saint Jacques, il fut traîné sur un sol pierreux sans que son corps ni même sa chemise eussent aucun mal. On l'attacha ensuite à un poteau, au pied duquel on alluma un grand feu ; mais il invoqua de nouveau saint Jacques et la flamme ne lui fit aucun mal. Les juges voulurent recommencer le supplice, mais la foule le délivra ; et l'on s'accorda pour louer Dieu, et l'apôtre saint Jacques son serviteur.

XCIX
SAINT CHRISTOPHE, MARTYR
(28 juillet)

I. Christophe était un Cananéen d'énorme stature, qui avait douze coudées de hauteur et un visage effrayant. Et voici ce que racontent à son sujet quelques vieux auteurs :

Etant au service du roi de son pays, l'idée lui vint un jour de se mettre en quête du plus puissant prince qui fût au monde, et de servir désormais celui-là. Il vint donc auprès de certain roi, dont on disait couramment qu'aucun autre prince ne l'égalait en puissance. Ce roi, le voyant tel qu'il était, l'accueillit volontiers et lui donna un logement dans son palais. Or un jour, un jongleur chantait, en présence du roi, une chanson, où il nommait fréquemment le diable. Et le roi, qui était chrétien, ne manquait pas de faire le signe de la croix dès qu'il entendait prononcer le nom du diable : ce que voyant, Christophe, étonné, demanda au roi ce que signifiait le geste qu'il faisait. Et comme le roi refusait de le lui dire, il répondit : « Si tu ne me le dis pas, je quitterai ton service ! » Alors le roi lui dit : « Chaque fois que j'entends nommer le diable, je me protège par ce signe, de peur qu'il ne prenne pouvoir sur moi et ne me nuise. » Alors Christophe : « Si tu crains que le diable ne te nuise, c'est donc qu'il est plus grand et plus puissant que toi ! Aussi vais-je te dire adieu et me mettre en quête du diable, pour lui offrir mes services : car je n'étais venu ici que parce que je m'imaginais y trouver le plus puissant prince du monde ! » Puis il prit congé du roi et se mit en quête du diable. Il rencontra, dans un désert, une grande armée, dont le chef, personnage féroce et terrible, vint au-devant de lui, et lui demanda où il allait. Et Christophe : « Je vais en quête du diable pour lui offrir mes services. » Et lui : « Je suis celui que tu cherches ! » Christophe, tout heureux, le prit pour maître. Mais, comme il passait avec lui devant une croix, élevée au bord d'une route, le diable, épouvanté, s'enfuit, et fit un long détour afin d'éviter la croix. Ce que voyant, Christophe, étonné, lui en demanda la cause, le menaçant de le quitter s'il refusait de lui répondre. Alors le diable lui dit : « C'est qu'un homme appelé Christ a été attaché sur une croix, et, depuis lors, dès que je vois le signe de la croix, j'ai peur et je m'enfuis. » Et Christophe : « C'est donc que ce Christ est plus grand et plus puissant que toi ! Ainsi j'ai perdu mes peines, et n'ai pas encore trouvé le plus grand prince du monde ! Je vais te dire adieu, pour me mettre en quête du Christ. »

Il chercha longtemps quelqu'un qui pût le renseigner. Enfin il rencontra un ermite qui lui dit : « Le maître que tu désires servir exige d'abord de toi que tu jeûnes souvent. » Et Christophe : « Qu'il exige de moi autre chose, car cette chose-là est au-dessus de mes forces ! » Et l'ermite : « Il exige que tu fasses de nombreuses prières. » Et Christophe : « Voilà encore une chose que je ne peux pas faire, car je ne sais pas même ce que c'est que prier ! » Alors l'ermite : « Connais-tu un fleuve qu'il y a dans ce pays, et qu'on ne peut traverser sans péril de mort ? » Et Christophe : « Je le connais. » Et l'ermite : « Grand et fort comme tu es, si tu demeurais près de ce fleuve, et si tu aidais les voyageurs à le traverser, cela serait très agréable au Christ que tu veux servir ; et peut-être consentirait-il à se montrer à toi. » Et Christophe : « Voilà enfin une chose que je puis faire ; et je te promets de la faire pour servir le Christ ! » Puis il se rendit sur la rive du fleuve, s'y construisit une cabane, et, se servant d'un tronc d'arbre en guise de bâton pour mieux marcher dans l'eau, il transportait d'une rive à l'autre tous ceux qui avaient à traverser le fleuve.

Beaucoup de temps s'étant écoulé ainsi, il dormait une nuit dans sa cabane, lorsqu'il entendit une voix d'enfant qui l'appelait et lui disait : « Christophe, viens et fais-moi traverser le fleuve ! » Aussitôt Christophe s'élança hors de sa cabane, mais il ne trouva personne. Et, de nouveau, lorsqu'il rentra chez lui, la même voix l'appela. Mais, cette fois encore, étant sorti, il ne trouva personne. Enfin, sur un troisième appel, il vit un enfant qui le pria de l'aider à traverser le fleuve. Christophe prit l'enfant sur ses épaules, s'arma de son bâton, et entra dans l'eau pour traverser le fleuve. Mais voilà que, peu à peu, l'eau enflait, et que l'enfant devenait lourd comme un poids de plomb ; et sans cesse l'eau devenait plus haute et l'enfant plus lourd, de telle sorte que Christophe crut bien qu'il allait périr. Il parvint cependant jusqu'à l'autre rive. Et, y ayant déposé l'enfant, il lui dit : « Ah ! mon petit, tu m'as mis en grand danger ; et tu as tant pesé sur moi que, si j'avais porté le monde entier, je n'aurais pas eu les épaules plus chargées ! » Et l'enfant lui répondit : « Ne t'en étonne pas, Christophe ; car non seulement tu as porté sur tes épaules le monde entier, mais aussi Celui qui a créé le monde. Je suis en effet le Christ, ton maître, celui que tu sers en faisant ce que tu fais. Et, en signe de la vérité de mes paroles, quand tu auras franchi le fleuve, plante dans la terre ton bâton, près de ta cabane : tu le verras, demain matin, chargé de fleurs et de fruits. » Sur quoi l'enfant disparut ; et Christophe, ayant planté son bâton, le retrouva, dès le matin suivant, transformé en un beau palmier plein de feuilles et de dattes.

II. Il eut, plus tard, l'occasion de se rendre à Samos, ville de Lycie ; et, comme il ne comprenait pas la langue des habitants, il se mit en prière, pour demander à Dieu l'intelligence de cette langue. Et lorsqu'il l'eut obtenue, il se couvrit le visage, se rendit au cirque, et se mit à réconforter les chrétiens qu'on y torturait. Alors un des juges le frappa au visage. Et Christophe, se découvrant, lui dit : « Si je n'étais chrétien, je vengerais aussitôt une telle injure ! » Puis il planta en terre son bâton et pria le Seigneur d'y faire pousser des feuilles, pour que ce miracle convertît le peuple. Le miracle se produisit en effet, et huit mille hommes se convertirent.

Alors le roi envoya vers lui deux cents soldats, pour s'en emparer : mais les soldats, s'étant approchés, le virent en prière, et n'osèrent point le toucher. Le roi en envoya deux cents autres : le trouvant en prière, ils se mirent à genoux et prièrent avec lui. Et Christophe, se relevant, leur dit : « Que voulez-vous ? » Ils lui répondirent : « C'est le roi qui nous a envoyés, pour que nous t'enchaînions et te conduisions vers lui ! » Alors Christophe : « Si je le veux, vous ne pourrez ni m'enchaîner ni me conduire nulle part. » Et les soldats : « Si tu ne veux pas venir avec nous, va-t'en librement où tu voudras, et nous dirons au roi que nous n'avons pas pu te trouver ! » Mais lui : « Pas du tout, je suis prêt à aller avec vous. » Il les convertit cependant, d'abord, à la foi du Christ ; puis il leur ordonna de lui lier les mains derrière le dos et de le conduire ainsi auprès du roi. Et le roi, en l'apercevant, eut peur et s'enfuit de son trône. Puis, reprenant courage, il l'interrogea sur son nom et sur sa patrie. Et Christophe : « Avant mon baptême je m'appelais, le Réprouvé ; maintenant je m'appelle le Porte-Christ. » Et le roi : « Tu t'es donné là un nom bien sot, le nom de ce Christ crucifié qui ne t'a servi ni ne pourra jamais te servir de rien. Pourquoi ne veux-tu pas plutôt sacrifier à nos dieux ? » Et Christophe : « Eh bien, toi, tu mérites ton nom de Dagnus, car tu es le complice du diable, et tes dieux ne sont que de vaines images ! » Et le roi : « Nourri parmi les bêtes féroces, tu ne sais dire que des choses bonnes pour elles, et incompréhensibles pour l'espèce humaine. Je te préviens seulement que, si tu consens à sacrifier à nos dieux, tu recevras de moi de grands honneurs ; mais que, si tu refuses, tu périras dans les supplices. » Et, comme le saint refusait de sacrifier, il le fit jeter en prison ; et il fit décapiter les soldats qui, envoyés vers lui, s'étaient convertis à la foi du Christ. Il fit ensuite introduire dans la cellule du prisonnier deux belles filles, nommées Nicée et Aquiline, leur promettant de grandes récompenses si elles amenaient Christophe à pécher avec elles. Mais Christophe, en les apercevant, se mit aussitôt en prière. Et comme les deux filles tournaient autour de lui pour l'embrasser, il se leva et leur dit : « Que cherchez-vous, mes enfants, et pourquoi vous a-t-on introduites ici ? » Et elles, effrayées de l'éclat de son regard, lui dirent : « Saint homme de Dieu, aie pitié de nous, et aide-nous à croire au Dieu que tu prêches ! » Ce qu'apprenant, le roi les fit comparaître devant lui, et leur dit : « Vous êtes-vous donc laissées séduire, vous aussi ? En tout cas je vous jure que, si vous ne sacrifiez pas aux dieux, vous périrez de malemort ! » Alors elles lui répondirent : « Si tu veux que nous sacrifiions, ordonne que le peuple entier se réunisse dans le temple ! » Puis, entrant dans le temple, elles lancèrent leurs ceintures autour du cou des idoles, les tirèrent à elles, les mirent en poussière, et dirent aux assistants : « Allez maintenant chercher les médecins, et dites-leur de guérir vos dieux ! » Alors, par ordre du roi, Aquiline est pendue à un arbre ; on attache à ses pieds une énorme pierre, et on lui rompt tous les membres. Et, lorsqu'elle a rendu son âme au Seigneur, sa sœur Nicée est jetée dans le feu : mais elle en sort sans souffrir aucun mal ; et le roi, aussitôt, la fait décapiter.

Mandant ensuite Christophe, il le fait frapper de verges de fer, lui fait placer sur la tête un casque de fer rouge, le fait attacher sur un siège de fer rouge. Mais celui-ci se brise comme de la cire, et Christophe se relève sans avoir aucun mal. Alors le roi le fait attacher à un tronc d'arbre, et ordonne à quatre mille soldats de tirer sur lui. Mais leur flèches restent suspendues en l'air : aucune d'elles ne parvient à atteindre Christophe. Et comme le roi, le croyant déjà tout transpercé de flèches, lui crie des insultes, soudain une flèche se retourne contre lui, le frappe à l'œil, et le rend aveugle. Alors Christophe : « Je sais que c'est aujourd'hui que je vais mourir. Quand je serai mort, applique un peu de mon sang sur tes yeux, et tu recouvreras la vue ! » Le roi lui fait aussitôt trancher la tête ; puis, prenant un peu de son sang, il s'en frotte les yeux ; et aussitôt il recouvre la vue. Alors le roi se convertit, reçoit le baptême, et décrète que toute personne qui blasphémera contre Dieu ou contre saint Christophe aura aussitôt la tête tranchée.

C
LES SEPT DORMANTS
(28 juillet)

Les sept dormants étaient de la ville d'Ephèse. Or, l'empereur Décius, persécuteur des chrétiens, étant venu à Ephèse, y fit construire des temples au milieu de la ville, afin que tous y vinssent avec lui sacrifier aux idoles. Et comme il avait fait rechercher tous les chrétiens, pour les forcer à sacrifier ou à mourir, si grande était la terreur de ses châtiments que l'ami reniait son ami, le fils son père, et le père son fils. Et sept chrétiens d'Ephèse, Maximien, Malchus, Martien, Denis, Jean, Sérapion et Constantin, souffraient beaucoup de cet état de choses. Ayant horreur de sacrifier aux idoles, ils restaient cachés dans leurs maisons, jeûnaient et priaient. Leur absence ne tarda pas à être remarquée, car ils étaient parmi les premiers fonctionnaires du palais. Ils furent donc saisis et conduits devant Décius qui, sur leur aveu qu'ils étaient chrétiens, ne voulut point les condamner de suite, mais leur fixa un délai jusqu'à son retour, afin qu'ils eussent le temps de réfléchir et de se rétracter. Mais eux, après avoir distribué leurs biens aux pauvres, ils se réfugièrent sur le mont Célion, et prirent le parti d'y vivre cachés. Chaque matin, l'un d'eux rentrait en ville pour les provisions, déguisé en mendiant.

Lorsque Décius fut de retour à Ephèse, Malchus, qui était allé en ville ce jour-là, revint, tout effrayé, dire à ses compagnons que l'empereur les cherchait pour le sacrifice aux idoles. Et tandis qu'ils étaient à table, causant entre eux avec des larmes, Dieu voulut que soudain ils s'endormissent tous les sept. Le matin suivant, comme Décius s'affligeait déjà de la perte d'aussi bons serviteurs, on lui dit que les sept officiers, après avoir donné leurs biens aux pauvres, étaient allés se cacher sur le mont Célion. Décius fit alors venir leurs parents et leur ordonna, sous peine de mort, de lui révéler tout ce qu'ils savaient. Les parents confirmèrent la dénonciation portée contre leurs fils, à qui ils ne pouvaient pardonner de s'être dépouillés de tous leurs biens. Et Décius, inspiré à son insu par l'esprit divin, fit obstruer de pierres l'entrée de la caverne où étaient les sept jeunes gens, afin qu'ils y mourussent d'épuisement. Ainsi fut fait ; et deux chrétiens Théodore et Rufin, placèrent secrètement parmi les pierres une relation du martyre des sept saints.

Or, longtemps après la mort de Décius et de toute sa génération, la trentième année de l'empire de Théodose, l'hérésie se répandit, en tous lieux, de ceux qui niaient la résurrection des morts. Et Théodose, en bon chrétien, était si désolé des progrès de cette hérésie impie que, retiré au fond de son palais, et couvert d'un cilice, il pleurait pendant des journées entières. Ce que voyant, Dieu, dans sa miséricorde, résolut de consoler le deuil des chrétiens et de les confirmer dans l'espoir de la résurrection des morts. Et c'est aux sept martyrs d'Ephèse qu'il confia l'honneur d'en porter témoignage.

Il inspira à un certain habitant d'Ephèse de faire construire des étables sur le mont Célion. Et lorsque les maçons ouvrirent la caverne, les sept dormants se réveillèrent, se saluèrent, comme s'ils n'avaient dormi qu'une nuit, et, se rappelant les angoisses de la veille, demandèrent à Malchus s'il savait ce que Décius avait décidé contre eux. Malchus répondit qu'il allait descendre en ville pour chercher du pain, et qu'il reviendrait le soir leur rapporter des nouvelles. Il prit cinq pièces de monnaie, sortit de la caverne, et fut un peu surpris des pierres qu'il trouva entassées devant l'entrée. Parvenu à la porte de la ville, il fut plus surpris encore de voir sur cette porte le signe de la croix. Il alla vers une autre porte, puis une autre encore : le signe de la croix se trouvait sur toutes, si bien que Malchus crut qu'il rêvait toujours. Poursuivant son chemin, il arriva au marché. Il entendit que tous y nommaient le Christ, et sa stupeur ne connut point de bornes. « Est-ce possible, demanda-t-il, que, dans cette ville où personne hier n'osait nommer le Christ, chacun le nomme librement aujourd'hui ? Et, d'ailleurs, cette ville n'est pas Ephèse, car les bâtiments y sont tout autres ; et cependant le lieu est le même, et il n'y a point d'autre ville aux environs ! » On lui dit que cette ville était bien Ephèse ; et peu s'en fallut que, se croyant fou, il ne s'en retournât aussitôt vers ses compagnons. Mais il voulut, tout de même, acheter du pain ; et le boulanger à qui il s'adressa considéra avec surprise les pièces de monnaie qu'il lui présentait. On lui demanda s'il avait découvert un trésor ancien. Et Malchus, persuadé qu'on allait le traîner devant l'empereur, supplia qu'on le laissât partir, sauf à garder l'argent et les pains. Mais les marchands, le retenant, lui dirent : « D'où es-tu, et où as-tu trouvé le trésor des anciens empereurs ? Dis-nous-le, pour que nous partagions avec toi : sinon, nous te dénoncerons ! » Et comme Malchus, épouvanté, ne savait que répondre, on lui passa une corde au cou, et on le traîna par les rues de la ville, et chacun se répétait que ce jeune homme avait découvert un trésor. En vain Malchus scrutait des yeux la foule, espérant y trouver un visage connu. Il ne voyait que des faces nouvelles ; et sa stupéfaction le rendait muet.

Ce qu'apprenant, l'évêque saint Martin et le proconsul Antipater le firent amener devant eux avec ses pièces d'argent et lui demandèrent où il avait trouvé ces vieilles pièces de monnaie. Il leur répondit qu'il n'avait rien trouvé, et que ces pièces venaient de la bourse de ses parents. On lui demanda d'où il était. Et lui : « Hé, d'ici, à moins que cette ville ne soit pas Ephèse ! » Et le proconsul : « Fais venir tes parents, pour qu'ils te reconnaissent ! » Il nomma ses parents : personne ne les connaissait. Et le proconsul : « Comment prétends-tu nous faire croire que cet argent te vienne de tes parents, quand les inscriptions qu'il porte sont vieilles de près de quatre cents ans, datant des premiers jours de l'empereur Décius ? Et comment oses-tu, jeune homme, tromper les sages et les anciens d'Ephèse ? Tu seras châtié si tu ne nous révèles où tu as trouvé cet argent ! » Alors Malchus leur dit : « O nom du ciel, seigneurs, répondez à ce que je vais vous demander, et je vous dirai ensuite tout ce qui est dans mon cœur. L'empereur Décius, qui était ici hier, où est-il à présent ? » Alors l'évêque : « Mon fils, il n'y a pas aujourd'hui sur terre d'empereur appelé Décius ; mais il y en avait un autrefois, il y a très longtemps. » Et Malchus : « Seigneur, je suis trop stupéfait, et personne ne me croit. Mais suivez-moi, je vous montrerai mes compagnons, sur le mont Célion, et vous les croirez ! Ce que je sais, c'est que nous fuyons la colère de l'empereur Décius, et que j'ai vu cet empereur rentrer hier ici, dans la ville d'Ephèse. »

Sur l'ordre de l'évêque, qui devinait là un dessein de Dieu le proconsul, le clergé, et une grande foule suivirent Malchus jusque dans la caverne ; et l'évêque, en y entrant, trouva parmi les pierres un écrit scellé de deux sceaux d'argent ; et il lut cet écrit à la foule assemblée. Il pénétra ensuite auprès des saints, qu'il trouva assis dans leur caverne, avec des visages rayonnants comme des roses en fleur. Aussitôt l'évêque et le proconsul avertirent Théodose, pour qu'il vînt assister au miracle de Dieu. Et Théodose, se levant du sac sur lequel il était étendu, et glorifiant Dieu, vint de Constantinople à Ephèse. Il monta jusqu'à la caverne, vit les saints, dont les visages rayonnaient comme des soleils, et, après s'être prosterné devant eux et les avoir embrassés, il s'écria en pleurant : « A vous voir, c'est comme si je voyais le Seigneur ressuscitant Lazare ! » Alors Maximien lui dit : « C'est pour toi que Dieu nous a ressuscités avant le jour de la grande résurrection, afin que tu n'aies point de doute sur la réalité de celle-ci ! » Puis, cela dit, tous les sept ils s'endormirent de nouveau, la tête penchée, et ils rendirent leurs âmes à Dieu.

L'empereur, après les avoir encore embrassés en pleurant, ordonna que l'on construisît pour eux des cercueils d'or. Mais, la même nuit, ils lui apparurent, et lui dirent que, de même qu'ils avaient jusque-là dormi dans la terre, et étaient ressuscités de la terre, c'était dans la terre encore qu'ils voulaient reposer jusqu'au jour de la résurrection suprême. Du moins Théodose fit orner leur sépulcre de pierres dorées. Et les évêques qui proclamaient la résurrection des morts obtinrent gain de cause. La légende veut que les sept saints aient dormi pendant 372 ans ; mais la chose est douteuse, car c'est en l'an 448 qu'ils ressuscitèrent, et Décius régna en l'an 252 : de sorte que, plus vraisemblablement, leur sommeil miraculeux ne dura que 196 ans.

CI
SAINTS NAZAIRE ET CELSE, MARTYRS
(28 Juillet)

La vie des saints Nazaire et Celse nous est racontée par saint Ambroise. Les uns veulent que ce soit d'après un livre des saints Gervais et Protais, d'autres, d'après un livre écrit par un philosophe ayant une dévotion spéciale pour saint Nazaire ; et l'on ajoute que le livre de ce philosophe fut placé dans le tombeau des deux saints par Cérasius, qui les ensevelit.

Nazaire était fils d'un noble Juif nommé Africain, et de sainte Perpétue, Romaine de grande famille qui avait été baptisée par l'apôtre saint Pierre. A l'âge de neuf ans, l'enfant s'étonnait beaucoup de voir que son père et sa mère observassent deux cultes différents, et que sa mère suivît la loi du baptême, tandis que son père suivait celle du sabbat. Et chacun de ses deux parents essayait de l'amener à sa foi : mais il hésitait, se demandant à laquelle des deux il devait adhérer. Enfin, par la grâce de Dieu, c'est à la foi de sa mère qu'il adhéra. Il reçut le baptême du saint pape Lin ; ce qu'apprenant, son père s'efforça de le détourner de sa sainte résolution en lui décrivant les innombrables supplices infligés aux chrétiens.

Notons en passant que, quand l'histoire raconte que Nazaire fut baptisé par le pape Lin, cela ne veut pas dire que saint Lin fût pape au moment du baptême, mais seulement qu'il devait plus tard devenir pape. Car Nazaire, ainsi qu'on le verra ci-dessous, survécut de nombreuses années à son baptême, et son martyre eut lieu sous le règne de Néron, sous le règne duquel eut aussi lieu le martyre de saint Pierre. Or on sait que saint Lin fut pape après la mort de saint Pierre.

Nazaire, sans se laisser émouvoir par les avertissements paternels, continuait à prêcher le Christ. Enfin ses parents, qui craignaient pour lui les persécutions, obtinrent de lui qu'il quittât Rome. Ils lui donnèrent sept mulets chargés de trésors ; et lui, parcourant les villes d'Italie, il distribuait tout aux pauvres. La dixième année de son départ de Rome, il vint à Plaisance, puis à Milan, où il apprit que les saints Gervais et Protais se trouvaient emprisonnés. Il s'empressa d'aller les voir, dans leur prison, pour les encourager dans la foi. Ce qu'apprenant, le préfet de la ville le fit venir devant lui. Et comme il persistait à confesser le Christ, il fut chassé de Milan après avoir été roué de coups. De nouveau il errait de ville en ville, lorsque sa mère, qui était morte, lui apparut et lui enjoignit de se rendre en Gaule. Pendant qu'il se trouvait dans une ville des Gaules nommée Genève, où il avait fait de nombreuses conversions, une dame noble lui amena son fils, un beau jeune homme appelé Celse, en le priant de le baptiser et de le prendre avec lui. Le préfet des Gaules, dès qu'il le sut, fit saisir Nazaire et Celse, leur fit lier les mains, et les fit enfermer en prison avec une chaîne au cou, se promettant de les torturer le jour suivant. Mais sa femme lui déclara que c'était chose injuste de vouloir venger des dieux tout-puissants en mettant à mort des hommes qui n'avaient fait aucun mal. Et le préfet, touché de ses paroles, remit en liberté les deux saints, mais en leur interdisant de prêcher dans sa province.

Nazaire se rendit alors à Trèves, où, le premier, il prêcha le Christ, et lui éleva une église. Ce qu'apprenant, le gouverneur Cornélius le dénonça à l'empereur Néron, qui envoya cent hommes pour s'emparer de lui. Ces hommes, l'ayant trouvé dans l'église qu'il avait construite, lui lièrent les mains en disant : « Le grand Néron t'appelle. » Et Nazaire leur dit : « Votre maître a des serviteurs dignes de lui ! Vous auriez pu simplement venir me dire : *Néron t'appelle* ; et je serais venu. » Mais les soldats ne s'obstinèrent pas moins à le tenir enchaîné ; et comme le jeune Celse pleurait, ils le battaient pour le forcer à les suivre. Ainsi ils arrivèrent en présence de Néron, qui les fit jeter en prison, en attendant qu'il eût imaginé des supplices pour les faire périr.

Or, comme Néron avait, un jour, envoyé des chasseurs à la poursuite de bêtes féroces, celles-ci pénétrèrent en grand nombre dans les jardins impériaux, où elles blessèrent et tuèrent une foule de gens. Néron lui-même fut blessé au pied, et eut grand'peine à regagner son palais. Et la blessure continua longtemps à le faire souffrir : si bien que, se souvenant de Nazaire et de Celse, il pensa que les dieux étaient irrités contre lui pour son retard à faire mourir ces infidèles. Il ordonna donc qu'on amenât devant lui Nazaire et le jeune Celse, en ne leur épargnant pas les coups durant le trajet. Quand Nazaire comparut devant lui, il vit que sa figure brillait comme le soleil : et, se croyant le jouet d'un artifice de magie, il enjoignit au saint de laisser là ses sortilèges et de sacrifier aux dieux. Nazaire fut donc conduit dans un temple. Il demanda à y être laissé seul ; puis il pria, et toutes les idoles se brisèrent. Ce qu'apprenant, Néron le fit précipiter dans la mer, ordonnant que, si par hasard il s'en échappait, on le brûlât vif, et que ses cendres fussent jetées à l'eau.

Nazaire et le petit Celse furent mis dans un bateau, et, parvenus en pleine mer, ils furent jetés dans les flots. Mais aussitôt une tempête terrible s'éleva autour du bateau, tandis que les deux saints nageaient doucement sur les flots tout unis. Alors les bourreaux, se voyant en danger, se repentirent du mal qu'ils avaient fait aux saints. Et voici que Nazaire, marchant sur l'eau avec le petit Celse, leur apparut, le visage souriant, les rejoignit sur le bateau, apaisa la tempête par sa prière, et parvint ainsi avec eux à un endroit voisin de la ville de Gênes. Il prêcha longtemps dans cette ville, puis se rendit à Milan, où il avait naguère laissé Gervais et Protais. Ce qu'apprenant, le préfet Anolin fit garder Celse dans la maison d'une dame de la ville, et enjoignit à Nazaire de quitter Milan. Le saint se rendit à Rome, où il trouva son père devenu chrétien. Le vieillard lui raconta que l'apôtre Pierre lui était apparu, et l'avait averti d'avoir à suivre auprès du Christ sa femme et son fils. Mais bientôt Nazaire fut pris de nouveau et reconduit à Milan, où, en compagnie du petit Celse, il eut la tête tranchée, au-delà de la Porte Romaine, dans un endroit nommé les Trois-Murs.

Des chrétiens recueillirent leurs corps et les ensevelirent dans leur jardin. Mais, la même nuit, les deux saints apparurent à un pieux homme nommé Cérasius, à qui ils dirent de prendre leurs corps dans sa maison, et de les ensevelir très profondément, pour les dérober aux recherches de Néron. Et Cérasius : « Seigneurs, ne voudriez-vous pas, auparavant, guérir ma fille qui est paralysée ? » Aussitôt la jeune fille se trouva guérie ; et Cérasius enterra les deux saints comme ils l'avaient demandé. Longtemps après, le Seigneur révéla à saint Ambroise l'endroit où étaient leurs corps ; le corps de Nazaire était encore arrosé de son sang, absolument intact avec ses cheveux et sa barbe ; et un parfum merveilleux s'en dégageait. Saint Ambroise laissa le corps de saint Celse à l'endroit où il reposait, et fit transporter celui de saint Nazaire dans l'église des Saints Apôtres. Le martyre des deux saints eut lieu sous Néron, vers l'an du Seigneur 52.

CII
SAINT FÉLIX, PAPE ET MARTYR
(29 juillet)

Félix fut élu pape en remplacement de Libère, et du consentement de celui-ci, qui, n'ayant pas voulu approuver l'hérésie arienne, avait été envoyé en exil par Constance, fils de Constantin. Félix, ainsi promu à la papauté, convoqua un concile de quarante-huit évêques, qui condamna comme hérétiques l'empereur Constance et deux prêtres, ses conseillers. Sur quoi, Constance, furieux, destitua Félix de l'évêché de Rome, et rappela Libère qui, amolli par l'exil, se résigna à tolérer l'hérésie. La persécution prit alors une telle étendue que, avec l'assentiment tacite de Libère, une foule de prêtres et de clercs furent tués presque dans l'église. Félix, qui s'était retiré dans sa maison, y fut pris et eut la tête tranchée. Il souffrit le martyre en l'an du Seigneur 360.

CIII
SAINTS SIMPLICE ET FAUSTIN, MARTYRS
(29 juillet)

Simplice et Faustin, qui étaient frères, souffrirent pour la foi à Rome, sous l'empereur Dioclétien. Après de nombreux supplices, ils eurent la tête tranchée, et leurs corps furent jetés dans le Tibre. Mais leur sœur, nommée Béatrice, retira de l'eau leurs corps et les ensevelit chrétiennement. Sur quoi, le préfet Lucrèce la fit saisir et lui ordonna de sacrifier aux idoles. Et, comme elle refusait, il la fit étrangler, la nuit, par ses serviteurs. Une vierge nommée Lucine déroba le corps de Béatrice, et l'ensevelit à côté des corps de ses frères.

Quelques jours après, le préfet, qui avait pris possession de la maison des martyrs, y prépara un grand festin où il invita ses amis. Or un enfant nouveau-né, que sa mère avait amené là, se mit tout à coup à parler et dit : « Ecoute, Lucrèce, tu as envahi et occis, et maintenant tu es tombé au pouvoir de l'ennemi ! » Et aussitôt Lucrèce, tout tremblant, fut pris par le démon, qui pendant trois heures le tortura si fort qu'il mourut avant d'avoir pu se lever de table. Ce que voyant, tous les assistants se convertirent à la foi chrétienne ; et ils racontaient à tous comment Dieu avait vengé le martyre de ses trois saints. Ce martyre eut lieu vers l'an du Seigneur 287.

CIV
SAINTE MARTHE, VIERGE
(29 juillet)

I. Marthe, l'hôtesse du Christ, avait pour père Syrus, pour mère Eucharie. Son père, qui était de race royale, gouverna la Syrie et beaucoup d'autres régions maritimes. Marthe, suivant toute probabilité, n'eut jamais de mari. Elle s'occupait d'administrer la maison, et, quand elle recevait le Seigneur, non seulement elle se donnait une peine infinie pour bien l'accueillir, mais elle eût encore voulu que sa sœur Madeleine fît comme elle. Après l'ascension du Seigneur, Marthe, avec son frère Lazare, sa sœur Madeleine, et saint Maximin, à qui l'Esprit-Saint les avait recommandés, furent jetés par les infidèles sur un bateau sans voiles, sans rames, et sans gouvernail. Et le Seigneur, comme l'on sait, les conduisit à Marseille. Ils se rendirent de là sur le territoire d'Aix, et y firent de nombreuses conversions. De Marthe, en particulier, on rapporte qu'elle était fort éloquente, et que tous l'aimaient.

Or il y avait à ce moment sur les bords du Rhône, dans une forêt sise entre Avignon et Arles, un dragon, mi-animal, mi-poisson, plus gros qu'un bœuf, plus long qu'un cheval, avec des dents aiguës comme des cornes, et de grandes ailes aux deux côtés du corps ; et ce monstre tuait tous les passagers et submergeait les bateaux. Il était venu par mer de la Galatie ; il avait pour parents le Léviathan, monstre à forme de serpent, qui habite les eaux, et l'Onagre, animal terrible que produit la Galatie, et qui brûle comme avec du feu tout ce qu'il touche. Or sainte Marthe, sur la prière du peuple, alla vers le dragon. L'ayant trouvé dans sa forêt, occupé à dévorer un homme, elle lui jeta de l'eau bénite, et lui montra une croix. Aussitôt le monstre, vaincu, se rangea comme un mouton près de la sainte, qui lui passa sa ceinture autour du cou et le conduisit au village voisin, où aussitôt le peuple le tua à coups de pierres et de lances. Et comme ce dragon était connu des habitants sous le nom de Tarasque, ce lieu, en souvenir de lui, prit le nom de Tarascon : il s'appelait jusque-là Nerluc, c'est-à-dire noir lac, à cause des sombres forêts qui y bordaient le fleuve. Et sainte Marthe, après avoir vaincu le dragon, obtint de sa sœur et du prêtre Maximin la permission de rester dans ce lieu, où elle ne cessa pas de prier et de jeûner, jusqu'à ce qu'enfin une grande congrégation de religieuses s'y réunît auprès d'elle, en même temps qu'une grande basilique fut construite en l'honneur de la vierge Marie. Et Marthe vivait là de la vie la plus dure, ne mangeant qu'une fois par jour, se privant de chair, de graisse, d'œufs, de fromage et de vin.

Un jour qu'elle prêchait à Avignon, au bord du Rhône, un jeune homme, qui se trouvait sur l'autre rive, eut un tel désir de l'entendre que, ne trouvant point de bateau pour traverser le fleuve, il ôta ses vêtements et voulut passer à la nage : mais aussitôt une vague l'entoura et l'étouffa. Son corps fut retrouvé le lendemain, et déposé aux pieds de sainte Marthe, dans l'espoir que celle-ci parviendrait à le ressusciter. Et la sainte, s'étant prosternée sur le sol, les bras en croix, pria ainsi : « Seigneur Jésus, toi qui as jadis ressuscité mon frère Lazare, que tu aimais, toi qui as reçu mon hospitalité, prends en considération la foi de ceux qui m'entourent, et ressuscite cet enfant ! » Puis elle prit la main du jeune homme, qui aussitôt se leva et reçut le saint baptême.

Saint Ambroise nous dit que c'est Marthe, aussi, qui était l'hémorroïsse guérie par le Christ. Nous savons, d'autre part, que sainte Marthe fut avertie de sa mort un an d'avance, et que, pendant toute l'année qui suivit cet avertissement, elle souffrit de la fièvre. Huit jours avant sa mort, elle entendit le chœur des anges qui emportaient au ciel l'âme de Marie-Madeleine. Aussitôt, rassemblant ses frères et ses sœurs, elle leur fit part de cette heureuse nouvelle. Puis, pressentant sa propre fin ; elle les pria de rester près d'elle jusqu'à sa mort, avec des flambeaux allumés. Or, la nuit d'avant sa mort, pendant que tous ses gardes-malades dormaient, un vent violent éteignit les lumières. Et la sainte, voyant accourir autour d'elle la troupe des mauvais esprits, invoqua l'aide de son hôte divin. Et aussitôt elle vit approcher sa sœur Madeleine, qui, tenant en main une torche, ralluma les flambeaux et les lampes. Et pendant que les deux sœurs s'appelaient par leur nom, survint le Christ, qui dit à Marthe : « Viens, chère hôtesse, demeurer maintenant avec moi ! Tu m'as accueilli dans ta maison, je t'accueillerai dans mon ciel ; et j'exaucerai, par amour pour toi, tous ceux qui t'invoqueront. » Le matin suivant, Marthe se fit transporter dehors, pour voir encore le ciel, se fit poser sur de la cendre, demanda qu'on tînt une croix devant elle, et qu'on lui lût la passion dans l'évangile de saint Luc. Et au moment où le lecteur répétait : « Mon père, je remets mon âme entre tes mains », elle rendit l'âme.

II. Le lendemain, qui était dimanche, vers trois heures, saint Front était occupé à célébrer la messe à Périgueux. Après l'épître, il s'endormit sur son siège, et le Seigneur lui apparut, et lui dit : « Mon cher Front, si tu veux tenir la promesse que tu as faite jadis à mon hôtesse Marthe, lève-toi et suis-moi ! » Et aussitôt saint Front, conduit par le Christ, se vit transporté à Tarascon, où il assista aux obsèques de la sainte, et aida à placer son corps dans le sépulcre. Cependant, à Périgueux, le diacre qui allait lire l'Evangile réveilla l'évêque pour lui demander sa bénédiction. Et saint Front, soudain réveillé, répondit : « Mes frères, pourquoi m'avez-vous réveillé ? Notre-Seigneur Jésus m'avait conduit aux obsèques de son hôtesse sainte Marthe ; et, comme je me préparais à l'ensevelir, j'ai laissé dans la sacristie mon anneau et mes deux gants. Et vous m'avez réveillé si vite que je n'ai pas eu le temps de les reprendre. Hâtez-vous donc d'envoyer des messagers, qui me les rapportent ! » Aussitôt des messagers partirent pour Tarascon. Ils trouvèrent dans la sacristie l'anneau et les gants de saint Front ; et ils laissèrent dans la sacristie l'un de ces gants, en témoignage du miracle.

III. De nombreux miracles se produisirent au tombeau de la sainte. Clovis, roi de France, qui avait reçu le baptême des mains de saint Remi, fut guéri par sainte Marthe d'une grave maladie des reins. En souvenir de quoi, il dédia à l'église de la sainte la terre, les maisons et les châteaux qui se trouvaient dans un rayon de trois milles des deux côtés du Rhône. Et il affranchit ces lieux de toute servitude.

La vie de sainte Marthe a été écrite pour nous par sa servante Martille, qui se rendit plus tard en Esclavonie pour y prêcher l'Evangile, et qui y mourut, dix ans après la mort de sa maîtresse.

CV
SAINTS ABDON ET SENNEN, MARTYRS
(30 juillet)

Abdon et Sennen souffrirent le martyre sous le règne de l'empereur Décius. Ce prince, ayant conquis la Babylonie et d'autres provinces, y avait trouvé des chrétiens, et les avait emmenés avec lui à Cordoue, où il les avait fait périr sous divers supplices. Alors, deux nobles de la région, Abdon et Sennen, ensevelirent les corps de ces chrétiens, ce qui leur valut d'être dénoncés à Décius, qui les fit enchaîner et conduire, derrière lui, à Rome. Là, en présence du Sénat, on les somma ou bien de sacrifier aux idoles, et de recouvrer ainsi leur liberté, ou bien d'être livrés en pâture aux bêtes. Et comme ils dédaignaient et insultaient les idoles, ils furent traînés dans le cirque, où on lâcha sur eux deux lions et quatre ours, mais qui, loin de les attaquer, se rangèrent autour d'eux pour leur servir de garde. Ce que voyant, Décius les fit transpercer à coups de poignard, leur fit lier les pieds, et fit jeter leurs cadavres devant l'idole du soleil. Ils y restèrent trois jours, après quoi le sous-diacre Quirin les recueillit et les ensevelit dans sa maison. Cela se passait vers l'an du Seigneur 253. Plus tard, sous le règne de Constantin, les martyrs révélèrent eux-mêmes le lieu de leur sépulture ; et les chrétiens transportèrent leurs restes au cimetière Pontien, où le Seigneur, par leur entremise, accorde au peuple une foule de bienfaits.

CVI
SAINT GERMAIN, ÉVÊQUE ET CONFESSEUR
(31 juillet)

I. Germain, de naissance noble, naquit à Auxerre. Après avoir été soigneusement instruit dans les sciences libérales, il se rendit à Rome pour apprendre le droit, et s'y acquit un tel renom que le Sénat l'envoya en Gaule, pour gouverner le duché de Bourgogne. Or dans la ville d'Auxerre, que Germain administrait avec une sollicitude toute particulière, on voyait sur la grand'place un pin aux branches duquel il faisait suspendre, par vanité, les têtes du gibier qu'il avait tué à la chasse. Et souvent le saint évêque de la ville, Amator, lui reprochait ce trait de vanité, l'engageant à faire plutôt couper cet arbre ; mais Germain refusait de s'y résigner. Un jour, cependant, en l'absence de Germain, l'évêque coupa l'arbre et le fit brûler. Sur quoi Germain, oubliant son christianisme, arriva avec ses troupes et menaça l'évêque de le faire périr. Le prélat, à qui l'Esprit-Saint venait de révéler que Germain lui succéderait sur son siège épiscopal, céda devant sa fureur et se retira à Autun. Mais, plus tard, il revint à Auxerre, enferma par ruse Germain dans son église, et le tonsura, en lui prédisant qu'il serait son successeur. Et, en effet, après sa mort, le peuple tout entier élut pour évêque Germain, qui, dès lors, distribua ses biens aux pauvres, et ne traita plus sa femme que comme une sœur. Et, pendant trente ans, il se mortifia le corps de telle façon que jamais il ne mangea de pain de froment, ni de légumes, ni ne but de vin, ni n'assaisonna de sel ce qu'il mangeait. Ou plutôt il prenait bien du vin deux fois par an, à Noël et à Pâques, mais il y mêlait tant d'eau qu'il ne pouvait pas même sentir le goût du vin. Le soir, à son unique repas, il mangeait un pain d'orge où il avait d'abord semé des cendres. Hiver comme été, il n'était vêtu que d'un cilice et d'une tunique ; et ces tuniques, quand il ne les donnait pas à quelqu'un, lui duraient jusqu'au jour où, de vieillesse, elles tombaient en morceaux. Rarement il mettait à ses pieds des chaussures, et une ceinture autour de ses reins. Son lit n'était fait que de cendres, d'un cilice, et d'un sac, sans même un oreiller pour soulever sa tête. Et toujours il portait à son cou des reliques de saints. Telle fut la vie de cet évêque, vie qui semblerait incroyable si elle n'était accompagnée de nombreux miracles. Et ses miracles furent tels qu'ils nous paraîtraient fantastiques, si ses mérites ne suffisaient pas à les justifier.

Un jour, ayant reçu l'hospitalité dans une maison, il vit qu'après le repas on apprêtait de nouveau la table. Il en demanda la raison : on lui répondit qu'on apprêtait la table pour les braves femmes qui marchaient la nuit. Germain résolut de veiller toute la nuit ; et il vit arriver une troupe de démons sous forme d'hommes et de femmes. Il leur défendit alors de sortir, et réveillant ses hôtes, leur demanda s'ils reconnaissaient ces personnes. Les hôtes répondirent que ces personnes étaient leurs voisins et leurs voisines. Sur quoi Germain, défendant toujours aux démons de sortir, envoya voir chez les voisins et voisines en question, qui, tous furent trouvés dormant dans leur lit. Alors les démons, sommés par lui de dire la vérité, reconnurent qui ils étaient et avouèrent qu'ils venaient pour tromper les hommes.

II. A cette époque florissait saint Loup, évêque de Troyes. Comme le roi Attila assiégeait la ville, saint Loup monta sur l'une des portes et demanda à l'assiégeant qui il était. Et Attila : « Je suis le fléau de Dieu ! » Alors l'humble serviteur de Dieu dit, en gémissant : « Et moi, hélas, je suis le Loup, le dévastateur du troupeau de Dieu ! Je mérite d'être frappé par le fléau de Dieu ! » Et il fit ouvrir les portes de la ville. Mais Dieu aveugla de telle sorte les Barbares, qu'ils traversèrent la ville d'une porte à l'autre, sans voir personne, et par conséquent, sans faire aucun mal. C'est en compagnie de ce même saint Loup que saint Germain se mit en route pour se rendre en Grande-Bretagne, où pullulaient les hérétiques. Pendant qu'ils étaient en mer, une terrible tempête se leva ; mais, sur la prière de saint Germain, les flots s'apaisèrent aussitôt. Arrivés en Grande-Bretagne, les deux saints, furent reçus avec honneur par le peuple ; puis, ayant convaincu les hérétiques, ils retournèrent dans leurs diocèses.

III. Un jour que Germain, malade, était couché dans un certain bourg ; un grand incendie se produisit dans le bourg. On supplia l'évêque de se laisser transporter ailleurs, pour échapper aux flammes, mais il s'y refusa ; et le fait est que la flamme, qui détruisit toutes les maisons voisines, ne toucha pas à celle où il se trouvait.

IV. Plus tard, comme il était revenu en Grande-Bretagne pour réfuter les hérétiques, un de ses disciples, s'étant mis en route pour le rejoindre, tomba malade et mourut dans la ville de Tonnerre. Et saint Germain, lors de son retour, s'étant arrêté dans cette ville, fit ouvrir le sépulcre, et demanda au mort s'il désirait de nouveau lutter à ses côtés. Mais le mort, se relevant, répondit qu'il était si heureux qu'il préférait ne pas se réveiller. Le saint y consentit ; et son disciple, baissant de nouveau la tête, de nouveau s'endormit dans le Seigneur.

V. Pendant qu'il prêchait en Grande-Bretagne, le roi de ce pays lui refusa l'hospitalité, ainsi qu'à ses compagnons. Mais un porcher, qui se rendait chez lui, ayant vu Germain et ses compagnons épuisés de faim et de froid, les recueillit dans sa maison, et tua pour eux le seul veau qu'il possédait. Or, après le repas, saint Germain fit rassembler tous les ossements du veau sous la peau, et, à sa prière, Dieu rendit la vie à l'animal. Le lendemain, l'évêque vint trouver le roi et lui demanda avec force pourquoi il lui avait refusé l'hospitalité. Le roi, surpris, ne savait que répondre. Et le saint : « Hors d'ici, s'écria-t-il, et laisse la royauté à un plus digne ! » Puis Germain, sur l'ordre de Dieu, fit venir le porcher et sa femme ; et, au grand étonnement de tous, il proclama roi cet homme qui l'avait accueilli. C'est depuis lors que la nation des Bretons est gouvernée par des rois provenant d'une race de porchers.

VI. Comme les Saxons faisaient la guerre aux Bretons et se voyaient en nombre insuffisant, ils invoquèrent l'aide des deux saints, qui, leur ayant prêché l'Evangile, les convertirent bientôt à la foi chrétienne. Le jour de Pâques, dans la ferveur de leur foi, les Saxons jetèrent leurs armes avant d'aller au combat : ce qu'apprenant, leurs adversaires, enhardis, voulurent s'élancer contre l'ennemi désarmé. Mais Germain, se tenant auprès de l'armée qu'il avait convertie, les avertit d'avoir tous à répondre : Alleluia ! lorsque lui-même s'écrierait : Alleluia ! Ainsi fut fait : et ce cri remplit les assaillants d'une telle frayeur que tous s'enfuirent, jetant bas les armes, comme si les montagnes et le ciel lui-même se précipitaient sur eux.

VII. Un jour, passant par Autun, saint Germain se rendit au tombeau de l'évêque, saint Cassien, et demanda à celui-ci comment il se portait. Aussitôt le défunt, du fond de son tombeau, répondit, d'une voix haute et claire que tous purent entendre : « Je jouis d'un doux repos, en attendant la venue du Rédempteur. » Et Germain : « Repose-toi donc dans le Christ, et daigne intercéder pour nous, afin que nous obtenions d'être admis aux joies de la sainte résurrection ! »

VIII. Passant par Ravenne, il fut reçu avec honneur par la reine Placidie et son fils Valentinien, qui, à l'heure du repas, lui envoyèrent un vase d'argent rempli des mets les plus délicats. Mais Germain distribua les mets aux serviteurs et garda le vase d'argent pour ses pauvres. En échange, il envoya à la reine une écuelle de bois contenant un pain d'orge : présent dont la reine se réjouit si fort qu'elle fit recouvrir l'écuelle d'une enveloppe d'argent. Une autre fois, cette reine l'invita à sa table, et l'évêque accepta. Mais, comme il était épuisé par les jeûnes et les prières, il monta sur son âne, pour se rendre au palais. Or, pendant le repas, l'âne mourut. Ce qu'apprenant la reine fit donner à l'évêque un magnifique cheval. Mais Germain : « Mon âne me suffit. M'ayant amené ici, c'est lui encore qui m'emmènera ! » Puis, allant au cadavre de l'âne : « Lève-toi, lui dit-il, et retournons à l'auberge ! » Et aussitôt l'âne, se relevant, se secoua comme si rien de mauvais ne lui était arrivé.

Avant de quitter Ravenne, saint Germain prédit que sa fin approchait. En effet, peu de jours après, il fut pris d'une fièvre qui, au bout d'une semaine, l'emporta. Son corps fut transporté en Gaule, ainsi qu'il l'avait demandé à la reine. Cette mort eut lieu en l'an 430.

IX. Saint Germain avait promis à Eusèbe, évêque de Verceil, d'assister à l'inauguration d'une église qu'il venait de construire. Or Eusèbe, apprenant la mort de saint Germain, n'en fit pas moins allumer des cierges pour la cérémonie : mais les cierges s'éteignaient sitôt allumés. Alors Eusèbe comprit qu'il devait ajourner la dédicace de l'église, et choisir un autre évêque pour y présider. Mais comme le corps de saint Germain passait par Verceil, on le fit entrer dans la susdite église et aussitôt tous les cierges s'allumèrent miraculeusement. Sur quoi Eusèbe se rappela la promesse de saint Germain et comprit que celui-ci, mort, faisait ce que vivant il avait promis. Mais on ne doit point croire qu'il s'agisse là du grand saint Eusèbe de Verceil : celui-ci est mort sous le règne de Valens, cinquante ans avant la mort de saint Germain. C'est donc qu'il y aura eu à Verceil un autre évêque nommé Eusèbe, à qui sera arrivé le miracle que nous venons de raconter.

CVII
SAINT EUSÈBE, ÉVÊQUE ET MARTYR
(1ᵉʳ août)

Eusèbe gardait, depuis l'enfance, une telle chasteté, que, lorsqu'il reçut le baptême des mains du pape Eusèbe, qui lui donna son nom, on vit des mains d'anges le soulever dans la fontaine sacrée. Et comme, un jour, certaine dame noble, séduite par sa beauté, voulait entrer dans son lit, les anges l'empêchèrent d'en approcher : de telle sorte que, le lendemain matin, elle se jeta à ses pieds et lui demanda pardon. Ordonné prêtre, il brilla d'une telle sainteté, que, pendant les messes qu'il célébrait, on voyait des mains d'anges lui soulever les mains.

Plus tard, lorsque toute l'Italie fut ravagée de la peste de l'arianisme, que favorisait l'empereur Constance, le pape Julien consacra Eusèbe évêque de Verceil, ville qui avait alors la primauté parmi toutes les villes italiennes. Ce qu'apprenant, les hérétiques firent fermer toutes les portes de l'église principale de Verceil, consacrée à la sainte Vierge. Mais Eusèbe, étant entré dans la ville, s'agenouilla devant le portail de l'église ; et bientôt, sur ses prières, toutes les portes s'ouvrirent d'elles-mêmes. Il rejeta ensuite de son siège l'évêque de Milan, Maxence, corrompu par l'hérésie, et ordonna à sa place le catholique Denis. Et c'est ainsi qu'il allait, purgeant de la peste arienne toute l'Eglise d'Occident, pendant qu'Athanase en purgeait toute l'Eglise d'Orient. L'auteur de l'arianisme était un prêtre d'Alexandrie nommé Arius. Il affirmait que le Christ était une pure créature, qu'un temps avait existé où il n'était pas, et qu'il avait été créé pour nous. Aussi Constantin le Grand rassembla-t-il à Nicée un concile où l'erreur d'Arius fut condamnée. Quant à Arius lui-même, il mourut, peu de temps après, d'une mort misérable ; tous ses intestins lui sortirent du corps par le derrière. Mais le fils de Constantin, Constance, se laissa corrompre par l'hérésie. Et, furieux contre Eusèbe, il réunit en concile de nombreux évêques, et manda à ce concile Denis, et Eusèbe lui-même, qui, sachant que la majorité du concile était convertie à l'erreur, refusa de venir, alléguant sa vieillesse. Pour rendre cette excuse impossible, l'empereur réunit le concile à Milan, tout près de Verceil. Eusèbe, cependant, ne s'y rendit point. Constance ordonna aux ariens d'exposer leur doctrine ; puis il enjoignit à l'évêque Denis et à vingt-neuf autres évêques de souscrire à cette doctrine. Ce qu'apprenant, Eusèbe quitta Verceil et se mit en route pour Milan, s'attendant à y souffrir tous les supplices.

Il rencontra, en chemin, un fleuve qu'il devait traverser. Sur son ordre, un bateau, qui se trouvait près de la rive opposée, vint de lui-même vers lui et le transporta avec ses compagnons, sans qu'il y eût sur ce bateau personne pour le conduire. Alors Denis vint au-devant de lui, et, tombant à ses pieds, lui demanda son pardon. Arrivé à Milan, Eusèbe ne se laissa fléchir ni par les menaces de l'empereur ni par ses caresses. Et il dit : «Vous prétendez que le fils est inférieur au père : pourquoi donc avez-vous préféré à moi, évêque de Verceil, mon fils et élève Denis ?» Alors on lui fit voir la profession de foi rédigée par les ariens, et que Denis avait signée. Mais lui : «Pour rien au monde je ne mettrai ma signature derrière celle de mon subordonné. Brûlez plutôt ce papier, et écrivez-en un autre, que je puisse signer!» Aussitôt, sur un ordre de Dieu, le papier prit feu, avec les signatures de Denis et des autres vingt-neuf évêques. Alors les ariens écrivirent un nouveau papier, qu'ils voulurent faire signer à Eusèbe et à ces autres évêques. Mais ceux-ci, raffermis dans la foi par Eusèbe, refusèrent de signer, et dirent même tout haut qu'ils étaient ravis de voir brûler le papier qu'ils avaient signé par contrainte. Sur quoi, Constance, furieux, livra Eusèbe aux ariens.

Et ceux-ci, le saisissant au milieu des autres évêques et le rouant de coups, le traînèrent de bas en haut, puis de haut en bas, sur l'escalier du palais. Puis, comme il avait la tête toute sanglante de coups, et s'obstinait à ne pas vouloir signer, ils lui lièrent les mains derrière le dos, et le menèrent par la ville avec une corde au cou. Mais lui, remerciant Dieu, proclamait qu'il était prêt à mourir pour la foi catholique. Alors Constance fit envoyer en exil le pape Libère, Denis, Paulin, et tous les autres évêques qui avaient suivi leur exemple. Quant à Eusèbe lui-même il fut conduit dans une ville de Palestine appelée Lyclopolis. Là il fut enfermé dans un cachot si étroit et si bas qu'il ne pouvait ni étendre les jambes, ni se tourner d'un côté sur l'autre, ni relever la tête, ni remuer autre chose que ses épaules et ses coudes.

Après la mort de Constance, son successeur Julien, voulant plaire à tous, rappela les évêques exilés, fit rouvrir les temples des dieux, et permit à chacun de vivre tranquillement sous telle loi qu'on voudrait. C'est alors qu'Eusèbe, revenant de son exil, alla trouver Athanase et lui exposa tout ce qu'il avait souffert.

A la mort de Julien, sous le règne de Jovinien, Eusèbe revint à Verceil, où le peuple le reçut avec une grande joie. Mais, de nouveau, sous le règne de Valens, le nombre des ariens grandit. Ces hérétiques assiégèrent la maison d'Eusèbe, le traînèrent dehors et le lapidèrent. Ainsi il rendit son âme au Seigneur. Il fut enseveli dans l'église qu'il avait lui-même construite. Et l'on ajoute qu'il obtint, par ses prières, en faveur de Verceil, que nul arien ne pût vivre dans cette ville.

Eusèbe, à en croire la chronique, vécut au moins quatre-vingt-huit ans. Il florissait vers l'an 350.

CVIII
LES SAINTS MACHABÉES
(1er août)

Les Machabées étaient sept frères qui, avec leur vénérable mère et le prêtre Eléazar, refusèrent de manger de la viande de porc, afin d'observer la loi : ce qui leur valut d'endurer des supplices inouïs, ainsi qu'on le trouvera décrit tout au long dans le second livre des *Machabées*. Notons, à ce propos, que l'Eglise d'Orient célèbre des fêtes de saints de l'un et de l'autre Testament, tandis que l'Eglise d'Occident ne fête point les saints de l'Ancien Testament, et cela parce que ces saints descendirent d'abord aux enfers. Elle ne fête que les saints Innocents, dans la personne de chacun desquels c'est le Christ lui-même qui fut tué, et les Machabées. Quant à ceux-ci, elle les fête pour quatre motifs, bien qu'ils soient, eux aussi, descendus aux enfers. C'est, d'abord, à cause de la prérogative du martyre, les Machabées ayant enduré des supplices plus cruels que ceux des autres saints de l'Ancien Testament. En second lieu, à cause de leur caractère symbolique, et du mystère qu'ils représentent. Le chiffre 7 est, en effet, le symbole de l'universalité. Et, en conséquence, les sept Machabées représentent, d'une façon symbolique, tous les saints de l'ancien Testament. En troisième lieu, l'Eglise fête les Machabées à cause de l'exemple de constance et de patience qu'ils ont donné. Enfin, l'Eglise les fête à cause du motif de leur supplice : car c'est pour défendre la loi de Moïse qu'ils ont été martyrisés, de même que les chrétiens doivent être prêts à l'être pour la défense de la loi évangélique. Ces trois dernières raisons de la fête des Machabées se trouvent énoncées dans la *Somme* de maître Jean Beleth.

CIX
SAINT PIERRE AUX LIENS
(1er août)

La fête de Saint-Pierre aux Liens a été instituée pour quatre motifs : 1o en souvenir de la délivrance de saint Pierre ; 2o en souvenir de la délivrance de saint Alexandre ; 3o pour la destruction du rite des gentils ; 4o afin d'obtenir notre délivrance des liens de nos péchés.

1o L'*Histoire scholastique* raconte qu'Hérode Agrippa, étant venu à Rome, se lia d'amitié avec Caïus, neveu de l'empereur Tibère. Or, un jour qu'Hérode était dans un char avec Caïus, il leva les mains au ciel et dit : « Puissé-je voir mourir ton vieil oncle, et te voir devenir le maître du monde ! » Sa parole fut entendue par le cocher du char, qui, aussitôt, la rapporta à Tibère. Et celui-ci, indigné, jeta Hérode en prison. Là, comme le prisonnier s'appuyait un jour contre un arbre sur les branches duquel se tenait un hibou, un de ses compagnons, homme habile en divination, lui dit : « Sois sans crainte, car tu seras vite délivré, et tu t'élèveras si haut, que tes amis en seront jaloux. Mais quand tu verras un oiseau pareil à celui-ci au-dessus de ta tête, cela signifiera que tu n'auras plus que cinq jours à vivre. » Quelque temps après, Tibère mourut. Caïus, devenu empereur, délivra Hérode, et le renvoya en Judée avec le titre de roi. Et Hérode, sitôt rentré à Jérusalem, se mit en quête d'un chrétien qu'il pût tourmenter. La veille du jour des Azymes, il tua de son épée Jacques, le frère de Jean. Puis, voyant que cela était agréable aux Juifs, le jour même des Azymes il fit arrêter Pierre et le fit jeter en prison, avec l'intention de le livrer au peuple après la fête des Pâques. Mais un ange, pénétrant, de nuit, dans la prison du saint, le délivra de ses liens et lui ordonna d'aller reprendre librement sa prédication. Le roi, impatient de se venger, ordonna que les gardiens de la prison, coupables d'avoir laissé échapper Pierre, eussent à subir les peines les plus cruelles. Mais Dieu ne voulut point que la délivrance de Pierre fût pour personne une cause de mal. En effet Hérode, s'étant rendu à Césarée, y fut frappé de la main d'un ange, et mourut.

Voici, à ce sujet, ce que raconte Josèphe, au livre XIX de ses *Antiquités* : « Hérode, étant venu à Césarée, où l'attendait une grande foule, se vêtit d'une robe brillante, toute tissée d'or et d'argent, et se mit en route pour se rendre au théâtre. Et dès que les rayons du soleil touchèrent la robe, leurs reflets doublèrent l'éclat des deux métaux, si bien que la foule, effrayée, crut voir là l'indice d'une nature plus qu'humaine. Hérode se vit donc entouré de gens qui lui criaient : « Jusqu'ici nous t'avons tenu pour un homme ; mais dès maintenant nous te proclamons un dieu ! » Et, pendant qu'Hérode acceptait avec plaisir ces hommages, il vit soudain, au-dessus de sa tête, un hibou ; sur quoi, comprenant que sa mort approchait, il dit au peuple : « Moi, votre dieu, voici que je vais mourir ! » Aussitôt des vers envahirent son corps et se mirent à le ronger. Il mourut cinq jours après. »

C'est donc en souvenir de la miraculeuse délivrance du prince des apôtres que l'Eglise célèbre la fête de saint Pierre aux Liens. Aussi lit-on, dans l'épître de cette fête, la mention de ce miracle.

2o Le second motif de la fête est la commémoration de la délivrance du pape saint Alexandre, le sixième pape qui gouverna l'Eglise après saint Pierre. Ce pontife était tenu prisonnier par le tribun Quirin, ainsi que le préfet de Rome Hermès, qu'il avait converti à la foi. Et Quirin dit à Hermès : « Je m'étonne qu'un homme raisonnable comme toi renonce aux honneurs de la préfecture pour rêver de je ne sais quelle autre vie ! » Et Hermès : « Moi aussi, autrefois, je raillais tout cela, et croyais que notre vie terrestre était l'unique vie. » Et Quirin : « Prouve-moi qu'il y a une autre vie, et aussitôt tu m'auras pour disciple ! » Et Hermès : « Le saint Alexandre, que tu tiens enchaîné, te le prouvera mieux que je ne saurais le faire. » Et Quirin, furieux : « Je te demande de me prouver cela, et tu me renvoies à Alexandre, que je tiens enchaîné à cause de ses crimes ! Je te séparerai de cet Alexandre, et je vous mettrai tous les deux sous double garde ; et, si je le trouve avec toi, ou toi avec lui, je veux bien me convertir et vous écouter ! » Or, pendant qu'Alexandre était en prière, un ange vint vers lui et le conduisit dans la prison d'Hermès, de telle sorte que Quirin, à sa grande surprise, les trouva ensemble. Hermès lui raconta alors comment Alexandre avait ressuscité son fils. Et Quirin dit à Alexandre : « Ma fille Balbine souffre de la goutte. Si tu peux obtenir sa guérison, je te promets de me convertir à ta foi. » Et Alexandre : « Va vite la chercher et amène-la-moi dans ma cellule ! » Et Quirin : « Puisque tu es ici, comment pourrai-je te trouver dans ta cellule ? » Et Alexandre : « Va vite, car celui qui m'a conduit ici va tout de suite me reconduire là-bas ! » Et la fille de Quirin, dès qu'elle entra dans la cellule d'Alexandre, y trouva celui-ci et se prosterna à ses pieds, voulant baiser ses chaînes. Mais Alexandre lui dit : « Ma fille, ce ne sont point mes chaînes que tu dois baiser, mais celles qui ont servi pour saint Pierre. Fais-les rechercher, baise-les pieusement, et tu recouvreras la santé ! » Aussitôt Quirin fit rechercher les chaînes qui avaient servi pour saint Pierre ; et, les ayant retrouvées, il les donna à sa fille. Et celle-ci, dès qu'elle les eut baisées, recouvra la santé. Alors Quirin, plein de repentir, remit en liberté Alexandre et se fit baptiser avec toute sa maison. Saint Alexandre institua une fête en souvenir de ce jour ; et il fit élever, en l'honneur de saint Pierre, une église où il déposa les chaînes du saint, et qui fut nommée Saint-Pierre aux Liens. Au jour de cette fête, une foule innombrable se réunit dans l'église susdite, pour baiser les chaînes de l'apôtre Pierre.

3o Le troisième motif de l'institution de la fête nous est raconté par Bède de la façon suivante. L'empereur Octave et Antoine s'étaient partagés l'empire de telle façon qu'Octave avait eu l'Occident et Antoine l'Orient. Mais Antoine, homme débauché et lubrique, répudia la sœur d'Octave, qu'il avait épousée, et prit pour femme Cléopâtre, reine d'Egypte. Octave, indigné, marcha avec son armée contre Antoine, et le vainquit. Antoine et Cléopâtre durent s'enfuir ; et, désespérés, ils se donnèrent la mort. Alors Octave détruisit le royaume d'Egypte, et fit de l'Egypte une province romaine. Puis il entra à Alexandrie, et la dépouilla de ses richesses au profit de Rome, qu'avaient dévastée les guerres civiles. Aussi put-il dire de Rome : « Je l'ai trouvée de briques, je la laisse de marbre. » Il augmenta à tel point la chose publique romaine que, le premier, il fut appelé « auguste » ; et ce titre se transmit à tous ses successeurs sur le trône impérial. Et c'est en souvenir de lui que le mois qui d'abord s'appelait sextile (étant en effet le sixième depuis Mars) a porté désormais le nom d'Auguste ou d'août. Et jusqu'au règne de Théodose, c'est-à-dire jusque vers l'an 426, les Romains fêtèrent tous les ans, l'anniversaire de la victoire d'Octave, qui avait eu lieu le 1er août.

Or, la fille de Théodose, Eudoxie, femme de Valentinien, s'étant rendue à Jérusalem par suite d'un vœu, acheta chez un Juif, pour une somme énorme, les deux chaînes qui avaient servi, sous le règne d'Hérode, à enchaîner saint Pierre. De retour à Rome le 1er août, elle fut désolée de voir que les Romains continuaient à fêter le souvenir d'un empereur païen. Mais comme, d'autre part, elle savait que c'était là une coutume trop ancienne pour pouvoir être aisément supprimée, elle eut l'idée de maintenir la fête, mais en la consacrant au souvenir de saint Pierre. Elle s'entendit donc avec le saint pape Pelage, qui, par d'éloquentes exhortations, décida le peuple à remplacer le souvenir de l'empereur païen par celui du prince des apôtres. Et Eudoxie, pour consacrer cette heureuse décision, donna au peuple les chaînes qu'elle avait rapportées de Jérusalem. On mit ces chaînes auprès de celles qui avaient enchaîné saint Pierre à Rome, sous Néron. Et les deux paires de chaînes se soudèrent aussitôt ensemble, pour ne plus constituer qu'une seule chaîne.

Et combien cette chaîne miraculeuse a de pouvoir, c'est ce que l'on vit en l'an 969. Cette année-là, un comte de la cour de l'empereur Othon fut si cruellement envahi du démon qu'il se déchirait de ses propres dents. Alors, sur l'ordre de l'empereur, le possédé fut conduit vers le pape Jean, qui lui mit au cou la chaîne de saint Pierre. Et le diable, ne pouvant supporter un poids aussi pesant, s'enfuit aussitôt en présence de tous. Ce que voyant, Théodoric, évêque de Metz, s'empara de la chaîne et dit qu'il ne la lâcherait plus, à moins qu'on ne lui coupât les mains. Sur quoi une grande querelle s'éleva entre le pape et l'évêque, jusqu'à ce qu'enfin l'empereur, pour la faire cesser, eût obtenu du pape qu'un chaînon de la chaîne serait donné à l'évêque.

La *Chronique* de Milet et l'*Histoire tripartite* racontent que le diable, dépité de ce qu'un Juif eût vendu à l'impératrice Eudoxie les chaînes de saint Pierre, se vengea sur ses compatriotes : il leur apparut sous la forme de Moïse, leur promit de les faire marcher à pieds secs sur la mer, et en noya un grand nombre.

4o Enfin le quatrième objet de la fête de Saint-Pierre aux Liens est, par l'image de la délivrance du saint, de nous rappeler que, nous aussi, nous avons à être délivrés des liens du péché. Et le récit d'un miracle, que nous lisons dans le livre des *Miracles de la sainte Vierge*, suffit à prouver que les clefs remises par Jésus à saint Pierre lui permettent de délivrer des chaînes du péché ceux-mêmes qui sont condamnés à la perdition. Il y avait à Cologne, au couvent de Saint-Pierre, un moine léger, vicieux et paillard. Ce moine étant mort subitement, les démons l'accusaient, rappelant tous les péchés qu'il avait commis. Et les bonnes œuvres qu'il avait accomplies, de leur côté, l'excusaient, rappelant son obéissance à ses chefs et son zèle pour le chant des psaumes. Or, saint Pierre, de qui ce moine et son couvent dépendaient, s'approcha de Dieu pour demander sa grâce. La sainte Vierge joignit ses instances aux siennes ; et ils obtinrent du Seigneur que le moine fût autorisé à revenir sur terre pour faire pénitence. Alors saint Pierre mit en fuite les démons en leur montrant les clefs qu'il tenait en main. Puis il rendit la vie au moine après lui avoir imposé, comme pénitence, de réciter tous les jours le psaume *Miserere mei, Domine*. C'est le moine lui-même qui, après sa résurrection, raconta à ses frères tout ce qu'on vient de lire.

CX
SAINT ÉTIENNE, PAPE ET MARTYR
(2 août)

Le pape Etienne avait converti de nombreux païens, par la parole et par l'exemple, et avait enterré les corps de nombreux martyrs, lorsque en l'an 260, les empereurs Valérien et Gallien le firent rechercher ainsi que son clergé, pour les forcer à sacrifier aux idoles. Et les empereurs, par un édit, déclaraient que ceux qui les livreraient deviendraient maîtres de tous leurs biens. Aussi dix membres du clergé ne tardèrent-ils pas à être dénoncés, arrêtés, et, sur leur refus de sacrifier, décapités sans jugement. Le lendemain, le pape Etienne fut arrêté à son tour, et conduit au temple de Mars, pour y adorer les idoles. Mais il pria Dieu de détruire ce temple ; et aussitôt la plus grande partie du temple s'écroula, et la foule s'enfuit, épouvantée, de telle sorte qu'Etienne put se rendre librement au cimetière de sainte Lucie. Ce qu'apprenant, Valérien envoya à sa poursuite des soldats, qui le trouvèrent célébrant sa messe. Quand il eut achevé, il s'assit courageusement sur son siège pour recevoir le coup mortel. Et les soldats lui tranchèrent la tête.

CXI
L'INVENTION DE SAINT ÉTIENNE, PREMIER MARTYR
(3 août)

L'invention ou découverte du corps de saint Etienne, eut lieu en l'an 417, la septième année du règne d'Honorius. Un prêtre, nommé Lucien, faisait la sieste dans son lit, sur le territoire de Jérusalem, lorsque lui apparut un vieillard de haute taille et de noble visage, avec une barbe touffue, chaussé de brodequins dorés, et vêtu d'un manteau blanc où étaient tissés de l'or, des pierres précieuses et des croix. Et ce vieillard, d'un bâton d'or, qu'il tenait en main, toucha le prêtre et lui dit : « Hâte-toi d'ouvrir nos tombeaux, car il n'est point convenable que nous reposions plus longtemps dans un lieu méprisé ! Va donc, et dis à Jean, évêque de Jérusalem, qu'il transporte nos restes dans un lieu honorable ! » Et Lucien dit : « Seigneur, qui es-tu ? » Et le vieillard : « Je suis Gamaliel, qui ai nourri l'apôtre Paul et lui ai enseigné la Loi. Mais près de moi, dans mon tombeau, repose saint Etienne, qui, après avoir été lapidé par les Juifs, fut jeté hors de la ville pour être dévoré par les bêtes et les oiseaux de proie. Or, le maître pour qui il avait souffert le martyre, n'a point permis que cela arrivât ; de sorte, que j'ai pu recueillir pieusement ses restes et les ensevelir dans mon propre caveau. Et il y a aussi, dans mon tombeau, Nicodème, mon neveu, celui qui vint trouver Jésus la nuit, et qui fut baptisé par Pierre et par Jean. Les princes des prêtres en furent si irrités que, sans la peur qu'ils avaient de nous, ils l'auraient tué. Du moins, ils le dépouillèrent de tous ses biens comme de ses dignités, et, l'ayant battu de verges, le laissèrent à demi mort. Je le recueillis dans ma maison, où il survécut encore quelques jours ; et puis, quand il mourut, je le fis ensevelir aux pieds de saint Etienne. Enfin, il y a aussi, dans mon tombeau, mon fils Abibas, qui, à l'âge de vingt ans, fut baptisé en même temps que moi, et, restant chaste toute sa vie, apprit la Loi de la bouche de Paul, mon élève. Quant à mon autre fils Sélémie et à ma femme Œthée, qui ne voulurent point recevoir la foi du Christ, ils n'ont pas été jugés dignes d'être ensevelis avec nous. Tu trouveras leurs corps ailleurs, leurs sépulcres sont vides. » Cela dit, saint Gamaliel disparut. Et Lucien, s'éveillant, pria Dieu que, si sa vision était vraie, elle lui apparût encore une seconde fois, et une troisième.

La semaine suivante, Gamaliel lui apparut de nouveau, et lui demanda pourquoi il avait négligé de faire ce qu'il lui avait ordonné. Et Lucien : « Je ne l'ai pas négligé ; mais j'ai prié le Seigneur que, si ma vision venait bien de lui, il me la fît apparaître deux autres fois encore. » Et Gamaliel : « Je vais t'apprendre, par des symboles, de quelle façon tu pourras distinguer les reliques de chacun de nous ! » Après quoi il lui montra trois vases d'or et un vase d'argent. L'un des vases d'or était plein de roses rouges, les deux autres de roses blanches ; le vase d'argent était plein de safran. Et Gamaliel dit : « Ces vases sont nos cercueils. Le vase plein de roses rouges est le cercueil de saint Etienne, qui, seul de nous, a mérité la couronne du martyre. Les deux vases pleins de roses blanches sont mon cercueil et celui de Nicodème, parce que nous avons persévéré, d'un cœur sincère, dans la foi du Christ. Enfin, le vase d'argent, plein de safran, est le cercueil de mon fils Abibas, qui brillait d'une blancheur virginale, et mourut en état de pureté. » Cela dit, il disparut de nouveau. La semaine suivante, il apparut une troisième fois au prêtre, à qui il reprocha ses retards et sa négligence. Aussitôt Lucien courut à Jérusalem, et raconta tout à l'évêque Jean. L'évêque, avec tout son clergé, se rendit dans le jardin du prêtre ; et à peine eut-on commencé à fouiller le sol qu'une odeur délicieuse en sortit, au contact de laquelle soixante-dix personnes furent guéries de diverses maladies. Les cercueils des saints furent transportés dans l'église de Jérusalem où saint Etienne avait jadis rempli les fonctions d'archidiacre.

Cette invention de saint Etienne eut lieu le jour où l'Eglise célèbre aujourd'hui la passion du saint. Mais on en a transporté la fête à un autre jour, afin que, le jour où l'on a coutume de fêter le saint, l'hommage des fidèles s'adressât plutôt à son martyre qu'à la découverte de ses reliques.

Quant à la translation de celles-ci, voici comment nous la raconte saint Augustin. Un sénateur de Constantinople, nommé Alexandre, se rendit à Jérusalem avec sa femme, et fit construire, en l'honneur de saint Etienne, une belle église, où il ordonna qu'on l'ensevelît lui-même après sa mort. Mais, sept ans après sa mort, sa veuve Julienne, rentrant dans sa patrie, voulut emporter avec elle le corps de son mari. Alors l'évêque, qu'elle suppliait de l'y autoriser, lui montra deux cercueils d'argent et lui dit : « Je ne sais pas lequel de ces deux cercueils est celui de ton mari ! » Et elle : « Moi, je le sais bien ! » Sur quoi, elle s'élança, et couvrit de baisers le corps de saint Etienne. Et ainsi, croyant reprendre le corps de son mari, elle prit, par hasard, celui du premier martyr. Et comme elle le conduisait par mer à Constantinople, on entendit le chant des anges, une odeur merveilleuse se répandit à bord du bateau, et les démons, furieux, suscitèrent une affreuse tempête. Mais, comme les matelots tremblaient d'épouvante, saint Etienne leur apparut en personne, et leur dit : « C'est moi qui suis avec vous, ne craignez rien ! » Et aussitôt le calme succéda à la tempête. Le bateau parvint alors sans encombre jusqu'à Constantinople, où le corps de saint Etienne fut pieusement déposé dans une église.

Enfin, nous allons raconter de quelle manière fut faite la conjonction du corps de saint Etienne avec celui de saint Laurent. Eudoxie, fille de Théodose, qui se trouvait à Rome, était possédée d'un démon qui la persécutait cruellement. Alors son père, qui demeurait à Constantinople, lui enjoignit de venir près de lui, afin qu'elle pût toucher les reliques de saint Etienne. Mais le démon qui était en elle se mit à crier : « Si Etienne ne vient pas à Rome, je ne sortirai pas d'où je suis ! » Ce qu'apprenant, Théodose obtint du clergé et du peuple de Constantinople, que les reliques de saint Etienne fussent échangées contre celles de saint Laurent, qui, jusqu'alors, étaient gardées à Rome. L'empereur écrivit donc au pape Pélage pour lui demander cet échange ; et le pape réunit un concile de cardinaux, qui y consentit. Des cardinaux furent alors envoyés à Constantinople pour y prendre le corps de saint Etienne, et des Grecs furent envoyés à Rome pour en ramener les reliques de saint Laurent.

Le corps de saint Etienne ayant été d'abord débarqué à Capoue, les habitants de Capoue obtinrent de pouvoir en garder le bras droit ; et une église métropolitaine fut fondée pour recevoir la précieuse relique. Puis le corps du martyr fut transporté à Rome, où on voulait le déposer dans l'église de Saint-Pierre aux Liens. Mais quand le cortège passa devant l'église où était le corps de saint Laurent, les porteurs durent s'arrêter, retenus par une force mystérieuse qui les empêchait d'avancer. Et le démon, dans la princesse, criait : « Vous perdez vos peines, car Etienne a choisi sa demeure auprès de son frère Laurent ! » C'est donc auprès de saint Laurent que le corps fut déposé ; et à peine Eudoxie l'eut-elle touché que le démon qui la tourmentait l'abandonna. Cependant, saint Laurent, comme s'il se réjouissait de l'arrivée de son frère saint Etienne, se retira dans le fond de son tombeau, laissant dans le milieu une grande place vide pour son compagnon. Et, au moment où les Grecs voulurent mettre la main sur le corps de saint Laurent pour l'emporter, ils furent soudain précipités à terre, et, malgré les prières du pape Pélage, ils moururent quelques jours après. Puis on entendit, dans les cieux, une voix qui disait : « Heureuse es-tu, Rome, de pouvoir contenir dans un même tombeau les corps glorieux de Laurent et d'Etienne ! » C'est ainsi que fut opérée cette conjonction, l'an du Seigneur 425.

Dans le livre XXII de la *Cité de Dieu*, saint Augustin raconte l'histoire de six morts ressuscités par l'intermédiaire de saint Etienne : 1º l'un de ces morts entrait déjà en décomposition, lorsque, le nom de saint Etienne ayant été invoqué sur lui, aussitôt il revint à la vie ; 2º un enfant, écrasé par une charrette, ressuscita et recouvra la santé lorsque sa mère l'eut porté à l'église de saint Etienne ; 3º une religieuse, qu'on avait portée dans l'église de saint Etienne, et qui y était morte après avoir été administrée, se releva guérie au vu et à l'étonnement de tous ; 4º une jeune fille d'Hippone étant morte, son père porta sa tunique à l'église de saint Etienne ; et, quand il l'étendit ensuite sur le corps de sa fille, celle-ci ressuscita aussitôt ; 5º un jeune homme retrouva la vie lorsqu'on eut frotté son corps avec l'huile de saint Etienne ; 6º un enfant, transporté mort dans l'église de saint Etienne, revint à la vie dès qu'on eut invoqué le nom du saint.

CXII
SAINT DOMINIQUE, CONFESSEUR
(4 août)

I. Dominique, père et fondateur de l'ordre des Frères Prêcheurs, naquit en Espagne, dans un village appelé Callahorra, du diocèse d'Osma. Son père s'appelait Félix, et sa mère Jeanne. Sa mère, avant qu'il fût né, rêva qu'elle portait dans son sein un petit chien, qui tenait dans sa bouche une torche allumée ; et le petit chien, sorti de son sein, embrasait de sa torche le monde entier. Plus tard, la marraine du petit Dominique crut voir, sur le front de l'enfant, une étoile qui éclairait le monde entier. Et, pendant qu'il était encore confié aux soins de sa nourrice, plusieurs fois on le vit, la nuit, se lever de son berceau pour aller s'étendre sur la terre nue. Envoyé à Valence pour faire ses études, il travaillait avec tant de zèle que, pendant dix ans, il ne prit pas une goutte de vin. Et comme la famine régnait à Valence, il vendit ses livres et tout son mobilier pour en distribuer le prix aux pauvres.

Bientôt sa renommée s'étendit à tel point que l'évêque d'Osma le nomma chanoine de son église ; et, peu de temps après, les autres chanoines l'élurent pour leur sous-prieur. Et lui, nuit et jour, il étudiait et priait, demandant à Dieu la grâce de pouvoir se dévouer tout entier au salut de son prochain.

S'étant rendu avec son évêque à Toulouse, il ramena à la foi du Christ son hôte, qui était hérétique, et l'offrit au Seigneur comme la prémice de sa moisson future. On lit aussi, dans la *Chronique du comte de Montfort*, que, un jour, après avoir prêché contre les hérétiques, il rédigea par écrit les arguments dont il s'était servi, et remit le papier à l'un de ses adversaires, afin que celui-ci pût réfléchir sur ses objections. Or l'hérétique fit voir ce papier à ses compagnons assemblés. Ceux-ci lui dirent de jeter le papier au feu et que, s'il brûlait, c'était la preuve de la vérité de leurs doctrines, et que si, au contraire, il ne brûlait pas, cela prouverait la vérité de la foi romaine. Trois fois de suite le papier fut jeté au feu ; trois fois de suite il en rejaillit sans éprouver le moindre dommage. Mais les hérétiques, persévérant dans leur erreur, se jurèrent de ne parler à personne de ce miracle. Seul un soldat qui se trouvait là, et qui adhérait un peu à la foi catholique, raconta plus tard le miracle dont il avait été témoin. Ce miracle arriva auprès du Mont de la Victoire.

A la mort de l'évêque d'Osma, Dominique se trouva presque seul à lutter contre les hérétiques. Ceux-ci, l'accablant de railleries, lui lançaient de la boue, des crachats et autres ordures, ou bien encore, par dérision, lui attachaient de la paille dans le dos. Ils le menaçaient également de mort, mais lui, sans rien craindre, répondait : « Je ne suis pas digne de la gloire du martyre, et n'ai pas encore mérité le bienfait de la mort ! » Une autre fois, s'étant rendu en un lieu où on lui tendait des pièges, il s'avançait en chantant et le sourire aux lèvres. Etonnés, les hérétiques lui dirent : « L'idée de la mort ne te trouble-t-elle pas ? Et qu'aurais-tu fait, si nous avions mis la main sur toi ? » Et lui : « Je vous aurais priés de ne pas me faire mourir tout de suite, mais peu à peu, en me mutilant membre par membre. »

Il apprit un jour qu'un homme, contraint par la misère, s'était affilié aux hérétiques. Aussitôt le saint résolut de se vendre lui-même, de façon que l'hérétique pût, grâce à l'argent qui résulterait de cette vente, se délivrer de son erreur et se convertir à la vraie religion. Et il se serait en effet vendu, si Dieu n'avait pourvu d'une autre façon aux besoins de l'homme qu'il voulait sauver. Une autre fois, comme une femme se lamentait devant lui de ne pouvoir délivrer son frère, retenu en captivité par les Sarrasins, Dominique, touché de pitié, offrit de se vendre lui-même pour racheter le captif. Mais Dieu, fort heureusement, ne lui permit point de le faire, ayant besoin de lui pour le rachat spirituel de bien d'autres captifs.

Peu à peu il se mit à projeter la création d'un ordre ayant pour mission de parcourir le monde en prêchant, et de fortifier la foi contre les hérétiques. Etant donc resté pendant dix ans dans la région de Toulouse, depuis la mort de l'évêque d'Osma jusqu'à la réunion du Concile de Latran, il se mit en route pour Rome en compagnie de Foulques, évêque de Toulouse. A Rome, il demanda au pape Innocent l'autorisation de fonder un grand ordre, qui porterait le nom d'ordre des Frères Prêcheurs. Et comme le pape hésitait à lui accorder cette autorisation, il vit en rêve que l'église de Latran allait s'écrouler ; et voici qu'il vit arriver Dominique, qui, avec ses seules épaules, soutenait l'église qui allait s'écrouler. A son réveil, le pape, comprenant le sens de son rêve, accueillit volontiers la demande du saint, ajoutant que, s'il voulait choisir, pour son ordre, une des règles déjà approuvées par l'église, l'ordre serait aussitôt approuvé. Revenu auprès de ses frères, qui étaient au nombre de seize, il lui fit part des paroles du pape. Sur quoi les Frères, à l'unanimité, choisirent la règle de saint Augustin, y ajoutant seulement certaines pratiques encore plus rigoureuses, qu'ils résolurent de garder à jamais. Et, après la mort d'Innocent, sous le pontificat d'Honorius, en l'an du Seigneur 1216, l'ordre fondé par Dominique fut décidément autorisé.

Et l'on raconte que, un jour que Dominique, à Rome, priait dans l'église de Saint-Pierre pour demander cette autorisation, les deux princes des apôtres, Pierre et Paul, lui apparurent ; saint Pierre lui tendit un bâton, saint Paul, un livre, et tous deux lui dirent : « Va et prêche, car tu as été élu de Dieu pour cette mission ! » Et il crut voir ses fils, deux par deux, se répandant à travers le monde. Aussi, dès qu'il fut revenu à Toulouse, dispersa-t-il ses Frères, envoyant les uns en Espagne, d'autres à Paris, d'autres à Bologne, tandis que lui-même s'en retournait à Rome.

Un moine, ayant été ravi en extase, vit la Vierge qui, agenouillée et les mains jointes, implorait son Fils en faveur des hommes. Et le Fils, voyant son insistance, lui dit : « Ma mère, que puis-je ou dois-je encore faire pour eux ? Je leur ai envoyé mes patriarches et mes prophètes, et ils ne se sont pas corrigés. Je suis venu moi-même vers eux, je leur ai envoyé mes apôtres : ils nous ont mis à mort. Je leur ai envoyé mes martyrs, mes docteurs et mes confesseurs : ils ne les ont pas écoutés. Cependant, comme je ne veux rien te refuser, je leur donnerai encore mes Frères Prêcheurs, pour qu'ils puissent les éclairer et les purifier. Mais si les hommes rejettent encore ceux-là, je serai forcé de sévir contre eux ! » Un autre moine eut une vision analogue, le jour où douze abbés de Cîteaux arrivèrent à Toulouse pour combattre les hérétiques. Cette fois, la Vierge dit au Fils : « Mon cher enfant, ce n'est point contre leurs méchancetés, mais d'après ta propre compassion que tu dois agir. » Et le Fils, vaincu par ses prières, lui dit : « A ta demande, je vais encore leur envoyer mes Frères Prêcheurs pour les instruire et les avertir ; mais s'ils continuent à ne pas se corriger, je n'aurais désormais plus de pitié pour eux ! »

Un Frère Mineur, qui avait été longtemps le compagnon de saint François, raconta à plusieurs Frères de l'ordre des Prêcheurs que, pendant que Dominique était à Rome pour la confirmation de son ordre, il vit, une nuit, le Christ debout dans les airs et tenant en main trois lances, qu'il brandissait contre le monde. Et sa Mère, accourant au-devant de lui, lui demanda ce qu'il allait faire. Et Lui : « Le monde est tout rempli de trois vices : l'orgueil, l'avarice, et la concupiscence ; aussi ai-je résolu de le détruire avec ces trois lances ! » Alors la Vierge, se jetant à ses genoux, lui dit : « Fils bien-aimé, aie pitié et tempère ta justice de miséricorde ! » Et le Christ : « Ne vois-tu pas les injures qui me sont faites ? » Et la Vierge : « Mon fils, retiens ta fureur et attends un peu ; car je connais un fidèle serviteur et vaillant lutteur qui, parcourant le monde, le soumettra à ta domination. Et je lui donnerai pour assistant un autre serviteur, qui rivalisera avec lui de zèle et de courage. » Et Jésus : « Ta vue m'a apaisé, mais je serais curieux de voir les deux hommes à qui tu promets de si hautes destinées ! » Alors elle présenta au Christ saint Dominique. Et le Christ : « Oui, voilà un bon et vaillant lutteur ! » Puis elle lui présenta saint François, dont il fit le même éloge. Or, saint Dominique, qui, jamais encore n'avait vu son glorieux rival, le reconnut dans l'église, le lendemain, à la suite de ce rêve où il l'avait vu. Il courut à lui, l'embrassa pieusement, et lui dit : « Tu es mon compagnon, nos routes iront de pair. Unissons-nous, et aucun adversaire ne prévaudra contre nous ! » Puis il lui raconta la vision qu'il avait eue ; et depuis lors, ils n'eurent plus qu'un seul cœur et qu'une seule âme en Dieu, et ils recommandèrent à leurs successeurs de garder fidèlement cette amitié réciproque.

Un novice, de la Pouille, que saint Dominique avait reçu dans son ordre, fut tellement perverti par ses anciens compagnons qu'il voulait absolument jeter son froc pour retourner dans le monde. Alors saint Dominique, après avoir longtemps prié, revêtit le novice de ses vêtements de laïc ; mais aussitôt celui-ci se mit à crier : « Je brûle, je me consume, ôtez-moi au plus vite cette maudite chemise qui va me réduire en cendres ! » Et il n'eut point de repos que son froc ne lui fût rendu et qu'il ne se fût réinstallé dans sa cellule.

Pendant que saint Dominique était à Bologne, un des Frères, la nuit, fut tourmenté par le diable. Ce qu'apprenant, le Frère Régnier, de Lausanne, fit part de la chose à saint Dominique, qui ordonna de transporter le possédé dans l'église, devant l'autel. Et lorsque dix Frères furent péniblement parvenus à le transporter, le saint dit : « Je te somme, misérable, de me dire pourquoi tu tourmentes une créature de Dieu ! » Et le diable répondit : « Je tourmente ce moine, parce qu'il l'a mérité. Hier, en effet, il a bu, en ville, sans la permission de son prieur, et sans avoir fait le signe de la croix. Alors je suis entré en lui, sous la forme d'un moustique, en me mêlant au vin qu'il buvait. » Sur ces entrefaites, la cloche du monastère sonna pour les matines. Et aussitôt le diable dit : « Je ne puis demeurer ici plus longtemps, car voilà que les capucins se lèvent ! » Et il s'enfuit.

Un jour que saint Dominique traversait un fleuve, aux environs de Toulouse, ses livres tombèrent à l'eau. Or trois jours après, un pêcheur, ayant jeté sa ligne en ce lieu, crut bien avoir pris un lourd poisson ; et il retira de l'eau les livres du saint, aussi intacts que s'ils avaient été soigneusement gardés dans une armoire.

Une nuit, étant arrivé à la porte d'un monastère pendant que les moines dormaient, Dominique se fit scrupule de les réveiller. Il se mit en prière, et soudain, se vit transporté à l'intérieur du monastère, avec son compagnon, sans que les portes eussent été ouvertes.

Un étudiant débauché vint, certain jour de fête, dans l'église des Frères, à Bologne, pour entendre la messe. Or c'était saint Dominique lui-même qui officiait ce jour-là. Au moment de l'offertoire, l'étudiant s'approcha et baisa pieusement la main du saint, dont il sentit s'exhaler un parfum délicieux. Et aussitôt la fièvre du plaisir se refroidit en lui, miraculeusement, au point qu'il devint désormais chaste et continent.

Un prêtre, témoin du zèle qu'apportaient à leur prédication saint Dominique et ses Frères, résolut d'entrer dans leur ordre, si seulement il pouvait se procurer un Nouveau Testament, dont il avait besoin pour prêcher. Or, au même instant, un jeune homme vint le trouver, et lui offrit de lui vendre un

Nouveau Testament, que le prêtre s'empressa d'acheter. Mais comme, après cela, il hésitait encore, il fit un signe de croix sur le livre et l'ouvrit ensuite au hasard ; et ses yeux tombèrent sur un passage des *Actes*, où il lut : « Lève-toi, descends et va avec eux sans hésitation, car c'est moi qui les ai envoyés ! » Et aussitôt, se levant, il rejoignit les Frères.

Un maître de théologie de Toulouse, homme de grande science et de grand renom, préparait un jour sa leçon lorsque, vaincu par le sommeil, il s'endormit sur son siège. Et il vit en rêve qu'on lui présentait sept étoiles. Et soudain ces étoiles commencèrent à grandir en nombre et en éclat, de telle sorte que, bientôt, elles illuminèrent le monde. Se réveillant, il fut très étonné de ce rêve. Et, au moment où il entrait dans la salle de ses leçons, saint Dominique et six de ses frères vinrent respectueusement l'écouter : et aussitôt il comprit qu'ils étaient les sept étoiles qu'il avait vues dans son rêve.

Pendant que Dominique était à Rome, un savant homme, nommé Reginald, doyen de Saint-Aignan d'Orléans, et qui avait enseigné le droit canon à Paris, se mit en route pour Rome, par voie de mer, en compagnie de l'évêque d'Orléans. Cet homme avait depuis longtemps le désir de se consacrer tout entier à la prédication, mais ne savait pas encore sous quelle forme il devait le faire. Un cardinal, qui éprouvait le même désir, lui apprit l'institution des Frères Prêcheurs. On fit venir saint Dominique, qui leur expliqua son projet. Sur quoi le théologien résolut d'entrer dans son ordre. Mais, au même moment, il fut pris d'une grande fièvre qui faillit l'emporter. Alors saint Dominique se mit à invoquer la Vierge, qu'il avait choisie, expressément, pour patronne de son ordre. Il lui demanda de vouloir bien lui concéder Reginald, au moins pour quelque temps. Et voici que, soudain, le malade qui, déjà, attendait la mort, vit venir à lui la Reine de Miséricorde, accompagnée de deux jeunes filles merveilleusement belles ; et elle lui dit : « Demande-moi ce que tu voudras et je te l'accorderai ! » Et, pendant qu'il songeait à ce qu'il pouvait lui demander, une des deux jeunes filles lui conseilla de ne rien demander, mais plutôt de s'en remettre tout à fait à la Reine de Miséricorde : ce qu'il fit. Alors la Vierge, étendant la main, oignit ses oreilles, ses narines, ses mains, et ses pieds, avec un onguent qu'elle avait apporté, puis elle dit : « Après-demain je t'enverrai une ampoule qui achèvera de te rendre la santé ! » Puis elle lui montra un habit de moine, en lui disant : « Voici l'habit de ton ordre ! » Et lorsque saint Dominique, qui avait eu la même vision, vint chez Reginald, le jour suivant, il le trouva en pleine convalescence. Et, le jour d'après, la Mère de Dieu revint auprès de Reginald, et lui oignit de nouveau le corps, de telle façon que non seulement sa fièvre disparut à jamais, mais que toute ardeur de concupiscence l'abandonna. Lui-même a avoué que, pas une seule fois depuis lors, il n'a ressenti même le premier mouvement d'un désir charnel. Et cette seconde vision eut pour témoin, avec Reginald et saint Dominique, un religieux de l'ordre des Hospitaliers, qui en fut grandement surpris. Aussi Dominique s'empressa-t-il de la raconter à ses frères, en même temps qu'il leur faisait revêtir l'habit que la Vierge avait montré à Reginald, et qui était un peu différent de celui que les frères portaient jusqu'alors. Quant à Reginald, il se rendit à Bologne pour y prêcher, et contribua beaucoup à accroître le nombre des frères ; après quoi il se rendit à Paris et y mourut presque dès son arrivée.

Un jeune homme, neveu du cardinal de Fossa-Nova, tomba de cheval dans un fossé où il se tua ; mais saint Dominique, ayant prié sur lui, le ressuscita. Il ressuscita également un architecte qui, conduit par des frères dans la crypte de Saint-Sixte, avait été écrasé par la chute d'un mur. Dans le même couvent, comme les frères, au nombre de quarante, y étaient assemblés, ils virent qu'ils n'avaient à manger qu'un tout petit pain. Saint Dominique leur ordonna de couper ce pain en quarante parties. Et comme chacun des frères prenait avec joie sa bouchée, deux jeunes gens, exactement pareils, entrèrent dans le réfectoire portant des pains dans les plis de leurs manteaux. Ils déposèrent les pains à la tête de la table sans rien dire, et puis disparurent, de telle façon que personne ne sut ni d'où ils étaient venus, ni comment ils étaient partis. Alors saint Dominique, étendant les mains vers ses Frères : « Eh bien, mes chers Frères, voilà que vous avez de quoi manger ! »

Un jour qu'il était en voyage et que la pluie tombait à verse, il fit le signe de la croix ; et aussitôt la pluie l'épargna, lui et son compagnon, de telle sorte que, pendant que le sol ruisselait d'eau, pas une goutte ne se voyait dans un espace de trois coudées tout à l'entour d'eux. Une autre fois, près de Toulouse, comme il passait un fleuve en bateau, le batelier exigea de lui un denier pour prix de la traversée. En vain le saint lui promettait le royaume des cieux, ajoutant que, disciple du Christ, il n'avait jamais ni or, ni argent. L'homme, le tirant par sa chape, lui disait : « Je veux un denier ou ta chape ! » Alors le saint leva les yeux au ciel et pria ; puis baissant les yeux à terre, il aperçut un denier, sans doute tombé du ciel. Et il dit au batelier : « Tiens, frère, prends ce que tu demandes et laisse-moi aller en paix ! »

Une autre fois, le saint rencontra en route un religieux qui lui était proche par la sainteté, mais absolument étranger par la langue. Et il regrettait fort de ne pouvoir pas se réchauffer l'âme en s'entretenant avec lui des choses divines. Mais Dieu permit que, pendant trois jours, jusqu'à leur arrivée dans l'endroit où ils allaient, ils comprissent et parlassent la langue l'un de l'autre.

Une autre fois, voulant délivrer un possédé, il lui mit autour du cou sa propre étole, et ordonna aux démons de ne plus le tourmenter. Et les démons : « Permets-nous de sortir sans nous torturer comme tu fais ! » Mais lui : « Je ne vous laisserai sortir que si vous me donnez des garants pour me certifier que jamais plus vous ne reviendrez. » Et eux : « Quels garants pourrions-nous t'offrir ? » Et lui : « Les saints martyrs dont les chefs reposent dans cette église ! » Et eux : « C'est impossible, car ils sont nos ennemis ! » Et lui : « Si vous ne le faites pas, je ne cesserai pas de vous torturer. » Alors ils promirent de faire tout le possible ; et, après un instant, ils reprirent : « Hé bien, les saints martyrs nous ont accordé la faveur de se porter garants pour nous ! » Et comme Dominique leur demandait un signe qui le lui prouvât, ils répondirent : « Allez à la châsse où sont les têtes des martyrs, et vous la trouverez retournée en sens inverse ! » On y alla, et l'on vit que les démons avaient dit vrai.

Un jour, comme il prêchait, des femmes hérétiques se jetèrent à ses pieds, en disant : « Serviteur de Dieu, prête-nous ton aide ! car si ce que tu as prêché aujourd'hui est vrai, longtemps l'esprit d'erreur nous a aveuglées. » Et lui : « Ayez la constance d'attendre un moment, et vous verrez à quel dieu vous avez adhéré ! » Et elles virent s'élancer parmi elles un chat terrible, grand comme un chien, avec de gros yeux pleins de flammes, une langue énorme et sanguinolente descendant jusque sur son nombril, et une queue très courte, laissant à nu son derrière, dont sortait une puanteur intolérable. L'animal tourna plusieurs fois autour des femmes, et disparut enfin dans le clocher, grimpant le long de la corde d'une cloche. Et les femmes, ayant vu ce prodige, se convertirent à la foi catholique.

Etant à Toulouse, Dominique vit un jour conduire au bûcher des hérétiques qu'il avait convaincus d'erreur. Et comme il reconnaissait parmi eux un homme appelé Raymond, il dit aux exécuteurs : « Sauvez celui-ci, de façon qu'il ne soit pas brûlé avec les autres ! » Puis, se tournant vers Raymond, il lui dit doucement : « Je sais, mon fils, qu'un jour tu deviendras un homme de bien et un saint ! » Et, en effet, l'hérétique, après avoir encore persisté dans son hérésie pendant vingt ans, se convertit et entra dans l'ordre des Prêcheurs, où il mena la vie la plus exemplaire.

Comme il était un jour au couvent de saint Sixte, à Rome, il eut une illumination divine après laquelle, convoquant le chapitre des frères, il leur annonça que quatre d'entre eux mourraient bientôt, deux quant au corps, et deux quant à l'âme. Et en effet, peu de temps après, deux des frères rendirent leur âme à Dieu et deux autres se défroquèrent.

Il y avait à Bologne un savant maître, nommé Conrad le Teuton, dont les frères souhaitaient vivement qu'il entrât dans leur ordre. Or, un soir que saint Dominique s'entretenait familièrement avec le prieur du monastère Cistercien de Casa Mariæ, il lui dit, entre autres choses : « Prieur, je vais t'avouer un secret dont je n'ai jamais fait part à personne, et dont je te prie, toi aussi, de ne faire part à personne tant que je vivrai. Sache donc que, jusqu'à présent, je n'ai jamais rien demandé au ciel qui ne m'ait aussitôt été accordé ! » A quoi le prieur répondit : « Eh bien, mon Père, demande au ciel que Conrad entre dans ton ordre, ainsi que le souhaitent les frères ! » Quelques heures plus tard, quand les offices furent achevés, et que tout le monde se fut mis au lit, Dominique resta seul dans l'église, et pria jusqu'au lendemain. Et, le lendemain matin, comme les frères s'assemblaient dans l'église pour les matines, voici qu'entra tout à coup maître Conrad, qui, s'étant prosterné aux pieds de saint Dominique, demanda à revêtir l'habit de son ordre. Et, depuis ce moment, Conrad mena la vie la plus exemplaire. Plus tard, comme il avait déjà fermé les yeux, ses frères le croyaient mort, lorsque soudain, rouvrant les yeux et promenant son regard d'un frère à l'autre, il dit : « Que le Seigneur soit avec vous ! » Les Frères répondirent : « Et avec ton esprit ! » Sur quoi Conrad ajouta : « Que les âmes des fidèles reposent en paix ! » Et aussitôt il s'endormit dans le Seigneur.

Dominique, en vrai serviteur de Dieu, avait une parfaite égalité d'âme, sauf quand il était ému de compassion ; et, comme un cœur joyeux rend le visage gai, la composition tranquille de son intérieur se manifestait dans la bienveillance souriante de ses traits. Il passait ses journées en compagnie de ses frères et de ses compagnons, réservant ses nuits pour la prière : et ainsi il donnait ses journées à son prochain, ses nuits à Dieu. Souvent, pendant la messe, à l'élévation, il avait l'esprit ravi au point de voir le Christ lui-même incarné dans l'hostie. Presque toujours il passait la nuit dans l'église ; et quand la fatigue l'accablait, il sommeillait un instant, soit devant l'autel, ou la tête appuyée sur une pierre. Trois fois par nuit il s'infligeait la discipline avec une chaîne de fer, la première fois pour lui-même, la seconde pour les pécheurs vivants, la troisième pour ceux du purgatoire.

Ayant été un jour élu évêque de Cîteaux, il refusa formellement d'accepter cet honneur, déclarant qu'il aimait mieux mourir que de consentir à ce qu'une élection se fît sur son nom. On lui demandait pourquoi il demeurait plutôt dans le diocèse de Carcassonne que dans celui de Toulouse, qui était le sien. Il répondit : « Parce que, dans le diocèse de Toulouse, je trouve bien des gens qui m'honorent, tandis que, dans celui de Carcassonne, tout le monde m'attaque. » Et comme on lui demandait quel était le livre où il avait le plus étudié, il répondit : « Le livre de la charité ! »

Certaine nuit, pendant que saint Dominique priait dans son église de Bologne, le diable lui apparut sous la figure d'un frère. Et le saint, croyant voir un de ses frères, lui faisait signe d'aller se coucher avec ses compagnons. Mais le diable, par dérision, lui répondait en lui adressant les mêmes signes de tête. Alors le saint, voulant savoir quel était le frère qui méprisait ainsi ses ordres, alluma une chandelle à l'une des lampes, et reconnut aussitôt à qui il avait affaire. Il se mit donc à invectiver véhémentement le diable, qui osa, à son tour, lui reprocher d'avoir rompu la règle du silence, en lui parlant. Le saint lui rappela que son titre d'abbé le dégageait de la règle du silence. Après quoi il le somma de lui dire comment il tentait les frères dans le chœur. Et le diable : « Je les fais venir trop tard et repartir trop tôt. » Dominique lui demanda comment il tentait les frères au dortoir. Et le diable : « Je les fais coucher trop tôt, se lever trop tard. » Saint Dominique lui demanda comment il tentait les frères au réfectoire. Et le démon, tout en sautant d'une table à l'autre, se borna à répéter plusieurs fois : « Par le plus et par le moins ! » Interrogé sur ce qu'il voulait dire, il répondit : « J'excite les uns à trop manger, pour qu'ainsi ils pèchent par gourmandise ; j'en excite d'autres à ne pas assez manger, pour qu'ainsi ils deviennent plus faibles et soient moins aptes au service de Dieu. » Dominique demanda ensuite au diable comment il tentait les frères au parloir. Et le diable : « Oh ! ce lieu-là est mon véritable domaine ; car lorsque les frères s'y réunissent pour parler entre eux, je les excite à bavarder en désordre, à se perdre en paroles inutiles et à ouvrir la bouche tous en même temps. » Enfin Dominique le conduisit au chapitre du couvent : mais le diable ne voulut à aucun prix, y pénétrer, disant : « Ce lieu-ci est pour moi la malédiction et l'enfer, car j'y perds tout ce que j'ai gagné dans le reste du couvent. Dès que j'ai amené un frère à pécher, il vient se purger ici de sa faute et la confesser publiquement. » Et, cela dit, il disparut.

C'est à Bologne que Dominique sentit les premières atteintes de la maladie qui devait l'emporter. Il vit en rêve un beau jeune homme qui l'appelait, et lui disait : « Viens, mon bien-aimé, viens à la joie, viens ! » Aussitôt il rassembla les frères de Bologne, au nombre de douze, et leur remit son testament, en leur disant : « Voici ce que je vous laisse en héritage paternel : la charité, l'humilité et la pauvreté ! » Il défendit, par tous les moyens possibles, que son ordre pût jamais posséder aucun bien temporel, appelant la malédiction de Dieu sur celui qui voudrait souiller, de la poussière des richesses terrestres, l'ordre des Frères Prêcheurs. Et comme ses frères se désolaient de son état, il leur dit doucement : « Mes fils, que la dissolution de mon corps ne vous trouble point ! Et ne doutez point que, mort, je vous serai plus utile que je ne l'ai été de mon vivant ! » Puis il s'endormit dans le Seigneur, en l'an 1221.

II. Sa mort fut aussitôt révélée au Frère Guale, qui était alors prieur des dominicains de Brescia, et qui devint plus tard évêque de cette ville. Ce saint homme sommeillait dans la chapelle du couvent, la tête appuyée au mur, lorsqu'il vit le ciel s'ouvrir pour livrer passage à deux échelles blanches, dont l'une était tenue par le Christ, l'autre par la Vierge, et le long desquelles montaient et descendaient joyeusement des anges. Entre les deux échelles était attaché un siège où se tenait assis un frère, la tête couverte d'un voile ; et Jésus et la Vierge tiraient les échelles jusqu'à ce que le siège fût entré dans le ciel. Et Guale, étant venu ensuite à Bologne, apprit que le même jour, à la même heure, saint Dominique avait rendu l'âme.

Un autre Frère, nommé Raon, se trouvait, ce jour-là, dans une chapelle de Tibur, où il célébrait la messe. Et, comme il savait que Dominique était malade, il voulut prier pour sa santé, à l'endroit du canon où mention est faite des vivants. Mais aussitôt il fut ravi en extase, et vit Dominique sortant de Bologne par une voie royale, la tête ceinte d'une couronne d'or, et accompagné de deux anges resplendissants. Il nota le jour et l'heure, qui coïncidaient avec ceux de la mort du saint.

III. Quelque temps après sa mort, et en présence du grand nombre de miracles qu'opéraient ses reliques, les fidèles crurent devoir transporter celles-ci dans un lieu plus en vue. On ouvrit donc le caveau où le corps du saint avait été déposé ; et une odeur délicieuse s'en exhala, qui effaçait tous les parfums du monde, et qui imprégnait non seulement les restes mêmes du saint corps, mais aussi le cercueil et la terre entassée alentour. Et ceux des frères qui avaient touché aux reliques gardaient ce parfum surnaturel attaché à leurs mains.

IV. Un noble de Hongrie était venu, avec sa femme et son petit garçon, visiter les reliques du saint dans une église de Silon. Et comme l'enfant, tombé gravement malade, était mort, son père porta son cadavre devant l'autel de saint Dominique, et s'écria tout en larmes : « Grand saint, je suis venu joyeux vers toi, je m'en vais désolé ! Je suis venu avec mon fils, je m'en vais sans lui ! Je t'en prie, rends-moi mon fils, rends-moi la joie de mon cœur ! » Aussitôt l'enfant se releva, et se mit à marcher dans l'église. — Une autre fois, comme un des serviteurs d'une dame noble de Hongrie s'était noyé, et que son corps n'avait été retiré de l'eau qu'après un très long délai, la dame pria saint Dominique de le ressusciter, promettant, si elle était exaucée, de donner la liberté au serviteur mort, et d'aller en pèlerinage, pieds nus, aux reliques du saint. Aussitôt le mort ressuscita ; et la dame accomplit son vœu. — Une autre fois encore, en Hongrie, un homme dont le fils venait de mourir invoqua l'aide de saint Dominique. Le lendemain, au chant du coq, l'enfant ouvrit les yeux et dit à son père : « D'où vient, mon père, que tu aies le visage si creusé et pâli ? » Et le père : « C'est l'effet de mes larmes, mon fils, parce que tu étais mort et que je restais seul, privé de toute joie ! » Et l'enfant : « Sache donc, mon père, que saint Dominique, ayant pitié de ton chagrin, a obtenu, par ses mérites, que je te fusse rendu ! »

V. Dans la même province de Hongrie, une dame qui se préparait à faire célébrer une messe en l'honneur de saint Dominique ne trouva point de prêtre dans l'église, à l'heure où elle vint. Alors elle enveloppa dans un linge les trois cierges qu'elle avait préparés, les posa dans un vase, et sortit pour un moment. Quand elle revint, les trois cierges étaient allumés à l'intérieur du linge ; et ils se consumèrent sans que le linge en eût la moindre brûlure.

VI. Un étudiant de Bologne, nommé Nicolas, souffrait si cruellement d'une maladie des reins qu'il ne pouvait se lever de son lit et que sa cuisse gauche était desséchée. Il invoqua l'aide de saint Dominique, et, soudain, ayant entouré sa cuisse d'un filament de cierge, il se trouva guéri au point de pouvoir se rendre, sans béquilles, au tombeau du saint. Et innombrables sont les autres miracles que Dieu fit, dans la même ville, par l'entremise de son serviteur Dominique.

VII. En Sicile, dans la ville de Palerme, une jeune fille souffrait de la pierre. Sa mère la recommanda à saint Dominique. Et, la nuit suivante, le saint apparut à la jeune fille, lui posa dans la main la pierre qui la faisait souffrir, et disparut. La jeune fille se réveilla guérie ; et sa mère porta la pierre miraculeuse au couvent des frères, où l'on s'empressa de la suspendre devant l'image de saint Dominique.

VIII. Dans la même ville, pendant la fête de la Translation de saint Dominique, des femmes qui revenaient de l'église virent une autre femme qui filait, assise devant sa porte. Elles lui reprochèrent charitablement de ne point s'abstenir de travail servile pendant la fête d'un si grand saint. Mais elle, furieuse, répondit : « Bon à vous, les chéries des frères, de célébrer la fête de votre saint ! » Aussitôt des tumeurs se produisirent dans ses yeux, et des vers en sortirent, au point qu'une voisine en retira dix-huit de chaque œil. Toute confuse, la femme se fit conduire à l'église des frères, y confessa ses péchés, et fit le vœu de ne plus jamais parler mal de saint Dominique. Sur quoi la santé lui fut rendue.

XI. Maître Alexandre, évêque de Vendôme, rapporte, qu'un étudiant de Bologne, adonné aux vanités du siècle, eut une vision miraculeuse. Il vit qu'il était dans un grand champ, où une tempête effroyable descendait sur lui. Il voulut alors se réfugier dans une maison voisine ; mais il la trouva fermée ; et, comme il frappait à la porte pour être reçu, une voix féminine lui répondit : « Je suis la Justice, et ceci est ma maison ; et tu ne peux y entrer, n'étant pas un juste ! » L'étudiant, consterné, alla frapper à la porte d'une autre maison, d'où une voix lui répondit : « Je suis la Vérité et ceci est ma maison ; et je ne puis te recevoir, parce que la vérité ne saurait secourir celui qui ne l'aime pas ! » Enfin, d'une troisième maison, lui fut répondu : « Ceci est la maison de la Paix, et il n'y a point de paix pour les impies, mais seulement pour les hommes de bonne volonté ! Ecoute cependant un bon conseil ! Près d'ici habite une de nos sœurs qui est toujours prête à secourir les malheureux. Va la trouver, et fais ce qu'elle te dira ! » Et, de cette quatrième maison, une voix répondit : « Je suis la Miséricorde, et je vais t'indiquer un moyen d'être sauvé de la tempête qui te menace. Va à la maison des Frères Prêcheurs ; tu y trouveras l'étable de la pénitence et le pâturage de la sainte doctrine, et l'enfant Jésus, qui te sauvera !» Ayant eu cette vision, l'étudiant s'éveilla, courut à la maison des Frères, et revêtit l'habit de l'ordre.

CXIII
SAINT DONAT, ÉVÊQUE ET MARTYR
(7 août)

I. Donat fut instruit avec l'empereur Julien, qui, comme l'on sait, fut ordonné sous-diacre. Mais, dès que Julien parvint à l'empire, il fit tuer le père et la mère de Donat. Et celui-ci se réfugia dans la ville d'Arezzo, où, demeurant auprès du moine Hilaire, il opérait de nombreux miracles. Le préfet de la ville lui amena un jour son fils, qui était possédé du démon ; et l'esprit immonde, s'écria : « Au nom du Seigneur Jésus-Christ, Donat, ne me tourmente point pour me forcer à sortir de ma maison ! » Mais sur la prière de Donat, le fils du préfet fut aussitôt délivré.

II. Un percepteur du fisc en Toscane, nommé Eustache, allant en voyage, confia les deniers publics à la garde de sa femme nommée Euphrosine. Et celle-ci, voyant la province envahie par des ennemis, cacha l'argent ; après quoi elle mourut. Son mari, quand il revint, ne put retrouver l'argent. Condamné au supplice avec ses enfants, il eut recours à saint Donat. Et celui-ci, s'étant rendu avec lui au tombeau de sa femme, pria le Seigneur ; puis, à haute voix, il dit : « Euphrosine, au nom de l'Esprit-Saint, je t'adjure de nous dire où tu as caché l'argent ! » Aussitôt on entendit une voix, sortant du tombeau, qui disait : « Sous le seuil de notre maison, c'est là que je l'ai enfoui ! » Et, en effet, l'argent fut retrouvé où la voix l'avait dit.

III. Quelques jours après, l'évêque Satyre s'endormit dans le Seigneur, et tout le clergé élut Donat pour le remplacer. Or, comme un jour, suivant ce que rapporte Grégoire dans son *Dialogue*, le peuple communiait pendant la messe, le diacre qui portait le calice sacré fut soudain poussé par les païens si vivement qu'il tomba, et que le calice fut brisé en morceaux. Mais Donat, voyant sa douleur et celle du peuple, réunit les morceaux du calice, pria sur eux, et aussitôt ils se rejoignirent pour reprendre leur forme première. Seul un de ces morceaux fut caché par le diable. Il manque aujourd'hui encore au calice, qui garde ainsi le témoignage du miracle. Et les païens, à la vue de ce miracle, se convertirent au nombre de quatre-vingts, et reçurent le baptême.

IV. Il y avait, près d'Arezzo, une fontaine empoisonnée : quiconque en buvait mourait aussitôt. Et comme saint Donat s'y rendait sur son âne, pour demander à Dieu la purification de l'eau, un dragon terrible sortit de la fontaine, et, enroulant sa queue autour des pieds de l'âne, se dressa contre Donat. Mais celui-ci, l'ayant frappé d'une verge, ou, suivant d'autres, lui ayant craché dans la gueule, le tua sur-le-champ. Puis il pria le Seigneur, et l'eau de la fontaine se trouva purifiée. Une autre fois, comme ses compagnons et lui avaient très soif, il pria le Seigneur, et une source jaillit du sol, sous ses pieds.

V. La fille de l'empereur Théodose, étant possédée d'un démon, fut amenée à saint Donat, qui dit : « Sors, esprit immonde, et cesse de demeurer dans un corps créé par Dieu ! » Et le démon : « Où irai-je, et par où sortirai-je ? » Et Donat : « D'où es-tu venu ici ? » Et le démon : « Du désert ! » Et Donat : « Retourne au désert ! » Et le démon : « Je vois sur toi le signe de la croix, d'où un feu jaillit contre moi. Donne-moi un passage pour sortir et je sortirai ! » Et Donat : « Soit, je te laisserai passer, pour que tu t'en retournes d'où tu es venu ! » Et le démon sortit, en faisant trembler toute la maison.

VI. Un mort était conduit au tombeau lorsqu'un homme survint qui, tenant en main un papier, affirma que le mort lui devait deux cents sous, et déclara qu'il s'opposerait à l'ensevelissement jusqu'à ce qu'on l'eût payé. La femme du mort vint, toute pleurante, rapporter la chose à saint Donat ; elle ajouta que cet homme avait, depuis longtemps, reçu en totalité l'argent qu'il réclamait. Alors le saint marcha vers le cercueil, et, prenant la main du mort, lui dit : « Ecoute-moi ! » Le mort répondit : « Je t'écoute ! » Et saint Donat : « Lève-toi, et arrange-toi avec cet homme, qui s'oppose à ton ensevelissement ! » Le mort se releva dans son cercueil, prouva en présence de tous qu'il avait déjà payé la dette, et, saisissant le papier, le déchira. Puis il dit à saint Donat : « Et maintenant, mon père, fais que je me rendorme ! » Et Donat : « Fort bien, mon fils, repose en paix ! »

VII. Comme, depuis près de trois ans, la pluie refusait de tomber, et que la stérilité était grande, les infidèles vinrent trouver l'empereur Théodose et lui demandèrent de leur livrer Donat, dont ils accusaient les artifices magiques. Averti par l'empereur, Donat se rendit sur la place, pria le Seigneur, et obtint aussitôt une pluie abondante. Puis il revint chez lui, sans une goutte d'eau sur son vêtement, tandis que tous les autres étaient trempés de pluie.

VIII. Plus tard, lorsque les Goths ravagèrent l'Italie et que bon nombre de chrétiens renièrent leur foi, le préfet Evadracien, à qui saint Donat et saint Hilaire reprochaient son apostasie, fit saisir les deux saints, et leur ordonna de sacrifier à Jupiter. Sur leur refus, Hilaire fut dépouillé de ses vêtements, et roué de coups, dont il mourut. Donat fut jeté en prison, puis décapité. C'était en l'an du Seigneur 380.

CXIV
SAINT CYRIAQUE ET SES COMPAGNONS,
MARTYRS
(8 août)

Cyriaque, qui avait été ordonné diacre par le pape Marcel, fut arrêté avec ses compagnons, et condamné par Maximien à bêcher de la terre, pour la porter ensuite sur ses épaules jusqu'à un endroit où l'on construisait des thermes. Il y avait là un digne vieillard, saint Saturnin, que Cyriaque et Sisinnius aidaient à porter sa charge de terre. Puis le préfet fit saisir saint Cyriaque et demanda qu'on le lui amenât. Or, pendant que l'officier Apronien le conduisait au palais du préfet, soudain une voix jaillit du ciel avec une grande lumière, disant : « Venez, enfants bénis de mon père ! » Aussitôt Apronien se convertit, se fit baptiser et vint l'avouer au préfet. Et celui-ci : « Ainsi, tu es devenu chrétien ? » Et l'officier : « Hélas, que de jours j'ai perdus ! » Le préfet lui répondit : « C'est maintenant que tu vas vraiment perdre tes jours ! » Et il lui fit trancher la tête. Il la fit trancher également, après de nombreux supplices, à Saturnin et à Sisinnius, sur leur refus de sacrifier aux idoles.

Or la fille de Dioclétien, nommée Arthémie, était possédée d'un démon qui, par sa bouche, disait : « Je ne sortirai point d'ici, à moins qu'on ne fasse venir le diacre Cyriaque ! » On alla donc chercher Cyriaque, et le démon lui dit : « Si tu yeux que je sorte d'ici, donne-moi un récipient où je puisse entrer ! » Et Cyriaque : « Voici mon corps ! Si tu peux, entres-y ! » Mais le démon : « Je ne puis pas entrer dans ce récipient-là, car il est scellé et clos de toutes parts. Mais sache que, si tu me fais sortir d'ici, à mon tour je te ferai aller jusqu'en Babylonie ! » Et lorsque Cyriaque l'eut fait sortir, Arthémie s'écria qu'elle voyait le Dieu qu'il prêchait. Elle se fit donc baptiser par Cyriaque ; et celui-ci vécut quelque temps en paix dans la maison que lui donnèrent Dioclétien et sa femme Serena.

Mais, un jour, un messager du roi des Perses, vint demander à Dioclétien la permission d'emmener Cyriaque auprès de son roi, dont la fille était possédée d'un démon. Sur la prière de Dioclétien, Cyriaque s'embarqua volontiers pour la Babylonie, avec ses compagnons Large et Smaragde. Et le démon, dès qu'il fut arrivé, lui demanda, par la bouche de la jeune fille : « Eh bien, Cyriaque, es-tu fatigué ? » Et Cyriaque : « Je ne suis point fatigué, ayant partout, pour me soutenir, le secours de Dieu ! » Et le démon : « Tout de même, je t'ai amené où je voulais ! » Alors Cyriaque lui dit : « Par ordre de Jésus, sors d'ici ! » Et aussitôt le démon sortit, en disant : « O nom terrible, qui me contraint à sortir ! » Cyriaque baptisa ensuite la jeune fille avec son père, sa mère, et beaucoup d'autres personnes. Il refusa d'accepter les présents qu'on lui offrait, et vécut pendant quarante-cinq jours de pain et d'eau : après quoi il revint à Rome.

Mais, deux mois plus tard, Dioclétien mourut, et son successeur Maximien, furieux de la conversion de sa belle-sœur Arthémie, fit arrêter Cyriaque, et le fit traîner devant son char, nu et chargé de chaînes. Puis il ordonna à son ministre Carpasius de le forcer à sacrifier avec ses compagnons, ou, sur leur refus, de les mettre à mort. Carpasius fit verser de la poix bouillante sur la tête de Cyriaque, le fit attacher à un chevalet, et enfin lui fit trancher la tête, ainsi qu'à tous ses compagnons. L'empereur, en récompense, lui donna la maison du saint ; et comme, pour se moquer des chrétiens, Carpasius se baignait dans le lieu où Cyriaque avait coutume de baptiser, il mourut à l'improviste, ainsi que dix-neuf compagnons qu'il avait invités à sa table. Et, depuis lors, les païens commencèrent à redouter et à vénérer les chrétiens.

SAINT LAURENT, MARTYR
(10 août)

I. Laurent, lévite et martyr, était d'origine espagnole et fut amené à Rome par saint Sixte, qui l'ordonna son archidiacre. En ce temps-là, l'empereur Philippe et son fils, également nommé Philippe, étaient devenus chrétiens, et s'efforçaient de travailler au bien de l'Eglise. Ce Philippe fut le premier empereur qui reçut la foi du Christ ; il avait été converti, suivant les uns, par Origène, suivant d'autres, par saint Ponce. Il régnait dans la millième année de la fondation de Rome, Dieu ayant voulu que cet anniversaire de la ville sainte appartînt au Christ et non aux idoles. Or Philippe avait un officier nommé Décius qui s'était rendu célèbre par sa bravoure guerrière. Envoyé en Gaule pour soumettre à l'empire les Gaulois rebelles, Décius s'acquitta si heureusement de sa mission que Philippe, pour mieux honorer son retour, alla au-devant de lui jusqu'à Vérone. Mais Décius, enivré par son succès, convoita l'empire, et projeta la mort de son maître. Une nuit que celui-ci dormait sous sa tente, Décius s'introduisit secrètement auprès de lui et l'étrangla ; après quoi il se gagna, à force de promesses et de récompenses, l'armée qui était venue à Vérone avec le défunt empereur, et il marcha sur Rome à grandes étapes. Alors le fils de Philippe, effrayé, confia à saint Sixte et à saint Laurent tout le trésor de son père en leur enjoignant de le distribuer aux églises et aux pauvres, dans le cas où lui-même serait tué par Décius. Puis il s'enfuit et se cacha, pendant que le Sénat allait au-devant de Décius et le confirmait dans l'empire. Et Décius, afin de prouver que ce n'était point par trahison qu'il avait tué son maître, mais par zèle religieux, se mit à persécuter cruellement les chrétiens, ordonnant de les égorger tous sans miséricorde. Des milliers de chrétiens moururent dans cette persécution, et le jeune Philippe, entre autres, y recueillit la couronne du martyre.

Décius fit alors rechercher le trésor de Philippe. On lui amena saint Sixte, dont on lui dit à la fois qu'il était chrétien et qu'il détenait le trésor cherché. Et Décius le fit jeter en prison, pour le forcer à renier le Christ et à livrer le trésor. Et Laurent, marchant derrière son maître Sixte, lui criait : « Père, où vas-tu sans ton fils ? Prêtre, où vas-tu sans ton diacre ? » Et saint Sixte lui répondait : « Ne crois pas, mon fils, que je t'abandonne ! Mais tu as encore à soutenir de plus grandes luttes pour la foi du Christ. Dans trois jours, tu me rejoindras au ciel ! » Et il lui remit tout le trésor de Philippe, en lui recommandant de le distribuer aux églises et aux pauvres. Aussi Laurent commença-t-il tout de suite à rechercher les chrétiens, pour secourir chacun d'eux d'après son besoin. Dans cette même nuit, il guérit une veuve que tourmentait depuis longtemps un terrible mal de tête, et, d'un signe de croix, rendit la vue à un aveugle.

Cependant, saint Sixte, s'étant refusé à adorer les idoles, fut condamné à avoir la tête tranchée. Et Laurent, marchant derrière lui, lui criait : « Saint Père, ne m'abandonne pas, car j'ai dépensé déjà le trésor que tu m'avais confié ! » Ce qu'entendant, les soldats s'emparèrent de Laurent et le conduisirent devant le tribun Parthenius. Et celui-ci le mena devant Décius, qui lui dit : « Où est le trésor qu'on nous a dit que tu cachais ? » Et comme Laurent ne répondait pas, Décius le livra au préfet Valérien, avec ordre de le supplicier de la façon la plus affreuse s'il refusait de sacrifier aux idoles et de rendre le trésor. Valérien, à son tour, mit Laurent sous la garde d'un officier nommé Hippolyte, qui le jeta en prison avec une foule d'autres chrétiens. Or il y avait, dans la prison, un païen nommé Lucillus, qui, à force de pleurer, avait perdu la vue. Laurent lui promit de lui rendre la vue s'il voulait croire au Christ et recevoir le baptême. Lucillus se hâta d'y consentir, et demanda avec insistance à être baptisé. Laurent lui ordonna d'abord de se confesser, puis, lui versant de l'eau sur la tête, il le baptisa au nom du Christ. Et aussitôt Lucillus recouvra la vue : de telle sorte que tous les aveugles vinrent trouver Laurent qui, par ses prières, obtint que l'usage des yeux leur fût rendu. Ce que voyant, Hippolyte lui dit : « Montre-moi le trésor ! » Et Laurent : « O Hippolyte, si tu veux bien croire dans notre Seigneur Jésus-Christ, je te montrerai mon trésor, et tu auras, en outre, la vie éternelle ! » Et Hippolyte : « Si tu fais ce que tu dis, je ferai moi-même ce à quoi tu m'exhortes ! » Et il se convertit, et reçut le baptême avec tous les siens. Et, pendant qu'on le baptisait, il dit : « Je vois les âmes des saints se réjouir dans le ciel ! »

Là-dessus, Valérien manda à Hippolyte de lui amener Laurent. Et Laurent lui dit : « Allons ensemble, car la même gloire se prépare pour toi et pour moi ! » Au tribunal, Laurent, interrogé de nouveau sur le trésor, demanda un délai de trois jours, que Valérien lui accorda en le confiant de nouveau à la garde d'Hippolyte. Pendant ces trois jours, Laurent recueillit des pauvres, des boiteux, des aveugles, et les amena à Valérien en présence de Décius, et il dit : « Voici des trésors éternels, qui jamais ne décroissent, mais croissent toujours ! Et quant au trésor de Philippe, les mains de ces malheureux l'ont porté au ciel. » Et Valérien : « Que signifie tout cela ? Hâte-toi de sacrifier ! » Et Laurent : « Qui doit-on adorer, la créature, ou le créateur ? » Décius, furieux, le fit frapper de pointes de fer, et ordonna qu'on usât sur lui toutes les variétés de supplices. Et comme il l'engageait une dernière fois à sacrifier, pour éviter tant de souffrances, Laurent répondit : « Tu ne sais pas que tu m'offres là un festin que j'ai toujours souhaité ! » Alors, sur l'ordre de Décius, il fut dépouillé de ses vêtements, battu de verges, et on lui laboura les côtes avec un fer rouge. Et il dit : « Seigneur Jésus-Christ, aie pitié de moi, ton

serviteur, qui, interrogé, t'ai proclamé pour mon maître ! » Et Décius lui dit :
« Je sais que, par ton art magique, tu te délivres de la souffrance, mais je
parviendrai bien à te faire souffrir ! » Sur quoi il le fit frapper longtemps de
courroies plombées. Et Laurent s'écria : « Seigneur Jésus-Christ, reçois mon
âme ! » Mais une voix du haut du ciel répondit : « Bien d'autres combats
encore te sont réservés ! » Décius, qui avait également entendu la voix, fut
rempli de rage, et dit : « Romains, vous avez entendu comment les démons
consolaient ce sacrilège, qui n'a de respect ni pour vos dieux, ni pour vos
princes ! » Et, de nouveau, il fit flageller Laurent, qui, le sourire aux lèvres,
rendait grâces à Dieu et priait pour les assistants.

En ce moment, un soldat nommé Romain se convertit, et dit à Laurent : « Je
vois devant toi un beau jeune homme qui essuie avec un linge le sang de tes
membres. Je t'en supplie, au nom de Dieu, ne quitte pas la terre sans m'avoir
baptisé ! » Et comme Décius avait ordonné à Valérien de faire reconduire
Laurent en prison, sous la garde d'Hippolyte, Romain, apportant une cruche
pleine d'eau, se jeta aux pieds du martyr et reçut de lui le baptême. Ce
qu'apprenant, Décius le fit frapper de verges, puis décapiter.

La même nuit, Laurent comparut de nouveau devant Décius. Et comme
Hippolyte pleurait, et criait qu'il était chrétien, Laurent lui dit : « Cache encore
le Christ au dedans de toi ! Et, quand tu m'entendras t'appeler, viens ! » Alors
Décius dit à Laurent : « Si tu ne veux pas sacrifier aux dieux, toute la nuit se
passera pour toi en supplices ! » Et Laurent : « Ma nuit n'a rien d'obscur, étant
toute pleine de lumière ! » Alors Décius s'écria : « Qu'on apporte un lit de fer,
pour que ce criminel y passe la nuit ! » On étendit donc Laurent sur un gril
sous lequel on mit des charbons enflammés, et où on le maintint avec des
fourches de fer. Et Laurent dit à Valérien : « Sache, malheureux, que ces
charbons m'apportent la fraîcheur, et à toi le feu éternel ! » Puis, s'adressant
à Décius ; d'un visage joyeux : « Eh bien, tu m'as suffisamment rôti d'un côté,
retourne-moi de l'autre côté, après quoi je serai à point ! » Et, levant les yeux
au ciel, il s'écria : « Je te rends grâces, Seigneur, de ce que tu m'aies jugé digne
d'entrer dans ton royaume ! » Et c'est ainsi qu'il rendit l'âme.

Décius, tout confus, s'en alla avec Valérien dans le palais de Tibère, laissant
sur le gril le corps du saint, qu'Hippolyte vint prendre, le lendemain, dès
l'aurore, et ensevelit dans le champ Véranien, avec l'aide du prêtre Justin. Et
tous les chrétiens, pleurant et gémissant, célébrèrent cette mort par trois jours
de veilles et de jeûnes.

II. Saint Grégoire, dans son *Dialogue*, raconte l'histoire d'une religieuse
nommée Sabine, qui sut en vérité garder la continence de la chair, mais ne sut
pas retenir sa langue. Lorsqu'on l'eut enterrée dans l'église de saint Laurent,

devant l'autel du martyr, une partie de son corps resta intacte, l'autre fut trouvée brûlée par le diable.

III. Grégoire de Tours rapporte qu'un prêtre, qui réparait une église de saint Laurent, et n'avait à sa disposition qu'une poutre trop courte, pria saint Laurent qui avait nourri les pauvres, de le secourir dans sa misère. Et aussitôt la poutre grandit de telle façon qu'il y en eut même en excès un assez long morceau. Le prêtre coupa ce surplus en petites tranches, dont l'application guérit bien des maladies. Le même miracle nous est attesté par saint Fortunat. Il eut lieu dans une place forte d'Italie nommée Brione.

IV. Un autre prêtre, nommé Sanctulus, voulant réparer une église de saint Laurent que les Lombards avaient brûlée, avait engagé de nombreux ouvriers. Il s'aperçut un jour qu'il n'avait pas de quoi les nourrir ; mais, ayant prié le saint, il trouva dans sa huche un pain d'une blancheur merveilleuse. Et ce pain était si petit qu'il pouvait à peine suffire à un repas de trois personnes ; mais saint Laurent ne voulut point que ses ouvriers manquassent de nourriture ; et il multiplia cet unique pain de telle façon que, pendant dix jours, tous les ouvriers purent en manger.

V. Vincent, dans sa *Chronique*, raconte que l'église Saint-Laurent, à Milan, possédait un calice de cristal d'une beauté admirable. Ce calice, un jour qu'un diacre le portait à l'autel, lui tomba des mains et se brisa en morceaux. Mais le diacre, désespéré, recueillit les morceaux, les posa sur l'autel, et invoqua saint Laurent. Et aussitôt le calice redevint entier.

VI. On lit dans le *Livre des Miracles de la Vierge* qu'un juge nommé Etienne demeurait à Rome, qui se laissait volontiers corrompre par des présents. Ce juge s'appropria injustement trois maisons qui dépendaient de l'église de Saint-Laurent, et un jardin qui appartenait à l'église de Sainte-Agnès. Après sa mort, quand il comparut au tribunal de Dieu, saint Laurent s'approcha de lui avec indignation, et, à trois reprises, lui tordit le bras. Et sainte Agnès, passant devant lui avec les autres vierges, détourna de lui son visage pour ne pas le voir. Alors le souverain juge déclara que, puisqu'il s'était approprié le bien d'autrui et avait fait commerce de la justice, il aurait à aller rejoindre le traître Judas. Mais saint Projet, que cet Etienne avait beaucoup aimé de son vivant, s'approcha de saint Laurent et de sainte Agnès, et leur demanda de lui pardonner. Ils intercédèrent donc pour lui, et la sainte Vierge se joignit à eux : si bien qu'ils obtinrent que son âme revînt dans son corps afin que, pendant trente jours, il pût faire pénitence. La Vierge lui imposa, en outre, de réciter tous les jours un psaume. Après quoi il fut rendu à la vie ; mais, tant qu'il vécut, son bras resta noir et tordu, comme si c'était, son véritable corps qui eût souffert. Et, après avoir restitué tout ce qu'il avait pris, et fait pénitence pendant trente jours, il rendit son âme au Seigneur.

VII. Enfin on lit dans la vie de l'empereur Henri que, ce prince et sa femme Cunégonde ayant toujours vécu dans la chasteté, le diable persuada au mari que sa femme le trompait avec un de ses officiers : et l'empereur, furieux, ordonna que Cunégonde eût à marcher, pieds nus, sur des charbons ardents. Or Cunégonde, avant de commencer l'épreuve, s'écria : « Toi qui sais que Henri ni personne n'ont touché mon corps, Christ, secours-moi ! » Et Henri, poussé par la jalousie, la frappa au visage ; mais elle entendit une voix qui lui disait : « Vierge, la Vierge Marie te délivrera ! » Puis elle marcha sur les charbons ardents sans ressentir aucun mal.

Quand Henri mourut, un ermite vit passer devant sa cellule une foule de démons, qui lui dirent qu'ils allaient assister au jugement de l'empereur, afin d'essayer de se le faire adjuger. Mais bientôt l'ermite vit revenir les démons, qui lui racontèrent qu'ils avaient perdu leur peine, car, lorsqu'ils avaient mis dans la balance le soupçon conjugal d'Henri et ses autres péchés, saint Laurent était survenu, et avait mis dans l'autre plateau de la balance un grand calice d'or qui avait fait contrepoids : ce dont les diables avaient été si furieux, qu'ils avaient brisé une des oreilles du calice. Et en effet, l'empereur défunt avait fait don à l'église d'Einstetten, en l'honneur de saint Laurent, pour qui il avait une dévotion particulière, d'un grand calice d'or massif. Et l'on put constater, que, le jour de la mort de l'empereur, une des anses de ce calice se trouva brisée.

VIII. Nous devons noter que le martyre de saint Laurent est considéré comme le plus excellent de tous les martyres des saints, tant pour le nombre et la cruauté des supplices endurés que pour le courage montré par le saint ; et aussi pour la bonne influence exercée par sa mort. De là vient que saint Laurent, entre tous les martyrs, possède trois privilèges quant aux offices célébrés en son honneur. Il est, d'abord, le seul martyr dont la fête soit précédée d'une veille. En second lieu, il est le seul dont la fête ait une octave, de même que, seul, saint Martin est honoré d'une octave, parmi les confesseurs. En troisième lieu, saint Laurent a le privilège d'une régression des antiennes, privilège qu'il partage avec saint Paul : et cela pour rappeler qu'il est le plus parfait des martyrs, de même que saint Paul est le plus parfait des prédicateurs.

CXVI
SAINT HIPPOLYTE, MARTYR
(13 août)

I. Après avoir enseveli le corps de saint Laurent, Hippolyte rentra chez lui, donna le baiser de paix à ses serviteurs, partagea avec eux la sainte communion que lui avait apportée le prêtre Justin, et se mit à table pour le dîner. Mais, en ce moment, arrivèrent des soldats qui s'emparèrent de lui et le conduisirent auprès de Décius. Et celui-ci, dès qu'il l'aperçut, lui dit en souriant : « Es-tu donc devenu mage, toi aussi, pour te mêler, comme tu l'as fait, d'enlever le corps de Laurent ? » Et Hippolyte : « Je l'ai fait non point parce que je suis mage, mais parce que je suis chrétien ! » Alors Décius, furieux, le fit dépouiller de ses vêtements, et lui fit écraser le visage à coups de pierres. Mais Hippolyte : « En croyant me dépouiller ; tu ne fais que me mieux orner ! » Et Décius : « Es-tu donc devenu fou, pour ne pas rougir même de ta nudité ? Allons, sacrifie aux dieux, afin de ne pas périr comme ton Laurent ! » Et Hippolyte : « Puissé-je mériter de suivre l'exemple de ce Laurent que tu oses nommer de ta bouche impure ! » Sur quoi Décius le fit battre de verges et déchirer de lanières ferrées. Mais Hippolyte raillait tous les tourments, et ne cessait point de se proclamer chrétien. Décius lui fit rendre son ancien costume militaire, espérant l'engager par là à reprendre ses anciennes fonctions d'officier. Mais Hippolyte lui répondit qu'il était désormais soldat dans l'armée du Christ. Et Décius, exaspéré, le livra à son préfet Valérien, qu'il autorisa à s'approprier tous ses biens, et à lui infliger les pires supplices. Valérien apprit alors que tous les serviteurs d'Hippolyte étaient aussi chrétiens. Il les fit donc comparaître devant lui, et les somma de sacrifier aux idoles. Mais la nourrice d'Hippolyte, Concorde, lui répondit au nom de tous : « Nous aimons mieux mourir honnêtement avec notre maître que de vivre malhonnêtement ! » Et Valérien : « La race des esclaves ne peut être corrigée que par des supplices ! » Puis, en présence d'Hippolyte, il la fit frapper de verges plombées jusqu'à ce qu'elle mourût. Et Hippolyte : « Je te remercie, Seigneur, d'avoir bien voulu admettre ma nourrice parmi tes saints ! »

Valérien fit ensuite conduire Hippolyte et ses serviteurs en dehors de la Porte de Tibur. Et Hippolyte, encourageant ses compagnons, leur disait : « Mes frères, soyez sans crainte, car nous allons être bientôt réunis devant Dieu ! » Valérien ordonna que tous les serviteurs eussent d'abord la tête tranchée en présence d'Hippolyte ; puis il fit attacher celui-ci par les pieds, au cou de chevaux indomptés, qui le traînèrent sur des chardons et des cailloux jusqu'à ce qu'il rendît l'âme. Il mourut en l'an du Seigneur 251.

Le prêtre Justin enleva les corps des martyrs et les ensevelit à côté du corps de saint Laurent : mais il ne put retrouver le corps de sainte Concorde, qui avait été jeté à l'égout. Or, un soldat, nommé Porphyre, croyant que la vieille femme avait dans ses vêtements de l'or et des pierreries, alla chez un égoutier nommé Irénée, qui était secrètement chrétien, et lui dit : « Retire de l'égout le corps de Concorde, car je crois bien qu'elle avait de l'or et des pierreries dans ses vêtements ! » Et ainsi Irénée connut l'endroit où avait été jeté le corps de la sainte. Il le retira donc de l'égout ; et quand Porphyre eut constaté qu'il s'était trompé dans son espérance, Irénée appela un de ses compagnons, nommé Abonde, avec l'aide duquel il porta le corps chez saint Justin, qui le fit ensevelir à côté de ceux des autres martyrs. Ce qu'apprenant ; Valérien fit jeter vivants à l'égout Irénée et Abonde, dont les corps furent joints par saint Justin à ceux des autres martyrs.

Peu de temps après, comme Décius et Valérien, dans un char d'or, se rendaient à l'amphithéâtre pour persécuter les chrétiens, Décius, brusquement possédé du démon, s'écria : « O Hippolyte, que lourdes sont les chaînes dont tu m'as chargé ! » Et, au même instant, Valérien s'écria : « O Laurent, tes chaînes de feu me brûlent les chairs ! » Et Valérien mourut sur-le-champ. Décius, revenu chez lui, survécut trois jours encore, pendant lesquels il ne cessait point de crier : « O Laurent et Hippolyte, relâchez-vous un moment de me torturer ! » Et telle fut sa misérable mort. Ce que voyant, sa femme Triphonie se dépouilla de tous ses biens, et, en compagnie de sa fille Cyrille, alla demander à saint Justin de la baptiser. Elle mourut le lendemain, étant en prière. Et quarante-sept soldats, ayant appris que l'impératrice et sa fille étaient devenues chrétiennes, vinrent se faire baptiser avec leurs familles. Ils reçurent le baptême des mains du pape Denis, qui avait succédé à saint Sixte. Et l'empereur Claude fit étrangler Cyrille et décapiter tous les chrétiens ; et leurs corps furent réunis à ceux de saint Laurent et de ses compagnons.

Nous devons noter, à ce propos, que la mention de l'empereur Claude achève de prouver que ce n'est point l'empereur Décius, mais un César de ce nom, qui a martyrisé saint Laurent et saint Hippolyte. Car ce n'est pas à l'empereur Décius qu'a succédé Claude, mais à l'empereur Gallien. De telle sorte qu'on peut admettre ou bien que ce Gallien s'appelait aussi Décius, ou bien encore, comme le dit un chroniqueur, que Gallien, pour l'assister dans ses fonctions, avait créé César un certain Décius.

II. Un bouvier, nommé Pierre, était allé aux champs le jour de la fête de sainte Marie-Madeleine, et accablait ses bœufs de jurons blasphématoires. Soudain la foudre s'abattit sur lui, lui brûlant les chairs et les muscles d'une jambe, de telle façon que ses os se trouvèrent presque détachés. Se traînant alors jusqu'à une église de la Vierge, il cacha son tibia dans un recoin, et, tout en larmes, supplia Marie de venir à son aide. La nuit suivante, à la demande de la Vierge, saint Hippolyte alla prendre le tibia dans l'église et le replaça dans la jambe du bouvier, comme on greffe une bouture. Aux cris du malade, toute sa famille accourut, et découvrit avec stupeur, qu'il avait de nouveau ses deux tibias. Mais lui, réveillé, crut d'abord qu'on se moquait de lui. Et quand il s'aperçut de la réalité du miracle, il sentit que sa jambe nouvelle était trop molle pour soutenir son corps. Il resta donc boiteux pendant une année entière. Puis la Vierge lui apparut, accompagnée de saint Hippolyte, et dit à celui-ci de compléter sa guérison. Et quand le bouvier se réveilla, il se trouva entièrement guéri.

Il entra alors dans un monastère, où le diable ne cessa point de le tenter, lui apparaissant, de préférence, sous la forme d'une jeune femme nue. Un jour enfin, le moine, exaspéré, prit son étole de prêtre et la passa autour du cou de sa visiteuse. Aussitôt le diable s'enfuit ; et la jeune femme se transforma en un cadavre pourri, qui remplit tout le couvent de sa puanteur. Par quoi l'on vit clairement que le diable, pour tenter Pierre, s'était introduit dans le corps d'une femme morte.

CXVII
L'ASSOMPTION DE LA BIENHEUREUSE VIERGE MARIE
(15 août)

I. Un écrit apocryphe, attribué à saint Jean l'Evangéliste, nous raconte la façon dont eut lieu l'assomption de la Vierge.

Lorsque les apôtres se furent séparés, pour aller prêcher l'évangile aux nations, la sainte Vierge resta dans leur maison, qui était près de la montagne de Sion. Elle ne cessait point de visiter pieusement tous les lieux consacrés par son fils, c'est-à-dire ceux de son baptême, de son jeûne, de sa prière, de sa passion, de sa sépulture, de sa résurrection et de son ascension. Et Epiphane nous apprend qu'elle survécut vingt-quatre ans à l'ascension de son fils. Il ajoute que, comme la Vierge avait quinze ans lorsqu'elle mit au monde le Christ, et comme celui-ci avait passé sur cette terre trente-trois ans, elle avait donc soixante-douze ans lorsqu'elle mourut. Mais il paraît plus probable d'admettre, comme nous le lisons ailleurs, qu'elle ne survécut à son fils que douze ans, et qu'elle avait soixante ans, lors de son assomption : car l'*Histoire ecclésiastique* nous dit que, pendant douze ans, les apôtres prêchèrent en Judée et dans les régions voisines.

Un jour enfin, comme le désir de revoir son fils agitait très vivement la Vierge et la faisait pleurer très abondamment, voici qu'un ange entouré de lumière se présenta devant elle, la salua respectueusement comme la mère de son maître, et lui dit : « Je vous salue, Bienheureuse Marie ! Et je vous apporte ici une branche de palmier du paradis, que vous ferez porter devant votre cercueil, dans trois jours, car votre fils vous attend près de lui ! » Et Marie : « Si j'ai trouvé grâce devant tes yeux, daigne me dire ton nom ! Mais, surtout, je te demande avec instance que mes fils et frères, les apôtres, se rassemblent autour de moi, afin que je puisse les voir de mes yeux avant de mourir, et rendre mon âme à Dieu en leur présence, et être ensevelie par eux ! Et je te demande encore ceci : que mon âme, en sortant de mon corps, ne rencontre aucun méchant esprit, et échappe au pouvoir de Satan ! » Et l'ange : « Pourquoi désirez-vous savoir mon nom, qui est grand et admirable ? Mais sachez qu'aujourd'hui même tous les apôtres se réuniront ici, et que c'est en leur présence que s'exhalera votre âme ! Car celui qui, jadis, a transporté le prophète de Judée à Babylone, celui-là n'a besoin que d'un moment pour amener ici tous les apôtres. Et quant au malin esprit, qu'avez-vous à le craindre, vous qui lui avez broyé la tête sous votre pied, et l'avez dépouillé de son pouvoir ? » Cela dit, l'ange remonta au ciel ; et la palme qu'il avait apportée brillait d'une clarté extrême. C'était un rameau vert, mais avec des feuilles aussi lumineuses que l'étoile du matin.

Or, comme saint Jean prêchait à Ephèse, une nuée blanche le souleva, et le déposa au seuil de la maison de Marie. Jean frappa à la porte, entra et salua respectueusement la Vierge. Et elle, pleurant de joie : « Mon fils Jean, tu te souviens des paroles de ton maître, qui m'a recommandé à toi comme une mère, et toi à moi comme un fils. Et voici que le Seigneur me rappelle, et que je confie mon corps à ta sollicitude. Car j'ai appris que les Juifs se proposaient, dès que je serais morte, de ravir mes restes et de les brûler. Mais toi, fais porter cette palme devant mon cercueil lorsque vous conduirez mon corps au tombeau ! » Et Jean lui dit : « Oh ! comme je voudrais que tous les apôtres mes frères fussent ici, pour préparer tes funérailles, et proclamer tes louanges ! » Et, pendant qu'il disait cela, tous les apôtres, dans les lieux divers où ils prêchaient, furent soulevés par des nuées, et déposés devant la maison de Marie. Et quand ils se virent réunis là, ils se dirent, tout surpris : « Pour quel motif le Seigneur nous a-t-il rassemblés aujourd'hui ? » Alors Jean sortit vers eux, leur annonça la mort prochaine de la Vierge, et ajouta : « Prenez garde, mes frères, à ne point pleurer quand elle sera morte, de peur que le peuple en voyant vos larmes, ne soit troublé et ne se dise : « Ces gens-là prêchent aux autres la résurrection, et, eux-mêmes, ils ont peur de la mort ! » Et saint Denis, le disciple de saint Paul, dans son livre sur les *Noms de Dieu*, nous fait un récit analogue, ajoutant que lui aussi était là, et que la Vierge sommeillait pendant l'arrivée des apôtres.

Quand la Vierge vit tous les apôtres réunis, elle bénit le Seigneur et s'assit au milieu d'eux, parmi des lampes allumées. Or, vers la troisième heure de la nuit, Jésus arriva avec la légion des anges, la troupe des patriarches, l'armée des martyrs, les cohortes des confesseurs et les chœurs des vierges ; et toute cette troupe sainte, rangée devant le trône de Marie, se mit à chanter des cantiques de louanges. Puis Jésus dit : « Viens, mon élue, afin que je te place sur mon trône, car je désire t'avoir près de moi ! » Et Marie : « Seigneur, je suis prête ! » Et toute la troupe sainte chanta doucement les louanges de Marie. Après quoi Marie elle-même chanta : « Toutes les générations me proclameront bienheureuse, en raison du grand honneur que me fait Celui qui peut tout ! » Et le chef du chœur céleste entonna : « Viens du Liban, fiancée, pour être couronnée ! » Et Marie : « Me voici, je viens, car il a été écrit de moi que je devais faire ta volonté, ô mon Dieu, parce que mon esprit exultait en toi ! » Et ainsi l'âme de Marie sortit de son corps, et s'envola dans le sein de son fils, affranchie de la douleur comme elle l'avait été de la souillure. Et Jésus dit aux apôtres : « Transportez le corps de la Vierge dans la vallée de Josaphat, déposez-le dans un monument que vous y trouverez, et attendez-moi là pendant trois jours ! » Et aussitôt le corps de Marie fut entouré de roses et de lys, symbole des martyrs, des anges, des confesseurs et des vierges. Et ainsi l'âme de Marie fut emportée joyeusement au ciel, où elle s'assit sur le trône de gloire à la droite de son fils.

Pendant ce temps, trois vierges, qui se trouvaient là, dévêtirent le corps pour le laver ; mais, aussi longtemps que dura leur travail, le corps brilla d'une telle lumière qu'elles-mêmes qui le touchaient ne parvenaient pas à le voir. Puis les apôtres soulevèrent pieusement le corps, et le posèrent dans un cercueil. Et Jean dit à Pierre : « C'est toi, Pierre, qui porteras cette palme devant le cercueil ; car le Seigneur t'a préféré à nous, et t'a constitué le berger de ses brebis ! » Et Pierre : « C'est à toi, plutôt, de la porter ! car tu as été élu par le Seigneur pendant que ton corps était encore vierge, et c'est toi aussi qui as été jugé digne de reposer sur le sein du Seigneur. Tu porteras donc cette palme ; et moi je porterai le cercueil avec les porteurs, pendant que nos autres frères, entourant le cercueil, chanteront les louanges de Dieu. » Et Paul dit : « Moi, qui suis le plus petit de vous tous, je porterai le cercueil avec toi ! » Pierre et Paul soulevèrent donc le cercueil ; et Pierre entonna : *Exiit Israël de Ægypto, alleluia !* Et les autres apôtres suivirent en chantant. Et le Seigneur couvrit d'un nuage le cercueil et les apôtres, de telle façon qu'on entendait leurs voix sans les voir. Et des anges s'étaient joints aux apôtres, chantant aussi, et remplissant toute la terre de sons merveilleux.

Attirés par la douceur de cette musique, tous les Juifs accouraient, s'informant de ce qui se passait. Quelqu'un leur dit : « C'est Marie que les disciples de Jésus portent au tombeau ! » Sur quoi les Juifs de prendre les armes et de s'exhorter l'un l'autre, en disant : « Venez, nous tuerons tous les disciples, et nous brûlerons ce corps qui a porté l'imposteur ! » Et le prince des prêtres, furieux, s'écria : « Voilà donc le tabernacle de celui qui a troublé notre race ! Et voilà les honneurs qu'on lui rend ! » Ce disant, il voulut s'approcher du cercueil pour le jeter à terre. Mais aussitôt ses deux mains se desséchèrent, et restèrent attachées au cercueil, pendant que les anges, cachés dans les nuées, aveuglaient tous les autres Juifs. Et le prince des prêtres gémissait et disait : « Saint Pierre, ne m'oublie pas dans ma peine, mais prie ton Dieu pour moi ! Rappelle-toi comment, un jour, je te suis venu en aide et t'ai excusé, quand une servante t'accusait ! » Et Pierre lui dit : « Je n'ai pas le loisir de m'occuper de toi ; mais si tu veux croire en Jésus-Christ et en celle qui l'a enfanté, j'espère que tu pourras recouvrer la santé ! » Et le prince des prêtres : « Je crois que Jésus est le fils de Dieu et que voici sa sainte mère ! » Aussitôt ses mains se détachèrent du cercueil ; mais ses bras restaient desséchés et endoloris. Et Pierre lui dit : « Baise ce cercueil et dis que tu crois en Jésus-Christ ! » Ce qu'ayant fait, le prêtre recouvra aussitôt la santé ; et Pierre lui dit : « Prends cette palme des mains de notre frère Jean, et pose-la sur les yeux de tes compagnons privés de la vue ; et tous ceux d'entre eux qui croiront recouvreront la vue ; mais ceux qui refuseront de croire seront privés de leur vue pour l'éternité ! »

Puis les apôtres déposèrent la Vierge dans le monument qui l'attendait, et s'assirent à l'entour, comme Jean le leur avait ordonné. Et, le troisième jour, Jésus vint avec une troupe d'anges, les salua et leur dit : « Que la paix soit avec vous ! » A quoi ils répondirent : « Gloire à toi, Seigneur ! » Et Jésus leur dit : « Quel honneur pensez-vous que je doive accorder à celle qui m'a enfanté ? » Et eux : « Nous croyons, Seigneur, que, de même que tu règnes dans les siècles des siècles, vainqueur de la mort, de même tu ressusciteras le corps de ta mère, et le placeras à ta droite pour l'éternité ! » Et aussitôt apparut l'archange Michel, présentant au Seigneur l'âme de Marie. Et Jésus dit : « Lève-toi, ma mère, ma colombe, tabernacle de gloire, vase de vie, temple céleste, afin que, de même que tu n'as point senti la souillure du contact charnel, tu n'aies pas non plus à souffrir la décomposition de ton corps ! » Et l'âme de Marie rentra dans son corps, et la troupe des anges l'emporta au ciel. Et comme Thomas, qui n'avait pas assisté au miracle de l'assomption, refusait d'y croire, voici que la ceinture qui entourait le corps de la Vierge tomba du ciel dans ses mains, intacte et encore nouée, de manière à lui faire comprendre que le corps de la Vierge avait été emporté tout entier au ciel.

Mais tout ce qu'on vient de lire est absolument apocryphe, comme le dit saint Jérôme dans sa lettre à Paul et Eustochius. Mais le saint ajoute : « Il y a cependant un certain nombre de faits que nous devons croire vrais, car d'autres témoignages de saints les ont confirmés ; et ces faits sont, à savoir : l'appui divin promis et montré à la Vierge, la réunion de tous les apôtres, la mort sans douleur, les préparatifs de l'ensevelissement dans la vallée de Josaphat, la persécution des Juifs, la production de miracles, enfin l'assomption simultanée de l'âme et du corps. D'autres détails doivent être considérés comme des symboles, et d'autres enfin, tels que l'absence et le doute de Thomas, doivent être rejetés sans hésitation. »

On dit encore que les vêtements de la Vierge sont restés dans le tombeau, pour la consolation des fidèles ; et c'est de l'un de ces vêtements que l'on raconte le miracle suivant. Comme le duc des Normands assiégeait la ville de Chartres, l'évêque de cette ville attacha à une lance, en manière de drapeau, la tunique de la Vierge, qui était conservée dans sa cathédrale ; après quoi, suivi de tout le peuple, il sortit de la ville et marcha vers les ennemis, qui, aussitôt, aveuglés et comme paralysés restèrent immobiles. Ce que voyant, les habitants de Chartres se mirent à les massacrer. Mais leur cruauté déplut à la Vierge, qui, dès cet instant, fit disparaître miraculeusement la sainte tunique.

II. Un clerc, qui avait pour la Vierge une dévotion particulière, s'efforçait en quelque sorte de la consoler, tous les jours, de la douleur que lui causaient les cinq plaies du Christ. Il lui disait : « Réjouis-toi, mère de Dieu, vierge immaculée, toi qui as reçu la joie de l'ange, toi qui as enfanté l'éclat de la lumière éternelle, réjouis-toi, seule mère vierge, que louent toutes les créatures ! » Or cet homme, étant malade, et se voyant près de mourir, fut pris d'épouvante. Sur quoi la Vierge, lui apparaissant, lui dit : « Mon fils, comment peux-tu ainsi trembler de frayeur, toi qui m'as si souvent rappelé mes joies ? Réjouis-toi plutôt, toi aussi ! Et, pour avoir la joie éternelle, viens avec moi ! »

III. Un chevalier riche et puissant avait dissipé ses biens avec tant de prodigalité qu'il se trouva réduit à l'indigence. Sa femme, personne des plus vertueuses, avait une dévotion particulière pour la Vierge Marie. Or un jour, à l'approche d'une fête où, autrefois, il avait l'habitude de faire des dons très abondants, cet homme, honteux de n'avoir plus rien à donner, s'enfuit dans un endroit désert pour y rester caché pendant le temps de la fête. Et voilà qu'un cheval terrible s'approche de lui, monté par un cavalier plus terrible encore. Et ce cavalier, lui ayant demandé la cause de son chagrin, lui promet de le rendre plus riche et plus glorieux qu'auparavant, si seulement il consent à lui obéir. Et l'homme s'engage à obéir au prince des ténèbres, dès que celui-ci aura tenu la promesse qu'il lui fait. Et le cavalier : « Rentre chez toi, et va voir dans tel et tel lieu de ta maison ! Tu y trouveras de l'or, de l'argent et des pierres précieuses ! Mais ce n'est qu'à la condition que tu t'engages, tel et tel jour, à m'amener ici ta femme ! » L'homme s'y engage, revient chez lui et y trouve les trésors annoncés par le diable. De nouveau il achète des palais, distribue des présents, acquiert des esclaves. Puis, à l'approche du jour fixé par le diable, il appelle sa femme et lui dit : « Monte à cheval, car nous avons à aller assez loin d'ici ! » La femme, épouvantée, mais n'osant point contredire son mari, se recommande à la Vierge et se met en route. En passant devant une église, elle descend de son cheval, entre dans l'église, et demande à son mari de l'attendre un instant. Et là, comme de nouveau elle invoque la Vierge, celle-ci lui envoie un profond sommeil ; après quoi, descendant elle-même de l'autel, elle prend la forme et revêt les robes de la femme, sort de l'église, et monte à cheval, de telle sorte que l'homme croit que c'est sa femme qui chevauche à côté de lui. Mais voilà que, lorsqu'ils arrivent au lieu du rendez-vous, le prince des ténèbres, qui accourait vers eux, s'arrête, se met à trembler et dit au chevalier : « Traître, est-ce ainsi que tu te joues de moi en récompense de tant de bienfaits ? Je t'avais dit de m'amener ta femme, et, au lieu d'elle, c'est la Vierge Marie qui vient avec toi ! J'espérais tourmenter ta femme, pour me venger du dommage qu'elle me faisait par sa piété, et Celle que tu m'amènes, c'est elle qui va me tourmenter et me renvoyer en enfer ! » L'homme, frappé d'étonnement et de terreur, restait interdit. Et la Vierge dit au démon : « Maudit, comment as-tu osé projeter de nuire à ma chère servante ? Pour te punir, je t'ordonne de rentrer de suite en enfer, et te défends, désormais, de vouloir faire aucun mal à toute personne qui m'invoquera !» Le diable s'enfuit en gémissant. Le chevalier, sautant de son cheval, se prosterna aux pieds de la Vierge qui, après lui avoir reproché son crime, lui ordonna d'aller rejoindre sa femme, endormie dans l'église, et puis de rejeter toutes les richesses qui lui venaient du diable. Alors l'homme, resté seul, courut jusqu'à l'église : il réveilla sa femme, et lui raconta ce qui lui était arrivé. Après quoi tous deux, rentrés dans leur maison, rejetèrent toutes les richesses du diable et vécurent pieusement dans le culte de la Vierge Marie, qui ne se fit pas faute, à son tour, de les combler de richesses.

IV. Un homme chargé de péchés fut ravi en esprit au jugement de Dieu. Il vit arriver Satan, qui dit au Seigneur : «Il n'y a, dans cette âme, rien qui t'appartienne ! Elle est à moi tout entière, et j'en ai une preuve irréfutable !» Et le Seigneur : «Quelle est cette preuve ?» Et Satan : «C'est ta propre parole. Car tu as dit à Adam et à Eve : «Si vous mangez de ce fruit, vous mourrez «aussitôt !» Or cet homme est de la race de ceux qui ont mangé du fruit défendu ; et, par conséquent, il doit être voué à la mort éternelle !» Alors Le Seigneur invita l'homme à se défendre ; mais l'homme ne trouva rien à dire. Puis le démon reprit : «Et cette âme me revient encore par prescription, car il y a déjà trente ans qu'elle n'obéit qu'à moi !» De nouveau, l'homme ne trouva rien à répondre. Mais le Seigneur, ne voulant pas encore porter la sentence contre lui, lui accorda un délai de huit jours, afin qu'il pût se recueillir et préparer sa défense. Et comme le malheureux s'éloignait, tout tremblant et tout désolé, un inconnu l'aborda et lui demanda la cause de sa tristesse. Et, quand il l'eût apprise, il lui dit : «Sois sans crainte, car je te viendrai en aide !» Le pécheur lui demanda son nom. Et l'inconnu : «Je m'appelle la Vérité !» Puis un second inconnu promit également son secours au pécheur, et lui dit qu'il s'appelait la Justice. Et en effet, huit jours après, comme Satan reproduisait son premier argument, la Vérité lui répondit : «Il y a deux sortes de mort, la mort corporelle et la mort éternelle. Et la parole que tu cites, démon, ne se rapporte qu'à la mort corporelle, non à la mort éternelle. Car tous meurent quant au corps, mais tous ne meurent point quant à la vie éternelle. » Sur quoi Satan, se voyant vaincu, exposa son second argument ; mais la Justice lui répondit : «En effet, cet homme t'a longtemps servi, mais jamais sa raison n'a cessé de murmurer en lui et de le lui reprocher !» Alors Satan dit : «Cette âme doit me revenir, car, si même elle a fait quelque bien, la somme de ses péchés est incomparablement plus lourde !» Alors le Seigneur : «Qu'on apporte les balances, et qu'on y pèse le bien et le mal qu'il a faits !» Mais la Vérité et la Justice dirent au pécheur : «De toute ton âme, recours à la Mère de Miséricorde, qui est assise à côté du Seigneur, et efforce-toi de te gagner son appui !» L'homme fit ainsi, et la Vierge Marie, venant à son aide, posa sa main sur le plateau de la balance où se trouvaient les quelques bonnes actions du pécheur. Et en vain le diable essayait de faire pencher le balance de l'autre côté : l'appui de la Vierge prévalut, et le pécheur fut remis en liberté. Après quoi, s'éveillant de sa vision, il fit pénitence et se convertit à une meilleure vie.

V. Dans la ville de Bourges, vers l'an du Seigneur 527, comme les chrétiens communiaient le jour de Pâques, un enfant juif se joignit à eux et reçut la sainte hostie. Rentré chez lui, il rapporta la chose à son père qui, furieux, le jeta dans une fournaise enflammée. Mais aussitôt la Vierge, prenant la forme d'une statue que l'enfant avait vue sur l'autel, s'approcha de lui et le protégea des flammes. Cependant, aux cris de la mère, une foule de chrétiens et de Juifs accoururent qui, voyant que l'enfant restait sain et sauf dans le feu, l'en retirèrent, et l'interrogèrent sur le miracle qui l'avait préservé. Et l'enfant répondit : « La belle dame que j'ai vue sur l'autel, c'est elle qui est venue près de moi, et a empêché les flammes de m'atteindre ! » Alors les chrétiens saisirent le père de l'enfant et le jetèrent dans la fournaise, où ce vilain homme fut aussitôt réduit en cendres.

VI. Des moines se promenaient, un matin, au bord d'un fleuve, et se divertissaient à toute sorte de bavardages frivoles, lorsqu'ils virent tout à coup un bateau qui s'approchait avec un grand bruit de rames. Et ils demandèrent aux matelots : « Qui êtes-vous ? » Et eux : « Nous sommes des démons, et nous conduisons en enfer l'âme d'Ebroïn, maire au palais du roi de France, qui a apostasié du monastère de Saint-Gall ! » Ce qu'entendant, les moines, épouvantés, s'écrièrent : « Sainte Marie, priez pour nous ! « Et les démons leur dirent : « Vous avez été bien inspirés d'invoquer Marie, car vous venions vous chercher pour vous emporter aussi, afin de vous punir de la façon dont vous bavardez au lieu de prier ! »

VII. Il y avait un moine qui était grand paillard, mais très dévot à la Vierge Marie. Or une nuit, comme il allait à son péché accoutumé et qu'il passait devant l'autel, il récita l'*Ave Maria*. Puis, sortant de l'église, il voulut traverser la rivière, tomba dans l'eau et mourut. Aussitôt les démons emportèrent son âme. Et comme des anges accouraient pour la délivrer, les démons leur dirent : « Pourquoi venez-vous ? Il n'y a rien à vous, dans cette âme ! » Mais ensuite arriva la Vierge Marie, leur demandant de quel droit ils emportaient cette âme. Et ils répondirent : « Nous l'avons trouvée achevant sa vie dans le péché ! » Mais la Vierge : « Vous mentez, car je sais que cet homme avait coutume de m'adresser une prière avant de partir, et aussi quand il revenait ! Au reste, déférons la chose à la décision du souverain juge ! » Et le Seigneur décida, sur la demande de la Vierge, que l'âme du moine pût rentrer dans son corps pour faire pénitence de ses péchés. Cependant les autres moines, ne voyant point leur frère aux matines, se mettent à le chercher, le retirent du fleuve, et s'apprêtent à l'ensevelir, quand tout à coup il ressuscite, et leur raconte ce qui lui est arrivé.

VIII. Une femme était tourmentée par un démon qui se montrait à elle sous forme humaine ; et ni l'aspersion d'eau bénite, ni aucun autre remède ne parvenait à la délivrer. Alors un saint homme lui conseilla que, la prochaine fois que le démon lui apparaîtrait, elle étendît les mains au ciel et s'écriât : « Sainte Marie, venez à mon secours ! » La femme fit ainsi ; et le diable s'arrêta comme frappé d'une pierre. Puis il dit : « Qu'un diable encore pire que moi entre dans la bouche de celui qui t'a appris cela ! » Puis il disparut, et jamais plus il n'osa l'approcher.

Bernard naquit en Bourgogne, au château de Fontaine, de parents nobles et pieux. Son père, vaillant homme d'armes, s'appelait Célestin, sa mère se nommait Aleth. Elle eut sept enfants, six fils et une fille, tous voués par elle au service de Dieu dès avant leur naissance ; et elle tint à les nourrir tous de son propre lait, comme pour leur transmettre, avec son lait, une part de ses vertus. Puis, quand ils grandissaient, elle les élevait pour la vie du cloître plus que pour celle de la cour, les accoutumant à une nourriture grossière et commune.

Bernard était son troisième fils. Pendant qu'elle le portait encore dans son sein, elle eut un rêve où elle se vit donnant le jour à un petit chien tout blanc, et qui aboyait d'une voix vigoureuse. Elle raconta ensuite son rêve à un homme de Dieu, qui, inspiré d'en haut, lui dit : « Tu seras mère d'un petit chien excellent qui, gardien de la maison de Dieu, aboiera vigoureusement contre ses ennemis ! »

Enfant, Bernard souffrait de cruels maux de tête. Un jour une jeune femme vint auprès de lui, pour adoucir sa souffrance par des chants ; mais l'enfant, indigné, la chassa de sa chambre. Et Dieu le récompensa de son zèle, car, aussitôt après, il se leva de son lit et fut guéri. La nuit de Noël, comme le petit Bernard, attendant l'office du matin dans l'église, se demandait à quelle heure de la nuit le Christ était né, l'enfant Jésus lui apparut tel qu'il était sorti du sein de sa mère. Aussi, toute sa vie, crut-il que c'était à cette heure-là qu'était né le Seigneur. Et, depuis lors, il acquit une compétence spéciale dans tout ce qui touchait à la Nativité du Christ, ce qui lui permit de parler mieux que personne de la Vierge et de l'Enfant, et d'expliquer le récit évangélique relatif à l'Annonciation.

Or le vieil ennemi de l'homme, voyant le petit Bernard en des dispositions si saines, s'efforça de tendre des pièges à sa chasteté. Mais comme, un jour, à l'instigation du diable, l'enfant avait tenu longtemps les yeux fixés sur une femme, soudain il rougit de lui-même, et, pour se punir, il entra dans l'eau glacée d'un étang, d'où il ne sortit que transi jusqu'aux os. Une autre fois, une jeune fille nue pénétra dans son lit pendant qu'il dormait. Bernard, dès qu'il l'aperçut, lui céda en silence la part du lit qu'il occupait ; après quoi, s'étant retourné de l'autre côté, il s'endormit. Et la malheureuse, après l'avoir longtemps touché et caressé, fut prise de honte malgré son impudeur, de telle sorte qu'elle se releva et s'enfuit, pleine à la fois d'horreur pour elle-même et d'admiration pour le saint jeune homme. Une autre fois, comme Bernard avait reçu l'hospitalité dans la maison d'une dame, celle-ci, en voyant sa beauté, fut saisie d'un vif désir de s'accoupler à lui. Elle se leva de son lit, et alla s'étendre dans le lit de son hôte. Mais celui-ci, dès qu'il sentit quelqu'un près de lui, se mit à crier : «Au voleur! Au voleur!» Aussitôt la femme s'enfuit, toute la maison fut sur pied, on alluma des lanternes, on chercha le voleur. Puis, comme on ne trouvait personne, chacun retourna dans son lit et se rendormit, à l'exception de la dame, qui, ne pouvant dormir, de nouveau se leva et entra dans le lit de Bernard. Et, de nouveau, le jeune homme se mit à crier : «Au voleur!» Nouvelle alerte, nouvelles investigations. Et, une troisième fois encore, la dame se vit repoussée de la même façon, si bien qu'elle finit par renoncer à son mauvais dessein, soit par crainte ou par découragement. Or le lendemain, en route, les compagnons de Bernard lui demandèrent pourquoi il avait tant de fois rêvé de voleurs. Et il leur dit : «J'ai eu, en effet, cette nuit, à repousser les assauts d'un voleur : car mon hôtesse a essayé de m'enlever un trésor que je n'aurais plus jamais recouvré si je l'avais perdu!»

Tout cela persuada à Bernard que c'était chose peu sûre de cohabiter avec le serpent. Il projeta donc de s'enfuir du monde, et d'entrer dans l'ordre de Cîteaux. Ce qu'apprenant, ses frères voulurent d'abord, par tous les moyens, le détourner de son projet. Mais Dieu lui accorda tant de faveurs que non seulement lui-même ne fut point détourné de son projet : il convertit encore à son projet tous ses frères et bon nombre d'amis. Un de ses frères nommé Gérard, qui était dans l'armée, estimait particulièrement folle l'intention de Bernard. Alors celui-ci, déjà tout enflammé de foi, et excité en outre par son amour fraternel, dit à Gérard : «Je sais, je sais, mon frère, seule la souffrance t'amènera à m'entendre!» Puis, lui mettant un doigt sur l'aîne : «Hélas, le jour est prochain où une lance percera ce flanc et ouvrira la voie, dans ton cœur, au projet que maintenant tu désapprouves chez moi!» Et en effet, peu de jours après, Gérard fut blessé d'un coup de lance à l'endroit que Bernard lui avait désigné ; après quoi, il fut pris par l'ennemi et jeté en prison. Là, Bernard vint le trouver, et lui dit : «Je sais, mon frère Gérard, que bientôt nous partirons d'ici pour entrer dans un monastère!» Et, la même nuit, les chaînes du prisonnier tombèrent, la porte de la prison s'ouvrit ; et Gérard dit à son frère qu'il avait changé d'avis et voulait se faire moine.

L'an du Seigneur 1112, la quinzième année de l'institution du couvent de Cîteaux, Bernard entra dans ce couvent avec plus de trente compagnons. Il était alors âgé d'environ vingt-deux ans.

Au moment où Bernard quittait la maison paternelle avec ses frères, Guido, qui était l'aîné, aperçut le petit Nivard, le plus jeune de ses frères, qui jouait sur la place avec d'autres enfants. «Hé — lui dit-il — mon frère Nivard, c'est sur toi seul que va reposer l'administration de nos biens terrestres!» Mais l'enfant, mûri par la foi, répondit : « Vous voulez donc avoir pour vous le ciel et me laisser la terre ? Ce n'est point là un partage équitable ! » Il resta quelque temps encore auprès de son père, et alla, lui aussi, se faire moine, dès qu'il fut en âge.

Quant à Bernard, aussitôt qu'il fut entré en religion, tout son esprit fut si profondément occupé et absorbé par Dieu que la vie sensible cessa d'exister pour lui. Habitant depuis plus d'un an déjà la cellule des novices, il ne savait pas encore de quelle forme en était la voûte. Passant la plupart de son temps dans la chapelle, il était persuadé que le mur près duquel il se tenait n'avait qu'une seule fenêtre, tandis qu'en réalité il en avait trois.

L'abbé de Cîteaux envoya des frères pour construire une maison à Clairvaux, et désigna Bernard pour être leur abbé. Bernard vécut là dans une extrême pauvreté, ne mangeant souvent qu'une sorte de soupe faite avec des feuilles de hêtre. Il veillait la nuit, au delà des forces humaines, tenant le sommeil pour l'équivalent de la mort, et ne regrettant rien davantage que les quelques instants perdus à dormir. Il ne trouvait aucun plaisir, non plus, dans la nourriture, et ne mangeait que par force, ayant même perdu la faculté de discerner la saveur des mets. C'est ainsi qu'un jour il but de l'huile en guise d'eau, et ne s'en aperçut que lorsque des frères lui firent observer que ses lèvres n'étaient pas mouillées. Une autre fois, et pendant plusieurs jours de suite, il mangea du sang caillé en croyant manger du beurre. L'eau seule lui plaisait, en lui rafraîchissant la bouche et la gorge.

Tout ce qu'il savait sur les saints mystères, il disait qu'il l'avait appris en méditant dans les bois. Et il aimait à dire à ses amis que ses seuls professeurs avaient été les chênes et les hêtres. Un jour, — comme il le raconte lui-même dans ses écrits, — il essayait de graver d'avance, dans son esprit, les paroles qu'il dirait à ses frères ; mais voici qu'une voix lui dit : « Aussi longtemps que tu garderas en toi cette idée-là, tu n'en auras point d'autres ! » Dans ses vêtements, il aimait la pauvreté, mais non la malpropreté, disant de celle-ci qu'elle était signe ou de négligence, ou de vanité intérieure, ou de recherche de la gloire extérieure. Il avait toujours présent à l'esprit ce proverbe, qu'il répétait volontiers : « Celui qui fait ce que personne ne fait, tout le monde le remarque ! » Aussi ne porta-t-il un cilice que tant qu'il put le faire secrètement ; mais, dès qu'il vit que la chose était connue, il rejeta son cilice pour faire comme tout le monde.

Il ne cessait point de montrer, par son exemple, qu'il possédait les trois genres de patience, qui consistaient, suivant lui, à supporter les injures, la perte des biens et la peine corporelle. Un évêque, qu'il avait amicalement admonesté dans une lettre, lui répondit, avec une amertume insensée, par une lettre qui commençait ainsi : « Salut à toi, et non pas blasphème ! » — comme s'il donnait à entendre que la lettre de Bernard avait contenu des blasphèmes.

Mais Bernard se borna à répondre qu'il ne croyait pas avoir en lui l'esprit de blasphème, et que jamais il n'avait maudit personne, ni surtout un prince de l'Eglise. Une autre fois, un abbé lui envoya six cents marcs pour la construction d'un monastère ; mais toute la somme fut prise, en route, par des voleurs. Ce qu'apprenant, il se borna à dire : « Béni soit Dieu, qui nous a allégés de ce fardeau ! » Enfin, une autre fois, un chanoine régulier vint le trouver et lui demanda instamment à être admis dans son monastère. Et comme Bernard l'engageait à retourner plutôt dans son église, le chanoine lui dit : « Pourquoi recommandes-tu la perfection dans tes livres, si tu ne consens pas à en laisser approcher ceux qui le désirent ? Je voudrais avoir ici tes livres pour les détruire ligne à ligne ! » Et Bernard : « Dans aucun de mes livres tu n'as lu que tu ne pouvais pas parvenir à la perfection en restant dans ton église. Ce que j'ai recommandé dans tous mes livres, c'est l'amélioration des mœurs, et non le changement de lieu ! » Sur quoi le chanoine, affolé de rage, le frappa si durement sur la joue que la rougeur succéda au coup, et l'enflure à la rougeur. Et déjà les assistants allaient se jeter sur le sacrilège, lorsque Bernard les supplia, au nom du Christ, de ne lui faire aucun mal.

Son père, qui était resté seul dans sa maison, finit par se retirer, lui aussi, dans un monastère, où il mourut peu de temps après, chargé d'années. Sa sœur, mariée, était en danger de succomber aux richesses et aux plaisirs de ce monde, lorsque, étant venue voir ses frères, mais y étant venue avec une escorte et en grand apparat, Bernard eut l'impression que c'était le diable qui l'envoyait pour corrompre les âmes ; et il ne voulut ni aller lui-même au-devant d'elle, ni permettre à ses frères d'y aller. Alors, voyant que pas un de ses frères ne voulait la reconnaître, à l'exception d'un seul d'entre eux, qui était alors portier, et qui la traitait de « fumier en robes », la sœur fondit en larmes et s'écria : « Si même je suis une pécheresse, c'est pour des créatures comme moi que le Christ est mort ! Et c'est précisément parce que je me sens pécheresse que j'ai besoin des conseils et de l'entretien des gens de bien. Si mon frère dédaigne ma personne corporelle, que du moins le serviteur de Dieu prenne considération de mon âme ! qu'il vienne, qu'il me donne des ordres ! et je suis prête à accomplir tout ce qu'il m'ordonnera ! » Alors Bernard, entendant cette promesse, vint au-devant d'elle avec ses frères. Et, comme il ne pouvait songer à la séparer de son mari, il lui interdit, en premier lieu, tous les plaisirs mondains, et lui recommanda de suivre l'exemple de leur mère. Et la sœur, de retour chez elle, changea si complètement que, vivant parmi le siècle, elle menait la vie d'une nonne dans un cloître. Elle finit même, à force de prières, par obtenir de son mari qu'il consentît à la rupture du lien conjugal, et lui permît d'entrer dans un couvent.

Un jour, Bernard, malade et presque à bout de forces, fut emporté en esprit devant le tribunal de Dieu. Et Satan y vint, de son côté, la bouche remplie d'accusations injustes contre lui. Et, quand l'adversaire eut fini de parler, Bernard, confus et troublé, se borna à répondre : « Je l'avoue, je ne suis point digne d'obtenir le ciel par mes propres mérites. Mais comme mon maître Jésus a obtenu le ciel par deux mérites, à savoir l'héritage de son père et les souffrances de sa passion, j'ai l'espoir que, se contentant d'un seul de ces mérites, il voudra bien me faire don de l'autre ! » Ce qu'entendant, l'ennemi s'en alla tout honteux, et Bernard s'éveilla de sa vision.

Par l'excès de son abstinence, de son travail, et de ses veilles, il avait fatigué son corps au point d'être presque toujours malade, et d'avoir peine à suivre les offices du couvent. Un jour qu'il se sentait en fort mauvais état, les prières des frères eurent pour effet de lui rendre un peu de santé. Sur quoi, les réunissant tous autour de lui, il leur dit : « Pourquoi retenez-vous le pauvre homme que je suis ? Vous êtes si forts que vous l'emportez sur moi, là-haut : mais, de grâce, accordez-moi de m'en aller de ce monde ! »

Plusieurs villes l'élurent pour évêque, entre autres Gênes et Milan. Et il n'osait ni accepter ni refuser, disant seulement qu'il ne s'appartenait point, mais était délégué pour le service d'autrui. Et, d'autre part, sur son conseil, ses frères avaient obtenu du Souverain Pontife la promesse que personne ne pourrait leur enlever celui qui était leur joie et leur réconfort.

Un jour que Bernard était allé chez les Chartreux et les avait édifiés par sa vertu, le prieur des Chartreux fut cependant frappé de voir que la selle de son cheval était d'une élégance inaccoutumée, ce qui semblait dénoter un certain goût de luxe. Mais quand on rapporta à Bernard l'observation du prieur, il demanda avec surprise quelle était cette selle : car il était venu de Clairvaux jusqu'à la Chartreuse sans même voir sur quel siège il était assis. Une autre fois, comme il avait marché toute la journée le long du lac de Lausanne, ses compagnons lui demandèrent, le soir, ce qu'il en pensait ; et il leur répondit ingénument qu'il ne savait pas même où était ce lac. Toujours on le trouvait en prière, ou en méditation, ou occupé à lire ou à écrire, ou à s'entretenir avec ses Frères. Un jour, comme il prêchait devant le peuple, et que tous buvaient ses paroles, l'idée lui vint soudain de se dire : « Tu prêches vraiment très bien, et on a plaisir à t'entendre ! » Alors, devinant la tentation qui se cachait sous cette idée, il se demanda s'il ne ferait pas bien de cesser de parler. Mais aussitôt, réconforté du secours divin, il répondit tout bas au tentateur : « Ce n'est pas toi qui m'as fait commencer de parler, ce n'est pas toi qui m'empêcheras d'achever ! » Après quoi il acheva tranquillement sa prédication.

Un moine qui, dans le siècle, avait été un ribaud et un joueur, fut tenté par le malin esprit et voulut rentrer dans le siècle. Bernard, le voyant bien décidé, lui demanda de quoi il vivrait. Et le moine : « Je sais jouer aux dés, et de cela je vivrai ! » Et Bernard : « Si je te confie un capital, me promets-tu de revenir tous les ans partager tes gains avec moi ? » Le moine, tout joyeux, le lui promit volontiers. Donc Bernard lui fit donner vingt sols et le laissa partir. Or le moine, dès qu'il se trouva libre, perdit toute la somme, et revint, plein de honte, à la porte du couvent. Aussitôt Bernard s'avança vers lui en tendant la main, comme pour recevoir la moitié de son gain. Et lui : « Hélas, mon père, je n'ai rien gagné, et j'ai même été dépouillé de notre capital ! Je ne puis que m'offrir moi-même en échange de la somme perdue ! » Et Bernard lui répondit avec bonté : « Si c'est ainsi, mieux vaut que je reprenne ce capital-là, plutôt que de les perdre tous deux ! »

Un jour Bernard, chevauchant en compagnie d'un paysan, lui parla, par hasard, de la difficulté qu'il avait à prier avec attention. Sur quoi le rustre, d'un ton méprisant, répondit que, quant à lui, jamais il ne se laissait distraire pendant qu'il priait. Alors Bernard lui dit : « Séparons-nous un moment, et commence, avec toute l'attention possible, l'oraison dominicale ! Que si tu parviens à la réciter tout entière sans une seule distraction de pensée, je te donnerai la jument que je monte. Mais j'ai assez de confiance en ta loyauté pour être sûr que, si quelque distraction te vient, tu me l'avoueras ! » Aussitôt le paysan, tout joyeux, et considérant déjà la jument comme acquise, se mit à l'écart, se recueillit, et commença son *Pater*. Mais à peine était-il arrivé à la moitié, que, tout à coup, il se demanda si la selle de Bernard serait à lui avec la jument. Et aussitôt il se rendit compte de sa distraction, et vint l'avouer à Bernard.

Une autre fois, une énorme quantité de mouches ayant envahi le monastère construit par Bernard, et y causant une grande vexation, le saint dit en riant : « Je les excommunie ! » Et, le lendemain, toutes les mouches avaient disparu.

Il avait été envoyé par le Souverain Pontife à Milan, pour réconcilier cette ville avec l'Eglise. Sur son retour, il s'arrêta à Pavie, où un mari lui amena sa femme, qui était possédée du démon. Bernard la renvoya à l'église de saint Cyr ; mais celui-ci, pour honorer son hôte, la lui renvoya. Et le diable, par la bouche de la possédée, ricanait, en disant : « Ce n'est point le petit Cyr, ni le petit Bernard qui seront de taille à me faire sortir ! » A quoi Bernard répondit : « Ce ne sera point Cyr ni Bernard qui te chassera, mais le Seigneur Jésus ! » Puis il pria Jésus, et l'esprit immonde s'écria : « Comme je voudrais sortir de cette femme ; mais je ne le puis, car le grand maître m'en empêche ! » Et Bernard : « Qui est le grand maître ? » Et le diable : « Jésus de Nazareth ! » Et Bernard : « L'as-tu jamais vu ? » Et le diable : « Oui ! » Et Bernard : « Où l'as-tu vu ? » Et le diable : « Dans le ciel ! » Et Bernard : « As-tu donc été dans le ciel ? » Et le diable : « Oui ! » Et Bernard : « Comment en es-tu sorti ? » Et le diable : « J'en ai été précipité avec Lucifer ! » Il disait tout cela d'une voix lugubre, parlant toujours par la bouche de la femme, en présence de tous. Et Bernard lui dit : « Aimerais-tu retourner au ciel ? » Et le diable, avec un gémissement piteux : « Hélas ! il est trop tard ! » Puis, sur l'ordre de Bernard, il sortit de la femme ; mais à peine le saint s'était-il remis en route, que le mari, accourant derrière lui, lui apprit que le maudit avait de nouveau pris possession de sa femme. Alors Bernard lui conseilla d'attacher au cou de sa femme un papier contenant ces mots : « Au nom de Notre-Seigneur Jésus-Christ, je te défends, démon, de toucher désormais à cette femme ! » Ainsi fut fait, et force fut au diable de respecter la défense.

Il y avait en Aquitaine une pauvre femme que tourmentait, depuis six ans, un incube luxurieux. Lorsque Bernard arriva dans l'endroit où vivait cette femme, l'incube défendit à sa victime de s'approcher du saint, la menaçant, si elle le faisait, de n'être plus désormais son amant, mais son persécuteur. La femme, cependant, vint trouver Bernard, et lui raconta en gémissant le mal dont elle souffrait. Et Bernard : « Prends mon bâton et mets-le dans ton lit, et nous verrons ensuite ce que l'ennemi osera faire ! » La nuit, dès que la femme fut dans son lit, l'incube accourut ; mais non seulement il ne put se livrer à sa maudite tâche de toutes les nuits : il ne put même pas s'approcher du lit. Il s'en alla, furieux, avec des menaces terribles. Ce qu'apprenant, Bernard réunit tous les habitants de la ville, leur fit tenir en main des cierges allumés ; et tous, d'une même voix, excommunièrent le diable, lui défendant désormais l'accès de la ville. Depuis lors, la femme se trouva délivrée.

Bernard était venu en Aquitaine pour réconcilier avec l'Eglise le duc de cette province. Et comme celui-ci se refusait à toute réconciliation, Bernard alla vers l'autel, consacra l'hostie, la posa sur une patène, et sortit avec elle de l'église. Alors, abordant d'une voix terrible le duc d'Aquitaine, qui, en qualité d'excommunié, se tenait en dehors de l'église sans oser entrer, il lui dit : « Nous t'avons prié, et tu as dédaigné notre prière ! Voici que vient vers toi le fils de la Vierge, le maître suprême de l'Eglise que tu persécutes ! Voici que vient vers toi ton juge, entre les mains duquel sera remise ton âme ! Oseras-tu le dédaigner aussi, comme ses serviteurs ? » Aussitôt le duc sentit tous ses membres fléchir, et se prosterna aux pieds de Bernard. Et celui-ci, le touchant de la sandale, lui ordonna de se lever, pour entendre la sentence de Dieu. Le duc se releva, tout tremblant, et exécuta aussitôt tout ce que lui ordonna saint Bernard.

Celui-ci se rendit également en Allemagne pour apaiser une grande discorde. Et l'archevêque de Mayence envoya au-devant de lui un vénérable clerc, qui lui dit qu'il venait de la part de son maître. Mais Bernard lui répondit : « Non, c'est un autre maître qui t'a envoyé ! » Etonné, le clerc répondit qu'il venait de la part de l'archevêque. Mais Bernard lui répétait toujours : « Tu te trompes, mon fils, tu te trompes ! C'est un maître plus puissant qui t'a envoyé, car c'est le Christ lui-même ! » Alors le clerc, comprenant le sens de ses paroles, lui dit : « Tu crois donc que je veux devenir moine ? je n'en ai jamais eu la pensée un seul instant ! » Et cela n'empêcha point ce clerc, avant même d'être rentré à Mayence, de dire adieu au siècle pour devenir moine.

Un noble soldat, qui s'était fait moine, était tourmenté d'une tentation cruelle. Un de ses frères, le voyant toujours triste, lui en demanda le motif. Et le moine répondit : « Je me désole de penser qu'il n'y aura plus pour moi de joie en ce monde ! » Le mot fut rapporté à Bernard, qui, ému de pitié, pria pour le malheureux frère. Et aussitôt celui-ci devint aussi gai et aussi joyeux qu'il avait été triste jusque-là.

Lorsque mourut saint Malachie, évêque d'Irlande, qui était venu achever sa vie dans le monastère de saint Bernard, celui-ci célébra la messe en son honneur. Et Dieu, soudain, lui fit connaître la gloire du défunt, de telle sorte que, après la communion, changeant la forme de sa prière, il s'écria joyeusement : « Dieu, qui as daigné admettre le bienheureux Malachie au nombre de tes saints, permets, nous t'en prions, que, de même que nous célébrons la fête de sa mort, nous imitions aussi l'exemple de sa vie ! » Le diacre fit signe à Bernard qu'il se trompait dans sa prière. Mais Bernard : « Pas du tout ! Je sais ce que je dis ! » Après quoi il alla baiser les restes du saint.

A l'approche du carême, Bernard demanda aux étudiants de vouloir bien s'abstenir, au moins pendant les saints jours, de leurs amusements et de leurs débauches. Mais, comme ils s'y refusaient, il leur fit verser du vin, en disant : « Buvez donc de ce vin des âmes ! » Et à peine l'eurent-ils bu qu'ils furent tout changés. Et eux, qui n'avaient pas voulu accorder à Dieu quelques journées, ils lui accordèrent tout le temps de leur vie.

Enfin saint Bernard, sentant la mort approcher, dit à ses frères : « Je vous laisse en héritage l'exemple de trois vertus que je me suis efforcé toute ma vie de pratiquer. J'ai toujours évité de scandaliser personne ; j'ai toujours eu moins de confiance en moi-même que dans les autres, et jamais je n'ai tiré vengeance de mes persécuteurs. » Puis il s'endormit au milieu de ses fils, en l'an 1143, dans la soixante-troisième année de son âge, après avoir fondé cent soixante monastères, accompli de nombreux miracles et écrit une foule de livres et de traités.

Après sa mort, sa gloire fut révélée à de nombreuses personnes. Il apparut notamment à un certain abbé, et l'engagea à le suivre. Puis il le conduisit au pied d'une montagne, et lui dit : « Reste ici, pendant que je vais monter là-haut ! » L'abbé lui demanda ce qu'il allait faire. Et Bernard : « Je vais apprendre ! » Et l'abbé, tout surpris : « Que veux-tu apprendre, mon père, toi qui n'a pas aujourd'hui ton pareil pour la science ? » Et Bernard : « Il n'y a ici-bas ni science, ni connaissance, c'est là-haut seulement qu'il y a plénitude de science, c'est là-haut qu'est la vraie connaissance de la vérité ! » Et, ce disant, il disparut. Or l'abbé, ayant noté le jour et l'heure de cette vision, découvrit qu'elle avait coïncidé avec la mort de saint Bernard. Et nombreux, ou plutôt innombrables, sont les miracles que Dieu opéra ensuite par l'entremise de ce grand saint.

CXIX
SAINT TIMOTHÉE, MARTYR
(22 août)

Timothée souffrit le martyre sous le règne de Néron. Pendant que le préfet de Rome le torturait cruellement, lui faisant arroser les reins de chaux vive, le saint rendait grâce à Dieu. Alors deux anges, descendant à ses côtés, lui dirent : « Lève la tête, et vois ! » Levant la tête, il vit les cieux ouverts, et, là, Jésus tenait en main une couronne de pierreries, et lui disait : « De ma main tu recevras cette couronne ! » Un homme qui se trouvait là, nommé Apollinaire, vit, lui aussi, la vision céleste, et, aussitôt, se fit baptiser. Et comme tous deux, Timothée et Apollinaire, persévéraient à confesser le Seigneur, le préfet les fit décapiter. C'était en l'an du Seigneur 57.

CXX
SAINT SYMPHORIEN, MARTYR
(22 août)

Symphorien était originaire d'Autun. Dès l'adolescence, il se fit remarquer par la gravité de ses mœurs. Et, comme, le jour de la fête de Vénus, les païens présentaient au préfet Héraclius une statue de cette déesse, Symphorien refusa d'adorer la statue : en punition de quoi il fut roué de coups et jeté en prison. Le préfet lui offrit ensuite de nombreux présents, s'il voulait sacrifier aux idoles. Mais Symphorien lui dit : « Notre Dieu, de même qu'il sait récompenser les mérites, sait aussi punir les péchés. Et vos présents sont des poisons enveloppés de miel. Et votre avidité même, quand elle croit tout avoir, ne possède rien ; et votre joie ressemble au verre, qui, dès qu'il commence à briller, se brise en morceaux ! » Ce qu'entendant, le juge, furieux, ordonna que Symphorien fût mis à mort.

Pendant qu'on le conduisait au supplice, sa mère, du haut d'un mur, lui criait : « Mon fils, mon fils, souviens-toi de la vie éternelle ! regarde en haut, contemple Celui qui règne dans les cieux ! Tu sentiras alors que ta vie ne t'est pas enlevée, mais, au contraire, changée en une vie meilleure ! » Bientôt après, Symphorien fut décapité. Son corps, pris par les chrétiens, fut enseveli religieusement. Et tant de miracles se produisirent sur son tombeau, que les païens eux-mêmes le tinrent en grand honneur. Grégoire de Tours raconte notamment qu'un chrétien, ayant arrosé trois cailloux du sang qui avait jailli du tronc coupé de saint Symphorien, mit ces cailloux dans une boîte d'argent, et prit l'habitude de les porter sur lui. Et comme, un jour, le camp où il était se trouva détruit de fond en comble par un incendie, la boîte seule resta intacte, avec l'étui de bois où elle était enfermée. Le martyre du saint eut lieu en l'an du Seigneur 270.

CXXI
SAINT BARTHÉLEMY, APÔTRE
(24 août)

I. L'apôtre Barthélemy se rendit aux Indes, qui sont placées à l'extrémité du monde. Là, il entra dans un temple où était une idole nommée Astaroth ; et il s'installa dans ce temple comme un pèlerin. Or l'idole Astaroth était habitée par un démon qui prétendait guérir les maladies, encore que, en réalité, il ne les guérît point, mais empêchât seulement les malades de souffrir. Et voici que, une foule énorme de pèlerins étant entrée dans le temple où était l'idole, celle-ci refusa complètement d'exercer sur les malades son action accoutumée. Les pèlerins se rendirent alors dans une ville voisine, où se trouvait une autre idole nommée Bérith ; et ils demandèrent à celle-ci pourquoi Astaroth les laissait sans réponse. Et Bérith leur dit : « C'est qu'Astaroth est chargée de chaînes de feu, qui ne lui permettent ni de respirer ni de parler, et cela depuis l'instant où l'apôtre Barthélemy est entré dans le temple ! » Et eux : « Qui est donc ce Barthélemy ? » Et le démon Bérith : « C'est un ami du Dieu du ciel, venu dans notre province pour en chasser tous les dieux indiens. » Et eux : « A quel signe pourrons-nous le reconnaître ? » Et Bérith : « Il a les cheveux noirs et crépus, la chair blanche, les yeux grands, les narines égales et bien ouvertes, la barbe épaisse avec quelques poils blancs, la stature moyenne ; et il est vêtu d'un manteau blanc avec des pierres rouges aux angles. Vingt-six ans d'âge ; et cette propriété, que son vêtement et ses sandales ne peuvent ni s'user ni se salir, bien que cent fois, jour et nuit, il s'agenouille pour prier. Quand il marche, des anges l'accompagnent, l'empêchant de se fatiguer et de souffrir de la soif. Toujours joyeux d'âme et de visage, il sait tout, comprend toutes les langues, prévoit tout ; et déjà il sait que je vous parle en ce moment. Je vous en prie, s'il consent à se montrer à vous, demandez-lui de ne point venir ici, car ses anges ne manqueraient point de me traiter comme ils ont traité mon compagnon Astaroth ! » On chercha donc Barthélemy pendant deux jours, mais sans pouvoir le découvrir.

Cependant, comme l'apôtre passait dans une rue, un démon s'écria, par la bouche d'un possédé : « Barthélemy, apôtre de Dieu, tes prières me brûlent ! » Et l'apôtre : « Tais-toi, et sors de cet homme ! » Et aussitôt le possédé se trouva délivré. La nouvelle du miracle parvint alors au roi du pays, qui s'appelait Polème. Et comme celui-ci avait une fille folle, il fit prier l'apôtre de venir la guérir. L'apôtre vint, et trouva la jeune fille liée avec des chaînes, car elle mordait ceux qui l'approchaient. Il ordonna aussitôt de la délivrer : et comme les ministres du roi n'osaient la toucher, il leur dit : « Ne craignez rien, car j'ai déjà enchaîné le démon qui était en elle ! » Et, en effet, dès qu'on lui eut ôté ses chaînes, elle recouvra l'esprit. Alors le roi fit placer sur des chameaux tout un trésor d'or, d'argent et de pierres précieuses, et ordonna qu'on le portât à l'apôtre, qui était reparti. Mais en vain on le chercha dans tout le royaume.

Le lendemain, le roi était seul dans sa chambre lorsque Barthélemy lui apparut, et lui dit : « Pourquoi m'as-tu fait chercher, hier, avec tes présents ? Ces présents sont nécessaires à ceux qui désirent les choses terrestres, mais non à moi, qui ne désire rien de terrestre ! » Après quoi il exposa à Polème le mystère de notre rédemption et les sacrements de la foi. Et il ajouta que, si le roi voulait recevoir le baptême, il se chargerait ensuite de lui montrer son ancien dieu tout lié de chaînes. Le lendemain, comme les prêtres sacrifiaient aux idoles près du palais du roi, le diable se mit à leur crier : « Malheureux, cessez de m'offrir des sacrifices : car je suis enchaîné de chaînes de feu par un ange de Jésus-Christ, que les Juifs ont crucifié ! Ce Jésus a dompté la mort elle-même, notre souveraine, et il a enchaîné notre prince, qui, est l'auteur de toute mort ! » Aussitôt la foule voulut abattre les idoles, à grand renfort de cordes ; mais on ne put y parvenir. Alors l'apôtre ordonna au démon de sortir de l'idole et de briser celle-ci. Et aussitôt le démon, sortant de l'idole, mit en pièces celle-ci et toutes les autres qui étaient dans le temple. Alors Barthélemy, ayant prié Dieu, guérit tous les malades venus en pèlerinage auprès d'Astaroth. Puis il dédia à Dieu le temple, et ordonna au démon de se retirer dans un lieu désert. Et, au même instant, on vit un ange qui, volant tout à l'entour du temple, fit, à ses quatre coins, le signe de la croix, en disant : « De même que le Seigneur vous a purifiés de vos maladies, de même il purifie ce temple de toute souillure ! Et avant que le démon qui habitait ici s'en aille au désert, Dieu m'a ordonné de vous le montrer. Ne le craignez pas, mais imprimez sur votre front le signe que vous m'avez vu faire aux quatre coins du temple ! » Et l'ange leur montra un Ethiopien tout noir, au visage pointu, avec une barbe touffue, des poils sur tout le corps, des yeux enflammés, une bouche vomissant du soufre, et les mains enchaînées derrière le dos. Alors le roi se fit baptiser avec sa femme, ses fils et tout son peuple ; et, désormais, renonçant à sa royauté, il devint disciple de l'apôtre.

Les prêtres des idoles, chassés par Polème, se rendirent auprès du frère de celui-ci, Astiage, et se plaignirent devant lui des méfaits de l'apôtre. Astiage, furieux, envoya à la recherche de Barthélémy toute une armée, qui finit par s'emparer de lui. Et Astiage : « Est-ce toi qui as séduit mon frère ? » Et l'apôtre : « Je ne l'ai point séduit, mais converti ! » Et Astiage : « De même que tu as amené mon frère à abandonner ses dieux pour le tien, de même je saurai bien te faire abandonner ton Dieu pour sacrifier aux miens ! » Et l'apôtre : « Le dieu qu'adorait ton frère, je l'ai enchaîné, au vu de tous, et forcé à détruire ses idoles ! Si tu parviens à faire subir le même traitement à mon Dieu, je consentirai à adorer tes simulacres ; mais si tu n'y parviens pas, je détruirai tes simulacres pour que tu croies en mon Dieu. » A peine avait-il ainsi parlé, qu'on vint annoncer au roi que son idole Baldak venait de tomber de son piédestal et de se briser en morceaux. Ce qu'apprenant, le roi, furieux, déchira en deux son manteau de pourpre, ordonna que l'apôtre fût battu de verges, et le fit enfin écorcher vif. Les chrétiens enlevèrent le corps du martyr, et lui accordèrent les honneurs qui lui étaient dus. Quant au roi Astiage et aux prêtres des idoles, ils furent saisis par des démons, et périrent misérablement. Au contraire, l'ex-roi Polème fut ordonné évêque, et, durant vingt ans, s'acquitta saintement des devoirs de l'épiscopat.

Sur le genre exact du martyre de saint Barthélemy les avis diffèrent : car saint Dorothée affirme expressément qu'il a été crucifié. Et il ajoute que son supplice eut lieu dans une ville d'Arménie nommée Albane, comme aussi qu'il fut crucifié la tête en bas. D'autre part, saint Théodore assure que l'apôtre a été écorché vif ; et il y a encore d'autres historiens qui prétendent qu'il a eu la tête tranchée. Mais, au fait, cette contradiction n'est qu'apparente : car rien n'empêche de penser que le saint ait été d'abord mis en croix, puis, pour plus de souffrances, écorché vif, et enfin décapité.

II. Le bienheureux Théodore, abbé et docteur, après avoir raconté le martyre de saint Barthélemy, dont il place la scène à Albane en Arménie, écrit ce qui suit : « La fureur de ses bourreaux était telle que la mort même ne l'apaisa point. Elle s'acharna contre son corps même, qui fut jeté à la mer avec ceux de quatre autres martyrs. Et les cinq corps vénérables, abandonnés au courant des flots, abordèrent dans une île voisine de la Sicile appelée Lipari, où ils furent recueillis par l'évêque d'Ostie, qui se trouvait là en ce moment. Mais quatre d'entre eux, laissant à Lipari les restes de Barthélemy, poursuivirent leurs routes vers d'autres régions. L'un d'eux, Papin, se rendit dans une ville de Sicile, appelée Milas ; un autre, Lucien, parvint à Messine ; les deux derniers furent envoyés par Dieu en Calabre, Grégoire dans la ville de Colone, Achace dans la ville de Chalé. Quant à Barthélemy, il fut reçu à grand renfort d'hymnes et de cierges, et un temple magnifique s'éleva en son honneur. Et le mont de Vulcain, qui lançait des flammes jusque sur les habitants de Lipari, s'éloigna soudain à sept stades de là, de telle sorte que, aujourd'hui encore, se dressant au bord de la mer, il apparaît comme la figuration d'un feu prenant la fuite. »

III. L'an du Seigneur 331, les Sarrasins, ayant envahi l'île de Lipari, brisèrent le tombeau de saint Barthélemy, et dispersèrent ses os. Mais à peine eurent-ils quitté l'île, que le saint apparut à un moine et lui dit : « Lève-toi et recueille mes os, qui sont dispersés ! » Et le moine : « Pourquoi recueillerais-je tes os, ou te rendrais-je un honneur quelconque, à toi qui as laissé dévaster notre île sans nous prêter secours ? » Et le saint : « Pendant longtemps le Seigneur, sur ma prière, a épargné ce peuple ; mais ses péchés sont devenus si nombreux que je n'ai plus pu obtenir leur pardon. » Le moine lui demanda alors à quel signe il pourrait reconnaître ses os, parmi tous ceux que les Sarrasins avaient dispersés. Et le saint : « Va les chercher pendant la nuit, et recueille ceux que tu verras briller comme du feu ! » Le moine fit ainsi, recueillit les os de l'apôtre, et les transporta par mer à Bénévent, métropole de la Pouille. Et aujourd'hui encore les habitants de Bénévent prétendent posséder le corps de saint Barthélemy, bien que, d'après l'opinion générale, ce corps se trouve désormais à Rome.

IV. L'empereur Frédéric, s'étant emparé de Bénévent, avait ordonné de détruire toutes les églises de la ville. Or voici qu'un habitant de celle-ci aperçut des hommes vêtus de blanc, et tout resplendissants, qui semblaient s'entretenir entre eux. Il demanda à l'un d'eux qui ils étaient, et l'inconnu répondit : « Celui que tu vois là-bas est l'apôtre Barthélemy, et nous sommes les autres saints qui avions des églises dans cette ville. Nous nous sommes réunis ici pour nous entendre sur le châtiment que nous devions exiger contre l'impie qui nous a chassés de nos demeures. Et nous venons de juger qu'il aura à comparaître sans retard devant le tribunal de Dieu, pour rendre compte de son sacrilège. » Et, en effet, peu de temps après, ledit empereur périt misérablement.

V. On lit dans un livre de *Miracles des Saints* que, pendant qu'un maître célébrait la fête de saint Barthélemy, le diable lui apparut sous la forme d'une jeune fille merveilleusement belle. Le maître l'invita à sa table, ne sachant qui elle était ; et elle s'efforçait de l'exciter par ses caresses. Or, voici que saint Barthélemy se présenta devant la porte, en habit de pèlerin, et pria qu'on le reçût au nom de saint Barthélemy. La femme engagea le prêtre à lui envoyer du pain sans le recevoir ; mais le pèlerin refusa d'y toucher. Et il fit demander au prêtre de lui faire dire ce qui était le plus propre à l'homme. La jeune femme lui fit répondre : « C'est le péché, avec lequel l'homme est conçu, naît et vit. » Le pèlerin déclara la réponse exacte. Il fit ensuite demander au prêtre de lui dire quel était le lieu n'ayant qu'un seul pied, et où Dieu avait opéré son plus grand miracle. Le prêtre fut d'avis que c'était la croix ; la femme dit : « C'est la tête de l'homme, dans laquelle Dieu a créé comme un second monde en raccourci. » Et le pèlerin approuva les deux réponses. Puis il fit demander, en troisième lieu, quelle distance il y avait du sommet du ciel au fond de l'enfer. Le prêtre répondit qu'il l'ignorait. Mais la femme : « Hélas, je le sais, moi, car j'ai franchi cette distance, et voici que je vais avoir à la franchir de nouveau ! » Après quoi cette femme, reprenant sa forme de diable, se précipita dans l'abîme avec un grand cri ; et, quand on chercha ensuite le pèlerin, on ne le trouva plus. Une histoire semblable nous est aussi racontée touchant saint André.

CXXII
SAINT AUGUSTIN, DOCTEUR
(28 août)

I. Augustin, illustre docteur de l'Eglise, naquit dans la ville de Carthage, en Afrique, de parents nobles. Son père s'appelait Patrice, sa mère Monique. Il fut suffisamment instruit dans les arts libéraux, dès sa jeunesse, pour mériter d'être considéré comme un philosophe éminent et un remarquable rhéteur. Il lut et approfondit l'œuvre d'Aristote et tous les autres livres qu'on pouvait lire alors. Et il nous dit lui-même dans ses *Confessions* : « Tous les livres qu'on appelle *libéraux*, je les ai lus, étant, à cette époque, le misérable esclave de désirs mauvais. Quant à ce qui est de la grammaire et de l'éloquence, de la géométrie, des nombres et de la musique, je l'ai appris aisément sans le secours d'aucun maître. Mais la science, sans la charité, ne fait que nous gonfler au lieu de nous édifier. »

Il était tombé dans l'hérésie des Manichéens, qui niaient la réalité du Christ et la résurrection de la chair. Il persévéra dans cette hérésie pendant neuf ans. Mais, dès l'âge de dix-neuf ans, comme il lisait le livre d'un philosophe où était exposée la vanité du monde, il fut désolé de ne point trouver dans ce livre le nom de Jésus-Christ, dont sa mère l'avait imprégné.

Sa mère, de son côté, pleurait beaucoup et ne négligeait rien pour le ramener à la foi véritable. Or, un jour, elle vit en rêve un jeune homme qui lui demanda la cause de sa tristesse. Elle lui répondit qu'elle pleurait la perdition de son fils. Et l'inconnu lui dit : « Sois sans crainte, car là où tu es, il est aussi ! » L'excellente femme n'en insistait pas moins auprès de son évêque afin qu'il daignât intercéder pour son fils. Et l'évêque, d'une voix prophétique, lui dit : « Sois sans crainte, car c'est chose impossible que Dieu laisse périr l'enfant de tant de larmes ! »

Après avoir longtemps enseigné la rhétorique à Carthage, Augustin vint à Rome et y réunit de nombreux disciples. Sa mère l'avait suivi jusqu'aux portes de Carthage, résolue à l'accompagner si elle ne parvenait pas à le faire rester. Mais il la trompa, et, la nuit, partit seul, ce dont la pauvre femme eut un grand chagrin. Matin et soir, tous les jours, elle allait à l'église et priait pour son fils.

En ce temps-là, les Athéniens demandèrent à Symmaque, préfet impérial, qu'Augustin leur fût envoyé comme professeur de rhétorique. Mais le jeune homme préféra se rendre à Milan, où se trouvait alors saint Ambroise. Et lorsque sa mère, qui n'avait point de repos loin de lui, vint le retrouver à Milan, elle put constater qu'il n'était plus manichéen, sans être encore vraiment catholique. Mais il avait commencé à s'attacher à saint Ambroise et à écouter souvent sa prédication. Or, un jour, le saint avait longuement démontré les erreurs des manichéens, tant par des preuves tirées du raisonnement que par d'autres tirées de l'autorité ; et, dès ce moment, l'hérésie avait presque disparu du cœur d'Augustin. Quant à ce qui lui arriva plus tard, lui-même le raconte tout au long dans ses *Confessions*. Partagé entre son goût pour la voie du Christ et sa crainte de pénétrer dans une voie aussi étroite, il hésitait, lorsque Dieu lui inspira la pensée d'aller consulter saint Simplicien, en qui brillait la lumière de la grâce divine. Et Simplicien se mit aussitôt à l'encourager, en lui disant : « Combien d'enfants servent Dieu dans l'Eglise ! Et toi, savant docteur, tu n'oses le faire ! Jette-toi dans les bras de Dieu ! Il te recevra et te sauvera ! »

Vers le même temps arriva d'Afrique un ami d'Augustin, nommé Pontien ; et cet homme lui raconta la vie et les miracles du grand Antoine, qui était mort en Egypte sous l'empire de Constantin. L'exemple de ce saint alluma une telle ardeur dans l'âme d'Augustin que, se précipitant chez un de ses amis, nommé Alipe, il s'écria : « Que tardons-nous ? Les ignorants se lèvent et gagnent le ciel ; et nous, avec toute notre science, nous nous plongeons en enfer ! » Puis il s'enfuit dans un jardin, s'étendit sous un figuier, et se mit à pleurer amèrement. Or, pendant qu'il pleurait, il entendit une voix qui lui disait : « Prends et lis, prends et lis ! » Aussitôt il ouvrit les *Actes des Apôtres* et lut, au hasard : « Revêtez-vous du Seigneur Jésus ! » Aussitôt les ténèbres du doute achevèrent de se dissiper en lui.

Cependant il souffrait de maux de dents si forts que, comme il le dit lui-même, il était presque tenté d'admettre l'opinion du philosophe Corneille, qui plaçait le souverain bien de l'âme dans la sagesse, et le souverain bien du corps dans l'absence de douleur. Ses maux de dents étaient, en effet, si vifs qu'il en avait perdu l'usage de la parole. Ne pouvant parler à ses amis, il leur écrivait, sur des tablettes de cire, pour leur demander de prier tous pour lui, afin que le Seigneur apaisât sa souffrance. Puis, en leur compagnie, il fléchit les genoux, pria et aussitôt fut guéri. Il demanda aussi par lettre à saint Ambroise de lui indiquer ce qu'il devait lire des Livres Saints, pour devenir plus apte à la foi chrétienne. Ambroise lui recommanda le prophète Isaïe, à cause de la façon dont s'y trouvent prophétisés l'Evangile et la vocation des gentils. Et comme Augustin, d'abord, ne comprenait point le vrai sens du livre, Ambroise lui dit de le relire plus tard, quand il serait plus exercé dans la lecture des Livres Saints.

Enfin, à l'approche de Pâques, Augustin, alors âgé de trente ans, reçut le baptême, en compagnie de son fils Adéodat, enfant plein d'intelligence, qu'il avait enfanté pendant qu'il était encore païen et philosophe. Et son ami Alipe se fit baptiser le même jour. Ce jour-là, Ambroise s'écria : *Te Deum laudamus !* Augustin répondit : *Te Dominum confitemur !* Et ainsi, se répondant l'un à l'autre, ils composèrent jusqu'au bout cette hymne, ainsi que l'atteste Honorius dans son *Miroir de l'Eglise*.

Confirmé désormais dans la foi catholique, il abandonna tout l'espoir qu'il avait mis dans le siècle, et se retira notamment des écoles où il enseignait. Il nous dit lui-même, dans ses *Confessions*, de quelle douceur l'amour divin inondait son âme. Peu de temps après, en compagnie de Nébrode et d'Evode, ainsi que de sa mère, il s'embarqua pour retourner en Afrique ; mais, en arrivant au port d'Ostie, il eut la douleur de voir mourir sa pieuse mère. Rentré dans son domaine familial, il jeûnait et priait avec ses disciples, écrivait des livres et prêchait. Et sa renommée se répandit en tous lieux. Telle était cette renommée qu'Augustin évitait à dessein d'entrer dans les villes où l'on avait besoin d'un évêque, par crainte d'être promu de force au siège épiscopal.

Mais il y avait à Hippone un homme très riche qui lui fit dire que, si seulement il l'entendait parler, il renoncerait sans doute au siècle. Augustin, aussitôt, se mit en route pour l'aller voir ; et voici que l'évêque d'Hippone Valère, apprenant son arrivée, l'ordonna, presque malgré lui, prêtre de son église. Et comme il s'affligeait de cet honneur, de braves gens, mettant son chagrin sur le compte de son orgueil, lui disaient, pour le consoler, que sans doute cette prêtrise était au-dessous de ce qu'il valait, mais que, du moins, elle avait l'avantage de l'approcher de l'épiscopat. Aussitôt élu prêtre, Augustin institua un monastère à Hippone, et commença à vivre suivant la règle établie par les saints apôtres. Et comme l'évêque Valère, qui était grec, ne connaissait pas très bien la langue latine, il conféra à Augustin le droit de prêcher en sa présence, dans l'église, contrairement à l'usage de l'Eglise d'Orient. Ne pouvant s'acquitter lui-même de cette prédication, le saint évêque voulait, du moins, qu'un autre s'en acquittât. Et c'est ainsi qu'Augustin réfuta et convainquit le prêtre manichéen Fortunat, et d'autres hérétiques, manichéens, donatistes, et rebaptisateurs.

Cependant Valère craignait qu'Augustin ne lui fût enlevé pour devenir évêque dans quelque autre ville : car il avait été forcé, une fois déjà, de le cacher, pour empêcher qu'on ne l'emmenât occuper ailleurs un siège épiscopal. Il finit par obtenir de l'archevêque de Carthage la permission de se retirer lui-même de son siège d'Hippone, et d'y être remplacé par Augustin. En vain celui-ci fit tout au monde pour s'y refuser : force lui fut de céder. Et le regret qu'il en eut s'accrut encore lorsque, plus tard, il apprit qu'un concile avait défendu qu'un nouvel évêque fût ordonné du vivant de l'ancien.

Ses vêtements, sa chaussure, ses ornements n'étaient ni trop luxueux, ni trop négligés, mais d'une élégance moyenne et conforme à l'usage. Sa table fut toujours d'une frugalité extrême. Mais, tout en ne se nourrissant que de légumes, il avait presque toujours de la viande pour ses hôtes et pour les malades. Un jour qu'il avait invité des amis à un repas familier, un de ses hôtes eut la curiosité de pénétrer dans sa cuisine. N'y trouvant aucun plat chaud, il demanda à Augustin quels mets il avait commandés pour le repas. Et Augustin lui répondit : « Je n'en sais pas plus que toi ! »

Il disait que saint Ambroise lui avait appris trois choses : 1º à ne jamais se mêler de marier personne ; 2º à ne jamais encourager une dispute ; 3º à ne jamais aller à un repas où il était invité. Telles étaient sa pureté et son humilité, qu'il s'accusait humblement devant Dieu, dans ses *Confessions*, de péchés minimes, dont la plupart d'entre nous ne se soucieraient même pas. Il s'accusait, par exemple, d'avoir joué aux osselets dans son enfance, au lieu d'aller à l'école ; il s'accusait d'avoir mis de la mauvaise volonté à lire ou à apprendre ; il s'accusait d'avoir toujours, dans son enfance, pris plaisir à l'*Enéide* et d'avoir pleuré de la mort de Didon ; il s'accusait d'avoir dérobé des fruits, sur la table de ses parents, pour les donner à ses compagnons de jeux ; il s'accusait d'avoir, à seize ans, cueilli une poire sur un arbre qui n'était pas à lui. Et il s'accusait aussi de la petite jouissance qu'il éprouvait parfois à manger, ajoutant que le chrétien doit prendre ses aliments à regret, comme une médecine. Il s'accusait d'avoir exercé librement son odorat, son ouïe et sa vue, se reprochant, par exemple, son plaisir à voir courir un chien, ou à écouter de beaux chants d'église. Enfin il s'accusait de son appétit de louanges et de son désir de gloire, encore que ces sentiments aient toujours été chez lui d'une modération extraordinaire.

Il excellait à réfuter les hérétiques, de telle sorte que ceux-ci disaient publiquement que ce n'était point péché de le tuer, affirmant que ceux qui le tueraient comme un loup ne pourraient, par là, qu'être agréables à Dieu. Aussi fut-il sans cesse exposé à tomber dans leurs pièges ; et un jour, comme il était en route, sûrement il aurait péri si la Providence n'avait fait en sorte que ses meurtriers se trompassent de chemin.

Pauvre lui-même, il n'oubliait jamais ses frères les pauvres, partageant avec eux ce qu'il pouvait avoir. Souvent même il leur distribuait les offrandes faites pour l'église dans les vases sacrés. Jamais il ne voulut acheter une maison, ni un champ. Quand on lui léguait un héritage, il le refusait, disant que cet héritage devait revenir plutôt aux enfants ou aux proches du légataire. Il n'avait guère souci non plus des biens de l'Eglise, n'étant occupé, jour et nuit, que des choses divines. Jamais il n'eut le goût de faire bâtir, disant que les constructions nouvelles étaient un empêchement pour une âme qui voulait rester libre de tout ennui matériel, et s'abandonner tout entière à la méditation. Non pas, cependant, qu'il désapprouvât absolument tout projet de construction nouvelle : il ne désapprouvait que le goût passionné que certains en avaient.

Il louait par-dessus tout ceux qui avaient le désir de la mort, et il aimait à citer, à ce propos, l'exemple de trois évêques : 1º l'exemple de saint Ambroise qui, comme on lui demandait de prier pour obtenir une prolongation de sa vie, répondait : « Je n'ai point si mal vécu que je doive avoir honte de continuer à vivre, mais je ne crains pas non plus de mourir, car Dieu est un bon maître » ; 2º l'exemple d'un autre évêque, qui disait, dans les mêmes circonstances, en réponse à ceux qui lui représentaient sa vie comme nécessaire à son église : « Si je ne dois jamais mourir, c'est bien ; mais si je dois mourir un jour, pourquoi pas tout de suite ? » ; 3º enfin Augustin aimait à citer un troisième évêque qui, étant très malade, avait prié pour recouvrer la santé ; et un jeune homme d'une beauté merveilleuse lui était apparu, qui lui avait dit, d'une voix indignée : « Vous avez peur de souffrir, vous ne voulez pas mourir, que ferai-je de vous ? »

Jamais Augustin ne voulut qu'aucune femme demeurât avec lui, pas même sa cousine, ni les filles de son frère, qui s'étaient vouées au service de Dieu. Jamais il ne voulait parler, seul, à une femme, sauf quand elle avait un secret à lui communiquer. Il fut le bienfaiteur de ses parents, mais en leur apprenant à n'avoir pas besoin de richesses, et non pas en leur donnant des richesses. Rarement il consentait à intercéder pour quelqu'un, de vive voix ou par lettre, disant que, « le plus souvent, une faveur qu'on demandait devenait une gêne. » Pour juger une cause, il aimait mieux se trouver avec des inconnus qu'avec des amis, disant que, parmi les inconnus, il pouvait plus librement découvrir les bons, et s'en faire des amis, tandis que, à juger des amis, il risquait fatalement d'en perdre un, celui contre qui il devrait décider.

De nombreuses églises l'invitaient à prêcher ; il y enseignait la parole de Dieu et convertissait une foule d'hérétiques. Parfois, en prêchant, il faisait des digressions ; et il disait alors que c'était sans doute Dieu qui lui inspirait ces digressions pour le salut de quelqu'un ; et l'on cite, en effet, le cas d'un manichéen qui fut ainsi converti par saint Augustin, celui-ci s'étant interrompu du sujet qu'il traitait pour réfuter l'erreur des manichéens.

C'était le temps où les Goths s'étaient emparé de Rome, et où idolâtres et hérétiques attaquaient vivement l'Eglise chrétienne. Voilà pourquoi Augustin écrivit son livre de la *Cité de Dieu*, où il montra que c'était la destinée des justes d'être opprimés dans cette vie, et la destinée des impies d'y prospérer. Il décrivait, dans ce livre, deux cités et deux rois, Jérusalem, dont le roi est le Christ, et Babylone, où règne le diable ; ajoutant que la cité du diable reposait sur l'amour de soi et la cité de Dieu sur l'amour de Dieu.

En l'an du Seigneur 440, les Vandales envahirent l'Afrique, dévastant tout sans épargner le sexe ni l'âge. Ils arrivèrent ainsi jusqu'à Hippone, qu'ils assiégèrent vigoureusement. Grande fut la désolation d'Augustin, lorsque cette calamité se joignit pour lui aux maux de la vieillesse ; il pleurait jour et nuit, à voir les uns tués, d'autres mis en fuite, les églises privées de prêtres, les maisons renversées. A peine se consolait-il en se rappelant cette pensée d'un sage : « Celui-là est un petit homme qui croit voir une grande chose quand il voit tomber des arbres ou mourir des mortels. » Enfin, rassemblant ses frères, il leur dit : « J'ai demandé à Dieu, ou bien qu'il nous sauvât de ce péril, ou qu'il nous donnât la patience, ou qu'il me retirât de cette vie, pour m'épargner d'être témoin de tant de malheurs. » Ce fut cette troisième chose qu'il obtint. Le troisième mois du siège, il fut saisi de fièvre et dut s'aliter. Comprenant que l'heure de la dissolution de son corps était proche, il fit copier les sept psaumes de la pénitence et les fit coller sur le mur, en face de son lit, afin de pouvoir les lire à toute heure. Voulant se donner plus entièrement à Dieu, pendant les dix jours qui précédèrent sa mort, il ne laissa entrer personne auprès de lui, à l'exception du médecin et du serviteur chargé de lui porter sa nourriture. Cependant un malade parvint jusqu'à lui, le suppliant de lui imposer les mains pour le guérir de sa maladie. Et Augustin : « Hé, mon fils, que demandes-tu là ? Crois-tu donc que, si j'avais un tel pouvoir, je n'en userais pas pour moi-même ? » Mais le malade insistait, affirmant qu'une voix lui avait promis, en rêve, qu'Augustin lui rendrait la santé. Et Augustin, voyant sa foi, pria pour lui et le guérit. Il guérit aussi beaucoup de possédés, et fit encore une foule d'autres miracles. Il en raconte deux, dans la *Cité de Dieu*, sans dire que c'est lui-même qui les a opérés. C'est, d'abord, une jeune fille qui fut délivrée de la possession du démon quand elle fut frottée avec une huile où un prêtre avait mêlé ses larmes, en priant pour elle. Et c'est ensuite un évêque guérissant, par ses prières, un jeune homme qu'il n'avait jamais vu. Dans les deux cas, Augustin nous parle évidemment de lui-même ; et son humilité seule l'empêche de se nommer.

Au moment même de mourir, Augustin, inspiré de Dieu, enseigna à ses frères que jamais un chrétien ne devait mourir sans la confession et l'eucharistie, quels que fussent, par ailleurs, ses mérites. Il mourut dans la soixante-dix-septième année de son âge, et la quarantième de son épiscopat, ayant tous les membres intacts, ainsi que la vue et l'ouïe. Il ne fit point de testament, attendu que, en sa qualité de pauvre du Christ, il n'avait rien à léguer. Ce grand saint, qui, par son génie et sa science, dépasse incomparablement tous les autres docteurs de l'Eglise, florissait vers l'an 400.

II. Plus tard, lorsque les barbares occupèrent Hippone et profanèrent les saints lieux, le corps d'Augustin fut enlevé par les fidèles et transporté en Sardaigne. Plus tard encore, l'an 718, deux cent quatre-vingts ans après la mort du saint, le pieux roi lombard Luitprand, ayant appris que la Sardaigne était dévastée par les Sarrasins, envoya dans l'île des messagers qu'il chargea de transporter les saintes reliques à Pavie. Ces messagers, à force d'argent, obtinrent d'emporter les reliques et les amenèrent à Gênes, où le roi Luitprand vint au-devant d'elles en grande cérémonie. Mais, le lendemain matin, vainement on essaya de soulever le cercueil pour lui faire continuer son voyage. On ne put le soulever que lorsque le roi eut fait vœu de construire, au même endroit, une église en l'honneur de saint Augustin. Pareil miracle se produisit, le lendemain, dans une villa du diocèse de Tortone, appelée Casal ; et, là aussi, le roi construisit une église en l'honneur de saint Augustin. Il donna, en outre, la villa, avec toutes ses dépendances, aux serviteurs de l'église, en possession perpétuelle. Et comme il vit bien, d'après ces deux faits, que le saint désirait avoir une église dans tous les endroits où son corps s'arrêtait, il décida, une fois pour toutes, d'élever une église dans chacun de ces endroits. C'est ainsi que, en grande pompe, le corps parvint à Pavie, où il fut déposé dans l'église de Saint-Pierre, qu'on appelle communément Ciel-d'Or.

III. Un meunier qui avait une dévotion spéciale pour saint Augustin, fut atteint d'un mauvais abcès à la jambe. Il invoqua le saint ; et celui-ci, lui étant apparu en rêve, lui frotta la jambe avec la main. Le lendemain, le meunier se réveilla guéri.

IV. Un enfant souffrait de la pierre, et les médecins allaient l'opérer, lorsque sa mère, craignant les dangers de l'opération, pria saint Augustin de lui venir en aide. Aussitôt l'enfant rendit la pierre avec son urine, et recouvra la santé.

V. Dans un monastère qui s'appelait l'Aumône, un moine, ayant été ravi en esprit la veille de la fête de saint Augustin, vit descendre du ciel une nuée brillante, sur laquelle était assis le saint docteur en habits pontificaux, illuminant l'Eglise entière des deux rayons enflammés qui sortaient de ses yeux. De son côté, saint Bernard vit un jour un beau jeune homme debout dans une église, et dont la bouche était une fontaine d'où jaillissait tant d'eau que l'église tout entière en était remplie. Et saint Bernard comprit que c'était Augustin, dont la doctrine, fontaine de vérité, arrosait toute l'Eglise.

VI. Un pieux pèlerin donna une grosse somme au moine chargé de la garde du corps de saint Augustin, pour obtenir de lui l'un des doigts du saint. Mais le moine, ayant pris l'argent, enveloppa dans de la soie le doigt d'un mort quelconque, et le donna au pèlerin en lui affirmant que c'était bien le doigt d'Augustin. Or le pèlerin adorait pieusement cette fausse relique, ne cessant point de la baiser ou de la serrer sur son cœur ; de telle sorte que Dieu, touché de sa ferveur, transforma la fausse relique en un vrai doigt de saint Augustin. Et le pèlerin, revenu chez lui, opéra tant de miracles avec sa relique que le bruit en arriva jusqu'à Pavie. Le moine, alors, révéla comment il avait donné au pèlerin le doigt d'un mort inconnu. Mais quand on ouvrit le cercueil, on vit qu'un des doigts du saint manquait réellement.

VII. Dans le monastère de Fontaine, en Bourgogne, vivait un moine nommé Hugues qui, admirant avec passion saint Augustin, le priait souvent d'obtenir pour lui qu'il mourût le jour de sa fête. Quinze jours avant la fête du saint, ce moine fut pris de fièvre ; la veille de la fête, on le déposa à terre, presque mort. Et, soudain, un autre moine, qui priait dans la chapelle, vit entrer en procession plusieurs hommes tout vêtus de blanc, que suivait un évêque de figure vénérable. Le moine demanda qui étaient ces hommes et où ils allaient. Et l'un d'eux lui répondit que c'était saint Augustin qui venait, avec ses chanoines, assister à la mort de son ami, pour emporter ensuite son âme au glorieux royaume.

VIII. Du vivant d'Augustin, une femme, qui avait à souffrir de la part de méchants, vint trouver le saint pour lui demander conseil. Elle le trouva occupé à étudier ; et il ne leva point les yeux sur elle, ni ne répondit à ses paroles. En vain elle s'approcha de lui, et lui parla dans l'oreille, craignant que, dans sa sainteté, il ne voulût point regarder un visage de femme. Augustin ne lui répondit toujours pas, ne parut pas l'entendre ; et elle s'en alla toute triste. Mais le lendemain, comme Augustin célébrait la messe, ladite femme fut ravie en esprit et se vit transportée devant le tribunal de la Sainte Trinité, Augustin était là aussi, la tête baissée. Et la femme entendit une voix qui lui disait : « Lorsque tu es allée chez Augustin, il se trouvait ainsi en présence de la Sainte Trinité, et voilà pourquoi il ne s'est pas même aperçu de ta visite ! Mais, à présent, si tu retournes chez lui, il t'accueillera avec plaisir et te sera de bon conseil. » La femme retourna donc chez Augustin, et tout se passa comme la voix l'avait dit.

IX. On raconte aussi que certain homme de Dieu, ayant été ravi en esprit, vit tous les saints dans leur gloire, à l'exception de saint Augustin. Il demanda où était celui-ci. Et une voix lui répondit : « Il est au plus haut des cieux, admis en présence de la Sainte Trinité ! »

X. Le marquis Malaspina, ayant jeté en prison certains habitants de Pavie, les condamna au supplice de la soif, pour leur extorquer une grosse rançon. Les uns buvaient leur urine, d'autres se préparaient à rendre l'âme. Le plus jeune d'entre eux eut l'idée d'invoquer l'aide de saint Augustin, pour qui il avait une dévotion spéciale. Et voilà que, à minuit, saint Augustin apparut à ce jeune homme, le prit parla main, le conduisit jusqu'au fleuve, et lui mit sur la langue une feuille de vigne trempée dans l'eau ; et le jeune homme en fut si rafraîchi que le plus parfait nectar n'aurait plus eu pour lui la moindre saveur.

XI. Un curé qui avait une grande dévotion pour saint Augustin, et qui, depuis trois ans, était malade dans son lit, invoqua le saint la veille de sa fête, en entendant sonner les vêpres. Et le saint lui apparut, tout vêtu de blanc, l'appela trois fois par son nom, et lui dit : « Voici celui que tu as si souvent appelé ! lève-toi vite et célèbre-moi l'office des vêpres ! » Aussitôt le curé, guéri, se leva, entra dans l'église, à la stupéfaction de tous, et y célébra pieusement l'office.

XII. Un berger avait entre les deux épaules un ulcère qui le privait de toutes ses forces. Il invoqua saint Augustin, qui lui apparut en rêve, mit sa main sur l'ulcère, et le guérit entièrement. Le même homme, par la suite, devint aveugle, et de nouveau invoqua l'aide de saint Augustin. Celui-ci lui apparut à l'heure de midi, lui frotta les yeux, et aussitôt lui rendit la vue.

XIII. L'an du Seigneur 912, une troupe de quarante malades, venus d'Allemagne et de France, se rendaient en pèlerinage à Rome, pour y visiter les tombeaux des apôtres. Les uns étaient conduits sur des sellettes, d'autres marchaient sur des béquilles, d'autres, privés de la vue, se traînaient à la suite de leurs compagnons, d'autres encore avaient les mains et les pieds paralysés. Ayant franchi les Alpes et étant arrivés au village de Cana, à trois milles de Pavie, ils virent venir au-devant d'eux saint Augustin, qui, sortant de l'église des saints Côme et Damien, les salua et leur demanda où ils allaient. Puis il leur dit : « Allez à Pavie, dans l'église de Saint-Pierre, qu'on appelle aussi le Ciel-d'Or ; là, on aura pitié de vous ! » Ils lui demandèrent qui il était, et lui : « Je suis Augustin, jadis évêque d'Hippone ! » Et aussitôt il disparut. Les pèlerins, arrivés à Pavie, se rendirent au monastère de Saint-Pierre ; et là, ayant appris que le corps de saint Augustin y était déposé, ils s'écrièrent, d'une voix unanime : « Saint Augustin, viens à notre aide ! » Moines et bourgeois, attirés par leurs cris, affluaient pour les voir. Et soudain, sous l'effet de tension de leurs nerfs, les pèlerins commencèrent à perdre leur sang, de telle sorte que, depuis le seuil du monastère jusqu'au tombeau de saint Augustin, le sol se trouva tout ensanglanté. Mais dès qu'ils furent parvenus au tombeau du saint, tous recouvrèrent une santé parfaite. Depuis ce jour, la renommée du saint ne cessa point de grandir ; et une foule de malades se pressaient autour de son tombeau ; puis, ayant été guéris, ils offraient des cadeaux à l'église, en gage de reconnaissance. Et bientôt la masse de ces cadeaux fut telle qu'elle encombra la chapelle tout entière ainsi que tout le porche, au point de rendre la circulation difficile autour du tombeau. Forcés par la nécessité, les moines firent transporter cette masse de cadeaux en un autre endroit.

CXXIII
SAINTE THÉODORE[11]
(28 août)

[11] L'Eglise fête, en ce même jour, une autre sainte Théodore, vierge et martyre, qui est, comme l'on sait, l'héroïne d'une des plus belles tragédies de Corneille.

Théodore, femme d'illustre maison, demeurait à Alexandrie, sous le règne de l'empereur Zénon. Elle était mariée à un homme riche et qui craignait Dieu ; mais le diable, jaloux de sa sainteté, excita dans l'âme d'un autre citoyen d'Alexandrie le désir de la posséder, de telle sorte que cet homme ne cessait point de l'importuner de ses instances et de ses présents, qu'elle repoussait toujours dédaigneusement. Enfin cet homme envoya vers elle une magicienne qui l'engagea à avoir pitié de lui et à se livrer à lui. Et comme Théodore répondait que, vivant sous l'œil de Dieu qui voyait toutes choses, jamais elle ne se résoudrait à commettre un aussi grand péché, la magicienne lui dit : « Tout ce qui se fait dans le jour, Dieu le voit et le sait ; mais ce qui se fait le soir, après le coucher du soleil, Dieu l'ignore ! » Sur quoi la dame, trompée par ce mensonge, se laissa toucher de pitié, et fit dire à l'homme qui l'aimait qu'elle l'autorisait à venir la voir après le coucher du soleil. L'homme n'eut garde d'y manquer : il vint le soir, entra dans le lit de Théodore, et puis s'en alla. Mais Théodore, revenant à elle, pleurait amèrement et se frappait au visage, disant : « Hélas ! hélas ! j'ai perdu mon âme, j'ai détruit mon honneur ! » Le mari, revenant à la maison, et trouvant sa femme toute en larmes, sans savoir la cause de son chagrin, s'ingéniait à la consoler : mais elle se refusait à toute consolation.

Le lendemain matin, elle se rendit dans un couvent de nonnes, et demanda à l'abbesse si Dieu avait pu connaître un grave péché qu'elle avait commis la veille, après la tombée du soir. Et l'abbesse : « Rien n'est caché à Dieu, qui voit et sait tout ce qui arrive, sans distinction d'heure ni de lieu. » Alors la jeune femme, pleurant amèrement, dit : « Donne-moi le livre du saint Evangile, pour que j'y cherche moi-même ma destinée ! » Elle ouvrit le livre et lut : « Ce que j'ai écrit, je l'ai écrit ! »

Elle revint chez elle ; et un jour, pendant que son mari était absent, elle se coupa les cheveux, revêtit un vêtement d'homme, et se rendit dans un couvent de moines, qui était à huit lieues d'Alexandrie. Là, elle demanda à être admise parmi les moines, et sa demande lui fut accordée. Interrogée sur son nom, elle dit qu'elle s'appelait Théodore. Puis sous le nom de frère

Théodore, elle remplit toutes les tâches les plus dures du couvent, avec une humilité parfaite et à la satisfaction de tous.

Quelques années plus tard, l'abbé ordonna au frère Théodore d'atteler deux bœufs et d'aller chercher de l'huile à Alexandrie. Or, le mari de Théodore ne cessait point de pleurer et de se désoler, pensant que sa femme s'en était allée avec un autre homme. Et voici qu'un ange lui apparut, qui lui dit : « Demain matin, lève-toi de bonne heure et va sur le chemin du martyre de l'apôtre Pierre ; et la première personne que tu rencontreras, ce sera ta femme Théodore ! » En effet, Théodore, dès qu'elle aperçut son mari, le reconnut, et se dit : « Hélas ! mon cher mari, combien je peine pour être rachetée du péché que j'ai commis envers toi ! » Mais, lorsqu'elle fut près de lui, elle se borna à le saluer, en disant : « Grâces soient rendues à Notre-Seigneur ! » Le mari, lui, ne la reconnut pas sous son déguisement, et passa toute la journée et la nuit à attendre sa femme sur le chemin. Et, le lendemain matin, une voix d'en haut lui dit : « Le moine qui t'a salué hier matin, c'était ta femme ! »

Cependant, Théodore était parvenue à une telle sainteté, qu'elle faisait de nombreux miracles. Elle obtint, notamment, de ressusciter, par ses prières, un homme qu'une bête féroce avait mis en pièces ; et la bête, dès qu'elle l'eut maudite, mourut aussitôt. Mais le diable, jaloux de sa sainteté, lui apparut et lui dit : « Prostituée et adultère, tu as abandonnée ton mari, et tu es venue ici lutter contre moi. Sache donc que, par mon pouvoir terrible, je saurai t'attaquer et te faire renier ton crucifix ! » Sur quoi Théodore fit le signe de la croix, et aussitôt le démon s'évanouit. Mais un jour, comme elle revenait de la ville avec son attelage, elle reçut l'hospitalité dans une maison où une jeune fille s'approcha d'elle, et lui dit : « Viens dormir avec moi ! » Le moine s'y étant refusé, la fille alla trouver un autre homme qui demeurait dans la maison. Et, lorsque plus tard, son ventre se trouva enflé, et qu'on lui demanda de qui elle était enceinte, elle répondit : « Du moine Théodore, qui a couché avec moi ! » L'enfant fut donc remis à l'abbé du monastère qui, après l'avoir placé sur les épaules de frère Théodore, accabla celui-ci de reproches et le chassa du monastère. Et, pendant sept années, la sainte vécut à la porte du monastère, nourrissant l'enfant du lait du troupeau.

Or le diable, jaloux d'une telle patience, prit la forme du mari de Théodore, et, apparaissant devant elle, lui dit : « Que fais-tu là, chère maîtresse, pendant que je languis de toi et ne parviens pas à me consoler ? Viens donc, ma lumière ; et, si tu as couché avec un autre homme, je te le pardonne ! » Et elle, croyant que c'était vraiment son mari, lui dit : « Jamais plus je n'habiterai avec toi, mon cher mari, parce qu'un autre homme a couché avec moi, et que je veux faire pénitence de ma faute à ton égard ! » Puis elle se mit en prières, et aussitôt le faux mari s'évanouit, de telle sorte qu'elle reconnut que c'était le diable. Une autre fois, celui-ci, voulant l'effrayer, lança sur elle des esprits déguisés en bêtes féroces ; et il leur criait : « Dévorez cette prostituée ! » Mais elle se mit en prières et les bêtes disparurent.

Une autre fois, une armée passa près d'elle ; et un chef la commandait que tous adoraient ; et ils dirent à Théodore : « Debout, et adore notre prince ! » Mais elle répondit : « Je n'adore que mon Dieu ! » Dénoncée au chef, celui-ci la fit rouer de coups ; et puis, armée et chef, tout s'évanouit, car tout cela n'était qu'une ruse du diable. Et maintes fois encore elle fut ainsi tentée et persécutée, mais toujours sa prière lui assura la victoire.

Enfin, après sept années, l'abbé, admirant sa patience, lui pardonna et l'autorisa à rentrer dans le monastère avec son enfant. Elle y vécut deux ans de la façon la plus sainte. Puis, un jour, elle appela l'enfant et s'enferma avec lui dans sa cellule. Ce qu'apprenant, l'abbé ordonna à des moines d'aller écouter à la porte ce que disait le frère Théodore. Et celui-ci, couvrant l'enfant de baisers, lui disait : « Mon fils chéri, le terme de ma vie approche ! Je te laisse à Dieu, qui sera ton père et ton soutien. Mon enfant, ne te relâche pas de jeûner et de prier, et de servir humblement tes frères ! » Puis, ayant dit cela, Théodore rendit son âme au Seigneur et s'endormit doucement en lui : mais l'enfant, à cette vue, éclata en sanglots. Or la même nuit, l'abbé du monastère eut une vision. Il vit de grandes noces qui se préparaient ; et toute la troupe des anges, des prophètes, des martyrs et des saints était là ; et au milieu d'eux se tenait une femme environnée de gloire, qui bientôt alla s'asseoir sur le lit nuptial ; et tous, debout, la saluaient. Et une voix s'éleva, qui dit : « Cette femme est le frère Théodore, faussement accusé d'avoir eu un enfant ! » L'abbé, réveillé, courut avec ses frères à la cellule du moine défunt ; et, en découvrant celui-ci, ils virent que c'était une femme ; et l'abbé, ayant mandé le père de la jeune fille qui l'avait dénoncé, lui dit : « L'amant de ta fille est mort ! » Puis, relevant le manteau du mort, il lui montra que c'était une femme.

Le lendemain, l'abbé entendit une voix qui lui disait : « Lève-toi, monte à cheval, et va à la ville ; et, le premier homme que tu rencontreras, prends-le en croupe et ramène-le ici ! » L'abbé se mit donc en route : en chemin, il rencontra un homme qui courait. Et cet homme, interrogé, lui dit : « Ma femme vient de mourir ; je cours la revoir ! » Alors l'abbé prit en croupe, sur son cheval, le mari de Théodore ; et lorsqu'ils furent arrivés auprès de la morte, ils pleurèrent beaucoup, et ils l'ensevelirent solennellement. Après quoi le mari demanda à habiter la cellule de sa femme, et y demeura tout le reste de ses jours. Quant à l'enfant adopté par Théodore, il suivit si bien l'exemple de vertu que lui avait donné sa mère nourricière que, à la mort de l'abbé, les moines, d'une commune voix, l'appelèrent à les diriger.

CXXIV
LA DÉCOLLATION DE SAINT JEAN-BAPTISTE
(29 août)

I. La fête de la Décollation de saint Jean-Baptiste se célèbre pour quatre motifs, que nous expose l'*Office mitral* : 1° pour commémorer la décollation du saint ; 2° pour commémorer la combustion de ses os ; 3° pour commémorer la découverte de son chef ; 4° pour commémorer la translation d'un de ses doigts, et la dédicace de son église.

1° Racontons d'abord la décollation du saint, d'après l'*Histoire ecclésiastique*. Hérode Antipas, fils du grand Hérode, se rendant à Rome, et s'étant arrêté en chemin chez son frère Philippe, s'entendit secrètement avec Hérodiade, femme de Philippe, et qui, suivant Josèphe, était sœur d'Hérode Agrippa : ils convinrent que, au retour d'Antipas, celui-ci répudierait sa femme pour épouser Hérodiade. Ce qu'apprenant, la femme d'Antipas, fille du roi de Damas Arétas, s'enfuit auprès de son père sans attendre le retour de son mari. Et celui-ci, dès qu'il fut revenu, épousa Hérodiade, s'aliénant ainsi, à la fois, le roi Arétas, Hérode Agrippa et Philippe.

Or saint Jean lui reprochait en termes très vifs d'avoir violé la Loi, en épousant la femme de son frère, du vivant de celui-ci. Ce que voyant, Hérode le fit jeter en prison, tant pour plaire à sa femme que pour empêcher Jean de soulever le peuple contre lui. Cependant il n'osait le tuer, par crainte du peuple. Mais comme sa femme et lui voulaient sa mort, ils convinrent en secret que, dans une fête qui allait être donnée pour l'anniversaire de la naissance d'Hérode, la fille d'Hérodiade danserait devant lui, qu'en récompense ils l'autoriseraient à obtenir ce qu'elle lui demanderait, que la jeune fille lui demanderait alors la tête de saint Jean, et que lui, tout en affectant d'être désolé de son serment se déclarerait ainsi forcé à le tenir.

Donc, pendant le festin, la jeune fille arrive, danse devant tous, plaît à tous ; et le roi lui promet de lui offrir tout ce qu'elle lui demandera ; et elle, sur le conseil de sa mère, demande la tête de saint Jean, que le roi lui accorde en feignant de déplorer son serment. Puis le bourreau se rend dans la prison, coupe la tête de saint Jean, la remet à la jeune fille, qui va la présenter à sa méchante mère.

Dans un sermon prêché pour la fête de la Décollation de saint Jean, saint Augustin cite, à cette occasion, l'exemple que voici : « Un homme plein de droiture et de bonne foi m'a raconté que, exaspéré de voir qu'un de ses débiteurs niait sa dette, il l'avait provoqué à prêter serment. Le débiteur jura, et l'honnête homme perdit son procès. Et, en outre, la nuit suivante, ce créancier se vit, en rêve, conduit devant le juge, qui lui dit : « Pourquoi as-tu provoqué ton débiteur à jurer, quand tu savais qu'il ferait un faux serment ? » Le créancier répondit : « Cet homme niait sa dette ! » Mais le juge : « Mieux valait perdre ta dette que de tuer l'âme d'autrui en l'amenant à se parjurer ! » Sur quoi, le juge le fit battre de verges, et si fort que, le lendemain à son réveil, tout son dos en portait les traces. »

Quant à Hérode, il ne resta pas impuni. L'*Histoire scholastique* raconte en effet qu'Hérode Agrippa, désespéré de sa pauvreté, entra un jour dans une tour pour s'y laisser mourir de faim. Ce qu'apprenant, sa sœur Hérodiade supplia son mari, le tétrarque Hérode Antipas, de venir en aide à son frère. Ainsi fut fait ; mais comme, un jour, les deux Hérode dînaient ensemble, le tétrarque, échauffé par le vin, se mit à reprocher à Hérode Agrippa tous les bienfaits dont il l'avait comblé. Sur quoi Hérode Agrippa, irrité, s'enfuit à Rome, où il s'acquit tant de faveur auprès de Caligula, que celui-ci le nomma tétrarque de deux provinces, et lui promit de le nommer roi de Judée. A cette nouvelle, Hérodiade insista vivement auprès de son mari pour qu'il se rendît à Rome, et sollicitât pour lui-même le titre de roi. Et Hérode, d'abord, s'y refusait, préférant la tranquillité à un honneur périlleux ; mais enfin il se laissa convaincre, et se rendit à Rome. Aussitôt Agrippa écrivit à Caligula que son beau-frère s'était allié avec le roi des Parthes, et projetait de se soulever contre le joug romain : en preuve de quoi il ajoutait qu'Antipas, dans ses places fortes, avait assez d'armes pour équiper soixante-dix mille hommes : Caligula ; au reçu de cette lettre, demanda à Hérode si c'était vrai qu'il eût, dans ses places fortes, une telle quantité d'armes. Et Hérode, qui ne soupçonnait rien, avoua le fait : sur quoi Caligula, persuadé qu'Agrippa lui avait écrit la vérité, condamna le tétrarque à l'exil, en laissant à Hérodiade la permission de rentrer à Jérusalem. Mais Hérodiade se refusa à quitter son mari, disant que, comme elle avait partagé sa prospérité, elle voulait encore partager sa misère. Tous deux furent donc relégués à Lyon, où ils finirent leur vie misérablement.

2° La combustion des os de saint Jean-Baptiste eut lieu le jour de la fête de sa décollation, comme si Dieu avait accordé au saint la faveur d'un second martyre. Les disciples de Jean avaient enseveli son corps à Sébaste, en Palestine, entre les corps des prophètes Elisée et Abdias. Et comme de nombreux miracles se produisaient en ce lieu, Julien l'Apostat fit d'abord disperser au vent les os du saint ; puis, les miracles ne cessant point, il les fit brûler, réduire en poudre et disperser dans les champs. Mais pendant qu'on les recueillait pour les brûler, des moines de Jérusalem se mêlèrent aux païens, et emportèrent une grande partie des saints ossements. Ils les remirent à Philippe, évêque de Jérusalem, qui les envoya plus tard à Athanase, évêque d'Alexandrie. Et plus tard encore l'évêque d'Alexandrie, Théophile, les installa dans un ancien temple de Sérapis, dont il fit une basilique en l'honneur de saint Jean. Ajoutons qu'aujourd'hui ces reliques vénérables se trouvent à

Gênes, ainsi que l'ont solennellement confirmé les papes Alexandre III et Innocent IV.

Et, de même qu'Hérode, Julien, le second persécuteur de saint Jean-Baptiste, ne resta pas impuni : nous avons raconté déjà ses persécutions et son châtiment dans l'histoire de *Saint Julien*, dont la fête vient après la Conversion de saint Paul. Mais l'*Histoire tripartite* nous donne encore, sur le règne et la mort de l'Apostat, d'autres détails, qui méritent d'être signalés.

A la mort de Constance, Julien, voulant plaire à tous, permit que chacun suivît librement le culte qui lui convenait. Il chassa aussi, de sa cour, les eunuques, les cuisiniers et les barbiers : les eunuques, parce que sa femme était morte, et qu'il n'avait pas l'intention de se remarier ; les cuisiniers, parce qu'il mangeait de la façon la plus simple et la plus frugale ; les barbiers, parce que, disait-il, « un seul suffit à faire beaucoup d'ouvrage ». Il dicta également un grand nombre de livres, où il déchirait tous les empereurs qui avaient régné avant lui. — Un jour qu'il sacrifiait aux idoles, on lui montra, dans les entrailles d'une victime, une croix entourée d'une couronne. Signe dont les augures furent effrayés, car ils y lisaient l'unité, la victoire et l'éternité de la croix. Mais Julien les consola, en leur disant que ce signe signifiait que le dogme chrétien eût à être enfermé dans un cercle étroit, d'où on devait bien se garder de le laisser sortir. — A Constantinople, comme il sacrifiait à la déesse de la Fortune, le vieil évêque de Chalcédoine, Maris, à qui l'âge avait fait perdre la vue, vint lui reprocher son apostasie. Et Julien : « Tout de même, ton Galiléen n'a pas pu te garder la vue ! » Et Maris : « Il n'y a rien dont je remercie autant mon Dieu que de m'avoir fermé les yeux, de façon à m'empêcher de te voir dépouillé de la foi ! » Et Julien s'en alla sans rien répondre. — A Antioche, il fit jeter à terre les vases et vêtements sacrés, s'assit au-dessus d'eux et les salit de sa fiente ; et bientôt cette partie de son corps se remplit de vers qui rongeaient ses boyaux ; et jamais, tant qu'il vécut, il ne put se guérir de cette maladie. — Plus terrible encore fut le châtiment infligé à un de ses préfets, nommé Julien, qui avait osé uriner dans un vase sacré. Celui-là vit tout à coup sa bouche changée en orifice fécal. — Dans un sacrifice célébré en présence de Julien, une goutte d'eau soi-disant consacrée tomba sur la tunique de Valentinien, qui, en secret, était resté fidèle au Christ. Alors Valentinien, indigné, frappa le prêtre du temple, lui reprochant de l'avoir souillé : ce qui lui valut d'être exilé par Julien, mais aussi, plus tard, d'être promu à l'empire. — Par haine des chrétiens, Julien fit reconstruire à ses frais le temple des Juifs ; mais, au moment où on le construisait, un vent terrible dispersa tout le ciment, après quoi un tremblement de terre acheva d'anéantir le reste du travail. Et, le lendemain, le signe de la croix apparut dans le ciel, et l'on vit des croix gravées sur les vêtements des Juifs. — Lorsque, dans son expédition contre les Perses, Julien mit le siège devant Ctésiphon, le roi des Perses lui offrit la moitié de son royaume s'il consentait à se retirer. Mais Julien refusa dédaigneusement ; car, croyant à la métempsycose, d'après Pythagore et Platon, il s'imaginait avoir en lui l'âme d'Alexandre. Et, soudain, une flèche, lui entrant dans le côté, mit fin à sa vie. Quant à savoir qui lui lança cette flèche, c'est ce que, jusqu'à présent, on ignore. Mais, qu'elle ait été lancée par un homme ou un ange, ou encore par un démon, — comme l'affirme Calixte, — à coup sûr c'est sur l'ordre de Dieu qu'elle a châtié l'Apostat.

3o C'est encore en ce jour qu'a été retrouvée, dit-on, la tête de saint Jean. Celui-ci avait été décapité dans une place forte d'Arabie nommée Machéron ; mais Hérodiade avait emporté sa tête à Jérusalem, et l'avait fait enterrer près de son palais, craignant que le prophète ne ressuscitât si sa tête rejoignait son tronc. Or, sous le règne de Marcien, qui commença de régner en l'an 353, saint Jean révéla l'emplacement de son chef à deux moines qui étaient venus à Jérusalem. Aussitôt les moines, courant à ce qui avait été le palais d'Hérode, découvrirent la sainte relique, entourée d'un sac de peau, que l'on avait fait, sans doute, avec le vêtement du Baptiste. Et comme ensuite les moines emportaient leur trouvaille dans leur pays, un potier de la ville d'Emèse, que la pauvreté avait chassé de chez lui, se joignit à eux. Ce potier fut chargé de porter la besace qui contenait la tête de saint Jean ; et voici que, sur le conseil du saint, qui lui était apparu, il faussa compagnie aux moines, emporta la tête du saint dans sa ville natale, la cacha dans une grotte, et, grâce à son culte pour elle, s'acquit une fortune considérable. En mourant, il révéla son secret à sa sœur, mais avec défense de le révéler jamais à une autre personne qu'à son héritier direct. Et, longtemps plus tard, le moine saint Marcel, qui vivait dans cette grotte, vit en rêve une troupe d'anges, qui chantaient : « Voici que vient saint Jean-Baptiste ! » Puis il vit entrer le saint, que les anges soutenaient des deux côtés, et qui bénissait tous ceux qui l'approchaient. Et comme Marcel se prosternait, pour recevoir sa bénédiction, saint Jean le releva, et lui donna le baiser de paix : après quoi il lui dit qu'il venait de Sébaste pour demeurer en ce lieu. Une autre nuit, Marcel, soudain réveillé, vit une étoile brillante, fixée dans la porte de sa cellule. Il se leva et voulut la toucher : mais elle se transporta dans un autre coin de sa cellule, jusqu'à ce qu'elle s'arrêta au-dessus de l'endroit où était enfoui le chef de saint Jean. Marcel creusa la terre, en cet endroit, et découvrit l'urne avec le saint trésor. Et comme un des assistants refusait de croire au miracle, sa main sécha dès qu'il toucha l'urne, et resta attachée à celle-ci. Enfin, grâce aux prières de Marcel, cette main put se détacher, mais elle resta sèche jusqu'au moment où, sur l'ordre de saint Jean, le chef vénérable fut déposé dans l'église de la ville. Et, depuis ce temps, on commença à célébrer, dans cette ville, la Décollation de saint Jean-Baptiste, au jour anniversaire de l'invention de son chef.

Plus tard encore, ce chef fut transporté à Constantinople. Comme on l'y transportait, par ordre de l'empereur Valence, le char qui le conduisait s'arrêta d'abord à Chalcédoine, sans que nulle force d'hommes ni de bœufs pût l'entraîner plus loin. Mais par la suite, Théodose demanda à la jeune fille qui gardait la relique, dans l'église de Chalcédoine, si elle lui permettait d'essayer à nouveau de transporter la relique à Constantinople. Et la jeune fille le permit, se figurant que, cette fois encore, la sainte relique refuserait de sortir de la ville. Alors le pieux empereur, enveloppant la relique dans sa pourpre impériale, la transporta à Constantinople où il éleva en son honneur une église magnifique. Plus tard encore, sous le règne de Pépin, la sainte tête fut transportée en Gaule, à Poitiers, où, par ses mérites, plusieurs morts ressuscitèrent.

Notons ici en passant que, d'après une tradition, la jeune fille qui avait dansé pour obtenir la tête de saint Jean, aurait reçu, elle aussi, son châtiment, de même qu'Hérode, Hérodiade et Julien. Un jour qu'elle patinait sur la glace, la glace se fendit, et elle fut noyée. Ou encore, suivant d'autres, la terre s'ouvrit pour la dévorer.

4° Enfin l'on raconte que le doigt dont saint Jean s'était servi pour désigner le Seigneur ne put pas être brûlé avec le reste de ses os. Retrouvé par les moines susdits, ce doigt fut ensuite transporté par sainte Thècle au-delà des Alpes, et déposé par elle dans l'église de Saint-Martin. Mais, d'après Jean Beleth, c'est en Normandie que ce doigt aurait été porté par sainte Thècle, et une église consacrée en son honneur, ce même jour. Et de là viendrait le choix de ce jour pour commémorer la Décollation.

II. Dans une ville de Gaule appelée aujourd'hui Saint-Jean-de-Maurienne, une femme priait Dieu avec instance pour obtenir une relique de saint Jean. Et comme ses prières ne lui servaient de rien, elle s'enhardit jusqu'à faire le serment de ne rien avaler tant qu'elle n'aurait pas obtenu ce qu'elle demandait. Après plusieurs jours de jeûne elle aperçut, sur l'autel, un pouce d'une blancheur merveilleuse, et déjà elle s'empressait d'aller prendre cette sainte relique, lorsque survinrent trois évêques qui voulurent en avoir chacun leur part. Mais aussitôt, trois gouttes de sang tombèrent, du doigt miraculeux, sur le linge qu'ils tendaient au-dessous de lui. Et, laissant le doigt à la femme, chacun des évêques prit pour lui une de ces gouttes, en remerciant Dieu, du grand honneur qu'il daignait leur faire.

III. La reine des Lombards, Theudeline, fit construire une riche église, en l'honneur de saint Jean-Baptiste, à Monza, près de Milan. Et Paul, l'historiographe des Lombards, raconte que les empereurs Constantin et Constant, qui désiraient arracher l'Italie aux Lombards, firent demander à un saint ermite quelle serait l'issue de la guerre. Et l'ermite répondit : « Saint Jean ne cesse pas d'intercéder pour les Lombards, par reconnaissance pour leur reine qui lui a élevé une église. Mais un temps viendra où cette église sera délaissée, et alors l'empire des Lombards prendra fin. » C'est en effet ce qui arriva, au temps de l'empereur Charlemagne.

CXXV
SAINT SAVINIEN, MARTYR, ET SAINTE SAVINE
(29 août)

I. Savinien et Savine étaient les enfants d'un noble païen nommé Savin, qui les avait eus de ses deux mariages successifs. Or, Savinien, ayant lu le verset *Asperges me, Domine*, demanda ce que signifiaient ces mots. Personne ne put les lui expliquer. Alors, se réfugiant dans sa chambre, il se roulait dans la cendre sur un cilice, disant qu'il aimait mieux mourir que de ne pas comprendre le sens de ces paroles. Sur quoi un ange lui apparut et lui dit : « Ne te tue point à force de te torturer, car tu as trouvé grâce devant Dieu ; et quand tu auras reçu le baptême, aussitôt, devenu pur comme la neige, tu comprendras ce que tu désires comprendre ! » Resté seul, Savinien, tout joyeux, refusa désormais de vénérer les idoles, ce qui lui valut d'être fort grondé par son père. Celui-ci lui disait souvent : « Si tu ne veux pas adorer nos dieux, mieux vaut au moins que tu meures seul, plutôt que de nous entraîner tous dans la mort avec toi ! » Alors le jeune homme s'enfuit en secret, et se rendit à la ville de Troyes. Là, étant arrivé au bord de la Seine, il pria Dieu de lui permettre de recevoir le baptême dans l'eau de ce fleuve. Dieu le lui permit, et, après son baptême, une voix d'en haut lui dit : « Tu as trouvé, maintenant, ce que tu as si longtemps peiné à chercher ! » Après quoi Savinien ficha son bâton en terre, et, quand il eut prié, ce bâton, au vu de tous, se couvrit de feuilles et de fleurs. Et onze cent huit personnes, ayant vu ce miracle, se convertirent à la foi chrétienne.

Ce qu'apprenant, l'empereur Aurélien envoya des soldats pour s'emparer de lui : mais les soldats, l'ayant trouvé en prière, n'osèrent l'approcher. L'empereur lui envoya d'autres soldats, qui, l'ayant également trouvé en prière, prièrent d'abord avec lui ; puis, s'étant relevés ils le conduisirent devant l'empereur. Celui-ci, sur son refus de sacrifier, lui fit lier les pieds et les mains et le fit frapper de pointes de fer. Et Savinien : « Inflige-moi d'autres tourments encore, si tu le peux ! » L'empereur le fit placer sur un bûcher, au milieu de la ville, et ordonna qu'on répandît de l'huile sur le bois, pour attiser le feu. Mais voici que, levant les yeux sur lui, l'empereur le vit debout en prière au plus fort des flammes. Il en fut si étonné qu'il tomba à la renverse. Et il dit à Savinien : « Bête malfaisante, n'as-tu donc pas déjà assez des âmes que tu as trompées, et veux-tu encore me tromper moi-même par tes artifices magiques ? » Et Savinien : « Bien d'autres âmes encore seront converties par moi, et ton âme aussi, parmi elles ! » Mais l'empereur, entendant ces paroles, blasphéma le nom de Dieu. Le lendemain, il fit attacher Savinien à un tronc d'arbre et ordonna qu'on lui lançât des flèches : mais les flèches restaient suspendues en l'air, sans que pas une l'atteignît. Le lendemain l'empereur vint le trouver et lui dit : « Que ton Dieu vienne donc, à présent, et te délivre de ces flèches ! » Et aussitôt une des flèches, se détournant, vint s'enfoncer dans l'œil de l'empereur qui, aussitôt, perdit la vue. Furieux, il fit reconduire le saint en prison, et ordonna que, le lendemain, il eût la tête tranchée. Mais Savinien pria Dieu qu'il lui permît de se transporter à l'endroit ou il avait reçu le baptême ; et aussitôt ses chaînes se brisèrent, les portes de la prison s'ouvrirent, et le saint put passer librement au milieu des soldats. Parvenu au fleuve, et voyant que des soldats le poursuivaient, il marcha sur l'eau comme sur des pierres, et atteignit ainsi l'endroit où il avait été baptisé. Puis, quand les soldats eurent, à leur tour, franchi le fleuve, il leur dit : « Après m'avoir frappé de votre hache, portez un peu de mon sang à l'empereur, afin qu'il recouvre la vue et reconnaisse la puissance de Dieu ! » Décapité, il souleva sa tête dans ses mains, et la porta à quarante-neuf pas de là. Et l'empereur, dès qu'il eut frotté ses yeux du sang du saint martyr, recouvra aussitôt la vue ; et il dit : « Vraiment bon et grand est le Dieu des chrétiens ! » Et certaine femme qui, depuis quarante ans, avait perdu la vue, se fit conduire à l'endroit où gisait le corps du saint, et, ayant prié, recouvra aussitôt la vue. Saint Savinien souffrit le martyre en l'an 279, au mois de février. Mais nous avons placé ici son histoire afin de la joindre à celle de sa sœur, à qui s'adresse surtout la fête de ce jour.

II. Cette sœur, appelée Savine, ne cessait point de pleurer son frère et de supplier pour lui les idoles. Mais, un jour, un ange lui apparut en rêve et lui dit : « Savine, ne pleure pas ! Abandonne tout ce que tu possèdes, et tu trouveras ton frère élevé à un grand honneur ! » Quand elle s'éveilla, Savine demanda à sa sœur de lait : « N'as-tu rien vu ni entendu ? » Et elle : « Maîtresse, j'ai entendu une voix qui te parlait, mais je ne sais pas ce qu'elle te disait. » Et Savine : « Est-ce que tu ne me dénonceras pas ? » Et la sœur de lait : « Non certes, maîtresse ! Tout ce que tu feras sera bien, pourvu seulement que tu ne t'ôtes point la vie ! » Et, le lendemain, toutes deux s'enfuirent. Et comme son père ne parvenait pas à la retrouver, il dit, levant les mains au ciel : « S'il y a vraiment là-haut un Dieu puissant, qu'il détruise mes idoles, qui n'ont pas su protéger mes enfants ! » Alors Dieu, d'un coup de tonnerre, brisa toutes les idoles : ce que voyant, un grand nombre de personnes se convertirent à la foi chrétienne.

Cependant Savine, venant à Rome, fut baptisée par le pape Eusèbe, guérit deux aveugles et deux paralytiques, et demeura cinq ans dans la ville. Mais un jour un ange lui apparut en rêve et lui dit : « Savine, n'as-tu donc abandonné toutes tes richesses que pour venir ici vivre dans les délices ? Lève-toi, et va dans la ville de Troyes, pour y retrouver ton frère ! » Alors Savine dit à sa sœur de lait : « Nous devons nous en aller d'ici ! » Et elle : « Maîtresse où veux-tu aller ? Ici tu es aimée de tous, et tu veux aller chercher la mort dans des pays étrangers ! » Mais Savine : « Dieu aura soin de nous ! »

Puis, prenant un pain d'orge, elle se rendit à Ravenne, et entra dans la maison d'un riche dont la fille était mourante. Et comme elle demandait à la servante de ce riche qu'on lui accordât l'hospitalité, la servante lui dit : « Comment pourrais-tu recevoir l'hospitalité ici, où la fille de mes maîtres est en train de mourir, et où tous sont plongés dans la désolation ? » Mais Savine : « Je ferai en sorte qu'elle ne meure pas ! » Puis, entrant dans la maison, elle prit la main de la mourante, qui, aussitôt, se releva guérie. On voulut retenir Savine, mais elle poursuivit son chemin. Arrivée à un mille de Troyes, elle s'arrêta pour prendre un peu de repos. Vint à passer un homme noble de la ville, nommé Licérius, qui leur demanda : « D'où êtes-vous ? » Et Savine : « Seigneur, je suis étrangère, et je cherche mon frère Savinien, perdu pour moi depuis longtemps ! » Alors Licérius : « L'homme que tu cherches a été décapité pour le Christ, il y a peu de temps, et c'est ici même qu'il est enseveli ! » Sur quoi Savine, se prosternant en prière, dit : » Mon Dieu, qui m'as toujours gardée dans la chasteté, laisse-moi maintenant reposer dans ce lieu ! Je te recommande ma sœur de lait, qui a tout supporté pour moi. Et fais en sorte que je puisse voir, dans ton royaume, mon frère, qu'il ne m'a pas été donné de voir dans ce monde ! » Puis, ayant ainsi prié, elle rendit son âme au Seigneur. Ce que voyant, sa compagne se mit à pleurer, car elle n'avait même pas les moyens nécessaires pour l'ensevelir. Mais Licérius envoya chercher, en ville, des hommes pour ensevelir l'étrangère ; et ainsi Savine fut mise au tombeau.

C'est le même jour aussi que l'Eglise célèbre la fête de sainte Sabine, qui était femme d'un soldat nommé Valentin, et qui fut décapitée sous le règne d'Adrien, pour avoir refusé de sacrifier aux idoles.

CXXVI
SAINTS FÉLIX ET ADAUCT, MARTYRS
(30 août)

Le prêtre Félix souffrit le martyre sous le règne de Dioclétien et de Maximien, en compagnie, de son frère, qui, comme lui, s'appelait Félix et était prêtre comme lui. Le frère aîné, ayant été conduit au temple de Sérapis pour y sacrifier, souffla sur le visage de la statue, qui, aussitôt, se renversa. Il renversa de la même façon, successivement, la statue de Mercure et celle de Diane. Alors, après l'avoir torturé sur un chevalet, on le conduisit devant un arbre sacrilège afin qu'il y sacrifiât. Mais lui, s'étant mis à genoux et ayant prié, souffla sur l'arbre qui, aussitôt, se déracina et tomba à terre, brisant l'autel. Sur quoi le préfet le fit décapiter à l'endroit même, et ordonna que son corps y fût laissé pour servir de pâture aux loups et aux chiens. Et, au moment où on allait le mettre à mort, son frère ; sortant de la foule, se proclama chrétien. Tous deux furent donc décapités ensemble, après s'être longuement embrassés. Et les chrétiens, ne connaissant pas le nom du second martyr, l'appelèrent *Adauctus* (ajouté), parce qu'il s'était ajouté à saint Félix pour recevoir la couronne du martyre. Les deux saints furent ensevelis dans la fosse qu'avait creusée l'arbre en se déracinant. Et quand les païens voulurent les déterrer, le diable les en empêcha en s'emparant d'eux. Leur martyre eut lieu l'an du Seigneur 287.

CXXVII
SAINT LOUP, ÉVÊQUE ET CONFESSEUR
(1er septembre)

Loup naquit à Orléans d'une famille royale. S'étant de bonne heure distingué par ses vertus, il fut élu archevêque de Sens. Il donnait aux pauvres tout ce qu'il avait ; et comme, un jour, il en avait invité un grand nombre à sa table, et que le vin manquait, il répondit au sommelier qui venait le lui annoncer : « Je crois bien que Dieu, qui nourrit les oiseaux, ne refusera pas de compléter notre charité ! » Et, en effet, un messager arriva au même instant, qui annonça que cent tonneaux de vin attendaient à la porte.

On reprochait beaucoup à l'évêque l'affection qu'il témoignait à une jeune religieuse, fille de son prédécesseur. Alors, en présence de ceux qui l'accusaient, il fit venir la jeune fille et l'embrassa, disant : « Les paroles des hommes ne sauraient nuire à celui que ne souille pas sa propre conscience ! »

Comme le roi des Francs Clotaire, étant entré en Bourgogne, avait ordonné à son sénéchal d'assiéger la ville de Sens, saint Loup se rendit à l'église de Saint-Etienne et se mit à faire sonner la cloche : ce qu'entendant, les ennemis furent saisis d'une telle frayeur qu'ils s'enfuirent, par crainte d'être tués sur place. Et quand le roi, étant devenu maître de la Bourgogne, envoya à Sens un autre sénéchal, celui-ci, furieux de ce que l'évêque ne fût pas venu au devant de lui avec des présents, le calomnia si cruellement auprès de son maître que celui-ci l'envoya en exil. Mais, dans l'exil comme sur son siège, le saint brilla par sa science et par ses miracles. Et bientôt les habitants de Sens, ayant mis à mort l'évêque par qui l'on avait remplacé saint Loup, obtinrent du roi le rappel de celui-ci. Et quand le roi le vit épuisé de privations, il se prosterna devant lui, lui demanda pardon, et l'envoya à Sens après l'avoir comblé de présents. Et l'on raconte que, comme il passait en bateau par Paris, la foule des prisonniers virent s'ouvrir les portes de leurs cellules et tomber leurs chaînes, de façon qu'ils purent se rendre librement au devant de lui.

Un dimanche, pendant qu'il célébrait la messe, une pierre précieuse tomba du ciel dans son calice : le roi la fit mettre plus tard parmi ses reliques.

Le roi Clotaire, apprenant que la cloche de Saint-Etienne de Sens avait un son d'une douceur merveilleuse, fit transporter cette cloche à Paris, pour pouvoir l'entendre à sa guise. Mais, cet ordre ayant déplu à saint Loup, la cloche perdit toute sa douceur dès qu'elle sortit de Sens. Ce que voyant, le roi la fit aussitôt restituer ; et, lorsque la cloche fut arrivée à sept milles, de Sens, elle sonna si fort que toute la ville l'entendit : de telle sorte que saint Loup put aller à sa rencontre.

Une nuit, tenté par le diable, il se fit apporter un verre d'eau froide ; puis comprenant les ruses de l'ennemi, il posa son oreiller sur le verre et y tint le diable enfermé jusqu'au matin suivant. Une autre fois, revenant chez lui de sa visite aux églises de la ville, il entendit des prêtres parlant à voix haute et disant qu'ils voulaient forniquer avec des femmes. Alors, il entra dans son oratoire et pria pour eux ; et aussitôt l'aiguillon de la tentation cessa de les tourmenter, et ils vinrent humblement lui demander pardon.

Enfin saint Loup s'éteignit en paix, en l'an du Seigneur 610.

CXXVIII
SAINT GILLES, ABBÉ
(1er septembre)

Gilles, athénien, était de famille noble, et avait étudié, dès l'enfance, les lettres sacrées. Un jour, comme il se rendait à l'église, un malade, couché sur une place, lui demanda l'aumône. Gilles lui donna sa tunique ; et dès que le malade la revêtit, il guérit. A la mort de ses parents, Gilles abandonna au Christ tout son patrimoine. Il guérit un jour, par sa prière, un homme qui venait d'être mordu par un serpent. Il guérit aussi un possédé qui, se tenant dans l'église, troublait de ses cris les autres chrétiens. Mais bientôt, craignant les dangers de la faveur humaine, Gilles s'enfuit secrètement au bord de la mer. Il aperçut là des matelots qui allaient périr dans une tempête : il pria et aussitôt la tempête s'apaisa. En reconnaissance de quoi les matelots, apprenant qu'il voulait aller à Rome, s'offrirent à l'y emmener gratuitement avec eux.

Mais en arrivant à Arles, Gilles s'y arrêta, et demeura deux ans avec saint Césaire, évêque de cette ville, où il guérit une femme atteinte de fièvre depuis trois ans. Puis, ayant soif du désert, il s'éloigna secrètement d'Arles, et vécut longtemps en compagnie de l'ermite Veredôme, dans un endroit où, en sa faveur, Dieu voulut bien faire cesser la stérilité du sol. Mais, comme le bruit de ses miracles se répandait partout, Gilles, craignant de nouveau les dangers de la louange humaine, quitta son compagnon et s'enfonça encore dans le désert, où il eut le bonheur de trouver une grotte auprès d'une source. Il y eut pour nourricière une biche qui, à de certaines heures, venait lui donner son lait.

Or, un jour, les fils du roi, qui chassaient par là, virent cette biche et la poursuivirent avec leurs chiens. Effrayée, elle se réfugia aux pieds de saint Gilles. Et celui-ci, étonné de ses cris, sortit de sa cellule et entendit les chasseurs. Il demanda alors à Dieu que fût sauvée la bête qu'il lui avait donnée pour nourricière. Et en effet aucun des chiens n'osait s'approcher de la biche. La nuit étant proche, les chasseurs s'en revinrent chez eux. Et le lendemain, de nouveau, ils durent rentrer chez eux sans avoir pris la biche. Ce qu'apprenant, le roi se rendit sur les lieux avec l'évêque et une foule de chasseurs. Et comme, de nouveau, les chiens refusaient d'approcher, un des chasseurs, par accident, blessa d'une flèche le saint, qui demandait grâce pour la biche. Après quoi les chasseurs se frayèrent un chemin jusqu'à la grotte, aperçurent un vieillard en habit monacal avec une biche étendue à ses pieds. Le roi et l'évêque s'avancèrent alors vers lui, lui demandèrent qui il était, d'où il était venu, comment il avait pu arriver à un endroit aussi sauvage, et enfin par qui il avait été blessé. Puis, lui ayant demandé pardon de cette blessure dont ils étaient cause, ils lui donnèrent des remèdes pour la guérir, en même temps que de nombreux présents. Mais le saint ne voulut même pas jeter les yeux sur les présents ni sur les remèdes. Bien plus, sachant que la vertu devenait plus parfaite dans la maladie, il pria Dieu de ne plus recouvrer la santé aussi longtemps qu'il vivrait.

Le roi, cependant, lui fit de fréquentes visites, pour recevoir de lui l'aliment spirituel. Et toujours il lui offrait des trésors, et toujours le saint refusait de les accepter. Il conseilla enfin au roi d'employer plutôt ces trésors à construire un monastère, où serait pratiquée dans toute sa rigueur la discipline monastique. Et le roi suivit son conseil ; mais, quand le monastère fut construit, il insista par ses prières et ses larmes pour forcer saint Gilles à en devenir l'abbé[12].

[12] A Saint-Gilles-du-Gard, entre Arles et Lunel, sur le petit Rhône.

La renommée du saint parvint jusqu'au roi Charles, qui le manda près de lui et le reçut avec déférence. Il lui demanda, entre autres choses, de vouloir bien prier pour que lui fût remis un très grand péché qu'il avait commis jadis, et qu'il n'osait avouer à personne, pas même au saint. Et le dimanche suivant, pendant que Gilles, célébrant sa messe, priait pour le roi, un ange lui apparut qui déposa sur l'autel une feuille où était écrit que, grâce à ses prières, le péché du roi se trouvait pardonné. Et l'on dit aussi que, sur cette feuille, une main céleste avait ajouté que quiconque invoquerait saint Gilles pour la rémission d'un péché, obtiendrait cette rémission, pourvu seulement qu'il ne commît plus le même péché. Gilles porta la feuille au roi, qui se repentit humblement. Puis le saint reprit le chemin de son monastère. Et à Nîmes, en passant, il ressuscita le fils d'un des chefs de la ville, qui venait de mourir.

Peu de temps après, prévoyant que son monastère allait être saccagé par les ennemis, il se rendit à Rome, et obtint du pape, pour son église, un privilège, ainsi que deux portes en bois de cyprès où se trouvaient sculptées les images des apôtres. Après quoi, ayant confié ces portes au Tibre, et les ayant recommandées à la conduite divine, il retourna vers son monastère ; et, sur le chemin, à Tiberon, il guérit un paralytique. Et quand il revint à son monastère, il trouva les portes qui l'attendaient dans le port. Après avoir rendu grâces à Dieu, il les dressa au seuil de son église, tant pour l'ornement de celle-ci que pour qu'elles fussent le témoignage du pacte accordé au monastère par la curie romaine.

Enfin, comprenant par révélation que le jour de sa mort approchait, il en informa ses frères et leur demanda de prier pour lui. Et quand il se fut endormi dans le Seigneur, bien des personnes affirmèrent avoir entendu des chœurs d'anges transportant son âme au ciel. Cette mort eut lieu en l'an du Seigneur 700.

CXXIX
LA NATIVITÉ DE LA BIENHEUREUSE VIERGE MARIE
(8 septembre)

I. La glorieuse Vierge Marie était de la tribu de Juda, et de la race royale de David. On sait que Matthieu et Luc, dans leurs évangiles, nous retracent la généalogie, non pas de Marie, mais de Joseph, qui cependant n'a eu aucune part à la conception du Christ : c'est, dit-on, pour se conformer à la coutume des Ecritures, où n'est prise en considération que la généalogie des hommes, non celle des femmes. Quoi qu'il en soit, d'ailleurs, la sainte Vierge descendait certainement de la race de David : car les mêmes évangélistes, qui admettent expressément la conception toute divine de Jésus, attestent à plusieurs reprises que Jésus était de la semence de David.

Ce roi, en effet, eut, entre autres fils, Nathan et Salomon. De la race de Nathan fut (suivant Jean de Damas), Lévi, qui engendra Melchi et Panthar ; Panthar engendra Barpanthar, qui engendra Joachim, qui fut père de la Vierge Marie. Et il y eut un des descendants de Nathan qui épousa une descendante de Salomon ; et lorsque Héli, de la tribu de Nathan, mourut sans enfants, son frère utérin Jacob, qui était de la tribu de Salomon, épousa sa veuve et engendra d'elle Joseph. Celui-ci était donc, par la nature, fils de Jacob et descendant de Salomon ; mais, par la loi, il était fils d'Héli et de la descendance de Nathan, car, dans les cas de ce genre, la loi assignait les enfants au premier mari.

D'autre part, l'*Histoire ecclésiastique* et Bède, dans sa *Chronique*, racontent qu'Hérode, pour faire croire à la postérité qu'il était noble et descendait d'Israël, fit brûler toutes les généalogies des Juifs, qui étaient conservées dans les archives secrètes du Temple. Mais il y eut des Nazaréens, parents du Christ, qui reconstituèrent la généalogie de leur divin parent, en partie d'après leurs traditions de famille, en partie d'après des livres qu'ils avaient conservés. A eux nous devons de savoir que la femme de Joachim, nommée Anne, eut une sœur, nommée Ismérie, qui fut mère d'Elisabeth et d'Eliude. Elisabeth fut mère de saint Jean-Baptiste ; d'Eliude naquit Eminen, et d'Eminen naquit saint Servais, dont le corps est conservé dans la ville de Maëstricht, qui relève de l'évêché de Liège. Quant à Anne, la tradition rapporte qu'elle a eu successivement trois maris : Joachim, Cléophas et Salomé. De Joachim elle eut une fille, la Vierge Marie, qu'elle donna en mariage à Joseph. Puis, après la mort de Joachim, elle épousa Cléophas, frère de Joseph, de qui elle eut une autre fille, également appelée Marie, et donnée plus tard en mariage à Alphée. Cette seconde Marie eut d'Alphée quatre fils, Jacques le Mineur, Joseph le Juste, Simon et Jude. Enfin, de son troisième mariage avec Salomé, Anne eut encore une fille, également appelée Marie, et qui épousa Zébédée. Et c'est de cette troisième Marie et de Zébédée que sont nés Jacques le Majeur et Jean l'Evangéliste.

D'autre part, saint Jérôme nous dit, dans son *Prologue*, avoir lu dans son enfance un petit livre où se trouvait raconté l'histoire de la naissance de la sainte Vierge ; et il nous transcrit cette histoire, mais seulement de souvenir, et très longtemps après l'avoir lue. Donc, suivant ce récit, Joachim, qui était Galiléen, et de la ville de Nazareth, s'était marié avec sainte Anne, qui était de Bethléem, en Judée. Tous deux vivaient sans reproche, accomplissant tous les commandements du Seigneur ; ils faisaient de tous leurs biens trois parts égales, dont ils ne gardaient qu'une seule pour eux-mêmes et leur famille, en donnant une au temple, l'autre aux pauvres et aux pèlerins. Et comme, après vingt ans de mariage, ils n'avaient point d'enfant, ils firent vœu que, si Dieu leur accordait un enfant, ils le voueraient au service divin. Le jour de la fête de la Dédicace, Joachim, s'étant rendu à Jérusalem, comme il faisait pour les trois grandes fêtes de l'année, alla présenter son offrande au Temple avec ceux de sa tribu. Mais le prêtre le repoussa avec indignation de l'autel, affirmant que c'était un scandale qu'un homme infécond, incapable d'augmenter le peuple de Dieu, présentât son offrande à un Dieu qui avait mis sur lui le signe de sa malédiction. Sur quoi Joachim, tout confus, n'osa point retourner chez lui, et s'en alla séjourner avec ses bergers. Mais, pendant qu'il se trouvait là, un ange lui apparut un jour avec une grande lumière, et lui dit : « Je suis envoyé vers toi par le Seigneur, pour t'annoncer que tes prières ont été entendues, et que tes aumônes se sont élevées jusqu'au trône divin. Dieu a vu ta honte, et entendu l'injuste reproche qu'on t'a fait de ta stérilité. Car Dieu ne punit point la nature, mais seulement le péché. Et souvent, quand il ferme une matrice, il le fait afin de l'ouvrir ensuite plus miraculeusement, de manière qu'on sache que ce n'est point de la luxure que naît l'enfant qui doit naître. Est-ce que Sara, la mère de votre race, n'a pas supporté jusqu'à l'âge de quatre-vingt-dix ans l'opprobre de la stérilité, avant de donner le jour à Isaac, a qui fut renouvelée la promesse de la bénédiction de tout son peuple ? Est-ce que Rachel n'a pas été longtemps stérile avant d'enfanter Joseph, qui commanda à toute l'Egypte ? Qui fut plus fort que Samson, ou plus saint que Samuel ? Et cependant l'un et l'autre sont nés de mères stériles. Sache donc que, de la même façon, Anne, ta femme, te donnera une fille que tu appelleras Marie. Celle-ci, suivant ton vœu, sera consacrée au Seigneur dès l'enfance ; dès le ventre de sa mère elle sera pleine du Saint-Esprit ; et, afin que sa pureté ne puisse donner lieu à aucun soupçon, elle ne sera pas élevée au dehors, mais toujours gardée à l'intérieur du temple. Et, de même qu'elle sera née d'une mère stérile, d'elle naîtra miraculeusement le Fils du Très-Haut, qui aura nom Jésus, et qui apportera le salut à toutes les nations. Quant au signe qui te prouvera la vérité de mes paroles, écoute ! En arrivant à la Porte d'Or, à Jérusalem, tu rencontreras ta femme Anne, qui, inquiète de ta longue absence, se réjouira grandement de ta vue ! » Cela dit, l'ange disparut ; mais il apparut ensuite à Anne, qui pleurait amèrement l'absence de son mari ; il lui annonça ce qu'il venait d'annoncer à Joachim, et lui ordonna de se rendre à Jérusalem, devant la Porte d'Or, pour y rencontrer son mari. Anne et Joachim se rencontrèrent donc, tous deux, se réjouissant de leur vision et de la postérité qui leur était promise. Et, ayant adoré le Seigneur, ils revinrent chez eux.

C'est ainsi qu'Anne conçut et mit au monde une fille, qui fut appelée Marie. Et lorsque furent achevées les trois années de l'allaitement, l'enfant fut conduite au temple avec des offrandes. Le temple était situé sur une montagne ; et, pour parvenir à l'autel des holocaustes, qui se trouvait à l'extérieur, on avait encore à monter quinze marches, correspondant aux quinze psaumes graduels. Et voici que la petite fille monta toutes ces marches sans l'aide de personne, comme si elle était déjà dans la perfection de l'âge. Puis, quand elle eut accompli son offrande, ses parents revinrent chez eux, la laissant avec les autres vierges dans le temple ; et là, tous les jours, elle croissait en sainteté, visitée par les anges, et admise à la vision divine. Elle s'était imposé pour règle de rester en prière depuis le matin jusqu'à la troisième heure ; jusqu'à la neuvième heure, ensuite, elle s'occupait à tisser la laine ; après quoi elle se remettait en prière, jusqu'au moment où un ange venait lui apporter sa nourriture.

Quand elle eut quatorze ans, le prêtre déclara que les vierges instruites dans le temple et qui étaient parvenues à leur puberté devaient retourner chez elles, pour être unies à des hommes en légitime mariage. Les autres vierges obéirent à cet ordre. Seule, Marie dit qu'elle ne pouvait y obéir, car ses parents l'avaient consacrée au service de Dieu, et elle-même avait voué sa virginité au Seigneur. Ce qui mit le prêtre en grand embarras, car il n'osait ni rompre un vœu, — l'Ecriture ayant dit : « Faites des vœux et remplissez-les ! » — ni autoriser un acte contraire aux usages. Lors de la fête qui suivit, les vieillards convoqués furent d'avis qu'en matière si douteuse on devait s'en remettre à l'inspiration divine. Et, comme tous étaient en prière, une voix sortit du fond du temple, disant que tous les hommes nubiles et non mariés de la maison de David devaient s'approcher de l'autel, chacun portant une baguette à la main ; et la voix ajoutait que la Vierge Marie aurait à épouser celui d'entre eux dont la baguette produirait des feuilles. Or il y avait là un homme de la maison de David nommé Joseph, qui, seul, ne se présenta point devant le prêtre, estimant inconvenant de prétendre, à son âge, devenir le mari d'une vierge de quatorze ans. De telle sorte que le miracle prédit par la voix divine n'eut point lieu. Et le prêtre, de nouveau, interrogea le Seigneur, qui répondit que celui-là seul n'avait pas apporté sa baguette qui était destiné à devenir le mari de la vierge. Force fut donc à Joseph de se présenter à l'autel ; et aussitôt sa baguette produisit des feuilles, et l'on vit descendre sur elle une colombe, du haut du ciel. Alors Joseph, se trouvant ainsi fiancé, se rendit à Bethléem, sa patrie, afin de s'occuper de préparer ses noces, tandis que Marie retournait à Nazareth, dans la maison de ses parents, avec sept vierges de son âge que le prêtre lui avait données pour compagnes. C'est vers ce temps-là que l'ange Gabriel lui apparut, pendant qu'elle était en prière, et lui annonça que d'elle naîtrait le Fils de Dieu.

Le jour exact où devait être commémorée la nativité de la Vierge fut très longtemps ignoré des fidèles. Mais un jour, suivant ce que rapporte Jean Beleth, un saint homme, qui vivait dans la contemplation, s'aperçut que tous les ans à la même date, le 6 septembre, il entendait une merveilleuse musique d'anges, célébrant une fête. Il supplia le Ciel de lui révéler quelle fête c'était qu'on célébrait au ciel ce jour-là ; et il obtint pour réponse que c'était le jour anniversaire de la naissance de la glorieuse Vierge Marie : ce dont il fut chargé, en outre, de faire part aux fils de la sainte Eglise, pour qu'ils s'unissent, dans la célébration de la fête, avec les troupes célestes. La chose fut rapportée au Souverain Pontife et aux autres chefs de l'Eglise qui, ayant prié et jeûné, et consulté les témoignages de l'Ecriture et des traditions, décrétèrent que, désormais, ce jour du 6 septembre serait universellement consacré à la célébration de la naissance de la Vierge Marie.

Quant à l'octave de cette fête, elle n'a été instituée que plus tard, par le pape Innocent IV, qui était d'origine génoise ; et voici dans quelles circonstances. Lorsque mourut Grégoire IX, les Romains enfermèrent tous les cardinaux dans une salle pour les forcer à choisir au plus vite un nouveau chef de l'Eglise. Mais comme les cardinaux ne parvenaient pas à se mettre d'accord, ce qui leur valait d'être fort molestés par les Romains, ils firent vœu à là Reine du Ciel que si, grâce à elle, ils pouvaient enfin s'accorder, et sortir de leur conclave sans être maltraités, ils décréteraient désormais que fût célébrée l'octave de sa Nativité. Et, en effet, ils tombèrent d'accord pour élire Célestin. Mais celui-ci vécut trop peu de temps pour réaliser le vœu des membres du conclave ; et ce fut son successeur, Innocent IV, qui le réalisa.

Notons, à ce propos, que les trois nativités célébrées par l'Eglise, celles du Christ, de la Vierge et de saint Jean-Baptiste, ont toutes les trois des octaves, mais que, seule la nativité de la Vierge n'est point précédée d'une vigile. En effet ces trois nativités désignent trois naissances spirituelles : car avec Jean nous renaissons dans l'eau, avec Marie dans la pénitence, et dans la gloire avec le Christ. Or notre renaissance dans le baptême et notre renaissance dans la gloire doivent être précédées de contrition, tandis que notre renaissance dans la pénitence est en elle-même une contrition.

II. Un très vaillant capitaine, et qui n'était pas moins dévot à la Vierge se rendait un jour à un tournoi lorsqu'il rencontra, en chemin, un monastère élevé en l'honneur de Notre Dame, et y entra pour entendre la messe. Mais les messes se succédaient les unes aux autres, et le capitaine, par égard pour la Vierge, tenait à n'en manquer aucune. Enfin il put sortir, et courut à l'endroit du combat. Et voilà qu'il rencontra, avant d'y arriver, des gens qui déjà en revenaient, et qui le félicitèrent de la valeur qu'il y avait déployée. Cet éloge lui fut confirmé par tous ceux qui avaient assisté au tournoi ; et il y en eut même qui vinrent lui rappeler qu'il les avait défaits. Sur quoi cet homme, comprenant que la Reine des Cieux lui avait rendu sa politesse, raconta ce qui lui était arrivé, et, retournant au monastère, s'engagea depuis lors entièrement au service du Fils de la sainte Vierge.

III. Une veuve avait un fils unique qu'elle aimait tendrement. Apprenant que ce fils avait été pris par l'ennemi, enchaîné et mis en prison, elle fondit en larmes, et, s'adressant à la Vierge, pour qui elle avait un culte spécial, elle lui demanda avec insistance la libération de son fils. Mais quand elle vit enfin que ses prières restaient sans effet, elle se rendit dans une église où se trouvait sculptée une image de Marie. Là, debout devant l'image, elle dit : « Vierge sainte, je t'ai suppliée de délivrer mon fils, et tu n'as pas voulu venir au secours d'une malheureuse mère ; j'ai imploré ton patronage pour mon fils, et tu me l'as refusé ! Eh bien, de même, que mon fils m'a été enlevé, de même je vais t'enlever le tien, et le garderai en otage ! » Ce que disant, elle s'approcha, prit la statue de l'enfant sur le sein de la Vierge, l'emporta chez elle, l'entoura d'un linge sans tache, et l'enferma sous clef dans un coffre, heureuse d'avoir un si bon otage du retour de son fils. Or, la nuit suivante, la Vierge apparut au jeune homme, lui ouvrit la porte de sa prison, et lui dit : « Dis à ta mère, mon enfant, qu'elle me rende mon fils, maintenant que je lui ai rendu le sien ! » Le jeune homme vint donc retrouver sa mère, et lui raconta sa miraculeuse délivrance. Et elle, ravie de joie, s'empressa d'aller rendre à la Vierge l'enfant Jésus, en lui disant : « Je te remercie, dame céleste, de ce que tu m'aies restitué mon fils, et je te restitue le tien en échange ! »

IV. Il y avait un voleur qui commettait le plus de larcins qu'il pouvait, mais qui avait une grande dévotion pour la Vierge Marie, et ne cessait point de l'invoquer. Un jour, pris en flagrant délit, il fut condamné à être pendu. Et on le pendit en effet : mais aussitôt la Vierge Marie vint à son aide, et, pendant trois jours, le tint dans ses bras, de telle sorte que sa pendaison ne lui fit aucun mal. Le troisième jour, ceux qui l'avaient pendu, passant par hasard près de lui, furent surpris de le trouver vivant et la mine joyeuse. Ils pensèrent que la corde avait été mal attachée, et voulurent l'achever à coups d'épées ; mais la Vierge opposait sa main à leurs épées, et aucun de leurs coups n'atteignait le voleur. Celui-ci leur raconta enfin l'assistance qu'il avait reçue de la Vierge Marie, et eux, par amour pour Notre Dame, ils le relâchèrent. Et le voleur se fit moine, et, tant qu'il vécut, resta au service de la Mère de Dieu.

V. Un clerc, très dévot à la Vierge Marie, ne trouvait de plaisir qu'à chanter ses heures. Mais, ayant hérité de tous les biens de ses parents, il fut contraint par ses amis à prendre femme, et à gouverner son héritage. Il se mit donc en route pour célébrer ses noces ; mais en chemin, rencontrant une église, il y entra pour réciter les heures de la Vierge. Et voici que la Vierge lui apparut, le visage sévère, et lui dit : « Infidèle, pourquoi m'abandonnes-tu, moi ton amie et ta fiancée ? Pourquoi me préfères-tu une autre femme ? » Le clerc, plein de contrition, alla rejoindre ses compagnons, et, leur cachant ce qui lui était arrivé, laissa célébrer ses noces. Mais, au milieu de la nuit, il s'enfuit de sa maison, entra dans un monastère, et se voua tout entier au service de la Vierge Marie.

VI. Un bon prêtre de village ne célébrait jamais d'autre messe que celle de la Vierge. Dénoncé à son évêque, et mandé devant lui, il lui avoua qu'il ne savait pas d'autre messe que celle-là ; sur quoi l'évêque le blâma sévèrement, et le suspendit de son office. Mais la nuit suivante, la Vierge apparut à l'évêque, le gronda à son tour, lui demanda pourquoi il avait si mal traité son serviteur, et ajouta qu'il mourrait avant trente jours, si le pauvre prêtre n'était pas restitué dans sa fonction. Sur quoi l'évêque, épouvanté, fit revenir le prêtre, s'excusa devant lui, lui rendit sa fonction et lui enjoignit de ne jamais célébrer d'autre messe que celle de Marie.

VII. Il y avait un clerc qui était frivole et débauché, mais qui, cependant, aimait beaucoup la sainte Vierge, et récitait assidûment ses heures. Une nuit, en rêve, il se vit transporté au tribunal de Dieu. Et le Seigneur disait aux assistants : « Jugez vous-mêmes quelle peine mérite cet homme, pour qui j'ai eu tant de patience, sans qu'il fît voir le moindre signe d'amélioration ! » Tous furent d'avis qu'il méritait d'être damné. Seule la Vierge Marie se leva et dit à son Fils : « Mon Fils, j'implore ta clémence pour cet homme ! Permets-lui de vivre encore, par égard pour moi, bien que, par ses propres mérites, il soit dû à la mort ! » Et le Seigneur : « Je consens, en ta faveur, à ajourner sa sentence ; mais c'est à la condition qu'il se corrigera ! » Alors la Vierge, se tournant vers le clerc, lui dit : « Va maintenant et cesse de pécher, de peur que ne t'arrive plus de mal encore ! » Et le clerc, se réveillant, changea ses mœurs, entra en religion et finit sa vie dans les bonnes œuvres.

VIII. Il y avait en Sicile, l'an du Seigneur 537, un homme appelé Théophile, vicaire d'un évêque, qui, sous les ordres de son chef, administrait si sagement le diocèse que, lorsque l'évêque mourut, tout le peuple l'élut par acclamation pour le remplacer. Mais lui, content de son vicariat, préféra qu'on prît pour évêque un autre prêtre. Et celui-ci, peu de temps après, le dépouilla de ses fonctions de vicaire : ce dont il eut tant de dépit que, pour recouvrer ses fonctions, il alla demander l'aide d'un sorcier juif. Le sorcier appela le diable, qui se hâta d'accourir. Sur son ordre, Théophile renia le Christ et la Vierge, écrivit son reniement avec son propre sang, scella l'écrit avec son anneau, et le donna au diable, se vouant ainsi à son service. Le diable, donc, le fit rentrer en grâce auprès de l'évêque et restituer dans sa dignité. Mais alors Théophile, rentrant en lui-même, fut désolé de ce qu'il avait fait, et supplia la Vierge glorieuse de lui venir en aide. Marie lui apparut, lui fit de vifs reproches de son impiété, lui ordonna de renoncer au diable, exigea qu'il proclamât sa foi dans le Christ et dans toute la doctrine chrétienne, et finit par obtenir sa grâce de son divin Fils, en signe de quoi, lui apparaissant une seconde fois, elle lui posa sur la poitrine l'écrit qu'il avait donné au diable : afin de lui prouver, par là, qu'il n'était plus esclave du démon, et que, grâce à elle, il redevenait libre. Ce que voyant Théophile, transporté de joie, raconta, devant l'évêque et le peuple tout entier, le miracle qui venait de lui arriver, et, trois jours après, il s'endormit en paix dans le Seigneur.

IX. Un mari et sa femme, ayant marié leur fille unique, et ne pouvant se résigner à se séparer d'elle, la gardaient dans leur maison, ainsi que leur gendre. Et la mère de la jeune femme, par amour pour sa fille, avait pour son gendre une affection très vive : ce qui fit dire aux méchantes langues que ce n'était point par amour pour sa fille qu'elle aimait son gendre, mais bien pour son propre compte. De telle sorte que la femme, craignant que cette calomnie ne se répandît, promit à deux paysans de leur donner à chacun vingt sous s'ils voulaient étrangler secrètement le gendre. Et un jour, les ayant enfermés dans son cellier, elle envoya son mari hors de la maison, fit également sortir sa fille, et demanda à son gendre d'aller chercher du vin dans le cellier, où, aussitôt, les deux paysans se jetèrent sur lui et l'étranglèrent. Alors la femme porta le mort dans le lit de sa fille, et l'y installa comme s'il dormait. Le soir, lorsque son mari et sa fille revinrent, elle ordonna à sa fille d'aller réveiller son mari, et de l'appeler à table. La fille trouve son mari mort, accourt l'annoncer à ses parents : et toute la famille de se lamenter, y compris la femme qui avait commis l'homicide. Mais cette femme finit par se repentir sincèrement de son crime, et alla se confesser de tout à un prêtre. Or, quelque temps après, une querelle s'éleva entre cette femme et le prêtre qui, publiquement, lui reprocha le meurtre de son gendre. Les parents du mort apprennent la chose, font passer la femme en jugement ; et elle est condamnée à être brûlée. Alors, se voyant près de mourir, elle se réfugie dans l'église de la Vierge, et s'y prosterne en prière, avec force larmes. On la contraint à sortir de l'église, et on la jette sur un grand bûcher allumé : mais elle s'y tient debout, saine et sauve, sans ombre de mal. En vain les parents du mort apportent sur le bûcher de nouveaux sarments allumés. Puis, voyant que le feu n'a pas de prise sur elle, ils la transpercent de coups de lance. Mais le juge, témoin du miracle, les force à s'éloigner. Et puis, examinant avec soin la condamnée, il découvre que les coups de lance l'ont atteinte et blessée, mais que le feu n'a laissé sur elle aucune trace. On la ramène dans sa maison, on la ranime par des bains, et des stimulants. Mais Dieu, pour l'empêcher d'être davantage en butte au soupçon des hommes, la fait mourir trois jours après, repentante, et ne cessant point de célébrer les louanges de la Vierge Marie.

CXXX
SAINT ADRIEN ET SES COMPAGNONS, MARTYRS
(9 septembre)

Adrien subit le martyre sous le règne de l'empereur Maximien. Celui-ci, se trouvant à Nicomédie, ordonna aux habitants de rechercher et de lui amener tous les chrétiens. On vit alors le voisin dénoncer son voisin, le parent dénoncer son parent, les uns y étant poussés par la peur du châtiment, d'autres par le désir de la récompense promise. Trente-trois chrétiens se trouvèrent ainsi arrêtés et conduits devant l'empereur. Et celui-ci : « Ne savez-vous pas quelles peines j'ai édictées contre les chrétiens ! » Et eux : « Nous le savons, et nous nous moquons de tes ordres stupides ! » Alors l'empereur les fit frapper de nerfs de bœuf, leur fit enfoncer des pierres dans la bouche, et les fit jeter en prison, couverts de chaînes. Alors Adrien, qui commandait les soldats, admirant la constance des martyrs, leur dit : « Je vous en prie, au nom de votre Dieu, dites-moi quelle est la récompense que vous attendez pour tant de tortures ! » Et les saints lui dirent : « La récompense que Dieu accorde à ceux qui l'aiment, jamais l'œil n'en a vu de semblable, ni l'oreille n'en a entendu, ni le cœur n'en a rêvé. » Alors Adrien, s'avançant, dit à l'empereur : « Inscris-moi avec eux, car, moi aussi, je suis chrétien ! » Ce qu'entendant, l'empereur le fit charger de chaînes et jeter en prison.

Et Nathalie, femme d'Adrien, quand elle sut l'arrestation de son mari, fondit en larmes et déchira ses vêtements. Mais quand elle apprit que c'était pour la foi du Christ qu'Adrien avait été emprisonné, toute joyeuse elle courut à la prison et se mit à baiser les chaînes de son mari et des autres martyrs. Car elle était chrétienne ; mais, par crainte de la persécution, elle s'en était cachée. Et elle dit à son mari : « Heureux es-tu, Adrien, mon seigneur, d'avoir trouvé des richesses bien supérieures à celles que t'ont laissées tes parents, des richesses dont seront privés, au jour du jugement, ceux-là même qui possèdent les plus grands biens ! » Elle l'exhorta ensuite à dédaigner toute gloire terrestre, à n'écouter ni amis ni parents, et à avoir toujours le cœur levé vers les choses du ciel. Et Adrien lui dit : « Va-t'en maintenant, ma sœur ! le jour de notre supplice, je te ferai venir, afin que tu assistes à nos derniers moments. » Et Nathalie rentra dans sa maison, après avoir recommandé aux autres saints d'instruire son mari et de l'encourager.

Lorsque Adrien sut que le jour du dernier supplice était arrivé, il obtint de ses gardiens, moyennant des présents, qu'ils lui permissent d'aller jusque dans sa maison pour chercher sa femme, afin de tenir la promesse qu'il lui avait faite. Et quelqu'un, en le voyant venir, le devança, et courut dire à Nathalie : « Ton mari a été relâché, car le voici qui vient ! » Et elle, s'imaginant qu'Adrien avait eu peur du martyre, pleurait amèrement. Dès qu'elle l'aperçut, elle se hâta de fermer devant lui la porte de la maison en disant : « Que s'éloigne de moi celui qui s'est éloigné de Dieu ! » Et, se tournant vers lui : « Malheureux, qui donc te forçait de commencer une œuvre que tu étais incapable d'achever ? Dis-moi pourquoi tu t'es enfui avant la bataille, comment tu as succombé avant même qu'une seule flèche ait été lancée ? Malheur à moi ! Que ferai-je, liée comme je le suis à ce renégat ? » Et saint Adrien, entendant tout cela, se réjouissait dans son cœur, admirant cette femme jeune, belle et noble, avec qui il était marié depuis quatorze mois. Mais quand il la vit trop affligée, il lui dit : « Ce n'est point pour éviter le martyre que je suis venu ici, mais pour te chercher, suivant ma promesse ! » Et elle, refusant de le croire : « Voyez, comme ce traître essaie de me séduire ! Voyez comme ment ce nouveau Judas ! Eloigne-toi de moi, misérable ! Et sache que je vais me tuer, pour n'avoir plus à vivre avec toi ! » Et comme elle refusait toujours de lui ouvrir, il lui dit : « Ouvre-moi vite, car je vais devoir repartir, et tu ne me verras plus, et tu regretteras, plus tard, de ne m'avoir pas revu avant mon départ ! » Ce qu'entendant, Nathalie lui ouvrit, et, quand ils se furent longuement embrassés, ils allèrent ensemble à la prison, où Nathalie essuyait avec des linges précieux les plaies béantes des martyrs.

Quand l'empereur les fit comparaître devant lui, ils étaient tous encore si accablés de leur supplice précédent qu'ils se trouvaient incapables de marcher. On dut donc les porter comme des bêtes blessées ; seul Adrien s'avançait à pied derrière eux, les mains enchaînées. L'empereur l'ayant fait étendre sur un chevalet, Nathalie s'approcha de lui et lui dit : « Mon cher seigneur, n'aie garde de trembler en présence du supplice ! Quelques minutes de souffrance, et aussitôt après tu te réjouiras parmi les anges ! » Puis, voyant avec quel courage son mari recevait les coups, elle courut vers les autres saints pour le leur annoncer. Cependant, l'empereur défendait à Adrien de blasphémer ses dieux. Et lui : « Si je souffre tous ces tourments pour blasphémer de faux dieux, combien donc en souffriras-tu, toi, qui blasphèmes le seul Dieu véritable ? » Et Maximien : « Ce sont ces imposteurs qui t'ont enseigné de telles paroles ! » Mais Adrien : « Ne les appelle pas des imposteurs ! car ils sont les docteurs de la vie éternelle ! » Et Nathalie, toute joyeuse, allait rapporter aux autres saints les paroles de son mari. L'empereur fit ensuite frapper Adrien par quatre hommes d'une force prodigieuse ; et ils le frappèrent si cruellement, que ses entrailles lui sortaient du corps. Après quoi l'empereur le fit ramener en prison avec les autres chrétiens. Nous devons ajouter ici qu'Adrien était un frêle et beau jeune homme de vingt-huit ans. Et Nathalie, le voyant étendu à terre, tout meurtri, lui soutenait la tête de ses mains et lui disait : « Heureux es-tu, mon seigneur, d'avoir été admis au nombre des saints ! Heureux es-tu, lumière de ma vie, de pouvoir souffrir pour celui qui a souffert pour toi ! Souffre encore, mon doux ami, afin de mieux voir ensuite la gloire céleste ! »

Or l'empereur apprenant que plusieurs femmes soignaient les saints dans la prison, défendit désormais qu'on les laissât entrer. Mais Nathalie se coupa les cheveux, revêtit des habits d'homme et revint prodiguer ses soins aux prisonniers. Elle engagea aussi, par son exemple, d'autres femmes à l'imiter. Et elle demanda à son mari, quand il serait dans sa gloire, de prier pour elle, afin que Dieu la rappelât vite loin de ce monde, mais en laissant intact son jeune corps. Cependant, l'empereur, averti de ce qui se passait dans la prison, ordonna de tuer les martyrs en leur brisant les membres. Et Nathalie, craignant que la vue du supplice des autres n'effrayât son mari, demanda au bourreau de commencer par lui. On lui coupa les pieds, on lui rompit les membres, et Nathalie demanda, en outre, qu'on lui coupât une main, de façon à ce qu'il ne restât pas en arrière des autres saints pour la souffrance. Cela fait, Adrien rendit son âme à Dieu ; et les autres chrétiens, tendant tour à tour leurs pieds à la hache des bourreaux, moururent comme lui. Et l'empereur fit brûler leurs corps ; mais Nathalie cacha dans son sein la main de son mari. Et quand elle vit jeter au feu le corps d'Adrien, elle ne put résister au désir de s'élancer dans les flammes pour le rejoindre. Mais aussitôt une pluie abondante se mit à tomber qui éteignit la flamme ; de telle sorte que les chrétiens purent recueillir les corps des martyrs et les transporter à Constantinople, d'où on les rapporta en grande pompe à Nicomédie lorsque fut restituée la paix à l'Eglise. Ce martyre eut lieu l'an du Seigneur 280.

Nathalie, après la mort de son mari, demeurait dans sa maison, conservant pieusement la main du martyr ; et toujours, pour se consoler, elle gardait cette main sous son oreiller. Or un tribun, la voyant belle, riche et noble, lui envoya des dames de la ville pour la demander en mariage. Nathalie leur répondit : « Quel honneur pour moi de devenir la femme d'un tel homme ! Accordez-moi seulement trois jours de délai, pour me préparer à ce mariage ! » Elle disait cela pour pouvoir s'enfuir. Or, la même nuit, un des martyrs lui apparut en rêve, et, la consolant doucement, lui enjoignit de se rendre au lieu où étaient les corps des martyrs. Dès son réveil, elle prit la main coupée d'Adrien, et s'embarqua sur un vaisseau avec d'autres fidèles. Ce qu'apprenant, le tribun la poursuivit sur mer avec une troupe de soldats ; mais une tempête se leva qui en noya un grand nombre et força les autres à rentrer au port.

Au milieu de la nuit, le diable, ayant pris la forme d'un marin, et étant monté sur un bateau fantastique, apparut aux compagnons de Nathalie et leur dit : « D'où venez-vous et où allez-vous ? » Ils répondirent : « Nous venons de Nicomédie et nous allons à Constantinople ! » Alors le diable : « En ce cas, vous faites fausse route, c'est à gauche qu'est votre chemin ! » Il leur disait cela pour les envoyer contre des rochers, où ils n'auraient pas manqué de périr. Mais lorsqu'ils eurent changé les voiles, Adrien se montra soudain devant eux, sur un autre bateau, leur apprit que c'était le diable qui leur avait parlé, leur ordonna de suivre la direction qu'ils suivaient précédemment, et, navigant devant eux, il leur montra le chemin. Et Nathalie, en revoyant son mari, fut saisie d'une joie immense.

Le matin avant l'aube, le vaisseau aborda à Constantinople. Aussitôt Nathalie se rendit à la maison où étaient les corps des martyrs, et replaça la main d'Adrien avec le reste du corps. Puis elle pria ; et Adrien lui apparut en rêve, lui enjoignant de venir le retrouver dans la paix éternelle. Réveillée, elle raconta son rêve aux assistants, leur dit adieu et rendit l'âme. Et son corps fut placé près de ceux des martyrs.

CXXXI
SAINT GORGON ET SAINT DOROTHÉE,
MARTYRS
(9 septembre)

Gorgon et Dorothée étaient, à Nicomédie, les chefs de la troupe qui gardait le palais de Dioclétien. Mais, pour pouvoir suivre plus librement leur maître divin, ils se démirent de leur fonction et se proclamèrent chrétiens. Ce qu'entendant, l'empereur fut désolé à la pensée de perdre d'aussi nobles et dévoués serviteurs. Mais comme ni les menaces, ni les flatteries ne parvenaient à les émouvoir, il les fit étendre sur le chevalet, fit déchirer leurs corps avec des fouets et des griffes de fer, fit jeter du vinaigre et du sel dans leurs intestins perforés ; puis comme ils n'en éprouvaient aucun mal, il les fit mettre sur un gril ; et ils avaient l'impression d'être couchés sur un lit de fleurs. Alors Dioclétien les fit pendre, et laissa leurs corps en pâture aux chiens et aux loups. Mais les corps demeurèrent intacts jusqu'au moment où les fidèles purent les recueillir. Ce martyre eut lieu en l'an du Seigneur 280.

Longtemps après, le corps de saint Gorgon fut transporté à Rome. Plus tard encore, en l'an 763, l'évêque de Metz, neveu du roi Pépin, fit transporter ce corps en Gaule et l'ensevelit au monastère de Gorgocie.

CXXXII
SAINTS PROTHE ET HYACINTHE, MARTYRS
(11 septembre)

Prothe et Hyacinthe étaient compagnons d'études d'Eugénie, fille d'un noble romain nommé Philippe. Celui-ci, ayant été nommé par le Sénat préfet d'Alexandrie, avait emmené avec lui dans cette ville sa femme Claudie, ses fils Avit et Serge, et sa fille Eugénie, instruite excellemment dans la connaissance des arts et des lettres. A quinze ans, Eugénie fut demandée en mariage par Aquilin, fils du consul Aquilin. Mais elle : « Ce n'est point d'après la naissance qu'on doit se choisir un mari, mais d'après les mœurs et le caractère ! »

Un hasard fit tomber entre ses mains la doctrine de saint Paul, et aussitôt son âme commença à devenir chrétienne. Les chrétiens avaient alors l'autorisation de demeurer dans un village voisin d'Alexandrie. Eugénie s'y rendit, comme en promenade, et elle entendit que les chrétiens chantaient : « Tous les dieux des nations ne sont que des idoles ; un seul Dieu a créé le ciel et la terre. » Alors elle dit à ses compagnons d'études Prothe et Hyacinthe : « Nous avons approfondi tous les syllogismes des philosophes, les catégories d'Aristote, et les idées de Platon, et les préceptes de Socrate. Mais voici que la phrase que chantent ces chrétiens détruit tout ce qu'ont dit les poètes, les orateurs et les philosophes. Une puissance usurpée a fait de moi votre supérieure ; mais à présent la sagesse fait de moi votre sœur. Donc, soyez mes frères, et suivons le Christ ! » Les deux esclaves y consentirent, et Eugénie, ayant revêtu des habits masculins, se rendit avec eux dans un monastère dont l'abbé était un saint homme nommé Hélénus. Cet Hélénus, discutant un jour avec un hérétique, et ne parvenant pas à le convaincre par ses arguments, fit allumer un grand feu, et offrit à son adversaire d'y entrer avec lui, sous la condition que celui des deux qui en sortirait indemne, serait considéré comme professant la vérité. Puis il entra lui-même, le premier, dans la flamme, et en sortit sans le moindre mal. Et l'hérétique, ayant refusé d'y entrer à son tour, fut honteusement chassé par la foule. C'est donc vers cet Hélénus que se rendit la jeune fille, et elle lui dit qu'elle était un homme. Et lui : « Tu as bien raison de le dire, car, bien que tu sois femme, tu agis en homme ! » Après quoi il l'admit au nombre de ses moines avec Prothe et Hyacinthe, et lui ordonna de prendre le nom de frère Eugène.

Cependant, le père et la mère d'Eugénie, ne la voyant pas revenir chez eux, la firent rechercher partout sans pouvoir la trouver. Des devins, consultés par eux, leur répondirent que la jeune fille avait été transportée au ciel, où elle était devenue un astre. Aussi le père fit-il exécuter une statue de sa fille, et enjoignit-il au peuple de l'adorer. Et Eugénie, dans son monastère, vivait avec ses compagnons dans la crainte de Dieu, de telle sorte que, à la mort de l'abbé, c'est elle qui fut élue pour le remplacer.

Il y avait alors à Alexandrie une femme riche et noble, appelée Mélancie, que sainte Eugénie avait guérie de la fièvre quarte en l'oignant d'huile au nom de Jésus. Cette femme, frappée de l'élégance et de la beauté de celui qu'elle croyait être le Frère Eugène, se prit pour lui d'un violent amour, et songea aux moyens d'entrer en relations intimes avec lui. Elle imagina de feindre une maladie, et de prier le Frère de venir la voir. Et, quand il fut venu, elle lui révéla combien elle le désirait ; après quoi, le suppliant de s'unir charnellement à elle, elle se jeta à son cou et le couvrit de baisers. Indigné de cette conduite, le Frère Eugène lui dit : « Tu mérites bien ton nom de Mélancie, car tu es pleine de noirceur, et la digne fille du prince des ténèbres ! » Aussitôt la dame, furieuse de sa déception, et craignant en outre d'être dénoncée, se résolut à dénoncer la première, et proclama que le Frère Eugène avait voulu la violer. S'étant rendue chez le préfet Philippe, elle lui dit : « Un jeune chrétien, venu chez moi sous prétexte de me guérir, a eu l'impudence de se jeter sur moi pour me violer ; et sans l'aide de ma servante, qui se trouvait dans ma chambre, le monstre aurait assouvi sur moi son ignoble désir. » Ce qu'entendant, le préfet, irrité, fit saisir Eugénie et les autres serviteurs du Christ, et déclara que tous seraient livrés aux bêtes. Quand Eugénie fut amenée devant lui, il lui dit : « Apprends-nous donc, scélérat, si c'est votre Christ qui vous a ordonné de violer les femmes de noble maison ! » Alors Eugénie, baissant la tête pour n'être pas reconnue, répondit : « Notre Christ nous a enseigné la chasteté, et a promis la vie éternelle à ceux dont les âmes et les corps seraient purs. Quant à cette Mélancie, nous pourrions la convaincre de faux témoignage ; mais mieux vaut que nous souffrions nous-mêmes, car, pour faire la preuve de son mensonge, nous devrions sacrifier le fruit de notre patience ! » On fit alors venir la servante de Mélancie ; cette femme, stylée par sa maîtresse, répéta que le Frère Eugène avait voulu violer celle-ci. Et Eugénie : « Puisque c'est ainsi, puisque l'impudique ose accuser d'un tel crime les serviteurs du Christ, je dévoilerai la vérité, non point par orgueil, mais pour la gloire de Dieu ! » Disant cela, elle coupa sa tunique de haut en bas, jusqu'à la ceinture, et l'on vit qu'elle était une femme. Et elle dit au préfet : « Je suis Eugénie, ta fille, Claudie est ma mère, Avit et Serge, que je vois assis près de toi, sont mes frères, et les deux moines que voici sont Prothe et Hyacinthe ! » Aussitôt le père, reconnaissant sa fille ; se jeta dans ses bras en pleurant, et au même instant une flamme, descendue des cieux, consuma Mélancie et tous ses faux témoins.

C'est ainsi qu'Eugénie convertit son père, sa mère, ses frères, et toute leur maison. Philippe, se démettant de ses fonctions, fut élu évêque par les chrétiens, et souffrit le martyre pour la foi. Eugénie revint, avec ses frères et sa mère, à Rome, où ils firent de nombreuses conversions. Et un jour, par ordre de l'empereur, elle fut attachée à une grosse pierre et jetée dans le Tibre ; mais la pierre se détacha de son corps, et on vit la jeune fille marcher saine et sauve sur les eaux. On la plongea dans une fournaise ardente ; la flamme s'éteignit aussitôt. On l'enferma dans un cachot sans fenêtre ; mais la cachot se remplit d'un rayonnement de lumière. On la laissa dix jours sans nourriture ; le dixième jour, le Sauveur lui apparut, lui offrit un pain, et lui dit : « Reçois cette nourriture de ma main ! Je suis ton Sauveur, que tu as aimé de toute ton âme ! Et sache que, le jour anniversaire de ma naissance terrestre, je t'appellerai près de moi ! » Et en effet, le jour de Noël, un bourreau trancha la tête de la sainte. Alors celle-ci apparut à sa mère, et lui annonça que, le dimanche suivant, elles se retrouveraient au ciel. Et en effet, le dimanche suivant, Claudie, pendant qu'elle se tenait en prière, rendit son âme à Dieu. Quant à Prothe et Hyacinthe, sur leur refus de sacrifier aux idoles, ils eurent la tête tranchée. Cela se passait sous le règne de Valérien et de Gallien, en l'an du Seigneur 256.

CXXXIII
L'EXALTATION DE LA SAINTE CROIX
(14 septembre)

I. La fête de l'Exaltation de la Sainte Croix a été instituée en souvenir d'un solennel hommage rendu à la croix du Seigneur. L'an 615, Dieu permit que son peuple fût livré en proie à la cruauté des païens. Cette année-là, le roi des Perses, Cosroës, conquérant du monde, vint à Jérusalem, et y fut frappé de terreur devant le sépulcre du Christ ; mais, en s'en allant, il emporta avec lui la partie de la sainte croix que sainte Hélène avait laissée à Jérusalem. Puis, rentré dans sa capitale, il imagina de se faire passer pour dieu. Il se construisit une tour d'or et d'argent toute semée de pierreries, et y plaça les images du soleil, de la lune et des étoiles. Au sommet de la tour il recueillait de l'eau, qui montait jusque-là par un conduit secret, et il la faisait pleuvoir sur la ville comme une vraie pluie. Il y avait aussi sous la tour, dans une caverne, des chevaux qui tournaient en traînant des chars, de telle sorte qu'ils semblaient ébranler la tour, avec un bruit imitant le tonnerre. Abandonnant à son fils le soin du royaume, Cosroës se retira dans cette tour, s'assit dans un trône, comme s'il était Dieu le Père, plaça à sa droite le bois de la croix pour représenter le Fils, à gauche plaça le coq pour représenter le Saint-Esprit, et ordonna qu'on lui rendît le culte divin.

Alors l'empereur Héraclius réunit une nombreuse armée, et vint livrer bataille au fils de Cosroës sur les bords du Danube. Et les deux princes convinrent qu'ils lutteraient seuls sur un pont, de telle sorte que le vainqueur pût obtenir l'empire sans aucun dommage pour l'une ni l'autre armée. Et l'on décréta que quiconque voudrait aider son prince aurait les jambes et les bras coupés, et serait jeté dans le fleuve. Mais Héraclius se recommanda à Dieu et à la sainte croix. Aussi fut-il vainqueur, après une longue lutte, et soumit-il à son empire l'armée ennemie. Tout le peuple de Cosroës se convertit à la foi chrétienne et reçut le baptême. Seul Cosroës ignorait l'issue de la guerre : car, afin d'être adoré comme un dieu, il n'admettait aucun homme à lui parler familièrement. Mais Héraclius parvint jusqu'à lui et, le trouvant assis sur son trône doré, il lui dit : « Puisque tu as honoré en une certaine mesure le bois de la sainte croix, je te laisserai la vie et le pouvoir royal si tu consens à recevoir le baptême ; si, au contraire, tu t'y refuses, je te trancherai la tête ! » Cosroës ayant refusé de se convertir, Héraclius tira son épée et lui trancha la tête. Puis, quand il l'eut fait ensevelir avec les honneurs dus à sa royauté, il fit baptiser son jeune fils âgé de dix ans, le présenta lui-même sur les fonts baptismaux, et lui transmit le royaume de son père. Il fit seulement détruire la tour de Cosroës, et en distribua l'argent à son armée, réservant l'or et les pierreries pour servir à la reconstruction des églises que le tyran avait détruites.

Il alla ensuite rapporter à Jérusalem la sainte croix. Et comme, sur son cheval royal et avec ses ornements impériaux, il descendait du mont des Oliviers, il arriva devant la porte par où était entré Notre-Seigneur, la veille de sa passion. Or voici que les pierres de la porte se rejoignirent de façon à former comme un mur. Et au-dessus de la porte apparut un ange qui, tenant en main le signe de la croix, dit : « Lorsque le Roi des Cieux est entré par cette porte, ce n'est pas avec un luxe princier, mais en pauvre, et monté sur un petit âne : en quoi il vous a laissé un exemple d'humilité que vous devez suivre ! » Puis, cela dit, l'ange disparut. Alors l'empereur, tout en larmes, se déchaussa, se dépouilla de ses vêtements jusqu'à la chemise, et, prenant la croix du Seigneur, il en frappa humblement la porte qui, se soulevant, le laissa passer avec toute sa suite. Et une odeur délicieuse se dégagea du bois sacré. Et l'empereur s'écria pieusement : « O croix plus splendide que tous les astres, célèbre et chère, qui seule as mérité de porter l'âme du monde, doux bois, clous précieux, sauvez la troupe qui se réunit aujourd'hui pour vous louer, munie de votre signe ! » Et aussitôt que la croix fut restituée en son lieu, les anciens miracles se renouvelèrent. Des morts ressuscitèrent, quatre paralytiques furent guéris, dix lépreux furent purifiés, quinze aveugles recouvrèrent la vue, des démons s'enfuirent des corps dont ils s'étaient emparés ; et ainsi l'empereur, après avoir reconstruit les églises et les avoir comblées de présents, revint dans sa capitale.

Cependant d'autres chroniques donnent un autre récit de cette exaltation de la sainte croix. Elles prétendent que, comme Cosroës s'était emparé de Jérusalem et qu'Héraclius voulait faire la paix avec lui, le roi des Perses avait juré de ne pas accorder la paix aux Romains aussi longtemps qu'ils n'auraient pas renié le crucifix pour adorer le soleil. Sur quoi Héraclius, rempli d'un saint zèle, l'avait attaqué, battu et repoussé jusqu'à Ctésiphon. Là Cosroës, atteint de dysenterie, avait voulu couronner roi son fils Medase. Ce qu'apprenant, son fils aîné, Syroïs, s'était allié avec Héraclius, avait jeté son père en prison et l'avait enfin fait tuer à coups de flèches. Il avait ensuite rendu à Héraclius le bois de la croix, ainsi que le patriarche Zacharie, que Cosroës avait également emmené de Jérusalem. Et l'empereur s'était empressé de rapporter la croix à Jérusalem, d'où il l'avait ensuite transportée à Constantinople.

II. A Constantinople, un Juif, étant entré dans l'église de Sainte-Sophie, avait aperçu une image du Christ. Voyant qu'il était seul, il tira son épée, visa l'image et frappa le Christ à la gorge : et aussitôt un flot de sang jaillit, qui arrosa le visage et toute la tête du Juif. Celui-ci, épouvanté, prit l'image, la jeta dans un puits, et s'enfuit. Il fut rencontré par un chrétien, qui lui dit : « D'où viens-tu, Juif ? Tu as commis un meurtre ! » Et comme le Juif niait, le chrétien lui dit : « Certes, tu as commis un meurtre, car tu as encore la tête tout arrosée de sang ! » Et le Juif : « En vérité le Dieu des chrétiens est un grand Dieu, et tout confirme sa foi ! Ce n'est pas un homme que j'ai frappé, mais l'image du Christ, et aussitôt le sang a jailli de sa gorge ! » Puis le Juif conduisit ce chrétien jusqu'au puits, d'où l'on retira l'image sainte. Et, aujourd'hui encore, on voit la trace de la blessure dans la gorge du Christ.

III. Dans la ville de Berith, en Syrie, un chrétien, qui avait loué un logement à l'année, avait fixé au mur une croix, devant laquelle il faisait ses prières. Mais, au bout d'une année, il se loua un autre logement et oublia d'emporter le crucifix. Le logement fut alors loué à un Juif qui, un jour, invita à dîner un de ses concitoyens. Et voici que, à table, l'invité aperçoit sur le mur le crucifix. Furieux, il demande à son hôte comment il ose garder chez lui l'image du Nazaréen. En vain l'hôte lui jure, par tous les serments de sa race, que jamais encore il ne s'est aperçu de la présence du crucifix. L'invité feint de se calmer, dit adieu à son hôte affectueusement, et s'en va le dénoncer au chef des Juifs. Aussitôt tous les Juifs de la ville s'assemblent, envahissent le logement, et, apercevant la croix, accablent d'injures et de coups leur malheureux frère, qu'ils jettent, à demi mort, sur les pierres du chemin. Après quoi ils foulent aux pieds l'image sainte, et recommencent sur elle tous les sacrilèges de la passion du Seigneur. Mais, au moment où ils lui percent le flanc d'un coup de lance, voici que de l'eau et du sang en jaillissent si abondamment qu'un grand vase s'en trouve rempli. Les Juifs, stupéfaits, emportent ce sang dans leur synagogue ; et tout malade qui l'applique sur son corps est aussitôt guéri. Ce que voyant, les Juifs vont raconter toute l'histoire à l'évêque du diocèse et reçoivent le baptême. L'évêque transvase le sang miraculeux dans des ampoules de cristal ; puis, mandant près de lui le chrétien à qui appartenait le crucifix, il le questionne sur la provenance de celui-ci. Et le chrétien lui répond : « Ce crucifix est l'œuvre de Nicodème, qui, en mourant, l'a légué à Gamaliel, qui l'a légué lui-même à Zachée, qui l'a légué à Jacques, qui l'a légué à Simon. Après la destruction de Jérusalem, les fidèles l'ont emporté dans le royaume d'Agrippa, et ainsi il est venu entre les mains de mes parents, qui me l'ont légué par héritage. » Ce miracle eut lieu en l'an 750. C'est en souvenir de lui que, le 3 décembre, l'Eglise institua la fête du Souvenir de la Passion : ou encore, suivant d'autres, le 5 novembre. A Rome, une église fut consacrée en l'honneur du Sauveur, où l'on conserve aujourd'hui encore une ampoule de ce sang, et où une fête solennelle est célébrée à son sujet.

IV. Les infidèles eux-mêmes reconnaissent la vertu de la croix. D'après saint Grégoire, au troisième livre de ses *Dialogues*, André, évêque de Fondi, ayant permis à une religieuse de demeurer avec lui, le diable, pour le tenter, lui imprima dans l'esprit l'image de cette femme, de telle façon que, dans son lit, il était poursuivi de pensées lubriques. Or, certain soir, un Juif, venant à Rome, et ne trouvant plus de place dans les auberges, s'installa pour la nuit dans un temple d'Apollon. Et, bien qu'il ne fût pas chrétien, il avait si peur d'être puni par les Romains comme un sacrilège, que, par précaution, il eut l'idée de faire le signe de la croix. Or voici que, s'éveillant au milieu de la nuit, il vit toute la troupe des mauvais esprits réunis en conseil, autour d'un chef qui interrogeait chacun d'eux sur le mal qu'il avait réussi à faire.

Saint Grégoire, pour abréger, ne nous dit rien de la discussion qui eut lieu entre ces démons : mais nous pouvons nous en faire une idée d'après un autre exemple, qui se trouve cité dans la vie des Pères. Nous y lisons, en effet, qu'un homme, étant entré dans un temple d'idoles, vit Satan assis et toutes ses milices debout devant lui. Et Satan dit d'abord à l'un des mauvais esprits : « D'où viens-tu ? » Et le démon : « J'ai été dans telle province, j'y ai suscité des guerres, causé toute sorte de troubles, et répandu beaucoup de sang. Voilà ce que j'ai à t'annoncer ! » Et Satan lui dit : « En combien de temps as-tu fait cela ? » Et lui : « En trente jours. » Et Satan : « Pourquoi as-tu mis tant de temps ? » Et il dit à ses serviteurs : « Fouettez-le de verges, et ne craignez pas d'appuyer ! » Puis un autre diable vint et dit : « Seigneur, j'ai été sur la mer, où j'ai soulevé de grandes tempêtes et fait périr une grande quantité d'hommes. » Et Satan : « En combien de temps as-tu fait cela ? » Et lui : « En vingt jours. » Satan le fit fouetter de la même façon en disant : « Tu ne t'es pas fatigué, pour faire si peu de chose en tant de jours ! » Puis vint un troisième diable qui dit : « J'ai été dans une ville où il y avait une noce. J'ai produit une rixe, où beaucoup de sang a été répandu, et où le marié, notamment, est mort. Voilà ce que j'ai à t'annoncer ! » Et Satan : « En combien de temps as-tu fait cela ? » Et le diable : « En dix jours. » Et Satan : « Tu n'as pas honte d'avoir fait si peu d'ouvrage en tant de jours ! » Et il le fit fouetter comme les deux précédents. Puis vint un quatrième diable qui dit : « Je suis allé dans le désert, et pendant quarante ans j'ai peiné autour d'un certain moine ; mais je viens enfin de le précipiter dans un péché de chair ! » A ces mots, Satan se leva de son trône, alla vers ce diable, lui posa sur la tête sa propre couronne et le fit asseoir près de lui, en disant : « Tu as fait là une grande action, et il n'y a personne qui ait mieux employé son temps ! »

C'est sans doute à un débat du même genre qu'aura assisté le Juif dont parle saint Grégoire. Toujours est-il que, après que de nombreux diables eurent rendu compte de leurs méfaits, l'un d'eux s'avança et révéla quelle tentation charnelle il avait inspirée à l'évêque André, ajoutant que, la veille, à l'heure des vêpres, il avait poussé si loin son œuvre de tentation que l'évêque avait, par manière de caresse, posé sa main sur le dos de la religieuse. Alors Satan l'exhorta à compléter son œuvre, qui lui vaudrait une gloire merveilleuse parmi ses pairs. Puis il lui dit d'aller voir quel était le téméraire qui avait osé venir se coucher dans son temple. Le Juif, comme l'on pense, tremblait de tous ses membres ; mais le diable, s'étant approché de lui, découvrit qu'il était muni du signe de la croix. Et il dit à ses compagnons : « C'est un vase vide, en vérité, mais marqué du signe contre lequel nous ne pouvons rien ! »

Aussitôt toute la foule des mauvais esprits disparut ; et le Juif, réveillé, alla trouver l'évêque, à qui il raconta sa vision. Aussitôt André gémit profondément et renvoya de sa maison toutes les femmes qui s'y trouvaient. Le Juif, de son côté, se fit baptiser.

V. Saint Grégoire rapporte également dans ses *Dialogues*, qu'une religieuse, étant entrée dans un jardin, aperçut une laitue qui la tenta si fort qu'elle y mordit sans l'avoir bénie d'un signe de croix. Aussitôt le diable pénétra en elle. Et comme saint Equice venait pour l'exorciser, le diable s'écria : « Qu'ai-je fait de mal ? J'étais tranquillement assis, là, sur cette laitue, et voilà que cette religieuse est venue et m'a mordu ! » Mais, sur l'ordre du saint, il fut bientôt forcé de déguerpir.

VI. Enfin on lit, au livre XI de l'*Histoire ecclésiastique*, que l'empereur Théodose fit effacer sur les murs d'Alexandrie les emblèmes de Sérapis, et fit peindre, à leur place, le signe de la croix. Ce que voyant, les païens et leurs prêtres se firent aussitôt baptiser, disant qu'une ancienne tradition les avait avertis que leur religion perdrait tout pouvoir le jour où viendrait chez eux le signe de la vie : car il y avait dans leur langue une lettre, tenue pour sacrée, qui avait la forme de la croix, et qui, d'après leur doctrine, était le symbole de la vie future.

CXXXIV
SAINTE EUPHÉMIE, VIERGE ET MARTYRE
(16 septembre)

Euphémie, fille d'un sénateur, voyant les supplices infligés aux chrétiens sous le règne de Dioclétien, se rendit auprès du juge Priscus et confessa publiquement le Christ. Ce juge ordonnait que les chrétiens fussent mis à mort l'un après l'autre, et que les survivants assistassent au martyre de leurs compagnons, espérant par là les épouvanter et les détourner de leur foi. Or Euphémie, à chaque nouvelle exécution qui se faisait en sa présence, pleurait et se désolait comme si elle-même avait été suppliciée ; ce dont le juge se réjouissait, pensant qu'elle consentirait à sacrifier aux idoles. Il lui demanda enfin de quoi elle se plaignait. Et elle : « Étant de race noble, je me plains de ce que tu me préfères des inconnus et des gens de rien, et de ce que tu leur permettes d'arriver avant moi à la gloire promise ! » Sur quoi le juge, furieux de sa déception, la fit jeter en prison, mais sans la charger de chaînes. Le lendemain, amenée de nouveau devant le juge, elle se plaignit de nouveau de ce que, contrairement à la loi, elle seule n'eût pas été chargée de chaînes. Le juge la fit remettre en prison, après avoir ordonné qu'elle fût souffletée ; et l'ayant suivie dans la prison, il voulut assouvir sur elle sa concupiscence ; mais, à la prière de la vierge, la force divine paralysa le bras qu'il levait sur elle. Et Priscus, croyant à un sortilège, envoya vers elle un de ses fonctionnaires pour lui promettre toute sorte de faveurs si elle consentait à devenir sa maîtresse. Mais l'envoyé trouva la prison fermée, de telle sorte qu'il ne put ni l'ouvrir avec ses clés ni en briser la porte à coups de hache. Et il fut possédé d'un démon, qui le contraignit à se déchirer les chairs de ses propres mains.

Le juge décida ensuite que la sainte eût à être placée sur une roue dont les rayons étaient remplis de charbons ardents ; et l'auteur de cette roue s'entendit avec les bourreaux pour que, sur un signe de lui, la flamme, sortant des rayons, consumât le corps d'Euphémie. Mais Dieu fit en sorte que ce fût cet homme lui-même qui fut consumé tandis qu'Euphémie, délivrée par un ange, apparut debout, saine et sauve, dans les airs. Alors un certain Appellien dit au juge : « Le pouvoir de ces chrétiens ne peut être vaincu que par le fer. Je te conseille donc de la faire décapiter ! » On éleva alors un échafaud ; mais le premier homme qui voulut étendre la main sur Euphémie, pour l'y faire monter, eut aussitôt la main paralysée et fut emporté à demi mort. Un autre, nomme Sosthène, arrivé près d'elle, se convertit tout de suite, lui demanda pardon et, tirant son épée, déclara au juge qu'il se tuerait lui-même plutôt que de toucher à celle que défendaient les anges.

Désespérant de la tuer par ce moyen, le juge dit à son chancelier de mander auprès d'elle les jeunes gens les plus vigoureux et les plus ardents de la ville, afin qu'ils usassent de son corps jusqu'à la faire mourir. Mais le premier qui entra dans la prison aperçut une troupe de vierges resplendissantes qui priaient autour d'Euphémie ; et aussitôt il devint chrétien. Alors le juge la fit suspendre par les cheveux, puis, devant l'inefficacité de ce nouveau supplice, la condamna à être privée de nourriture et à être pressée comme une olive entre d'énormes pierres. Elle resta ainsi pendant sept jours, nourrie par un ange ; et, au bout de sept jours, les quatre grosses pierres se trouvèrent réduites en une fine cendre.

Honteux d'être vaincu par une jeune fille, le juge la fit plonger dans une fosse où se trouvaient trois bêtes d'une férocité effroyable. Mais ces bêtes accoururent près d'elle pour la caresser, et, joignant leurs queues, lui firent comme un trône où le juge la vit s'asseoir. Enfin un bourreau, entrant dans la fosse, perça d'un glaive le côté de la sainte, qui acheva ainsi les épreuves de son martyre. Pour le récompenser, le juge le revêtit d'un manteau de soie et lui ceignit les reins d'une ceinture dorée ; mais, au moment où cet homme sortait de la fosse, un lion s'élança sur lui et le dévora, ne laissant que le manteau, la ceinture et quelques ossements. Quant au juge Priscus, il en vint à se dévorer lui-même, et rendit son âme au démon. Sainte Euphémie fut ensevelie à Chalcédoine, l'an du Seigneur 280 ; et, par ses mérites, tous les Juifs et païens de Chalcédoine se convertirent au christianisme.

CXXXV
SAINT LAMBERT, ÉVÊQUE ET MARTYR
(17 septembre)

Lambert était noble de naissance, mais il fut plus noble encore par la sainteté de sa vie. Instruit dans les Ecritures dès son enfance, il était si aimé de tous que, après la mort de son maître Théodard, il fut élu, à sa place, évêque de Maëstricht. Le roi Childéric avait pour lui une estime toute particulière, et le préférait à tous les autres évêques, jusqu'à ce que, un jour, trompé par la malice croissante des envieux, il le chassa de son siège, et nomma Féramond pour le remplacer.

Lambert se réfugia alors dans un monastère où, pendant sept ans, il donna l'exemple de la plus haute vertu. Mais une nuit, comme il se levait pour prier, il fit par hasard un grand bruit sur le pavé. Et l'abbé, entendant le bruit, dit : « Que celui qui a fait ce bruit aille aussitôt à la croix ! » Aussitôt Lambert, pieds nus, et couvert d'un cilice, courut vers la croix qui était à la porte du monastère, et y resta jusqu'au matin, dans la neige et la glace. Et quand, le lendemain, l'abbé vit que c'était lui qui était allé à la croix, il l'envoya chercher, et, avec tous les moines, lui demanda pardon. Et l'évêque les accueillit avec une indulgence parfaite. Sept ans après, Féramond fut enfin chassé de son siège, et saint Lambert y remonta, par ordre du roi Pépin. Et comme deux méchants recommençaient à le tourmenter, ses amis les tuèrent ainsi qu'ils le méritaient. Vers le même temps, Lambert fit de vifs reproches à Pépin au sujet d'une courtisane qu'il gardait près de lui. Alors le frère de cette courtisane, qui servait à la cour, s'entendit avec Dodon, frère des deux hommes qui avaient été tués ; et, ayant assemblé une armée, ils assiégèrent la maison de l'évêque. Celui-ci était en prière quand un de ses serviteurs vint lui annoncer que la maison était assiégée. Le saint prit d'abord un poignard ; mais bientôt il se ravisa et jeta le poignard, préférant vaincre ses ennemis par sa mort que de souiller de leur sang ses mains sacrées. Il engagea ses compagnons à confesser leurs péchés et à attendre courageusement la mort ; puis il se remit en prière ; et aussitôt les impies, forçant les portes, s'élancèrent sur lui et le mirent à mort. Quand ils se furent retirés, un des serviteurs de Lambert embarqua secrètement son corps sur un bateau et le transporta dans l'église, où il fut enseveli en grande pompe par les habitants, désolés de sa mort. Cette mort eut lieu en l'an du Seigneur 620.

CXXXVI
SAINT CORNEILLE, PAPE ET MARTYR
(18 septembre)

Le pape Corneille, successeur de saint Fabien, fut relégué en exil avec son clergé par l'empereur Décius. En exil, il reçut une lettre d'encouragement de saint Cyprien, évêque de Carthage. Revenu à Rome, il comparut devant Décius, qui, après l'avoir fait frapper de verges plombées, ordonna qu'il fût conduit au temple de Mars, pour sacrifier aux idoles, ou, en cas de refus, pour subir la peine capitale. Comme on le conduisait, un soldat le pria de s'arrêter dans sa maison et de prier pour sa femme Sallustie, qui, depuis cinq ans, était paralysée. Corneille, par sa prière, guérit cette femme : sur quoi son mari et elle, ainsi que vingt autres soldats, se convertirent à la foi chrétienne. Et Décius les fit tous conduire au temple de Mars ; et comme ils se refusaient à sacrifier, tous subirent le martyre avec saint Corneille. Ce martyre eut lieu en l'an 253.

Trois ans plus tard, Cyprien, évêque de Carthage, fut envoyé en exil par le proconsul Patron. Mais le proconsul Galère, successeur de Patron, le rappela à Carthage et le condamna à la peine capitale. Et Cyprien, après avoir remercié Dieu de cette condamnation, recommanda à ses amis de donner quinze pièces d'or à son bourreau pour le récompenser. Puis, fermant les yeux, il reçut le coup mortel, en l'an 256.

CXXXVII
SAINT EUSTACHE, MARTYR
(20 septembre)

Eustache s'appelait d'abord Placide. Il commandait les armées de l'empereur Trajan. C'était un homme bon et miséricordieux, mais adonné au culte des idoles. Il avait une femme, païenne comme lui, et comme lui excellente ; et deux fils, à qui il avait fait donner l'éducation la plus raffinée.

Et, comme il persistait dans les bonnes œuvres, Dieu le jugea digne d'être admis à la voie de la vérité. Un jour, étant à la chasse, il rencontra un troupeau de cerfs, parmi lesquels s'en trouvait un plus grand et plus beau que les autres, et qui, dès qu'il aperçut les chasseurs, se sépara de ses compagnons pour s'enfoncer dans le bois. Aussitôt Placide se mit à le poursuivre ; mais, après une longue course, le cerf grimpa sur un rocher ; et Placide, arrêté au pied du rocher, songeait aux moyens de l'atteindre. Et comme il observait avec attention le cerf, il vit briller entre ses cornes une grande croix avec l'image de Notre-Seigneur. Et Dieu, parlant par la bouche du cerf, comme jadis par celle de l'âne de Balaam, lui dit : « Placide, pourquoi me persécutes-tu ? C'est par faveur pour toi que je te suis apparu sous cette forme ; et je suis le Christ, que tu sers sans le connaître. Car tes aumônes sont montées jusqu'à moi ; et c'est, pour cela que je suis venu, afin de te faire la chasse, par l'entremise de ce cerf à qui tu fais la chasse ! » Ce qu'entendant, Placide, effrayé, sauta de cheval et se prosterna. Une heure après, se relevant, il dit : « Explique-moi qui tu es, et je croirai en toi ! » Et la voix : « Placide, je suis le Christ, qui ai créé le ciel et la terre, qui ai séparé la lumière des ténèbres, qui ai constitué les années et les jours, qui ai formé l'homme du limon de la terre, qui me suis incarné pour le salut du genre humain, qui ai été crucifié, enseveli, et qui suis ressuscité le troisième jour ! » Ce qu'entendant, Placide se prosterna de nouveau et dit : « Seigneur, je crois en toi ! » Et la voix : « Si tu crois, va trouver l'évêque, et fais-toi baptiser ! » Et Placide : « Seigneur, permets-tu que j'instruise de tout cela ma femme et mes fils, pour que, eux aussi, ils croient en toi ? » Et la voix : « Instruis-les de tout cela, afin qu'ils se purifient avec toi ! Et demain, reviens à cette place ; je t'apparaîtrai de nouveau et je te révélerai ce qui doit arriver. » De retour chez lui, Placide, au lit, raconta l'aventure à sa femme, qui lui dit : « Figure-toi, mon ami, que j'ai vu, moi aussi, en rêve, la nuit passée, un crucifix, et qu'il m'a annoncé que demain, avec mon mari et mes fils, je viendrais à lui ! Je sais maintenant que c'était Jésus-Christ. » Ils se rendirent donc aussitôt auprès de l'évêque de Rome, qui les baptisa avec grande joie, donnant à Placide le nom d'Eustache, à sa femme celui de Théospite, et nommant ses fils Théospit et Agapet.

Après cela Eustache repartit de nouveau en chasse, de nouveau se sépara de son escorte, et, arrivé au pied du rocher, aperçut de nouveau sa vision de la veille. Se prosternant, la face contre terre, il dit : « Daigne, Seigneur, tenir la promesse que tu as faite à ton serviteur ! » Et la voix : « Heureux es-tu, Eustache, d'avoir reçu le signe de ma grâce ! Mais déjà le diable, furieux de ton abandon, arme contre toi. Sache donc que tu auras beaucoup à souffrir, avant d'obtenir la couronne de la victoire ! Ne défaille pas, ne regrette pas ton ancienne gloire ; car je veux que tu apparaisses aux hommes comme un autre Job. Et quand tu seras au comble de l'humiliation, je viendrai à toi et t'apporterai une gloire nouvelle. Dis-moi seulement si tu te résignes à subir toutes ces épreuves ! » Et Eustache : « Seigneur, si c'est nécessaire, envoie-moi toutes les épreuves, à la condition que tu daignes m'accorder la force de les supporter ! » Alors le Seigneur s'envola au ciel, et Eustache, revenu chez lui, raconta à sa femme ce second miracle.

Peu de jours après, la peste fit périr tous les domestiques d'Eustache, puis ses chevaux et tout son bétail. Ce furent ensuite des voleurs qui, voyant sa maison ainsi dévastée, y pénétrèrent la nuit, emportèrent tout ce qu'il y avait, dans la maison, d'or, d'argent et d'objets de valeur : si bien qu'Eustache fut encore trop heureux de pouvoir s'enfuir, nu, avec sa femme et ses fils. Honteux de leur nudité, ils prenaient le chemin de l'Egypte afin de s'y cacher. Arrivés au bord de la mer, ils trouvèrent un bateau et y montèrent. Or le maître du bateau, frappé de la beauté de la femme d'Eustache, éprouva le désir de la posséder. Et comme les voyageurs n'avaient pas de quoi payer leur transport, cet homme exigea que la jeune femme lui fût laissée en gage : ce à quoi Eustache ne voulut point consentir. Alors le maître du bateau ordonna à ses matelots de le jeter à la mer. Et Eustache, l'ayant appris, dut se résigner à leur laisser sa femme. Tristement il s'en allait avec ses deux enfants, et il gémissait, et il disait : « Malheur à moi et à vous, car voici que votre mère se trouve livrée à un autre mari ! » Il parvint ainsi jusqu'à la rive d'un grand fleuve dont les eaux étaient si hautes qu'il n'osait pas les traverser à la nage avec ses deux fils. Il laissa donc l'un d'eux sur le bord, tandis qu'il transportait l'autre. Puis ayant achevé cette première traversée, il déposa l'enfant sur l'autre rive, et revint chercher celui qu'il avait laissé derrière lui. Mais, comme il se trouvait au milieu du fleuve, il vit un loup qui, s'élançant sur l'enfant qu'il allait chercher, le prenait entre ses dents et l'emportait dans le bois. Désespéré, Eustache voulut du moins rejoindre l'enfant à qui il avait fait déjà passer le fleuve. Mais, avant d'atteindre au rivage, il vit qu'un lion accourait et lui enlevait son second fils. Alors le pauvre homme se mit à gémir et à s'arracher les cheveux ; et, certes, il se serait noyé, si la Providence divine ne l'avait retenu.

Cependant des bergers, voyant un lion qui emportait un enfant, se mirent à sa poursuite avec leurs chiens ; et Dieu permit que le lion rejetât l'enfant sans lui faire aucun mal. De même des laboureurs poursuivirent le loup et parvinrent à retirer de sa gueule l'autre enfant. Mais Eustache, qui ignorait tout cela, pleurait et disait : « Malheureux suis-je, jadis si riche, maintenant dépouillé de tout ! Seigneur, tu m'as dit que j'aurais à être tenté comme Job : mais ma peine dépasse celle de ce saint homme, qui avait du moins un fumier où s'étendre, et des amis pour en avoir pitié, et une femme ! A moi, hélas, on a tout pris ! » Il se rendit dans un village où, pendant quinze ans, il cultiva les champs pour gagner de quoi vivre. Et ses fils, élevés dans d'autres villages, grandissaient sans savoir qu'ils étaient frères l'un de l'autre. La femme d'Eustache, elle aussi, vivait encore ; et Dieu n'avait point permis qu'elle fût possédée par l'homme à qui son mari avait dû la laisser : ce misérable en effet, était mort avant d'avoir pu la toucher.

Or l'empereur et le peuple de Rome avaient beaucoup à souffrir des assauts des ennemis. Et l'empereur, se rappelant Placide, qui maintes fois lui avait assuré la victoire, se désolait de sa fuite soudaine. Il envoya donc des soldats dans les diverses parties du monde pour le rechercher, promettant richesses et honneurs à ceux qui parviendraient à découvrir sa retraite. Et deux de ces soldats, qui jadis avaient servi sous les ordres de Placide, vinrent dans le village où vivait leur ancien chef. Placide, qui travaillait dans son champ, les reconnut aussitôt : et les souvenirs qu'ils évoquèrent en lui ravivèrent sa peine. Et il s'écria : « Seigneur, de même que j'ai pu revoir ces hommes, mes compagnons d'autrefois, ne pourrai-je pas revoir un jour ma chère femme ? car, pour mes fils, je sais qu'ils ont été dévorés par des bêtes féroces ! » Puis il vint au-devant des soldats, qui, sans le reconnaître, lui demandèrent s'il ne savait rien d'un étranger nommé Placide, ayant une femme et deux fils. Il répondit qu'il n'en savait rien ; mais il les pria d'être ses hôtes ; et, leur cachant ses larmes, il les servait de son mieux. Et eux, le considérant, se disaient : « Combien cet homme ressemble à celui que nous cherchons ! » Et l'un d'eux dit à l'autre : « Voyons un peu s'il a sur la tête une cicatrice, comme Placide en avait une, à la suite d'une blessure ! » Ils découvrirent la cicatrice, et, certains désormais d'avoir retrouvé l'homme qu'ils cherchaient, ils se jetèrent dans ses bras et l'interrogèrent sur sa femme et sur ses fils. Il leur répondit que ses fils étaient morts, et sa femme prisonnière. Puis les soldats, après avoir raconté aux voisins, accourus en foule, la vaillance et la gloire de leur ancien chef, revêtirent celui-ci d'un manteau somptueux, et se mirent en route avec lui pour se rendre auprès de l'empereur. Ils marchèrent pendant quinze jours. Et l'empereur, apprenant l'arrivée de Placide, courut au-devant de lui, et le couvrit de baisers. Et il le contraignit à reprendre son emploi de jadis, à la tête de l'armée.

Mais Eustache, dénombrant ses troupes, et les jugeant insuffisantes, ordonna de faire une grande levée dans les villes et villages de l'empire. Et, dans chacun des deux villages où étaient élevés ses deux fils, ce furent eux qui se trouvèrent désignés, par le suffrage de tous, comme les plus robustes et les plus vaillants. Ils furent conduits au camp du général, qui, frappé de leur beauté et de leur vertu, se prit d'affection pour eux et les attacha à sa personne.

Ayant défait l'ennemi, Eustache s'arrêta pendant trois jours, avec son armée, dans la ville où demeurait sa femme, qui y tenait une petite auberge. Et Dieu voulut que les deux jeunes gens prissent logement chez leur mère, qu'ils ne connaissaient point. Et là, assis à table, ils se racontaient leurs souvenirs d'enfance. Et leur mère écoutait avidement leurs paroles. Or l'aîné disait au plus jeune : « De mon enfance je ne me rappelle rien, si ce n'est que mon père était général d'armée, que j'avais une mère très belle, et un petit frère également très beau. Une nuit, nous sommes sortis de notre maison, et plus tard nous avons laissé sur un bateau, je ne sais pourquoi, notre mère ; et j'ai vu ensuite, de l'autre rive d'un fleuve, qu'un loup emportait mon frère ; et moi-même, quelques instants après, j'ai été emporté par un lion. Mais des bergers m'ont sauvé et nourri. » Ce qu'entendant, le second soldat se mit à pleurer et dit : « Par Dieu, je suis ton frère, car les laboureurs qui m'ont élevé m'ont raconté qu'ils m'avaient tiré de la gueule d'un loup, au bord du même fleuve ! » Et, tout en larmes, ils se jetèrent aux bras l'un de l'autre. Leur mère, cependant, qui avait entendu leur récit, se rendit le lendemain chez le chef de l'armée et lui dit : « Je te prie, Seigneur, de me faire ramener dans ma patrie, car je suis romaine et de race noble ! » Et, tandis qu'elle parlait, levant les yeux sur Eustache, elle le reconnut. Elle se jeta à ses pieds et lui dit qui elle était. Eustache, la reconnaissant de son côté, la couvrit de baisers, et glorifia Dieu, consolateur des affligés. Puis sa femme lui dit : « Mon ami, où sont nos fils ? » Et lui : « Des bêtes les ont dévorés ! » Et il lui raconta comment il les avait perdus. Et elle : « Rendons grâces à Dieu, car, de même qu'il nous a permis de nous retrouver l'un l'autre, je crois qu'il va nous permettre de retrouver nos enfants. » Sur quoi elle lui répéta le récit des deux jeunes soldats. Et Eustache, les ayant mandés, leur fit encore répéter leurs récits ; et il reconnut ses fils ; et sa femme et lui, fondant en larmes, ne se fatiguaient point de les embrasser.

Mais, lorsque Eustache revint à Rome avec son armée victorieuse, Trajan venait de mourir, et à sa place venait de monter sur le trône le méchant Adrien. Celui-ci, cependant, fit l'accueil le plus empressé au vainqueur des barbares, et offrit en son honneur un repas magnifique. Mais, le lendemain, s'étant rendu au temple pour sacrifier aux idoles, il vit qu'Eustache se refusait à tout sacrifice. Il lui en demanda la raison. Et Eustache : « Je n'adore pas d'autre dieu que le Christ, et à lui seul je puis sacrifier ! » Alors, l'empereur, furieux, le fit exposer dans l'arène avec sa femme et ses fils, et fit lâcher sur eux un lion féroce. Mais le lion, s'étant approché d'eux, baissa la tête comme pour les saluer, et s'éloigna humblement. L'empereur les fit ensuite plonger à l'intérieur d'un bœuf d'airain rougi au feu, et pendant trois jours il les y laissa. Le troisième jour, quand on les retira, ils étaient morts, mais pas un cheveu, pas une partie de leur corps n'avait trace de brûlure. Les chrétiens emportèrent leurs corps, et, plus tard, construisirent un oratoire sur le lieu où ils les avaient ensevelis. Ce martyre s'accomplit le douzième jour d'octobre, en l'an du Seigneur 120, sous le règne d'Adrien.

CXXXVIII
SAINT MATTHIEU, APÔTRE
(21 septembre)

I. L'apôtre Matthieu, prêchant en Ethiopie, y trouva sur son chemin deux mages nommés Zaroës et Arphaxal qui, par leurs sortilèges, parvenaient à priver les hommes de l'usage de leur langue, ce qui leur avait donné une telle vanité qu'ils se faisaient adorer comme des dieux. Or Matthieu, étant arrivé dans la ville de Nadabar, et y ayant été accueilli par l'eunuque de la reine Candace, qu'avait baptisé l'apôtre Philippe, déroutait de telle sorte les artifices des deux mages que, tout ce que ceux-ci faisaient pour le mal des hommes, il le faisait servir à leur bien. On vint un jour lui dire que les mages s'avançaient, accompagnés de deux dragons qui, vomissant du feu par la bouche et les naseaux, semaient la mort sur leur passage. Aussitôt l'apôtre fit le signe de la croix et alla à leur rencontre. Et, dès que les dragons l'aperçurent, ils vinrent humblement s'étendre à ses pieds. Alors Matthieu dit aux mages : « Où donc est votre pouvoir ? Réveillez vos dragons, si vous le pouvez ! » Et quand la foule se fut rassemblée, il ordonna aux dragons de s'en aller, au nom de Jésus ; et ils s'éloignèrent sans faire aucun mal. Matthieu se mit alors à exposer au peuple la gloire du paradis terrestre, élevé tout près du ciel, plus haut que les plus hautes montagnes. Il dit que, dans ce jardin, n'existaient ni ronces ni épines, que les roses et les lys ne s'y fanaient jamais, que tout y gardait une éternelle jeunesse, que les orgues des anges y jouaient jour et nuit, et que les oiseaux y répondaient à l'appel qu'on leur faisait. Et il dit que, de ce paradis terrestre, l'homme avait été chassé, mais que la nativité du Christ lui avait ouvert la porte du paradis céleste.

Or, pendant qu'il prêchait ainsi, un grand tumulte se produisit, et l'on apprit que le fils du roi venait de mourir. Ne pouvant le ressusciter, les mages avaient imaginé de persuader au roi qu'il avait été appelé à faire partie des dieux, de telle sorte qu'on s'apprêtait à lui élever une statue et un temple. Mais l'eunuque susdit, ayant fait mettre les mages sous bonne garde, appela Matthieu, qui, ayant prié, ressuscita le mort. Ce que voyant le roi, qui s'appelait Egippe, fit dire, dans toutes les provinces de son royaume : « Venez voir un dieu qui se cache sous la figure d'un homme ! » La foule arriva donc de toutes parts, avec des couronnes d'or et mille autres présents, prête à offrir des sacrifices au nouveau dieu. Mais l'apôtre les réprimanda, en leur disant : « Hommes, que faites-vous ? Je ne suis pas un dieu, mais le serviteur de mon maître Jésus-Christ ! » Puis, sur son ordre, l'or et l'argent que la foule avait apportés furent employés à la construction d'une grande église, qui se trouva achevée en trente jours. Et l'apôtre y vécut trente-trois ans, et il convertit toute l'Ethiopie. Le roi Egippe se fit baptiser avec sa femme et toute sa maison. Et sa fille Euphigénie, s'étant vouée à Dieu, fut placée par l'apôtre à la tête d'un couvent de plus de deux cents vierges.

Mais, plus tard, le roi Hirtacus, qui avait succédé à Egippe, désira prendre pour femme la pieuse Euphigénie, et promit à l'apôtre la moitié de son royaume si, par son entremise, elle consentait à ce mariage. L'apôtre lui dit de se rendre à l'église, le dimanche suivant, comme faisait son prédécesseur ; ajoutant que là, en présence d'Euphigénie, il apprendrait combien c'était chose bonne qu'un mariage suivant Dieu. Et le roi s'empressa de se rendre à l'église, car il croyait que Matthieu voulait engager Euphigénie à devenir sa femme. Et en effet Matthieu, en présence de tout le peuple, commença par exposer les avantages d'une sainte union ; ce dont le roi se réjouit fort, pensant que l'objet de l'apôtre était de convaincre Euphigénie. Mais alors Matthieu reprit, poursuivant son discours : « Le mariage étant ainsi chose sacrée et inviolable, un esclave qui voudrait posséder la femme de son roi mériterait la mort. Et de même toi, Hirtacus, sachant qu'Euphigénie est la femme du roi éternel, comment oses-tu songer à prendre la femme de plus puissant que toi ? » Ce qu'entendant, le roi, fou de rage, sortit de l'église. L'apôtre, plein de constance et d'intrépidité, engagea le peuple à la patience, et bénit Euphigénie, qui, épouvantée, s'était prosternée à ses pieds. Quand la messe fut achevée, le roi envoya dans l'église un bourreau qui, frappant par derrière, de son épée, l'apôtre debout devant l'autel et les mains jointes, en prière, le tua sur place, et lui assura ainsi la couronne du martyre.

La foule, indignée, s'apprêtait à courir au palais du roi pour y mettre le feu, lorsque les prêtres et les diacres la retinrent, l'engageant à célébrer plutôt, joyeusement, le martyre de l'apôtre. Et le roi, voyant que ni les entremetteuses ni les mages ne parvenaient à fléchir la résolution d'Euphigénie, fit disposer un cercle de flammes autour de son couvent, pour la faire périr avec les autres vierges. Mais saint Matthieu, apparaissant à celles-ci, détourna le feu de leur maison, vers le palais du roi, qui se trouva aussitôt consumé. Seuls le roi et son fils unique échappèrent à l'incendie ; et aussitôt le fils, confessant les crimes de son père, courut au tombeau de l'apôtre, tandis que le père, atteint d'une lèpre hideuse et incurable, se donna la mort de sa propre main. Alors le peuple prit pour roi le frère d'Euphigénie, qui régna soixante ans. Ce prince, et après lui son fils, étendirent encore le culte du Christ, remplissant d'églises toute l'Ethiopie. Quant à Zaroës et Arphaxal, dès le jour où Matthieu avait ressuscité le fils du roi, ils s'étaient enfuis en Perse, où les apôtres Simon et Jude devaient, à leur tour, déjouer victorieusement leurs sortilèges.

II. Quatre choses sont particulièrement remarquables chez saint Matthieu : 1º c'est d'abord la rapidité de son obéissance ; car dès que le Christ l'appela, aussitôt il abandonna son péage, sans s'occuper du détriment qu'il causait à ses patrons, et s'attacha absolument au Christ ; 2º c'est ensuite sa largesse ou libéralité : car aussitôt il prépara pour le Christ un grand repas dans sa maison ; 3° c'est, en troisième lieu, son humilité, qui s'est montrée de deux façons : car, d'abord, lui seul, parmi les évangélistes, a ouvertement reconnu, qu'il était publicain ; et puis, quand les Pharisiens ont murmuré de ce que le Christ s'asseyait à la table d'un pécheur, Matthieu ne leur a rien répondu, tandis qu'il aurait pu leur rappeler qu'eux-mêmes étaient infiniment plus pécheurs que lui ; 4° enfin l'évangile de Matthieu occupe, dans l'Eglise, une place privilégiée. Il y est, en effet, plus souvent cité que les autres, de même que les Psaumes de David sont cités plus souvent que le reste de l'Ancien Testament.

Le manuscrit de ce vénérable évangile, écrit de la propre main de saint Matthieu, fut retrouvé vers l'an 500, avec les reliques de saint Barnabé. Celui-ci le portait toujours sur lui, et c'est en le mettant sur la tête des malades qu'il les guérissait.

CXXXIX
SAINT MAURICE ET SES COMPAGNONS,
MARTYRS
(22 septembre)

I. Maurice était le chef de la sainte légion connue sous le nom de Légion Thébaine. Cette légion s'appelait ainsi à cause de la ville de Thèbes, patrie des légionnaires, ville d'une fertilité et d'une richesse merveilleuses, et dont les habitants avaient la réputation d'être grands de taille, courageux au combat, pleins de sagesse et d'intelligence. Thèbes avait cent portes et était placée sur le fleuve Nil, qui s'appelle, aussi Gyon, et qui a sa source dans le Paradis Terrestre. C'est à Thèbes que prêcha saint Jacques, frère du Seigneur ; et, grâce à lui, les Thébains se trouvèrent parfaitement instruits dans la foi du Christ.

Or, en l'an 277, Dioclétien et Maximien, voulant extirper du monde entier la foi du Christ, envoyèrent dans toutes les provinces où se trouvaient des chrétiens une lettre déclarant que, si les chrétiens ne se convertissaient pas au culte des idoles, des supplices terribles leur seraient réservés. Mais les chrétiens, ayant reçu cette lettre, congédièrent les messagers sans leur donner de réponse. Alors les deux empereurs, furieux, mandèrent aux diverses provinces que tous les hommes valides eussent à être armés et à venir à Rome pour faire partie des troupes impériales. Sur quoi les Thébains, se conformant au principe chrétien de rendre à César ce qui appartenait à César, organisèrent une légion de six mille six cent soixante-six soldats, qu'ils envoyèrent aux empereurs afin qu'ils assistassent ceux-ci dans les guerres, à la condition de ne point prendre les armes contre les chrétiens. Cette légion avait pour chef saint Maurice : ses porte-étendards s'appelaient Candide, Innocent, Exupère, Victor et Constantin.

Dioclétien confia la Légion Thébaine à son associé Maximien, qui se rendait en Gaule avec une grande armée. Et, avant le départ, le saint pape Marcelin exhorta les légionnaires à se laisser tuer plutôt que de manquer à leur foi chrétienne. Or, lorsque l'armée eut traversé les Alpes, l'empereur ordonna que toutes les légions sacrifiassent aux idoles et jurassent, d'une seule voix, de combattre les rebelles, et tout particulièrement les chrétiens. Ce qu'entendant, la Légion Thébaine se sépara du reste de l'armée et alla s'établir à huit milles plus loin, dans un endroit magnifique appelé Agaune, sur la rive du Rhône[13]. Et quand Maximien lui enjoignit de venir sacrifier aux dieux avec le reste de l'armée, les légionnaires répondirent qu'ils ne pouvaient le faire, étant eux-mêmes chrétiens. L'empereur, furieux, s'écria : « Que ces traîtres sachent donc que ce n'est pas seulement moi-même, mais encore mes dieux que je vais venger d'eux ! » Et il envoya vers la Légion Thébaine une autre de ses légions, avec ordre de décapiter un sur dix des légionnaires rebelles. Et les saints, tendant avec joie leurs cous, se disputaient l'un à l'autre l'honneur de recevoir la mort.

[13] Aujourd'hui Saint-Maurice-en-Valais.

Alors saint Maurice, se levant parmi eux, leur parla ainsi : « Je vous félicite d'être tous prêts à mourir pour le Christ ! J'ai supporté que vos compagnons fussent mis à mort parce que j'ai voulu suivre le précepte du Seigneur, qui a dit à Pierre de remettre son épée au fourreau. Mais maintenant que nous voici entourés des cadavres de nos compagnons, et que nos manteaux sont rougis de leur sang, suivons-les à notre tour dans le martyre ! » Puis, avec l'assentiment de toute la légion, il fit porter à l'empereur la réponse suivante : « Empereur, nous sommes tes soldats, et nous avons pris les armes pour défendre la chose publique. Nous ne sommes ni des traîtres ni des lâches, mais rien ne nous fera abandonner la foi du Christ ! » L'empereur, en entendant cette réponse, ordonna que de nouveau la Légion fût décimée. Et ainsi fut fait. Alors le porte-étendard Exupère, se dressant au milieu de ses compagnons avec son étendard, dit : « Notre glorieux chef Maurice nous a parlé de la gloire de nos compagnons défunts. Exupère, lui non plus, n'a point pris les armes pour résister à de telles attaques. Que nos bras droits jettent donc à terre ces armes terrestres, et ne soient plus armés que de vertu chrétienne ! » Après quoi, avec l'assentiment de tous, il fit répondre à l'empereur : « Empereur, nous sommes tes soldats, mais nous sommes les esclaves du Christ. A toi nous devons le service militaire, à lui l'innocence de nos cœurs. De toi nous recevons le prix de notre travail, de lui nous avons reçu le principe de notre vie. Et nous sommes prêts à subir tous les tourments plutôt que de renier sa foi ! » Alors l'empereur ordonna à son armée de cerner toute la Légion, de façon que pas un seul des légionnaires n'échappât à la mort. Ces soldats du Christ furent donc entourés par les soldats du diable, égorgés, foulés aux pieds des chevaux, et consacrés au Christ par un glorieux martyre. Cela eut lieu en l'an du Seigneur 280.

Cependant, Dieu permit que plusieurs des légionnaires s'échappassent, qui, venant dans d'autres régions, y prêchèrent le nom du Christ. De ce nombre furent Solutor, Adventor et Octave, qui se rendirent à Turin, Alexandre, qui vint à Bergame, Segond, qui évangélisa Vintimille, et aussi les bienheureux Constant, Victor Ours, et d'autres encore.

Or, pendant que les bourreaux de la Légion, s'étant partagé le butin, mangeaient ensemble, un vieillard nommé Victor passa par hasard près d'eux. Invité à s'asseoir avec eux, il leur demanda comment ils avaient le courage de manger parmi tant de cadavres. Et lorsqu'il apprit que c'était pour la foi du Christ que leurs victimes étaient mortes, il soupira profondément, déclarant qu'il aurait été bien heureux de périr avec elles : sur quoi, les bourreaux, découvrant qu'il était chrétien, l'égorgèrent aussitôt.

Plus tard Maximien et Dioclétien se dépouillèrent tous deux, le même jour, de la pourpre impériale, le premier à Milan, le second à Nicomédie, laissant l'empire à trois jeunes gens, Constance, Maxime et Galère. Mais comme Maximien voulait reprendre le pouvoir, il fut poursuivi par son gendre Constance, et finit ses jours par la pendaison.

Le corps de saint Innocent, un des légionnaires, était tombé dans les eaux du Rhône ; il en fut retiré et enseveli avec les autres corps, dans l'église du lieu, par les évêques Domitien, de Genève, Gratus, d'Aoste, et Protais. A la construction de cette église était employé un artisan païen. Le dimanche, il travaillait seul, pendant que ses compagnons célébraient le jour du Seigneur. Or la Légion sacrée lui apparut, et lui reprocha de profaner, comme il faisait, le jour sacré, en s'occupant d'un travail manuel au lieu de s'occuper des choses divines. Et aussitôt cet artisan, convaincu, courut à l'église et demanda à devenir chrétien.

II. Certaine femme avait confié son fils à l'abbé du monastère de Saint-Maurice en Valais, où reposent les corps des saints martyrs. Le jeune homme mourut au milieu de ses études ; et sa mère, désespérée, le pleurait jour et nuit. Alors saint Maurice lui apparut et lui dit : « Ne pleure point ton fils comme s'il était mort, mais sache qu'il habite avec nous. Que si tu en désires une preuve, demain et tous les jours de ta vie lève-toi à temps pour assister aux matines : tu entendras la voix de ton fils parmi les voix des moines qui chantent les psaumes ! » Et en effet, la mère, tous les matins, entendit la voix de son fils mêlée à celle des moines.

III. Le roi Gontran qui, ayant renoncé aux pompes du monde, distribuait ses trésors aux pauvres et aux églises, envoya un prêtre à Saint-Maurice pour demander quelques reliques des saints légionnaires. Mais comme le prêtre revenait avec les reliques, une grande tempête s'éleva sur le lac de Lausanne, où le bateau qui le portait faillit périr ; mais il plaça sur les flots la châsse qui contenait les reliques, et aussitôt un grand calme succéda à la tempête.

IV. L'an du Seigneur 963, des moines, qui venaient de Rome et avaient obtenu du pape Jean les corps du pape saint Urbain et du martyr saint Tiburce, visitèrent en passant l'église des saints martyrs. Ils obtinrent de l'abbé et des moines d'emporter aussi le corps de saint Maurice et la tête de saint Innocent, pour les placer à Auxerre, dans l'église que saint Germain avait dédiée à ces deux saints.

V. Pierre Damien raconte qu'il y avait en Bourgogne un clerc orgueilleux et ambitieux qui s'était emparé par force d'une église de saint Maurice. Et comme, un jour, à la fin de la messe, il entendait chanter que « quiconque s'élève sera abaissé », le misérable s'écria : « C'est faux, car, si je m'étais humilié devant mes ennemis, je ne posséderais pas aujourd'hui une aussi riche église ! » Mais aussitôt la foudre, pareille à un glaive de feu, pénétra dans la bouche qui venait de prononcer ce blasphème ; et le mauvais clerc fut tué sur-le-champ.

CXL
SAINTE JUSTINE, VIERGE ET MARTYRE
(26 septembre)

Justine était fille d'un prêtre païen d'Antioche. Tous les jours, assise à sa fenêtre, elle entendait lire l'Evangile par le diacre Proclus : et c'est ainsi qu'elle se convertit à la foi chrétienne. Sa mère fit part de la chose à son père, un soir, dans le lit où ils dormaient ensemble. Et quand ils se furent endormis, le Christ leur apparut, entouré d'anges, et leur dit : « Venez à moi, je vous donnerai le royaume des cieux ! » Réveillés, ils se firent baptiser avec leur fille.

Sainte Justine eut beaucoup à souffrir d'un mage nommé Cyprien, qu'elle finit par convertir à la foi du Christ. Ce Cyprien, qui avait été consacré au diable dès l'âge de sept ans, pratiquait les arts magiques, et savait, par exemple, changer les femmes en chevaux. S'étant pris d'amour pour Justine, c'est à la magie qu'il eut recours pour parvenir à la posséder, comme aussi pour la livrer à un certain Acladius, qui était également amoureux de la jeune fille. Il appelle donc le diable, qui, lui apparaissant, lui demande ce qu'il lui veut. Et Cyprien : « J'aime une jeune fille de la secte des Galiléens. Peux-tu faire en sorte que je la possède ? » Et le diable : « Comment ne le pourrais-je pas, moi qui ai pu chasser l'homme du paradis, forcer Caïn à tuer son frère, amener les Juifs à tuer le Christ, et troubler et corrompre l'humanité entière ? Prends cet onguent et enduis-en la porte de sa maison ; et moi, aussitôt, j'allumerai dans son cœur un grand amour pour toi. » La nuit suivante, le démon s'approche de Justine et s'efforce d'exciter son cœur à cet amour criminel. Mais elle, sentant le danger, se recommande pieusement au Seigneur et munit tout son corps du signe de la croix. A ce signe, le diable, épouvanté, s'enfuit et revient près de Cyprien, à qui il avoue son échec. Cyprien le renvoie, et appelle un diable plus puissant. Et celui-ci : « Je sais ton désir, et j'ai vu l'échec de mon compagnon. Mais moi, je ferai mieux que lui, et je réussirai où il a échoué ! » Après quoi il se rend chez Justine et s'efforce d'exciter son âme à l'amour de Cyprien. Mais la sainte, de nouveau, repousse la tentation au moyen d'un signe de croix. Alors Cyprien invoque le prince des diables et lui dit : « Votre pouvoir est-il donc si petit qu'une jeune fille suffise à le vaincre ? » Le diable, piqué au jeu, prend la forme d'une jeune fille, et, s'approchant de Justine, lui dit : « Je viens près de toi pour vivre avec toi dans la chasteté ; mais dis-moi d'abord, je te prie, quelle sera la récompense de nos efforts ! » Et Justine : « La récompense sera grande, et la peine petite ! » Alors le démon : « Mais Dieu n'a-t-il pas dit aux hommes de croître et de multiplier et de remplir la terre ? Je crains, chère amie, qu'en persévérant dans la chasteté nous ne désobéissions à Dieu au lieu de le satisfaire ! » Et Justine, sous l'action du démon, commença à douter, et son cœur s'enflamma de concupiscence, au point que déjà elle voulait se lever pour aller se chercher un amant. Mais bientôt, revenant à elle, et comprenant à qui elle avait affaire, elle se munit du signe de la croix, et le diable s'évanouit sous son souffle, comme une cire qui fond. Il prit alors la forme d'un beau jeune homme, s'approcha d'elle dans le lit où elle était couchée, et voulut se jeter sur elle pour l'embrasser. Mais Justine, devinant le malin esprit, le repoussa d'un signe de croix. Alors le diable, avec la permission de Dieu, l'accabla de fièvre, et répandit la peste dans la ville d'Antioche, et fit proclamer, par des possédés, que toute la ville périrait si Justine ne consentait pas à prendre un mari. Aussitôt la foule se pressa devant la maison des parents de Justine, demandant que la jeune fille fût livrée à un mari pour détourner le fléau. Mais Justine, après avoir résisté pendant sept ans, pria pour eux et la peste disparut.

Voyant enfin l'inutilité de toutes ses ruses, le diable revêtit la forme de Justine, pour salir du moins la réputation de la sainte. Sous cette forme, il vint trouver Cyprien et se jeta dans ses bras. Et Cyprien, ravi de joie, s'écria : « Merci d'être venue, Justine, la plus belle des femmes ! » Mais le diable ne put supporter d'entendre nommer Justine, et aussitôt s'évanouit en fumée. Et Cyprien, se voyant déçu, fut rempli de tristesse. Longtemps il veilla devant la porte de la jeune fille, se transformant tantôt en femme, tantôt en oiseau ; mais, devant la jeune fille, il n'était plus ni femme, ni oiseau, et reprenait aussitôt sa forme naturelle. Et de même Acladius, qui s'était transformé par magie en moineau, et voletait devant la fenêtre de Justine, reprit sa forme première dès que la jeune fille l'aperçut. Et son épouvante fut extrême, car il craignait de se tuer en tombant. Mais Justine eut pitié de lui, et le fit descendre par une échelle, en l'avertissant de renoncer à ses folies, s'il ne voulait pas s'exposer à être condamné comme magicien.

Alors Cyprien invoqua une dernière fois le diable et lui dit : « Dis-moi, je t'en prie, en quoi réside le pouvoir de cette jeune fille ? » Et le diable : « Je te le dirai, si tu consens à me jurer solennellement que jamais tu ne t'éloigneras de moi. » Et Cyprien : « Je te le jure ! » Alors le diable : « C'est en faisant le signe de la croix que cette jeune fille détruit tout mon pouvoir. » Et Cyprien : « Donc le crucifié a plus de pouvoir que toi ? » Et le diable : « Il a plus de pouvoir que tout le reste du monde, et c'est lui qui livre au feu éternel tous ceux que nous parvenons à séduire. » Alors Cyprien : « Ainsi, je dois, moi aussi, devenir l'ami du crucifié, pour éviter ce châtiment ? » Et le diable : « Tu m'as juré solennellement de ne jamais t'éloigner de moi ! » Mais Cyprien : « Je te méprise avec tout ton vain pouvoir, et je renonce à toi et à tous tes diables, et je me munis du signe de la croix ! » Et aussitôt le diable s'enfuit, tout confus. Alors Cyprien se rendit auprès de l'évêque. Et celui-ci, croyant qu'il venait pour tromper les chrétiens, lui dit : « Que ceux-là te suffisent, Cyprien, qui sont hors de l'Eglise : contre l'Eglise, tu n'as pas de pouvoir ! » Mais

Cyprien lui raconta ce qui lui était arrivé et lui demanda à être baptisé. Et, depuis lors, il se distingua si éminemment, tant par la science que par la vertu, que, à la mort de l'évêque, il fut lui-même ordonné évêque. Il fit entrer Justine dans un monastère, où elle devint abbesse d'une foule de saintes jeunes filles. Et souvent saint Cyprien écrivait des lettres aux martyrs pour les encourager dans leur lutte. Or le seigneur de la région fit comparaître devant lui Cyprien et Justine, et leur enjoignit de sacrifier aux idoles. Et comme ils persistaient dans la foi du Christ, il les fit plonger dans une chaudière pleine de cire, de poix, et de graisse. Mais ils n'en éprouvèrent aucun mal, et s'y rafraîchirent comme dans un bain d'eau froide. Alors le prêtre des idoles dit à ce préfet : « Laisse-moi me mettre devant la chaudière, et aussitôt je vaincrai tout le pouvoir de ces deux imposteurs ! » Et quand il fut devant la chaudière, il s'écria : « Grand est le Dieu Hercule, et grand Jupiter, le père des dieux ! » Et aussitôt jaillit une flamme qui le consuma. Alors Cyprien et Justine furent extraits de la chaudière et décapités. Leurs corps restèrent pendant sept jours livrés aux chiens ; ils furent ensuite transportés à Rome et reposent aujourd'hui, dit-on, à Plaisance. Leur martyre eut lieu sous Dioclétien, le 6 octobre 280.

CXLI
SAINTS COME ET DAMIEN, MARTYRS
(27 septembre)

I. Come et Damien étaient frères. Ils naquirent dans la ville d'Egée, d'une pieuse mère, nommée Théodote. Ayant appris la médecine, ils reçurent de l'Esprit-Saint une telle faveur qu'ils purent guérir toutes les maladies, non seulement des hommes, mais même des chevaux ; et jamais ils n'admettaient qu'on les payât de leurs soins. Or une dame, appelée Palladie, qui avait déjà dépensé en frais de médecins tout ce qu'elle avait, vint trouver les deux frères, qui la guérirent aussitôt. Elle offrit alors à Damien un petit présent, que, d'abord, il refusa d'accepter, mais que, cependant, il accepta enfin, non point par cupidité, mais par égard pour le zèle et la bonne volonté de la pauvre femme qui le lui offrait. Et Come, dès qu'il le sut, ordonna qu'après sa mort ses restes fussent ensevelis à part de ceux de son frère. Mais, la nuit suivante, le Seigneur lui apparut, et excusa Damien de l'acceptation du présent.

Entendant leur renommée, le proconsul Lysias les fit venir, et leur demanda quels étaient leurs noms, leur patrie, leur fortune. A quoi les saints répondirent : « Nos noms sont Come et Damien, et nous avons encore trois autres frères qui s'appellent Antime, Léonce et Euprépie ; notre patrie est l'Arabie ; et quant à la fortune, c'est chose que les chrétiens ne connaissent pas. » Alors le proconsul fit aussi venir leurs frères ; puis, sur leur refus de sacrifier aux idoles, il leur fit percer de clous les pieds et les mains. Comme ils se raillaient de ces supplices, il les fit ensuite charger de chaînes et précipiter dans la mer ; mais aussitôt un ange les retira des flots, et ils se retrouvèrent devant le proconsul. Et celui-ci : « Vous êtes de puissants sorciers, pour faire de telles choses ! Enseignez-moi donc vos sortilèges, au nom de mes dieux ! » Aussitôt deux démons s'emparèrent de lui et le frappèrent durement au visage. Et lui, se tournant vers les deux saints : « Par pitié, mes amis, priez pour moi votre Dieu ! » Ils prièrent, et les démons s'enfuirent. Alors Lysias : « Voyez-vous combien mes dieux sont irrités de ce que j'aie eu la pensée de les abandonner ! Aussi, désormais, ne vous permettrai-je plus de les blasphémer ! » Alors il les fit jeter dans un grand feu ; mais la flamme ne leur fit aucun mal, et brûla seulement un grand nombre de païens, qui se tenaient à l'entour.

Attachés sur un chevalet, un ange les préserve de toute souffrance, et la fatigue des bourreaux met un terme au supplice. Alors le proconsul fait conduire en prison les trois frères de Come et de Damien ; et quant à ceux-ci, il les fait mettre en croix et lapider. Mais les pierres qu'on leur lance rejaillissent sur ceux qui les lancent, et en blessent un grand nombre. Alors le proconsul, furieux, fait ramener les trois autres frères, et ordonne que les deux saints, sur leur croix, soient percés de flèches ; mais les flèches, au lieu d'entrer dans leurs chairs, se retournent contre ceux qui les lancent. Enfin le proconsul, confus de sa défaite, les fait décapiter tous les cinq, au lever du jour.

Les chrétiens, se rappelant la parole de Come, voulurent alors enterrer Damien à part de ses frères ; mais soudain on entendit un chameau qui, prenant voix humaine, ordonna d'ensevelir ensemble les cinq martyrs. Cela se passait sous le règne de Dioclétien.

II. Un paysan s'était endormi dans son champ, après la moisson, lorsqu'un serpent lui entra dans la bouche. Réveillé, le paysan revint chez lui sans rien sentir ; mais, vers le soir, il fut pris de souffrances atroces. Il invoqua alors saints Come et Damien, se rendit dans leur église ; et, dès qu'il y fut arrivé, voici que le serpent lui sortit de la bouche comme il y était entré.

III. Un homme qui partait pour un long voyage recommanda sa femme aux saints Come et Damien ; après quoi il lui indiqua un signe qui, lorsqu'on le ferait devant elle, signifierait qu'on vient de sa part et pour l'appeler. Or le diable, l'ayant vu indiquer ce signe, va trouver la femme, et lui dit qu'il vient la chercher de la part de son mari. Et elle, hésitant : « Je reconnais bien le signe ; mais je ne te croirai que si tu me le jures, au nom des saints martyrs Come et Damien, à qui mon mari m'a recommandée ! » Le diable le lui jura, et elle le suivit. Mais bientôt, quand ils arrivèrent dans un lieu écarté, elle s'aperçut que son guide voulait la jeter à bas de son cheval, pour la tuer. Alors elle s'écria : « Saints Come et Damien, secourez-moi, car c'est en me fiant à vous que j'ai suivi cet homme ! » Et aussitôt les deux saints accoururent à son secours, avec une troupe toute vêtue de blanc, et forcèrent le diable à s'enfuir honteusement.

IV. Le pape Félix fit construire à Rome une grande église en l'honneur des deux saints. Cette église avait pour gardien un homme qui avait une jambe toute rongée par un cancer. Et voici que, dans son sommeil, le pieux gardien vit saints Come et Damien lui apparaître avec des onguents. Et l'un des deux saints dit à l'autre : « Où trouverons nous des chairs fraîches, pour mettre à la place des chairs pourries que nous allons couper ? » L'autre saint répondit : « On a enterré aujourd'hui un Maure dans le cimetière de Saint-Pierre aux Liens ; prenons une de ses jambes et donnons-la à notre serviteur ! » Et les deux saints firent ainsi ; après quoi ils donnèrent au gardien la jambe du Maure, et rapportèrent dans le tombeau de celui-ci la jambe du malade. Et celui-ci, à son réveil, se voyant guéri, raconta à tous sa vision, et le miracle qui l'avait suivie. On courut alors au tombeau du Maure : on découvrit qu'une de ses jambes manquait, et que, à sa place, se trouvait la jambe malade du gardien.

CXLII
SAINT MICHEL, ARCHANGE
(29 septembre)

Le nom de Michel signifie « pareil à un dieu ». Saint Grégoire dit que, chaque fois que Dieu veut faire un grand acte de résistance, c'est l'archange saint Michel qu'il charge de le représenter. C'est lui, en effet, comme dit Daniel, qui, au temps de l'Antéchrist, se lèvera pour défendre les élus ; c'est lui qui a lutté contre Satan et ses mauvais anges, et qui les a chassés du ciel ; c'est lui qui a arraché au diable le corps de Moïse, que le diable voulait détruire pour se faire lui-même adorer des Juifs ; c'est lui qui recueille les âmes des saints et les conduit au paradis ; c'est lui qui fut jadis prince de la synagogue, et dont Dieu fit ensuite le prince de son Eglise ; c'est lui qui apporta aux Egyptiens les sept plaies, qui partagea les eaux de la mer Rouge, qui conduisit le peuple dans le désert jusqu'à la terre promise ; c'est lui qui, dans l'armée des anges, porte la bannière du Christ ; c'est lui qui tuera l'Antéchrist au mont des Oliviers ; c'est à sa voix que les morts ressusciteront ; et c'est lui qui, au jour du jugement dernier, présentera la croix, les clefs, la lance et la couronne d'épines.

La fête de saint Michel a pour objet de célébrer son apparition, sa victoire, sa dédication et son souvenir.

1° Son apparition s'est manifestée en plusieurs circonstances. Il est apparu, d'abord, sur le mont Gargan, qui se trouve en Pouille, auprès de la ville de Manfrédonie. L'an du Seigneur 390, vivait dans cette ville un homme, nommé Garganus, qui possédait un énorme troupeau de bœufs et de moutons. Et comme ses troupeaux paissaient au flanc de la montagne, un taureau, laissant ses compagnons, grimpa jusqu'au sommet de la montagne. Garganus se mit à sa recherche, avec une foule de ses serviteurs, et le trouva enfin, au sommet de la montagne, près de l'entrée d'une caverne. Furieux, il lança contre lui une flèche empoisonnée ; mais celle-ci, comme repoussée par le vent, se retourna vers lui et le frappa lui-même. Ce qu'apprenant, la ville entière fut émue et vint demander à l'évêque l'explication du prodige. L'évêque ordonna un jeûne de trois jours, au bout duquel saint Michel apparut, et lui dit : « Sache que c'est par ma volonté que cet homme a été frappé de sa flèche ! Je suis l'archange Michel. J'ai résolu de me garder ce lieu ; et j'ai eu recours à ce signe pour faire connaître que j'en étais l'habitant et le gardien. » Aussitôt l'évêque, avec toute la ville, se rendit en procession sur la montagne. Et, personne n'osant entrer dans la caverne, on pria l'archange devant le seuil.

La seconde apparition eut lieu vers l'an du Seigneur 710, dans un lieu appelé la Tombelaine, qui est au bord de la mer, à une distance de six milles de la ville d'Avranches. Saint Michel apparut à l'évêque de cette ville et lui ordonna de lui élever une église en cet endroit. Et comme l'évêque doutait de l'endroit exact ou devait être construite l'église, l'archange lui dit qu'elle devait s'élever à l'endroit où l'on trouverait un taureau caché par des voleurs. Or il y avait, dans cet endroit, deux roches qu'aucune force humaine ne pouvait soulever. Saint Michel apparut à un habitant, lui ordonna de se rendre en ce lieu, et de soulever les roches. Et l'homme les souleva aussi aisément que si elles n'avaient eu aucun poids. Ainsi fut construite cette église ; et l'on y transporta, de l'église du mont Gargan, une partie du manteau que l'archange avait déposé sur l'autel, et une partie du marbre sur lequel s'étaient posés ses pieds. Et, comme on manquait d'eau en cet endroit, l'archange dit de creuser un trou dans un rocher très dur ; et aujourd'hui encore l'eau en jaillit, avec une extrême abondance. Cette apparition est célébrée en ce lieu, le 17 novembre, par une fête solennelle.

Le même lieu fut témoin d'un autre miracle mémorable. Il y a là une montagne que la mer entoure de toutes parts ; mais, le jour de la fête de saint Michel, un passage s'y ouvre pour le peuple. Or, un jour qu'une grande foule s'y pressait vers l'église, une femme s'y trouvait mêlée qui était enceinte et près d'accoucher. Et voici que, tout à coup, les vagues affluèrent d'un grand élan, et toute la foule épouvantée s'enfuit sur le rivage, à l'exception de la femme enceinte qui, ne pouvant fuir, fut prise par les flots. Mais l'archange saint Michel la garda de tout mal. Au milieu des flots, elle enfanta un fils, qu'elle allaita de son sein ; puis la mer lui livra passage, et on la vit sortir avec son enfant.

La troisième apparition eut lieu à Rome, au temps du pape Grégoire. Ce pape avait institué de grandes litanies, à cause de la peste qui sévissait à Rome. Et un jour, comme il priait pour son peuple, il vit d'abord, au-dessus d'une forteresse appelée autrefois le tombeau d'Adrien, un grand ange qui essuyait un glaive tout sanglant et le remettait au fourreau. Saint Grégoire reconnut l'archange Michel, et, comprenant que sa prière avait été exaucée, il fit construire en cet endroit une église en l'honneur des saints Anges. Et, aujourd'hui encore, la forteresse porte le nom de Fort Saint-Ange. Le souvenir de cette apparition se célèbre le 7 mai, en même temps que celui de l'apparition du mont Gargan.

La quatrième apparition est celle que nous raconte l'*Histoire tripartite*. Il y a, près de Constantinople, un endroit où l'on célébrait autrefois la déesse Vesta, mais où s'élève aujourd'hui une église en l'honneur de saint Michel, et cet endroit porte le nom de Michaëlium. Un homme, appelé Aquilin, y souffrait de la fièvre. Les médecins lui donnèrent une potion ; mais il la rendit, et ensuite il rendait tout ce qu'il avalait. Se voyant sur le point de mourir, il se fit transporter au lieu que j'ai dit ; et là saint Michel, lui apparaissant, lui dit de faire, avec du miel, du vin et du poivre un breuvage où il tremperait tous ses aliments. Aquilin le fit, et fut guéri, bien que ce fût chose contraire aux lois de la médecine de faire prendre à un fiévreux des boissons chaudes.

2º Non moins nombreuses sont les victoires de saint Michel. La première est celle qu'il fit remporter aux habitants de la susdite ville de Manfrédonie. En effet, peu de temps après l'apparition du mont Gargan, les Napolitains, encore païens, se mirent en guerre contre les habitants de Manfrédonie et ceux d'une ville voisine, Bénévent. Les Manfrédoniens, sur le conseil de leur évêque, demandèrent un armistice de trois jours, pendant lesquels ils jeûnèrent et invoquèrent l'assistance de leur patron saint Michel. La troisième nuit, saint Michel apparut à l'évêque, lui dit que ses prières étaient exaucées, promit la victoire à ses concitoyens, et leur conseilla d'attaquer l'ennemi à quatre heures du matin. Et à peine l'attaque était-elle commencée que le mont Gargan mugit terriblement, les éclairs luirent en foule, suivis d'une obscurité profonde ; et six cents hommes de l'armée ennemie périrent, tant par le fer des Manfrédoniens, que par les flèches de feu provenant d'un arc invisible. Le reste des Napolitains, ayant reconnu la puissance de l'archange, abjurèrent leur idolâtrie pour se convertir à la foi chrétienne.

En second lieu doit être citée la victoire que remporta saint Michel quand il chassa du ciel le dragon, c'est-à-dire Lucifer, avec toute sa suite. On sait, en effet, comment, Lucifer ayant aspiré à devenir l'égal de Dieu, l'archange porte-enseigne des armées célestes le chassa du ciel avec toute sa suite et les enferma, jusqu'au jour du jugement dernier, dans les ténèbres infernales. Car les démons n'ont le droit d'habiter ni dans le ciel, qui est la partie supérieure de l'air, ni sur la terre, où leur séjour nous serait intolérable. Mais ils habitent un espace entre le ciel et la terre : de façon que lorsqu'ils regardent en haut, ils souffrent de la vue du ciel qu'ils ont perdu ; et lorsqu'ils regardent en bas, ils envient le sort des hommes, qui peuvent s'élever là d'où eux-mêmes sont tombés. Mais souvent, avec la permission de Dieu, ils descendent parmi nous pour nous éprouver, et volent autour de nous comme des mouches. Et ils sont innombrables, et tout l'air que nous respirons en est rempli comme de mouches. Mais, suivant l'opinion d'Origène leur nombre diminue à chaque victoire que nous remportons sur eux : car un démon qui a été vaincu par un saint homme ne peut plus, désormais, tenter personne au moyen du vice sur lequel il a été vaincu.

Une autre victoire est celle que saint Michel et ses compagnons remportent tous les jours sur les démons, en nous défendant contre eux et en nous délivrant de leurs tentations. Et c'est en trois façons que les anges nous délivrent de la tentation des démons : 1º en refrénant le pouvoir des démons ; 2º en refrénant notre concupiscence ; 3º en imprimant dans notre esprit le souvenir de la passion du Seigneur.

Quatrième victoire : celle que l'archange saint Michel remportera sur l'Antéchrist quand il le tuera. Car on verra alors, comme le dit Daniel, le prince Michel se lever et protéger les élus contre l'Antéchrist. Puis, comme le dit la *Glosse de l'Apocalypse*, l'Antéchrist feindra d'être mort, se cachera pendant deux jours, puis reparaîtra, se disant ressuscité, et au moyen d'artifices magiques s'élèvera dans les airs. Mais quand il sera parvenu sur le mont des Oliviers, à l'endroit d'où le Seigneur est monté au ciel, Michel se dressera en face de lui et le tuera.

3° La fête de saint Michel est considérée comme une fête de dédication, parce que saint Michel a révélé aux Manfrédoniens que le sommet du mont Gargan lui appartenait et devait lui être dédié. Revenus de leur victoire, les Manfrédoniens se demandèrent s'ils devaient entrer dans le lieu que s'était réservé l'archange, pour le consacrer. L'évêque s'en rapporta, sur ce point, au pape Pélage, qui lui conseilla de s'en rapporter à saint Michel lui-même. De nouveau il y eut trois jours de prières et de jeûnes. Le troisième jour, saint Michel apparut à l'évêque et lui dit : « Vous n'avez pas besoin de consacrer l'église que je me suis construite, car je l'ai consacrée moi-même ! » Et il ordonna à l'évêque de se rendre en ce lieu le lendemain et les jours suivants, avec la foule, pour y prier, ajoutant qu'il se constituait le patron spécial de la ville. Et, en signe de la susdite consécration, il leur dit qu'ils trouveraient des traces de pas d'homme gravées sur le marbre. Le lendemain, donc, l'évêque et tout le peuple entrèrent dans la caverne ; ils y trouvèrent une grande crypte avec trois autels, dont deux à l'occident et un à l'orient, ce dernier entouré d'un manteau rouge. On y célébra la messe, tous les assistants communièrent, et l'évêque établit en ce lieu des prêtres et des clercs, pour y célébrer l'office divin. Dans cette caverne se trouve une source d'eau transparente et douce, que le peuple boit après la communion, et qui guérit diverses maladies. Et c'est en apprenant tout cela que le Souverain Pontife a ordonné de fêter ce jour, dans le monde entier, en souvenir de saint Michel.

4° Enfin l'Eglise célèbre, ce jour-là, le souvenir de saint Michel et de tous les anges. Nous devons, en effet, nous souvenir d'eux, et les louer et les honorer, pour de nombreux motifs : ils sont nos gardiens, nos assistants, nos frères et concitoyens, les porteurs de nos âmes au ciel, les représentants de nos prières devant Dieu, et nos consolateurs dans les tribulations. Ils sont, d'abord, nos gardiens : car tout homme a près de lui deux anges, un mauvais pour l'éprouver, et un bon pour le garder. Notre bon ange nous garde dès le sein de notre mère, c'est lui qui nous empêche, sitôt nés, de mourir avant de recevoir le baptême ; et, dans l'âge adulte, il nous exhorte au bien, et nous défend contre l'oppression du tentateur. En second lieu, les anges sont nos assistants ; car, comme le dit le livre des *Hébreux*, ils sont des esprits chargés de missions. Et rien ne montre autant la bonté divine, ainsi que l'amour de Dieu pour nous, que ce fait que Dieu charge ces esprits sublimes, qui sont ses familiers, de venir nous aider dans notre salut. En troisième lieu, les anges sont nos frères et nos concitoyens. Car tous les élus sont répartis parmi la hiérarchie des anges, d'après leurs mérites ; les uns sont placés parmi les anges du degré supérieur, d'autres parmi ceux du degré inférieur, d'autres parmi ceux du degré moyen. Et seule la sainte Vierge est au-dessus d'eux tous. En quatrième lieu, les anges sont les porteurs de nos âmes au ciel : ainsi, dans l'Evangile de saint Luc, le mendiant Lazare est « porté par un ange dans le sein d'Abraham ». En cinquième lieu, ils sont les représentants de nos prières devant Dieu : témoin l'ange disant à Tobie : « Pendant que tu priais en pleurant et ensevelissais les morts, j'ai présenté ta prière au Seigneur. » En sixième et dernier lieu, les anges sont nos consolateurs dans les tribulations. Ils le sont de trois façons : 1º en nous réconfortant et raffermissant ; 2º en nous aidant à souffrir ; 3º en réfrigérant nos tribulations, comme l'a fait l'ange du Livre de Daniel qui, étant descendu dans la fournaise auprès des trois jeunes gens, y fit souffler, au milieu des flammes, une brise parfumée.

CXLIII
SAINT FURSY, ÉVÊQUE
(29 septembre)

L'évêque Fursy, après une longue vie pleine de vertus, rendit son âme à Dieu. Il vit alors venir à lui trois anges, dont deux emportèrent son âme, tandis que le troisième les précédait, armé d'un bouclier blanc, et tenant en main un glaive de feu. Il vit aussi des démons qui, pour l'empêcher d'avancer, lançaient sur lui des flèches enflammées ; mais l'ange qui le précédait parait ces flèches avec son bouclier, et aussitôt les éteignait. Alors les démons dirent aux anges : « Cet homme a souvent tenu des discours oiseux ; il n'a pas le droit d'être admis dans l'assemblée des bienheureux ! » Et l'ange : « Si vous n'apportez point la preuve qu'il ait eu de grandes vices, de ses menus défauts il ne sera point puni ! » Alors un des démons : « Si Dieu est juste, cet homme ne sera point sauvé ; car l'évangile dit que celui-là n'entrera pas au royaume des cieux qui n'aura point su s'abaisser pour devenir pareil à un enfant ! » Et l'ange : « Cet homme a eu l'innocence dans le cœur ; mais l'habitude humaine l'a empêché d'en faire un plein usage. » Et le démon : « De même que, par habitude, il a mal agi, le juge suprême doit le punir par sa loi ! » Et l'ange : « Que Dieu juge entre nous ! » Il y eût alors un combat, et l'ange terrassa ses adversaires.

Puis un des diables dit : « Le serviteur qui, connaissant la volonté de son maître, ne s'y conforme pas, doit être puni ! » Et l'ange : « En quoi donc cet homme ne s'est-il donc pas conformé à la volonté de son maître ? » Et le démon : « Il a reçu des dons des méchants ! » Et l'ange : « Il a cru que chacun d'eux avait fait pénitence ! » Et le démon : « Il aurait dû, d'abord, s'assurer de cette pénitence ! » Et l'ange : « Que Dieu juge entre nous ! » De nouveau ils luttèrent, et l'ange resta victorieux. Alors le démon, revenant à la charge : « Je croyais jusqu'ici que Dieu ne mentait jamais. Or, il a promis de punir, dans l'éternité, toutes les fautes non expiées sur la terre. Et l'homme que voici n'est point puni, bien qu'il ait accepté un manteau d'un certain usurier. Où donc est la justice de Dieu ? » Et l'ange : « Tu ignores la profondeur des jugements de Dieu ! » Alors le diable frappa si cruellement Fursy que, par la suite, celui-ci garda toujours le souvenir du coup. Puis, prenant en enfer un des damnés, il le lança sur lui ; et le damné, en tombant sur lui, lui brûla une mâchoire et une épaule ; et, dans ce damné, Fursy reconnut l'usurier dont il avait accepté le manteau. Et l'ange dit au mort : « C'est ta faute même qui te brûle : car, si tu n'avais pas accepté le don de ce méchant, Dieu n'aurait point permis que tu fusses ainsi châtié ! »

Revenant à la charge, le démon dit : « L'homme, d'après l'évangile, doit aimer son prochain comme lui-même. » Et l'ange : « Cet homme a toujours fait le bien à son prochain ! » Mais le diable : « Cela ne suffit pas si, en outre, il n'a pas aimé son prochain autant que lui-même ! Fursy n'a pas rempli la parole de Dieu : il doit être damné ! » De nouveau, ange et démon luttèrent, et la victoire resta à l'ange.

Alors le démon : « Si Dieu est juste, cet homme mérite d'être châtié ; car il a promis de renoncer au siècle, et, au contraire, il a aimé le siècle ! » Et l'ange : « S'il a aimé les choses du siècle, ce n'est pas pour en jouir lui-même, mais pour les donner aux pauvres ! » Et le diable : « De quelque façon qu'il les ait aimées, il a agi contre le précepte divin ! » De nouveau il y eut une lutte, mais Dieu fit en sorte que les anges restèrent victorieux, et que le mort se vit entouré d'une immense clarté.

Alors un des anges lui dit : « Retourne-toi et regarde le monde ! » Fursy, s'étant retourné, vit une vallée de ténèbres au-dessus de laquelle brillaient quatre grands feux. Et l'ange lui dit : « Tu vois les quatre feux qui brûlent le monde : le feu du mensonge, le feu de la cupidité, le feu de la dissension, et le feu de l'impiété. » Puis Fursy vit que ces quatre feux se fondaient en un seul, et se rapprochaient de lui. Effrayé, il dit à l'ange : « Seigneur, le feu s'approche de moi ! » Et l'ange : « Comme tu ne l'as pas allumé, il ne te brûlera point ; car ce feu atteint les hommes d'après leurs mérites. Et, dans la mesure où le corps a brûlé de désirs illicites, il brûlera du feu infernal ! »

Et, après tout cela, l'âme de Fursy rentra dans son corps, à la grande surprise de ceux qui veillaient le cadavre. Et le vieil évêque vécut encore quelque temps ; après quoi il mourut, chargé de bonnes œuvres.

SAINT JÉRÔME, DOCTEUR
(30 septembre)

Jérôme, fils d'Eusèbe, de race noble, naquit dans la ville de Stridon, aux confins de la Dalmatie et de la Pannonie. Dès sa jeunesse il vint à Rome, et s'y instruisit pleinement dans les lettres grecques, latines et hébraïques. Il eut pour professeur de grammaire Donat, et pour professeur de rhétorique l'orateur Victorin : ce qui ne l'empêchait pas d'étudier avec ardeur les Saintes Ecritures. Mais, un jour, comme il le raconte lui-même dans une lettre, la simplicité du langage dans les livres des Prophètes l'offusqua si fort qu'il ne voulut plus lire que Cicéron et Platon. Or, vers le milieu du Carême, il fut pris d'une fièvre subite qui faillit le tuer. Et comme déjà l'on préparait ses funérailles, soudain il se vit conduit devant le tribunal de Dieu. Interrogé sur sa condition, il répondit qu'il était chrétien. Mais le juge : « Tu mens, tu n'es pas chrétien, mais cicéronien ! » Après quoi il le condamna à être battu. Et Jérôme de s'écrier : « Ayez pitié de moi, Seigneur, ayez pitié de moi ! » Et tous les assistants demandaient grâce pour lui, en considération de sa jeunesse. Enfin il s'écria : « Seigneur, si je lis jamais des livres profanes, c'est que je t'aurai renié ! » Et aussitôt il revint à lui, dans son lit ; et il vit qu'il était tout en larmes, et qu'il avait les épaules encore bleues des coups reçus par lui au tribunal céleste. Aussi mit-il, depuis lors, autant de zèle à lire les livres sacrés qu'il en avait mis, auparavant, à lire les livres profanes.

A l'âge de vingt-neuf ans, il fut ordonné prêtre et cardinal de l'Eglise romaine, puis, à la mort du pape Libère, on fut unanime à le proclamer digne du sacerdoce suprême. Mais, comme il avait réprimandé la débauche de certains prêtres et moines, ceux-ci, indignés, lui tendirent toute sorte de pièges. Un matin, à son réveil, il trouva sur son lit un vêtement de femme, que des méchants avaient déposé là. Croyant que c'était son propre vêtement, il le revêtit, et se rendit ainsi à l'église, ce qui permit de dire qu'il avait eu une femme dans son lit. Alors, ne voulant plus être exposé à de pareilles folies, il quitta Rome et se rendit auprès de Grégoire de Nazianze, évêque de Constantinople, qui acheva de l'instruire dans les lettres sacrées.

Il alla ensuite au désert ; et lui-même raconte, dans sa lettre à Eustoche, tout ce qu'il y souffrait pour l'amour du Christ : « Dans cette morne solitude brûlée du soleil, je me figurais assister aux délices de Rome. Mes membres déformés n'étaient vêtus que d'un sac, ma peau était noire comme celle d'un Ethiopien ; et toujours des larmes, toujours des gémissements ; et quand, malgré ma résistance, le sommeil m'accablait, j'étalais mes os sur le sol nu. Je ne te dis rien de ma nourriture et de ma boisson. Mais sache que, vivant en compagnie des scorpions et des bêtes féroces, souvent j'étais tourmenté de rêves lascifs où je croyais assister à des danses de jeunes filles. Alors je me fouettais jour et nuit, jusqu'à ce que le Seigneur m'eût rendu le calme. »

Ayant ainsi fait pénitence pendant quatre ans, il alla demeurer dans la ville de Bethléem, s'offrant comme un chien domestique à l'étable de son maître. Il y fit transporter sa bibliothèque, qu'il avait formée avec beaucoup de soin ; et toute la journée, sans rien manger, il s'occupait de lire et d'écrire. Il resta là pendant cinquante-cinq ans et six mois, entouré de nombreux disciples qui l'aidaient à traduire et à commenter les Saintes Ecritures. Et l'on dit aussi qu'il resta chaste toute sa vie, bien que lui-même ait écrit dans une lettre à Pammaque : « Ma vertu préférée est la virginité, encore que je ne puisse pas me vanter de la posséder. » Enfin il arriva à un tel degré de faiblesse que, étendu sur sa couche, il se soulevait à l'aide d'une corde attachée au plafond, pour pouvoir assister aux offices de son monastère.

Un soir, pendant que Jérôme était assis avec ses frères pour écouter la lecture sainte, voici qu'un lion entra en boitant dans le monastère. Aussitôt tous les frères s'enfuirent : seul Jérôme alla au-devant de lui comme au-devant d'un hôte, et, le lion lui ayant montré sa patte blessée, il appela des frères et leur ordonna de laver sa plaie et d'en prendre soin. Ainsi fut fait ; et le lion, guéri, habita parmi les frères comme un animal domestique. Sur quoi Jérôme, comprenant que ce lion leur avait été envoyé plus encore pour leur utilité que pour la guérison de sa patte, pris conseil avec ses frères et ordonna au lion de conduire au pâturage et de garder un âne qu'ils avaient, et qui leur servait à porter du bois. Et ainsi fut fait. Le lion se comportait en berger parfait, toujours prêt à protéger l'âne, et ne manquant jamais de le ramener au monastère à l'heure des repas. Mais un jour, comme le lion s'était endormi, des marchands avec des chameaux, qui passaient par là virent un âne seul et s'empressèrent de le voler. Quand le lion, éveillé, s'aperçut de l'absence de son compagnon, il le chercha partout en rugissant ; puis, n'ayant pu le retrouver, il revint tristement à la porte du monastère, mais, par honte, n'osa pas entrer. Or les frères, voyant qu'il arrivait en retard et sans l'âne, supposèrent que, forcé par la faim, il l'avait mangé. Ils refusèrent donc de lui donner sa ration, et lui dirent : « Va chercher le reste de l'âne, et fais-en ton dîner ! » Cependant comme ils hésitaient à croire qu'il se fût rendu coupable d'un tel acte, ils allèrent au pâturage en quête de quelque indice ; mais, n'ayant rien trouvé, ils revinrent raconter la chose à Jérôme. Alors, de l'avis de celui-ci, ils confièrent au lion le travail de l'âne, et l'employèrent à porter leur bois : tâche dont la bête s'acquittait avec une patience exemplaire. Mais un jour, sa tâche achevée, le voilà qui se met à courir par les champs, et voilà qu'il aperçoit de loin des marchands, avec des chameaux et un âne s'avançant à leur tête pour les guider, suivant l'usage du pays. Aussitôt le lion, se jetant sur la caravane avec un rugissement terrible, força les marchands à prendre la fuite. Après quoi, frappant le sol de sa queue, il obligea les chameaux à l'accompagner jusqu'au monastère, où Jérôme, dès qu'il les vit, dit à ses frères : « Lavez les pieds à nos hôtes, servez-leur à manger, et puis attendons la volonté de Dieu ! » Et voici que le lion se mit à courir joyeusement d'un frère à l'autre, se prosternant devant chacun d'eux comme s'il leur demandait pardon de quelque faute. Et Jérôme, prévoyant l'avenir, dit à ses frères : « Préparez-vous à accueillir encore d'autres hôtes ! » Et en effet, au même instant, on vint lui annoncer que des étrangers étaient là, qui voulaient voir l'abbé. Et tout de suite les marchands, se jetant à ses pieds, lui demandèrent pardon de leur vol ; et lui, les relevant avec bonté, leur dit de reprendre ce qui leur appartenait, mais de respecter désormais le bien d'autrui. Et les marchands, en témoignage de leur reconnaissance, le forcèrent à accepter une mesure d'huile, lui promettant que, tous les ans, eux et leurs héritiers donneraient aux frères une mesure pareille.

Comme, jusqu'alors, on avait le droit de chanter dans les églises n'importe quels chants, l'empereur Théodose demanda au pape Damase de lui indiquer un savant docteur à qui il pût confier le soin de régler le chant des offices. Et Damase, sachant l'érudition et la sagesse de Jérôme, le choisit pour cette tâche difficile. C'est donc Jérôme qui définit les chants qui convenaient aux différentes fêtes, et qui décida qu'à la fin de tous les psaumes devrait être chanté le *Gloria Patri*. C'est lui aussi qui répartit les épîtres et évangiles pour tous les dimanches de l'année. Et son projet, envoyé par lui de Bethléem, fut approuvé du pape et des cardinaux, qui le sanctionnèrent à perpétuité.

Enfin, parvenu à l'âge de quatre-vingt-dix-huit ans et six mois, il rendit l'âme, et fut enterré à l'entrée de la grotte où avait été déposé le corps du Seigneur. Sa mort eut lieu en l'an du Seigneur 398.

CXLV
LA TRANSLATION DE SAINT RÉMY
(1er octobre)

Rémy convertit au Christ le roi et toute la nation des Francs. Le roi avait une femme nommée Clotilde qui, très fervente chrétienne, s'efforçait en vain de convertir son mari à sa foi. Or, Clotilde, ayant mis au monde un fils, obtint du roi, à force d'instances, de le faire baptiser. Mais l'enfant, dès qu'il fut baptisé, mourut. Et le roi Clovis lui dit : « Tu vois toi-même, maintenant, quel misérable dieu est ton Christ, puisqu'il ne peut même pas garder en vie un enfant qui, lui ayant été consacré, aurait, plus tard, imposé son culte à tout le royaume ! » Mais Clotilde : « Au contraire, je vois là une grande preuve d'amour de la part de mon Dieu, qui, recueillant le premier fruit de mon ventre, a daigné lui accorder son royaume infini, bien supérieur au tien ! » Plus tard, elle conçut de nouveau et, enfanta un autre fils qu'elle parvint également à faire baptiser. Et, de nouveau, l'enfant tomba malade au point qu'on désespérait de sa vie. Et Clovis dit à sa femme : « Quand même tu enfanterais mille fils, ils périraient tous si tu les baptisais ! » Pourtant ce second enfant guérit ; et ce fut lui qui, dans la suite, succéda à Clovis.

Celui-ci finit par se convertir à la foi chrétienne, ainsi que nous l'avons raconté dans un chapitre précédent, qu'on trouvera tout de suite après celui de l'Epiphanie. Après sa conversion, il dit à saint Rémy : « Je vais faire ma sieste ; et toi, tout le terrain que ta pourras parcourir jusqu'à mon réveil, tu le prendras pour ton église ! » Et ainsi fut fait. Mais il y avait, sur ce terrain, un meunier qui ne voulut point permettre à saint Rémy de traverser son moulin. Et le saint lui dit : « Mon ami, tu consentiras bien à partager ce moulin avec nous ? » Et comme le meunier s'obstinait à n'y point consentir, soudain la roue du moulin se mit à tourner en sens contraire. Sur quoi le meunier, rappelant saint Rémy : « Serviteur de Dieu, reviens, et que le moulin vous appartienne comme à moi ! » Mais Rémy : « Non, il n'appartiendra plus ni à toi ni à moi ! » Et en effet, aussitôt la terre s'ouvrit et engloutit le moulin.

La fête qu'on célèbre en ce jour ne commémore point la mort de saint Rémy, mais bien sa « translation » Car, comme on transportait le corps du saint à l'église des saints Timothée et Appolinaire, voici qu'en passant devant l'église de Saint-Christophe la châsse se mit tout à coup à peser si lourd qu'aucune force humaine ne pouvait la soulever. Alors les porteurs prièrent Dieu de leur faire voir par un signe s'il voulait que le corps fût déposé dans cette église de Saint-Christophe, où se trouvaient déjà conservées d'innombrables reliques de saints. Et aussitôt la châsse se laissa soulever comme un fétu de paille ; et on la déposa solennellement dans cette église, où elle fit force miracles.

Plus tard, on agrandit cette église, et l'on construisit une crypte, derrière l'autel, pour recevoir le corps de saint Rémy. Mais, de nouveau, la châsse qui contenait ce corps se trouva si lourde qu'on dut renoncer à la transporter. Et voilà que, le lendemain matin, qui était le premier jour d'octobre, on vit que la châsse de saint Rémy avait été transportée par des anges dans la crypte. Et, plus tard encore, les restes du saint furent transportés dans une autre crypte plus belle, où ils reposent aujourd'hui dans une châsse d'argent.

CXLVI
SAINT LÉGER, ÉVÊQUE ET MARTYR
(2 octobre)

Léger mérita par ses vertus d'être élu évêque d'Autun. A la mort du roi Clotaire, et comme on était en peine de choisir un nouveau roi, Léger, inspiré de Dieu, et avec l'approbation des princes, mit sur le trône le jeune Childéric, frère de Clotaire, merveilleusement doué pour la royauté. Seul Ebroïn, ministre de Clotaire, aurait voulu élever au trône un autre frère du roi défunt, nommé Thierry : et cela non point dans l'intérêt du royaume, mais dans le sien propre, parce que, chassé du pouvoir et détesté de tous, il redoutait la colère de Childéric et des princes. Aussi cet Ebroïn, dès qu'il vit échouer ses efforts, demanda-t-il au roi la permission d'entrer dans un monastère. Childéric le lui permit, en même temps qu'il plaçait sous bonne garde son frère Thierry, afin de prévenir ses mauvais desseins. Après quoi grâce aux conseils de l'évêque tout le royaume jouit d'une paix admirable. Mais au bout de quelque temps le roi, corrompu par de méchantes influences, se prit d'une telle haine contre le saint évêque, qu'il cherchait le moyen de le faire périr. Alors l'évêque, plein de douceur et embrassant comme des amis ses pires ennemis, invita le roi à célébrer la fête de Pâques dans sa cathédrale. Et, le matin de cette fête, il apprit que le roi avait l'intention de l'assassiner. Il n'en reçut pas moins son meurtrier à sa table ; mais le soir venu, il se réfugia au monastère de Luxeuil, où il servit avec charité Ebroïn lui-même, qui se cachait dans ce monastère sous l'habit d'un moine.

Peu de temps après, Childéric mourut, et Thierry monta sur le trône. Alors Léger, touché des larmes et des prières de son peuple, et contraint par l'ordre de son abbé, reprit possession de son siège épiscopal, tandis qu'Ebroïn, de son côté, ayant jeté le froc, était nommé sénéchal du nouveau roi. Or cet Ebroïn, qui auparavant déjà était mauvais, devint pire encore depuis ce moment, et ne pensa qu'aux moyens de se défaire de Léger. Il envoya des soldats pour s'emparer du saint ; et celui-ci, pendant qu'il sortait de sa ville en habit pontifical, fut appréhendé, eut les yeux crevés, et fut jeté en prison où il resta deux ans. Ebroïn le fit ensuite amener au palais du roi avec son frère Garin. Et comme tous deux, bravant le ministre, répondaient sagement et pacifiquement, Ebroïn fit lapider Garin, et ordonna que Léger fût traîné, un jour entier, pieds nus sur des pierres très aiguës. Puis, apprenant que l'évêque continuait à louer Dieu dans ses tourments, il lui fit couper la langue et le fit ramener en prison. Mais le saint ne perdit pas l'usage de la parole. Plus ardemment que jamais, au contraire, il se livra à la prédication : il prédit même tous les détails de sa mort, ainsi que celle d'Ebroïn. Et une immense lumière entourait sa tête comme une couronne, ce dont tous les assistants furent émerveillés. Alors Ebroïn ordonna à quatre bourreaux de lui trancher la tête.

Et comme ceux-ci conduisaient le saint au lieu du supplice, il leur dit : « Mes chers frères, ne vous fatiguez pas à faire ce long chemin, mais plutôt exécutez ici l'ordre de celui qui vous a envoyés ! » Alors trois d'entre eux furent si touchés que, tombant à ses pieds, ils lui demandèrent pardon. Le quatrième, au contraire, eut le triste courage d'exécuter sa mission : et, dès qu'il l'eut fait, un démon s'empara de lui et le jeta dans le feu, où il périt misérablement.

Deux ans après, Ebroïn, apprenant que le corps du saint s'illustrait par de nombreux miracles, chargea un officier d'aller s'informer par lui-même de ce qui en était. L'officier plein de morgue et d'arrogance, foula aux pieds le tombeau, du saint, en s'écriant : « Que meurent tous ceux qui croient qu'un mort peut faire des miracles ! » Et voilà qu'un démon s'empara de lui et le tua sur-le-champ. Ce qu'apprenant, Ebroïn souffrit plus cruellement encore de l'envie ; et, un jour, suivant la prédiction du saint, il se tua lui-même en se perçant de son épée. Le martyre de saint Léger eut lieu en l'an du Seigneur 680, sous le règne de l'empereur Constantin IV.

CXLVII
SAINT FRANÇOIS, CONFESSEUR[14]
(4 octobre)

[14] Ce chapitre ne figure pas dans les plus anciens manuscrits, ou n'y figure qu'en appendice, parmi les *Legendæ a quibusdam aliis superadditæ*. Son style et les défauts de sa composition suffiraient, du reste, à le distinguer des chapitres «compilés» par Jacques de Voragine. La rivalité des ordres dominicains et franciscains aura, évidemment, empêché le vénérable Frère Prêcheur d'admettre dans sa *Légende* le Pauvre d'Assise.

François, serviteur et ami du Très-Haut, naquit dans la ville d'Assise, et fut d'abord marchand. Jusqu'à vingt ans, il mena une vie dissipée ; mais Dieu, l'ayant touché de l'aiguillon de la maladie, le transforma subitement en un tout autre homme.

Etant allé à Rome en pèlerinage, il se dépouilla de ses vêtements, revêtit ceux d'un mendiant, et s'assit parmi les pauvres devant l'église de Saint-Pierre. Il serait resté avec eux si ses amis ne l'en avaient empêché. Le diable, pour le détourner de ses saintes intentions, lui montra un jour une femme d'Assise qui était bossue, et lui dit que, s'il persistait dans son projet, il deviendrait pareil à cette femme. Mais le Seigneur le réconforta en lui disant : « François, si tu veux me bien connaître, fais ta douceur des choses amères, et méprise-toi toi-même ! » Rencontrant un lépreux, dont tous avaient horreur, il s'approcha de lui et le baisa sur la bouche : et aussitôt le lépreux disparut. Alors François se rendit à la léproserie, et, baisant les mains des habitants, il leur distribua tout ce qu'il avait.

Un jour qu'il était entré, pour prier, dans l'église de Saint-Damien, l'image du Christ lui parla miraculeusement et lui dit : « François, va réparer ma maison, car, comme tu vois, elle tombe en ruine ! » Et, dès ce moment, son âme se fondit de tendresse, et la compassion du Christ se grava dans son cœur. Dans son désir de réparer l'église, il vendit tout ce qu'il possédait. Et comme le prêtre à qui il offrait son argent refusait de le prendre, par crainte de ses parents, il jeta cet argent comme de la poussière. Puis, son père lui en ayant fait reproche, il se dépouilla encore de ses vêtements et s'offrit, tout nu, au Seigneur. Après quoi, pour détruire l'effet des malédictions de son père, il demanda à un simple d'esprit de devenir son père et de le bénir.

Un de ses frères, le voyant à peine vêtu, pendant l'hiver, et transi de froid, dit à un passant : « Demande donc à François de te vendre pour quelques sous de sa sueur ! » Mais François, l'ayant entendu, répondit gaîment : « Je ne puis, car je l'ai déjà vendue au Seigneur ! » Une autre fois, entendant lire les paroles que le Seigneur avait dites à ses disciples sur leur mission, il résolut de devenir le serviteur des pauvres, ôta la chaussure de ses pieds, revêtit un manteau grossier, et se ceignit d'une corde. Traversant un bois, par un temps de neige, il fut pris par des voleurs qui lui demandèrent qui il était. Et comme il leur répondit qu'il était un héraut de Dieu, ils le renversèrent dans la neige en lui disant : « Gis donc en paix, héraut de Dieu ! »

Cependant une grande foule d'hommes, nobles et manants, clercs et laïques, rejetant la pompe du siècle, s'attachèrent à lui. Il leur enseigna la perfection évangélique, qui consiste à vivre dans la pauvreté et la simplicité. Il écrivit, en outre, pour eux, une règle évangélique, que le pape Innocent confirma. Et, dès lors, il se mit à semer avec une nouvelle ardeur la semence de la parole divine, parcourant sans arrêt les villes et les villages.

Il y avait alors un frère qui, à ne voir que les actes, faisait l'effet d'un saint, mais qui avait cette singularité qu'il poussait la règle du silence jusqu'à ne pas vouloir ouvrir la bouche pour se confesser. Et comme les autres frères faisaient son éloge, François leur dit : « Mes frères, ne louez pas trop, chez lui, une conduite qui n'est peut-être pas exempte d'un peu de diablerie ! Que ce frère consente à se confesser au moins une fois par semaine ! Et, s'il ne le fait pas, c'est donc que sa soi-disant vertu n'est que pour nous tromper ! » Mais le frère, invité à se confesser, mit un doigt sur sa bouche, et hocha la tête en signe de refus. Et le fait est que, peu de temps après, il se pervertit et finit sa vie dans la dissipation.

Un jour, comme François chevauchait sur un âne, en compagnie de frère Léonard, qui était d'une famille noble d'Assise, celui-ci, qui marchait à pied, se dit tout à coup : « Ce n'est point mes parents qui auraient consenti à se laisser ainsi traiter par les siens ! » Et aussitôt François, descendant de son âne, dit à Léonard : « Ce n'est point chose convenable que toi, qui es noble, tu ailles à pied tandis que je chevauche ! » Sur quoi Léonard, confus, se jeta à ses pieds et lui demanda pardon.

Une autre fois, une femme noble accourut au-devant de lui ; et, toute haletante de sa course, elle lui dit : « Prie pour moi, père, car mon mari m'empêche de mener la vie que je voudrais, et s'oppose à ce que je serve pieusement le Christ ! » Et lui : « Va en paix, ma fille, et dis à ton mari, de ma part, que le temps du salut est arrivé ! » Elle redit la chose à son mari ; et celui-ci, aussitôt, changea, et s'engagea à la laisser vivre dans la continence.

Il aimait à ce point la pauvreté qu'il l'appelait sa maîtresse, et que, quand il rencontrait un plus pauvre que lui, il se sentait tout honteux. Un jour qu'un pauvre passait près de lui, il dit à son compagnon : « Otons vite nos manteaux, donnons-les à cet homme, et, nous prosternant à ses pieds, proclamons-nous coupables ! » Une autre fois, il rencontra trois femmes, exactement pareilles l'une à l'autre, qui le saluèrent en disant : «Bienvenue soit Madame la Pauvreté!» Puis, elles disparurent, et jamais on ne les revit.

Etant venu à Arezzo et y ayant trouvé la guerre civile, il dit à frère Sylvestre, son compagnon : «Va devant la porte de la ville, et, de la part Dieu, ordonne aux démons de sortir de la ville!» Et à peine Sylvestre eut-il obéi que les citoyens d'Arezzo se réconcilièrent. — Ce même Sylvestre, pendant qu'il n'était encore que prêtre séculier, vit en songe une croix d'or qui sortait de la bouche de François, et dont les bras embrassaient toute la terre. Aussitôt il renonça au monde pour imiter l'exemple de l'homme de Dieu.

Pendant que François était en prière, trois fois le diable l'appela par son nom. Et, chaque fois, François lui répondit ; après quoi il ajouta : «Il n'y a point de pécheur au monde qui ne puisse espérer de Dieu son pardon s'il se convertit!» Alors le diable, voyant qu'il ne pouvait pas le tenter de cette manière, lui envoya une cruelle tentation de la chair. Et François, ayant enlevé son manteau, se frappait avec sa ceinture en disant : «Hélas, mon frère âne, voilà comment il faut que tu subisses le fouet!» Puis, comme la tentation persistait, il se roula dans la neige ; et, ayant fait sept petits tas de neige, il dit à son corps : «Regarde, voici ta femme, voici tes deux fils et tes deux filles, et voici ton serviteur et ta servante! Hâte-toi de les vêtir, car ils meurent de froid! Et si tu trouves trop difficile de t'occuper d'eux, ne t'occupe donc que de servir ton maître!» Aussitôt le diable, tout confus, s'en alla ; et François, glorifiant Dieu, rentra dans sa cellule.

Un frère, compagnon du saint, ayant été ravi en extase, vit les trônes du ciel, et, parmi eux, un trône plus haut et plus brillant que les autres. Et une voix lui dit : «C'était le siège d'un des archanges déchus ; et maintenant nous le préparons pour l'humble François.» Alors, s'éveillant, le frère demanda à François ce qu'il pensait de lui-même. Et François : «Je m'apparais comme le plus grand des pécheurs.» Aussitôt l'Esprit-Saint dit à l'oreille du frère : «Reconnais combien était vraie ta vision ; car ce siège, perdu par l'orgueil, sera gagné par l'humilité!»

Une autre fois, François lui-même, étant ravi en extase, vit au-dessus de sa tête un séraphin crucifié, qui lui imprima si profondément les signes de la crucifixion que ce fut comme si François avait été vraiment crucifié. Et désormais le saint porta sur ses mains, ses pieds, et son côté, les stigmates de la croix ; mais, dans son humilité, il les cachait avec tant de soin, que peu d'hommes les virent avant sa mort, où, au contraire, tous purent les voir. Et la réalité de ces stigmates s'attesta encore par de nombreux miracles, parmi lesquels nous nous bornerons à citer les deux suivants :

1° Dans la Pouille, un homme appelé Roger, étant devant une image de saint François, se demanda si le miracle des stigmates était vrai, ou si ce n'était pas une pieuse illusion, ou même une supercherie des frères. Et aussitôt, il entendit comme le bruit d'une flèche, et il se sentit la main gauche traversée, sous son gant ; et en effet, quand il eut ôté le gant, il vit que sa paume était grièvement blessée. Mais comme il se repentait, et se jurait qu'il ne cesserait plus désormais de croire aux stigmates de saint François, sa blessure disparut peu de temps après.

2° Dans le royaume de Castille, un homme, qui se rendait en pèlerinage à une église de saint François, tomba dans un piège préparé pour un autre homme, et fut mortellement blessé. Or, au milieu de la nuit, comme la cloche des frères sonnait pour les matines, la femme du mort se mit à crier : « Mon mari, lève-toi, et va aux matines, car la cloche t'appelle ! » Et aussitôt le mort fit un signe de la main comme pour demander qu'on retirât l'épée qui lui traversait la gorge ; et une main invisible retira cette épée et le mort se releva, entièrement guéri. Et il dit : « Saint François, venu à mon secours, a apposé ses stigmates sur mes blessures, et, par leur contact, les a miraculeusement guéries. Puis, comme il voulait repartir, je lui ai fait signe de retirer l'épée que j'avais dans la gorge, et qui m'empêchait de parler ! »

Saint François et saint Dominique, ces deux flambeaux du monde, se rencontrèrent à Rome devant l'évêque d'Ostie, qui devint plus tard souverain pontife. Et l'évêque leur dit : « Pourquoi ne ferions-nous pas de vos frères des évêques et des prélats, puisqu'ils dépassent les autres frères par le savoir comme par l'exemple ? » Il y eut alors entre les deux saints une longue lutte d'humilité, car chacun d'eux voulait laisser à l'autre l'honneur de répondre le premier. Enfin l'humilité de François l'emporta, car ce fut Dominique qui parla le premier ; et l'humilité de Dominique l'emporta elle aussi, car ce fut par obéissance qu'il consentit à parler. Donc il dit : « Seigneur, mes frères sont élevés déjà à un rang assez haut, par le seul fait de leur titre de frères ; et je ne saurais permettre, quant à moi, qu'ils acceptassent une autre marque de dignité. » Puis François, à son tour, répondit : « Seigneur, mes frères portent le nom de *mineurs*, précisément afin qu'ils n'aient pas la présomption de se croira *majeurs* ! »

Avec sa simplicité de colombe, saint François exhortait toutes les créatures à l'amour de Dieu. Il prêchait aux oiseaux, qui l'écoutaient, se laissaient prendre par lui, ne s'envolaient qu'avec sa permission. A la Portioncule, tout près de sa cellule, une cigale chantait ; il étendit la main vers elle et lui dit : « Ma sœur la cigale, viens ici ! » Aussitôt la cigale grimpa sur sa main. Et lui : « Chante, ma sœur la cigale, et loue ton Créateur ! » Il se refusait à souffler les lampes et les chandelles, ne voulant point profaner la lumière en y touchant. Il ne marchait qu'avec égard sur les pierres, en considération de l'esprit qu'il voyait en elles ; il retirait de la route les vermisseaux, par crainte qu'ils ne fussent foulés aux pieds des passants ; il faisait apporter du miel et du vin aux abeilles dans les rigueurs de l'hiver. La vue du soleil, de la lune et des étoiles, le remplissait d'une joie ineffable ; et il ne manquait jamais de les inviter à l'amour du Créateur. Un jour, traversant les marais de la Vénétie, il trouva une grande multitude d'oiseaux qui chantaient ; et il dit à son compagnon : « Voici nos sœurs les avettes qui louent leur Créateur ! Allons au milieu d'elles pour chanter nos heures ! » Mais comme le chant des oiseaux l'empêchait d'entendre sa voix et celle de son compagnon, il leur dit : « Chères sœurs, chantez moins fort, jusqu'à ce que nous ayons fini notre office ! » Et les oiseaux obéirent ; et, quand il eut achevé ses laudes, il leur donna de nouveau la permission de chanter à leur aise. Une autre fois, rencontrant sur la route une troupe d'oiseaux, il les salua tendrement et leur dit : « Mes frères les oiseaux, vous avez bien des raisons de louer votre créateur, qui vous a revêtus de plumes, vous a donné des ailes pour voler, a fait pour vous la pureté de l'air, et gouverne votre vie sans vous en imposer le souci ! » Aussitôt les oiseaux commencèrent à tendre le cou vers lui, et l'écoutèrent avec grande attention. Et pas un seul ne s'envola avant qu'il eût achevé de parler.

Il avait une grave maladie d'yeux, et l'aggravait encore par ses larmes. Et comme ses frères l'engageaient à moins pleurer, pour épargner sa vue, il leur dit : « Comment pourrais-je, par amour pour la lumière terrestre, qui nous est commune avec les mouches, renoncer au spectacle de la lumière éternelle ? »

Il préférait s'entendre blâmer que louer ; et il avait demandé à un de ses frères que, dès que le peuple faisait l'éloge de sa sainteté, ce frère lui répétât dans l'oreille les pires injures. Et comme ce frère, bien malgré lui, le traitait de rustre inutile et stupide, François tout joyeux, lui disait : « Que Dieu te bénisse, car ce que tu dis là est bien vrai, et voilà les choses que je mérite d'entendre ! » Ce parfait serviteur de Dieu préférait aussi servir que commander, obéir qu'ordonner. Il s'était constitué un gardien, à la volonté duquel il se soumettait aveuglément. Au frère qui l'accompagnait dans sa route, il avait toujours soin de promettre obéissance ; et c'était toujours lui qui le servait.

Un jour qu'il passait par la Pouille, il trouva, à terre, une bourse qui paraissait gonflée de deniers. Son compagnon voulait la ramasser, pour en distribuer le contenu aux pauvres, mais François lui dit : « Mon cher fils, nous n'avons pas le droit de prendre le bien d'autrui ! » Cependant, comme le frère insistait, François lui permit de prendre la bourse et de l'ouvrir ; et ils virent qu'au lieu d'argent elle contenait une grosse vipère. Sur quoi le saint dit : « L'argent, pour les serviteurs de Dieu, n'est jamais autre chose qu'une vipère venimeuse. »

Etant l'hôte d'un habitant d'Alexandrie, en Lombardie, cet homme lui demanda que, pour observer le précepte de l'évangile, il consentît à manger tout ce qu'on lui servirait. Le saint promit ; et l'hôte lui fit servir un magnifique chapon. Ce qu'apprenant, un impie se présenta devant eux, pendant qu'ils mangeaient, et leur demanda l'aumône au nom de Dieu. Saint François lui fit aussitôt donner une part du chapon ; et l'impie, au lieu de la manger, la garda avec soin ; puis, le lendemain, pendant que le saint prêchait, il montra le morceau en disant : « Tenez, voici de quoi se nourrit cet homme, que vous honorez comme un saint ! Car c'est lui-même qui m'a donné, hier soir, ce reste de sa table ! » Et il montrait le morceau de chapon, mais la foule ne voyait qu'un morceau de poisson, et l'on traitait de fou l'accusateur du saint. Et quand celui-ci s'aperçut du miracle, tout honteux il demanda pardon ; et aussitôt la viande reprit sa forme première.

François voulait qu'on traitât avec un respect tout particulier les mains des prêtres, qui ont le pouvoir de transformer le pain en le corps de Dieu. Et il disait souvent : « Si je rencontrais ensemble un grand saint du ciel et un pauvre petit prêtre, je courrais d'abord baiser les mains du prêtre, et je dirais au saint : « Attends-moi un instant, saint Laurent, car les mains de cet homme produisent le Verbe vivant, et il faut d'abord que je leur fasse ma révérence ! »

Innombrables sont les miracles qu'il opéra pendant sa vie. Le pain même qu'on lui apportait à bénir guérissait les malades. Il changeait l'eau en vin, et tout malade qui goûtait de ce vin recouvrait la santé. Et quand, après une longue maladie, il sentit la mort s'approcher, il se fit déposer sur la terre nue, bénit tous ses frères, et, en souvenir de la Cène, partagea entre eux une bouchée de pain. Il invitait la mort elle-même à louer Dieu avec lui, la saluant avec joie, et lui disant : « Bienvenue est ma sœur la mort ! » C'est ainsi qu'il s'endormit dans le Seigneur.

Un frère nommé Augustin, qui cultivait le jardin du couvent, tomba malade et perdit la parole. Mais tout à coup il s'écria : « Attends-moi, mon père, attends-moi ! Je viens avec toi. » Et comme ses frères lui demandaient ce qu'il voulait dire, il répondit : « Ne voyez-vous pas notre père François, qui marche dans le ciel ? » Et aussitôt, s'endormant dans le Seigneur, il rejoignit son maître.

Une femme, qui avait une piété spéciale pour saint François mourut, pendant que le clergé célébrait ses obsèques, soudain elle se redressa sur son lit, et dit à l'un des prêtres : « Mon père, je veux me confesser. J'étais morte, et j'allais être condamnée à la prison éternelle, car j'avais sur la conscience un péché dont je ne m'étais confessée à personne. Mais saint François a daigné prier pour moi, et a obtenu que je revinsse à la vie pour révéler mon péché et en recevoir mon pardon. » Elle se confessa, reçut l'absolution et s'endormit dans le Seigneur.

Un paysan de Vicera, à qui des frères franciscains demandaient une charrue, leur répondit : « Plutôt que de vous donner ma charrue, j'aimerais mieux vous écorcher, et votre saint François avec vous ! » Peu de temps après, le fils de cet homme tomba malade et mourut. Et son père, se roulant à terre, invoquait saint François : « C'est moi qui ai commis le péché, c'est moi que tu devais punir ! Grand saint, rends à un pieux suppliant ce que tu as enlevé à l'impie blasphémateur ! » Et aussitôt le fils, ressuscité, lui dit : « Quand je suis mort, saint François m'a conduit par un chemin long et sombre jusque dans une belle prairie ; et puis il m'a dit : « Retourne maintenant chez ton père, mon cher enfant, je ne veux pas te retenir plus longtemps ! »

Un pauvre demandait à un riche de lui prolonger le crédit d'une dette, par amour pour saint François. A quoi le riche répondit ; « Je t'enfermerai dans un lieu où François lui-même ne pourra pas te venir en aide. » Et il le fit jeter en prison. Mais, le soir même, saint François apparut au prisonnier, brisa ses chaînes et le ramena dans sa maison.

Un soldat, après avoir déprécié les miracles de saint François pendant qu'il jouait aux dés, s'écria : « Si François est saint, que ces deux dés amènent donc le total 18 ! » Aussitôt l'un des deux dés se trouva porter 12 au lieu de 6, et neuf fois de suite ce miracle se renouvela. Mais le soldat, aggravant son ancienne folie d'une folie pire encore, s'écria : « Si ce François est vraiment un saint, je veux que mon corps tombe aujourd'hui percé d'une épée ! » Et, dès que la partie fut finie, le neveu de cet homme, s'étant pris de querelle avec lui, tira son épée et lui en transperça le ventre, ce dont il mourut sur-le-champ.

Un homme qu'une paralysie empêchait de se mouvoir invoquait saint François, en disant : « Secours-moi, saint François, en souvenir de ma dévotion et des services que je t'ai rendus ; car autrefois je t'ai porté sur mon âne, j'ai baisé tes pieds et tes mains ; et voici que je meurs dans de cruelles souffrances ! » Aussitôt le saint, lui apparaissant, lui toucha les jambes avec un bâton qui avait la forme du T grec. Et le malade recouvra la santé, mais le signe du T grec resta à jamais gravé sur sa peau. Or c'était de ce signe que saint François avait coutume de signer ses lettres.

Dans la ville de Pomereto, en Pouille, une mère, ayant perdu sa fille unique, invoquait en pleurant l'aide de saint François. Celui-ci lui apparut et lui dit : « Ne pleure pas, car la lumière de sa lampe, que tu crois éteinte, va se rallumer sur mon intercession ! » La mère, donc, ne permit point qu'on emportât le corps de sa fille et bientôt, prenant celle-ci dans ses bras, elle la releva saine et sauve. Une autre fois, à Rome, l'intercession du saint rendit la vie à un petit garçon qui s'était tué en tombant de la fenêtre d'un palais. A Suze, saint François ressuscita de la même façon, pour répondre aux prières d'une mère, un jeune homme qui était mort sous les décombres d'une maison, et qu'on se préparait déjà à ensevelir.

Le frère Jacques de Riéti, traversant un fleuve avec d'autres frères, se noya au moment où ses compagnons descendaient déjà sur le rivage. Les survivants invoquèrent l'aide de saint François, et le noyé lui-même, déjà à demi mort, l'invoquait de son côté. Et voici que ses compagnons le virent marcher sur les vagues comme sur du sable, et ramener jusqu'au rivage le bateau submergé. Et ils virent même que ses vêtements étaient secs, au point que pas une goutte d'eau ne les avait mouillés.

CLXVIII
SAINTE PÉLAGIE, PÉCHERESSE
(8 octobre)

Pélagie était une des femmes les plus nobles, les plus riches et les plus belles de la ville d'Antioche. Ambitieuse et vaine, impudique de corps et d'âme, elle se promenait orgueilleusement par la ville, de telle sorte qu'on ne voyait rien sur elle que de l'or, de l'argent, et des pierreries, et que, sur son passage, elle remplissait l'air de parfums capiteux. Devant et derrière elle, marchait une troupe nombreuse de jeunes hommes et de jeunes femmes, également vêtus de robes éclatantes. Elle fut, un jour, rencontrée, en cet équipage, par un saint homme nommé Néron, évêque d'Héliopolis, qui s'appelle aujourd'hui Damiette. Et Néron, voyant qu'elle avait plus de souci de plaire au monde que lui-même n'en avait de plaire à Dieu, se mit à pleurer. Puis, se jetant sur le pavé, il frappait son visage contre terre, priant Dieu de lui pardonner. Et il dit à ceux qui étaient avec lui : « En vérité je vous le dis, Dieu produira cette femme contre nous au jour du jugement : car elle met plus de soin à s'orner pour plaire à ses amants terrestres que nous n'en mettons à orner nos âmes pour plaire à l'époux céleste ! » Après quoi il s'endormit, et eut un rêve. Il se vit célébrant la messe, et autour de lui volait une colombe noire et puante. Il ordonna à ses catéchumènes de la chasser, et la colombe disparut ; mais après la messe elle revint, et lui-même la plongea dans un vase d'eau, d'où elle sortit toute blanche et toute parfumée ; et elle s'envola si haut qu'on la perdit de vue. Ayant fait ce rêve, Néron s'éveilla. Or, un jour qu'il prêchait dans l'église en présence de Pélagie, celle-ci fut si touchée qu'elle lui envoya le message suivant : « Au saint évêque, disciple du Christ, Pélagie, disciple du diable ! Si tu es vraiment le disciple du Christ, qui, à ce que l'on dit, est descendu du ciel pour les pécheurs, daigne m'accueillir, moi qui suis une pécheresse, mais qui me repens ! » L'évêque lui répondit : « Par grâce, ne tente pas mon humilité, car je suis homme, et pécheur ! Mais si vraiment tu désires être sauvée, viens me voir non pas seul, mais parmi les fidèles ! » Et elle vint vers lui, en présence de la foule, et se jeta à ses pieds, et lui dit en pleurant : « Je suis Pélagie, plage d'iniquité, toute ruisselante du flot de mes péchés, je suis un abîme de perdition, je suis un piège d'âmes ; mais à présent j'ai horreur de tout cela ! » L'évêque lui demanda son nom. Et elle : « A ma naissance je fus appelée Pélagie, mais l'éclat de mes vêtements m'a fait donner le surnom de Marguerite. » Alors l'évêque la reçut avec bonté, lui imposa une pénitence, l'instruisit dans la crainte de Dieu et la régénéra par le saint baptême.

Or, une nuit, pendant que Pélagie dormait, le diable vint la réveiller et lui dit : « Ma chère Marguerite, pourquoi m'as-tu abandonné, moi qui t'ai toujours ornée de gloire et de richesse ? » Pélagie fit le signe de la croix, souffla sur le diable et le mit en fuite. Le lendemain, elle rassembla tout ce qu'elle possédait et le distribua aux pauvres. Après quoi, sans prévenir personne, elle s'enfuit à Jérusalem. Là, prenant l'habit d'un ermite, elle s'installa dans une cellule, sur le mont des Oliviers. Et elle servait Dieu dans l'abstinence, et bientôt elle devint célèbre dans toute la région, sous le nom de frère Pélage. Or, un diacre de l'évêque Néron étant venu à Jérusalem pour visiter les lieux saints, l'évêque de Jérusalem lui parla d'un saint ermite nommé Pelage, et l'engagea à aller le voir. Et Pélagie aussitôt le reconnut, tandis que lui ne la reconnaissait point, amaigrie et changée comme elle l'était. Et elle lui dit : « L'évêque Néron vit-il encore ? » Et lui : « Oui. » Et elle : « Qu'il prie le Seigneur pour moi, car c'est vraiment un apôtre du Christ ! » Le lendemain, le diacre revint la voir ; mais, comme il frappait à sa porte sans obtenir de réponse, il ouvrit la fenêtre de la cellule, et vit que le frère Pelage était mort. Il courut annoncer la chose à l'évêque, qui vint, avec son clergé et ses moines, pour ensevelir le saint ermite. Et voilà qu'en retirant de la cellule le cadavre du défunt, on découvrit que celui-ci était une femme ! Sainte Pélagie mourut le 8 octobre de l'an du Seigneur 290.

CXLIX
SAINTE MARGUERITE, VIERGE
(8 octobre)

Marguerite était une vierge très belle, très noble et très riche. Elle fut élevée par ses parents dans un tel amour des bonnes mœurs et de la pudeur qu'elle s'efforçait, autant que possible, de se dérober aux regards des hommes. Elle fut enfin demandée en mariage par un jeune noble ; et, comme les deux familles consentaient à cette union, le jour des noces fut décidé. Mais, ce jour-là, pendant que toute la noblesse de la ville célébrait joyeusement la fête nuptiale, la jeune fiancée, prosternée à terre et toute en larmes, songea avec épouvante à l'ordure qu'étaient toutes les joies de cette vie en comparaison de la perte de sa virginité. Aussi se refusa-t-elle aux caresses de son mari ; et, quand celui-ci se fut endormi, elle coupa ses cheveux, prit un vêtement d'homme, et s'enfuit. Après avoir longtemps marché, elle se réfugia dans un monastère où elle devint moine sous le nom de Frère Pélage. Et telle fut la sainteté de ses mœurs que, sur l'ordre de son abbé, et malgré sa résistance, elle dut se résigner à devenir le supérieur d'un couvent de nonnes. Alors le diable, jaloux d'elle, chercha un moyen de la perdre. Il poussa une des religieuses à commettre le péché de chair ; et quand la coupable se trouva forcée d'avouer sa grossesse, religieuses et moines, consternés, furent unanimes à considérer comme son séducteur le Frère Pélage, celui-ci étant le seul homme qui vécût auprès d'elle. Marguerite fut donc chassée ignominieusement du monastère et enfermée dans une grotte, où on lui apportait, de temps à autre, un pain d'orge et une cruche d'eau. Mais elle, supportant cette épreuve avec patience, ne cessait point de rendre grâces à Dieu. Enfin, lorsqu'elle se sentit sur le point de mourir, elle écrivit à l'abbé et aux moines : « De naissance noble, je portais dans le siècle le nom de Marguerite ; mais j'ai pris le nom de Pélage parce que j'ai traversé la plage des tentations. Je demande maintenant que mes saintes sœurs m'ensevelissent, afin que les femmes reconnaissent une vierge en celle que les calomniateurs ont fait passer pour un débauché ! » Au reçu de cette lettre, les religieuses coururent à la grotte de l'ermite ; elles reconnurent que le Frère Pélage était une femme, une pure vierge ; et elle fut ensevelie avec honneur dans le couvent de femmes qu'elle avait dirigé ; et religieuses et moines firent pénitence de l'injuste traitement qu'elle avait subi.

CL
SAINTE THAÏS, COURTISANE
(8 octobre)

La courtisane Thaïs était si belle que beaucoup d'hommes, ayant vendu tous leurs biens par amour pour elle, s'étaient vus réduits à l'extrême misère, et que le seuil de sa maison était arrosé du sang de ses amants, poussés par leur jalousie à s'entretuer. Ce qu'apprenant, le solitaire Paphnuce se procura une pièce d'argent, revêtit un habit séculier, et se rendit dans la ville d'Egypte où demeurait la courtisane : après quoi il remit à celle-ci sa pièce d'argent, comme afin de pouvoir pécher avec elle. Et Thaïs, ayant reçu la pièce d'argent, lui dit : « Entrons dans ma chambre ! » Paphnuce entra dans cette chambre, où il y avait un lit tout couvert d'étoffes de prix. Mais comme la courtisane l'invitait à monter sur ce lit, il lui dit : « Si tu as une autre chambre, plus retirée, allons plutôt là ! » Elle le conduisit dans plusieurs autres chambres ; mais toujours il disait qu'il avait peur d'être vu. Alors Thaïs : « J'ai dans ma maison une chambre où personne ne peut entrer ; mais si c'est Dieu que tu crains, il n'y a pas de lieu au monde où tu puisses te dérober à ses regards ! » Et Paphnuce : « Tu sais donc que Dieu existe ? » Elle répondit qu'elle le savait, qu'elle connaissait aussi la vie future et le châtiment des pécheurs. Alors Paphnuce : « Si tu connais tout cela, pourquoi as-tu causé la perte de tant d'âmes ? Tu auras à rendre compte à Dieu de toutes ces âmes, en même temps que de la tienne : et sûrement tu seras damnée ! » Ce qu'entendant, Thaïs se jeta aux pieds du solitaire, fondit en larmes, et s'écria : « Mais je sais aussi qu'on peut se repentir, mon père, et j'ai confiance dans ta prière pour m'obtenir la remise de mes péchés ! Accorde-moi seulement trois heures de délai, et, après cela, j'irai où tu m'ordonneras d'aller, et je ferai ce que tu m'ordonneras de faire ! » Elle profita de ce délai pour recueillir tous les richesses qu'elle avait gagnées par ses péchés, et, les transportant sur la grande place, en présence de la foule, elle y mit le feu, et elle disait : « Venez tous, vous qui avez péché avec moi, et voyez ce que je fais de vos présents ! » Puis, quand elle eut tout brûlé (et il y avait là des objets dont l'ensemble valait 400 livres d'or) elle rejoignit Paphnuce, qui la conduisit dans un couvent de femmes. Il l'enferma dans une étroite cellule, en mura la porte, et ne laissa qu'une petite fenêtre par où l'on devait, tous les jours, lui apporter un peu de pain et d'eau. Et comme ensuite il se retirait, elle lui dit : « Que m'ordonnes-tu, mon père, au sujet de l'endroit où je devrai uriner et déposer mes excréments ? » Et Paphnuce : « Tu feras tout cela dans ta cellule, ainsi que tu le mérites ! » Elle lui demanda ensuite comment elle devait prier. Et lui : « Tu n'es pas digne de prononcer le nom de Dieu, ni de lever les mains au ciel, car tes mains et les lèvres sont pleines d'impureté. Tu te borneras donc à te prosterner du côté de l'Orient, et à répéter toujours cette phrase : « Toi qui m'as créée, aie pitié de moi ! »

Après que Thaïs fut ainsi restée enfermée pendant trois ans, Paphnuce eut pitié d'elle et vint trouver saint Antoine, pour lui demander si Dieu n'avait pas encore remis les péchés de la pénitente. Antoine réunit alors ses disciples, et leur enjoignit de rester en oraison, chacun de son côté, jusqu'à ce que Dieu révélât à l'un d'eux l'objet de la visite du solitaire Paphnuce. Et comme les disciples étaient en oraison, l'un d'eux, Paul, vit au ciel un grand lit couvert d'étoffes précieuses, et gardé par trois vierges au visage rayonnant. Ces trois vierges étaient la peur des châtiments futurs, la honte des péchés commis et la passion de la justice de Dieu. Et comme Paul disait à ces trois vierges que ce lit était sans doute réservé à Antoine, une voix d'en haut lui répondit : « Non, ce lit n'est point pour ton père Antoine, mais pour la courtisane Thaïs ! » Le lendemain, Paul s'empressa de raconter sa vision ; et Paphnuce, découvrant ainsi la volonté du ciel, s'empressa d'aller au monastère pour ouvrir la cellule de la pénitente. Mais celle-ci le suppliait de la laisser enfermée. Et il lui dit : « Sors de là, car Dieu t'a remis tes péchés. Il te les a remis non seulement à cause de la pénitence, mais parce que tu as toujours gardé sa crainte au fond de ton âme ! » Elle vécut encore quinze jours, et s'endormit en paix.

Un autre solitaire nommé Ephrem, voulut convertir de la même façon une autre courtisane. Comme celle-ci essayait impudemment de l'inciter au péché, il lui dit : « Suis-moi ! » Après quoi il la conduisit dans un lieu où se trouvait une grande foule, et il lui dit : « Couche-toi, pour que je m'unisse à toi ! » Et elle : « Comment pourrais-je faire cela, quand toute cette foule me regarde ? » Et Ephrem : « Si tu rougis d'être vue par des hommes, ne devrais-tu pas rougir bien plus encore devant ton Créateur, dont le regard pénètre jusqu'au plus profond des ténèbres ? » Alors la courtisane, toute confuse, s'enfuit.

CLI
SAINTS DENIS, RUSTIQUE ET ÉLEUTHÈRE,
MARTYRS
(9 octobre)

I. Denis l'Aréopagite fut converti à la foi du Christ par l'apôtre saint Paul. Son surnom d'Aréopagite lui venait du nom d'un faubourg d'Athènes où il demeurait, et qui s'appelait Aréopage, c'est-à-dire faubourg de Mars, parce qu'on y voyait un temple du dieu Mars. Dans ce faubourg, qui était la demeure favorite des savants, Denis se livrait à l'étude de la philosophie ; et on l'appelait aussi le Théosophe, c'est-à-dire l'homme versé dans la science de Dieu. Et il avait avec lui un compagnon d'études nommé Apollophane. Or, le jour de la passion du Christ, la ville d'Athènes, de même que le monde entier, fut soudain remplie d'une épaisse ténèbre ; et les savants d'Athènes ne parvenaient pas à découvrir la cause naturelle de ce fait étrange, tout à fait différent des éclipses ordinaires. Ajoutons, à ce propos, que de nombreux témoignages attestent l'universalité de la soudaine ténèbre qui suivit la mort du Seigneur. Elle fut constatée en Grèce comme à Rome, et dans l'Asie Mineure. Et l'on raconte que Denis, en présence de ce phénomène, aurait dit à ses compatriotes : « Cette nuit nouvelle présage le prochain avènement d'une lumière nouvelle, dont le monde entier sera illuminé. » Sur quoi les Athéniens élevèrent un autel où ils mirent cette inscription : *Au Dieu inconnu.*

Et lorsque saint Paul vint à Athènes, il vit cet autel et s'écria : « Ce Dieu que vous adorez sans le connaître, je suis venu vous le révéler ! » Puis, s'adressant à Denis comme au plus savant des philosophes, il lui demanda qui était ce Dieu inconnu. Et Denis : « C'est le seul vrai Dieu, mais il se cache à nous et nous est inconnu. » Et saint Paul : « Ce Dieu est celui que je viens vous révéler, celui qui a créé le ciel et la terre, et qui a revêtu la forme humaine, et a subi la mort, et est ressuscité le troisième jour. » Et, comme Denis continuait a discuter avec Paul, un aveugle vint à passer près d'eux. Alors Denis dit à Paul : « Si, au nom de ton Dieu, tu dis à cet aveugle de recouvrer la vue, et s'il la recouvre, je me convertirai aussitôt à ta foi. Mais afin que tu ne puisses pas employer de formule magique, je te dicterai moi-même la formule que tu devras employer pour guérir cet aveugle au nom de ton maître Jésus ! » Alors Paul, pour écarter tout soupçon, dit à Denis de prononcer lui-même les paroles qu'il voulait lui dicter, et qui étaient celles-ci : « Au nom de Jésus-Christ, né d'une vierge, puis crucifié, puis ressuscité des morts et monté au ciel, recouvre la vue ! » Et dès que Denis eut prononcé ces paroles, aussitôt l'aveugle fut guéri de sa cécité. Alors Denis reçut le baptême, avec sa femme Damaris, et toute sa maison. Saint Paul l'instruisit ensuite, pendant trois ans, des vérités de la la foi ; et il finit par l'ordonner évêque d'Athènes. Et Denis, par l'ardeur de sa prédication, convertit à la foi chrétienne sa ville natale, ainsi que la plus grande partie de la région environnante.

Il nous donne à entendre lui-même, dans ses livres, que c'est à lui que saint Paul a révélé ce qu'il a vu lorsque, dans son ravissement, il a été transporté au troisième ciel. Et le fait est que Denis nous a décrit, avec une clarté et une abondance parfaites, la hiérarchie des anges, leurs ordres, dispositions et offices. Il nous parle de tout cela comme si, au lieu de l'avoir appris d'une autre bouche, lui-même avait été ravi au troisième ciel. Et il eut aussi le don de prophétie, ainsi que nous le voyons par la lettre qu'il écrivit à l'évangéliste Jean, exilé dans l'île de Pathmos. Il lui disait, dans cette lettre : « Réjouis-toi, frère bien-aimé, car tu seras délivré de ton exil de Pathmos, et tu retourneras sur la terre d'Asie, et tu y laisseras à ceux qui viendront après toi le souvenir de la façon dont tu auras imité l'exemple du Christ ! » Et il nous apprend aussi, dans son livre sur les noms divins, qu'il fut un de ceux qui assistèrent au dernier sommeil de la sainte Vierge.

Lorsqu'il apprit que saint Pierre et saint Paul étaient tenus en prison à Rome, sous Néron, il nomma un autre évêque à sa place et se mit en route pour aller voir les deux saints. Et lorsque ceux-ci eurent rendu leurs âmes à Dieu, le pape Clément envoya Denis en France, lui donnant pour compagnons Rustique et Eleuthère.

Denis se rendit alors à Paris où il fit de nombreuses conversions, éleva plusieurs églises et ordonna bon nombre de prêtres. Et telle était la grâce céleste qui brillait en lui que, souvent, comme le peuple s'élançait vers lui pour l'attaquer, à l'instigation des prêtres des idoles, les assaillants sentaient toute leur fureur s'évanouir dès qu'ils se trouvaient en présence de lui. Les uns se prosternaient à ses pieds ; les autres, effrayés, prenaient la fuite. Mais le diable, furieux de voir son culte diminuer de jour en jour ; inspira à l'empereur Domitien la pensée inhumaine d'ordonner que quiconque découvrirait un chrétien serait tenu de le faire sacrifier aux idoles, sous peine d'être lui-même sévèrement puni. Et un préfet nommé Fescennius fut envoyé de Rome contre les chrétiens de Paris. Ce préfet, ayant trouvé Denis occupé à prêcher devant le peuple, ordonna de l'arrêter, de le garrotter avec une grosse corde et de l'amener à son prétoire, en compagnie des deux saints Rustique et Eleuthère.

Pendant que les trois saints, en présence du préfet, proclamaient courageusement leur foi, arriva certaine dame noble qui affirma que son mari avait été séduit par les trois imposteurs. Le préfet manda aussitôt ce mari, qui, persévérant dans sa foi, fut mis à mort sur-le-champ. Quant aux trois saints, ils furent flagellés par douze soldats, chargés de chaînes et jetés en prison. Le lendemain, Denis fut étendu, nu, sur un gril enflammé. Et lui, au milieu de ses souffrances, rendait grâce à Dieu. Il fut ensuite donné en pâture à des bêtes féroces, dont on avait excité la faim par un jeûne prolongé. Mais, au moment où ces animaux s'élançaient sur lui, il fit sur eux le signe de la croix ; et eux, tout de suite, l'entourèrent doucement, comme des agneaux. Le préfet le fit alors mettre en croix, puis, après l'avoir longtemps torturé, le fit reconduire en prison avec d'autres chrétiens. Et là, pendant que Denis célébrait la messe, Jésus lui apparut, entouré d'une immense lumière, et lui dit, en lui offrant un pain : « Prends ceci, mon fils, en témoignage de la reconnaissance qui t'est due ! » Le lendemain, après d'autres supplices, les trois saints eurent la tête tranchée à coups de hache, devant l'idole du dieu Mercure. Mais aussitôt le corps de saint Denis se redressa, prit dans ses mains sa tête coupée, et, sous la conduite d'un ange, marcha pendant deux milles, depuis la colline de Montmartre, c'est-à-dire mont des martyrs, jusqu'au lieu où reposent aujourd'hui ses restes par le fait de son propre choix et de la providence divine.

Et aussitôt s'éleva dans ce lieu une musique d'anges si harmonieuse que, parmi la foule de ceux qui l'entendirent, la femme du préfet Lisbius, nommée Laertia, se proclama chrétienne, ce qui lui valut d'être décapitée, et de recevoir ainsi le baptême du sang. Le fils de cette femme, nommé Vibius, après avoir servi à Rome sous trois empereurs, se fit baptiser en revenant à Paris et adopta la vie religieuse.

Les infidèles, craignant que les chrétiens n'ensevelissent les corps des saints Rustique et Eleuthère, enjoignirent qu'ils fussent jetés dans la Seine. Mais une femme noble invita à sa table les porteurs des deux corps ; puis, pendant qu'ils mangeaient, elle leur déroba les corps et les fit ensevelir secrètement dans son champ, où ils restèrent jusqu'à ce que, la persécution ayant cessé, on pût les réunir au corps de saint Denis. Les trois saints subirent le martyre sous le règne de Domitien, en l'an du Seigneur 96. Saint Denis était alors âgé de quatre-vingt-dix ans.

II. Sous le règne de Louis, fils de Charlemagne, des envoyés de l'empereur de Constantinople, Michel, apportèrent à la cour de France, entre autres présents, une traduction latine du livre de saint Denis sur la *Hiérarchie* ; et, la nuit suivante, dix-neuf malades se trouvèrent guéris dans l'église du saint.

III. Un jour que l'évêque d'Arles, saint Rieul, célébrait la messe dans sa cathédrale, il joignit aux noms des apôtres ceux « des bienheureux martyrs Denis, Rustique et Eleuthère ». Après quoi lui-même et les assistants furent très étonnés de ce qu'il avait dit, car personne ne connaissait encore le martyre des trois saints. Et voilà que trois colombes descendirent sur la croix de l'autel, qui portaient écrits sur leurs poitrines, en lettres de sang, les noms des trois saints. Et ainsi tous comprirent que les âmes des saints s'étaient enfuies de leurs corps.

IV. En l'an du Seigneur 644, le roi de France Dagobert, qui avait dès l'enfance une grande vénération pour saint Denis, mourut. Et un saint homme vit alors, dans un rêve, que l'âme du roi était emportée au ciel pour être jugée, et que bon nombre de saints lui reprochaient les maux causés par lui à leurs églises. Et comme déjà les mauvais anges s'apprêtaient à mener l'âme en enfer, survint saint Denis, qui intercéda pour elle et obtint sa libération. On ajoute même que l'âme de Dagobert serait alors rentrée dans son corps afin de pouvoir faire pénitence. Au contraire le roi Clovis, ayant ouvert irrespectueusement le cercueil du saint, et lui ayant brisé un os du bras, ne tarda pas à mourir dans un accès de démence.

V. Enfin nous devons signaler que Hincmar, évêque de Reims, et aussi Jean Scot, dans leurs lettres à Charlemagne, attestent tous deux que saint Denis, l'apôtre des Gaules, était bien le même homme que Denis l'Aréopagite : c'est donc à tort que d'aucuns l'ont nié, se fondant sur une prétendue contradiction des dates.

CLII
SAINT CALIXTE, PAPE ET MARTYR
(14 octobre)

Le pape Calixte souffrit le martyre en l'an du Seigneur 222, sous l'empereur Alexandre. Cette année-là, la partie la plus élevée de Rome fut détruite par un incendie, et la main gauche d'une grande statue de Jupiter fut trouvée fondue. Alors tous les prêtres païens vinrent demander à l'empereur Alexandre qu'il ordonnât des sacrifices pour apaiser la colère des dieux. Et pendant qu'on célébrait ces sacrifices, le matin du jour de la semaine consacrée à Jupiter, la foudre, tombant soudain, tua quatre des prêtres, et l'autel de Jupiter fut brûlé, et le soleil s'obscurcit à tel point que le peuple, effrayé, s'enfuit hors de la ville. Sur quoi le consul Palmace demanda à l'empereur la destruction complète des chrétiens, qu'il rendait responsables de ces calamités. Et, l'empereur ayant agréé sa demande, il se mit en route avec des soldats vers le quartier du Transtévère où Calixte se tenait caché avec son clergé. Mais, en route, tous les soldats de son escorte perdirent soudain la vue. L'empereur ordonna alors que, le jour de Mercure, un sacrifice fût offert à ce dieu, pour obtenir de lui une réponse au sujet de tout ce qui se passait. Et, pendant le sacrifice, une des vierges du temple de Mercure, nommée Julienne, s'écria soudain : « Le Dieu de Calixte est le seul vrai Dieu, et c'est lui qui est indigné de nos pollutions ! » Ce qu'entendant, Palmace se rendit auprès de Calixte qui s'était réfugié dans la ville de Ravenne, et se fit baptiser avec sa femme et toute sa maison. Et comme il persévérait dans les jeûnes et les prières, un soldat, nommé Simplice, vint le trouver, et lui promit de se convertir à sa foi s'il réussissait à guérir sa femme, frappée de paralysie. Palmace pria donc pour elle ; et voici qu'elle-même accourut vers lui, en disant : « Baptise-moi au nom du Christ, qui m'a guérie ! » Et Calixte la baptisa, ainsi que son mari et d'autres païens. Ce qu'apprenant, l'empereur fit trancher la tête à tous ceux que Calixte avait baptisés, et laissa pendant cinq jours Calixte lui-même sans nourriture ni boisson. Puis, voyant que tout cela restait inutile, il le fit fouetter pendant plusieurs jours ; et il le fit enfin jeter dans un puits avec une pierre attachée au cou. Le prêtre Astère retira du puits le corps du saint, et lui donna une sépulture chrétienne.

CLIII
SAINT LÉONARD, ABBÉ
(15 octobre)

I. Léonard vivait vers l'an 500. Fils d'un des premiers fonctionnaires de la cour de France, il fut baptisé par saint Remi, archevêque de Reims, et instruit par lui des vérités de la foi. Et telle fut sa faveur auprès de son souverain qu'il obtint la permission de mettre en liberté tous les prisonniers qu'il voulait délivrer. Longtemps le roi le garda près de lui, jusqu'à ce qu'enfin la voix du peuple le contraignit à lui offrir un évêché. Mais Léonard refusa cet honneur, et, aspirant à la solitude, il se rendit à Orléans avec un autre chrétien nommé Liphard. Ils vécurent là pendant quelque temps de la vie cénobitique ; mais ensuite Liphard resta seul sur la rive de la Loire, et Léonard, conduit par l'Esprit-Saint, se rendit en Aquitaine pour y prêcher le Christ. Il prêchait dans les villes et les villages, et opérait de nombreux miracles ; mais, de préférence, il habitait dans une forêt voisine de Limoges, où se trouvait une des chasses favorites du roi. Or, un jour, comme le roi était venu chasser dans la forêt, et que la reine, par amour pour lui, l'y avait suivi, celle-ci éprouva soudain les douleurs de l'enfantement. Le roi et toute la cour s'affligeaient fort du danger où ils la voyaient ; et Léonard, qui passait parla, entendit leurs gémissements. Emu de pitié, il aborda le roi, qui, en apprenant qu'il était disciple de saint Remi, s'empressa de le conduire auprès de la reine, afin qu'il priât pour elle et pour l'enfant qui allait naître. Léonard se mit en prière, et obtint aussitôt ce qu'il demandait à Dieu. Alors le roi lui offrit de nombreux présents ; mais le saint les refusa, l'engageant plutôt à les donner aux pauvres. Du moins le roi voulut lui donner la forêt où se trouvait son ermitage. Mais lui : « Non, je n'aurais que faire de toute la forêt ; mais donne-moi seulement l'espace que pourra parcourir mon petit âne durant la nuit ! » Ce à quoi le roi consentit volontiers. Et Léonard, dans l'espace ainsi obtenu, construisit un monastère, où il vécut dans l'abstinence en compagnie de deux moines. Et il appela ce lieu Nobliac, pour rappeler la grande noblesse du roi qui le lui avait donné. Et comme l'eau manquait à une lieue alentour, Léonard fit creuser un puits, pria, et le puits se remplit d'eau. Et il brilla par tant de miracles que tout prisonnier qui invoquait son nom se trouvait aussitôt délivré, en souvenir de quoi il offrait au saint les chaînes de ses mains et de ses pieds. Et plusieurs de ces prisonniers restèrent avec lui pour servir le Seigneur. Il y eut aussi sept familles nobles qui, vendant tous leurs biens, et en distribuant le profit aux pauvres, vinrent demeurer près de lui dans la forêt. Enfin saint Léonard rendit son âme à Dieu le quinzième jour d'octobre ; et, après sa mort, une voix d'en haut révéla au clergé de son église que, à cause de l'affluence de la foule, son corps eût à être transporté dans une église nouvelle. Le clergé et le peuple passèrent alors trois jours dans le jeûne et la prière ; après quoi, regardant autour d'eux, ils virent toute la région couverte de neige, à l'exception d'un seul endroit qui était resté vert. Et ils comprirent que c'était là que saint Léonard voulait être enseveli. Ils l'y transportèrent donc ; et l'énorme quantité de chaînes qu'on voit, aujourd'hui encore, suspendues en ex-voto autour de sa tombe, suffisent à prouver combien il a opéré de miracles en faveur des prisonniers.

II. Le vicomte de Limoges, pour effrayer les méchants, avait fait sceller au pied de la plus haute tour de son palais une lourde chaîne qu'il faisait attacher au cou des criminels ; et ceux-ci, exposés aux intempéries de l'air, souffraient là un supplice pire que mille morts. Or un serviteur de saint Léonard se trouva un jour attaché à cette chaîne sans avoir fait aucun mal ; dans sa détresse, il pria saint Léonard de le délivrer, lui rappelant combien d'autres prisonniers il avait déjà délivrés. Et aussitôt le saint lui apparut, tout vêtu de blanc, et lui dit : « Ne crains rien, mais prends cette chaîne, et suis-moi jusqu'à mon église ! » Devant la porte de l'église, le saint disparut ; et le prisonnier, après avoir raconté à tous sa miraculeuse aventure, suspendit la grosse chaîne au-dessus du tombeau.

III. Un homme vivait, auprès du monastère de saint Léonard, qui entretenait pour le saint une dévotion toute particulière. Cet homme fut pris par un tyran. Et le tyran se disait : « Léonard délivre tous les prisonniers : tous mes efforts seront vains pour l'empêcher de délivrer aussi celui-là. Mais je sais ce que je vais faire ! Sous ma tour je ferai creuser une fosse, où je jetterai mon prisonnier avec des chaînes aux pieds ; et à l'entrée de la fosse j'élèverai une arche de bois que je remplirai de soldats armés. Car Léonard a beau briser toutes les chaînes, jamais encore je n'ai entendu qu'il pénétrât sous terre. » Le tyran fit donc comme il avait dit ; et comme le prisonnier invoquait saint Léonard, celui-ci, la nuit, vint à son aide. Il commença d'abord par retourner l'arche de bois où étaient les soldats, écrasant ceux-ci sous son poids. Puis, descendant au fond de la fosse avec une grande lumière, il prit la main de son serviteur et lui dit : « Dors-tu, ou es-tu éveillé ? Je suis Léonard que tu as appelé ! » Et le prisonnier : « Seigneur, secours-moi ! » Aussitôt le saint, brisant ses chaînes, le prit sur ses épaules et l'emporta hors de la tour ; après quoi il le ramena jusque dans sa maison, s'entretenant avec lui comme un ami avec son ami.

IV. Un pèlerin, qui revenait du tombeau de saint Léonard, fut pris par des brigands, en Auvergne, et enfermé dans un caveau. En vain il suppliait les brigands de le remettre en liberté, au nom de saint Léonard. Ils répondaient toujours qu'ils ne le relâcheraient point avant qu'il se fût racheté par une forte rançon. Alors le prisonnier : « Que saint Léonard, mon patron, décide donc entre vous et moi ! » Et, la nuit suivante, le saint apparut au chef de la troupe et lui ordonna de relâcher le pèlerin. Mais le chef, quand il s'éveilla, n'attacha point d'importance à son rêve ; et il fit de même la nuit suivante, où le saint lui apparut de nouveau. La troisième nuit, saint Léonard vint chercher le prisonnier et l'emmena hors de la forteresse ; et, dès l'instant d'après, la grosse tour de celle-ci s'écroula, écrasant tous les brigands, à l'exception du chef qui, les membres brisés, comprit enfin combien il avait eu tort de dédaigner les avertissements de saint Léonard.

V. Un soldat, emprisonné en Bretagne, invoqua saint Léonard : aussitôt celui-ci, au vu et à la stupeur de tous, entra dans la prison, brisa les chaînes de l'homme qui l'invoquait, les lui mit dans les mains, et l'entraîna au dehors, sans que personne osât lui résister.

VI. Il y a eu encore un autre saint Léonard, également moine et plein de vertu, dont le corps repose aujourd'hui dans la ville de Corbigny. Celui-là, étant abbé de son monastère, s'humiliait au point d'apparaître comme le dernier des moines. Son exemple entraînait tant de vocations que des envieux le dénoncèrent au roi Clotaire, disant à celui-ci que, s'il n'y mettait bon ordre, Léonard finirait par dépeupler son royaume. Le roi, trop crédule, envoya à Corbigny une troupe pour chasser Léonard de son monastère. Mais à peine ces soldats eurent-ils vu et entendu le saint que, touchés, ils demandèrent à devenir ses disciples. Alors le roi, pénitent, vint demander pardon au saint, et priva de leurs honneurs ceux qui l'avaient dénoncé ; mais Léonard, intercédant pour eux, obtint leur grâce. Il obtint aussi de Dieu, comme l'autre saint Léonard, la permission de faire tomber les chaînes de ceux qui invoqueraient son nom. Et un jour qu'il était en prière, un grand serpent sortit de terre à ses pieds, et rampa le long de son corps. Mais Léonard n'en acheva pas moins sa prière ; après quoi il s'écria : « Je sais que, depuis la création, tu tourmentes les hommes autant que cela t'est possible. Mais si, maintenant, Dieu m'a livré à toi, inflige-moi la punition que j'ai méritée ! » Et aussitôt le serpent, sortant par son capuchon, s'étendit mort à ses pieds.

Un jour de l'année du Seigneur 570, saint Léonard, après avoir tranché une querelle entre deux évêques, annonça qu'il mourrait le jour suivant ; et en effet c'est ce jour-là qu'il rendit son âme à Dieu.

CLIV
SAINT LUC, ÉVANGÉLISTE
(18 octobre)

I. Luc, Syrien, était d'Antioche, et avait d'abord étudié la médecine. Certains auteurs veulent qu'il ait fait partie des soixante-douze disciples du Seigneur ; mais on peut admettre avec plus de vraisemblance l'opinion de saint Jérôme, qui nous dit que saint Luc fut disciple des apôtres, et non du Seigneur lui-même. Il fut si parfait dans sa vie qu'il reçut une quadruple ordination, quant à Dieu, quant au prochain, quant à lui-même et quant à son office. Et, en signe de cette quadruple ordination, des auteurs le décrivent comme ayant quatre faces, la face d'un homme, celle d'un lion, celle d'un bœuf et celle d'un aigle. Chacun des évangélistes, d'ailleurs, a eu ainsi quatre faces, qui lui ont permis d'écrire de l'humanité du Christ, de sa passion, de sa résurrection et de sa divinité. Mais l'usage est, plus communément, de désigner chacun des quatre évangélistes par une seule de ces faces. Suivant saint Jérôme, Matthieu a pour attribut l'homme, parce qu'il insiste surtout sur l'humanité du Christ ; Luc a pour attribut le bœuf, parce qu'il traite surtout du sacerdoce du Christ ; Jean a pour attribut l'aigle, parce que, volant plus haut que les autres, il nous parle surtout de la divinité du Christ ; et Marc a pour attribut le lion parce que son évangile nous témoigne surtout de la résurrection. Car on dit que les lionceaux, quand ils naissent, gisent pendant trois jours comme des cadavres, et puis sont réveillés par le rugissement de leur mère.

Si maintenant on veut savoir les raisons de la quadruple ordination de saint Luc, on les apprend en étudiant la vie de ce saint.

1° Il fut d'abord ordonné quant à Dieu. Cette ordination, suivant saint Bernard, se fait par l'affection, la cogitation et l'intention. Or saint Luc fut saint par l'affection, car saint Jérôme dit de lui : « Il mourut en Bithynie, plein de l'Esprit-Saint. » Il fut ensuite pur dans la cogitation ; nous savons qu'il resta vierge de corps et d'âme. Et son intention fut droite, car, dans tout ce qu'il faisait, il ne cherchait que la gloire du Seigneur.

2° Saint Luc fut ordonné quant au prochain. Il donna, en effet, au prochain tout ce qu'il put en subsides, car il accompagna saint Paul dans toutes ses épreuves, et, ne le quittant jamais, l'aida dans sa prédication. Il donna aussi au prochain tout ce qu'il put en conseils, car il rédigea, à l'usage de tous, ce qu'il savait de la doctrine évangélique et apostolique. Et l'on peut dire aussi qu'il donna au prochain tout ce qu'il put en service ; car d'excellents auteurs, et notamment saint Grégoire, affirment qu'il fut, avec Cléophas, un des deux disciples d'Emmaüs ; bien que saint Ambroise donne à ce second disciple un autre nom.

3º Saint Luc fut ordonné quant à lui-même. D'abord il vécut sobrement : car saint Jérôme dit qu'il n'eut jamais de femme ni de fils. Il vécut aussi modestement : car, dans son évangile, il cita le nom de Cléophas et omit de citer le sien.

4º Saint Luc fut ordonné quant à son office, qui était d'écrire l'évangile. On croit, en effet, qu'il recourut tout particulièrement à la sainte Vierge comme à l'arche de son Testament, et que c'est d'elle qu'il apprit bien des choses, notamment sur des sujets qu'elle seule pouvait connaître : tels l'Annonciation, la Nativité et autres sujets dont il est seul à parler. Et l'on sait aussi que saint Paul approuvait tout particulièrement l'évangile de saint Luc, à tel point que saint Jérôme a pu dire : « Toutes les fois que saint Paul parle de l'Evangile, c'est de l'Evangile de saint Luc qu'il veut parler. »

II. On lit dans l'Histoire d'Antioche que les chrétiens de cette ville, après s'être souillés par beaucoup de vices, furent assiégés par une armée turque qui les fit cruellement souffrir de faim et de privations. Mais lorsque, se repentant, ils se convertirent pleinement au Seigneur, certain religieux, qui priait, la nuit, dans l'église de Sainte-Marie à Tripoli, vit apparaître un homme tout vêtu de blanc et rayonnant de lumière. Et cet homme, interrogé, dit qu'il était saint Luc, et qu'il venait d'Antioche, où le Seigneur avait convoqué les milices du ciel, ainsi que les apôtres et les martyrs, pour venir en aide aux chrétiens assiégés. Et, en effet, ceux-ci, miraculeusement stimulés, mirent en déroute l'armée des Turcs.

CLV
LES ONZE MILLE VIERGES, MARTYRES
(21 octobre)

I. Il y avait en Bretagne un roi très chrétien, nommé Nothus ou Maurus, qui mit au monde une fille nommée Ursule. Et celle-ci était si bonne, si sage, et si belle, que sa renommée s'étendait partout. Or le roi d'Angleterre, souverain très puissant et qui avait soumis à son empire de nombreuses nations, forma le projet de marier son fils unique avec cette princesse, dont tout le monde vantait l'esprit et le corps. Le jeune homme, de son côté, était très enflammé à l'idée de ce mariage. Une ambassade fut donc envoyée auprès du père d'Ursule ; et le roi d'Angleterre promit aux ambassadeurs de les récompenser s'ils ramenaient la jeune fille, mais, au contraire, les menaça de les châtier s'ils revenaient sans elle. Alors le père d'Ursule prit peur : car, d'une part, il redoutait la rancune d'un souverain plus puissant que lui, et, d'autre part, il ne pouvait admettre que sa fille devînt la femme d'un païen, ce à quoi Ursule, d'ailleurs, n'aurait jamais consenti. Alors celle-ci, inspirée d'en haut, fit proposer au jeune prince de lui envoyer dix vierges, et de donner pour compagnes mille vierges à chacune de ces dix-là ainsi qu'à elle-même : ajoutant qu'en compagnie de ces onze mille vierges elle demandait à rester pendant un espace de trois ans, pour se rendre avec elles à Rome, sur une flotte, et y obtenir la consécration de sa virginité. Le jeune prince, de son côté, aurait à recevoir le baptême, et à s'instruire, pendant ces trois ans, des vérités de la foi : après quoi Ursule consentirait à devenir sa femme. Et l'on entend bien que, si elle imposait de telles conditions, c'était dans l'espoir de décourager le jeune prince, tout en gardant à son père la faveur du roi anglais.

Mais le jeune homme admit très volontiers les conditions d'Ursule, et se fit baptiser, et pressa son père d'exécuter tout ce qu'Ursule avait demandé. Alors des vierges arrivèrent de toutes parts dans la capitale du roi Maurus, et de toutes parts la foule afflua pour être témoin d'un aussi grand spectacle. De nombreux évêques voulurent aussi se joindre au pèlerinage des onze mille vierges : parmi eux se trouvait, notamment, l'évêque de Bâle, Pantulus, qui se rendit avec elles jusqu'à Rome, et, au retour, partagea leur martyre. On voyait là aussi sainte Gérasine, reine de Sicile qui, ayant épousé un tyran cruel, l'avait transformé en un doux agneau. Elle était sœur de l'évêque Matrisius et de Daria, la mère de sainte Ursule. Dès que le père de celle-ci lui eut révélé par lettre le secret du voyage, elle se mit aussitôt en route pour la Bretagne avec ses quatre filles Babille, Julienne, Victoire et Dorée. Et son petit garçon Adrien, par amour pour ses sœurs, voulut se joindre aussi à l'expédition. C'est sur le conseil de Gérasine que les onze mille vierges furent réparties en groupes, d'après les divers royaumes dont elles provenaient. Et c'est encore sainte Gérasine qui se chargea de commander à tous ces groupes, et elle subit le martyre en leur compagnie.

Enfin tout se trouva prêt pour le départ. Et, pendant que sainte Ursule s'occupait de convertir les onze mille vierges, la reine Gérasine instruisait les chevaliers de l'escorte, leur faisant prêter le serment d'un nouvel ordre de chevalerie. Puis on se mit en route ; et, dans l'espace d'une seule journée, sous un vent favorable, la sainte caravane arriva dans un port des Gaules nommé Tiel, puis à Cologne, où un ange apparut à Ursule pour lui annoncer que ses compagnes et elle reviendraient à Cologne et y recevraient la couronne du martyre. De là, poursuivant leur chemin vers Rome, les vierges arrivèrent à Bâle : elles y laissèrent leurs vaisseaux et poursuivirent leur voyage à pied.

Elles furent reçues à Rome avec grand honneur par le pape Cyriaque, qui, étant né lui-même en Bretagne, se trouvait avoir de nombreux parents dans le pèlerinage. Et, la même nuit, une vision révéla à Cyriaque qu'il recevrait les palmes du martyre en compagnie des onze mille vierges. Aussi, sans rien révéler de cette vision, s'empressa-t-il de baptiser celles des vierges qui n'avaient pas encore reçu le baptême. Puis, quand il jugea le moment venu, il déclara à son clergé réuni qu'il se démettait de toutes ses fonctions et dignités, pour se joindre à la troupe des onze mille vierges. En vain tous les prêtres, et surtout les cardinaux, l'accusèrent d'être en délire, et lui firent honte d'abandonner son pontificat pour suivre un troupeau de femmes. Sans les écouter, il ordonna en son lieu un saint homme nommé Amet, qui gouverna l'Eglise après lui. Et comme il renonçait à son pontificat, contrairement à la volonté de son clergé, celui-ci le raya de la liste des papes. Et, dès ce jour, le saint chœur des onze mille vierges perdit toute sa faveur auprès de la curie romaine.

Or deux chefs de l'armée romaine, Maxime et Africain, hommes impies et méchants, voyant cette grande multitude de vierges, et toute la foule qui se pressait pour grossir leur pèlerinage, craignirent que ce pèlerinage ne donnât trop d'extension à la religion chrétienne. Ils envoyèrent donc secrètement des exprès à Jules, chef des Huns, pour l'engager à attendre à Cologne, avec son armée, le retour des onze mille vierges, et pour les massacrer.

Cependant, les vierges se mirent en route pour leur retour, en compagnie du pape Cyriaque, du cardinal Vincent et de Jacques, archevêque d'Antioche, qui était, lui aussi, originaire de Bretagne. Jacques, qui était venu à Rome pour voir le pape, allait déjà repartir pour Antioche lorsque, apprenant le prochain départ des vierges, il prit le parti d'aller avec elles au-devant du martyre. Et de même fit encore Maurice, évêque de Modène, qui était l'oncle de Babille et de Julienne ; de même firent Follau, évêque de Lucques, et Sulpice, évêque de Ravenne.

Cependant le fiancé de sainte Ursule, qui s'appelait Ethéré, était devenu roi de son pays, à la mort de son père, et avait converti sa mère à la foi du Christ. Un jour, une vision d'en haut lui apprit qu'Ursule venait de quitter Rome ; et une voix lui ordonna d'aller aussitôt à sa rencontre, pour souffrir avec elle le martyre dans la ville de Cologne. Il se mit aussitôt en route avec sa mère, sa petite sœur Florentine et l'évêque Clément. Vinrent aussi se joindre au pèlerinage Marcule, évêque de Grèce et sa nièce Constance, fille de Dorothée, roi de Constantinople. Cette Constance avait été fiancée à un fils de roi ; mais, son fiancé étant mort avant le mariage, elle s'était consacrée au Seigneur.

Lorsque toute cette troupe arriva à Cologne, elle trouva la ville investie par les Huns. Et ces barbares, avec de grands cris, se jetèrent sur les pieuses vierges, qu'ils massacrèrent toutes, comme des loups s'élançant sur un troupeau d'agneaux. Seule, Ursule restait encore vivante. Et le prince des Huns, émerveillé de sa beauté, lui offrit de l'épouser, pour la consoler de la mort de ses compagnes. Mais, comme la sainte repoussait avec horreur sa proposition, furieux de se voir dédaigné, il la transperça d'une flèche et acheva son martyre.

Il y eut cependant encore une autre vierge, nommée Cordule, qui d'abord, épouvantée, se cacha au fond d'un bateau et y resta toute la nuit. Mais, le lendemain, elle courut d'elle-même au-devant de la mort. Et, comme l'Eglise omettait ensuite de la mentionner dans la célébration de la fête des onze mille vierges — car on croyait qu'elle avait échappé au supplice de ses compagnes — elle apparut un jour à une recluse et lui révéla qu'elle avait, elle aussi, obtenu la couronne du martyre.

La tradition veut que ce martyre ait eu lieu en l'an du Seigneur 238. Mais la vraisemblance des dates contredit cette affirmation. Car, en 238, ni la Sicile, ni Constantinople n'avaient des rois, tandis que l'on cite parmi les martyrs de Cologne, la reine de Sicile et la fille du roi de Constantinople. Plus vraisemblablement, le martyre des onze mille vierges aura eu lieu à l'époque des invasions des Huns et des Goths, et, par exemple, sous le règne de l'empereur Marcien, qui régnait en l'an 452.

II. Certain abbé reçut de l'abbesse de Cologne le corps d'une des vierges, moyennant la promesse de le placer dans un cercueil d'argent. Mais comme, durant toute une année, le corps restait placé dans son cercueil de bois, les moines virent un matin la vierge en personne descendre de l'autel, s'incliner pieusement, puis se retirer en passant au milieu du chœur. Alors l'abbé, allant au cercueil, le trouva vide. Il courut à Cologne, fit part de la chose à l'abbesse ; et en effet le corps de la martyre se retrouva à la place d'où on l'avait pris. Mais en vain l'abbé demanda pardon et promit que, si on lui donnait de nouveau une des saintes reliques, il s'empresserait de lui faire faire un cercueil de prix. Il ne put rien obtenir.

III. Un religieux qui avait pour les onze mille vierges une dévotion particulière, vit un jour apparaître devant lui une belle jeune femme, qui lui demanda s'il la connaissait. Et comme il déclarait ne la point connaître, elle lui dit : « Je suis une des vierges que tu aimes à invoquer. Et, pour te récompenser de ta piété, nous avons obtenu de t'assister à l'heure de ta mort, pourvu seulement que, d'ici là, tu aies récité, onze mille fois l'oraison dominicale ! » Puis la vision disparut, et le religieux s'empressa de réciter onze mille fois la sainte prière. Après quoi, sentant l'heure de sa mort approcher, il fit appeler son abbé et demanda à recevoir l'extrême-onction. Mais au moment où on la lui administrait, il s'écria soudain qu'on eût à s'écarter, pour faire place aux saintes martyres qui accouraient près de lui. Interrogé par son abbé, il lui raconta alors la promesse qu'il avait obtenue ; et tous, aussitôt, sortirent de sa cellule. Et quand ils y revinrent, ils virent que l'âme de leur frère s'était envolée.

CLVI
SAINT CRISANT ET SAINTE DARIA, MARTYRS
(25 octobre)

Crisant était fils d'un noble de Narbonne nommé Solime. Celui-ci, ne pouvant détourner son fils de la foi du Christ, le fit enfermer dans une chambre en compagnie de cinq jeunes filles chargées de le séduire par leurs caresses. Mais Crisant pria Dieu de le rendre vainqueur de la bête féroce qu'est la concupiscence ; et aussitôt les cinq jeunes filles furent envahies d'un sommeil profond, dont elles ne pouvaient s'éveiller que hors la chambre. Alors une prêtresse de Diane, nommée Daria, vierge pleine de sagesse et de beauté, s'offrit à ramener Crisant au culte des idoles. Elle se rendit chez lui, et, comme le jeune homme lui reprochait la pompe de ses vêtements, elle répondit qu'elle ne s'était point vêtue ainsi pour l'amour de cette pompe, mais dans l'espoir de mieux servir la cause des dieux. Crisant lui reprocha ensuite de prendre pour des dieux des êtres que ceux-là même qui les ont inventés représentent comme chargés de vices et d'impudicité. Et comme Daria lui répondait que, sous les noms de ces dieux, c'étaient les divers éléments qu'adoraient les philosophes, le jeune homme lui dit : « Si l'un vénère la terre comme une déesse tandis qu'un autre la cultive pour avoir du blé, c'est celui-là que la déesse récompense le plus ; et de même pour la mer et les autres éléments ! » Puis Crisant convertit Daria, et le jeune couple, feignant d'être uni par le lien du mariage charnel, tandis qu'il ne l'était que par des liens spirituels, opéra autour de lui de nombreuses conversions entre lesquelles on cite notamment celles du tribun Claude, de sa femme, de ses enfants et d'autres officiers.

Le préfet Numérien fit alors jeter Crisant dans une prison infecte, mais la puanteur de cette prison se changea en un parfum merveilleux. Daria, de son côté, fut placée dans un lupanar ; mais aussitôt un lion, s'enfuyant de l'amphithéâtre, vint garder la porte de ce mauvais lieu. Arrive un homme envoyé par le préfet pour corrompre la vierge : le lion s'empare de lui, et, d'un signe de tête, demande à Daria ce qu'il doit en faire. Daria répond qu'elle est prête à recevoir l'envoyé ; et aussitôt celui-ci, converti, s'en va proclamer, par toute la ville, la sainteté de la jeune femme. Arrivent ensuite des chasseurs, chargés de s'emparer du lion ; mais c'est le fauve qui s'empare d'eux et les dépose aux pieds de la vierge, qui les convertit. Enfin le préfet ordonne d'allumer un grand feu devant l'entrée de la maison, de façon que Daria et le lion périssent brûlés. Et Daria, voyant l'effroi du lion, lui permet de s'enfuir où bon lui semblera.

Mille autres supplices furent encore infligés à Crisant et à Daria, sans que les deux martyrs en eussent aucun mal. Enfin tous deux, par ordre du préfet, se virent jetés dans une fosse, et écrasés sous les pierres. Ils moururent sous l'épiscopat de Carus de Narbonne, qui monta sur son siège en l'an du Seigneur 211.

CLVII
SAINTS SIMON ET JUDE, APÔTRES
(28 octobre)

I. Simon et Jude, appelé aussi Thadée, originaires de Cana, étaient frères de Jacques le Mineur et fils de Marie Cléophas, femme d'Alphée.

Après l'ascension du Seigneur, Jude fut envoyé par Thomas auprès du roi d'Edesse Abgare, qui avait écrit à Notre-Seigneur Jésus la lettre suivante : « Abgare, roi, fils d'Euchassie, au bon Jésus qui s'est montré dans le pays de Jérusalem, salut ! J'ai entendu parler de toi, des guérisons que tu fais sans drogues et sans herbes, et que tu rends la vue aux aveugles, la marche aux paralytiques, la pureté aux lépreux et la vie aux morts : et j'ai conclu de tout cela que, pour accomplir tant de merveilles, tu devais être ou bien Dieu lui-même descendu des cieux, ou bien le fils de Dieu. Je t'écris donc pour que tu daignes prendre la peine de venir jusque chez moi, pour me guérir d'une maladie qui me tourmente depuis longtemps. J'ai appris aussi que les Juifs murmuraient contre toi et voulaient te tendre des pièges. Viens chez moi, je t'en prie ! J'ai à moi une ville qui, en vérité, est petite, mais honnête, et qui nous suffira bien à tous deux ! » Et le Seigneur Jésus répondit en ces termes : « Heureux es-tu, toi qui as cru en moi sans m'avoir vu ! car il est écrit de moi que ceux qui me verront ne croiront pas, et que ceux qui ne me verront pas croiront. Quant à ce que tu me demandes de venir auprès de toi, il faut d'abord que j'accomplisse ce pour quoi je suis envoyé et qu'ensuite je retourne auprès de Celui qui m'a envoyé. Mais, dès que je serai remonté au ciel, je t'enverrai un de mes disciples, pour te guérir et te donner la vraie vie ! » Alors Abgare, comprenant qu'il devait renoncer à voir le Christ en personne, chargea du moins un peintre d'aller faire son portrait. Mais lorsque ce peintre arriva devant le Christ, il trouva le visage de celui-ci rayonnant d'un tel éclat qu'il ne parvint pas à en discerner clairement les traits, ni, par suite, à les dessiner. Ce que voyant, le Seigneur appuya sa sainte face sur le manteau du peintre et y grava ainsi son image à l'intention du bon roi Abgare. Et Jean de Damas, qui nous raconte tout cela d'après une vieille chronique, nous décrit aussi ce portrait du Seigneur. Il nous affirme qu'on y voit l'image d'un homme avec de grands yeux, d'épais sourcils, un visage allongé, et des épaules un peu voûtées, ce qui est signe de maturité. Quant à la lettre du Christ, tel était son pouvoir que, dans la ville d'Edesse, aucun hérétique ni païen ne pouvait vivre, et qu'aucun tyran ne pouvait opprimer les habitants. Mais lorsque Edesse, plus tard, fut prise et profanée par les Sarrasins, elle perdit le privilège de cette sainte lettre.

Lors donc que Jude Thadée vint auprès d'Abgare, pour accomplir la promesse faite par Jésus, le roi découvrit aussitôt sur son visage un rayonnement de splendeur divine. Emerveillé et épouvanté, il dit : « Tu es vraiment le disciple de Jésus, fils de Dieu, qui m'a promis de m'envoyer l'un de ses disciples pour me guérir et pour me donner la vraie vie ! » Et Thadée : « Si tu crois dans le Fils de Dieu, tous les désirs de ton cœur seront réalisés ! » Et Abgare : « Certes, je crois en lui ; et bien volontiers j'égorgerais les méchants Juifs qui l'ont crucifié ! » Or le roi Abgare était lépreux ; mais Thadée prit la lettre du Seigneur, lui en frotta le visage, et aussitôt sa lèpre disparut.

II. Jude prêcha ensuite en Mésopotamie et dans le Pont, et Simon en Egypte. Puis ils se rendirent en Perse, et y trouvèrent deux mages Zaroës et Arphaxal, que saint Matthieu avait chassés de l'Ethiopie. En ce temps-là Baradac, général babylonien, qui s'apprêtait à partir en guerre contre les Indiens, consulta ses dieux sur l'issue de sa campagne. Et il obtint pour réponse que ses dieux ne pourraient lui répondre aussi longtemps que les deux apôtres chrétiens seraient dans le pays. Baradac fit alors rechercher les deux apôtres, leur demanda qui ils étaient et pourquoi ils étaient venus. Et ils répondirent : « De nation, nous sommes Hébreux, de condition, serviteurs du Christ ; et nous sommes venus ici pour ton salut et celui des tiens. » Et Baradac : « Je vous écouterai plus à loisir quand je serai revenu vainqueur de mon expédition. » Et les apôtres : « Mieux vaudrait pour toi connaître dès maintenant celui qui, seul, peut te donner la victoire ! » Et Baradac : « Si vous êtes plus puissants que nos dieux, prédites-moi quelle sera l'issue de ma campagne ! » Et les apôtres : « Pour que tu reconnaisses combien tes dieux sont menteurs, demande-leur d'abord de répondre à ta question ! » Alors les devins, consultés, prédirent une grande guerre, et une grande fuite de peuples après la bataille. Sur quoi les apôtres se mirent à rire. Et Baradac : « Comment ! Je tremble d'effroi, et vous riez ? » Et les apôtres : « Sois sans crainte, car la paix est entrée ici avec nous. Demain, à la troisième heure, des envoyés viendront te trouver ici de la part des Indiens, pour te demander la paix et se soumettre à ton pouvoir. » Alors ce fut au tour des prêtres de railler, et ils dirent à Baradac : « Ces gens-là veulent te tromper afin que, pendant que tu seras sans défiance, l'ennemi se jette sur toi ! » Et les apôtres : « Nous ne t'avons pas dit d'attendre un mois, mais seulement un jour ! Dès demain, tu auras la paix et la victoire ! » Alors Baradac les fit tenir sous bonne garde les uns et les autres. Le lendemain, tout arriva comme les apôtres l'avaient prédit ; et comme Baradac voulait châtier les devins de leur mensonge, les apôtres l'en empêchèrent, disant qu'ils n'étaient pas envoyés pour tuer les vivants, mais pour vivifier les morts. Baradac en fut très surpris, comme aussi de l'insistance qu'ils mettaient à refuser ses présents. Il les conduisit donc à son roi, et lui dit : « Sire, voici des dieux cachés sous la figure humaine ! » Mais les mages, jaloux des apôtres, les accusèrent d'être des méchants, qui méditaient la fin du royaume. Alors Baradac : « Si vous l'osez, discutez avec ces deux hommes ! » Et les mages : « Nous ne voulons pas discuter avec eux ; mais fais venir ici les hommes les plus éloquents de la ville ; et, s'ils peuvent parler, nous reconnaîtrons notre ignorance. » Et, en effet, amenés devant eux, les plus habiles avocats devinrent aussitôt muets et incapables même de s'exprimer par gestes. Et les mages dirent au roi : « Pour te prouver notre pouvoir, nous allons leur permettre de parler, mais nous leur défendrons de marcher ; puis nous leur permettrons de marcher, mais nous les empêcherons de voir, même avec les yeux ouverts. » Et tout cela arriva comme ils l'avaient dit. Alors Baradac mena les avocats en présence des apôtres. Et en voyant ceux-ci tout vêtus de haillons, les avocats les méprisèrent au fond de leur cœur. Mais Simon leur dit : « C'est chose fréquente que des écrins d'or et de diamant ne contiennent que des matières viles, tandis que de viles caisses de bois enferment des bijoux faits de pierres précieuses. Mais si vous promettez de renoncer au culte des idoles et d'adorer le Dieu invisible, nous ferons sur vous le signe de la croix, et vous pourrez confondre les mages ! » Ainsi fut fait ; et lorsque les avocats revinrent auprès des mages, ceux-ci n'eurent plus aucun pouvoir sur eux. Alors la foule se mit à les insulter, et fit amener des serpents pour les étouffer. Mais les deux apôtres, appelés par le roi, prirent les serpents dans leurs manteaux et les lancèrent sur les mages, en disant : « Au nom du Seigneur, vous ne mourrez pas, mais, déchirés par les serpents, vous remplirez l'air de vos cris de douleur ! » Aussitôt les serpents se mirent à dévorer leurs chairs, et les mages hurlaient comme des loups ; et le roi et la foule priaient les apôtres d'ordonner aux serpents de les mettre à mort. Mais les apôtres : « Nous avons été envoyés pour ressusciter les morts, et non pour tuer les vivants ! » Après quoi, ayant prié Dieu, ils ordonnèrent aux serpents de reprendre, dans le corps des mages, tout le venin qu'ils y avaient déposé, puis de s'enfuir aux lieux d'où ils étaient venus. Les serpents obéirent ; et, pendant cette seconde épreuve, la douleur des mages fut plus vive encore. Et les apôtres leur dirent : « Vous souffrirez ainsi pendant trois jours, afin de vous guérir de votre malice ! » Mais, le troisième jour, venant à eux, les apôtres leur dirent : « Notre-Seigneur ne veut pas qu'on le serve par force, donc levez-vous, soyez délivrés de vos souffrances, et allez-vous-en, avec plein pouvoir de faire ce que vous voudrez ! » Et les mages s'en allèrent guéris, mais sans renoncer à leur malice ; et ils soulevèrent contre les apôtres la Babylonie tout entière.

Plus tard, la fille d'un des principaux de la ville, ayant mis au monde un enfant, accusa un saint diacre de l'avoir violée. Les parents voulaient tuer le diacre ; mais les apôtres, survenant, demandèrent quand l'enfant était né. Et les parents : « Hier, à la première heure ! » Et les apôtres : « Amenez ici cet enfant, et amenez en même temps le diacre que vous accusez ! » Cela fait, les apôtres dirent à l'enfant : « Enfant, au nom de Jésus, dis-nous si c'est bien cet homme-là qui t'a procréé ! » Et l'enfant : « Cet homme-là est chaste et saint, et n'a jamais souillé sa chair ! » Sur quoi les parents de la jeune fille pressèrent les apôtres de faire dire à l'enfant quel était le vrai coupable. Mais les apôtres : « Notre tâche est de faire absoudre les innocents, non de perdre les coupables ! »

Vers le même temps, deux tigres féroces, qu'on avait enfermés dans des caveaux, s'échappèrent, dévorant tous ceux qu'ils rencontraient. Alors les apôtres vinrent au-devant d'eux et, ayant invoqué le nom du Seigneur, les rendirent doux comme des agneaux. Ils voulurent ensuite s'en aller de la ville, mais, à la demande des habitants, ils y restèrent encore pendant un an et trois mois ; et, durant ce temps, plus de soixante mille personnes furent baptisées, y compris le roi et les principaux seigneurs.

Cependant, les deux mages susdits s'étaient rendus dans une ville nommée Suamir, où il y avait soixante-dix prêtres des idoles ; et ils excitèrent ces prêtres contre les apôtres. Lors donc que ceux-ci, après avoir parcouru toute la province, arrivèrent dans cette ville, les prêtres et le peuple s'emparèrent d'eux et les conduisirent au temple du soleil. Sur quoi un ange apparut aux deux saints et leur dit : « Choisissez l'une de ces deux alternatives : ou bien la mort immédiate de ces méchants, ou votre martyre ! » Et les apôtres : « Ce que nous demandons, c'est que Dieu convertisse ces hommes, et nous accorde, à nous, la palme du martyre ! » Puis, au milieu d'un grand silence, ils dirent à la foule : « Afin que vous sachiez que ces idoles sont pleines de démons, nous ordonnons à ceux-ci d'en sortir, et de briser, chacun, sa statue ! » Aussitôt, des statues sortirent des Ethiopiens, noirs et nus, qui, après les avoir brisées, s'enfuirent avec des cris terribles. Ce que voyant, les prêtres se jetèrent sur les apôtres et les égorgèrent. Et aussitôt, dans un ciel d'une sérénité parfaite, des coups de foudre jaillirent qui fendirent en deux le temple et réduisirent les mages à l'état de charbons. Et le roi fit transporter les corps des apôtres dans sa capitale, où il éleva en leur honneur une église magnifique.

D'autre part, Isidore, dans son livre sur la mort des apôtres, Eusèbe dans son *Histoire ecclésiastique*, Bède dans ses commentaires des *Actes des Apôtres* et Jean Beleth dans sa *Somme*, affirment que saint Simon souffrit le supplice de la croix. Suivant eux, le saint, après avoir prêché en Egypte, revint à Jérusalem, où les apôtres l'élurent, d'une voix unanime, pour remplacer Jacques le Mineur sur le siège épiscopal. Il gouverna donc l'Eglise de Jérusalem pendant nombre d'années et ressuscita trente morts. Il avait atteint l'âge de cent vingt ans, lorsque, sous le règne de Trajan, il fut pris et mis en croix par le consul Atticus. Mais ces mêmes écrivains admettent que ce saint Simon peut avoir été un autre Simon, fils de Cléophas et neveu de saint Joseph.

CLVIII
SAINT QUENTIN, MARTYR
(31 octobre)

Quentin était de famille noble et citoyen romain. Il était venu dans la ville d'Amiens et y opérait de nombreux miracles, lorsque, par ordre de Maximien, le préfet de la ville s'empara de lui, et le jeta en prison après l'avoir fait rouer de coups. Mais un ange délivra le prisonnier, qui s'empressa de retourner sur la grand'place pour y prêcher au peuple. Arrêté de nouveau, étendu sur un chevalet où ses veines se rompirent, cruellement frappé de nerfs de bœuf, brûlé avec de l'huile, de la poix et de la graisse bouillantes, il supportait tout, et raillait le préfet. Celui-ci, furieux, lui fit jeter au visage de la chaux, du vinaigre et de la moutarde. Puis, voyant que cela même ne l'émouvait point, il le fit transporter en un lieu du Vermandois ; et là, après lui avoir fait enfoncer deux grands clous dans la tête, et dix autres sous les ongles et dans la chair, il ordonna enfin de le décapiter.

Le corps du saint, jeté dans une rivière, y resta caché pendant cinquante-cinq ans. Il fut retrouvé par une dame noble de Rome, dans les conditions que voici. Cette dame qui était aveugle et très pieuse, fut avertie la nuit par un ange d'avoir à se rendre au camp de Vermandois, pour y retrouver le corps de saint Quentin et l'ensevelir. Elle se rendit donc au lieu dit, avec une nombreuse escorte, et, arrivée là, se mit en prière. Et aussitôt le corps de saint Quentin flotta, intact et parfumé, à la surface des eaux. La dame, qui en récompense de ses soins, avait recouvré la vue, s'occupa d'ensevelir le saint, ordonna de bâtir une église sur son tombeau, et, cela fait, s'en retourna à Rome.

CLIX
LA TOUSSAINT
(1er novembre)

La fête de la Toussaint a été instituée pour quatre objets : en premier lieu, pour commémorer la consécration d'un certain temple ; en second lieu pour suppléer à des omissions ; en troisième lieu pour expier nos négligences ; en quatrième lieu pour nous faciliter l'accomplissement de nos vœux.

1° Voici d'abord l'histoire de la consécration du temple. Les Romains, devenus maîtres du monde, avaient construit un temple énorme, au milieu duquel ils avaient placé leur idole ; et tout à l'entour étaient les idoles de toutes les provinces conquises, la face tournée vers l'idole des Romains. Et l'on raconte que, lorsque l'une des provinces se révoltait, son idole, par un artifice diabolique, tournait le dos à celle des Romains ; sur quoi Rome envoyait dans cette province une nombreuse armée. Mais bientôt ce temple ne suffit pas aux Romains, qui construisirent pour chaque dieu un temple particulier. Et comme tous les dieux ne pouvaient pas avoir un temple à eux dans la ville, les Romains, pour mieux étaler leur folie, construisirent en l'honneur de tous les dieux un temple plus admirable encore que les autres, et l'appelèrent le Panthéon, ce qui signifie le temple de tous les dieux. Pour tromper le peuple, les prêtres des idoles lui racontèrent que la déesse Cybèle, qu'ils appelaient la mère de tous les dieux, leur était apparue ; et cette déesse leur aurait dit que, si Rome voulait remporter la victoire sur toutes les nations, on eût à élever, à tous les dieux ses fils, un temple magnifique. Ce temple fut construit sur une base circulaire, afin de symboliser l'éternité des dieux ; mais lorsqu'on eût élevé les murs à une certaine hauteur, on vit qu'ils ne pouvaient pas tenir à cause de la largeur du diamètre. Alors, on imagina de remplir l'intérieur de terre, pour faire tenir les murs ; et à cette terre on mêla quelques pièces d'argent. Puis, quand le temple fut achevé, on déclara que tous ceux qui emporteraient de la terre pour le déblayer auraient le droit de s'approprier tout ce qu'ils trouveraient dans la terre : sur quoi le peuple se précipita en foule dans le temple, avec l'espoir de s'approprier les pièces d'argent mêlées à la terre, et le temple ne tarda pas à être déblayé. On dit aussi que, au sommet du temple, les Romains placèrent une coupole de bronze doré où étaient sculptées toutes les provinces ; mais cette coupole, plus tard, tomba, laissant un vide dans le toit du temple. Or, sous le règne de l'empereur Phocas, lorsque depuis longtemps déjà Rome était devenue chrétienne, le pape Boniface, quatrième successeur de saint Grégoire, obtint de l'empereur le susdit temple, le débarrassa de toutes ses idoles, et, le 3 mai de l'année 605, le consacra à la Vierge Marie et à tous les martyrs : d'où il reçut le nom de Sainte-Marie aux Martyrs, mais le peuple l'appelle plus couramment Sainte-

Marie la Ronde. Plus tard encore, un pape nommé Grégoire transporta au 1er novembre la date de la fête anniversaire de cette consécration : car à cette fête les fidèles venaient en foule, pour rendre hommage aux saints martyrs, et le pape jugea meilleur que la fête fut célébrée à un moment de l'année où, les vendanges et les moissons étant faites, les pèlerins pouvaient plus facilement trouver à se nourrir. En même temps, ce pape décréta qu'on célébrerait, ce jour-là, dans l'Eglise tout entière, non seulement l'anniversaire de cette consécration, mais la mémoire de tous les saints. Et ainsi ce temple, qui avait été construit pour toutes les idoles, se trouve aujourd'hui consacré à tous les saints.

2º La fête de la Toussaint a été instituée pour suppléer à des omissions : car il y a beaucoup de saints que nous oublions, et qui non seulement n'ont pas de fête propre, mais qui ne se trouvent même pas commémorés dans nos prières. C'est, en effet, chose impossible que nous célébrions séparément la fête de tous les saints, tant à cause de leur innombrable quantité que de notre faiblesse et du manque de temps. Dans l'épître qu'il a mise en préface à son calendrier, saint Jérôme dit : « A l'exception du 1er janvier, il n'y a pas, dans toute l'année, un seul jour où l'on ne puisse trouver inscrite la mémoire d'au moins cinq mille martyrs. Et c'est pour cela que l'Eglise, dans sa sagesse, ne pouvant pas accorder à chacun des saints un jour de fête spécial, a décrété que, du moins, une fois par an, tous les saints seraient fêtés ensemble en grande solennité. »

3º La fête de la Toussaint a été instituée pour expier des négligences. Car bien que nous ne célébrions la fête que de peu de saints, encore négligeons-nous souvent ceux-là même, par ignorance ou par paresse. Et c'est de ce péché que nous pouvons nous délivrer en célébrant d'une façon générale tous les saints, le jour de la Toussaint.

Notons, à ce propos, que les saints du Nouveau Testament que nous fêtons en ce jour, comme dans tout le cours de l'année, se répartissent en quatre catégories : les apôtres, les martyrs, les confesseurs et les vierges. La première catégorie est celle des apôtres, qui dépassent tous les autres saints en dignité, en pouvoir, en sainteté et en efficacité. La seconde catégorie est celle des martyrs, dont l'excellence se manifeste en ce qu'ils ont souffert des maux très variés, avec une constance invariable et une extrême utilité pour le salut des hommes. La troisième catégorie est celle des confesseurs, qui ont proclamé Dieu de trois façons : par le cœur, la bouche, et les œuvres. Enfin, la quatrième catégorie est celle des vierges, dont la dignité et l'excellence se manifestent en ce que : 1º elles sont les épouses du Roi éternel ; 2º elles sont comparables aux anges ; 3º elles jouissent au Ciel de nombreux privilèges (étant admises à porter la couronne de l'auréole, à chanter les cantiques, à marcher derrière l'Agneau, etc.) ; 4º elles sont supérieures aux femmes mariées. Car, comme le dit saint Augustin, « la fécondité la plus riche et la plus heureuse, pour une femme, est celle qui consiste non à s'alourdir le ventre mais à s'agrandir l'âme », attendu que « la fécondité du ventre ne remplit, que la terre, tandis que la fécondité de l'âme remplit le ciel ». Gilbert dit que, « si l'état de mariage est bon, la virginité est meilleure ». Et saint Jérôme écrit, dans sa lettre à Pammaque : « Entre l'état de mariage et la virginité, la différence est la même qu'entre l'état de non-péché et l'état de bonnes œuvres ; ou encore, d'une façon plus simple, qu'entre le bien et le mieux. »

4º Enfin la fête de la Toussaint a été instituée pour nous faciliter l'obtention de nos vœux. De même que nous honorons en ce jour tous les saints, de même nous leur demandons d'intercéder, tous ensemble, pour nous, de façon à nous faire avoir plus facilement la miséricorde de Dieu. Les saints peuvent, en effet, intercéder pour nous par leurs mérites et par leur affection : par leurs mérites, en ce que le surplus de leurs bonnes œuvres s'emploie à compenser nos fautes ; par leur affection, en ce qu'ils demandent à Dieu que nos vœux se réalisent, chose qu'ils ne font, cependant, que quand ils savent que cela ne contrarie pas la volonté de Dieu.

Et que, dans ce jour, tous les saints se joignent pour intercéder en notre faveur, c'est ce que prouve une vision qui eut lieu l'année qui suivit l'institution de cette fête. Le jour de la Toussaint de cette année-là, le gardien de l'église de Saint-Pierre, après avoir pieusement fait le tour de tous les autels et imploré les suffrages de tous les saints, s'assoupit un moment devant l'autel de saint Pierre. Il fut alors ravi en extase et vit le Roi des Rois assis sur son trône, avec tous les anges autour de lui. Puis vint la Vierge des Vierges, avec un diadème de feu autour de la tête, et suivie de la foule innombrable des vierges. Dès qu'elle entra, le Roi se leva et la fit asseoir sur un trône, près de lui. Puis vint un homme vêtu de poils de chameau, et suivi d'une multitude de vieillards vénérables ; puis un autre homme, en habits de pontife, suivi d'un groupe d'hommes habillés de la même façon. Derrière eux s'avança une foule innombrable de soldats, que suivait à son tour une foule infinie d'hommes de toutes les nations. Tous, parvenus devant le Roi des Rois, s'agenouillèrent devant lui et se mirent à l'adorer. L'homme en habits pontificaux entonna les matines ; et ainsi commença le service divin. Et l'ange qui avait conduit le susdit gardien lui expliqua ensuite le sens de cette vision. Il lui dit que la Vierge assise sur le trône était la mère de Dieu, que l'homme vêtu de poils de chameau était saint Jean-Baptiste, ayant derrière lui les patriarches et les prophètes ; que l'homme en habits pontificaux était saint Pierre, suivi des apôtres ; que les soldats étaient les martyrs, et que la foule était formée des saints confesseurs. Et l'ange dit au gardien que tous ces saints étaient venus en présence du Roi des Rois pour le remercier de l'honneur que lui rendaient, en ce jour, les hommes, et pour prier pour le monde entier. Puis l'ange conduisit le gardien dans un autre lieu, où il lui montra des personnes des deux sexes, dont les unes étaient vêtues d'or, ou assises à des tables somptueuses, tandis que d'autres, nues et misérables, mendiaient du secours. Et l'ange dit au gardien : « Ce lieu est le Purgatoire. Les Ames que tu vois dans l'abondance sont celles qu'assistent copieusement les suffrages de leurs amis ; les âmes de ces mendiants sont celles de personnes qui n'ont point d'amis, au ciel ni sur la terre, pour s'occuper d'elles. » Et l'ange ordonna au gardien de rapporter tout cela au souverain pontife, afin que, après la fête de la Toussaint, il instituât la fête des Ames, c'est-à-dire une fête où, du moins, des suffrages communs s'élèveraient au Ciel en faveur de ceux qui n'avaient personne pour adresser en leur faveur des suffrages particuliers.

CLX
LE JOUR DES AMES
(2 novembre)

L'Eglise a institué, en ce jour, la commémoration des fidèles défunts, afin d'accorder un bénéfice général de prières à ceux, parmi ces défunts, qui n'en possèdent point de particuliers. Cette fête a été instituée à la suite de la vision racontée au chapitre précédent. Pierre Damien raconte aussi que saint Odilon, abbé de Cluny, apprenant que l'on entendait souvent sortir de l'Etna les hurlements des démons, et les voix plaintives d'âmes défuntes qui demandaient à être arrachées de leurs mains par des aumônes et des prières, décida que, dans les monastères de son ordre, la fête de la Toussaint serait suivie de la commémoration des âmes défuntes ; et cette décision fut ensuite approuvée par l'Eglise entière.

Trois questions sont à considérer, à propos de cette fête : 1° quelles sont les âmes qui vont au purgatoire ? 2° par qui sont-elles châtiées ? 3° en quel lieu vont-elles ?

1° Trois sortes d'âmes vont en purgatoire : d'abord celles qui meurent sans avoir accompli la pénitence qui leur a été imposée ; en second lieu celles à qui le prêtre, par ignorance ou par négligence, n'a pas imposé une pénitence suffisante ; en troisième lieu celles qui emportent avec elles, en mourant, « le bois, le foin et la stipule », c'est-à-dire qui, tout en adorant Dieu, restent attachées aux biens de la terre.

2° Sur la question de savoir par qui sont châtiées les âmes du purgatoire, on est d'accord pour affirmer que leur purgation et punition se fait par de mauvais anges, et non par de bons anges. Et l'on doit croire, au contraire, que les bons anges visitent souvent leurs frères et concitoyens dans le purgatoire, les consolent et les exhortent à souffrir avec patience.

3° Enfin, touchant le lieu du purgatoire, bon nombre de savants estiment qu'il se trouve dans le voisinage de l'enfer, bien que d'autres prétendent qu'il est situé dans l'air, et dans la zone torride. Nous savons, d'autre part, que la toute-puissance divine peut assigner aux diverses âmes des demeures différentes, et cela pour cinq causes : 1° pour l'allégement de leur punition ; 2° pour leur plus prompte libération ; 3° pour notre instruction ; 4° pour l'expiation d'une faute commise dans un certain lieu ; 5° en raison de la prière d'un saint. Chacune de ces causes peut être illustrée par un exemple.

Première cause : allégement de la punition. Saint Grégoire rapporte que plusieurs saints ont connu, par révélation, que des âmes étaient simplement punies par le séjour dans les ténèbres.

Seconde cause : plus prompte libération. Cela signifie que certaines âmes sont placées en des lieux d'où elles puissent révéler aux vivants leur misérable condition, et obtenir d'eux des prières pour être plus vite tirées de peine. C'est ainsi que des pêcheurs du diocèse de saint Théobald prirent en automne un grand morceau de glace, prise qui leur fut plus agréable que celle d'un poisson, parce que leur évêque souffrait de douleurs dans les pieds, et n'avait point de glace pour se rafraîchir les membres malades. Mais un jour l'évêque entendit sortir du glaçon une voix humaine qui lui dit : « Je suis une âme condamnée à séjourner dans ce glaçon pour mes péchés ; et je pourrais être délivrée si tu disais pour moi trente messes pendant trente jours de suite ! » Mais comme l'évêque avait déjà dit la moitié des trente messes, et se préparait à en dire une nouvelle, le diable souleva un grand conflit entre les habitants de la ville : l'évêque, mandé pour apaiser la discorde, se dépouilla de ses ornements sacrés, et ne dit point la messe ce jour-là. Il eût donc à recommencer le lendemain une nouvelle trentaine, et déjà il avait dit vingt messes lorsqu'une immense armée assiégea la ville, et l'obligea cette fois encore, à passer la journée loin de son église. Il recommença, le lendemain, une nouvelle trentaine ; et déjà il s'apprêtait pour la dernière messe lorsqu'on vint lui annoncer que sa maison était en feu. Mais, comme on voulait qu'il interrompît sa messe, il s'écria : « Si même la ville entière brûlait, je dirais ma messe jusqu'au bout ! » Et à peine l'eut-il dite que la glace fondit, et que le feu s'évanouit comme un brouillard, sans laisser aucun dommage.

Troisième cause : notre instruction. Des âmes peuvent être placées en un lieu d'où elles nous avertissent de la grandeur des peines que nous vaudront nos péchés. C'est de quoi nous avons un exemple dans un fait arrivé à Paris, et qui nous est raconté par le Chantre Parisien. Maître Silo avait demandé à un docteur de ses amis, qui était malade, de revenir, après sa mort, pour lui faire part de l'état où il se trouvait. Quelques jours après, le docteur défunt lui apparut tout vêtu d'une chape de parchemin où étaient inscrits des sophismes ; et, à l'intérieur, cette chape était garnie de charbons ardents. Et il dit à son ancien compagnon : « Cette chape pèse plus lourdement à mon corps que si je portais une tour sur mes épaules ! Elle m'a été imposée en punition de la gloire que m'avaient value mes sophismes. » Et comme maître Silo estimait que c'était là une punition assez facile à supporter, le défunt lui dit de lui toucher la main, et, de sa main, fit tomber sur lui une goutte de sueur : cette goutte perfora la main de maître Silo plus cruellement que n'aurait fait une flèche, et il y sentit une douleur épouvantable. Alors le défunt lui dit : « Voilà ce que je sens dans tout mon corps ! » Sur quoi maître Silo, effrayé de l'énormité d'une telle peine, résolut de renoncer au siècle et d'entrer en religion, ce qu'il fit après avoir d'abord composé, à l'usage de ses collègues et élèves, le distique suivant :

Linquo choas ranis, cra corvis, vanaque vanis.

Ad logicam pergo quæ mortis non timet ergo[15].

[15] J'abandonne le coassement aux grenouilles, le croassement aux corbeaux et les vanités aux vains ; et je vais vers la seule logique qui ne redoute point les *ergo* de la mort !

Quatrième cause : l'expiation d'une faute. Saint Augustin dit en effet que certaines âmes subissent leur peine dans le lieu même où elles ont commis leur faute, et c'est ce que prouve un exemple raconté par saint Grégoire dans son quatrième dialogue. Un prêtre trouvait toujours, lorsqu'il entrait dans son bain, un homme inconnu qui le servait avec de grands égards. Et comme un jour, pour le récompenser, il lui offrait du pain bénit, l'inconnu lui répondit tristement : « Hélas, mon Père, je ne puis toucher à ce pain consacré ! J'étais autrefois le maître de ce lieu, et j'y suis retenu aujourd'hui, après ma mort, en punition de mes fautes. Mais je te prie d'offrir à Dieu ce pain pour mes péchés ; et, le jour où tu ne me trouveras plus ici, tu sauras que tes prières auront été exaucées. » Le prêtre offrit pour lui la sainte hostie pendant une semaine ; après quoi, quand il revint au bain, il ne le trouva plus.

Cinquième cause : la prière d'un saint. C'est ainsi que, dans le chapitre consacré à la fête de saint Patrice, nous avons raconté comment ce saint a obtenu, pour certains morts, d'avoir leur purgatoire en un certain lieu sous la terre.

On peut se demander, ensuite, quels sont les suffrages qui peuvent aider les âmes du purgatoire. Parmi ceux qui sont les plus utiles à ces âmes, figurent la prière des amis, les aumônes, l'immolation de la sainte hostie et l'observation des jeûnes.

L'utilité des prières des amis nous est prouvée par l'exemple de Paschase, tel que nous le raconte saint Grégoire dans ses *Dialogues*. Ce Paschase était un homme plein de vertu et de sainteté ; mais comme on avait élu deux souverains pontifes, et qu'ensuite l'Eglise s'était décidée à reconnaître l'un d'entre eux, Paschase s'était obstiné, jusqu'à sa mort, à lui préférer l'autre. Quand il mourut, un possédé fut guéri en touchant sa dalmatique, posée sur son cercueil. Mais, longtemps après, l'évêque de Capoue, Germain, étant entré au bain pour cause de santé, aperçut le susdit Paschase qui le servait humblement. Effrayé, il se demanda ce que pouvait faire là un si saint homme. Et Paschase lui dit qu'il portait le châtiment d'avoir soutenu la mauvaise cause dans la rivalité des deux papes. Et il ajouta : « Prie Dieu pour moi ; et le jour où tu ne me retrouveras plus ici, c'est que ta prière aura été exaucée ! » Germain pria donc pour lui ; et, quelques jours après, en revenant au bain, il ne le vit plus. — Autre exemple : Pierre de Cluny raconte qu'un prêtre, qui célébrait tous les jours une messe pour les morts, fut dénoncé à son évêque, et suspendu de son office. Or, un jour que l'évêque traversait le cimetière pour célébrer les matines, les morts se soulevèrent contre lui en disant : « Cet évêque, non content de ne point dire de messe pour nous, nous a encore enlevé notre prêtre. Mais, s'il ne répare point le mal qu'il a fait, la mort l'attend ! » Aussi l'évêque s'empressa-t-il de lever la suspension du prêtre, et de dire lui-même, désormais, des messes pour les morts.

Combien sont agréables aux morts les prières des vivants, c'est ce que nous prouve un exemple cité par le Chantre Parisien. Un homme avait coutume, en traversant le cimetière, de réciter un psaume pour les morts. Et comme, un jour, ses ennemis le poursuivaient dans le cimetière, les morts se soulevèrent, le protégèrent et mirent en fuite ses ennemis épouvantés.

Voici maintenant, d'après saint Grégoire, un exemple qui prouve combien les aumônes sont précieuses pour la libération des âmes défuntes. Un soldat, qui était mort et revenu à la vie, raconta qu'il avait vu un pont sous lequel coulait un fleuve noir et fétide. Au delà du pont s'étendait une belle prairie, parée de fleurs parfumées, et où se promenaient, par groupes, des hommes vêtus de blanc. Mais tout pécheur qui s'aventurait sur le pont tombait dans l'horrible fleuve, et seuls les justes s'avançaient d'un pas sûr jusque dans la prairie. Et le soldat vit, dans ce fleuve, un homme nommé Pierre, qui était couché sur le dos, ayant sur soi un énorme poids de fer. Et on lui dit que cet homme souffrait cette peine parce que, de son vivant, quand il avait à châtier un coupable, il le faisait par cruauté plus que par obéissance. Un autre homme, nommé Etienne, était déjà tombé dans le fleuve, lorsque des hommes vêtus de blanc le prirent par les bras et le hissèrent jusque dans la prairie. Et l'on dit au soldat que ces hommes représentaient les aumônes d'Etienne luttant contre les vices de sa chair.

Combien l'immolation de l'hostie peut servir aux défunts, c'est ce que nous prouvent de nombreux exemples. Saint Grégoire raconte, dans ses *Dialogues*, qu'un de ses moines, nommé Juste, étant sur le point de mourir, avait avoué qu'il possédait secrètement trois pièces d'or. Saint Grégoire ordonna de placer ces trois pièces dans son cercueil, en disant : « Que ton argent t'accompagne dans la perdition ! » Mais en même temps il demanda aux frères d'immoler l'hostie pour le mort pendant trente jours. Au bout des trente jours, le mort apparut à un de ses frères. Et comme celui-ci lui demandait en quel état il se trouvait : « J'ai été, jusqu'ici, en fort mauvais état ; mais, ce matin, j'ai été admis à la communion et ma peine a cessé ! »

L'immolation de l'hostie peut même servir pour les vivants. Un homme, dont tous les compagnons avaient été écrasés sous une roche, dans une mine d'argent, restait vivant, mais se trouvait enfermé dans la mine, faute d'issue. Sa femme, le croyant mort, faisait dire tous les jours une messe pour lui, où elle assistait elle-même. Mais pendant trois jours le diable, l'arrêtant sur son chemin, lui dit : « Inutile d'aller plus loin, car la messe est déjà dite ! » De telle sorte que, pendant ces trois jours, la femme ne fit point célébrer de messe pour son mari, et ne put pas non plus offrir sur l'autel le pain, la cruche de vin et le cierge qu'elle offrait tous les jours. Or, peu de temps après, un homme qui travaillait dans la mine entendit une voix qui semblait venir d'au-dessous de lui, et qui lui disait : « Ne frappe pas aussi fort, car voici une grosse pierre qui menace de tomber sur moi ! » Alors le mineur cessa de creuser en cet endroit, et, sur le côté, se fraya un chemin jusqu'à un endroit où il trouva, vivant et en parfaite santé, celui que l'on croyait mort. Et comme on lui demandait comment il avait pu vivre là si longtemps, il dit que, tous les jours, excepté pendant trois jours, une main invisible lui avait apporté du pain, une cruche de vin et un cierge allumé. Ce qu'entendant sa femme, ravie de bonheur, comprit que c'était de son offrande que son mari avait vécu. Ce miracle, que nous raconte Pierre de Cluny, a eu lieu dans un village appelé Ferrières, du diocèse de Grenoble. Et pareillement saint Grégoire raconte l'histoire d'un marin qui allait périr en mer lorsqu'une messe, dite pour lui par un prêtre, lui permit de sortir des flots. Et comme on lui demandait de quoi il avait pu vivre, sur son épave, il dit qu'un inconnu lui avait apporté un pain : or, c'était à l'heure même où le prêtre immolait l'hostie pour lui.

Les jeûnes et autres pénitences, de la part des parents et amis des morts, peuvent également être d'un grand prix pour abréger aux âmes la durée de leur peine. Une veuve se désespérait de sa pauvreté, lorsque le diable lui apparut et lui promit de la rendre riche, si elle consentait à faire ce qu'il voudrait. La femme y consentit ; et le diable lui ordonna quatre choses : 1° de contraindre à la fornication des hommes d'église qui demeuraient chez elle ; 2° d'accueillir chez soi des pauvres, mais pour les renvoyer ensuite nus, au milieu de la nuit ; 3° d'empêcher les prières à l'église, en parlant très haut ; et 4° de ne souffler mot de tout cela à âme qui vive. Or, comme cette, femme allait mourir, et que son fils l'engageait à se confesser, elle lui avoua ce qu'elle avait fait, et lui dit que, tel étant son cas, aucune confession ne pourrait la sauver. Mais comme le fils insistait en pleurant, et promettait de faire pour elle autant de pénitence qu'il faudrait, elle finit par consentir à ce qu'il allât chercher un prêtre. Mais, avant que le prêtre ne fût arrivé, les démons se jetèrent sur elle, lui causant une frayeur si forte, qu'elle en mourut. Son fils n'en confessa pas moins au prêtre le péché de sa mère ; et celle-ci, après qu'il eût fait pénitence pendant sept ans, lui apparut, pour le remercier de l'avoir délivrée.

Mais nous devons ajouter que ces suffrages, pour avoir de la valeur, doivent provenir de personnes étant elles-mêmes vertueuses : car les suffrages des méchants ne servent de rien aux âmes des défunts. Un soldat était couché avec sa femme dans son lit ; et, comme la lune envoyait ses rayons dans la chambre, le soldat s'étonnait de ce que les créatures raisonnables refusassent d'obéir à la loi divine, tandis que les êtres sans raison y obéissaient : après quoi il se mit à parler des péchés d'un de ses camarades, qui était mort. Mais au même instant le mort entra dans la chambre et lui dit : « Mon ami, ne pense mal de personne ; et, si j'ai péché envers toi, pardonne-le-moi ! » Le soldat lui ayant demandé en quel état il se trouvait, il répondit : « Je suis torturé de mille façons, en punition surtout d'avoir violé un cimetière et d'y avoir blessé quelqu'un pour lui dérober sa cape. C'est cette cape que je suis condamné à porter sur mon dos ; et une montagne n'y pèserait pas davantage ! » Il demanda à son camarade de faire dire des prières pour lui. Mais comme son camarade lui proposait de les faire dire par tel et tel prêtre, le mort, sans rien répondre, secouait la tête en signe de refus. Enfin le vivant lui demanda s'il voulait qu'un certain ermite priât pour lui. Et le mort : « Oh ! plût à Dieu que celui-là consentît à prier pour moi ! » Et il dit encore à son compagnon, avant de disparaître : « Je te préviens que, dans deux ans d'aujourd'hui, tu mourras à ton tour ! » De telle sorte que le soldat put changer de vie, et s'endormir dans le Seigneur.

Quand nous disons que les suffrages offerts par les méchants ne peuvent servir aux morts, on entend bien que nous voulons parler des prières, jeûnes, etc., mais non des sacrements, tels que la célébration de la messe, dont le plus mauvais prêtre ne saurait empêcher le caractère sacré. Et les mourants doivent, à ce propos, se garder de commettre à des méchants le soin de veiller, après leur mort, sur le salut de leurs âmes, afin que ne leur arrive point l'aventure qui arriva à certain soldat partant pour combattre les Maures avec Charlemagne. Ce soldat avait demandé à un de ses parents, au cas où il mourrait, de vendre son cheval et d'en distribuer le prix aux pauvres. Après quoi le soldat mourut : mais son parent, trouvant le cheval à son goût, le garda pour lui. Or, peu de temps après, le mort lui apparut et lui dit : « Infidèle parent, tu m'as fait souffrir pendant huit jours les peines du purgatoire, en ne donnant pas aux pauvres le prix de mon cheval ; mais tu en seras puni, car, aujourd'hui même, les diables vont emporter ton âme en enfer ! » Et, au même instant, on entendit dans l'air une grande clameur, comme des cris de lions, d'ours et de loups ; et l'âme du mauvais parent fut emportée en enfer.

CLXI
LES QUATRE COURONNÉS, MARTYRS
(8 novembre)

Les quatre couronnés s'appelaient Sévère, Sévérien, Carpophore et Victorin. Par l'ordre de Dioclétien, ils furent battus de verges plombées jusqu'à ce que mort s'ensuivît. On fut pendant très longtemps sans trouver les noms de ces quatre martyrs ; et l'Eglise, faute de connaître leurs noms, décida de célébrer leur fête le même jour que celle de cinq autres martyrs, Claude, Castor, Symphorien, Nicostrate et Simplice, qui subirent le martyre deux ans plus tard. Ces cinq martyrs étaient sculpteurs ; et comme ils se refusaient à sculpter une idole pour Dioclétien, ils furent enfermés vivants dans des tonneaux plombés, et précipités dans la mer, en l'an du Seigneur 287. C'est donc le jour de la fête de ces cinq martyrs que le pape Melchiade ordonna que fussent commémorés, sous le nom des Quatre Couronnés, les quatre autres martyrs dont on ignorait les noms. Et bien que, par la suite, une révélation divine eût permis de connaître les noms de ces saints, l'usage se conserva de les désigner sous le nom collectif des Quatre Couronnés.

CLXII
SAINT THÉODORE, MARTYR
(9 novembre)

Théodore souffrit le martyre dans la ville des Marmanites, sous le règne des empereurs Dioclétien et Maximien. Comme le préfet de la ville lui disait que, s'il sacrifiait aux idoles, il serait restitué dans son ancienne dignité militaire, il répondit : « Je sers maintenant dans l'armée de mon Dieu et de son fils, Jésus-Christ ! » Et le préfet : « Ainsi ton Dieu a un fils ? » Et Théodore : « Oui. » Et le préfet : « Pouvons-nous le connaître ? » Et Théodore : « Plût au ciel que vous le connussiez et vinssiez à lui ! » Ayant reçu l'ordre de sacrifier aux idoles, Théodore entra, de nuit, dans le temple de Mars, et y mit le feu. Dénoncé par quelqu'un qui l'avait vu faire, il fut jeté en prison pour y mourir de faim. Mais le Seigneur lui apparut et lui dit : « Aie confiance, mon serviteur Théodore, car je suis avec toi ! » Puis une troupe d'anges, vêtus de blanc, entra dans la cellule et se mit à chanter des psaumes avec le prisonnier. Ce que voyant, les gardiens s'enfuirent, épouvantés.

Le lendemain Théodore fut de nouveau invité à sacrifier aux idoles. Et il dit : « Vous pouvez brûler mes chairs et me prodiguer tous les supplices ; tant que respireront mes narines je ne renierai point mon Dieu ! » Il fut alors pendu à un poteau, et on lui déchira les chairs si cruellement que ses côtes furent mises à nu. Alors le préfet : « Théodore, veux-tu être avec nous ou avec ton Christ ? » Et lui : « C'est avec mon Christ que j'ai été, et suis, et serai ! » Le préfet le fit brûler sur un bûcher, où il rendit l'âme ; mais son corps resta intact, et une odeur délicieuse s'en exhalait, et l'on entendit une voix qui disait : « Viens, mon aimé, entre dans la joie de ton Seigneur ! » Et bon nombre d'assistants virent le ciel s'ouvrir. Ce martyre eut lieu en l'an du Seigneur 287.

CLXIII
SAINT MARTIN, ÉVÊQUE ET CONFESSEUR
(11 novembre)

I. Martin était originaire de la Pannonie ; mais il fut élevé à Pavie, en Italie, et servit ensuite les empereurs Constantin et Julien, avec son père, qui était tribun des soldats. Cependant, ce n'est pas de son plein gré qu'il entra dans l'armée : car, inspiré d'en haut dès son enfance, à l'âge de douze ans il s'était enfui dans une église, pour demander à devenir catéchumène ; et il se serait fait ermite, si la faiblesse de sa santé ne l'en eût empêché. Mais lorsque les empereurs résolurent que les fils des vétérans eussent à servir avec leurs pères, force fut au jeune Martin de s'enrôler. Il avait alors quinze ans. Et, du moins, ne voulut-il avoir qu'un seul serviteur, que d'ailleurs lui-même se plaisait à servir, lui brossant ses vêtements et lui ôtant sa chaussure. Un jour d'hiver, comme il passait sous une des portes d'Amiens, il rencontra un pauvre qui était tout nu. Aussitôt, coupant en deux, avec son épée, le manteau dont il était recouvert, il en donna à ce pauvre une des deux moitiés. Et, la nuit suivante, il vit le Christ lui-même vêtu de cette moitié de manteau ; et il entendit que Notre-Seigneur disait aux anges qui l'entouraient : « Ce manteau, Martin me l'a donné quand il n'était encore que catéchumène ! » Le saint jeune homme, au reste, ne tira de cette vision aucune vanité, mais y vit seulement une nouvelle preuve de la bonté de Dieu. A dix-huit ans, il se fit baptiser. Il aurait voulu se consacrer tout entier au Seigneur ; mais son tribun lui demanda de servir deux années encore, lui promettant de le laisser, ensuite, libre de se retirer. Or, au bout de ces deux ans, et comme les barbares envahissaient la Gaule, l'empereur Julien distribua de l'argent entre les soldats chargés de les repousser. Mais Martin refusa d'en prendre sa part, disant : « Je suis soldat du Christ et n'ai pas le droit de combattre ! » Julien, indigné, lui dit que ce n'était pas par piété, mais par peur qu'il renonçait au service, devant la guerre imminente. Et l'intrépide jeune homme lui répondit : « Puisque tu mets ma conduite sur le compte de la lâcheté, je me présenterai demain sans armes en face de l'ennemi, et je braverai ses coups avec le signe de la croix en guise de casque et de bouclier. » Julien donna l'ordre qu'on le mît en demeure de faire comme il avait dit. Mais le lendemain, dès le matin, l'ennemi annonça qu'il se rendait avec tous ses biens : et ainsi la victoire fut obtenue sans perte de sang, par le seul mérite du saint.

Au sortir de l'armée, Martin se rendit auprès de saint Hilaire, évêque de Poitiers, qui l'ordonna son coadjuteur. Mais une nuit, en rêve, le Seigneur l'avertit d'avoir à aller visiter ses parents, qui étaient restés païens. Il se mit en route, prévoyant avec raison qu'il aurait à traverser toutes sortes d'épreuves. Au passage des Alpes, il fut attaqué par des voleurs, qui, après lui avoir lié les mains derrière le dos, le laissèrent à la garde de l'un d'eux. Et comme, avant de le laisser, ils lui demandaient s'il avait peur, il répondit que jamais au contraire il n'avait été plus rassuré, car il savait que la miséricorde divine se faisait voir le plus volontiers dans les tentations. Resté seul avec le voleur, il lui prêcha l'évangile, et le convertit : de telle sorte que cet homme, après l'avoir reconduit sur la grand'route, mena depuis lors une vie honorable. A Milan, ensuite, c'est le diable lui-même qui, prenant forme humaine, aborda Martin et lui demanda où il allait. Et Martin : « Je vais où mon maître m'appelle ! » Et le diable : « Où que tu ailles, tu trouveras le diable contre toi ! » Mais Martin lui répondit : « Avec l'aide du Créateur je ne crains rien de la créature ! » Enfin, arrivé à Pavie, Martin convertit sa mère : son père, au contraire, persévéra dans l'idolâtrie.

Peu de temps après, l'hérésie arienne s'étant répandue à Pavie, et Martin se trouvant à peu près seul à y résister, on le chassa de la ville, non sans l'avoir battu. Il revint à Milan et y fonda un monastère ; mais, de là encore, les ariens le bannirent. En compagnie d'un seul prêtre, il se réfugia dans l'île Gallinaria. Pendant qu'il y était, il absorba un jour, par erreur, de la graine d'ellébore ; et déjà le poison allait le faire mourir, lorsque, par la force de sa prière, il vainquit à la fois le danger et la douleur. Enfin, ayant appris que saint Hilaire était revenu d'exil, il alla le rejoindre, et fonda un monastère près de Poitiers[16]. Là, un jour, il apprit qu'un catéchumène venait de mourir sans avoir reçu le baptême. Il se rendit dans la cellule du défunt, pria sur son corps et le rappela à la vie. Et ce catéchumène rapporta que, au moment où on l'entraînait déjà en enfer, deux anges avaient murmuré à l'oreille de son juge que c'était là le pécheur pour qui priait saint Martin. Et le saint rendit également la vie à un homme qui s'était pendu, ce qui permit à cet homme de faire pénitence.

[16] A Ligugé.

L'évêque de Tours étant mort, la ville désigna Martin pour lui succéder. En vain quelques évêques s'opposèrent à cette élection, sous prétexte que Martin était négligé dans ses vêtements et d'humble figure. Il n'en fut pas moins promu à l'évêché, malgré ses ennemis, et aussi malgré lui. Et comme il ne pouvait supporter le tumulte de la ville, il fonda, à deux milles de Tours, un monastère[17], où il vécut dans l'abstinence, en compagnie de quatre-vingts disciples. Aucun d'eux ne buvait de vin, sauf en cas de maladie ; et le bien-être même, dans ce monastère, était tenu pour un péché.

[17] Marmoutier (ou le Monastère de Martin).

Voyant qu'on invoquait comme un martyr un homme dont il ne pouvait découvrir ni la vie ni les mérites, Martin se mit un jour en prière sur la tombe du soi-disant martyr, et demanda à Dieu de vouloir bien lui faire savoir ce qui en était. Alors, se retournant, il vit une ombre noire qui, interrogée par lui, répondit que, loin d'être l'ombre d'un saint, elle était celle d'un voleur, et frappée en châtiment de ses crimes. Sur quoi Martin fit détruire l'autel consacré à ce prétendu saint.

Sévère et Gallus, disciples de saint Martin, racontent que ce saint aborda un jour l'empereur Valentinien avec une requête, et que l'empereur fit fermer devant lui les portes de son palais, sachant que celui-ci venait demander des choses qu'on ne pouvait lui accorder. Mais Martin, ayant été ainsi repoussé trois fois de suite, se vêtit d'un cilice, se couvrit de cendres, et pendant une semaine s'abstint de manger et de boire. Puis, averti par un ange, il se rendit au palais, et pénétra librement jusqu'à l'empereur. Celui-ci, furieux de voir qu'il avait pu entrer, refusa de se lever pour l'accueillir ; mais le feu prit à son trône, et si rapidement qu'il en eut la partie postérieure du corps brûlée : de telle sorte que force lui fut bien de se lever. Alors, reconnaissant la puissance divine, il se jeta dans les bras du saint et lui accorda d'avance tout ce qu'il venait demander.

Les mêmes auteurs nous racontent comment le saint ressuscita un mort. Une mère l'ayant prié de ressusciter son jeune fils, qui venait de mourir, le saint s'agenouilla, en présence d'une foule innombrable de païens, et aussitôt l'enfant revint à la vie : sur quoi tous les païens reçurent la foi.

Telle était la sainteté de Martin que tout lui obéissait, même les éléments, les arbres, et les bêtes. Un jour qu'il avait mis le feu à un temple païen, et que le vent avait porté la flamme sur une maison voisine, il monta sur le toit de cette maison, se plaça au milieu de la flamme ; et l'on vit celle-ci se retourner contre le vent pour épargner la maison. Une autre fois, dans un naufrage, un marchand non encore converti s'écria : « Dieu de Martin, sauve-nous ! » et aussitôt le calme succéda à la tempête. Une autre fois, comme Martin voulait abattre un pin consacré au diable, en présence d'une foule de paysans, un de ceux-ci lui dit : « Si tu as vraiment confiance en ton Dieu, laisse-nous abattre cet arbre et le faire tomber sur toi ! » Et au moment où l'arbre était sur le point de tomber, Martin fit le signe de la croix, et l'arbre, retombant de l'autre côté, faillit écraser les paysans qui se trouvaient là, et qui, devant ce miracle, se convertirent à la foi. Un autre jour, voyant des chiens qui poursuivaient un lièvre, il leur ordonna de renoncer à leur poursuite : aussitôt les chiens s'arrêtèrent, et vinrent se ranger près du saint, comme s'ils étaient tenus à la laisse. Un autre jour, sur son ordre, un serpent qui traversait un fleuve rebroussa chemin et retourna d'où il était venu. Et saint Martin, gémissant, s'écria : « Les serpents m'écoutent, et les hommes ne veulent pas m'écouter ! »

Parmi les vertus du saint, on doit citer, d'abord, l'humilité. Etant à Paris, il alla au-devant d'un lépreux qui faisait horreur à tous, l'embrassa, le bénit et lui rendit la santé. Jamais il ne voulut s'asseoir dans sa cathèdre : il s'asseyait sur un petit siège rustique du genre des trépieds. En second lieu, il brilla par sa dignité : car il fut égal aux apôtres par les grâces qu'il reçut du Saint-Esprit. Un jour, comme il était seul dans sa cellule, et que ses disciples, Sévère et Gallus, l'attendaient devant la porte, ceux-ci entendirent soudain plusieurs voix féminines qui s'entretenaient avec lui. Ils lui demandèrent ensuite ce qui en était. Et lui : « Je veux bien vous le dire, mais à la condition que vous ne le répétiez à personne. Sachez donc que les saintes Agnès, Thècle, et Marie ont daigné me faire visite ! » Et il avoua que souvent il recevait la visite de ces saintes, ainsi que celle des apôtres Pierre et Paul. En troisième lieu, il brilla par sa justice. Ayant été un jour invité à dîner par l'empereur Maxime, et ayant tenu, le premier, la coupe en main, il ne passa pas ensuite celle-ci à l'empereur, comme on s'y attendait, mais à un de ses prêtres, qu'il estimait le plus digne de cet honneur. En quatrième lieu, il brillait par la patience. Durant son épiscopat, il se laissait impunément injurier par ses clercs, et sans cesser, pour cela, de leur témoigner sa faveur. Jamais personne ne le vit se fâcher, ni s'affliger, ni railler. Un jour, comme il s'avançait sur son âne, vêtu d'un manteau noir, et que, à sa vue, les chevaux d'une compagnie de soldats s'étaient effrayés, les soldats se jetèrent sur lui et le battirent cruellement. Mais plus ils le frappaient, moins il paraissait se soucier de leurs coups. Puis, quand ils voulurent remonter sur leurs chevaux, ces bêtes refusèrent de bouger, malgré tous les coups de fouet : si bien que les soldats, revenant vers Martin, lui demandèrent pardon de leurs péchés ; et, sur l'ordre du saint, les chevaux consentirent à se remettre en route. Martin brillait aussi par l'assiduité dans la prière. Même quand il lisait ou travaillait, il ne cessait point de prier. Et il brillait aussi par l'austérité. Son disciple Sévère raconte, dans sa lettre à Eusèbe, que Martin, étant un jour venu dans une ville de son diocèse, y trouva, préparé à son intention, un lit moelleux ; et lui, ayant horreur de ce luxe, se coucha sur le sol, sans autre vêtement qu'un cilice, ainsi qu'il faisait tous les jours. Or, vers minuit, la paille qu'il avait rejetée prit feu ; et Martin, s'éveillant, se trouva entouré par les flammes. Il fit alors le signe de la croix ; et quand les moines, effrayés, accoururent s'attendant à le trouver brûlé, ils virent avec surprise que l'incendie ne lui avait fait aucun mal. Le saint brillait aussi par sa compassion à l'égard des pécheurs : il excusait les pires crimes dès qu'il voyait qu'on s'en repentait. Et comme le diable le lui reprochait, il répondit : « Si toi-même, malheureux, tu renonçais à tourmenter les hommes, j'aurais encore assez de confiance en ton repentir pour te promettre la miséricorde de Notre-Seigneur ! » Il brillait aussi par sa bonté pour les pauvres. Un jour qu'il se rendait à son église pour y célébrer une fête, un pauvre le suivit, qui était tout nu. Martin recommanda à son archidiacre de lui donner des vêtements ; et, comme l'archidiacre ne se pressait point de le faire, Martin, entré dans sa sacristie, donna au pauvre sa propre tunique, en lui recommandant de s'éloigner au plus vite. Puis, lorsque l'archidiacre vint l'avertir qu'il eût à célébrer sa messe, il répondit qu'il ne pouvait la célébrer, aussi longtemps que le pauvre n'aurait pas eu un vêtement. Alors l'archidiacre se rendit au marché, et y acheta, pour quelque sous, une méchante tunique, qu'il vint jeter au pieds de saint Martin : car il ignorait que celui-ci avait besoin d'un vêtement pour lui-même, ayant donné le sien au pauvre. Et le saint revêtit cette misérable tunique, qui lui descendait à peine jusqu'aux genoux, et dont les manches lui venaient aux coudes ; et c'est dans ce costume qu'il célébra sa messe. Et, pendant qu'il la célébrait, les assistants virent qu'un globe de feu apparaissait au-dessus de sa tête. Une autre fois, rencontrant une femme qui s'était coupé les cheveux, il dit en plaisantant à ses disciples : « Voilà une personne qui a suivi le précepte de l'évangile ! Elle avait deux tuniques, et elle s'est séparée de l'une d'elles. Imitez son exemple ! » Il brillait aussi par sa puissance à chasser les démons. Voyant un jour une vache qui était possédée, et qui causait de grands dommages, il la força de s'arrêter, en levant le doigt. Puis, lorsqu'il aperçut le démon assis sur son dos, il lui cria : « Eloigne-toi de là, et cesse de tourmenter cette bête innocente ! » Aussitôt le démon s'enfuit et la vache, après s'être agenouillée devant le saint, rejoignit son troupeau. Il brillait aussi par son habileté à reconnaître les démons. Il les découvrait sous tous leurs déguisements, qu'ils prissent la forme de Jupiter, ou celle de Mercure, ou celle de Vénus ou de Minerve. Un jour le diable lui apparut sous la forme d'un roi, vêtu de pourpre, le diadème au front, et tout couvert d'or et de pierreries, avec un visage tranquille et souriant. Et il lui dit, après un long silence : « Martin, reconnais celui que tu adores ! Je suis le Christ ! Et, étant descendu sur la terre, c'est à toi, le premier, que j'ai voulu apparaître ! » Et comme Martin ne répondait toujours pas : « Martin, pourquoi hésites-tu à croire, puisque tu me vois ? Je suis le Christ ! » Alors le grand saint répondit : « Mon Seigneur Jésus, pour revenir sur la terre, ne se vêtirait point de pourpre, et ne mettrait pas un diadème sur son front ! » Sur quoi le démon disparut, remplissant de puanteur la cellule du saint.

Saint Martin connut et révéla longtemps d'avance le moment de sa mort. Un jour qu'il s'était rendu dans le diocèse de Candes, pour y apaiser une discorde, il sentit que les forces de son corps l'abandonnaient, et annonça à ses disciples que son heure approchait. Alors, les disciples, tout en larmes : « Père, pourquoi nous abandonnes-tu dans la désolation ? Car voici que les loups ravisseurs envahissent ton troupeau ! » Alors, touché de leurs larmes et de leurs prières, il pria ainsi : « Seigneur, si je suis encore nécessaire à ton peuple, je ne refuse point de poursuivre ma tâche ; que ta volonté soit faite ! » Mais il était fort en peine de savoir ce qu'il préférait, ne pouvant se résigner, ni à abandonner son troupeau, ni à retarder le moment de sa comparution devant le Christ. Et comme il souffrait de la fièvre, et que ses disciples le priaient de laisser mettre un peu de paille sur sa couche, il répondit : « Non, mes enfants, un chrétien ne doit mourir que sur des cendres ! » Il se tenait étendu sur le dos, les yeux et les bras levés vers le ciel ; et comme ses prêtres l'engageaient à alléger la fatigue de son corps en se couchant sur le côté : « Mes frères, laissez-moi regarder plutôt le ciel que la terre ! » Puis, voyant que le diable le regardait : « Que fais-tu là, méchante bête ? tu ne peux plus rien contre moi, car je vois déjà Abraham qui m'ouvre les bras ! » Et, ce disant, il rendit l'âme ; et son visage resplendit comme s'il était déjà revêtu de la gloire suprême ; et les assistants entendirent le chœur des anges l'accompagnant au ciel. Il mourut à l'âge de quatre-vingt-un ans, vers l'an du Seigneur 395, sous le règne des empereurs Honorius et Arcade.

A ses obsèques se réunirent les habitants du Poitou et ceux de la Touraine ; et une grande altercation s'éleva entre eux. Les Poitevins disaient : « Il est moine de chez nous, c'est à nous que revient son corps ! » Et les Tourangeaux : « Dieu vous l'a enlevé pour nous le donner ! » La nuit, pendant que les Poitevins dorment, les Tourangeaux s'emparent du corps, le jettent, par la fenêtre, dans un bateau, et l'emportent, le long de la Loire, jusqu'à la ville de Tours.

II. Le matin de la mort du saint, saint Séverin, évêque de Cologne, visitant son église à son ordinaire, entendit chanter les anges dans le ciel. Il appela son archidiacre et lui demanda s'il n'entendait rien. Le diacre eut beau tendre le col, dresser les oreilles, et se hausser sur le bout des pieds en s'appuyant sur un bâton : il dut avouer qu'il n'entendait rien. Cependant, l'évêque ayant prié pour lui, il commença à entendre des voix dans le ciel. Et saint Séverin lui dit : « C'est mon maître Martin qui vient de quitter le monde, et que les anges emportent au ciel ! » Et, en effet, l'archidiacre, quelques jours après, apprit qu'à cette même heure saint Martin était mort. Et, quelques jours plus tard, à Milan, saint Ambroise s'endormit au milieu de sa messe, entre la prophétie et l'épître. Personne n'osant l'éveiller, deux ou trois heures se passèrent ainsi. Enfin ses diacres se décidèrent à le tirer de son sommeil, en lui disant que le peuple s'impatientait. Et lui : « Mon frère Martin vient de mourir, et j'ai assisté à ses obsèques ; mais, en m'éveillant comme vous l'avez fait, vous m'avez empêché d'être présent aux dernières réponses ! »

III. Maître Jean Beleth affirme que les rois de France ont coutume, dans les batailles, de porter la chape de saint Martin.

IV. Soixante-quatre ans après la mort du saint, saint Perpet, ayant bâti en son honneur une grande église, voulut y transporter son corps. Mais en vain son clergé et lui veillèrent et jeûnèrent pendant trois jours : le cercueil ne se laissait point soulever. Et comme déjà ils allaient renoncer, un beau vieillard leur apparut, qui leur dit : « Qu'attendez-vous ? Ne voyez-vous pas que Martin lui-même est prêt à vous aider ? » Puis il leur prêta un coup de main, et le cercueil fut soulevé sans aucune difficulté. Cette translation eut lieu au mois de juillet.

V. Il y avait alors, à Tours, deux compagnons, dont l'un était aveugle et l'autre paralytique. L'aveugle portait le paralytique, et le paralytique guidait l'aveugle ; et, vivant ainsi, ils tiraient un gros profit de la mendicité. Quand ils apprirent qu'on portait le corps de saint Martin en procession à l'église nouvelle pour l'y déposer, ils craignirent que la procession ne passât dans la rue où ils se tenaient, et que saint Martin ne s'avisât de les guérir : car ils se disaient que, guéris, ils perdraient leur gagne-pain. Ils imaginèrent donc de s'enfuir de chez eux, et se réfugièrent dans une rue où, certainement, la procession ne devait point passer. Et, pendant qu'ils fuyaient, ils rencontrèrent le corps de saint Martin, qui les guérit tous les deux. Tant il est vrai que Dieu accorde ses bienfaits à ceux-là même qui ne les demandent pas !

CLXIV
SAINT BRICE, ÉVÊQUE ET CONFESSEUR
(13 novembre)

Brice était diacre de saint Martin, et, suivant l'exemple de maints autres, il ne se faisait pas faute de railler son vénérable évêque. Un pauvre lui ayant un jour demandé où était Martin, Brice lui répondit : « Si c'est ce fou que tu cherches, regarde, car le voici qui, comme un insensé, considère le ciel ! » Le pauvre alla donc trouver Martin, et obtint de lui ce qu'il demandait. Après quoi le saint, appelant Brice, lui dit : « Ainsi, Brice, je te fais l'effet d'être un fou ? » Et comme le diacre, honteux, voulait nier, Martin lui dit : « Ne voyais-tu pas que mon oreille était tout près de ta bouche, tout à l'heure, quand tu parlais de moi ? Eh bien, écoute ce que je vais te dire ! J'ai obtenu du Seigneur de t'avoir pour successeur dans l'épiscopat ; mais je dois t'avertir que tu auras à traverser bien des épreuves ! » Et Brice continuait de railler, disant : « Me trompais-je en affirmant que ce vieillard était fou ? »

Or, à la mort de saint Martin, Brice fut élu évêque de Tours. Et, dès ce moment, bien qu'il gardât encore son ancien orgueil, il s'adonna tout entier à la prière. Quant à sa chasteté, jamais il ne l'avait entamée, ni ne devait l'entamer. Cependant, la trentième année de son épiscopat, une religieuse qui lui lavait ses vêtements, fut séduite et enfanta un fils. Sur quoi le peuple s'amassa avec des pierres devant la porte de l'évêque, disant : « Trop longtemps, par piété pour saint Martin, nous avons fermé les yeux sur ta luxure ; mais dorénavant nous renonçons à baiser tes mains, souillées de vices ! » Alors l'évêque, indigné : « Qu'on m'amène ici l'enfant de cette femme ! » Ainsi fut fait ; et à cet enfant, qui était âgé de trente jours, Brice dit : « Au nom du Fils de Dieu, je te somme de dire si c'est moi qui t'ai engendré ! » Et l'enfant : « Non, ce n'est pas toi ! » Mais le peuple ne voulut voir dans tout cela qu'un artifice magique. Alors Brice, au vu de tous, prit dans son manteau des charbons ardents, et les porta jusqu'au tombeau de saint Martin ; puis il rouvrit son manteau, et l'on vit que les charbons l'avaient laissé intact. Et Brice dit : « De même que mon manteau est resté intact sous les charbons ardents, de même mon corps est pur du commerce de la femme ! »

Mais le peuple continuait à ne pas le croire. Accablé d'outrages et d'injures, chassé de son siège épiscopal, Brice se rendit auprès du pape et y resta sept ans, faisant pénitence de ses péchés à l'égard de saint Martin. Le peuple de Tours envoya à Rome Justinien, afin qu'il se défendît, en présence de Brice, d'avoir accepté de se substituer à lui dans l'épiscopat. Mais ce Justinien mourut en arrivant à Verceil ; et le peuple de Tours élut à sa place un certain

Germain. Cependant Brice, après sept années d'exil, reprit le chemin de Tours, avec l'autorisation du pape ; et comme il était arrivé déjà à un mille de Tours, il apprit d'en haut que Germain venait de mourir. Ce qu'apprenant, Brice dit à ses compagnons : « Levez-vous, car nous avons à ensevelir l'évêque de Tours ! » Et, en effet, pendant que Brice entrait par l'une des portes de la ville, d'une autre porte sortaient les restes mortels de Germain. Et saint Brice, après l'avoir enseveli, reprit possession de son siège, où, pendant sept années encore, il donna l'exemple de toutes les vertus. Il mourut en paix dans la quarante-huitième année de son épiscopat.

CLXV
SAINTE ELISABETH, VEUVE[18]
(20 novembre)

[18] Ce chapitre, qui manque dans la plupart des manuscrits anciens, n'est certainement pas de Jacques de Voragine.

1º Elisabeth, fille d'un illustre roi de Hongrie, anoblit encore par sa foi et ses vertus la race très noble dont elle était sortie. Elevée, pour ainsi dire, au-dessus de la nature humaine, toute petite encore elle dédaignait les jeux enfantins, ne s'occupant qu'à avancer toujours dans la vénération de Dieu. A cinq ans, elle avait tant de plaisir à prier dans l'église que ses compagnes ou ses servantes ne parvenaient pas à l'en faire sortir. Même en jouant, on la voyait toujours courir du côté d'une chapelle, afin de pouvoir plus facilement y entrer. Et quand elle y était entrée, elle fléchissait les genoux, ou s'étendait à plat sur les dalles, ou, sans savoir lire, prenait en main un psautier, de peur que quelqu'un ne vînt la déranger. Et dans ses jeux d'enfants, c'était en Dieu qu'elle mettait toutes ses espérances. De tout ce qu'elle gagnait ou qu'on lui donnait, elle réservait la dixième partie pour des petites filles pauvres, à qui elle recommandait, en même temps, de saluer souvent d'une prière la Vierge Marie.

A mesure qu'elle grandissait en âge, elle grandissait plus encore en dévotion. Elle s'était choisi pour patronne la sainte Vierge, et avait prié saint Jean l'Evangéliste de se constituer le gardien de sa chasteté. Pour saint Pierre, aussi, elle avait une telle dévotion qu'elle ne refusait rien de ce qu'on lui demandait au nom de ce saint.

Craignant que les succès du monde ne lui devinssent trop agréables, elle s'ingéniait à s'en ôter toujours une partie. Quand elle gagnait à quelque jeu, elle s'arrêtait de jouer en se disant : « Je renonce au reste pour l'amour de Dieu ! » Dans les danses, après avoir fait un tour avec ses compagnes, elle leur disait : « Que cet unique tour nous suffise ! Renonçons aux autres pour l'amour de Dieu ! » Le luxe dans les vêtements lui était odieux. Elle s'était interdit, notamment, de mettre des gants, le dimanche, avant l'heure de midi. Elle s'était imposé un nombre déterminé de prières ; et lorsque les servantes la mettaient au lit avant qu'elle eût achevé de les réciter, elle se tenait éveillée pour aller jusqu'au bout. Et toujours elle s'astreignait à tout cela par des vœux solennels, de façon que personne, par persuasion, ne pût ensuite l'en détourner. Quant aux offices religieux, elle les suivait avec tant de révérence que, pendant la lecture de l'évangile et la consécration de l'hostie, elle ôtait ses manchettes et se dépouillait de tous ses ornements.

Ainsi elle vécut, sagement et innocemment, toute sa vie de jeune fille, jusqu'au jour où, sur l'ordre de son père, elle fut forcée d'entrer dans la vie de mariage. Elle se soumit, bien contre son gré, à l'union conjugale, non point pour y trouver du plaisir, mais pour ne point paraître dédaigner les ordres de son père, comme aussi pour procréer des fils au service de Dieu. Fidèle à la couche nuptiale, toujours elle resta chaste d'intention. Et elle fit vœu devant maître Conrad, que, si elle survivait à son mari, elle observerait une continence perpétuelle. Elle épousa le landgrave de Thuringe ; mais, tout en changeant de condition de vie, elle ne changea point de disposition intérieure. Jamais elle ne cessa de montrer sa dévotion et son humilité devant Dieu ; son austérité et son abstinence à l'égard de soi-même ; sa largesse et sa compassion envers les pauvres. Sa ferveur pour la prière était si grande qu'elle devançait à l'église ses servantes même, comme si elle eût voulu, par des prières secrètes, obtenir de Dieu quelque grâce spéciale. La nuit, souvent elle se relevait pour prier, malgré la défense que, par sollicitude pour sa santé, lui en faisait son mari. Elle s'était entendue avec une de ses servantes pour que celle-ci, les nuits où elle tarderait à se réveiller, la tirât de son sommeil en lui donnant un coup sur les pieds. Et une nuit, la servante, au lieu de frapper sur les pieds de sa maîtresse, frappa sur ceux du mari, qui, soudain réveillé, comprit toute la chose, mais, sagement, feignit de ne s'être aperçu de rien. Toujours aussi Elisabeth pleurait en priant ; mais ces douces larmes n'altéraient son visage que pour lui donner une expression d'une joie céleste.

Modèle d'humilité, elle s'attachait à ne pas dédaigner même les choses les plus viles et les plus repoussantes. Ayant rencontré un mendiant dont tout le visage n'était qu'une plaie ignoble et infecte, elle le recueillit sur son sein, lui coupa les cheveux et lui lava la tête, en présence de ses servantes qui se moquaient du pauvre homme. Aux Rogations, elle suivait la procession pieds nus, en robe de laine ; et, à chaque station, on la voyait prendre place parmi les mendiantes. Lorsqu'elle se rendait à l'église pour ses relevailles, jamais elle ne s'ornait comme les autres femmes ; mais, à l'exemple de la Vierge immaculée, elle se rendait à l'autel en portant elle-même le nouveau-né dans ses langes ; et humblement elle offrait un agneau et un cierge. Après quoi, rentrée au palais, elle donnait à une pauvre femme la robe qui lui avait servi pour la cérémonie. C'est également par humilité que, avec le consentement de son mari, et réserve faite des droits conjugaux, elle prêta vœu d'obéissance à maître Conrad, le tenant pour son supérieur en science et en religion. Et un jour, comme Conrad l'appelait à une prédication, une visite survint qui l'empêcha d'obéir : ce dont le savant homme fut si irrité qu'il refusa de lui pardonner sa désobéissance jusqu'au moment où, l'ayant fait mettre en chemise, il l'eût vu battre de verges en compagnie de celles de ses servantes qui l'avaient encouragée à désobéir.

Elle s'imposait une abstinence si rigoureuse qu'elle macérait son corps par les veilles, les jeûnes et les disciplines. Dès que son mari était absent, elle passait les nuits en prière. Et telle était sa tempérance dans le boire et le manger que, souvent, à la table somptueuse de son mari, elle se contentait de pain sec. Elle finit même par s'abstenir tout à fait, sur l'ordre de maître Conrad, de toucher à aucun des mets que mangeait son mari. Ce qui ne l'empêchait point de s'asseoir à table, de servir les convives et de les égayer par son urbanité, tout en cachant avec soin sa propre abstinence. Et son mari supportait tout cela avec patience, affirmant qu'il suivrait lui-même volontiers l'exemple de sa femme s'il ne craignait de mettre en émoi toute sa famille.

Mais autant elle aimait les privations pour soi, autant elle était généreuse pour les pauvres. Elle subvenait à leurs besoins avec tant de largesse que tous l'appelaient la mère des pauvres. Elle habillait de ses propres mains ceux qui étaient nus, elle ensevelissait les mendiants et les pèlerins, elle présentait les enfants aux fonts baptismaux, après leur avoir elle-même cousu leurs langes. Un jour, elle donna à une mendiante une robe si belle que la pauvre femme, dans l'excès de sa joie, s'évanouit et tomba inanimée. Ce que voyant, Elisabeth se repentit amèrement ; mais elle pria pour la morte, et aussitôt celle-ci se releva guérie. Souvent aussi elle filait la laine avec ses servantes, et, de la laine filée par elle, faisait faire des vêtements. Elle nourrissait les affamés. Pendant que le landgrave son mari s'était rendu à la cour de l'empereur Frédéric, qui était alors à Crémone, elle fit recueillir tout le grain des granges royales et l'employa à nourrir, tous les jours, les pauvres qu'elle convoqua de toutes parts. Quand l'argent lui manquait, elle vendait ses ornements, ou ceux de ses servantes, pour en offrir le produit aux pauvres. De la même façon, elle désaltérait ceux qui avaient soif. Un jour qu'elle distribuait de la cervoise aux pauvres, on s'aperçut que la liqueur ne diminuait pas dans le vase, malgré la grande quantité qui s'en trouvait versée. Elle-même, encore, recevait les pauvres et les pèlerins. Elle fit construire une grande maison au pied du château, afin d'y recueillir les malades ; et tous les jours, malgré la difficulté des descentes et des montées, elle s'y rendait en personne, prodiguant aux malades les cadeaux, les soins et les saintes paroles. Dans la même maison elle faisait élever et nourrir des enfants pauvres ; et à ces enfants elle se montrait toujours si douce et si humble que tous l'appelaient leur mère, et que, dès qu'elle entrait, ils l'entouraient tous comme leur mère. Un jour qu'elle était allée acheter pour eux de petits vases et de petits anneaux de verre, ainsi qu'une foule d'autres jouets fragiles, elle laissa tomber sur les pierres toutes ses emplettes ; mais pas un seul des objets de verre ne se brisa. En un mot, il n'y a pas une seule des sept œuvres de miséricorde qu'elle ne remplît avec un zèle et une ferveur admirables.

Une part d'éloges revient aussi au mari d'Elisabeth qui, malgré les innombrables affaires temporelles qui l'occupaient, restait fidèle au service de

Dieu, et, faute de pouvoir se livrer lui-même aux œuvres de miséricorde, laissait du moins à sa femme toute liberté de s'y livrer. C'est pour répondre au vœu de sa femme qu'il partit pour la croisade, de façon à employer ses armes pour la défense de la foi. Et pendant qu'il était en Terre Sainte, ce pieux et bon prince rendit son âme au Seigneur. Aussitôt Elisabeth embrassa avec ardeur l'état de veuve, renouvelant le vœu de chasteté qu'elle avait fait jadis en prévision d'un veuvage possible.

Cependant, quand la mort de son mari fut connue en Thuringe, des parents du landgrave la chassèrent de son château comme dissipatrice et prodigue. Et elle dut se réfugier, à la nuit tombante, dans une étable à porcs, qui dépendait de la maison d'un cabaretier. Et, le lendemain matin, s'étant rendue au couvent des Frères Mineurs, elle pria ceux-ci de chanter le *Te Deum laudamus*, pour remercier Dieu des épreuves qu'Il lui envoyait. On lui enjoignit alors d'aller demeurer avec ses enfants dans la maison d'un de ses ennemis, où on lui avait assigné pour domicile un endroit des plus restreints. Fort mal reçue par l'hôte et l'hôtesse, elle ne tarda point à repartir, après avoir dit adieu aux murs de sa chambre en ajoutant : « J'eusse préféré dire adieu aux hommes à qui appartiennent ces murs, s'ils m'avaient traitée avec plus de bonté ! » Après quoi elle revint à sa première retraite, confiant ses enfants à diverses personnes. Et comme, un jour, marchant dans un sentier d'une boue profonde, elle posait les pieds sur des pierres, une vieille femme qu'elle avait comblée de bienfaits voulut marcher sur les mêmes pierres, et refusa de lui livrer passage : si bien que la sainte tomba. Mais, s'étant relevée, elle fut tout heureuse d'avoir à secouer la boue dont elle était couverte.

Quelque temps après, une abbesse, sa marraine, prenant en pitié son extrême misère, la conduisit auprès de son oncle l'évêque de Bamberg, qui la reçut fort bien, mais la retint chez lui avec l'intention de la marier en secondes noces. Ce qu'apprenant, les servantes qui l'accompagnaient fondirent en larmes ; mais la sainte les réconforta en disant : « J'ai confiance dans le Seigneur, pour l'amour duquel j'ai fait vœu de chasteté. Il saura bien m'encourager dans ma résolution, éloigner de moi toute violence, et dissoudre les mauvais projets des hommes. Ou que si mon oncle, malgré mes refus, s'obstinait à vouloir me remarier, j'aurais toujours la ressource de me couper le nez de mes propres mains, ce qui suffirait bien pour que personne ne s'avisât plus de me prendre pour femme ! » Et, en effet, comme son oncle l'avait fait conduire dans un château d'où il lui défendait de sortir, voici que, sur l'ordre de Dieu, les restes de son mari furent ramenés de Terre Sainte. Et force fut à l'évêque de la laisser partir, pour aller à la rencontre de ces chères reliques.

Alors Elisabeth revêtit l'habit religieux, et, se vouant à la pauvreté, forma le projet d'aller mendier de porte en porte ; mais maître Conrad le lui défendit.

Elle ne porta plus désormais qu'un humble manteau gris ; et comme les manches de sa tunique s'étaient déchirées, elle les rapiéça avec une étoffe d'une autre couleur. Ce qu'apprenant, son père, le roi de Hongrie, lui envoya un de ses officiers, pour qu'il la ramenât dans sa patrie. Et l'officier, la voyant ainsi vêtue et assise à son rouet avec des servantes, fut rempli à la fois de honte et de respect. Et il s'écria que jamais encore fille de roi n'avait porté une robe si grossière. Mais en vain il insista pour la ramener en Hongrie. La sainte préféra rester, pauvre, parmi ses pauvres.

Pour achever de faire disparaître tout obstacle entre Dieu et elle, elle pria Dieu d'arracher même de son cœur la tendresse qu'elle avait pour ses enfants. Et une voix d'en haut lui répondit que sa prière était exaucée. Sur quoi elle dit à ses compagnes : « Le Seigneur a entendu ma voix, car non seulement tous les biens temporels m'apparaissent comme du fumier, mais voici que de mes fils même je ne me soucie plus que dans la mesure où je me soucie du reste des hommes ! » De son côté, maître Conrad, pour l'éprouver et la mortifier, la séparait des personnes qu'elle aimait le mieux. C'est ainsi qu'il lui enjoignit de ne plus voir deux servantes qu'elle connaissait depuis l'enfance, et qu'elle aimait plus que toutes les autres. Et la sainte obéit, après bien des larmes versées de part et d'autre. Elle était prompte à l'obéissance. Un jour qu'elle était entrée dans un couvent de religieuses sans en avoir obtenu l'autorisation de maître Conrad, celui-ci la fit battre si durement, que, trois semaines après, son corps conservait les traces des coups.

Dans son humilité, elle n'admettait point que ses servantes lui donnassent le nom de maîtresse, ni lui parlassent autrement qu'on parle à un inférieur. Elle lavait elle-même tous les ustensiles de cuisine, s'ingéniant à les cacher afin que ses servantes ne pussent les laver pour elle. Et elle leur disait que, si elle avait pu connaître une manière de vivre plus méprisable encore, c'est avec joie qu'elle l'aurait adoptée.

Ces humbles tâches ne l'empêchaient point de se livrer assidûment à la contemplation ; et souvent elle avait des visions célestes. Souvent aussi sa prière était si fervente qu'elle enflammait d'autres personnes. Appelant un jour à elle un jeune homme luxueusement vêtu, elle lui dit : « Tu parais avoir une vie bien dissolue, tandis que tu devrais t'occuper de servir ton créateur. Veux-tu que je prie Dieu pour toi ? » Et lui : « Je le veux, et je t'en supplie vivement ! » Elle se mit donc en prière et le jeune homme pria avec elle. Trois fois le jeune homme lui demanda de cesser de prier, car il se sentait envahi d'une flamme qui le consumait. Mais elle pria jusqu'au bout ; et, quand elle eut fini, le jeune homme, illuminé de la grâce divine, revint à lui, et entra aussitôt dans l'ordre des Frères Mineurs.

Son nouveau genre de vie, au reste, ne la refroidit point dans son zèle pour les œuvres de miséricorde. Ayant reçu en dot une somme de deux mille marcs, elle en distribua une partie aux pauvres, et, avec le reste, fit construire à Marbourg un grand hôpital. Aussi tous l'accusaient-ils de dissipation et de prodigalité. Couramment on la traitait de folle ; et, comme elle recevait avec joie toutes les injures, on lui disait que, pour montrer tant de joie, elle avait bien vite oublié le souvenir de son mari.

Et elle, après avoir construit son hôpital, ne pensa plus qu'à devenir l'humble servante des pauvres. Elle-même les baignait, les couvrait dans leur lit, et disait en souriant à ses compagnes : « Que Dieu est bon de nous permettre ainsi de le baigner et de le couvrir ! » Une nuit, ayant à soigner un enfant borgne et rempli de vermine, elle le porta sept fois de suite aux latrines, et lava ses linges affreusement souillés. Une autre fois, elle lava et mit au lit une femme atteinte d'une lèpre hideuse ; elle essuya et banda ses ulcères, coupa ses ongles et, agenouillée devant elle, la déchaussa pour oindre les plaies de ses pieds. Et lorsque le soin des pauvres lui laissait quelques instants, elle filait de la laine qu'on lui envoyait d'un monastère ; après quoi elle distribuait aux pauvres l'argent ainsi gagné. S'occupant elle-même d'administrer la répartition de ses dons, elle décréta un jour que toute femme qui viendrait la solliciter sans un besoin réel serait punie de la perte de ses cheveux. Or voilà qu'une jeune fille nommée Radegonde, et qui avait une chevelure d'une beauté merveilleuse, vint à l'hôpital de sainte Elisabeth en solliciteuse, non pas en vérité pour recevoir l'aumône, mais pour voir sa sœur qui était malade. Ayant ainsi contrevenu à la loi, elle fut aussitôt condamnée à perdre ses cheveux : ce dont elle ne se fit pas faute de pleurer et de se lamenter. Et comme quelques-uns des assistants affirmaient qu'elle était innocente, Elisabeth dit : « En tout cas, n'ayant plus ses cheveux, elle mettra moins d'ardeur à la danse, et fera voir moins de vanité ! » Interrogeant ensuite la jeune fille, elle apprit que celle-ci serait depuis longtemps déjà entrée dans un couvent si elle n'en avait été empêchée par son amour passionné pour sa chevelure. Sur quoi Elisabeth lui dit : « Je suis plus heureuse de t'avoir fait couper tes cheveux que je ne le serais d'apprendre l'élection de mon fils à l'empire ! » Aussitôt la jeune fille prit l'habit religieux, et vint demeurer à l'hôpital avec sainte Elisabeth.

Une pauvre femme ayant mis au monde une fille, sainte Elisabeth tint l'enfant sur les fonts baptismaux, l'appela de son nom, lui donna les manches de fourrure d'une de ses suivantes, pour lui servir de couverture, et donna à la mère ses propres sandales. Mais, trois semaines après, la femme, abandonnant son enfant, s'enfuit avec son mari. Sainte Elisabeth, dès qu'elle l'apprit, se mit en prière ; et aussitôt la femme et le mari, empêchés d'avancer dans leur fuite, durent revenir sur leurs pas, et se jeter au pieds de sainte Elisabeth. Et celle-ci, après les avoir grondés justement de leur ingratitude, leur rendit l'enfant à nourrir et les pourvut du nécessaire.

Ainsi approcha le temps où le Seigneur s'apprêta à rappeler à lui sa chère servante, pour l'admettre à la contemplation du royaume des anges. Alitée avec la fièvre, et la face tournée contre le mur, les assistantes entendirent une douce mélodie sortir de ses lèvres. Et comme une de ses compagnes l'interrogeait, elle répondit : « Un petit oiseau, s'étant posé entre moi et le mur, chantait, avec tant de douceur, que je n'ai pu m'empêcher de chanter avec lui. » Jusqu'aux plus cruels moments de sa maladie, jamais elle ne perdit sa gaîté, et jamais elle ne se relâcha de prier. La veille de sa mort, elle dit : « Voici qu'approche minuit, l'heure où le Christ a voulu naître et reposer dans une étable ! » Et lorsque déjà l'heure de sa mort fut toute proche, elle dit : « Voici venir l'instant où Dieu a appelé ses amis aux noces célestes ! » Et elle s'endormit dans le Seigneur, en l'an de grâce 1226.

Pendant les quatre jours qui précédèrent son inhumation, aucune mauvaise odeur ne se dégagea de son corps, mais, au contraire, un parfum s'en exhala qui réconfortait tous les cœurs. Et, le jour de ses obsèques, on vit sur l'église une foule d'oiseaux que personne jamais n'avait vus auparavant, et qui paraissaient célébrer les funérailles de la sainte, tant leurs chants étaient doux, mesurés et savants. Et il y eut là une abondante clameur des pauvres, une extrême piété du peuple. Les uns s'arrachaient les cheveux de désespoir, d'autres s'efforçaient de dérober une parcelle du linceul de la sainte, afin de la garder comme la plus belle relique. Et l'on découvrit, peu de temps après, que le monument où l'on avait déposé le corps de sainte Elisabeth s'était miraculeusement rempli d'une huile parfumée.

CLXVI
SAINTE CÉCILE, VIERGE ET MARTYRE
(22 novembre)

Cécile, jeune fille romaine, de race noble, et nourrie dès le berceau dans la foi du Christ, portait toujours un évangile caché dans sa poitrine, priait nuit et jour, et demandait au Seigneur de lui conserver sa virginité. Elle fut cependant fiancée à un jeune homme nommé Valérien. Le jour de ses noces, elle revêtit ses chairs d'un cilice, par-dessous les robes dorées ; et, pendant que les orgues jouaient, elle, s'adressant à Dieu seul, chantait : « Permets, Seigneur, que mon cœur et mon corps restent immaculés ! » Vint enfin la nuit, et Cécile se trouva seule avec son fiancé dans le silence de sa chambre. Et elle lui dit : « Doux jeune homme bien-aimé, j'ai un mystère à te révéler, à la condition seulement que tu me jures de ne point me trahir ! » Puis, Valérien le lui ayant juré, elle lui dit : « Sache donc que j'ai pour amant un ange de Dieu, et que mon amant est jaloux de mon corps. S'il apprenait que, même légèrement, tu m'aies touché d'un amour impur, aussitôt il te frapperait et te ferait perdre la fleur de ta belle jeunesse. Mais si, au contraire, il apprend que tu m'aimes d'un amour pur, il t'aimera autant que moi et te montrera sa gloire ! » Alors Valérien, inspiré de Dieu, dit : « Si tu veux que je te croie, fais-moi voir cet amant ! Et si c'est en vérité un ange, je ferai ce que tu me demandes. Mais si ton amant est un homme, je le tuerai avec toi ! » Et Cécile : « Pour que tu voies mon amant, il faut que tu croies dans le vrai Dieu, et que tu promettes de te faire baptiser. Va à trois milles d'ici, dans la voie Apienne ! Tu y trouveras des pauvres, à qui tu diras que Cécile t'envoie vers eux pour qu'ils te conduisent auprès du saint vieillard Urbain. Et quand tu seras en présence de ce vieillard, répète-lui mes paroles ! Il te purifiera ; et, à ton retour ici, tu verras l'ange ! » Valérien se mit en route, et alla trouver l'évêque saint Urbain, qui se cachait parmi les tombeaux des martyrs. Et quand il lui eut répété les paroles de Cécile, le vieillard, levant les mains au ciel, s'écria : « Seigneur Jésus-Christ, bon pasteur, recueille le fruit de la semence que tu as semée en Cécile ! Car voici que, ayant reçu pour mari un lion farouche, ta servante te l'as envoyé comme un doux agneau ! » Aussitôt apparut un vieillard tout vêtu de blanc, qui tenait un livre écrit en lettres d'or. A sa vue, Valérien, épouvanté, se jeta sur le sol ; mais le vieillard le releva et lut dans son livre : « Un seul Dieu, une seule foi, un seul baptême ! » Puis il dit à Valérien : « Crois-tu à tout cela, ou bien doutes-tu encore ? » Et Valérien de s'écrier : « Il n'y a rien sous le ciel à quoi je croie davantage ! » Aussitôt le vieillard disparut. Valérien reçut le baptême des mains de saint Urbain ; et, quand il revint auprès de Cécile, il la trouva s'entretenant avec un ange, dans sa chambre. Et cet ange tenait en main deux couronnes de roses et de lis, dont il donna l'une à Cécile et l'autre à Valérien, en disant : « Gardez ces couronnes avec un cœur pur et un corps immaculé, car je vous les ai apportées du paradis de Dieu ! Jamais elles ne se faneront ni ne perdront leur parfum ; mais ceux-là seuls pourront les voir qui aimeront la chasteté. Quant à toi, Valérien, puisque tu as suivi le sage conseil de Cécile, demande ce que tu veux, et tu l'obtiendras ! » Et Valérien : « Il n'y a rien dans cette vie qui ne me soit plus précieux que l'affection de mon frère unique. Je désirerais donc, que comme moi, il reconnût la vérité ! » Et l'ange : « Ta demande plaît à Dieu. Sache que tous deux, ton frère et toi, vous irez au Seigneur avec la palme du martyre ! »

Là-dessus entra dans la chambre le frère de Valérien, Tiburce. Et, frappé du parfum des fleurs, il dit : « Je me demande d'où peut venir, en cette saison, ce parfum de roses et de lis. Sans compter que, si même j'avais les mains pleines de ces fleurs, je ne me sentirais pas imprégné de leur parfum aussi profondément ! » Et Valérien : « C'est que nous avons des couronnes faites de ces fleurs, et dont l'éclat n'est pas moins merveilleux que le parfum. Mais tes yeux ne peuvent les voir ; ils le pourront, seulement, si tu consens à partager notre foi. » Et Tiburce : « Est-ce que je rêve, ou bien me parles-tu vraiment ? » Et Valérien : « C'est jusqu'à présent que nous avons rêvé ; et désormais nous nous sommes éveillés à la vérité. » Et Tiburce : « Comment sais-tu cela ? » Et Valérien : « C'est un ange qui me l'a appris ; et tu pourrais le voir, comme nous, si, après avoir renoncé aux idoles, tu te faisais purifier. » Après quoi Cécile lui démontra avec tant d'évidence l'inanité des idoles, que Tiburce s'écria : « Celui qui ne croit pas à cela est une bête brute ! » Alors Cécile, lui baisant la poitrine, dit : « Je reconnais en toi mon frère, et c'est Dieu qui a fait de toi mon frère, comme de ton frère il a fait mon mari. Va donc avec Valérien pour te faire purifier, afin qu'à ton retour tu puisses contempler le visage de l'ange ! » Et elle demanda à Valérien de conduire son frère auprès de l'évêque Urbain. Alors Tiburce : « Serait-ce le même Urbain qui se cache quelque part, après avoir été tant de fois condamné ? Mais, si on le découvre, on le brûlera, et nous serons brûlés avec lui ; et, pendant que nous chercherons au ciel une divinité cachée, nous trouverons sur la terre les angoisses du supplice ! » Et Cécile : « Si la vie d'ici-bas était notre seule vie, nous aurions raison de redouter de la perdre. Mais il y a une autre vie, meilleure, et qui ne se perdra point. C'est celle que nous a annoncée le Fils de Dieu. » Puis elle lui raconta l'avènement du Christ et sa passion. Si bien que Tiburce dit à son frère : « Par pitié, conduis-moi vite vers cet homme de Dieu, pour que je reçoive ma purification ! » Et dès qu'il fut baptisé, il put, lui aussi, voir l'ange, et obtenir de lui ce qu'il désirait.

Ainsi convertis, Valérien et Tiburce passaient leur temps à distribuer des aumônes et à ensevelir les corps des martyrs. Ce qu'apprenant, le préfet Almaque leur demanda pourquoi ils ensevelissaient des hommes justement condamnés pour leurs crimes. Et Tiburce : « Plût à Dieu que nous fussions dignes d'être les esclaves de ceux que tu appelles des criminels ! Car ils ont su dédaigner ce qui paraît exister et n'existe pas ; et ils ont trouvé ce qui paraît ne pas exister et qui existe ! » Et Almaque : « De quoi parles-tu là ? » Et Tiburce : « Ce qui paraît exister et qui n'existe pas, c'est tout ce qui est dans ce monde ; et c'est cela qui conduit l'homme, lui aussi, à ne pas exister. Et ce qui paraît ne pas exister et qui existe, c'est le salut des justes. » Le préfet lui répondit qu'il déraisonnait. Puis, s'adressant à Valérien : « Puisque ton frère a le cerveau dérangé, toi, du moins, essaie de me répondre raisonnablement ! Dis-moi ce qui vous porte à dédaigner les plaisirs de la vie et à rechercher les souffrances. » Valérien répondit que, l'hiver, il avait vu des oisifs se moquant du pénible travail des laboureurs ; mais, l'été venu, et la saison des moissons, ceux-là se réjouissaient dont on s'était moqué, tandis que les railleurs se mettaient à pleurer. « Et de même, nous aussi, nous supportons la fatigue et les injures ; mais plus tard nous recevrons la gloire et la récompense éternelles. Et vous, qui éprouvez ici-bas une joie partagée, vous trouverez dans l'avenir le deuil éternel ! » Et le préfet : « Ainsi nous, princes glorieux, nous n'aurions à attendre qu'un deuil éternel, tandis que vous, misérables, vous posséderiez une joie sans fin ? » Et Valérien : « Vous n'êtes que de pauvres hommes, et non pas des princes. Nés comme nous, vous aurez seulement à rendre à Dieu des comptes plus forts. » Alors le préfet : « A quoi bon tous ces bavardages ? Sacrifiez aux dieux, et vous vous en irez librement ! » Et comme les deux saints se refusaient à sacrifier, le préfet les confia à la garde de Maxime, qui allait, lui aussi, devenir un saint. Et Maxime leur dit : « O fleur pourprée de la jeunesse, ô couple charmant et tendre, d'où vient que vous couriez ainsi à la mort comme à un festin ? » Valérien lui répondit que, s'il voulait partager leur foi, il pourrait, après leur mort, contempler la gloire de leurs âmes. Et Maxime : « Je veux que la foudre m'anéantisse, si, quand j'aurai vu ce que vous me promettez, je ne proclame pas que votre Dieu est le seul vrai Dieu ! » Sur quoi Maxime et toute sa famille et tous les gardiens se convertirent, et reçurent le baptême des mains d'Urbain, qui vint en secret dans la prison.

Le lendemain, à l'aurore, Cécile s'écria : « Allez, soldats du Christ, rejetez l'œuvre des ténèbres, et revêtez les armes de lumière ! » On conduisit les martyrs à quatre milles de Rome, devant une statue de Jupiter. Et comme ils se refusaient à sacrifier, ils eurent la tête tranchée. Et Maxime affirma sous serment qu'il avait vu des anges briller autour d'eux et emporter leurs âmes vers le ciel, pareilles à des vierges qu'on porte dans leur lit. Ce qu'entendant, Almaque ordonna que Maxime fût frappé de verges plombées jusqu'à ce que mort s'ensuivît. Cécile recueillit son corps et l'ensevelit à côté de ceux des deux saints.

Après cela, Almaque s'enquit des biens laissés par ceux-ci. Et, découvrant que la femme de Valérien était chrétienne, il lui ordonna de sacrifier aux idoles, sous peine de mort. Les soldats qui la conduisaient l'engageaient à se soumettre, désolés de voir une jeune femme si belle et si noble se livrer à la mort. Et elle leur dit : « Chers amis, ce n'est point là perdre sa jeunesse, mais faire un échange ; c'est donner de la boue et recevoir de l'or, c'est donner une cabane et recevoir un palais. Si quelqu'un vous offrait une livre pour un sou, ne vous hâteriez-vous pas d'accepter son offre ? Or Dieu rend au centuple tout ce qu'on lui donne. Croyez-vous à tout ce que je vous dis ? » Et eux : « Nous croyons que ton maître le Christ est le vrai Dieu, puisqu'il possède une servante telle que toi ! » Et l'évêque Urbain les baptisa, au nombre de plus de quatre cents.

Puis Cécile comparut devant Almaque et répondit à ses questions en proclamant sa foi. Alors Almaque : « Laisse maintenant tes folies, et sacrifie aux dieux ! » Et Cécile : « C'est toi qui me parais atteint de folie : car, là où tu vois des dieux, nous ne voyons que des pierres. Etends la main, et constate du moins par le toucher ce que tes yeux ne parviennent pas à voir ! » Almaque, furieux, la fit ramener dans sa maison, où, jour et nuit, il ordonna qu'elle fût plongée dans un bain d'eau bouillante. Mais elle y resta comme en un lieu frais, et sans que même une goutte de sueur parût sur elle. Ce qu'apprenant, Almaque ordonna qu'elle eût la tête tranchée dans son bain. Le bourreau la frappa de trois coups de hache ; et comme elle vivait toujours, et que la loi défendait de frapper les condamnés de plus de trois coups, la sainte fut laissée encore respirante. Elle survécut trois jours à son supplice. Elle distribua aux pauvres tous ses biens, et recommanda à l'évêque Urbain tous les fidèles qu'elle avait convertis, en disant : « J'ai demandé au ciel ces trois jours de délai pour te faire une dernière fois mes recommandations, et pour te prier de consacrer une église sur l'emplacement de cette maison où je meurs. » Puis elle rendit l'âme, et saint Urbain, après l'avoir ensevelie, transforma sa maison en église, comme elle l'avait demandé. Elle mourut à l'âge de vingt-trois ans, en l'an du Seigneur 200, sous l'empereur Alexandre. Mais d'autres historiens veulent que son martyre ait eu lieu vingt ans plus tard, sous le règne de Marc-Aurèle.

CLXVII
SAINT CLÉMENT, PAPE ET MARTYR
(23 novembre)

I. L'évêque Clément était romain et de famille noble. Son père s'appelait Faustinien, sa mère Macidienne ; il avait deux frères, dont l'un s'appelait Faust, l'autre Faustin. Or Macidienne était si belle que le frère de son mari se prit pour elle d'un amour passionné. Et comme il la pressait vivement, et qu'elle ne voulait ni se livrer ni le dénoncer, de peur de susciter l'inimitié entre les deux frères, elle forma le projet de s'éloigner de Rome pour quelque temps, de façon que son absence éteignît l'amour coupable qu'enflammait sa présence. Pour obtenir de son mari le consentement de son départ, elle imagina de lui raconter qu'une voix lui avait dit, en rêve, de quitter Rome aussitôt, avec ses deux jumeaux Faust et Faustin, faute de quoi ils périraient tous. Le mari, épouvanté, envoya sa femme et ses deux enfants à Athènes, gardant près lui, pour le consoler, son plus jeune fils Clément, âgé de cinq ans. Et le bateau qui portait Macidienne fit naufrage, durant la nuit. Macidienne, rejetée par les flots, se réfugia sur un rocher, d'où elle se serait certainement précipitée à la mer, dans l'excès de sa douleur, si elle n'avait pas conservé du moins l'espoir de retrouver les cadavres de ses fils, qu'elle croyait noyés. En vain des femmes, qui demeuraient dans ces régions, s'efforçaient de la consoler en lui racontant leurs propres infortunes. Une de ces femmes, cependant, finit par la décider à demeurer chez elle, en lui disant qu'elle avait, elle-même, perdu dans un naufrage son mari, encore tout jeune, et que jamais elle n'avait consenti à se remarier. Mais bientôt Macidienne sentit faiblir ses mains, que, dans son désespoir, elle avait longtemps déchirées avec ses dents. Et comme la femme qui l'avait recueillie était tombée malade et ne pouvait plus se lever, la mère de Clément se trouva contrainte de mendier pour avoir de quoi se nourrir ainsi que son hôtesse.

Un an après son départ de Rome, son mari envoya des serviteurs à Athènes pour s'informer de ce qu'étaient devenus sa femme et ses fils. Les envoyés ne revinrent pas. D'autres serviteurs, qu'il envoya ensuite, revinrent, mais pour annoncer qu'ils n'avaient pu découvrir aucune trace de Macidienne et de ses enfants. Alors Faustinien, laissant Clément à la garde de tuteurs, partit lui-même pour Athènes ; et il ne revint pas. Ainsi Clément se trouva orphelin, sans aucune nouvelle de ses parents ni de ses frères.

Il s'adonna tout entier à l'étude, et atteignit jusqu'aux plus profonds secrets de la philosophie. Il désirait surtout se renseigner sur l'immortalité de l'âme ; et lorsqu'un des maîtres qu'il consultait lui affirmait que son âme était immortelle, il en éprouvait une grande joie ; mais lorsqu'un autre philosophe lui disait que l'âme était mortelle, il recommençait à se désoler. En ce temps-là vint à Rome saint Barnabé, pour prêcher la doctrine du Christ ; et tous les philosophes le raillaient comme un insensé. Clément, qui d'abord le raillait de même que ses confrères, lui posa un jour, par moquerie, la question suivante : « D'où vient que le moucheron, qui est tout petit, possède six pattes et des ailes, tandis que l'éléphant, qui est énorme, ne possède point d'ailes et seulement quatre pattes ? » Alors Barnabé : « Malheureux, je ne serais pas en peine de répondre à ta question, si tu me la posais seulement par amour de la vérité. Mais c'est chose absurde, en ce moment, de rien vous dire au sujet des créatures, puisque vous ne voulez pas connaître l'auteur de toutes les créatures ! Ignorant le Créateur, ce n'est que justice que vous erriez sur les créatures ! » Et ces paroles s'enfoncèrent si profondément dans le cœur du jeune philosophe, qu'il s'attacha à Barnabé et s'instruisit près de lui dans la foi du Christ. Après quoi il se rendit en Judée auprès de saint Pierre qui acheva de l'instruire, et lui démontra avec évidence l'immortalité de l'âme.

En ce temps-là, deux disciples de Simon le Magicien, Aquila et Nicétas, reconnaissant les mensonges de leur maître, rejoignirent saint Pierre et devinrent ses disciples. Et un jour que Pierre s'était rendu avec ses disciples dans l'île où demeurait Macidienne, la mère de Clément, ils aperçurent, sur le seuil d'un temple, qui était la principale curiosité de cette île, une femme qui mendiait. Ils lui reprochèrent de ne pas se servir de ses mains pour gagner sa vie en travaillant. Et la femme : « Seigneur, je n'ai en vérité que les apparences de mes mains, car j'ai tout à fait perdu la force de m'en servir ; et je regrette de n'avoir point jadis suivi mon instinct qui me poussait à me précipiter dans la mer, plutôt que de poursuivre une vie misérable. » Et Pierre : « Que dis-tu là ? Ignores-tu donc que les âmes de ceux qui se tuent sont sévèrement punies ? » Et elle : « Ah, si j'avais la certitude que les âmes vivent après la mort, je me tuerais aussitôt avec joie, pour pouvoir au moins un instant revoir mes deux fils chéris ! » Et comme Pierre lui demandait la cause d'un tel désespoir, elle lui raconta toutes ses aventures. Et Pierre : « J'ai un disciple nommé Clément qui m'a raconté une histoire toute pareille à la tienne, touchant sa mère et ses frères ! » Ce qu'entendant, la femme s'évanouit de stupeur. Puis elle dit, revenant à elle : « C'est moi qui suis la mère de ce jeune homme ! » Et, se jetant aux pieds de saint Pierre, elle le supplia de la conduire de suite en présence de son fils. Et Pierre : « Ton fils est ici, dans notre bateau ; mais quand tu le verras, efforce-toi de ne rien dire jusqu'à ce que nous ayons quitté le rivage de l'île ! » Et quand Clément vit revenir saint Pierre tenant par la main une vieille femme, il ne put s'empêcher d'abord de rire de ce spectacle. Mais bientôt Macidienne, assise près de son fils, ne put se contenir davantage et se jeta dans ses bras. Et lui, la croyant folle, la repoussait avec indignation. Alors Pierre : « Que fais-tu, mon fils Clément ? Ne repousse point ta mère ! » Et Clément reconnut sa mère, et tout en larmes, la couvrit de baisers. Saint Pierre se fit ensuite conduire chez la vieille hôtesse de Macidienne, qui gisait paralysée ; aussitôt il la guérit. Puis Macidienne interrogea Clément sur son son père. Et lui : « Il s'est mis en route pour te chercher et n'est jamais revenu ! » En réponse, Macidienne soupira ; mais la grande joie d'avoir retrouvé son fils la consolait presque de tous ses chagrins.

Survinrent alors Nicétas et Aquila. Et comme ils demandaient quelle était la femme qu'ils voyaient, Clément leur dit : « C'est ma mère, que Dieu m'a rendue par l'entremise de Pierre ! » Pierre leur raconta alors toute l'histoire. Et aussitôt Nicétas et Aquila se levèrent tout troublés. Et ils dirent : « Dieu puissant, rêvons-nous ou cela est-il réel ? » Et, reconnaissant la réalité de ce qu'ils voyaient et entendaient, ils s'écrièrent : « C'est nous qui sommes ce Faust et ce Faustin, que notre mère croit noyés ! » Et ils se jetèrent au cou de Macidienne, grandement surprise. Et celle-ci, dès qu'elle reconnut ses deux fils, faillit mourir de joie. Puis, revenant à elle : « De grâce, mes chers enfants, racontez-moi comment vous êtes encore en vie ? » Et eux : « Après le naufrage, comme nous naviguions sur une planche, des pirates nous trouvèrent, qui nous emmenèrent, et finirent par nous vendre à une honnête veuve nommée Justine. Cette femme nous traita comme ses fils, et nous instruisit dans les arts libéraux. Nous nous attachâmes ensuite à l'un de nos condisciples, Simon le Magicien. Mais ayant reconnu sa fausseté, nous l'abandonnâmes, et, par l'entremise de Zachée, nous devînmes disciples de Pierre. »

Le jour suivant, saint Pierre se retira, pour prier, dans un lieu écarté, en compagnie de ses trois disciples. Là, un pauvre vieillard d'aspect vénérable les aborda, et leur dit : « J'ai pitié de vous, mes frères, en voyant à quelles erreurs vous entraîne votre piété ! Car il n'existe ni Dieu, ni Providence, mais tout se trouve engendré par le simple hasard, ainsi que je l'ai constaté clairement par mon propre exemple. » Et Clément, considérant ce vieillard, se sentait troublé, et avait l'impression de l'avoir déjà vu quelque part ailleurs. Sur l'ordre de Pierre, les trois disciples discutèrent longtemps avec l'inconnu pour lui démontrer la réalité de la Providence. Et comme, à plusieurs reprises, par respect pour son âge, ils l'avaient appelé « père », Aquila dit tout à coup : « Pourquoi donnons-nous à cet homme un titre que nous n'avons le droit de donner à personne sur terre ? » Puis, se tournant vers le vieillard, il lui dit : « Mon père, ne te fâche point de ce que je viens de dire, car notre loi nous défend de donner le nom de père à aucun être humain ! » Là-dessus, tous les assistants se mirent à rire. Et comme Aquila en demandait le motif, Clément lui dit : « Ne vois-tu pas que tu fais toi-même ce que tu nous reproches, et que tu dis « père » à ce vieillard ? » Mais Aquila affirma qu'il ne se souvenait plus d'avoir employé ce mot. Et quand le débat sur la Providence fut épuisé, le vieillard dit : « Je serais tout prêt à admettre la réalité d'une Providence, si je n'avais eu dans ma vie la preuve manifeste du hasard aveugle qui dirige les choses. Sachez donc que ma femme, née sous la constellation de Vénus et de Saturne, se trouvait par là prédestinée à commettre l'adultère, à s'éprendre d'un esclave et à être noyée. Or, c'est ce qui lui est arrivé. S'étant éprise d'un esclave, et craignant le danger et la honte, elle s'est enfuie avec lui et a péri en mer. Et mon frère m'a raconté qu'elle s'était d'abord éprise de lui, mais que, sur son refus de la satisfaire, elle avait retourné vers un de nos esclaves la concupiscence où la condamnait sa destinée. » Après quoi le vieillard leur dit comment sa femme, sous prétexte d'un rêve qu'elle aurait eu, avait quitté Rome avec ses deux fils pour se rendre à Athènes. Les trois disciples, à ces mots, reconnurent leur père et voulurent se jeter dans ses bras ; mais Pierre leur dit d'attendre qu'il le leur eût permis. Et il dit au vieillard : « Si je te fais voir aujourd'hui ta femme avec tes trois fils, et si je te prouve qu'elle t'a toujours été fidèle, admettras-tu le néant de ta soi-disant prédestination ? » Et le vieillard : « Ce que tu me proposes là est aussi impossible qu'il est impossible d'échapper à sa destinée ! » Et Pierre : « Sache donc que voici ton fils Clément et tes deux jumeaux Faust et Faustin ! » Ce qu'entendant, le vieillard tomba évanoui. A peine avait-il repris les sens que sa femme s'approcha, criant : « Où est mon cher mari et maître ? » Et le vieillard s'élança au-devant d'elle, et l'embrassa en pleurant. Et Pierre lui raconta en détail l'histoire de sa femme et de ses enfants.

Pendant que Faustinien vivait ainsi avec toute sa famille, on vint lui annoncer que deux de ses amis étaient les hôtes de Simon le Magicien. Faustinien, enchanté, s'empressa de leur faire visite, et, pendant qu'il était là, on vint annoncer qu'un ministre de l'empereur était arrivé à Antioche avec mission de rechercher et de mettre à mort tous les magiciens. Alors Simon, par un sortilège, imprima sa propre ressemblance sur le visage de Faustinien. Il fit cela par haine des fils de Faustinien, qui l'avaient abandonné, et afin que Faustinien fût arrêté et tué à sa place. Et lui-même, après cela, s'enfuit vers une autre région. Or, quand Faustinien revint auprès de ses fils, ceux-ci furent effrayés de voir un homme qui, avec la voix de leur père, avait le visage de Simon. Seul, saint Pierre voyait le visage de Faustinien tel qu'il était en réalité ; et il s'étonnait fort de l'effroi que le vieillard paraissait inspirer aux siens. Puis, lorsqu'il eut enfin compris ce qui s'était passé, il dit à Faustinien : « Naguère, pendant que j'étais à Antioche, Simon, par ses calomnies, a excité le peuple contre moi au point qu'on voulait me déchirer à coups de dents. Donc, puisque tu as maintenant le visage de Simon, va à Antioche, rétracte en présence du peuple tout ce que le vrai Simon a dit de moi ; et ensuite je viendrai moi-même à Antioche pour te rendre ton visage naturel ! »

Tout cela se trouve raconté dans l'*Itinéraire* de Clément ; mais ce livre est apocryphe et ne doit pas être cru à la lettre. Nous ne saurions croire, notamment, que saint Pierre ait pu ordonner à Faustinien de se faire passer pour Simon, car c'est là un mensonge que Dieu ne saurait approuver. Gardons-nous donc de prendre tout ce récit pour entièrement authentique !

Faustinien — toujours d'après notre livre — se rendit à Antioche, convoqua le peuple, et dit : « Moi, Simon, je proclame et avoue m'être trompé dans tout ce que je vous ai dit de Pierre, qui n'est ni un imposteur, ni un magicien, mais un apôtre envoyé pour le salut des hommes ! » Et, quand il eut excité dans le peuple l'amour de Pierre, celui-ci vint à son tour, et, ayant prié, effaça entièrement de son visage la ressemblance de Simon. Ce qu'apprenant, Simon lui-même accourut et dit au peuple : « Je m'étonne que, après la façon dont je vous ai engagés à vous défier des impostures de Pierre, vous ayez non seulement écouté cet homme, mais que vous lui ayez fait l'accueil le plus empressé ! » Sur qui la foule, se retournant contre lui avec colère, l'accabla de reproches, et le chassa honteusement de la ville. Voilà ce que nous raconte Clément lui-même, ou du moins l'auteur de l'ouvrage qui lui est attribué.

II. Plus tard, saint Pierre, étant venu à Rome, et voyant approcher l'heure de sa passion, ordonna Clément évêque à sa place. Mais, à la mort du prince des apôtres, le sage Clément se démit de ses fonctions en faveur de Lin, puis de Clet : car il craignait que cet exemple ne perpétuât dans l'Eglise, l'usage, pour les papes, d'élire eux-mêmes leur successeur, ce qui aurait rendu héréditaire la possession du Saint-Siège. D'autres auteurs, cependant, croient que Lin et Clet n'ont jamais été proprement des papes, mais seulement des coadjuteurs de saint Pierre, et que c'est à ce titre qu'ils figurent dans le catalogue des pontifes. Le fait est que, après eux, Clément fut élu pape et contraint à accepter cet honneur. Et tel était l'éclat de ses mœurs que les Juifs et les païens l'aimaient presque autant que le troupeau des chrétiens. Il avait fait dresser la liste complète de tous les pauvres des diverses provinces, et il veillait à ce que ceux qu'il avait baptisés ne fussent jamais exposés au déshonneur de la mendicité.

Il avait consacré au Seigneur la vierge Domicille, nièce de l'empereur Domitien. Et la vertueuse Théodore, femme d'un ami de l'empereur nommé Sisinnius, convertie par lui, avait fait vœu de ne plus se départir désormais de la chasteté. Or Sisinnius, par jalousie, et voulant savoir ce que sa femme allait faire dans l'église des chrétiens, la suivit secrètement dans cette église. Aussitôt, il devint aveugle et sourd ; et il dit à ses esclaves : « Conduisez-moi vite hors d'ici ! » Mais les esclaves, le tenant par la main, tournaient en tous sens, dans l'église, sans pouvoir en sortir. Ce que voyant, Théodore voulut d'abord se cacher, par crainte que son mari ne la reconnût ; mais quand elle comprit que Sisinnius était devenu aveugle et sourd, et ne pouvait sortir de l'église, elle pria Dieu ; puis elle dit aux esclaves : « Allez maintenant, et ramenez votre maître dans sa maison ! » Après quoi elle raconta à saint

Clément ce qui venait d'arriver. Sur sa demande, le saint se rendit dans sa maison, pria, et aussitôt le mari recouvra l'ouïe et la vue. Mais alors celui-ci, rouvrant les yeux, et apercevant l'évêque debout près de sa femme, fut pris de fureur, soupçonnant quelque artifice magique, et ordonna à ses serviteurs de s'emparer de Clément, de le lier et de l'emporter en prison. Mais les serviteurs, au lieu de lier le saint, entouraient de leurs liens une colonne de pierre ; et Sisinnius, lui aussi, croyait que c'était Clément qu'on liait devant lui. Cependant, Clément, devenu invisible pour Sisinnius et ses serviteurs, put se retirer librement, après avoir recommandé à Théodore de prier pour la conversion de son mari. Et pendant qu'elle priait, saint Pierre lui apparut et lui dit : « Par toi ton mari sera sauvé, afin que s'accomplissent ces mots de mon frère Paul : *le mari infidèle sera sauvé par la femme fidèle*! » Ayant dit cela, saint Pierre disparut ; et au même instant Sisinnius manda sa femme pour la prier de faire venir près de lui l'évêque Clément. Celui-ci vint, l'instruisit dans la foi et le baptisa avec trois cent treize personnes de sa maison. Et Sisinnius, à son tour, convertit au Christ une foule de nobles et d'amis de l'empereur Nerva.

Alors le prince des prêtres païens, à force d'argent, provoqua une grande sédition du peuple contre saint Clément. Le préfet Mamertin écrivit aussitôt à l'empereur Trajan, qui répondit que Clément, s'il refusait de sacrifier aux idoles, eût à être exilé au delà des mers dans les déserts de la Chersonèse. Et Mamertin, qui avait eu l'occasion de connaître la sainteté de l'évêque, lui dit en pleurant : « Puisse le Dieu que tu sers te secourir en cette circonstance ! » Il lui donna un bateau qu'il approvisionna de tout le nécessaire ; et bon nombre de clercs et de laïcs le suivirent dans son exil. Arrivé en Chersonèse, Clément y trouva déjà plus de deux mille chrétiens, condamnés à tailler le marbre pour les statues des dieux païens. Et comme ils allaient au-devant de lui avec des pleurs et des larmes, il les consolait en disant : « Je n'ai point mérité l'honneur que me fait le Seigneur en me choisissant pour être le chef de martyrs tels que vous ! » Et comme ils lui disaient qu'ils étaient forcés d'aller chercher de l'eau à six milles de là, Clément répondit : « Prions tous Notre-Seigneur Jésus-Christ pour que, de même qu'il a fait jaillir l'eau du roc dans le désert du Sinaï, il donne en ce lieu à ses confesseurs une source d'eau fraîche ! » Alors, ayant prié, Clément vit un agneau qui, de sa patte levée, semblait lui désigner quelque chose. Aussitôt, reconnaissant la présence du Christ, il marcha au lieu désigné, et dit : « Au nom du Père, du Fils et du Saint-Esprit, frappez le sol en ce lieu ! » Mais comme personne ne voyait l'agneau, personne ne put frapper le sol à l'endroit où il se trouvait. Seul Clément, prenant une baguette, donna un léger coup sous le pied de l'agneau ; et aussitôt une source jaillit, qui ne tarda pas à devenir un fleuve. Le bruit du miracle se répandit dans la région, si bien qu'en un seul jour plus de cinq cents personnes reçurent le baptême, et que, dans l'espace d'une année, soixante-quinze églises furent construites dans la province.

Trois ans après, l'empereur Trajan, informé de ces miracles, envoya en Chersonèse un de ses officiers. Mais celui-ci, voyant que le peuple tout entier était prêt à mourir, recula devant un si grand nombre d'exécutions, et se contenta de faire précipiter dans la mer saint Clément, avec une ancre attachée à son cou. Et il disait : « Désormais, du moins, ces gens-là ne pourront plus l'adorer comme un Dieu ! » Or, comme toute la foule se tenait sur le rivage, deux des disciples de Clément, Corneille et Phébus, prièrent Dieu de leur montrer le corps de son martyr. Aussitôt la mer se retira à trois milles du rivage ; et tous, marchant à pieds secs dans son lit, parvinrent jusqu'à une grotte de marbre où ils virent le corps de saint Clément, avec l'ancre auprès de lui. Et une voix du ciel leur défendit d'emporter le corps loin de ce lieu.

III. Depuis lors, tous les ans, à l'anniversaire du martyre de saint Clément, la mer se retirait de la même façon pendant une semaine, permettant aux fidèles d'atteindre, à pieds secs, le tombeau du saint. Et, à l'une de ces fêtes, une femme vint là avec son petit garçon. Or voici qu'après les cérémonies de la fête, et comme l'enfant s'était endormi, on entendit un bruit soudain de flots qui approchaient ; et la femme, épouvantée, s'enfuit avec la foule en oubliant son enfant. Arrivée sur la plage, la pauvre femme se désolait, élevant jusqu'au ciel des cris lamentables. Et longtemps elle espéra, du moins, que les flots lui rapporteraient le cadavre de son fils. Enfin, voyant son espérance déçue, elle s'en retourna dans sa maison et y passa une année dans les larmes. Mais, l'année suivante, étant revenue au tombeau de saint Clément et ayant prié le saint, elle aperçut son fils couché à l'endroit où elle l'avait laissé. Elle crut qu'il était mort, et s'approcha pour emporter son cadavre. Grandes furent sa surprise et sa joie lorsqu'elle découvrit que l'enfant n'était qu'endormi. Elle le réveilla, le couvrit de baisers et lui demanda ce qu'il avait fait, pendant toute cette année. Mais l'enfant, très surpris, répondit qu'il croyait n'avoir dormi que quelques instants.

IV. Léon, évêque d'Ostie, raconte que, sous le règne de l'empereur Michel, un prêtre, surnommé le Philosophe, vint en Chersonèse pour interroger les habitants sur les actes de saint Clément et de ses compagnons. Mais les habitants, qui étaient presque tous des nouveaux venus, dans la région, ne purent lui fournir aucun renseignement. Le fait est que, en raison de la corruption de ces habitants, le miracle du retrait de la mer avait depuis longtemps cessé ; sans compter que, pendant que ce miracle durait encore, les barbares avaient détruit le temple où reposait le cercueil de saint Clément. Alors le Philosophe se rendit dans une petite ville nommée Géorgie ; puis, en compagnie de l'évêque, du clergé et du peuple, il se mit en quête des saintes reliques. Et pendant qu'on fouillait le sol du rivage, en priant et en chantant des hymnes, Dieu permit qu'on découvrît le corps, ainsi que l'ancre, que les flots avaient portés jusque-là. Le Philosophe conduisit ensuite le corps de saint Clément à Rome, et le déposa dans l'église qui porte aujourd'hui le nom du saint. Et ce corps continue à opérer d'innombrables miracles. Cependant, à en croire une autre chronique, le corps de saint Clément aurait été retrouvé et rapporté à Rome par le bienheureux Cyrille, évêque des Moraves.

CLXVIII
SAINT CHRYSOGONE, MARTYR
(24 novembre)

Chrysogone fut jeté, par ordre de Dioclétien, dans une prison où sainte Anastasie le nourrissait de ses aumônes. Et lorsque Anastasie se trouva à son tour emprisonnée par son mari, elle écrivit à son maître Chrysogone la lettre suivante : « Anastasie au saint confesseur du Christ Chrysogone. Mariée à un homme sacrilège, j'ai feint une maladie pour me dérober à sa couche ; et, jour et nuit, je reste prosternée devant Nôtre-Seigneur Jésus-Christ. Et mon mari, non content de dépenser mon patrimoine avec des idolâtres, me tient si étroitement enfermée que je m'attends à mourir d'un instant à l'autre. Et bien que cette mort n'ait rien que de glorieux, je souffre de voir que les richesses que j'avais consacrées à Dieu et aux pauvres se trouvent ainsi gaspillées par ces êtres indignes. Adieu, saint homme, ne m'oublie pas ! » Et Chrysogone lui répondit : « Garde-toi de te laisser troubler par l'adversité ! Bientôt Jésus t'appellera à lui, et, comme après les ténèbres de la nuit, tu verras la lumière éclatante de Dieu ; et à l'hiver succédera pour toi un doux été doré. Adieu et prie pour moi ! »

Cependant, le mari de sainte Anastasie, pour achever de se délivrer d'elle, ne lui faisait plus donner, dans sa prison, qu'un quartier de pain. La sainte écrivit alors à Chrysogone : « La fin de mon corps approche. Puisse mon âme être accueillie par Celui pour l'amour de qui je supporte tout ce que te racontera la vieille femme qui te remettra cette lettre ! » Et Chrysogone lui répondit : « Les bonheurs et les malheurs de ce monde aboutissent à une seule et même fin. C'est sur une seule et même mer que naviguent les misérables bateaux que sont nos corps. Mais certains de ces bateaux, attachés par de fortes chaînes, traversent sans danger les plus cruelles tempêtes, tandis que d'autres, plus fragiles, échouent et se brisent même en pleine bonace. Toi donc, servante du Christ, arme-toi de la croix et prépare-toi à l'œuvre de Dieu ! »

Lorsque Dioclétien vint à Aquilée, pour mettre à mort les chrétiens, il fit venir devant lui saint Chrysogone et lui dit : « Si tu veux sacrifier aux dieux, je te nommerai préfet de ce pays et j'élèverai ta famille au rang consulaire ! » Mais Chrysogone répondit : « Je n'adore qu'un seul Dieu, qui est dans le ciel, et je méprise tes dignités comme de la boue ! » Sur l'ordre de l'empereur, il eut la tête tranchée. Cela se passait en l'an du Seigneur 287. Le prêtre Zèle ensevelit pieusement les deux tronçons de son corps.

CLXIX
SAINTE CATHERINE, VIERGE ET MARTYRE
(25 novembre)

I. Catherine, fille du roi Coste, fut instruite dès son enfance dans tous les arts libéraux. Lorsque l'empereur Maxence convoqua à Alexandrie tous les habitants de la province, riches et pauvres, pour sacrifier aux idoles, Catherine, qui avait alors dix-huit ans, et qui était restée seule dans son palais avec de nombreux serviteurs, entendit un jour un grand bruit mêlé de chants et de gémissements. Elle demanda d'où cela provenait ; et quand elle le sut, prenant avec elle quelques serviteurs et se munissant du signe de la croix, elle se rendit sur la place, où elle vit de nombreux chrétiens qui, par peur de la mort, se laissaient conduire aux temples pour y sacrifier. Blessée de cette vue jusqu'au fond de son cœur elle aborda audacieusement l'empereur et lui dit : « Je viens te saluer, empereur, à la fois par déférence pour ta dignité et parce que je veux t'engager à t'éloigner du culte de tes dieux pour reconnaître le seul vrai créateur ! » Puis, debout devant la porte d'un temple, elle se mit à discuter avec Maxence, conformément aux diverses modes du syllogisme, par allégorie et par métaphore. Après quoi, revenant au langage commun, elle dit : « Je me suis adressée jusqu'ici au savant, en toi. Mais à présent, dis-moi comment tu as pu rassembler cette foule pour célébrer la sottise des idoles ! » Et comme elle démontrait savamment la vérité de l'incarnation, l'empereur, stupéfait, ne sut d'abord que lui répondre. Enfin il lui dit : « O femme, laisse-moi achever le sacrifice, et ensuite je te répondrai ! » Et il la fit conduire dans son palais, où il ordonna qu'elle fût soigneusement gardée : car il avait été très frappé de sa science et de sa beauté. Catherine était en effet d'une beauté merveilleuse, que personne ne pouvait voir sans en être ravi.

Après la fête, l'empereur se rendit au palais et dit à Catherine : « J'ai entendu ton éloquence et admiré ta sagesse ; mais, absorbé comme je l'étais par la cérémonie, je n'ai pas pu pleinement comprendre tout ce que tu disais. Dis-moi donc à présent qui tu es ! » Et elle : « Je suis Catherine, fille du roi Coste. Née dans la pourpre, et élevée dès l'enfance dans les arts libéraux, j'ai dédaigné tout cela pour me réfugier auprès de mon Seigneur Jésus-Christ. Et quant aux dieux que tu adores, ils ne sauraient secourir ni toi, ni personne ! » Et l'empereur : « Je le vois, tu cherches à nous décevoir par ta pernicieuse éloquence, en t'efforçant d'argumenter à la manière des philosophes ! » Et, comprenant qu'il ne parviendrait pas à lui répondre lui-même, il manda en grande hâte, à Alexandrie, tous les grammairiens et rhéteurs du temps, leur promettant de grandes récompenses s'ils parvenaient à réfuter la jeune fille. Il en vint ainsi plus de cinquante, tous fameux dans les sciences de ce monde. Et comme ils demandaient pourquoi on les avait fait venir de régions si lointaines, l'empereur répondit : « C'est que nous avons ici une jeune fille d'une sagesse et d'un esprit incomparables, qui réfute tous les savants, et prétend que tous nos dieux ne sont que des démons. Réfutez-la, et je vous renverrai chez vous chargés d'honneurs et de présents ! » Alors un des orateurs s'écria : « O étrange projet, de rassembler tous les savants des quatre coins du monde pour tenir tête à une jeune fille que le moindre de nos clients réduirait au silence ! » Et l'empereur : « Je pouvais en vérité la contraindre à sacrifier aux dieux, ou la châtier en cas de refus ; mais j'ai jugé meilleur qu'elle fût confondue par vos arguments. » Alors les orateurs : « Qu'on amène donc en notre présence cette jeune fille, afin qu'elle avoue sa témérité, et reconnaisse n'avoir même jamais vu de vrais savants ! »

Mais Catherine, en apprenant le combat qui se préparait pour elle, se recommanda au Seigneur ; et un ange descendit vers elle pour l'engager à la fermeté, lui affirmant que, non seulement elle ne serait pas vaincue par ses adversaires, mais que même elle les convertirait et leur procurerait la palme du martyre. Amenée en présence des orateurs, elle dit à Maxence : « De quel droit opposes-tu cinquante orateurs à une seule jeune fille ? et pourquoi promets-tu de les récompenser, en cas de victoire, tandis que tu me forces à lutter sans espoir de récompense ? Mais j'aurai ma récompense dans mon Seigneur Jésus-Christ, espoir et couronne de ceux qui luttent pour lui ! » Les orateurs lui dirent alors que c'était chose impossible qu'un Dieu devînt homme et connût la souffrance. Mais elle répondit en leur montrant que les païens eux-mêmes avaient prédit l'incarnation du Christ. La Sibylle n'avait-elle pas dit : « Heureux le Dieu qui pend sur une croix de bois ! » Et Catherine continua de discuter ainsi avec les orateurs, les réfutant par des raisons évidentes, jusqu'à ce que, stupéfaits, ils ne surent plus que lui dire. Alors l'empereur, furieux, leur reprocha de se laisser vaincre honteusement par une jeune fille. Et l'un de ces orateurs, qui était le plus savant, et parlait au nom de ses confrères, dit : « Tu sais, empereur, que personne jamais n'a pu nous résister ; mais c'est l'esprit même de Dieu qui parle en cette jeune fille ; et elle nous a remplis d'une telle admiration que nous n'osons plus dire un seul mot contre ce Christ qui nous apparaît désormais comme le seul vrai Dieu ! » Ce qu'entendant, l'empereur, exaspéré, les fit tous brûler au milieu de la ville ; et Catherine, en même temps qu'elle les réconfortait, achevait de les instruire des vérités de la foi. Et, comme ils se plaignaient d'avoir à mourir sans être baptisés, elle leur répondit : « Soyez sans crainte, car l'effusion de votre sang vous tiendra lieu de baptême ! » Alors, s'étant munis du signe de la croix, ils furent précipités dans les flammes ; et ils rendirent leurs âmes de telle façon que ni leurs cheveux, ni leurs vêtements, ne furent touchés par le feu.

Pendant que les chrétiens s'occupaient de les ensevelir, Maxence dit à Catherine : « Noble jeune fille, aie pitié de ta jeunesse, et je te ferai impératrice

dans mon palais, et le peuple entier adorera ton image, au milieu de la ville ! »
Mais elle : « Cesse de dire des choses dont la pensée même est un crime. J'ai
pris le Christ pour fiancé, lui seul est ma gloire et mon amour ; et ni caresses
ni tourments ne pourront me détourner de lui ! » L'empereur la fit alors
dépouiller de ses vêtements ; il la fit frapper de griffes de fer, puis, l'ayant
jetée dans une obscure prison, il ordonna que pendant dix jours on la laissât
sans nourriture.

Là-dessus, l'empereur se vit forcé de se rendre dans une autre province. Or
sa femme, qui avait pour amant un officier nommé Porphyre, vint, la nuit,
dans la prison de Catherine. Et, y étant entrée, elle vit la cellule remplie d'une
clarté immense, et elle vit que les anges pansaient les plaies de la prisonnière.
Et celle-ci, s'étant mise à lui décrire les joies éternelles, la convertit et lui prédit
la couronne du martyre. Ce qu'apprenant, Porphyre alla se jeter, lui aussi, aux
pieds de Catherine, et il reçut la foi du Christ avec deux cents de ses hommes.

 Quand l'empereur revint, douze jours après son départ, il se fit amener la
jeune fille, qu'il s'attendait à voir anéantie par ce jeûne prolongé. La voyant
au contraire resplendissante de vie, il soupçonna que quelqu'un l'avait
nourrie, dans sa prison, et décréta que ses gardiens fussent mis à la torture.
Mais Catherine : « Aucun être humain ne m'a nourrie, mais bien le Christ par
l'entremise de ses anges. » Alors l'empereur, plus frappé que jamais de sa
beauté, lui proposa, une fois de plus, de l'élever au trône avec lui. Et comme
elle s'y refusait, il lui dit : « Choisis entre deux choses, ou bien de sacrifier aux
idoles, et de vivre, ou bien de mourir dans des tourments effroyables ! » Et
elle : « Quelques tourments que tu puisses imaginer, n'hésite pas à me les
infliger, car j'ai soif d'offrir ma chair et mon sang à Jésus, qui a offert pour
moi sa chair et son sang ! Lui seul est mon Dieu, mon maître, mon mari et
mon amant ! » Alors un préfet conseilla à l'empereur de faire préparer quatre
roues garnies de pointes de fer, et de s'en servir pour déchirer les chairs de
Catherine, de façon à épouvanter, par un tel exemple, les autres chrétiens. Et
l'on décida que, de ces quatre roues, où l'on attacha la sainte, deux seraient
poussées dans un sens et deux dans un autre, pour que les membres de
Catherine fussent arrachés et broyés en morceaux. Mais la sainte pria Dieu
que, pour la gloire de son nom et pour la conversion des assistants, il anéantît
cette affreuse machine. Et voici qu'un ange secoua si fortement la masse
énorme des quatre roues, que quatre mille païens périrent écrasés.

En ce moment l'impératrice, qui avait assisté à la scène du haut du palais,
s'enhardit à descendre, et reprocha à son mari tant de cruauté. Le roi lui fit
arracher les mamelles, puis trancher la tête. Et l'impératrice, allant au martyre
demanda à Catherine de prier pour elle. Et Catherine : « Sois sans crainte,
princesse aimée de Dieu, car ta royauté passagère va se changer aujourd'hui
en une royauté éternelle, et en échange d'un mari mortel tu en acquerras un

immortel ! » Sur quoi, l'impératrice, raffermie, encouragea ses bourreaux à exécuter leur mission. Ils la conduisirent donc hors de la ville, lui arrachèrent les mamelles avec des pointes de fer et lui coupèrent la tête. Et Porphyre, recueillant ses restes, les ensevelit.

I. Le lendemain, Maxence envoya au supplice les bourreaux de sa femme, qu'il soupçonnait d'avoir dérobé le corps de celle-ci. Mais Porphyre, s'élançant au milieu de la foule, s'écria : « C'est moi qui ai enseveli la servante du Christ, ayant reçu comme elle la foi chrétienne ! » Maxence, fou de douleur, poussa un rugissement terrible et s'écria : « Malheureux que je suis ! voici maintenant que Porphyre lui-même s'est laissé séduire, mon seul confident, le seul en qui j'avais confiance ! » Et comme il le dénonçait à ses soldats, ceux-ci répondirent : « Nous aussi, nous sommes chrétiens et prêts à mourir ! » Sur quoi, l'empereur, ivre de rage, les fit tous décapiter ainsi que Porphyre, et ordonna que leurs restes fussent jetés aux chiens.

Puis, se tournant vers Catherine : « Bien que, par tes sortilèges, tu aies causé la mort de l'impératrice, je t'offre encore, cependant, de devenir la première dans mon palais ! » Et comme, de nouveau, elle repoussait son offre avec indignation, il la condamna à être décapitée. Or, pendant qu'on la menait au supplice, elle dit, les yeux levés au ciel : « Espoir et salut des croyants, honneur et gloire des vierges, Jésus, mon bon maître, exauce ma prière ! Fais en sorte que toute personne qui m'invoquera, soit à l'heure de la mort ou dans le danger, se trouve secourue en souvenir de ma passion ! » Et une voix, du haut du ciel, lui répondit : « Viens, ma chère fiancée, les portes du ciel sont ouvertes devant toi. Et à ceux qui célébreront pieusement ton martyre je promets le secours qu'ils demanderont ! » Après quoi la sainte eut la tête tranchée, et de son corps jaillit du lait au lieu de sang. Et des anges, recueillant ses restes, les transportèrent de ce lieu sur le mont Sinaï, où ils ne l'ensevelirent que vingt jours après. Aujourd'hui encore, une huile miraculeuse découle de ses os, qui guérit aussitôt les membres affaiblis. Sainte Catherine fut martyrisée vers l'an du Seigneur 310. Quant à la façon dont Maxence fut puni de ce crime et des autres qu'il avait commis, nous l'avons racontée déjà en traitant de l'Invention de la Sainte Croix[19].

[19] La légende du *Mariage mystique* de sainte Catherine apparaît, pour la première fois, dans une traduction anglaise de la *Légende dorée* par le frère Jean de Bungay, datée de 1438. Et c'est également vers cette date que certains peintres du Nord (à Cologne, à Bruges) ont commencé à introduire le *Mariage mystique* dans leur représentation des actes de sainte Catherine.

III. Un moine de Rouen s'était rendu au mont Sinaï, et, pendant sept ans, avait pieusement prié sainte Catherine. Au bout de ce temps, il demanda à la sainte la grâce de posséder un fragment de ses reliques ; et aussitôt de la main de la sainte se détacha un doigt, que le moine emporta joyeusement dans son monastère. — Un autre moine, après avoir eu longtemps une dévotion spéciale pour sainte Catherine, avait peu à peu négligé d'invoquer la sainte. Or un jour, étant en prière, il vit passer devant lui une troupe de vierges dont l'une, en l'approchant, se détourna et se couvrit le visage. Et comme il demandait à ses compagnes qui elle était, une d'elles lui répondit : « C'est Catherine, que jadis tu connaissais bien ! Mais comme maintenant tu parais ne plus la connaître, elle s'est voilé le visage en t'apercevant, pour passer près de toi comme une inconnue ! »

IV. Certains auteurs se demandent si, au lieu de Maxence, ce n'est pas plutôt Maximin qui a présidé au martyre de sainte Catherine. Il y avait alors trois empereurs : 1º Constantin, qui avait succédé à son père ; 2º Maxence, fils de Maximilien, élu à Rome par les soldats ; 3º Maximin, proclamé César en Orient. Et, suivant les chroniques, Maxence persécutait les chrétiens à Rome, pendant que Maximin les persécutait en Orient. On suppose donc qu'il y aura eu, dans le premier récit du martyre de sainte Catherine, une faute d'écriture, et que c'est Maximin qu'on doit lire au lieu de Maxence.

CLXX
SAINTS BARLAAM ET JOSAPHAT, ABBÉS
(27 novembre)

Barlaam, dont l'histoire nous est racontée par Jean de Damas, convertit à la foi chrétienne le roi Josaphat.

En un temps où l'Inde entière était pleine de chrétiens, surgit un roi puissant nommé Avennir, qui persécuta cruellement les chrétiens et surtout les moines. Or l'ami et principal officier de ce roi, touché de la grâce divine, s'enfuit de la cour pour entrer dans un ordre monastique. Le roi, irrité, le fit rechercher par tout le désert ; et, quand on l'eut trouvé, il le fit comparaître devant lui. Et, voyant vêtu d'un manteau grossier cet homme naguère élégant et riche, il lui dit : « Insensé, quelle folie t'a pris de changer ton honneur en infamie ? » Et le religieux : « Si tu veux connaître mes motifs, chasse d'abord loin de toi tes ennemis ! » Le roi lui demanda qui étaient ces ennemies. Et lui : « Ce sont la colère et la concupiscence, car ce sont elles qui t'empêchent de voir la vérité. » Et le roi : « Parle, maintenant ! » Et lui : « Les insensés, ce sont ceux qui dédaignent comme n'existant point les choses qui existent, et qui poursuivent comme des réalités les choses qui n'existent pas. » Après quoi il lui expliqua longuement le mystère de l'incarnation et les vérités de la foi. Et le roi lui dit : « Si tu ne m'avais pas fait promettre, tout à l'heure, de bannir d'ici la colère pendant que je t'écouterais, je t'enverrais maintenant au bûcher ! Lève-toi et fuis loin de mes yeux, et malheur à toi si je te retrouve jamais ! » Et l'homme de Dieu s'en alla tout triste, car il avait bien espéré subir le martyre.

Le roi Avennir n'avait pas d'enfant. Il eut enfin un fils, qui était d'une beauté merveilleuse, et qui fut appelé Josaphat. En l'honneur de sa naissance, le roi fit célébrer de grands sacrifices ; et il réunit soixante astrologues, qu'il interrogea sur les destinées futures de l'enfant. Tous répondirent qu'il serait grand en puissance et en richesse ; mais le plus sage d'entre eux ajouta : « O roi, l'enfant qui t'est né sera en effet tout cela, mais dans un autre royaume que le tien ! car, si je ne me trompe, il sera un des princes de cette religion chrétienne que tu persécutes ! » Ce qu'entendant, le roi, effrayé, fit construire à l'écart un magnifique palais, qu'il donna pour demeure à son fils ; et il lui donna pour compagnons de beaux jeunes gens, en leur recommandant de ne jamais parler à Josaphat ni de la vieillesse, ni de la maladie, ni de la pauvreté, ni de rien d'attristant : de telle sorte que l'esprit de l'enfant, tout occupé de choses gaies, n'eût jamais l'occasion de penser à l'avenir. Si l'un des compagnons de Josaphat était malade, il aurait aussitôt à être remplacé par un autre bien portant. Mais surtout, défense était faite de jamais mentionner le nom ou la doctrine du Christ.

Il y avait alors auprès du roi un haut fonctionnaire qui était chrétien, mais en secret. Cet homme, chassant un jour avec le roi, aperçut à terre un mendiant qu'une bête féroce avait blessé au pied. Et le mendiant le pria de le recueillir chez lui, ajoutant qu'il pourrait lui rendre service. Alors le ministre : « Je consens volontiers à te recueillir chez moi, mais je ne vois guère comment tu pourrais m'être utile ! » Et le mendiant : « C'est que je suis médecin des paroles. Si quelqu'un souffre d'une parole qu'il a dite ou entendue, je sais des remèdes pour le guérir. » Le ministre, sans prendre au sérieux les mots du mendiant, l'emmena chez lui et le soigna, par charité chrétienne. Or des hommes jaloux et méchants, pour nuire à ce ministre, l'accusèrent auprès du prince non seulement d'être chrétien, mais de flatter le peuple pour s'emparer du pouvoir. Et ils dirent au roi : « Si tu veux en avoir la preuve, reçois-le en particulier, et dis-lui que, sentant l'approche de la mort, tu as l'intention de renoncer au trône pour te faire moine ! Tu verras bien ce qu'il te répondra. » Le roi suivit leur conseil ; et le ministre, ne soupçonnant point la ruse, loua fort l'intention qu'exprimait son maître. Ce dont le roi fut rempli de fureur, car il y voyait la preuve de la trahison du ministre. Mais il se contint et ne répondit rien. Sur quoi le ministre, tout confus de cet accueil, alla raconter la chose au mendiant qu'il avait recueilli. Et celui-ci, en véritable « médecin des paroles », lui dit : « Le roi te soupçonne de vouloir le détrôner. Lève-toi vite, coupe tes cheveux, revêts un cilice, et va chez le roi. Et quand il te demandera ce que cela signifie, tu lui répondras que tu es prêt à le suivre dans son monastère, voulant partager ses privations comme tu as partagé sa prospérité ! » Le ministre fit ainsi, et le roi, après avoir puni les dénonciateurs, l'éleva encore à de plus hautes dignités.

Cependant, le prince Josaphat était parvenu à l'âge adulte. Etonné de ce que son père le tînt enfermé, il interrogeait là-dessus son serviteur favori, ajoutant que cette défense de sortir lui ôtait le goût de manger et de boire. Le roi, informé de cela, lui fit donner des chevaux et lui permit de sortir dans la campagne, à la condition qu'une escorte le précédât pour écarter de ses yeux tout spectacle attristant. Or Josaphat, dans une de ses promenades, rencontra un lépreux et un aveugle. Stupéfait, il demanda ce que c'était. Et ses compagnons : « Ce sont là des maux qui arrivent aux hommes ! » Et lui : « A tous les hommes ? » Et, sur leur réponse négative, il reprit : « Sait-on du moins à l'avance quels hommes doivent être atteints de ces maux ? » Et ses compagnons : « Qui pourrait connaître l'avenir des hommes ? » Sur quoi Josaphat rentra chez lui plein d'anxiété.

Une autre fois, il rencontra un homme brisé par la vieillesse. L'homme avait un visage rugueux, un dos voûté, une bouche sans dents, une parole balbutiante. Etonné, Josaphat demanda ce que c'était. Et quand on lui eût répondu que c'était l'âge qui avait mis l'homme en cet état, il demanda : « Et quelle sera sa fin ? » On lui répondit : « La mort ! » Et lui : « Est-ce que tous doivent mourir, ou seulement quelques-uns ? » On lui répondit : « Tous ! » Et Josaphat : « A quel âge ? » Et eux : « On peut vivre jusqu'à quatre-vingts ou cent ans, et puis on meurt. » Et le jeune homme, roulant dans son cœur toutes ces pensées nouvelles, se désolait en secret, bien que, devant son père, il continuât de feindre la gaîté.

Or, un saint moine nommé Barlaam vivait alors dans le désert de Sennaar. Instruit par l'Esprit-Saint de ce qui arrivait au fils du roi, il prit l'habit d'un marchand, se rendit à la capitale, et, abordant le précepteur du prince, il lui dit : « Je suis marchand, et j'ai à vendre une pierre merveilleuse qui ouvre les yeux aux aveugles et les oreilles aux sourds, rend la parole aux muets et la raison aux fous. Conduis-moi près du jeune prince, pour que je la lui montre ! » Et le précepteur : « Je me connais en pierres. Montre-moi celle dont tu parles, et, si elle est telle que tu le dis, le fils du roi te l'achètera ! » Mais Barlaam : « Ma pierre a encore cette propriété que seuls peuvent la voir ceux qui sont chastes et que n'a point corrompus le péché. Avec les yeux que tu as, tu ne pourrais pas la voir, tandis qu'on m'a dit que le fils du roi était chaste et ignorait le mal. » Le précepteur le conduisit alors devant Josaphat, qui l'accueillit avec déférence. Et Barlaam : « Prince, tu as bien fait de me recevoir, sans dédaigner mon humble figure ! Tu as fait comme un roi qui, quand il voyageait dans son carrosse doré et rencontrait des mendiants en haillons, descendait de son carrosse et leur baisait les pieds. Les ministres de ce roi, n'osant le blâmer ouvertement, dirent à son frère comment il se conduisait ; et le frère, lui aussi, en fut scandalisé. Or c'était l'usage que, lorsqu'un homme était condamné à mort, le crieur du roi venait sonner de la trompe devant sa maison. Un soir, donc, le roi envoya son crieur sonner de la trompe devant la maison de son frère. Ce qu'entendant, celui-ci se crut condamné à mort. Il ne put dormir de toute la nuit, fit son testament, s'habilla tout de noir et vint en pleurant au palais du roi avec sa femme et ses enfants. Et le roi lui dit : « Sot que tu es ! Tu t'es effrayé en entendant le messager de ton frère, envers qui tu sais que tu n'es point coupable ; et tu me blâmes de m'émouvoir à la vue des messagers de Dieu, contre qui j'ai si souvent péché ! » Après cela le roi prit quatre coffres. Dans deux d'entre eux, qu'il fit garnir d'or à l'extérieur, il mit à l'intérieur des ossements en putréfaction. Dans les deux autres, qu'il fit garnir de poix à l'extérieur, il mit à l'intérieur des diamants et des perles. Puis, convoquant les ministres qui s'étaient plaints de lui à son frère, il leur demanda quels étaient les plus précieux des quatre coffres. Ils désignèrent aussitôt ceux qui étaient couverts d'or, dédaignant les deux autres. Alors le roi fit ouvrir les deux coffres dorés, et une puanteur infecte s'en exhala. Et le roi : « Ces coffres sont l'image de ceux qui, somptueusement vêtus, ont dans leur cœur le vice et l'impureté. » Puis il fit ouvrir les deux autres coffres, et on y vit luire l'éclat des pierreries. Et il dit : « Ceci est l'image des pauvres que vous m'avez blâmé d'honorer : car, sous leurs haillons misérables, ils rayonnent de l'éclat de toutes les vertus. »

Puis Barlaam expliqua longuement à Josaphat l'incarnation, la passion et la résurrection du Christ. Il lui parla aussi du jugement dernier et de la rétribution des bons et des méchants. Et, pour lui faire entendre l'erreur des idolâtres, il lui raconta la parabole suivante : Un archer, ayant pris un rossignol, voulait le tuer. Mais, l'oiseau : « Homme, quel profit auras-tu de ma mort ? Pour ton ventre même je ne ferai qu'une bouchée ! Tandis que, si tu veux me rendre le vol, je te donnerai trois conseils excellents à suivre. » L'archer, étonné, promit à l'oiseau de le remettre en liberté en échange des trois conseils. Et le rossignol lui dit : « 1° n'essaie jamais d'atteindre des choses qui sont hors d'atteinte ; 2° ne t'afflige jamais d'une perte irréparable ; 3° ne crois jamais des choses incroyables. Retiens ces trois conseils, et tu t'en trouveras bien ! » L'archer, suivant sa promesse, lâcha le rossignol. Et celui-ci, volant dans les airs, lui dit : « Malheur à toi, homme, car tu as fait une sottise, et tu as perdu un grand trésor ! Sache donc que j'ai dans mon ventre un diamant deux fois plus gros qu'un œuf d'autruche ! » Ce qu'entendant, l'archer fut désolé d'avoir remis en liberté le rossignol ; et, pour le reprendre, il lui disait : « Viens dans ma maison, tu y verras bien des choses curieuses, et je te ferai un beau cadeau ! » Et le rossignol : « Maintenant je reconnais, sans erreur possible, que tu es un sot, car de mes trois conseils tu ne tires aucun profit. Tu t'affliges de m'avoir perdu, tandis que tu ne saurais me ravoir ; tu t'efforces de m'atteindre, tandis que c'est chose impossible ; et tu crois que je puis avoir dans le ventre un diamant dix fois plus gros que mon corps tout entier ! » Et Barlaam ajouta : « Non moins stupides sont ceux qui croient aux idoles et invoquent l'appui de statues qu'ils ont eux-mêmes fabriquées ! »

Puis Barlaam exposa au jeune prince le mensonge et la vanité des plaisirs du monde. Et, à l'appui de ses arguments, il lui raconta les apologues suivants. Il lui dit, d'abord, que ceux qui désirent les plaisirs corporels au détriment de leur âme ressemblent à un homme qui, fuyant devant une licorne, tomba dans un précipice. En tombant, il s'accrocha des deux mains à un arbuste et enfonça ses pieds dans une boue glissante. Il vit alors que deux rats, un blanc et un noir, rongeaient les racines de l'arbuste et étaient déjà sur le point de le détacher. Au fond de l'abîme, il vit un dragon terrible qui ouvrait la bouche pour le dévorer ; et, dans la boue où s'étaient enfoncés ses pieds, il vit quatre vipères qui levaient la tête. Mais soudain il aperçut une goutte de miel qui découlait d'une branche de l'arbuste. Et aussitôt, oubliant tous les dangers qui l'entouraient, il se laissa aller à la douceur de manger ce miel. Et Barlaam dit à Josaphat : « La licorne, c'est la mort, que l'homme s'efforce de fuir.

L'abîme, c'est notre monde de misère. L'arbuste c'est notre vie, dont les racines sont rongées jour et nuit, et dont l'écroulement est sans cesse plus proche. Les quatre vipères sont les quatre éléments, dont le désordre amène la dissolution du corps. Le dragon, c'est le diable. Et la goutte de miel, ce sont les plaisirs décevants dont la poursuite nous détourne de la vue de notre destinée. »

Autre exemple. Ceux qui aiment le monde sont pareils à un homme qui avait trois amis, dont il l'aimait l'un plus que lui-même, le second autant que lui-même, le troisième moins que lui-même. Cet homme, étant en danger de mort, courut invoquer l'aide du premier ami. Et celui-ci : « Malheureux, je ne puis rien pour toi ! J'ai d'autres amis avec qui je dois me réjouir. Tout ce que je puis faire pour toi, c'est de te donner ces deux cilices, pour te couvrir en cas de besoin. » L'homme alla trouver son second ami, qui lui dit : « Je n'ai que faire de souffrir avec toi, étant moi-même accablé de souci. Je puis seulement, si tu veux, te faire un pas de conduite jusqu'à la porte du tribunal. » Alors l'homme, désespéré, aller trouver son troisième ami, et lui dit, la mine basse : « J'ose à peine te parler, car je ne t'ai pas aimé comme je le devais. Mais, dans l'embarras où je me trouve, et sans autres amis, je me suis dit que peut-être tu ne refuserais pas de me secourir. » Et l'ami, avec un bon sourire, lui répondit : « Certes, tu es pour moi un ami très cher, et je n'oublie pas le service que tu m'as rendu ! Viens, je vais aller avec toi au tribunal, pour t'empêcher d'être livré à tes ennemis ! » Et Barlaam ajouta : « Le premier de ces amis est la possession des richesses, pour qui l'homme s'expose à mille dangers, et de qui, à l'heure de la mort, il ne tire aucun profit, si ce n'est des linceuls pour l'ensevelir. Le second ami, ce sont la femme, les fils, les parents, qui nous font un pas de conduite jusqu'à notre tombeau, et puis s'en retournent aussitôt à leurs affaires. Le troisième ami, c'est la foi, l'espérance, la charité et l'aumône, et toutes les bonnes œuvres, qui, lorsque nous mourons, nous accompagnent au tribunal de Dieu et nous délivrent de nos ennemis les démons. »

Barlaam dit encore ceci : « Dans une grande ville, on avait l'habitude d'élire pour prince, tous les ans, un homme étranger et inconnu, à qui on laissait plein pouvoir de faire ce qu'il voulait ; mais au bout de l'année, tandis que cet homme ne songeait qu'à sa jouissance, se croyant destiné à régner toujours, voilà que tous les citoyens s'insurgeaient contre lui, le traînaient nu par les rues de la ville, et le reléguaient dans une île déserte où il mourait de faim et de froid. Or il y eut un de ces princes improvisés qui, ayant appris la coutume de ses sujets, prit la précaution de déposer dans l'île de grands trésors, de telle sorte que, quand il y fut à son tour relégué, il ne manqua de rien. Cette ville est le monde ; ses citoyens sont les princes des ténèbres ; et à l'improviste la mort survient, qui nous relègue dans le feu de l'enfer. Et notre provision de richesses pour l'autre vie ne peut se faire que par l'entremise des pauvres. »

Quand Barlaam eut ainsi achevé d'instruire le fils du roi, celui-ci voulut tout abandonner pour le suivre. Mais Barlaam lui répondit, que, s'il faisait cela, il serait pareil à certain jeune homme qui, après avoir refusé de se marier avec une jeune fille riche et noble, s'enfuit dans un lieu où il trouva une autre jeune fille, très pauvre, travaillant et priant auprès de son vieux père. Et il lui dit : « Femme, que fais-tu là ? Manquant de tout, tu rends grâces à Dieu comme si tu en avais reçu de grands biens ! » Et la jeune fille : « Les choses extérieures ne sont pas à nous, mais seulement celles qui sont au dedans de nous. Or Dieu m'a accordé de grands biens : car il m'a faite à son image, il m'a appelée à sa gloire et m'a ouvert la porte de son royaume. » Le jeune homme, la voyant aussi sage que belle, la demanda en mariage à son père. Et celui-ci : « Tu ne peux pas épouser ma fille, car tu es fils de gens nobles et riches, et je ne suis qu'un pauvre homme ! » Et comme le jeune homme insistait, le vieillard lui dit : « Je ne puis te la donner en mariage, car tu la conduirais dans la maison de ton père, et elle est mon unique enfant. » Et le jeune homme : « Je resterai près de vous et me conformerai en tout à votre manière de vivre ! » Puis, dépouillant ses vêtements précieux, il endossa un manteau de bure pareil à celui du vieillard, se fixa près de lui et épousa la jeune fille. Et après que le vieillard eut éprouvé sa constance, il le conduisit enfin dans la chambre nuptiale ; et, là, il lui montra un trésor comme il n'en avait jamais vu, et le lui donna tout entier.

A cela le jeune prince Josaphat répondit : « Je comprends l'allusion que contient ton récit. Mais dis-moi, père, quel âge tu as et où tu demeures, car je ne veux pas me séparer de toi. » Et Barlaam : « Il y a quarante-cinq ans que je demeure au désert de Sennaar. » Alors Josaphat : « Mais tu as l'air d'avoir plus de soixante-dix ans ! » Et Barlaam : « Oui, tel est mon âge, si l'on compte mes années depuis ma naissance. Mais je n'admets pas que l'on compte, dans la mesure de ma vie, le temps que j'ai dépensé aux vanités du monde : car pendant ce temps-là j'étais mort, et des années de mort ne doivent pas compter dans la vie. » Et comme Josaphat insistait pour le suivre au désert, Barlaam lui dit : « Si tu le fais, je ne pourrai jouir de ta société, et je serai cause de persécution pour mes frères ! Reste plutôt ici ; et quand tu jugeras le temps opportun, tu viendras me rejoindre ! » Puis, ayant baptisé le prince, il l'embrassa une dernière fois et s'en retourna au désert.

Quand le roi apprit que son fils était devenu chrétien, il en éprouva une vive douleur. Alors un de ses amis, nommé Arachis, pour le consoler, lui dit : « Je connais un ermite qui est de notre religion et qui ressemble tout à fait à Barlaam. Que cet homme, se faisant passer pour Barlaam, défende d'abord la foi chrétienne ; puis qu'il se laisse réfuter et renie son christianisme ; et ton fils le reniera, lui aussi ! » Le roi feignit donc d'organiser une grande expédition pour rechercher Barlaam, et fit savoir à son fils qu'il l'avait retrouvé. Ce qu'apprenant, Josaphat se désola d'abord de la capture de son maître ; mais bientôt Dieu lui révéla que ce n'était pas le vrai Barlaam. Alors le roi, venant chez son fils, lui dit : « Mon enfant, tu m'as causé une grande tristesse, tu as déshonoré mes cheveux blancs et tu m'as ôté la lumière de mes yeux ! Pourquoi, mon cher fils, as-tu abandonné le culte de mes dieux ? » Et Josaphat ; « Mon père, pourquoi t'affliger de ce que j'aie été admis à participer d'un grand bien ? Quel père a jamais paru triste de la prospérité de son fils ? » Sur quoi le roi, furieux, se plaignit à Arachis de l'endurcissement de Josaphat. Arachis lui conseilla de ne pas lui parler aussi sévèrement, ajoutant qu'avec de douces flatteries on en viendrait mieux à bout. Aussi, le lendemain, le roi dit-il à son fils, en le couvrant de baisers : « Mon fils chéri, honore et respecte ton vieux père ! Ne sais-tu pas le bien que c'est d'obéir à son père et de le rendre heureux ? Ne sais-tu pas que tous ceux qui y ont manqué ont péri misérablement ? » Et Josaphat : « Il y a un temps pour aimer et un temps pour obéir, un temps de paix et un temps de guerre. Mais, à ceux qui nous détournent de Dieu, nous ne devons jamais obéir, fussent-ils même nos parents ! » Alors le roi, voyant sa constance : « Puisque rien ne peut te fléchir, viens, et nous croirons tous deux aux mêmes vérités. Barlaam, qui t'a converti, est ici prisonnier. Convoque tous les chrétiens, et que les hommes de ma religion et ceux de la tienne discutent librement ! Si ce sont les chrétiens qui l'emportent, nous croirons à leur Dieu ; et si ce sont les hommes de notre religion, tu renonceras à ton christianisme ! » Josaphat consentit à cette proposition et fut mis en présence du faux Barlaam.

Aussitôt il lui dit : « Tu sais, Barlaam, comment tu m'as instruit ! Si donc tu défends la foi que tu m'as enseignée, je resterai ton disciple jusqu'à la fin de mes jours. Mais si, au contraire, tu te laisses vaincre, j'arracherai moi-même ton cœur et ta langue et les donnerai aux chiens, pour que désormais personne ne s'avise plus d'induire en erreur un fils de roi ! » Ce qu'entendant le faux Barlaam, dont le vrai nom était Nachor, trembla et se troubla cruellement, car il se voyait pris à son propre piège. Il réfléchit que le plus prudent était d'être de l'avis du fils du roi. Or un rhéteur se leva et lui dit : « Es-tu Barlaam, qui as induit en erreur le fils du roi ? » Et lui : « Je suis Barlaam, qui n'ai pas induit en erreur le fils du roi, mais au contraire qui l'ai délivré de l'erreur ! » Et le rhéteur : « Alors que les plus sages et les plus savants des hommes ont adoré nos dieux, comment oses-tu t'insurger contre eux ? » Et le faux Barlaam : « Les Chaldéens, les Grecs et les Egyptiens ont commis l'erreur de prendre pour des dieux de simples créatures. Les Chaldéens ont adoré les éléments, créés pour l'utilité de l'homme. Les Grecs ont adoré des hommes criminels, tels que Saturne, qui dévorait ses fils et s'était coupé ses parties génitales ; tels que Jupiter, qui, pour commettre l'adultère, aimait à prendre des formes d'animaux ; tels encore que Vénus, qui trompait son mari avec Adonis. Les Egyptiens ont adoré des bêtes, le bœuf, le mouton, le porc, et d'autres encore. Seuls les chrétiens adorent le fils du vrai Dieu qui est descendu des cieux pour sauver les hommes. » Et Nachor continua de défendre la foi chrétienne, en sorte que les rhéteurs, stupéfaits, ne surent que répondre. Et Josaphat se réjouissait fort de voir que le Seigneur faisait défendre la vérité par la bouche d'un ennemi. Mais le roi, au contraire, était furieux. Il s'empressa de lever la séance, sous prétexte d'ajourner le débat au lendemain. Et Josaphat lui dit : « Si tu ne veux pas qu'on doute de ta justice, permets à mon maître de passer la nuit avec moi, pour que nous convenions ensemble de nos réponses pour demain ! Et toi, de la même façon, entends-toi avec tes rhéteurs ! » Le roi et Nachor y consentirent, espérant toujours l'induire en erreur. Mais lorsque Nachor se rendit au palais de Josaphat, celui-ci lui dit : « Ne crois pas que j'ignore qui tu es ! Je sais que tu n'es pas Barlaam, mais l'astrologue Nachor. » Puis il lui exposa si bien les voies du salut qu'il le convertit. Et, le lendemain, Nachor s'en alla au désert, où, ayant reçu le baptême, il se fit ermite.

Cependant, un mage nommé Théodas, instruit de tout cela, vint trouver le roi et lui dit qu'il connaissait un moyen de détourner Josaphat de son christianisme. Et le roi : « Si tu parviens à cela, je t'élèverai une statue d'or et ordonnerai qu'on t'offre des sacrifices comme à un dieu ! » Alors Théodas : « Eloigne de ton fils tous ses compagnons, et introduis dans son palais des femmes belles et ornées, pour qu'elles le servent et passent tout leur temps avec lui ! Moi, je lui enverrai un de mes esprits, qui l'enflammera de concupiscence. Car rien n'a autant de pouvoir pour séduire les jeunes gens qu'un visage de femme ! Certain roi venait de voir naître un fils lorsque les médecins lui dirent que si, pendant dix ans, l'enfant apercevait une seule fois le soleil ou la lune, il perdrait l'usage de ses yeux. Alors ce roi fit enfermer son fils, jusqu'à l'âge de dix ans, dans une grotte souterraine. Les dix ans écoulés, il ordonna qu'on étalât devant son fils toutes les choses du monde, afin qu'il apprît à les connaître ainsi que leurs noms. L'enfant apprit à connaître, de cette façon, les noms de l'or et de l'argent, des pierres précieuses, des chevaux, et de tout le reste. Mais quand il demanda quel était le nom des femmes, le ministre du roi lui répondit en plaisantant qu'on les appelait *des diables à séduire les hommes*. Et lorsque ensuite le roi demanda à son fils ce qu'il aimait le mieux, de toutes les choses qu'il avait vues, l'enfant répondit que c'était, à beaucoup près, *les diables à séduire les hommes*. »

Aussitôt le roi, congédiant tous les compagnons de son fils, les remplaça par de belles jeunes filles, qui ne cessaient point de l'exciter à la luxure. Et le malin esprit envoyé par le mage pénétra dans le cœur du jeune homme et y alluma un grand feu. De telle sorte que, brûlé tout ensemble au dehors et au dedans, le malheureux Josaphat souffrait cruellement. Mais il se recommandait à Dieu ; et Dieu finit par éloigner de lui toute tentation.

Alors le roi envoya à son fils une jeune princesse d'une beauté merveilleuse. Et comme Josaphat lui prêchait le Christ, elle répondit : « Si tu veux me détourner du culte des idoles, marie-toi avec moi ! Car les chrétiens eux-mêmes approuvent le mariage ; puisque leurs patriarches, leurs prophètes et leur apôtre Pierre étaient mariés. » Mais Josaphat : « Chère amie, ce sont là de vaines paroles. Les chrétiens peuvent, en effet, se marier, mais non pas ceux qui ont promis au Christ de garder leur virginité ! » Et elle : « Soit ! mais si tu veux sauver mon âme, accorde-moi du moins une petite grâce ! Accouple-toi avec moi cette nuit seulement, et je te promets que, demain matin, je me ferai chrétienne ! » Elle parlait avec tant d'instance, et était si belle, qu'elle commença à ébranler sérieusement la tour de son âme. Ce que voyant, Satan dit à ses compagnons : « Voyez comme cette jeune fille ébranle l'âme que nous n'avons pu toucher ! Profitons de l'occasion pour nous précipiter dans cette âme ! » Alors le pauvre jeune homme, se voyant si tenté — car il l'était et par sa concupiscence et par son désir de sauver la jeune fille, — se mit à pleurer et tomba en prière. Et, pendant sa prière, il s'endormit et eut un rêve. Il se vit amené dans un pré fleuri où les feuilles des arbres, sous une brise légère, murmuraient doucement et exhalaient un parfum merveilleux. Il y avait là des fruits d'un goût incomparable, des eaux d'une limpidité ravissante, des sièges et des lits ornés d'or et de pierreries. Et une voix lui dit que c'était là le séjour des bienheureux. Il demanda la permission d'y rester, mais la voix lui répondit : « Tu pourras y revenir un jour, si tu sais résister à tes mauvais désirs. » Puis il vit, dans son rêve, un lieu sinistre et fétide, et la voix lui dit que c'était le séjour des damnés. Et, lorsqu'il s'éveilla, la beauté de la jeune fille lui parut exhaler la même puanteur.

Les malins esprits s'en retournèrent auprès de Théodas, et lui dirent : « Tant qu'il n'avait pas fait le signe de la croix, nous pouvions pénétrer en lui et le troubler vivement. Mais dès qu'il eut fait ce signe, nous dûmes nous enfuir. » Alors Théodas se rendit lui-même auprès de Josaphat, espérant le séduire par de belles paroles. Mais ce fut lui qui fut pris par celui qu'il voulait prendre. Converti par Josaphat, il reçut le baptême, et mena, depuis lors, une vie exemplaire.

Le roi, désespéré, abandonna à son fils la moitié de son royaume. Et Josaphat, malgré son extrême impatience de se réfugier au désert, jugea utile, dans l'intérêt de la foi, d'accepter pour quelque temps le royaume qui lui était offert. Il construisit de nombreuses églises, dressa partout des croix, et convertit tous ses sujets. Son père lui-même finit par se laisser convaincre par la prédication de son fils. Il crut en Jésus-Christ, reçut le baptême, laissa le royaume entier à Josaphat, et acheva sa vie dans la pénitence.

Après cela, Josaphat voulut, à son tour, se retirer dans le désert ; mais longtemps les prières de son peuple le retinrent. Un jour enfin, il s'enfuit, donna à un pauvre ses habits royaux, et, en échange, revêtit ses haillons. Ainsi il erra dans le désert pendant deux ans, sans pouvoir trouver Barlaam. Enfin, apercevant un caveau, il frappa à la porte et dit : « Père, bénis-moi ! » Et Barlaam, entendant sa voix, sortit du caveau. Ils s'embrassèrent longuement, heureux de se revoir. Josaphat raconta à Barlaam tout ce qui lui était arrivé ; et, ensemble, ils en rendirent grâces à Dieu. Et Josaphat vécut là de nombreuses années, dans la vertu et les privations. Quant à Barlaam, lorsqu'il eut accompli sa destinée, il mourut en paix à l'âge de quatre-vingts ans, l'an du Seigneur 400. Josaphat, lui, renonça à son royaume dans la vingt-cinquième année de son âge ; il vécut ensuite au désert pendant trente-cinq ans, et puis s'endormit, à son tour, dans le Seigneur[20].

[20] C'est l'histoire de saint Josaphat qui a fait affirmer à Max Müller, — et à bien d'autres, après lui, — que « Boudha était devenu un saint de l'Eglise catholique ». En effet, au dire de ces savants, le nom de « Josaphat » ne peut être qu'une déformation de « Bodhisattva » ; et il y a, dans le fameux *Lalila Vistara*, une légende qui rappelle ce que Jean de Damas et Jacques de Voragine nous racontent de l'enfance du fils du roi Avennir. Quant à l'esprit profondément chrétien qui anime tout le récit de la *Légende Dorée*, sous la délicieuse couleur orientale dont il est revêtu, c'est apparemment chose sans importance, ou, en tout cas, incapable de prévaloir contre l'identité manifeste des deux noms de « Josaphat » et de « Bodhisattva » !

CLXXI
SAINT JACQUES L'INTERCIS, MARTYR
(27 novembre)

Le martyr Jacques, surnommé l'Intercis[21], noble de naissance, mais plus noble encore par sa foi, était originaire de la ville d'Elape, dans le pays des Perses. Né de parents chrétiens, et marié à une femme chrétienne, il vivait dans la familiarité du roi des Perses, qui finit même par le décider à sacrifier aux idoles. Ce qu'entendant, la mère et la femme de Jacques lui écrivirent aussitôt : « En obéissant à un mortel, tu as abandonné Celui de qui dépend la vie, tu as changé la vérité en mensonge ; en cédant à un mortel, tu as renié le juge des vivants et des morts. Sache donc que, désormais, nous te serons étrangères, et que jamais plus tu ne nous reverras ! » Et Jacques, ayant lu cette lettre, s'écria en pleurant : « Si ma mère et ma femme me sont devenues étrangères, combien plus étranger doit m'être devenu mon Dieu ! » Et comme il se repentait amèrement de sa faute, on fit savoir au roi que Jacques était de nouveau chrétien. Alors le roi le fit comparaître et lui dit : « Réponds-moi, es-tu Nazaréen ? » Et Jacques : « Oui ! » Et lui : « Donc tu es mage ! » Et Jacques : « Dieu me préserve d'être mage ! » Et comme le roi le menaçait de nombreux supplices, Jacques répondit : « Tes menaces ne sauraient me troubler, car tes paroles me traversent plus vite les oreilles que le vent ne met de temps à passer sur un rocher ! » Et le roi : « Sois prudent, ne t'expose pas à une mort cruelle ! » Et Jacques : « Ce n'est point là une mort, mais plutôt un sommeil, d'où l'on ne tarde pas à se réveiller pour la résurrection ! » Et le roi : « Ne crois pas les Nazaréens qui prétendent que la mort n'est qu'un sommeil, car les plus grands empereurs la redoutent ! » Et Jacques : « Quant à nous, nous ne craignons point la mort, car elle n'est pour nous que l'entrée de la vie ! » Alors le roi, sur le conseil de ses amis, décida que, pour l'exemple, Jacques serait mutilé membre à membre. Et comme plusieurs témoins, émus de pitié, pleuraient sur le saint, celui-ci leur dit : « Ne pleurez pas sur moi, mais sur vous-mêmes, car moi, je vais à la vie, et vous, au supplice éternel ! »

[21] Ce surnom, qui signifie « le coupé en morceaux » est une allusion au martyre du saint.

Alors les bourreaux lui coupèrent le pouce de la main droite, et Jacques s'écria : « Seigneur Jésus, reçois ce rameau de l'arbre de la miséricorde ; car le vigneron coupe le sarment de sa vigne afin qu'elle germe mieux et soit couronnée de fruits ! » Et le bourreau : « Si tu consens à céder, je puis encore te faire grâce et guérir ta main ! » Et, comme Jacques s'y refusait, il lui coupa un second doigt. Et Jacques dit : « Reçois ces deux rameaux que tu as plantés ! » Au troisième doigt coupé, il dit : « Délivré d'une triple tentation, je bénis le Père, le Fils et le Saint-Esprit ! » Au quatrième doigt, Jacques dit : « Protecteur des fils d'Israël, quatre fois béni, reçois de ton serviteur ce quatrième hommage ! » Enfin, au cinquième doigt : « Maintenant ma joie est complète ! »

Alors les bourreaux lui dirent : « Aie maintenant pitié de ton âme ! Et ne t'afflige pas d'avoir perdu une main, car il y a bien des hommes qui n'ont qu'une main, et qui abondent en honneurs et richesses ! » Et Jacques : « Quand les bergers tondent leurs brebis, se contentent-ils de couper la laine du côté droit, en laissant tout entière celle du côté gauche ? » On lui coupa le petit doigt de la main gauche. Et lui : « Seigneur, étant le plus grand, tu as voulu devenir, pour nous, le plus petit ! Reprends le corps que tu as racheté de ton propre sang ! » Au septième doigt, il dit : « Sept fois par jour j'ai loué le Seigneur ! » Au huitième : « C'est le huitième jour que Jésus a été circoncis. Permets à l'âme de ton serviteur, Seigneur, d'être, elle aussi, purifiée par les rites sacrés ! » Au neuvième doigt, il dit : « C'est à la neuvième heure que le Christ a expiré sur la croix. Aussi, Seigneur, suis-je heureux de te proclamer et de te remercier, dans la douleur de l'amputation de mon neuvième doigt. » Enfin, au dixième doigt, il dit : « La dixième lettre de l'alphabet, *iota*, est la lettre par laquelle commence le nom de Jésus-Christ ! » Alors quelques-uns des assistants dirent : « O toi que nous avons aimé, feins tout au moins de renier ton Dieu pour obtenir la vie sauve ! On t'a, en vérité, coupé les mains ; mais nous connaissons des médecins très habiles qui sauront te guérir de ta souffrance. » Et Jacques : « Loin de moi une aussi honteuse dissimulation ! Celui qui regarde en arrière pendant qu'il conduit la charrue ne saurait être propre au royaume de Dieu. » Sur quoi les bourreaux, furieux, lui coupèrent tour à tour les dix doigts de ses pieds. Et à chaque doigt coupé il glorifiait Dieu d'une façon nouvelle. On lui coupa ensuite le pied droit, puis le pied gauche, puis le bras droit et le bras gauche, puis la jambe droite jusqu'à la cuisse. Et le saint, se tordant sous la douleur, s'écria : « Seigneur Jésus-Christ, aide-moi, car voici que s'emparent de moi les gémissements de la mort ! » Et il dit aux bourreaux : « Le Seigneur me revêtira d'une chair nouvelle, que vos blessures ne sauront atteindre ! » Et déjà les bourreaux commençaient à se fatiguer, ayant travaillé sur lui de la première jusqu'à la neuvième heure. Ils lui coupèrent cependant encore la jambe gauche, jusqu'à la cuisse. Et saint Jacques s'écria : « Dieu des vivants et des morts, écoute-moi, qui suis à demi vivant et à demi mort ! Je n'ai plus de doigts ni de mains à tendre vers toi, plus de genoux à fléchir devant toi ! Je suis comme une maison qui s'effondre, ayant perdu toutes les colonnes, qui la soutenaient. Ecoute-moi, Seigneur Jésus, et tire mon âme de sa prison ! » A peine eut-il dit cela qu'un des bourreaux s'approcha et lui trancha la tête. Il mourut le jour du 27 novembre.

CLXXII
SAINT SATURNIN, SAINTE PERPÉTUE, SAINTE FÉLICITÉ ET LEURS COMPAGNONS, MARTYRS
(23 et 29 novembre)[22]

[22] La fête de saint Saturnin de Toulouse est célébrée le 29 novembre ; celle de sainte Félicité et de ses compagnons, le 23 du même mois.

I. Saturnin, ordonné prêtre par les disciples des apôtres, fut désigné pour aller occuper l'évêché de Toulouse. Et comme, dès qu'il fut entré dans la ville, tous les démons cessèrent de répondre aux questions qu'on leur faisait, un des païens dit que, si l'on ne tuait pas Saturnin, on n'obtiendrait plus jamais rien des dieux. On s'empara donc de Saturnin ; et celui-ci, sur son refus de sacrifier, fut attaché au pied d'un taureau furieux, qu'on précipita ensuite le long des marches du Capitole. Le saint eut la tête brisée, la cervelle écrasée ; et ainsi, il reçut heureusement la couronne du martyre. Deux femmes recueillirent son corps, et, par peur des païens, le cachèrent dans un puits, d'où les successeurs de saint Saturnin le transportèrent, plus tard, dans un lieu consacré.

II. Il y eut un autre Saturnin qui souffrit le martyre à Rome, en l'an 286, sous Maximien. Le préfet de la ville, après l'avoir longtemps tenu en prison, le fit attacher sur un chevalet, où il fut roué de coups. On lui brûla ensuite les côtes, et l'on finit par le décapiter.

III. Il y eut un autre Saturnin qui souffrit le martyre en Afrique avec son frère Satire, un compagnon nommé Révocat, la sœur de celui-ci, nommée Félicité, et une femme noble nommée Perpétue. Ayant refusé de sacrifier aux idoles, ils furent tous jetés en prison. Ce que voyant, le père de Perpétue courut à la prison, et dit : « Ma fille, qu'as-tu fait ? Tu as déshonoré ta famille ! car jamais encore personne de ta race n'a été emprisonné ! » Et quand il apprit que sa fille était chrétienne, il s'élança sur elle pour lui crever les yeux. Or, cette nuit-là, Perpétue eut un rêve qu'elle raconta en ces termes à ses compagnons : « J'ai vu une échelle d'or qui s'élevait jusqu'au ciel, si étroite qu'on ne pouvait y grimper qu'un à un, et encore à la condition d'être petit de taille. Car à droite et à gauche, sur les portants, étaient fixés des couteaux et des glaives très aigus, de telle sorte que ceux qui grimpaient ne pouvaient regarder ni derrière eux ni autour d'eux, mais étaient forcés d'avoir toujours les yeux levés au ciel. Sous l'échelle se tenait un immense et terrible dragon, essayant d'effrayer tous ceux qui voulaient grimper. Et j'ai vu Satire grimper sur l'échelle, parvenir jusqu'en haut, puis se retourner, et nous faire signe de le suivre sans crainte. » Ce qu'entendant, tous les prisonniers rendirent grâce à Dieu, car ils comprirent qu'ils avaient été élus pour le martyre. Amenés devant le juge, ils refusèrent de sacrifier : sur quoi le juge fit séparer les trois hommes des deux femmes, et dit à Félicité : «As-tu un mari ?» Et elle : «Oui, mais je le dédaigne !» Et lui : «Aie pitié de toi, jeune femme, et consens à vivre, d'autant plus que tu portes un enfant dans ton ventre !» Mais elle : «Fais de moi ce que tu voudras, jamais tu ne m'amèneras à ta volonté !» Cependant, les parents et le mari de Perpétue avaient amené à celle-ci son petit garçon encore à la mamelle. Et le père de la sainte dit à sa fille : «Mon doux enfant, aie pitié de moi, de ta pauvre mère, et de ton mari, qui ne pourra pas vivre sans toi !» Mais Perpétue ne se laissait point toucher. Alors son père lui jeta au cou son petit garçon. Mais elle, repoussant l'enfant, dit aux siens : «Eloignez-vous de moi, ennemis de Dieu, car je ne vous connais plus !» Après quoi le préfet, voyant la constance des martyrs, les renvoya en prison. Et comme les saints s'affligeaient sur Félicité, qui était alors enceinte de huit mois, Dieu fit alors en sorte qu'elle éprouva soudain les douleurs de l'enfantement, et mit au monde un fils vivant. Et les gardiens lui disaient : «Si tu souffres si cruellement dès à présent, que sera-ce quand tu comparaîtras devant le juge ?» Mais Félicité : «Ici, je souffre pour moi ; là-bas Dieu souffrira pour moi !» On les fit ensuite sortir de prison, les mains liées derrière le dos, et on les conduisit dans l'amphithéâtre. Satire et Perpétue furent dévorés par des lions, Révocat et Félicité par des léopards ; et Saturnin eut la tête tranchée. Cela se passait vers l'an 256, sous les empereurs Valérien et Gallien.

CLXXIII[23]
SAINT PASTEUR, ABBÉ

[23] Les cinq chapitres qui suivent forment, en appendice à la *Légende des Saints*, une sorte de manuel de la vie monastique.

Saint Pasteur demeura de longues années au désert, avec ses frères, et se distingua par sa sainteté. Sa mère désirait beaucoup revoir ses fils ; et comme ils s'y refusaient, elle se rendit un jour au devant d'eux pendant qu'ils allaient à la ruche. Mais aussitôt ils s'enfuirent dans leurs cellules, dont ils barricadèrent les portes. Et elle, debout devant la porte de la cellule de Pasteur, pleurait et gémissait. Pasteur, à travers la porte, lui dit : « Vieille femme, qu'as-tu à crier ainsi ? » Mais elle, entendant sa voix redoublait ses cris, disant : « Je veux vous voir, mes chers fils ! Est-ce donc mal, que je vous revoie ? Ne suis-je pas votre mère, qui vous ai allaités ? » Et son fils : « Veux-tu nous voir dans ce monde-ci ou dans l'autre ? » Et elle : « Si je ne peux pas dans celui-ci, que du moins je le puisse dans l'autre, mes enfants ! » Et Pasteur : « Si tu te résignes chrétiennement à ne pas nous voir dans ce monde-ci, tu nous verras certainement dans l'autre ! » Sur quoi la vieille s'en alla toute réconfortée.

Le juge de la province voulait, lui aussi, voir Pasteur, qui refusait de se laisser voir. Ce juge fit alors jeter en prison le neveu de l'ermite, en disant : « Si Pasteur vient intercéder pour lui, je le relâcherai ! » La mère de l'enfant vint pleurer devant la porte de Pasteur. Et comme celui-ci ne lui répondait pas, elle lui dit : « Si même tu as des entrailles de fer, insensibles à toute compassion, qu'au moins la voix du sang te parle en faveur de mon fils ! » Mais son frère se borna à lui faire répondre : « Pasteur n'a jamais eu de fils ! » La mère du prisonnier revint toute en larmes auprès du juge, qui lui dit : « Qu'au moins ton frère dise un mot pour ton fils et je le remettrai en liberté ! » Mais Pasteur se borna à lui répondre : « Examine la cause suivant ta loi ; et, s'il est digne de mort, mets-le à mort ; s'il est innocent, fais-en ce qui te plaira ! » Pasteur disait à ses frères : « Pour être libre de ce monde, le moine n'a qu'à détester deux choses. » Et comme un de ses frères lui demandait ce que c'était, il répondit : « La jouissance charnelle et la vaine gloire. Si tu veux trouver le repos dans ce monde et dans l'autre, dis-toi toujours : qui suis-je ? Et ne juge personne ! » Un frère d'un couvent ayant commis une faute, l'abbé, sur le conseil d'un ermite, le chassa. Or, comme ce frère s'enfuyait, désespéré, Pasteur l'appela, le consola, et lui demanda d'aller chercher l'ermite qui l'avait dénoncé. Et à cet ermite il dit : « Il y avait deux hommes, dont chacun venait de perdre son fils. Et voici que l'un des deux abandonna son propre mort pour aller pleurer le mort de l'autre ! » L'ermite comprit la parabole, et se repentit. Une autre fois, un frère dit à Pasteur qu'il voulait s'en aller, parce qu'on lui avait rapporté, d'un de ses frères, des choses qui l'avaient scandalisé. Pasteur lui répondit de ne pas croire ces choses, qui n'étaient pas vraies. Et le frère : « Pardon, elles sont vraies, car c'est le frère Fidèle qui me les a rapportées ! » Et Pasteur : « Celui qui te les a rapportées ne saurait être Fidèle ; car, s'il était fidèle, il ne songerait pas à dénoncer ses frères ! » Et le frère : « Mais je l'ai vu aussi de mes propres yeux ! » Et Pasteur : « Sais-tu ce que c'est qu'une paille et qu'une poutre ? Eh bien, mets-toi dans l'esprit que tes péchés à toi sont comme une poutre, et ceux de ton frère comme un fétu de paille ! »

Un frère qui avait commis un grand péché voulut faire pénitence pendant trois ans. Mais d'abord il demanda à Pasteur si c'était beaucoup. Et Pasteur : « C'est beaucoup ! » Le frère demanda si un an de pénitence serait suffisant. Et Pasteur : « C'est beaucoup ! » On en vint à proposer quarante jours ; mais Pasteur dit encore : « C'est beaucoup ! » Et il ajouta : « J'estime que si un homme se repent de tout son cœur, et se promet de ne pas recommencer son péché, Dieu se contente parfaitement d'une pénitence même de trois jours. »

Un frère lui demanda ce qu'il devait faire d'un héritage qui venait de lui échoir. Pasteur lui dit de revenir trois jours après. Et, trois jours après, il lui dit : « Si tu donnes ton argent à l'Eglise, on le dépensera en repas ; si tu le donnes à tes parents, tu n'en auras point de récompense ; si tu le donnes aux pauvres, tu seras certain de l'avoir bien placé. Mais au reste fais ce que tu voudras, car je ne me sens pas le droit de rien décider ! » Voilà ce que nous apprend sur saint Pasteur la *Vie des Pères du Désert*.

CLXXIV
SAINT JEAN, ABBÉ

Jean, abbé, s'entretenant avec un autre solitaire, Episius, qui depuis quarante ans vivait au désert, lui demanda quel profit il en avait retiré. Episius répondit : « Depuis que je suis au désert, jamais le soleil ne m'a vu mangeant ! » Et Jean : « Ni moi en colère ! » De la même façon, comme l'évêque Epiphane nourrissait de viande le solitaire Hilarion, celui-ci lui dit : « Pardonne-moi, car depuis que j'ai revêtu cet habit, je n'ai point mangé de nourriture animale. » Et l'évêque : « Moi, depuis que j'ai revêtu cet habit, jamais j'ai permis que quelqu'un allât dormir qui avait dans son cœur un grief contre moi ; et, moi-même, jamais je ne me suis endormi en ayant au cœur un grief contre quelqu'un. » Et Hilarion : « Pardonne-moi, car tu es meilleur que moi ! »

Jean résolut un jour de ne rien faire pour lui-même, à la façon des anges, afin de se consacrer plus entièrement à Dieu. Il se dépouilla donc de son froc, sortit de sa cellule, et, pendant une semaine, resta étendu dans le désert. Mais au bout de cette semaine, mourant de faim et tout dévoré des morsures des mouches et des guêpes, il alla frapper à la porte d'un de ses frères. Et celui-ci : « Qui es-tu ? » Et lui : « Je suis Jean ! » Mais le frère : « C'est impossible ! Jean est devenu un ange, et n'est plus parmi les hommes ! » Et Jean : « Je t'assure que c'est moi ! » Mais le frère lui refusa de lui ouvrir la porte et le laissa en peine jusqu'au lendemain. Puis, lui ouvrant enfin la porte, il lui dit : « Si tu n'es qu'un homme, tu as besoin de travailler pour te nourrir et pour vivre ! » Et Jean : « Pardonne-moi, frère, car j'ai péché ! »

Jean étant sur le point de mourir, ses frères lui demandèrent de leur laisser quelques bonnes paroles, en guise d'héritage. Mais il gémit et dit : « Jamais je n'ai fait ma propre volonté, et jamais je n'ai rien enseigné qu'en le faisant moi-même ! » Tout cela est extrait de la *Vie des Pères*.

CLXXV
SAINT MOÏSE, ABBÉ

Le solitaire Moïse dit à un de ses frères, qui lui demandait de l'instruire :
« Enferme-toi dans ta cellule, et elle t'enseignera tout ! »

Un vieillard malade voulait se rendre en Egypte pour ne pas être trop à charge
aux frères. Moïse lui dit : « Ne t'en va pas, car tu commettrais le péché de
chair ! » Et le vieillard : « Comment peux-tu me dire cela, à moi qui ne suis
plus qu'un cadavre ? » Il partit donc, et une jeune fille le soigna par
dévouement ; et quand il fut convalescent, il la viola. Lorsqu'elle eut enfanté
un fils, le vieillard prit l'enfant dans ses langes, et, le jour d'une grande fête,
entra dans l'église où les frères étaient rassemblés. Et il leur dit : « Vous voyez
cet enfant ? C'est le fils de la désobéissance ! Prenez bien garde à vous, mes
frères, et priez pour moi ! » Après quoi il revint s'enfermer dans sa cellule.

Un des frères ayant péché, on envoya chercher Moïse, qui arriva en portant
sur son dos un sac plein de sable. Et comme on lui demandait ce que cela
signifiait : « Ce sont mes péchés qui courent derrière moi, mais, comme je ne
les vois pas, voici que je viens juger les péchés d'autrui ! » Les frères
comprirent et pardonnèrent au coupable. On raconte une chose analogue du
solitaire Prieur, qui, ayant à juger un de ses frères, fit porter derrière lui un
grand sac de sable et, devant lui, un sac plus petit. Et il dit : « Le grand sac, ce
sont mes péchés mais comme ils sont derrière moi, je ne les vois pas et ne
m'en afflige pas ; le petit sac, ce sont les péchés de mon frère ; et comme ils
sont devant moi, je suis tout prêt à les juger avec sévérité. »

Moïse fut ordonné prêtre, et l'évêque lui dit, en le revêtant du superhuméral :
« Te voilà tout blanc ! » Et lui : « Seigneur, que ne puis-je l'être plutôt au
dedans ! » Puis l'évêque, voulant l'éprouver, dit à son clergé de le repousser
au moment où il approcherait de l'autel, et d'écouter ensuite ce qu'il dirait.
On fit ainsi, et on entendit qu'il disait : « Voilà qui est bien fait pour toi ! car,
n'étant pas un homme, pourquoi as-tu eu la présomption d'aller parmi les
hommes ? » Tout cela est extrait de la *Vie des Pères*.

CLXXVI
SAINT ARSÈNE, ABBÉ

Arsène, étant encore à Rome, dans le palais de ses parents, priait Dieu de le diriger dans les voies du salut. Il entendit une voix qui lui dit : « Fuis les hommes et tu sera sauvé ! » Il adopta donc la vie monacale ; et dès qu'il l'eut fait ; la voix lui dit : « Retraite, silence, repos ! »

Au sujet de ce « repos » que doivent rechercher les serviteurs du Christ, on lit dans la *Vie des Pères*, l'histoire suivante. Trois frères s'étant fait moines, l'un choisit pour tâche de ramener la paix parmi les gens en discorde, le second, de soigner les malades, le troisième, de se reposer dans la solitude. Sur quoi le premier se mit en devoir d'apaiser les querelles ; mais il ne put plaire à tous ; et, désespérant de son œuvre, il se rendit chez son frère. Il le trouva non moins abattu que lui-même. Et c'est dans cet état qu'ils se rendirent tous deux auprès du troisième frère. Quand ils lui eurent raconté leurs déboires, l'ermite versa de l'eau dans un bassin et leur dit : « Regardez-vous dans cette eau quand elle est troublée ! » Puis il leur dit : « Regardez-vous maintenant dans la même eau devenue tranquille ! » Cette fois ; ils virent leur visage reflété dans l'eau. Et leur frère leur dit : « De la même façon, ceux qui vivent au milieu des hommes se trouvent hors d'état de voir leurs propres péchés ; mais, dès qu'ils se reposent, ils peuvent voir leurs péchés. »

Une vieille dame noble et pieuse vint voir le solitaire Arsène, et, par l'entremise de l'archevêque Théophile, lui fit demander de la recevoir. Comme Arsène s'y refusait, elle se rendit jusqu'à sa cellule, l'aperçut debout devant la porte, et se prosterna à ses pieds. Et Arsène, après l'avoir relevée, avec indignation : « Malheureuse femme, pourquoi as-tu entrepris ce voyage ? Tu vas maintenant revenir à Rome ; tu y raconteras à toutes les femmes que tu as vu le solitaire Arsène, et toutes voudront venir pour me voir aussi ! » Et la dame : « Si Dieu me permet de revenir à Rome ; je ferais en sorte qu'aucune femme ne vienne ici : mais je te supplie de prier pour moi et de ne pas m'oublier ! » Mais lui : « Je vais prier Dieu qu'il efface ton souvenir de mon cœur ! » Ce qu'entendant la dame, confuse, s'en retourna en ville, et, à force de s'affliger, fut prise de fièvre. L'archevêque, venu près d'elle pour la consoler ; lui dit : « Ne sais-tu donc pas que tu es une femme, et que c'est par les femmes que l'ennemi attaque le plus volontiers les saints ? Voilà pourquoi Arsène t'a dit ce qu'il t'a dit ! Mais, quant à ton âme, tu peux être certaine qu'il priera pour elle ! » Et la vieille dame, ainsi consolée, recouvra la santé.

La *Vie des Pères* raconte, à ce même propos, l'histoire d'un moine qui, ayant à porter sa vieille mère pour traverser un fleuve, commença par s'envelopper les mains dans son manteau. Et sa mère : « Pourquoi couvres-tu tes mains, mon enfant ? » Et lui : « Le corps de toute femme est fait de feu ! J'ai peur que, en te touchant, l'image des autres femmes ne me revienne à l'esprit ! »

Arsène passa toute sa vie assis dans sa cellule, ayant dans son sein un linge pour essuyer les pleurs qui coulaient de ses yeux. Il veillait toute la nuit. Et, le matin, tombant de fatigue, il disait au sommeil : « Viens, mauvais serviteur ! » et il s'endormait pour un peu de temps. Il disait : « Une heure de bon sommeil doit suffire au moine ! »

Le père d'Arsène, qui était un riche sénateur, laissa à son fils, en mourant, toute sa fortune. Alors un certain Magistrien vint lui apporter le testament paternel ; et lui, le prenant en main, voulait le déchirer. Magistrien le supplia de n'en rien faire, disant que, s'il le faisait, on lui trancherait la tête. Et Arsène : « Je suis mort avant mon père. Comment donc peut-il faire de moi son héritier ? » Et il rendit le testament sans vouloir le lire.

Un jour, une voix lui dit : « Viens, je te montrerai les œuvres des hommes ! » Puis, l'ayant conduit en un certain lieu, l'ange lui montra d'abord un Ethiopien s'occupant à faire un fagot de bois si lourd qu'il ne pouvait l'emporter. L'ange lui fit voir ensuite un homme qui puisait de l'eau dans un lac pour la verser dans une citerne creuse, d'où l'eau, tout de suite, retournait dans le lac. Il lui montra aussi deux hommes qui portaient une longue poutre ; mais quand ils voulurent entrer dans le temple, ils ne le purent, à cause de la façon dont ils portaient la poutre. Et l'ange dit : « Ceux-ci, ce sont ceux qui subissent le joug de Dieu avec orgueil, non avec humilité ; et, pour ce motif, ils ne peuvent entrer dans le royaume de Dieu. L'homme qui fait les fagots est le pécheur que sa pénitence n'empêche pas de pécher de nouveau, et qui ajoute ainsi l'iniquité à l'iniquité. L'homme qui verse de l'eau dans la citerne sans fond est l'homme qui, en mêlant les bonnes et les mauvaises actions, perd le bénéfice de ses bonnes actions. » Tout cela est extrait de la *Vie des Pères*.

CLXXVII
AGATHON, ABBÉ

Le solitaire Agathon garda, pendant trois ans, une pierre dans sa bouche, afin de s'accoutumer au silence. Un autre frère, entrant au milieu d'une assemblée, se dit : « Tu n'es qu'un âne. Fais donc comme l'âne, qui brait et ne parle pas, reçoit l'injure et ne répond rien ! » Un autre frère, chassé de table, ne répondit rien. Plus tard, interrogé sur le motif de sa conduite, il répondit : « J'ai voulu ressembler au chien, qui, quand on le chasse, s'en va ! »

Interrogé sur la plus difficile de toutes les vertus, Agathon répondit : « C'est de prier Dieu ; car, dans les autres travaux, on peut toujours se reposer ; tandis que l'homme qui prie doit toujours lutter. » Et il disait à ses frères : « Vous devez toujours vivre entre vous comme au premier instant où vous vous rencontrez, et ne point vous faire de confidences. Car il n'y a point de pire passion que la confidence, et c'est elle qui engendre toutes les passions. Un homme irrité, même s'il ressuscitait les morts, ne plairait encore ni à Dieu ni aux hommes. Deux frères avaient vécu longtemps ensemble sans que rien pût jamais les irriter l'un contre l'autre. Un jour, l'un d'eux dit à l'autre : « Essayons de nous quereller, comme font les autres hommes ! » Et l'autre : « Mais je ne sais pas comment on fait pour se quereller. » Et son frère : « Tiens, je pose là cette cruche, je dis qu'elle est à moi, tu réponds qu'elle est à toi, et voilà une querelle ! » Ils mettent donc la cruche au milieu de la cellule. Et l'un dit à l'autre : « Ceci est à moi ! » L'autre répond : « Mais non, c'est à moi ! » Et son frère : « Eh bien oui, c'est à toi ! tu peux le prendre ! » Et ainsi ils se séparèrent sans être parvenus à se quereller.

Avant de mourir, Agathon resta immobile pendant trois jours, les yeux ouverts. Ses frères lui demandèrent ce qu'il faisait. Et lui : « J'attends le jugement de Dieu ! » Et eux : « En as-tu peur ? » Et lui : « Je me suis efforcé autant que j'ai pu d'obéir aux ordres de Dieu. Mais je suis homme, et je ne sais pas si mes œuvres plairont au Seigneur ! » Et eux : « Tes œuvres ne sont-elles donc pas suivant Dieu ? » Et lui : « Je ne saurai cela que quand je comparaîtrai devant Lui. Car la justice de Dieu ne peut pas être la même que celle des hommes. » Et comme ses frères voulaient continuer à l'interroger, il leur dit : « Par pitié, ne me dites plus rien, car je suis occupé ! » Et, cela dit, il rendit l'âme joyeusement. Tout cela est extrait de la *Vie des Pères*.

CLXXVIII
SAINT PÉLAGE, PAPE[24]

[24] C'est ici que Jacques de Voragine a placé son *Histoire lombarde*, qui n'est en somme, comme l'on va voir, qu'une chronique des principaux événements politiques et religieux, depuis le Ve jusqu'au XIIIe siècle.

Pélage fut un pape d'une grande sainteté, qui mourut plein de bonnes œuvres, après avoir gouverné l'Eglise de la façon la plus louable. Nous devons ajouter que ce Pélage n'est pas celui qui fut pape immédiatement avant saint Grégoire. A saint Pélage succéda Jean III, à Jean III Benoît, à Benoît un autre Pélage, qui eut pour successeur saint Grégoire.

C'est sous le pontificat de saint Pélage que les Lombards sont arrivés en Italie ; et comme leur histoire est généralement peu connue, j'ai décidé de la résumer ici, d'après l'*Histoire lombarde* de l'historiographe Paul, et diverses chroniques.

Les Lombards.

I. Les Lombards étaient un grand peuple germanique qui, sorti de l'île de Scandinavie, sur le rivage septentrional de l'Europe, parvint enfin, après de nombreux combats et voyages, en Pannonie, où il s'installa à demeure, n'osant pas s'avancer plus loin vers le sud. On les appela d'abord les Vinules, puis les Lombards, à cause des longues barbes qu'ils avaient coutume de porter. Or, pendant qu'ils étaient encore en Germanie, leur roi Agilmud trouva, dans une piscine, sept enfants jumeaux que leur mère, une femme galante, avait jetés là pour les faire mourir. Le roi, surpris, retournait ces enfants avec sa lance, lorsque l'un d'eux saisit la lance dans sa main. Ce que voyant, le roi le fit élever, lui donna le nom de Lamission, et lui prédit un grand avenir. En effet, ce Lamission se distingua si fort qu'à la mort d'Agilmud ce fut lui que les Lombards élurent pour roi.

Vers le même temps, c'est-à-dire vers l'an 490, un évêque arien, ayant à baptiser un homme appelé Barbe, lui dit : « Je te baptise au nom du Père, par le Fils, dans le Saint-Esprit » ; ce par quoi il voulait signifier que le Fils et le Saint-Esprit étaient inférieurs au Père. Mais aussitôt toute l'eau disparut de la piscine qui servait au baptême, et Barbe se convertit à la foi véritable. — Vers le même temps encore fleurirent deux frères utérins, saints Médard et Gildart, qui naquirent le même jour, furent consacrés évêques le même jour, moururent le même jour et furent béatifiés le même jour. — Et il y a encore un autre miracle que nous devons raconter ici. L'an 450, pendant que l'hérésie arienne pullulait en Gaule, l'unité de substance des trois personnes de la Trinité fut démontrée aux hommes par un symbole visible. Sigebert raconte en effet que l'évêque de Bazas, célébrant sa messe, vit tomber sur l'autel trois gouttes transparentes, d'égale grandeur, qui, se réunissant, formèrent un unique diamant d'une beauté merveilleuse. L'évêque plaça ce diamant au milieu d'une croix d'or : aussitôt toutes les autres pierres de la croix se détachèrent et tombèrent. Ce diamant paraissait obscur aux impies tandis qu'il s'illuminait pour les yeux des justes ; il donnait la santé aux malades et renforçait la piété de ceux qui adoraient la croix.

Dans la suite, les Lombards eurent un autre roi nommé Alboin, qui défit et tua le roi des Gépides : ce qui lui valut d'être ensuite attaqué par le fils de ce roi, qu'il défit et tua pareillement. Après quoi, il prit pour femme la fille de ce roi, nommée Rosemonde ; et, en même temps, du crâne du roi vaincu il se fit faire une coupe, ornée d'argent ; et il s'en servait pour boire.

L'empire romain était alors gouverné par Justin le Petit, avec l'aide d'un eunuque nommé Narsès, homme de sens et de valeur, qui avait repoussé l'invasion des Goths, et rendu la paix à toute l'Italie. Mais les grands honneurs dont il jouissait lui attirèrent l'envie des Romains : faussement accusé auprès de l'empereur, il perdit ses dignités ; et l'impératrice Sophie, pour achever de l'humilier, le condamna à dévider et à filer la laine avec ses servantes. A quoi Narsès se résigna en disant qu'il tisserait pour l'impératrice une toile dont, aussi longtemps qu'elle vivrait, elle ne pourrait sortir.

Et en effet ce Narsès, s'étant retiré à Naples, manda aux Lombards d'abandonner leur misérable Pannonie pour venir prendre possession du sol fertile de l'Italie. Ce qu'entendant, Alboin se mit en route avec ses Lombards, et pénétra en Italie, l'an du Seigneur 568. Ils s'emparaient de toutes les villes qu'ils trouvaient sur leur passage, mettant à mort tous les habitants : car Alboin s'était juré de tuer tous les chrétiens. Mais quand ils voulurent entrer à Pavie, après un siège de trois ans, le cheval du roi s'agenouilla devant la porte de la ville, et, pressé de coups d'éperon, refusa de se relever. Alors un chrétien expliqua au roi la cause du miracle ; et c'est ainsi qu'Alboin renonça à son serment. Les Lombards pénétrèrent ensuite à Milan. En peu de temps, ils subjuguèrent presque toute l'Italie, à l'exception de Rome et de la Romagne.

Se trouvant à Vérone, dans un grand festin, Alboin versa à boire à sa femme dans le crâne du roi Gépide, en lui disant : « Bois avec ton père ! » Ce qui remplit Rosemonde de haine contre son mari. Or, il y avait un chef lombard qui avait pour concubine une servante de la reine. Rosemonde, une nuit, prit place dans le lit de sa servante, y reçut le chef, puis, après s'être donnée à lui, lui dit : « Sais-tu qui je suis ? » Il répondit en nommant sa concubine. Mais elle : « Pas du tout ! Je suis Rosemonde ; et tu viens de perpétrer un crime qui, si tu ne tues pas Alboin, te vaudra certainement d'être tué par lui ! Donc, je veux que tu me venges de mon mari, qui, ayant tué mon père, m'a fait boire dans son crâne en guise de coupe ! » Le chef se refusa à tuer lui-même Alboin, mais promit de trouver quelqu'un pour accomplir le crime. Alors la reine enleva de la chambre du roi toutes les armes qui s'y trouvaient, et lia fortement le glaive qu'Alboin mettait toujours à la tête de son lit, de manière que le roi ne pût le tirer du fourreau. Lorsque le meurtrier pénétra dans la chambre, le roi, qui l'avait vu venir, sauta hors de son lit, et, ne parvenant pas à tirer son glaive, saisit un escabeau et se défendit vaillamment. Mais le meurtrier, mieux armé que lui, eut enfin sur lui le dessus, et le tua. Puis, emportant tous les trésors du palais, il s'enfuit avec Rosemonde à Ravenne. Mais là, Rosemonde, ayant vu un jeune et beau préfet, et l'ayant désiré pour mari, versa du poison dans le verre de son complice ; et lui, après en avoir bu, fut étonné d'un goût amer, et ordonna à Rosemonde de boire le reste. Rosemonde, le couteau sur la gorge, dut boire le breuvage empoisonné ; et c'est ainsi que tous deux périrent.

Enfin un roi lombard, nommé Adaloth, se fit baptiser et reçut la foi du Christ. Plus tard, une reine lombarde nommée Théodelinde, personne pieuse et sage, fit construire un bel oratoire à Monza. Elle convertit à sa foi son mari Agisulphe, qui fut duc de Turin avant de devenir roi des Lombards. Et c'est sur le conseil de Théodelinde que ce roi fit définitivement la paix avec l'Empire et l'Eglise romaine. Cette paix fut conclue le jour des saints Gervais et Protais ; et c'est pourquoi saint Grégoire fit chanter à l'office de la messe, le jour de ces saints : *Loquetur Dominus pacem*, etc. Saint Grégoire était d'ailleurs l'ami de la reine Théodelinde, à qui il dédia ses *Dialogues*. Et la paix, conclue le jour des saints Gervais et Protais, fut confirmée le jour de Saint-Jean-Baptiste par la conversion générale des Lombards. En souvenir de quoi Théodelinde fit construire à Monza le susdit oratoire, dédié à saint Jean, qu'une vision avait, en outre, révélé à un saint homme comme le patron et le défenseur des Lombards.

Grégoire, à sa mort, eut pour successeur Savin, qui eut pour successeur Boniface III, à qui succéda Boniface IV. C'est à la prière de ce dernier que l'empereur Phocas, en l'an 660, donna à l'Eglise chrétienne le Panthéon de Rome. Et c'est sur les prières de Boniface III qu'il consentit à reconnaître la chaire de Rome comme la tête de toutes les Eglises, titre que revendiquait, jusqu'alors, l'église de Constantinople.

Mahomet.

II. C'est sous le pontificat de Boniface IV, après la mort de Phocas et sous le règne d'Héraclius, vers l'an du Seigneur 610, que le mage et faux prophète Mahomet commença à induire en erreur les Ismaëlites ou descendants d'Agar, c'est-à-dire les Sarrasins. Et voici, d'après une histoire de cet imposteur, comment il s'y prit. Un clerc fameux, dépité de ne pouvoir obtenir de la curie romaine un honneur qu'il désirait obtenir, se réfugia outre-mer, où il fit de nombreuses dupes. Rencontrant Mahomet, il lui déclara qu'il le mettrait à la tête de son peuple. Et, d'abord, il accoutuma une colombe à venir manger des grains qu'il introduisait dans l'oreille du jeune Sarrasin : de telle sorte que la colombe, dès qu'elle apercevait Mahomet, accourait sur son épaule et mettait son bec dans son oreille. Alors le clerc susdit, ayant convoqué le peuple, lui dit que celui-là devrait être son chef que lui désignerait l'Esprit-Saint, descendant sur lui sous la forme d'une colombe. Puis il lâcha la colombe, qui vint se placer sur l'épaule de Mahomet et lui becqueta dans l'oreille. Le peuple crut que c'était le Saint-Esprit qui descendait sur lui, pour lui dicter à l'oreille la parole de Dieu. Ainsi Mahomet trompa les Sarrasins, qui, le prenant pour chef, envahirent le royaume de la Perse et tout l'empire d'Orient jusqu'à Alexandrie.

Voilà ce que raconte une chronique populaire ; mais plus vraisemblable est une autre version, que nous allons rapporter maintenant. D'après celle-ci, Mahomet, inventant lui-même des lois, feignait de les recevoir de l'Esprit-Saint, sous la forme d'une colombe. Dans ces lois, il introduisit bon nombre de choses empruntées à l'Ancien et au Nouveau Testament. Car, dans sa première jeunesse, il avait été marchand, avait parcouru avec ses chameaux l'Egypte et la Palestine, et s'était souvent entretenu avec des Juifs et des chrétiens. De là vient que les Sarrasins, de même que les Juifs, pratiquent la circoncision ; et s'abstiennent de la viande du porc : Mahomet leur ayant fait croire que le porc avait été créé, après le déluge, de la fiente du chameau. Avec les chrétiens, les Sarrasins croient en un seul Dieu tout-puissant, créateur de toutes choses. Mêlant ainsi le vrai au faux, Mahomet affirme que Moïse a été un grand prophète, et le Christ un prophète plus grand encore, né d'une vierge et par la seule vertu de Dieu. Il dit aussi, dans son *Alcoran*, que le Christ, dans son enfance, a créé des oiseaux avec le limon de la terre. Mais il dit ensuite que ce n'est point le Christ lui-même qui à subi la passion et est ressuscité : d'après lui, c'est un autre homme qui aurait subi la passion, à la place du Christ.

Une femme noble nommée Cadicha, qui était à la tête d'une province appelée Corocanie, voyant cet homme admis dans la familiarité des Juifs et des Sarrasins, crut que la majesté divine était en lui. Et, comme elle était veuve, elle le prit pour mari, ce qui le rendit maître de toute la province. Et lui, par ses artifices, il fit croire non seulement à cette femme, mais aux Juifs et aux Sarrasins, qu'il était le Messie promis par la Loi. Mais, dans la suite, Mahomet eut de fréquents accès d'épilepsie. Et comme Cadicha s'en affligeait, car cette maladie était considérée comme un signe d'impureté, il imagina de lui dire que ses accès étaient causés par l'émotion qu'il ressentait des fréquentes visites de l'archange Gabriel.

Ailleurs encore on lit que le maître de Mahomet fut un moine appelé Serge, qui fut chassé par ses frères pour avoir partagé l'hérésie des Nestoriens, ou, suivant d'autres, celle des Jacobites : secte qui prêche la circoncision, et prétend que le Christ a été non un Dieu, mais un homme juste et saint, conçu du Saint-Esprit, et né d'une vierge, toutes choses que croient également les Mahométans. Ce serait donc ce Serge qui aurait instruit Mahomet dans l'Ancien et le Nouveau Testament. Car jusque-là le jeune homme, avec toute la race des Arabes, adorait Vénus ; et aujourd'hui encore, le jour sacré, pour les Sarrasins, est le vendredi, de même que pour les Juifs le samedi ou sabbat, et pour les chrétiens le dimanche, ou jour du Seigneur.

Enrichi de la fortune de sa femme Cadicha, Mahomet prit une telle ambition qu'il rêva de devenir maître de l'Arabie entière. Mais comme il voyait qu'il ne pourrait pas dominer les Arabes par la violence, il résolut de se faire passer pour prophète, de manière à les subjuguer par une apparente sainteté. Tenant dans un lieu secret le susdit Serge, il lui demandait conseil sur toutes choses, et disait ensuite au peuple que c'était l'archange Gabriel qui le conseillait. Ainsi tout le peuple se laissa séduire et l'accepta pour chef. On dit aussi que Serge, qui avait été moine, voulut que les Sarrasins revêtissent l'habit monacal, ou du moins la cagoule sans le capuchon, et que, à l'imitation des moines, ils fissent, à heure fixe, de nombreuses génuflexions et prières, mais en se tournant vers le midi, pour se distinguer des Juifs, qui se tournaient vers l'occident, et des chrétiens, qui se tournaient vers l'orient. Et, en effet, ce sont des pratiques que les Sarrasins observent encore aujourd'hui. Nombreuses sont les lois que Mahomet, à l'instigation de Serge, prit dans la loi mosaïque. C'est ainsi que les Sarrasins font de fréquentes ablutions ; avant de prier, ils doivent se purifier en se lavant les mains, les bras, le visage, la bouche et tous les membres de leurs corps. Dans leurs prières, ils adorent Dieu, qui n'a point d'égal, et Mahomet, son prophète. Ils jeûnent pendant un mois entier de l'année ; et, pendant ce jeûne, ils ne peuvent manger que la nuit. Aussi longtemps qu'il fait assez clair pour qu'on distingue le blanc du noir, ils ne peuvent ni manger, ni boire, ni se souiller en s'unissant à la femme. Ce n'est que depuis le coucher du soleil jusqu'à l'aube du jour suivant qu'ils peuvent manger, boire et se servir de leurs femmes légitimes. Une fois par an, ils doivent se rendre en pèlerinage à la Mecque, où se trouve une maison appelée la Maison de Dieu, qu'ils disent avoir été construite par Adam, et où ils croient qu'ont prié tous les prophètes, depuis Abraham et Ismaël jusqu'à Mahomet. Ils doivent faire le tour de cette maison, vêtus de robes sans couture, et jeter des pierres à l'intérieur, pour lapider le diable. Toutes les viandes leur sont permises, sauf le porc, le sang et les animaux qui ne sont point tués de la main des hommes. Chacun d'eux a le droit d'avoir à la fois quatre femmes, et de répudier ses femmes trois fois. Ils peuvent, en outre, avoir, en aussi grande quantité qu'ils veulent, des captives et concubines, qu'ils ont le droit de revendre à volonté, à moins qu'elles n'aient enfanté de leurs œuvres. Ils ont également le droit de prendre des femmes dans leur propre famille, pour fortifier leur race. L'homme surpris avec une femme adultère est lapidé avec elle ; l'homme surpris en fornication avec une femme ne lui appartenant pas est frappé de quatre-vingts coups de verges. Seul Mahomet prétendit que, par la voix de l'ange Gabriel, Dieu lui avait permis d'approcher les femmes des autres, afin d'engendrer des sages et des prophètes. Un jour, cependant, un de ses esclaves, qui avait une femme très belle, l'ayant trouvée avec Mahomet, la répudia. Et Mahomet la prit chez lui avec ses autres femmes ; mais, craignant les murmures du peuple, il raconta qu'une charte lui avait été donnée du ciel, d'après laquelle la femme répudiée par son mari appartenait à celui qui l'avait recueillie : loi que les Sarrasins observent encore aujourd'hui. Quand l'un d'entre eux est accusé en justice, il n'a qu'à affirmer, sous serment, son innocence pour être acquitté. Les voleurs sont d'abord battus de verges ; à la seconde récidive on leur coupe une main ; à la troisième, un pied. Enfin, l'usage du vin est absolument interdit. A ceux qui obéissent à tous les commandements de sa loi, Mahomet promet le paradis, c'est-à-dire un jardin de délices tout arrosé de cours d'eau, où ils auront des demeures éternelles, un ciel toujours pur et doux, des mets excellents, des vêtements de soie, et où ils pourront s'accoupler en mille façons voluptueuses avec des vierges d'une beauté surnaturelle. Des anges s'y promèneront à toute heure, leur offrant du lait et du vin dans des vases d'or et d'argent. Ses élus y verront aussi trois fleuves, l'un de lait, l'autre de miel et l'autre de vin. Et ils y verront des anges si grands qu'ils auront besoin d'une journée entière pour mesurer l'espace compris entre leurs deux yeux. Ceux qui ne croient pas en Mahomet seront au contraire condamnés à un enfer sans fin. Mais de quelques péchés qu'un homme soit chargé, si, dans l'instant de sa mort, il croit à Mahomet, celui-ci obtiendra de Dieu son salut à l'heure du jugement.

Les Sarrasins croient encore bien d'autres choses au sujet de leur faux prophète : par exemple que Dieu, en créant le ciel et la terre, avait devant les yeux le nom de Mahomet, et que, si Mahomet n'avait pas dû naître, Dieu n'aurait créé ni le ciel ni la terre. On raconte aussi que Mahomet a pris la lune dans son sein, l'a partagée en deux, puis reformée entière. On raconte que, des ennemis voulant lui faire avaler du poison dans de la viande d'agneau, l'agneau lui aurait dit : « Garde-toi de me manger, car j'ai en moi du poison ! » Ce qui n'empêcha pas Mahomet de mourir empoisonné.

Charlemagne.

III. Mais il est temps que notre plume revienne à l'histoire des Lombards. Ceux-ci, donc, bien qu'ils eussent reçu la foi du Christ, causaient cependant de nombreux ennuis à l'empire romain. Mais plus tard, Pépin, le maire du palais du roi des Francs, étant mort, son fils Charles Martel lui succéda, qui, après de nombreuses victoires, laissa sa charge à ses deux fils Charles et

Pépin. Mais Charles, renonçant au monde, entra au monastère du Mont Cassin, tandis que son frère Pépin, sans avoir le titre de roi, gérait vaillamment le royaume des Francs. Le roi véritable, Childéric, au contraire, était paresseux et inutile, de telle sorte que Pépin demanda au pape Zacharie si, se contentant d'avoir le nom de roi, cet incapable devait continuer à régner. A quoi le pape répondit que celui-là devait être roi qui savait bien gérer le royaume. Ce qu'entendant les Francs enfermèrent Childéric dans un monastère et firent roi Pépin, en l'an du Seigneur 750.

Or, peu de temps après, Astolphe, roi des Lombards, dépouilla l'Eglise romaine de ses possessions ; et le pape Etienne, qui avait succédé à Zacharie, réclama contre eux l'aide du roi Pépin. Celui-ci vint en Italie avec une nombreuse armée, assiégea le roi Astolphe, et obtint de lui quarante otages, comme gage de sa promesse de ne plus inquiéter l'Eglise romaine et de lui rendre tout ce qu'il lui avait enlevé. Mais dès que Pépin se fut retiré, Astolphe tint pour nulles toutes ses promesses : ce dont il ne tarda pas à être puni, car, peu après, au moment où il partait pour la chasse, il mourut subitement. Il eut pour successeur Desiderius.

C'est vers le même temps que le roi des Goths, Théodoric, qui gouvernait l'Italie par ordre de l'empereur, et qui était infecté de l'hérésie arienne, exila le philosophe Boëce, qui, avec son gendre Symmaque, avait illustré la république et défendu l'autorité du Sénat romain. Exilé à Pavie, Boëce y écrivit son livre de la *Consolation*. Il fut ensuite mis à mort par ordre de Théodoric. Sa femme, nommée Elpès, passe pour être l'auteur de l'hymne des apôtres Pierre et Paul, qui commence ainsi : *Felix per omnes festum mundi cardines*. Elle composa aussi sa propre épitaphe, ainsi conçue :

Elpes dicta fui, Siciliæ regionis alumna,

Quam procul a patria conjugis egit amor ;

Porticibus sacris jam nunc peregrina quiesco,

Judicis oberni testificata thronum.

Le roi Théodoric mourut subitement. Saint Grégoire raconte qu'un saint ermite le vit enfoncer, nu, dans la chaudière de Vulcain, par le pape Jean et Symmaque, qu'il avait mis à mort.

En l'an du Seigneur 687, florissait en Angleterre le vénérable Bède, prêtre et moine, qui a sa place parmi les saints, mais que l'Eglise appelle d'ordinaire le « Vénérable », et non le « saint ». On raconte, en effet, qu'un jour, dans sa vieillesse, sa vue s'étant obscurcie, il se faisait conduire par un guide, au bras duquel il allait par villes et villages, prêchant la parole de Dieu. Or un jour, comme il traversait une vallée déserte jonchée de grosses pierres, le guide, par moquerie, dit à Bède qu'il y avait là une foule nombreuse, qui attendait en silence sa prédication. Le vieillard se mit donc à prêcher ; et au moment où il terminait son discours par les mots *Per omnia secula seculorum*, toutes les pierres lui répondirent à haute voix, *Amen, venerabilis pater* ! On raconte aussi que, après sa mort, un prêtre s'occupait à écrire un distique latin qu'il voulait faire graver sur son tombeau. Il avait déjà écrit le premier vers : *Hac sunt in fossa*, et il avait d'abord songé à mettre au second vers : *Bedæ sancti ossa*. Mais ce second vers n'allait pas bien pour la mesure : de sorte que le prêtre se coucha, se réservant de réfléchir jusqu'au lendemain. En voici que, le lendemain, en arrivant au tombeau, il trouva le distique complété ainsi de la main des anges :

Hac sunt in fossa

Bedæ venerabilis ossa.

Et l'on raconte encore que le vénérable Bède, au jour de l'Ascension, se fit transporter à l'autel, où il récita jusqu'au bout l'antienne *O Rex gloriæ, Domine virtutum* ; après quoi il s'endormit dans le Seigneur, et un parfum sortit de lui, si doux, que tous se croyaient transportés en paradis. Son corps est conservé, avec de grands honneurs, dans la ville de Gênes.

Vers le même temps, à savoir en l'an 700, Racord, roi des Frisons, au moment de recevoir le baptême, et comme il avait déjà un de ses pieds dans la piscine, demanda tout à coup si c'était au ciel ou en enfer que se trouvaient la plupart de ses ancêtres ; puis, apprenant que c'était en enfer, il retira le pied qu'il avait mis dans l'eau, et dit : « Mieux vaut aller avec le plus grand nombre qu'avec le plus petit ! » Mais on raconte qu'il n'agit ainsi que sur la promesse fallacieuse du démon, qui lui avait dit que, trois jours après, il lui donnerait des biens incomparables ; et, le quatrième jour, ce Racord mourut, d'une mort subite, pour l'éternité. — La même année, on raconte qu'en Campanie du blé, de l'orge et des légumes tombèrent du ciel sous forme de pluie.

En l'an 740, comme on transportait le corps de saint Benoît du Mont Cassin au monastère de Fleury-sur-Loire, et le corps de sa sœur sainte Scolastique au Mans, un moine du Mont Cassin s'opposa à cette translation ; mais les miracles de Dieu et la résistance des Francs eurent raison de sa défense. — La même année, il y eut un grand tremblement de terre, qui détruisit certaines villes, et en transporta d'autres à une distance de plus de six milles, avec tous leurs murs et tous leurs habitants. La même année encore fut faite la translation à Rome de sainte Pétronille, fille de l'apôtre saint Pierre, sur le tombeau de marbre de laquelle ce grand saint avait écrit lui-même : « A Pétronille dorée, ma bien chère fille ! » Et c'est encore vers ce temps que les Tyriens ravagèrent l'Arménie. Ces barbares, ayant été atteints d'une peste, reçurent des chrétiens le conseil de se tondre la tête en forme de croix. Et ils ont gardé jusqu'à nos jours cette pratique, en souvenir de la guérison ainsi obtenue.

A la mort du glorieux Pépin, son fils Charlemagne monta sur le trône. Le pape Adrien lui envoya des légats pour lui demander secours contre le roi des Lombards Desiderius, qui, à l'exemple de son père Astolphe, vexait, en toute manière, l'Eglise romaine. Sur quoi Charles, ayant rassemblé une grande armée, entra en Italie par le mont Cenis, mit le siège devant Pavie, s'empara de Desiderius et de toute sa famille, les exila en Gaule, et rendit à l'Eglise tous les droits que les Lombards lui avaient enlevés. Il avait dans son armée deux vaillants soldats du Christ, Amicus et Amélius, qui furent tués à Mortara, dans la bataille où Charlemagne défit les Lombards. Et ainsi se termina le règne de ces Lombards, qui désormais n'eurent plus de chefs que ceux que leur désignaient les empereurs.

Charles se rendit ensuite à Rome, où le pape, dans un synode de cent cinquante-quatre évêques, lui conféra le droit d'élire les souverains pontifes et d'investir, avant leur consécration, les archevêques et évêques des diverses provinces. C'est aussi à Rome que le pape sacra rois les fils de Charlemagne, Pépin, roi d'Italie, et Louis, roi d'Aquitaine. Mais Pépin, convaincu d'avoir conspiré contre son père, fut tonsuré et fait moine.

En l'an 780, sous le règne de l'impératrice Irène et de son fils Constantin, un homme découvrit, sous un mur en Thrace, un coffre de pierre où se trouvait le cadavre d'un homme avec cette inscription : « Le Christ naîtra de la Vierge Marie. Et c'est sous les empereurs Constantin et Irène que tu me reverras, ô soleil ! »

A la mort d'Adrien, Léon fut élu pape, homme infiniment vénérable, mais à qui les proches d'Adrien firent crever les yeux et couper la langue par la populace, pendant qu'il célébrait les litanies. Mais Dieu lui rendit miraculeusement la vue et la parole ; après quoi Charlemagne le réinstalla dans son siège et châtia les coupables.

Alors les Romains, sur le conseil du pape, l'an du Seigneur 784, d'un accord unanime, se séparèrent de l'empire de Constantinople et proclamèrent empereur Charlemagne, qui reçut la couronne impériale des mains du pape Léon. Car, bien que depuis Constantin le siège de l'empire fût transporté à Constantinople, les empereurs continuèrent à garder le titre d'empereurs romains jusqu'au jour où ce titre fut décerné au roi des Francs. Et, depuis ce temps, il y eut deux empires, l'un appelé Grec ou d'Orient, l'autre romain.

C'est au temps de Charlemagne, et à son instigation, que l'office ambrosien fut solennellement remplacé par l'office grégorien. Saint Ambroise, persécuté par l'impératrice Justine et les siens, et s'étant réfugié dans son église avec la foule des catholiques, avait fait chanter, à la manière orientale, des hymnes et des psaumes, pour empêcher les fidèles de sentir le poids de leur réclusion. Et son institution fut ensuite adoptée dans toutes les églises : mais saint Grégoire, plus tard, y fit nombre de changements, d'additions et de suppressions. D'ailleurs, c'est par une longue suite de modifications que les Pères ont constitué l'office divin. Par exemple, on a commencé la messe de trois manières différentes : on la commençait d'abord par des leçons, comme cela se fait encore au samedi saint ; plus tard le pape Célestin remplaça les leçons par des psaumes ; et saint Grégoire ne garda qu'un verset du psaume de l'*Introït*, qui, avant lui, se chantait tout entier. Les psaumes, autrefois, étaient chantés par tous les fidèles, formant une couronne autour de l'autel : de là vient le nom de *chœur* donné à la partie de l'église qui entoure l'autel. Plus tard Flavien et Théodore firent chanter les psaumes alternativement, ayant appris cet usage de saint Ignace, à qui Dieu lui-même l'avait révélé. Ensuite saint Jérôme ajouta, au chant des psaumes, l'épître et l'évangile. Saint Ambroise, Gélase et saint Grégoire ajoutèrent d'autres chants et d'autres prières : c'est d'eux que vient l'usage de chanter les graduels, les traits et l'Alleluia. Dans le *Gloria in excelsis*, les mots *Laudamus te* et suivants furent ajoutés, d'après les uns, par saint Hilaire, d'après d'autres par le pape Symmaque ou encore par le pape Télesphore. Notker, abbé de Saint-Gall, composa le premier des séquences pour être chantées à la place des neumes de l'Alleluia ; et le pape Nicolas permit de chanter ces séquences à la messe. Germain de Trèves composa le *Rex omnipotens*, le *Sancti spiritus adsit*, l'*Ave maria*, et l'Antienne *Alma Redemptoris Mater*. L'évêque Pierre de Compostelle composa le *Salve Regina*. Et Sigebert affirme, d'autre part, que c'est au roi de France Robert que nous devons la séquence : *Sancti spiritus*.

Charlemagne, au dire de l'archevêque Turpin, était beau, mais d'aspect farouche. Sa taille avait huit pieds de longueur, son visage une palme et demie, sa barbe une palme, et son front un pied. Il était si fort, qu'il tranchait d'un seul coup d'épée un cavalier armé et son cheval, redressait à la fois quatre fers à cheval et levait de terre, d'une seule main, jusqu'à la hauteur de sa tête, un soldat en armes. Il mangeait un lièvre entier ou deux poules, ou une oie, mais était si sobre pour sa boisson, faite de vin coupé d'eau, qu'il buvait rarement plus de trois fois par repas. Il construisit de nombreux monastères et mourut saintement, faisant du Christ son héritier.

Il eut pour successeur à l'empire, en l'an 815, son fils Louis le Débonnaire, sous le règne duquel les évêques et prêtres renoncèrent à porter des ceintures brodées d'or, des manteaux précieux et autres ornements séculiers. L'évêque d'Orléans Théodule, faussement accusé auprès de Louis, fut emprisonné par lui à Angers. Mais un jour que l'empereur, à la fête des Rameaux, suivait une procession qui passait devant la prison, Théodule chanta, par la fenêtre, les beaux vers qu'il venait de composer : *Gloria, laus et honor tibi sit*, etc. ; et l'empereur en fut si charmé qu'il remit l'évêque en liberté et lui rendit son siège. — A ce même empereur Louis, les envoyés de l'empereur grec Michel apportèrent, entre autres présents, la traduction latine des livres de saint Denis sur la *hiérarchie* ; le livre fut déposé dans l'église du saint, et, la même nuit, dix-neuf malades y furent guéris.

A la mort de Louis, l'empire échut à Lothaire : mais les frères de celui-ci, Charles et Louis, lui firent la guerre, et il y eut en France un carnage sans pareil. Enfin, par traité, Charles régna sur la France, Louis sur l'Allemagne et Lothaire sur l'Italie, ainsi que sur cette partie de la France qui s'est appelée depuis Lotharingie ou Lorraine. Ce même Lothaire, plus tard, transmit l'empire à son fils Louis et revêtit l'habit monacal.

Le pape d'alors était Serge, un Romain qui avait pour premier nom, à ce que l'on dit, Bouche de Porc. C'est depuis ce temps que les papes eurent à changer de nom en montant sur le trône apostolique : d'abord parce que le Seigneur a changé les noms de ses apôtres ; en second lieu pour signifier qu'un pape doit changer de vie et devenir parfait ; en troisième lieu pour empêcher qu'un homme occupant une fonction si belle soit forcé de porter un vilain nom.

C'est sous le règne de l'empereur Louis qu'à Brescia, en Italie, on vit pleuvoir du sang pendant trois jours et trois nuits. Vers le même temps d'innombrables sauterelles envahirent la Gaule, ayant six paires d'ailes, six pieds et deux dents dures comme des pierres. Elles traversèrent tout le royaume, détruisant partout la végétation, jusqu'à ce qu'enfin une tempête les noya dans la mer de Bretagne ; mais leurs cadavres, rejetés sur le rivage, amenèrent, en pourrissant, une peste qui fit mourir le tiers de la population.

Les empereurs allemands.

IV. En l'an 938, l'empire échut à Othon Ier. Celui-ci, un jour de Pâques, avait fait préparer un grand repas pour les princes, ses vassaux. Et le petit garçon d'un de ces princes, ayant pris un plat sur la table, fut renversé à terre, d'un coup de bâton, par l'officier qui portait les plats. Le précepteur de l'enfant tua aussitôt cet officier ; et, comme l'empereur voulait le condamner sans jugement, cet homme le renversa lui-même et voulut l'étrangler. Mais Othon, arraché de ses mains, pardonna au précepteur, disant que lui-même avait été coupable de n'avoir pas respecté le caractère sacré de la fête.

A Othon Ier succéda Othon II. Celui-ci, apprenant que les Italiens violaient souvent la paix, vint à Rome, et y offrit un grand banquet, sur les marches de l'église, à tous les princes et prélats de la ville. Et, pendant qu'ils mangeaient, l'empereur les fit tous charger de chaînes ; puis, leur reprochant amèrement la violation de la paix, il fit trancher la tête à ceux qui étaient coupables, et permit aux autres d'achever leur repas.

Il eut pour successeur, en l'an 984, Othon III, surnommé Merveille du Monde. Ce prince avait une femme qui voulait se prostituer à un certain comte. Et comme celui-ci se refusait à un tel crime, elle le noircit auprès de l'empereur, qui le fit décapiter sans jugement. Mais le comte, avant de subir sa peine, pria sa femme de prouver son innocence, après sa mort, par l'épreuve du fer rouge. Un jour donc, la veuve se présente devant l'empereur avec la tête de son mari et lui demande de quel châtiment est digne celui qui a mis à mort un innocent. L'empereur lui répond qu'un tel homme est digne de la mort. Et la veuve : « C'est toi qui es cet homme : car, à la suggestion de ta femme, tu as fait périr mon mari innocent ; et je m'offre à le confirmer par l'épreuve du fer rouge ! » Ce que voyant, l'empereur, stupéfait, se remit entre les mains de cette femme, pour être puni. Mais le pape intervint, et obtint de la veuve, successivement, quatre délais, dont l'un était de dix jours, l'autre de huit, l'autre de sept et l'autre de six. Alors l'empereur, ayant examiné la cause et reconnu la vérité, ordonna que sa femme fût brûlée vive, et céda à la veuve, pour racheter sa faute, quatre châteaux. Ces châteaux se voient encore aujourd'hui dans le diocèse de Luna, et ne portent d'autres noms que les chiffres Dix, Huit, Sept et Six.

L'empire échut ensuite à saint Henri, prince de Bavière. Ce prince maria sa sœur, nommée Galla, au roi de Hongrie Etienne, encore païen, et qu'il convertit ainsi que tout son peuple. Et Etienne acquit une telle piété qu'il mérita de devenir saint lui aussi, et de faire de nombreux miracles. Quant à l'empereur Henri et à sa femme Cunégonde, ils vécurent ensemble dans la chasteté et s'endormirent en Dieu.

A saint Henri succéda Conrad, qui avait épousé la nièce du saint. Il emprisonna bon nombre d'évêques italiens, et incendia un faubourg de Milan, ville dont l'évêque s'était évadé de sa prison. Mais, le jour de la Pentecôte, comme l'empereur assistait à la messe dans une petite église voisine de Milan, cette église fut soudain secouée de coups de foudre et d'éclairs si violents que bon nombre d'assistants moururent de frayeur. Et l'évêque Bruno, qui célébrait la messe, et le secrétaire de l'empereur, et d'autres encore dirent qu'ils avaient vu, pendant la messe, saint Ambroise debout devant Conrad, et le menaçant.

Sous le règne de ce Conrad, en l'an 1025, un certain comte Léopold, craignant la colère du roi, s'était réfugié dans une île, où il habitait une cabane avec sa femme, qui était enceinte. Or l'empereur, comme il chassait dans cette île, fut surpris par la nuit, et dut demander l'hospitalité dans la cabane. La même nuit, la femme de Léopold mit au jour un fils ; et une voix dit à Conrad que l'enfant qui venait de naître serait son gendre. Le lendemain, Conrad ordonna à deux de ses hommes d'enlever par force cet enfant, de le tuer, et de lui apporter son cœur. Mais les deux hommes, touchés de pitié à la vue du bel enfant, le posèrent sur un arbre, et apportèrent à l'empereur le cœur d'un lièvre. Et un prince qui passait par là entendit les vagissements de l'enfant, le recueillit, et, n'ayant point d'enfant de sa femme, il le fit passer pour son propre fils. Et cet enfant, nommé Henri, était si beau, si sage, et si plaisant en toute manière, que Conrad, l'ayant vu, désira le garder près de lui. Mais bientôt un doute lui vint, et il crut reconnaître dans ce jeune homme l'enfant dont il avait jadis ordonné la mort. Pour se débarrasser de lui, il le chargea de porter à l'impératrice une lettre où il avait écrit ceci : « Dès que cette lettre te parviendra, ne manque pas de faire mourir le jeune homme qui te l'aura apportée ! » Mais Henri s'arrêta, en chemin, dans un ermitage, et s'y endormit de fatigue. L'ermite, voyant la lettre impériale, dont le sceau s'était ouvert, eut la curiosité de la lire : et, l'ayant lue, et ayant eu horreur du crime projeté, il y substitua ces mots : « Donne notre fille en mariage au porteur de cette lettre ! » Aussitôt l'impératrice, voyant cette lettre revêtue du sceau impérial, fit célébrer, à Aix-la-Chapelle, les noces de sa fille avec le jeune Henri. Ce qu'apprenant, l'empereur comprit l'inutilité de lutter davantage contre la volonté de Dieu, et décida que son gendre régnerait après lui. A l'endroit où naquit Henri s'élève aujourd'hui encore le célèbre monastère d'Ursanie. Et Henri, devenu empereur, éloigna de sa cour tous les jongleurs, pour donner aux pauvres tout l'argent qu'on leur donnait.

Sous son règne un grand schisme se fit dans l'Eglise, et trois papes furent élus en même temps. Après quoi ils vendirent, tous trois, leur titre à un prêtre nommé Gratien qui, lorsque l'empereur Henri marcha sur Rome pour faire cesser le schisme, alla au devant de lui et lui offrit une couronne d'or, espérant ainsi se le rendre favorable. Mais Henri, ayant convoqué le synode, convainquit ce Gratien de simonie, le déposa, et fit procéder à l'élection d'un nouveau pape : encore que, d'après d'autres auteurs, ce serait Gratien lui-même qui, reconnaissant son erreur, aurait demandé à Henri d'être déposé.

A cet Henri succéda un autre Henri. Sous son règne, Bruno fut élu pape, qui prit le nom de Léon, et qui composa les hymnes d'un grand nombre de saints. Comme il se rendait à Rome, pour prendre possession de son siège, il entendit chanter par les anges l'introït *Dicit Dominus, ego cogito*, etc. C'est aussi à ce moment que l'Eglise fut troublée par l'hérésie de Bérenger, qui prétendait que le corps et le sang du Christ ne se trouvaient point réellement dans l'hostie, mais y étaient seulement figurés : hérésie qui fut remarquablement réfutée par Lanfranc de Pavie, prieur du Bec, qui fut le maître de saint Anselme de Cantorbery.

Puis régna Henri IV, sous le règne de qui fleurit Lanfranc. Et c'est alors que, attiré par l'enseignement de ce docteur, vint à lui le Bourguignon Anselme, qui devait ensuite lui succéder dans le prieuré du Bec. Sous le même règne, Jérusalem, qui avait été prise par les Sarrazins, fut reconquise par les fidèles.

C'est aussi le temps où les restes de saint Nicolas furent transportés à Bari. Du couvent de Molesme sortirent vingt et un moines, avec leur abbé saint Robert, pour aller fonder un ordre nouveau dans la solitude de Cîteaux. Le prieur de Cluny Hildebrand fut élu pape sous le nom de Grégoire. Hildebrand, tandis qu'il n'était encore que légat à Lyon, convainquit miraculeusement de simonie l'archevêque d'Embrun. Cet archevêque corrompait tous ses accusateurs et l'on ne parvenait pas à le convaincre. Mais Hildebrand lui ordonna de dire : « Gloire au Père, au Fils, et au Saint-Esprit ! » Et l'archevêque disait bien : « Gloire au Père, et au Fils », mais en vain il s'efforçait d'ajouter : « Et au Saint-Esprit » : car il avait péché contre le Saint-Esprit. Alors il reconnut son péché, fut déposé, et put de nouveau nommer à haute voix le Saint-Esprit. Ce miracle nous est raconté par Bonizzi, dans le livre qu'il a dédié à la comtesse Mathilde. En l'an 1107, Henri IV mourut à Spire, et y fut enseveli avec les empereurs précédents : et l'on grava ce vers, sur son tombeau :

Filius hîc, pater hîc, avus hîc, proavus jacet istic.

A Henri IV succéda Henri V, qui s'empara du pape et des cardinaux, et ne les remit en liberté qu'en échange du droit d'investir les évêques et les abbés. C'est sous son règne que saint Bernard, avec ses frères, entra au monastère de Cîteaux. Dans la paroisse de Liège, une truie enfanta un pourceau qui avait un visage d'homme ; ailleurs naquit un poulet avec quatre pattes.

A Henri V succéda Lothaire. Sous son règne naquit en Espagne un monstre qui avait deux corps et deux visages, à moitié homme, à moitié chien.

Sous Conrad, qui fut fait empereur en 1138, mourut le savant et pieux docteur Hugues de Saint-Victor. Dans sa dernière maladie, ne pouvant plus prendre aucune nourriture, il demandait cependant à recevoir l'hostie sainte. Les frères, pour le calmer, lui apportèrent une hostie non consacrée. Mais lui : « Mes frères, pourquoi voulez-vous me tromper ? Ce n'est point mon Seigneur que vous m'avez apporté là ! » Alors ils lui apportèrent une hostie consacrée. Et lui, voyant qu'il ne pouvait pas l'avaler, leva les mains au ciel, et dit : « Que le Fils remonte vers le Père, et que l'âme remonte à Dieu qui l'a faite ! » Ce disant, il rendit l'âme, et l'hostie disparut miraculeusement. — Sous le même règne, Eugène, abbé du monastère de Saint-Anastase, est élu pape. Renvoyé de Rome, où les sénateurs ont nommé un autre pape, il vient en Gaule, et envoie devant lui saint Bernard, qui prêche les voies de Dieu et fait de nombreux miracles. — C'est aussi le temps où fleurit Gilbert de la Porrée.

En l'an 1154, l'empire échoit à Frédéric, neveu de Conrad. C'est le temps où fleurit maître Pierre Lombard, évêque de Paris, qui compile excellemment la

Glosse du psautier et des Epîtres de saint Paul. — Trois lunes apparaissent au ciel, puis trois soleils, et au milieu le signe de la croix. — Contre le pape canonique Alexandre deux autres cardinaux se font nommer papes, et allèguent la faveur de l'empereur. Et ce schisme dure dix-huit ans, pendant lesquels l'armée allemande de Frédéric attaque les Romains à Monte Porto, et les massacre en si grand nombre, depuis l'heure de none jusqu'à l'heure des vêpres, que jamais il n'y eut autant de Romains tués à la fois, bien que, jadis, Annibal ait pu remplir trois coffres avec les bagues prises par lui aux doigts des patriciens massacrés. Beaucoup des victimes de Frédéric sont enterrées dans l'église des saints Etienne et Laurent.

Frédéric, pendant qu'il visite la Terre Sainte et se baigne dans un fleuve, est tué, ou, suivant d'autres, se noie, en l'an 1190. Il a pour successeur son fils Henri. Sous son règne ont lieu des pluies si terribles, avec tant de tonnerres, d'éclairs, et de tempêtes, que de mémoire d'homme, on en n'a point connu de pareilles. Des pierres grosses comme des œufs se mêlent à la pluie, détruisent les arbres, les vignes, les moissons, et tuent nombre d'hommes. Et l'on voit aussi voler dans les airs des corbeaux et autres oiseaux qui, portant dans leur bec des charbons allumés, incendient les maisons.

Henri VI s'était montré si tyrannique à l'égard de l'Eglise que, à sa mort, le pape Innocent III s'opposa à ce que son frère Philippe fût élu empereur, et fit couronner roi d'Allemagne, à Aix-la-Chapelle, Othon, prince de Saxe. C'est alors que des chevaliers français, qui voyageaient outre-mer après la délivrance de la Terre Sainte, s'emparèrent de Constantinople. C'est aussi de ce moment que date la création de l'ordre des Frères Prêcheurs, et de tous les autres frères. Et Innocent III envoya aussi des ambassadeurs à Philippe, roi de France, pour le sommer d'envahir le territoire des Albigeois et de détruire l'hérésie. Sur quoi Philippe, s'étant emparé des hérétiques, les fit tous brûler.

Enfin Innocent couronna Othon empereur, et lui fit jurer de respecter les droits de l'Eglise ; mais Othon, sitôt élu, rompit son serment, et fit confisquer les biens de tous ceux qui se rendraient en pèlerinage à Rome : sur quoi le pape l'excommunia et le déposa de l'empire. C'est alors que vécut sainte Elisabeth, fille du roi de Hongrie et femme du landgrave de Thuringe : entre autres miracles innombrables, on dit qu'elle ressuscita seize morts, rendit la vue à un aveugle-né, et que, aujourd'hui encore, une huile découle de ses saintes reliques.

Après la déposition d'Othon, Frédéric, fils d'Henri, fut élu empereur et couronné par le pape Honorius. Ce prince édicta d'abord des lois excellentes pour la liberté de l'Eglise et contre les hérétiques. Mais plus tard, enivré à son tour par l'excès de gloire et de fortune, il se montra tyrannique à l'égard de l'Eglise, emprisonna deux cardinaux, fit saisir des prélats que le pape Grégoire IX convoquait pour un concile, et se vit excommunié par ce pontife. Puis

Grégoire, accablé de tribulations, mourut, et Innocent IV, Génois d'origine, réunit à Lyon un concile qui déposa Frédéric. Et, depuis sa déposition et sa mort, le siège impérial a été vacant ; il l'est encore à l'heure où nous écrivons ceci.

CLXXIX
LA DÉDICACE DE L'ÉGLISE [25]

[25] La *Dédicace de l'Eglise* était, autrefois, le dernier office du *Bréviaire*, dont la *Légende Dorée* n'est qu'une façon d'adaptation à l'usage du peuple.

I. La dédicace des églises est comptée par l'Eglise au nombre des grandes fêtes. Nous avons à considérer, par rapport à cette fête, trois questions : 1° pourquoi doit-on « dédier » ou consacrer une église ? 2° comment se fait cette consécration ? 3° par qui et comment une église est-elle profanée ?

1° Il y a, dans une église, deux choses que l'on doit consacrer, à savoir l'autel et le temple lui-même. L'autel est consacré pour trois motifs : 1° Pour devenir digne de recevoir le sacrement du Seigneur, c'est-à-dire le corps et le sang du Christ, que nous immolons en souvenir de sa passion, ainsi qu'il nous l'a lui-même ordonné. Et c'est encore pour nous rappeler cette passion et ce sacrement qu'on place sur l'autel, et dans toute l'église, l'image du crucifix et d'autres images, afin qu'elles soient comme les livres des fidèles laïcs. 2° Pour devenir digne de servir de lieu à l'invocation du nom du Seigneur. Cette invocation, quand elle se fait sur l'autel, s'appelle proprement *missa*, messe, en raison de la mission céleste du Christ dans l'hostie. Et nous devons noter, à ce propos, que la messe se chante en trois langues, en grec, en hébreu, et en latin, en souvenir de la triple inscription mise sur la croix, et aussi pour signifier que toutes les langues doivent célébrer Dieu. Latins sont l'évangile, l'épître, l'oraison et le chant ; grecs sont les mots *Kyrie eleison*, *Christe eleison*, qui se chantent neuf fois en souvenir des neuf ordres des anges ; enfin hébreux sont les mots *alleluia*, *amen*, *sabaoth*, et *hosanna*. 3° Pour devenir digne de servir de lieu au chant religieux. Ce chant lui-même est de trois sortes : les psaumes, les leçons, et les chants proprement dits.

Quant au temple où se trouve l'autel, l'Eglise le consacre pour cinq motifs : 1° pour en chasser le diable et son pouvoir. Saint Grégoire rapporte dans un de ses *Dialogues* que, lorsque les reliques de saint Sébastien et de sainte Agathe furent déposées dans une église qui avait servi de temple à l'hérésie arienne, la foule vit un porc courir, çà et là, se frayant un chemin vers la porte ; et dès qu'il eut atteint la porte il disparut. La nuit suivante, on entendit, dans le toit de cette église, un bruit effroyable, comme si quelqu'un courait çà et là, cherchant à s'enfuir. Ce tapage se reproduisit encore les deux nuits suivantes, et avec tant de force qu'on crut bien que l'église allait s'écrouler. Mais la quatrième nuit, on ne l'entendit plus, et désormais l'église se trouva purifiée. 2° Pour que ceux qui se réfugient dans l'église puissent être sauvés. Et c'est en symbole de ce salut spirituel que certaines églises, lors de leur consécration, reçoivent des princes le privilège du droit d'asile, c'est-à-dire la permission de mettre à l'abri des poursuites ceux qui viennent s'y réfugier. 3° Pour que les prières faites dans l'église soient exaucées. Notons, ici, que les prières, dans l'église, s'adressent du côté de l'orient, parce que nous considérons l'orient comme le lieu de l'Eden, notre première patrie, et parce que c'est du côté de l'orient que les apôtres ont vu le Christ monter au ciel. 4° Pour que nous puissions célébrer, dans le temple, les louanges de Dieu. Ces louanges se célèbrent dans les sept heures canoniques, à savoir : matines, prime, tierce, sexte, none, vêpres, et complies. Car, bien que nous soyons tenus de louer Dieu à toute heure, l'Eglise, en considération de notre faiblesse, nous a permis de louer spécialement Dieu à ces sept moments privilégiés, dont chacun correspond à un souvenir sacré. C'est en effet, à minuit, heure des matines, qu'est né le Christ, qu'il a été pris par les Juifs, et qu'il est descendu aux enfers. Prime est l'heure où le Christ lui-même avait coutume de se rendre au temple et c'est aussi l'heure où il apparut aux saintes femmes, après sa résurrection. Tierce est l'heure où le Christ, attaché à une colonne qui montre encore les traces de son sang, a été flagellé par ordre de Pilate, et c'est aussi l'heure où l'Esprit-Saint a été envoyé aux apôtres. Sexte est l'heure où le Christ a été attaché à la croix avec des clous, et où la terre entière s'est couverte de ténèbres. None est l'heure où le Christ a rendu son âme, où l'on a percé son flanc, et où il est monté au ciel. Vêpres est l'heure où il a institué le sacrement de l'Eucharistie, où il a lavé les pieds des disciples, où il a été mis au tombeau, et où il est apparu aux disciples d'Emmaüs. Complies est l'heure où il a sué des gouttes de sang, et où, ressuscité, il est venu annoncer la paix à ses disciples. Enfin, 5°, l'Eglise doit être consacrée pour que puissent y être administrés les sacrements ecclésiastiques.

2° — Voyons maintenant de quelle manière se fait la consécration de l'autel, et celle du temple entier. Pour consacrer l'autel, on figure d'abord, aux quatre coins, quatre croix avec de l'eau bénite ; puis on fait sept fois le tour de l'autel ; puis on l'asperge sept fois d'eau bénite mêlée d'hysope ; puis on y brûle de l'encens ; puis on l'oint avec le saint chrême ; enfin on le recouvre d'une nappe immaculée. Ces six opérations symbolisent les vertus que doivent posséder ceux qui approchent de l'autel. 1° Ils doivent avoir les quatre sortes d'amour sanctionnées par la croix du Christ, c'est-à-dire l'amour de Dieu, l'amour de soi-même, l'amour des amis, et l'amour des ennemis. Et les quatre croix signifient aussi le salut des quatre parties du monde par la croix. 2° Les sept tours de l'autel symbolisent la vigilance que le Seigneur exige de ses prêtres. Et ils peuvent rappeler aussi les sept chemins de Jésus-Christ, à savoir : du ciel dans le sein de la Vierge, de ce sein à la crèche, de la crèche dans le monde, du monde sur la croix, de la croix dans le tombeau, du tombeau aux enfers, et des enfers au ciel. 3° Les sept aspersions d'eau bénite symbolisent les sept fois que le Christ a versé son sang, à savoir : dans la circoncision, au Jardin des Oliviers, dans la flagellation, dans le couronnement d'épines, dans le percement de ses mains, dans le percement de ses pieds, et dans le percement de son flanc. 4º La fumée de l'encens symbolise la prière, qui doit s'élever au ciel avec ferveur et dévotion. 5º L'onction du saint chrême signifie que le prêtre doit avoir la conscience pure et le parfum de la bonne réputation. 6º Enfin les nappes immaculées symbolisent la pureté des bonnes œuvres, qui cachent la nudité de l'âme et l'ornent de beauté.

Quant à la consécration du temple tout entier, elle comprend également plusieurs parties. D'abord l'évêque fait trois fois le tour de l'église, et, chaque fois qu'il passe devant la porte, il frappe celle-ci de son bâton pastoral, en disant : *Aperite portas principes vestras*, etc. Puis on asperge d'eau bénite l'intérieur et l'extérieur du temple ; on fait aussi, sur le pavé, une croix de cendres et de sable, et on y écrit, en travers, l'alphabet grec et l'alphabet latin ; sur les murs, on peint des croix qu'on oint de saint chrême, et devant lesquelles on allume des cierges. Et voici maintenant la signification de ces diverses cérémonies : 1º Le triple tour de l'Eglise signifie que celle-ci est consacrée en l'honneur de la Sainte Trinité. Ou bien encore il désigne le triple état des âmes sauvées par l'Eglise, à savoir l'état de virginité, l'état de continence, et l'état de mariage. Cette distinction des trois états se retrouve, suivant Richard de Saint-Victor, dans la disposition matérielle de l'église : car le sanctuaire correspond à l'état de virginité, le chœur, à l'état de continence, et la nef à l'état de mariage. 2º La triple percussion à la porte symbolise le droit qu'a le Christ de pénétrer dans l'église, à savoir, en sa qualité de créateur, de rédempteur et de glorificateur. 3º La triple récitation de la formule *aperite portas* désigne la triple puissance du Seigneur, à savoir : dans le ciel, dans le monde, et dans l'enfer. 4º L'aspersion d'eau bénite a pour objet, d'abord, l'expulsion du démon, que l'eau bénite a pour vertu propre de chasser. Cette aspersion a aussi pour objet la purification de l'église, qui, comme toutes choses terrestres, est corrompue et souillée. Et cette aspersion a enfin pour objet de relever l'église de toute malédiction, et d'y substituer la bénédiction de Dieu. 5º L'inscription des deux alphabets représente la conjonction du peuple juif et du peuple des gentils, et aussi la conjonction des deux testaments, lesquelles, toutes deux, ont été consommées par la croix du Christ. 6º La peinture des croix sur les murs a pour objet d'effrayer les démons, et de marquer le triomphe du Christ, dont la croix est l'étendard. 7º Enfin les cierges allumés devant ces croix, au nombre de douze, symbolisent les douze apôtres, qui ont illuminé le monde par la foi du Christ.

3º Quant à la question de savoir par qui une église est profanée, nous devons nous rappeler que le Temple même de Dieu a été profané par trois hommes : Jéroboam, Nabuzardam, et Antiochus. 1º Jéroboam a profané le temple par avarice, afin que le royaume n'échût pas à Roboam. Et, de même, l'église de Dieu se trouve profanée par l'avarice des clercs. Saint Bernard a dit : « Citez-moi donc un prélat qui ne mette pas plus de vigilance à vider la bourse de ses sujets qu'à extirper les vices ! » Et l'église est encore profanée lorsqu'elle est construite avec un argent acquis par l'avarice, c'est-à-dire mal gagné. Un usurier, ayant fait construire une église, invita l'évêque à venir la consacrer. Mais l'évêque, en y entrant, aperçut le diable assis dans la cathèdre en habit épiscopal. Ce que voyant, l'évêque s'enfuit avec ses clercs, l'église ayant déjà été consacrée par le diable ; et aussitôt le diable détruisit cette église avec un grand fracas ; 2° Quant à Nabuzardam, dont le livre des *Rois* nous apprend qu'il incendia le temple de Dieu, c'était un chef cuisinier. Et, de même, l'église est profanée lorsque ceux qui doivent la servir sont adonnés à la gourmandise ou à la luxure, et, suivant la parole de l'apôtre « ont fait de leur ventre leur dieu ». 3° Le roi Antiochus, qui souilla et profana le Temple de Dieu, était le plus orgueilleux des hommes, et le plus ambitieux. Et, de même, les églises sont souvent profanées par l'orgueil et l'ambition du clergé.

Profané trois fois, le Temple a été aussi consacré trois fois : par Moïse, par Salomon, et par Juda Macchabée ; ce qui nous indique que, à la dédicace de l'église, doivent concourir l'humilité de Moïse, la sagesse de Salomon, et le zèle de Juda Macchabée pour la défense de la foi.

II. Voilà ce que nous avons eu à dire de la consécration de l'église ; mais nous devons ajouter qu'il y a une autre église qui doit être non moins solennellement consacrée à Dieu : c'est, à savoir, l'église spirituelle, que forme l'assemblée de tous les fidèles. Elle a pour pierres d'angle la foi, l'espérance, la charité, et les bonnes œuvres ; choses qui, comme le dit saint Grégoire, sont toujours égales, car nous espérons dans la mesure où nous croyons, nous aimons dans la mesure où nous croyons et espérons ; et nos œuvres sont en proportion de notre foi, de notre espérance, et de notre charité. L'autel de cette église est notre cœur, sur lequel autel nous devons offrir à Dieu trois choses : la flamme de la dilection, l'encens de l'oraison, et le sacrifice de la pénitence.

Et, de même que l'église matérielle, ce temple spirituel doit être consacré solennellement. D'abord son prêtre, le Christ, en fait trois fois le tour, en nous rappelant les péchés de notre bouche, de notre cœur, et de nos œuvres. Et il frappe trois fois à la porte fermée de notre cœur, par ses bienfaits, par ses conseils, et par ses épreuves. Et l'église spirituelle doit être aussi arrosée trois fois d'eau, à l'intérieur, et à l'extérieur ; et cela par les larmes intérieures et extérieures, que nous devons verser en considérant : 1° que nous avons vécu dans le péché ; 2° que nous sommes misérables ; 3° que nous sommes privés de la gloire des justes. Quant à l'alphabet écrit dans notre cœur, il consiste en trois choses qui se trouvent gravées en nous : 1° la règle de nos actions ; 2° le témoignage des bienfaits de Dieu ; 3° l'accusation de nos propres péchés. Et nous devons enfin peindre des croix dans nos âmes, c'est-à-dire assumer les macérations de la pénitence ; et devant ces croix nous devons allumer des cierges, et nous devons les oindre d'huile sainte, ce qui signifie que nous devons, non seulement les supporter avec patience, mais encore avec zèle et avec plaisir.

Et celui qui aura procédé à cette consécration de lui-même, celui-là sera vraiment un temple dédié au Seigneur. Celui-là sera vraiment digne que le Christ habite en lui sous la forme de la Grâce divine, en attendant que lui-même soit admis à habiter dans la Gloire du Christ. Ce que daigne nous accorder le Dieu qui vit et règne dans les siècles des siècles ! Ainsi soit-il !

FIN